4. Juli '91
die verzweifelte
Piccolino Barbara

## Zu diesem Buch

Die Lebensgefährtin Jean-Paul Sartres schildert in diesen Aufzeichnungen, die mit der Befreiung im Jahre 1944 einsetzen und über das Gewirr der Nachkriegspolitik, die Spannungen des Kalten Krieges und die Schrecken des algerischen Konflikts bis zum persönlichen Regiment des Generals de Gaulle reichen, ihre Beziehungen zu Sartre, ihre zahlreichen Reisen mit ihm, die Wandlungen und Wendungen von Sartres Verhältnis zum Kommunismus, ihre Liebesaffären, vor allem ihre lange Liaison mit dem amerikanischen Romancier Nelson Algren, und ihre Freundschaften und Zerwürfnisse mit berühmten Zeitgenossen wie Camus, Koestler, Giacometti, Merleau-Ponty und Raymond Aron; sie beschreibt, wie Sartre und sie ihre verschiedenen Werke schrieben, sie berichtet von den Versuchungen des Ruhms und schließlich von ihrer geradezu besessenen Hinwendung zum Gedanken an Tod und Alter. Der Kerngedanke dieses Buchs ist die vielleicht nur halbbewußte Entdeckung, daß schließlich jeder vom Leben besiegt wird – und sei es auch mitten im beruflichen Erfolg. Ein faszinierendes Zeitdokument über das Leben europäischer Intellektueller des 20. Jahrhunderts.

Am 9. Januar 1908 in Paris geboren, ist Simone de Beauvoir schon seit zwei Jahrzehnten eine führende Repräsentantin des französischen Existentialismus in der Literatur. An der Sorbonne studierte sie Philosophie und bereiste schon in jungen Jahren Europa, Nordafrika und später Amerika. Von 1931 bis 1941 unterrichtete sie an verschiedenen Lyzeen in Marseille, Rouen und Paris. Noch während ihres Studiums lernte sie Jean-Paul Sartre kennen, dem sie bald Lebensgefährtin und geistige Weggenossin wurde. Mit Sartre zusammen gab sie 1942 den Lehrberuf auf und lebte seitdem als freie Schriftstellerin. Ihre erzählenden, dramatischen und essayistischen Arbeiten sind von existentiellem Denken bestimmt. Als Philosophin stets bemüht, Ideen und gedankliche Prozesse darzustellen, blieb Simone de Beauvoir doch stets Künstlerin genug, die Personen ihrer Werke nie als bloße Ideenträger zu benutzen. Für ihren großangelegten Schlüsselroman «Die Mandarins von Paris» (1955; rororo Nr. 761), der die intellektuelle Elite im Frankreich der IV. Republik porträtiert, erhielt sie die höchste literarische Auszeichnung ihres Landes, den «Prix Goncourt». Simone de Beauvoir starb am 14. April 1986 in Paris.

Von Simone de Beauvoir erschienen als rororo-Taschenbücher außerdem: «Das Blut der anderen» (Nr. 545), «Ein sanfter Tod» (Nr. 1016), «Memoiren einer Tochter aus gutem Hause» (Nr. 1066), «In den besten Jahren» (Nr. 1112), «Alle Menschen sind sterblich» (Nr. 1302), «Sie kam und blieb» (Nr. 1310), «Die Welt der schönen Bilder» (Nr. 1433), «Eine gebrochene Frau» (Nr. 1489), «Alles in allem» (Nr. 1976), «Marcelle, Chantal, Lisa...» (Nr. 4755), «Soll man de Sade verbrennen?» (Nr. 5174), «Die Zeremonie des Abschieds» (Nr. 5747), «Das andere Geschlecht» (Nr. 6621), «Das Alter» (Nr. 7095), «Amerika – Tag und Nacht» (Nr. 12206), «Der Wille zum Glück. Simone de Beauvoir-Lesebuch» (Rowohlt 1986) und «Auge um Auge. Artikel zu Politik, Moral und Literatur 1945–1955» (Rowohlt 1987).

In der Reihe «rowohlts monographien» erschien als Band 260 eine Darstellung Simone de Beauvoirs mit Selbstzeugnissen und Bilddokumenten von Christiane Zehl Romero, die eine ausführliche Bibliographie enthält.

Von Axel Madsen erschien: «Jean-Paul Sartre und Simone de Beauvoir. Die Geschichte einer ungewöhnlichen Liebe» (rororo Nr. 4921) sowie von Claude Francis und Fernande Gontier: «Simone de Beauvoir. Die Biographie» (rororo.Nr. 12442).

Simone de Beauvoir

# *Der Lauf der Dinge*

Rowohlt

Die Originalausgabe erschien bei Éditions Gallimard, Paris,
unter dem Titel «La Force des choses»
Aus dem Französischen übertragen von Paul Baudisch

158.–162. Tausend November 1990

Veröffentlicht im Rowohlt Taschenbuch Verlag GmbH,
Reinbek bei Hamburg, Februar 1970
Copyright © 1966 by Rowohlt Verlag GmbH,
Reinbek bei Hamburg
«La Force des choses» © Éditions Gallimard, Paris 1963
Gesamtherstellung Clausen & Bosse, Leck
Printed in Germany
1480-ISBN 3 499 11250 7

Ich habe bereits erwähnt, warum ich mich entschlossen hatte, nach dem ersten Band – *Mémoires d'une jeune fille rangée* [*Memoiren einer Tochter aus gutem Hause*] – meine Autobiographie fortzusetzen. Als ich bei der Befreiung von Paris angelangt war, hielt ich atemlos inne. Ich mußte wissen, ob mein Unternehmen andere interessiere. Allem Anschein nach war das der Fall. Aber bevor ich die Arbeit wieder aufnahm, zögerte ich von neuem. Freunde und Leser hörten nicht auf zu fragen: «Und dann? Und nachher? Wie weit sind Sie jetzt? Schreiben Sie doch weiter. Sie sind uns die Fortsetzung schuldig.» Aber es hat auch an inneren und äußeren Einwänden nicht gefehlt: «Es ist zu früh. Ihr Gesamtwerk ist doch noch gar nicht umfangreich.» Oder: «Warten Sie doch, bis Sie alles sagen können. Auslassungen verfälschen die Wahrheit.» Und dann: «Es fehlt Ihnen der nötige Abstand.» Und auch: «Schließlich lernt man Sie besser in Ihren Romanen kennen.» Das alles hat etwas für sich. Aber mir blieb keine andere Wahl. Die Gleichgültigkeit des Alters, ob sie nun heiter oder trist war, würde mir nicht erlauben, das zu erfassen, was ich einfangen möchte: den Augenblick, da am Rande einer noch lebendigen Vergangenheit der Abstieg beginnt. In diesem Bericht soll mein Blut kreisen. Ich wollte ihn schreiben, solange ich noch ein lebendiger Mensch bin, wollte Rede und Antwort stehen, solange noch nicht alle Fragen sinnlos geworden sind. Vielleicht ist es zu früh. Morgen aber wird es bestimmt zu spät sein.

«Man kennt die Geschichte Ihres Lebens, weil es sich vom Jahre 1944 an in der Öffentlichkeit abgespielt hat.» Auch das hat man mir entgegengehalten. Diese Publizität aber war ja nur eine Dimension meines Privatlebens, und da es meine Absicht ist, Mißverständnisse zu zerstreuen, halte ich es für wichtig, die wahren Zusammenhänge zu schildern. Da ich mehr als früher in die politischen Ereignisse verstrickt war, werde ich im übrigen viel von ihnen reden müssen. Mein Bericht wird aber dadurch keineswegs unpersönlicher werden. Wenn die Politik die Kunst ist, «die

5

Gegenwart vorauszusehen›, werde ich als Laie von einer unvorhergesehenen Gegenwart berichten müssen: Die Art, wie sich mir die Geschichte von Tag zu Tag dargeboten hat, ist ein ebenso eigenartiges Abenteuer wie meine persönliche Entwicklung.

In der Periode, von der nun die Rede sein wird, ging es eher um die Verwirklichung als um die Formung meines Charakters. Obwohl Gesichter, Bücher, Filme, Begegnungen im einzelnen nicht wichtig waren, blieb das Ganze doch bedeutend. Wenn ich von ihnen erzähle, so haben oft die Launen der Erinnerung meine Wahl bestimmt, was nicht bedeutet, daß es sich dabei unbedingt auch um ein Werturteil handelt. Außerdem werde ich die Erlebnisse, von denen ich bereits berichtet habe – meine Reisen nach den USA und nach China –, weglassen, dafür aber meinen Besuch in Brasilien ausführlich beschreiben. Wenn dadurch das Gleichgewicht dieses Buches gestört sein sollte, tut es mir leid. Ich behaupte ja keineswegs, daß es sich um ein Kunstwerk handle (das gilt auch für die beiden ersten Teile): Dieses Wort erinnert mich an eine Statue, die sich im Garten einer Villa langweilt, es gehört zum Sprachgebrauch des Sammlers, des Genießers, aber nicht des schöpferischen Menschen. Es käme mir nicht in den Sinn, die Werke von Rabelais, Montaigne, Saint-Simon oder Rousseau als *Kunstwerke* zu bezeichnen, und es macht mir nichts aus, wenn man meinen Memoiren dieses Etikett verweigert. Denn es ist nicht ein Kunstwerk, sondern mein Leben mit seinen Glanzzeiten, seinen Nöten, seinen Zufälligkeiten, es ist mein Leben, das nach dem ihm gemäßen Ausdruck sucht, das aber nicht als Vorwand für zierliche Ornamente geeignet ist.

Auch diesmal werde ich möglichst wenig überspringen. Es wundert mich immer wieder, wenn man dem Verfasser einer Lebensbeschreibung Längen zum Vorwurf macht, denn wenn mich das Werk interessiert, dann werde ich gern viele Bände lesen, wenn es langweilig ist, dann sind zehn Seiten schon zu viel. Die Farbe des Himmels, der Geschmack einer Frucht – ich erwähne sie nicht aus Selbstgefälligkeit: Wenn es sich um das Leben eines anderen Menschen handelte, würde ich diese sogenannten trivialen Details, sofern sie mir bekannt wären, mit der gleichen Ausführlichkeit schildern. Man spürt in ihnen nicht nur eine Zeit und einen Menschen aus Fleisch und Blut: gerade ihre Bedeutungslosigkeit verleiht einer wahren Geschichte erst den Anstrich der Wahrheit. Sie bestehen nur aus sich selbst. Man hebt sie nur aus dem einen Grund hervor – weil sie da sind: das genügt.

Trotz meiner Zurückhaltung, die auch für diesen letzten Band gilt – da es unmöglich ist, alles zu sagen –, haben mich Kritiker der Indiskretion bezichtigt. Ich habe nicht damit angefangen. Ich will lieber selbst in meine Vergangenheit hinabsteigen, als dieses Geschäft anderen zu überlassen.

Im allgemeinen gesteht man mir eine Eigenschaft zu, um die ich mich sehr bemüht habe: eine Aufrichtigkeit, die von Prahlerei ebenso weit entfernt ist wie von Selbstquälerei und die ich mir bewahrt zu haben hoffe. Seit mehr als dreißig Jahren pflege ich sie in meinen Gesprächen mit Sartre. Ohne falsche Scham, ohne Eitelkeit gebe ich mich Tag für Tag so, wie ich bin, äußere alles, was mich betrifft, ebenso offen, wie ich die Dinge meiner Umgebung wahrnehme. Sie ist mir nicht durch eine besondere Gnade des Himmels zur zweiten Natur geworden, sondern dank der Art und Weise, wie ich die Menschen, auch mich selbst, betrachte. Ich glaube an die Freiheit des Willens und an unsere Verantwortung, aber diese Dimensionen unseres Daseins, mögen sie noch so bedeutsam sein, entziehen sich jeglicher Beschreibung. Was man erfassen kann, sind nur die Voraussetzungen. Ich sehe mich selber als Objekt, als Resultat, ohne daß das Verdienst oder die Unwürdigkeit dabei eine Rolle spielten. Wenn mir eine bestimmte Handlung zufälligerweise allein schon durch den Abstand mehr oder weniger geglückt oder mehr oder weniger mißglückt erscheint, dann kommt es mir in jedem Fall eher darauf an, sie zu begreifen, als ein Urteil darüber zu fällen. Mir selber nachzuspüren, macht mir mehr Vergnügen, als mir zu schmeicheln. Meine Wahrheitsliebe übertrifft bei weitem die Sorge um den guten Eindruck: Sie ist in meiner Vergangenheit verwurzelt, und ich rechne sie mir nicht zur Ehre an. Die Tatsache, daß ich über mich kein Urteil abgebe, hält mich nicht davon ab, mein Leben und mich selber ins helle Licht zu rücken, zumindest in dem Maße, wie dies für meine eigene Welt zutrifft. Vielleicht würde mir die Projektion meines Bildes in eine andere Welt – zum Beispiel die der Psychoanalytiker – bestürzend oder peinlich sein. Aber wenn ich selber die Feder in der Hand habe, schrecke ich vor nichts zurück.

Trotzdem müssen wir uns über die Grenzen meiner Unparteilichkeit verständigen. Ein Kommunist, ein Gaullist – ebenso wie ein Fabrikarbeiter, ein Bauer, ein Militär, ein Musiker – würde diese Jahre anders schildern. Aber meine Ansichten, Überzeugungen, Perspektiven, Interessen, Engagements liegen klar zutage: Sie gehören zu der Zeugenaussage, die von ihnen ausgeht. Selbstverständlich bin ich nur objektiv in dem Maße, wie meine Objektivität mich selber einbezieht.

Genauso wie die beiden früheren Bände verlangt auch dieses Buch von dem Leser eine gewisse Mitarbeit. Ich schildere der Reihenfolge nach sämtliche Etappen meiner Entwicklung, und er muß sich in Geduld fassen, um nicht voreilige Schlüsse zu ziehen. Es ist zum Beispiel nicht richtig, wenn ein Kritiker folgert, daß Sartre immer noch Guido Reni liebe, nur weil er ihn mit neunzehn Jahren geliebt hat. Eigentlich ist es nur der böse Wille, der diese Trugschlüsse diktiert, und dagegen kann ich mich nicht sichern. Dieses Buch besitzt im Gegenteil alle erforderlichen Eigenschaften, um ihn auf den Plan zu rufen, und ich wäre enttäuscht, wenn es niemandem gefiele. Deshalb möchte ich darauf hinweisen, daß sein

7

wahrer Gehalt sich nicht auf der einzelnen Seite, sondern nur in der Gesamtheit äußert.

Man hat mir in dem zweiten Band meiner Memoiren – *La Force de l'âge* [*In den besten Jahren*] – viele kleinere und auch zwei bis drei schwerer wiegende Irrtümer nachgewiesen. Trotz aller Sorgfalt werden mir sicher auch in diesem Buch Irrtümer unterlaufen sein. Aber ich kann nur abermals betonen, daß ich nie mit Absicht gemogelt habe.

# Erster Teil

# I

Wir sind befreit. Auf den Straßen singen die Kinder:

> *Nous ne les reverrons plus*
> *C'est fini, ils sont foutus.*

> [Wir sehen sie nicht mehr, juchhei –
> Es ist vorbei, und wir sind frei.]

Und ich wiederhole im stillen: Es ist vorbei, vorbei ... Es ist vorbei:
Alles beginnt. Waldberg, der amerikanische Freund der Leiris, fuhr uns
mit seinem Jeep in die Umgebung spazieren. Seit Jahren war es das erste
Mal, daß ich wieder in einem Auto saß, daß ich nach Mitternacht durch
die köstliche Milde des Septembers schlenderte. Die Lokale schlossen
frühzeitig, aber nachdem wir die Terrasse der ‹Rhumerie› oder diese
kleine rote und verräucherte Hölle, das ‹Montana›, verlassen hatten,
standen die Trottoirs, die Bänke, die Straßen zu unserer Verfügung. Auf
den Dächern hausten noch immer vereinzelte Scharfschützen, und der
Gedanke machte mich traurig, wenn ich dort über meinem Kopf den
Haß lauern fühlte. Eines Nachts ertönten die Sirenen wieder. Ein Bom-
ber, dessen Herkunft ewig dunkel blieb, überflog Paris. Mehrere V-1
fielen in den Vororten nieder und zerstörten etliche Sommervillen. Waldberg, der im allgemeinen sehr gut informiert war, behauptete, daß die
Deutschen beängstigende Geheimwaffen zur Verfügung hätten. Die
Angst fand in mir ein noch recht warmes Plätzchen wieder. Sie wurde
aber schnell durch den Jubel aufgewogen. Tag und Nacht feierten wir
zusammen mit unseren Freunden die Befreiung, plaudernd, trinkend,
flanierend, lachend: Und alle, die nah und fern genauso feierten wie wir,
wurden zu unseren Freunden. Was für eine Orgie der Brüderlichkeit!
Die Finsternis, die auf Frankreich gelastet hatte, war verscheucht. Stäm-
mige Soldaten in graugelben Uniformen, Kaugummi kauend, boten die

Gewähr dafür, daß man wieder die Meere befahren konnte. Sie marschierten mit lässigen Schritten, und oft sah man sie torkeln. Torkelnd sangen und pfiffen sie auf den Bürgersteigen und auf den Bahnsteigen der Métro, torkelnd tanzten sie abends in den Bars und entblößten laut lachend ihre Kinderzähne. Genet, der keine Sympathie für die Deutschen gehabt hatte, das Idyll aber nicht liebte, erklärte auf der Terrasse der ‹Rhumerie› mit lauter Stimme, daß diese verkleideten Zivilisten keine Haltung aufwiesen. Die Okkupanten in ihren grünen und schwarzen Schalen hätten da anders ausgesehen! In meinen Augen war in dieser Ungezwungenheit junger Amerikaner die Freiheit selber verkörpert: unsere und auch die, welche sie – daran zweifelten wir nicht – über die ganze Welt verbreiten würden. Waren erst einmal Hitler und Mussolini hingerichtet, Franco und Salazar davongejagt, würde sich Europa endgültig von der Schande des Faschismus lossagen. Das Programm der Widerstandsbewegung würde Frankreich auf den Weg zum Sozialismus führen. Wir bildeten uns ein, das Land sei so gründlich aufgerüttelt worden, daß es möglich sein müsse, ohne neue Krämpfe sein Gefüge von Grund auf zu verändern. Der *Combat* formulierte unsere Hoffnungen in seiner Devise: Vom Widerstand zur Revolution.

Dieser Sieg ließ unsere früheren Niederlagen vergessen, es war *unser* Sieg, und uns gehörte die Zukunft, die er eröffnete. Die Regierung bestand aus Widerstandskämpfern, die uns, mehr oder weniger direkt, kannten. Mit vielen verantwortlichen Repräsentanten der Presse und des Rundfunks waren wir befreundet. Die Politik war zu einer Familienangelegenheit geworden, und wir hatten die Absicht, uns einzumischen. «Die Politik geht nicht mehr an dem Einzelnen vorbei», schrieb Camus Anfang September im *Combat*. «Sie ist der direkte Appell des Menschen an andere Menschen.» An Menschen zu appellieren, war unsere Aufgabe, die Aufgabe der Schriftsteller. Vor dem Krieg hatten nur wenige Intellektuelle versucht, ihre Zeit zu begreifen. Alle – oder fast alle – waren bei diesem Versuch gescheitert, und der Mann, den wir am höchsten schätzten, Alain, hatte sich unmöglich gemacht: Wir mußten für Ablösung sorgen.

Ich wußte jetzt, daß mein Schicksal mit dem aller anderen verknüpft war. Die Freiheit, die Unterdrückung, das Glück und Leid der Menschen berührten mich zutiefst. Aber wie schon gesagt, ich hatte keine philosophischen Ambitionen. Sartre hatte in seinem Buch *L'Etre et le Néant* [*Das Sein und das Nichts*] eine umfassende Beschreibung der Existenz, deren Wert von ihrer eigenen Situation abhängt, skizziert und beabsichtigte, seine Bemühungen fortzusetzen. Er sah sich gezwungen, seine Stellungnahme nicht nur mit Hilfe theoretischer Überlegungen, sondern auch durch wirkliche Taten deutlich zu machen. Aus diesem Grund engagierte er sich viel stärker als ich. Nach wie vor diskutierten wir unter uns über seine Ansichten. Manchmal habe ich ihn beeinflußt. Aber in ihrer Dringlichkeit und ihren

12

Nuancen wurde ich durch ihn mit den Problemen vertraut gemacht. Daher muß ich von ihm sprechen, wenn ich von uns sprechen will.

In unserer Jugend hatten wir uns zur KP hingezogen gefühlt, in dem Maße, wie ihr Negativismus sich mit unserem Anarchismus vertrug. Wir wollten das Ende des Kapitalismus herbeiführen, nicht aber die Geburt einer sozialistischen Gesellschaft, die uns, wie wir glaubten, unsere Freiheit rauben würde. In diesem Sinn notierte Sartre am 14. September 1939 in seinen Aufzeichnungen: «Jetzt bin ich vom Sozialismus geheilt, falls ich die Kur nötig hatte.» Im Jahre 1941, als er eine Widerstandsgruppe gründete, war er trotzdem mit den Losungsworten ‹Sozialismus und Freiheit› einverstanden. Der Krieg hatte einen entscheidenden Gesinnungsumschwung bewirkt.

Erstens hatte ihm der Krieg gezeigt, wie sehr auch er in der Geschichte verwurzelt war. Der schwere Schock machte ihm klar, daß er trotz aller Angriffe doch sehr an der bestehenden Ordnung hing. Jeder Abenteurer hat einen sehr konservativen Zug: Um seinen Ruf zu begründen, seine Legende in die Zukunft zu projizieren, braucht er eine dauerhafte Gesellschaft. Sartre, der bis ins innerste Knochenmark dem Abenteuer des Schreibens verschworen war und der von Kind an den heißen Wunsch gehegt hatte, ein großer Schriftsteller zu sein und unsterblichen Ruhm zu ernten, hoffte auf eine Zukunft, die in seinem Sinne ohne Unterbrechung das Erbe dieses Jahrhunderts wieder aufgreifen werde. Im Grunde blieb er der ‹oppositionellen Ästhetik› seiner zwanziger Jahre treu: Eifrig damit beschäftigt, die Mängel dieser Gesellschaft anzuprangern, wollte er sie doch nicht zerstören. Plötzlich war alles aus den Fugen geraten. Die Ewigkeit zerfiel. Er entdeckte, daß er zwischen einer Vergangenheit voller Illusionen und einer dunkel verschleierten Zukunft hilflos dahintrieb. Er wehrte sich mit Hilfe seines moralischen Postulats von der Aufrichtigkeit: Unter dem Gesichtspunkt der Freiheit wird man mit allen Situationen fertig, wenn man sie einem Vorhaben unterstellt. Diese Lösung grenzt eng an den Stoizismus, weil die Umstände oft keinen anderen Weg als den der Unterwerfung freilassen. Da Sartre die Schliche des Innenlebens verabscheute, konnte er nicht lange Gefallen daran finden, seine Untätigkeit durch wortreiche Proteste zu bemänteln. Er sah ein, daß man nicht im Absoluten, sondern im Vergänglichen lebt, daß man auf das Sein verzichten und sich zum Handeln entschließen müsse. Dieser Übergang wurde ihm durch seine frühere Entwicklung erleichtert. Im Denken und Schreiben war es sein anfängliches Bestreben gewesen, Bedeutungen zu erfassen. Nach Heidegger hatte ihn Saint-Exupéry, den er 1940 las, davon überzeugt, daß Bedeutungen durch die Taten der Menschen zustande kommen. Die Praxis sei wichtiger als die Reflexion. Während des ‹närrischen Krieges› hatte er zu mir gesagt – und es sogar in einen Brief an Brice Parain geschrieben –, daß er nach dem Friedensschluß Politik zu machen gedenke.

Das Erlebnis der Gefangenschaft hatte tiefe Spuren hinterlassen. Es hatte ihn Solidarität gelehrt. Weit davon entfernt, sich erniedrigt zu fühlen, nahm er eifrig am Gemeinschaftsleben teil. Er verabscheute alle Privilegien. Da er stolz war, wollte er sich aus eigener Kraft seinen Platz auf der Erde erobern. In der Masse untertauchend, eine Nummer unter Nummern, fand er eine ungeheuere Befriedigung darin, seine Unternehmungen zum Erfolg zu führen. Er schloß Freundschaften, warb für seine Ideen, organisierte, mobilisierte das gesamte Lager, um zu Weihnachten sein gegen die Deutschen gerichtetes Stück *Bariona* unter großem Beifall aufführen zu lassen. Die Strenge und die Wärme der Kameradschaft lösten die Widersprüche in seinem Antihumanismus: Im Grunde rebellierte er gegen den bürgerlichen Humanismus, der im Menschen eine Natur verehrt. Wenn es aber galt, den Menschen zu schaffen, dann hätte nichts ihn mehr begeistern können. Statt Individualismus und Kollektivität gegeneinander zu stellen, betrachtete er sie von nun an nur noch als ein Ganzes. Er wollte seine Freiheit nicht mehr durch eine subjektive Hinnahme der gegebenen Situation verwirklichen, sondern dadurch, daß er die Situation objektiv veränderte, durch den Aufbau einer seinen Wünschen entsprechenden Zukunft. Diese Zukunft war, gerade im Namen der demokratischen Grundsätze, zu denen er sich bekannte, der Sozialismus, von dem ihn nur die Befürchtung getrennt hatte, sich in ihm zu verlieren: Jetzt sah er in ihm gleichzeitig die einzige Chance der Menschheit und die Vorbedingung seiner eigenen Verwirklichung.

Der Zusammenbruch von ‹Sozialismus und Freiheit› war für Sartre eine Lehre, realistischer an die Dinge heranzugehen. Erst später wurde er im Schoß der FN, in Zusammenarbeit mit den Kommunisten, ernsthaft tätig.

1941 mißtrauten sie, wie ich bereits in *La Force de l'âge* erwähnt habe, den kleinbürgerlichen Intellektuellen. Sie verbreiteten das Gerücht, Sartre habe sich seine Freiheit damit erkauft, daß er sich verpflichtete, den Deutschen als Spitzel zu dienen. 1943 forderten sie die Einheitsfront. Es existierte eine den Kommunisten zugeschriebene und in Südfrankreich gedruckte Broschüre, in der Sartre zusammen mit Châteaubriant und Montherlant auf einer Schwarzen Liste figurierte; als er sie Claude Morgan zeigte, rief dieser aus: «Das ist empörend!» Damit war der Zwischenfall beigelegt. Die Beziehungen zwischen Sartre und den kommunistischen Widerstandskämpfern waren durchaus freundschaftlicher Art. Nach dem Abmarsch der Deutschen beabsichtigte er, dieses Einvernehmen aufrechtzuerhalten. Die Ideologen der Rechten haben sein Bündnis mit der KP psychoanalytisch gedeutet und ihm allerlei Komplexe angedichtet: Preisgabe oder Minderwertigkeit, Ressentiment, Infantilismus, Sehnsucht nach einer Kirche. Lauter Dummheiten. Die Massen standen hinter der KP. Nur mit ihrer Hilfe konnte der Sozialismus siegen. Andererseits wußte Sartre jetzt ganz genau, daß seine Beziehungen zum Proletariat ihn selber in Frage stellten. Er hatte das Proletariat stets als die universelle Klasse betrachtet, aber solange er das Absolute durch literarische Tätigkeit zu erreichen hoffte, war ihm der Dienst am Nächsten nur von sekundärer Bedeutung gewesen. Als er seine Verwurzlung in der Geschichte entdeckte, war ihm auch seine Abhängigkeit klargeworden. Es gab keine Ewigkeit, kein Absolutes mehr. Die Universalität, die er als bürgerlicher Intellektueller anstrebte, konnten ihm nur die Menschen vermitteln, in denen sie sich hier auf Erden verkörpert. Er beschäftigte sich bereits mit dem Gedanken, den er später (1952 in *Les Communistes et la paix*) formuliert hat: Die wahre Perspektive ist die des Enterbten. Der Henker kann sein Tun ignorieren – das Opfer erleidet unausweichlich seine Qualen, seinen Tod. Die Wahrheit der Unterdrückung ist der Unterdrückte. Nur mit den Augen der Ausgebeuteten würde Sartre sich selber erkennen. Stießen sie ihn zurück, dann würde er der Gefangene seiner kleinbürgerlichen Sonderexistenz sein.

Unsere freundschaftlichen Gefühle für die Sowjetunion waren durch keine Vorbehalte gestört. Die Opfer, die das russische Volk gebracht hatte, nahmen wir als Beweis dafür, daß die Machthaber seinen Willen verkörperten. Es fiel uns also nicht schwer, mit der KP zusammen zu arbeiten. Sartre hatte aber nicht die Absicht, in die Partei einzutreten. Einmal war sein Unabhängigkeitsdrang viel zu stark. Vor allem aber bestanden zwischen ihm und den Marxisten ernste ideologische Meinungsverschiedenheiten. Die Dialektik, so, wie er sie damals auffaßte, hätte ihn als Individuum beseitigt. Er glaubte an die phänomenologische Intuition, die das Ding als unmittelbar und ‹leibhaftig› auffaßt. Obwohl er den Begriff der *Praxis* als solchen guthieß, hatte er doch keineswegs auf seinen alten Plan verzichtet, eine Morallehre zu schreiben: Seine Bemühungen galten immer noch dem *Sein*. Moralisch leben hieß in seinen Augen, eine wirklich bedeutende Daseinsweise erreichen. Er wollte nicht die Begriffe der Verneinung, der Innerlichkeit, der Existenz, der Freiheit, wie er sie in *L'Etre et le Néant* herausgearbeitet hatte, preisgeben – und er hat sie auch nie preisgegeben. Im Gegensatz zu einem Marxismus, wie ihn die KP vertrat, lag ihm daran, die menschliche Dimension des Menschen zu bewahren. Er hoffte, daß die Kommunisten die Werte des Humanismus zur Geltung bringen würden; mit Hilfe der Werkzeuge, die er von ihnen lieh, würde er versuchen, den Humanismus der Bourgeoisie zu entreißen. Indem er den Humanismus aus der Sicht der bürgerlichen Kultur betrachtete, sah er diese Kultur wiederum aus einer marxistischen Perspektive. «Selbst den Mittelklassen entstammend, versuchten wir, die Verbindung zwischen dem intellektuellen Kleinbürgertum und den intellektuellen Kommunisten herzustellen.» (*Merleau-Ponty vivant* [*Freundschaft und Ereignis. Begegnung mit Merleau-*

15

*Ponty*]) Auf politischer Ebene hatten seiner Meinung nach die mit der KP Sympathisierenden die Rolle zu spielen, die bei anderen Parteien die innere Opposition übernimmt: unterstützen, aber gleichzeitig kritisieren.

Diese liebenswürdigen Träume waren der Widerstandsbewegung entsprungen; wenn sie uns auch die geschichtlichen Zusammenhänge enthüllte, verschleierte sie doch den Klassenkampf. Es sah so aus, als seien zugleich mit dem Nazismus auch die reaktionären Kreise politisch liquidiert worden; von der Bourgeoisie nahm nur die der Widerstandsbewegung angeschlossene Fraktion am öffentlichen Leben teil, die das Programm der CNR akzeptierte. Die Kommunisten unterstützten ihrerseits die Regierung der ‹Nationalen Eintracht›. Als Thorez aus der Sowjetunion zurückkehrte, gab er der Arbeiterklasse den Rat, die Industrie wiederaufzubauen, zu arbeiten, sich zu gedulden und vorläufig auf alle Forderungen zu verzichten. Niemand sprach von einer Rückkehr zum Alten, und auf ihrem Vormarsch gingen Reformisten und Revolutionäre die gleichen Wege. In diesem Klima verwischten sich alle oppositionellen Strömungen. Daß Camus die Kommunisten ablehnte, war ein nur wenig bedeutsamer subjektiver Zug, da seine Zeitung im Kampf für die Durchführung des Programms der CNR den gleichen Standpunkt vertrat. Sartre, der der KP nahestand, sympathisierte indessen mit der Linie des *Combat* in solchem Maße, daß er für diese Zeitung sogar Leitartikel schrieb. Gaullisten, Kommunisten, Katholiken, Marxisten verbrüderten sich. In allen Zeitungen wurden gemeinsame Gedankengänge formuliert. Sartre gab dem *Carrefour* ein Interview. Mauriac schrieb in *Les Lettres françaises*. Wir alle sangen im Chor das Lied von den kommenden Tagen.

Sehr bald verfielen *Les Lettres françaises* dem Sektierertum. Die *Action* zeigte bessere Ansätze; man schien sich mit den jungen Leuten in der Redaktion verständigen zu können. Hervé und Courtade forderten Sartre sogar zur Mitarbeit auf. Er lehnte ab, weil die *Action* Malraux in einer Weise schlechtgemacht hatte, die wir für ungerecht hielten. Wir waren sehr erstaunt, als Ponge, der den Kulturteil redigierte, uns mitteilte, daß sich auf seinem Schreibtisch die gegen Sartre gerichteten Artikel häuften. Er, Sartre, veröffentlichte einige davon, antwortete mit einer Richtigstellung. Man warf ihm vor, viele Ideen von Heidegger übernommen zu haben. Die politische Haltung Heideggers hatte aber schließlich nicht rückwirkend alle seine Gedanken zunichte gemacht. Andererseits hatte der Existentialismus, weit entfernt von jeglichem Quietismus und Nihilismus, den Menschen auf Grund seines Handelns definiert. Wenn er ihn der Angst überantwortet, dann nur in dem Maße, wie er ihn zur Verantwortung heranzieht. Die Hoffnung, die er ihm verweigert, ist das träge Vertrauen, das man nicht sich selber, sondern anderen Dingen entgegenbringt: Er fordert ihn auf, von seinem freien Willen

Gebrauch zu machen. Sartre war überzeugt, daß ihn die Marxisten von nun an nicht mehr für einen Gegner halten würden. Es waren so viele Hindernisse bezwungen worden, daß uns keines mehr unüberwindlich schien. Von den anderen und von uns selbst erwarteten wir alles.

Unsere Umgebung teilte diese Hochstimmung, vor allem die Familie und die alte Garde der Fiestas. Junge Leute hatten sich unserer Gruppe angeschlossen. Rolland, der mit zwanzig Jahren im Maquis Kommunist geworden war, durchdrungen von den Vorzügen der Partei, sah trotzdem großzügig über unsere Abweichungen hinweg. Scipion lachte so laut, daß man ihn für einen lustigen Menschen halten konnte: Er war unübertrefflich in der Parodie, im Kalauer, im Wortspiel, in der pikaresken Anekdote. Astruc, mit seinem breiten, lebhaften Lächeln, schrieb pausenlos in sämtlichen Zeitungen, und wenn er gerade nicht schrieb, dann redete er – vor allem über sich selbst. Mit rührender Eigenliebe beichtete er naive und derbe Einzelheiten aus seinem Privatleben. Im September 1944 zwanzig oder fünfundzwanzig Jahre alt zu sein, war offenbar eine enorme Chance: Alle Wege standen offen. Journalisten, Schriftsteller, angehende Filmtheoretiker diskutierten, schmiedeten Pläne, faßten leidenschaftliche Entschlüsse, als ob ihre Zukunft nur von ihnen selber abhinge. Ihre Heiterkeit bestärkte mich in meiner guten Laune. In ihrem Kreis fühlte ich mich gleichaltrig, ohne etwas von jener Reife einzubüßen, die so teuer erkauft war, daß ich fast in Versuchung geriet, sie für Weisheit zu halten. So vereinte ich – in einer flüchtigen Illusion – die widersprüchlichen Privilegien der Jugend und des Alters. Ich glaubte viel zu wissen und beinahe alles zu können.

Bald darauf kehrten die Emigranten zurück. Bianca hatte sich zusammen mit ihren Eltern und ihrem Mann, einem Studienkollegen, ein Jahr lang in den von der Résistance beherrschten nördlichen Voralpen versteckt gehalten. Raymond Aron war 1940 nach London geflohen und hatte dort, zusammen mit André Labarthe, eine bei den Gaullisten nicht sehr beliebte Zeitschrift, *La France libre*, herausgegeben. Obwohl er seine Gefühle nicht gern zeigte, fielen wir einander in die Arme, als er eines Morgens im ‹Café de Flore› erschien. Etwas später war auch Albert Palle nach England gegangen und war dann mit dem Fallschirm über Frankreich abgesprungen, um im Maquis mitzukämpfen. Tief bewegt sah ich die vertrauten Gesichter wieder. Es war auch ein neues darunter. Camus machte uns mit Pater Bruckberger, dem Feldgeistlichen der FFI, bekannt, der soeben mit Bresson *Das Hohelied der Liebe* gedreht hatte. Er spielte den Bonvivant, saß in weißer Kutte auf der Terrasse der ‹Rhumerie›, rauchte Pfeife, trank Punsch und schwatzte drauflos. Aron nahm uns zum Essen in die Wohnung von Corniglion-Molinier mit, den Vichy zum Tode verurteilt hatte. Man hatte seine Möbel beschlagnahmt, und er kampierte in der avenue Gabriel, in einem leeren Luxusappartement. Geschäftig und charmant berichtete er eine Fülle von

Anekdoten über die Franzosen in England. Auch Romain Gary erzählte uns eines Abends auf der Terrasse der ‹Rhumerie› allerlei Geschichten. Auf einer von *Les Lettres françaises* veranstalteten Cocktailparty traf ich Elsa Triolet und Aragon. Ponge war der kommunistische Schriftsteller, mit dem wir am liebsten zusammen waren. Er sprach wie er schrieb, leicht hingetuscht, mit viel Bosheit und einiger Selbstgefälligkeit. In Versailles, anläßlich einer von dem Verlag Éditions de Minuit veranstalteten Festlichkeit, in deren Verlauf ein Stück von La Fontaine aufgeführt wurde, plauderte ich mit Lise Deharme. Ich erinnere mich nicht mehr an die unzähligen Male, da ein Händedruck, ein Lächeln getauscht wurde, aber ich weiß, welche Freude mir diese Fülle der Begegnungen gemacht hat. Durch diese Zusammenkünfte lernte ich eine historische Zeit kennen, die ich selbst zwar miterlebt hatte, die mir aber unbekannt geblieben war. Aron schilderte uns ausführlich die Bombardements Londons, die Kaltblütigkeit der Engländer und ihre Ausdauer. Die V-1, die ich in Neuilly-sous-Clermont rot am schwarzen Himmel hatte vorbeiziehen sehen, waren in England unsichtbar geblieben: ein Pfiff, eine Explosion, Tote. «Es war Vorschrift, sich platt aufs Pflaster zu werfen, sowie man sie hörte», erzählte Aron. «Einmal, als ich mich erhob, erblickte ich eine alte Dame, die stehen geblieben war und mich von oben bis unten ansah. Ich war so ärgerlich, daß ich ihr einen Verweis erteilte: ‹Madame, in solchen Fällen legt man sich hin!›» Er lieh mir sein Sammelexemplar von *La France libre,* und ich lernte die Geschichte des Krieges, nicht von Paris, sondern von London aus gesehen, kennen. Ich war sozusagen eingesperrt gewesen – jetzt wurde mir die Welt zurückgegeben.

Eine verwüstete Welt. Nach der Befreiung entdeckte man die Folterkammern der Gestapo, grub die Gebeine aus. Bianca berichtete vom Vercors, schilderte die Wochen, die ihr Vater und ihr Mann in einer Grotte zugebracht hatten. Die Zeitungen veröffentlichten Einzelheiten über die Metzeleien, die Geiselhinrichtungen und Berichte über die Zerstörung Warschaus. Diese brutal entlarvte Vergangenheit erfüllte mich mit Grauen. Die Lebensfreude wich der Scham, es überlebt zu haben. Manche konnten sich nicht damit abfinden. Jausion, den der *Franc-Tireur* als Kriegsberichterstatter an die Front entsandt hatte, kehrte nicht zurück, und sein Tod war zweifellos kein Zufall. (Seine Verlobte war, wie ich schon erwähnt habe, deportiert worden. Er war während des Aufstandes auf der place de la Concorde verhaftet und kurz vor dem Einmarsch der Alliierten gegen einen deutschen Offizier ausgetauscht worden. Er hat einen Roman hinterlassen: *Un homme marche dans la ville.*) Der Sieg kam teuer zu stehen. Im September verwandelten die Luftstreitkräfte der Alliierten Le Havre in einen Schutthaufen. Menschen starben zu Tausenden. Die Deutschen verschanzten sich im Elsaß und bei Saint-Nazaire. Im Sommer stürzten sich lautlose schwere

Raketen auf London, die V-2, viel wirksamer als die V-1. Waren das die Geheimwaffen, von denen Waldberg gesprochen hatte, oder existierten andere, noch fürchterlichere? Rundstedts Truppen überschwemmten Holland und ließen die Bevölkerung verhungern. In Belgien eroberten sie einen Teil des verlorenen Terrains zurück und töteten die Bewohner. Blitzschnell malte ich mir aus, daß sie siegreich nach Paris zurückkehren würden. Man wagte nicht daran zu denken, was sich jetzt, wo die Deutschen das Spiel verlorengaben, in den Lagern ereignen würde.

In materieller Hinsicht hatte sich die Lage seit dem vorigen Jahr verschlechtert. Das Transportwesen funktionierte nicht mehr. Es fehlte an Lebensmitteln und Kohle, es gab nicht genügend Gas und Elektrizität. Als die Kälte kam, lief Sartre in einer alten Pelzjacke herum, die bereits die Haare verlor. Bei einem seiner ehemaligen Lagerkameraden, einem Kürschner, kaufte ich einen Kaninchenfellmantel, der mich vor der Kälte schützte. Aber bis auf ein schwarzes Kostüm, das ich für wichtige Gelegenheiten aufsparte, hatte ich darunter nur alte Sachen anzuziehen, und die Sohlen meiner Schuhe waren immer noch aus Holz. Das war mir im übrigen völlig egal. Seit ich mit dem Fahrrad gestürzt war, fehlte mir ein Zahn, die Lücke war zu sehen, aber ich dachte nicht an einen Ersatz: wozu auch? Auf jeden Fall war ich nicht mehr jung, sechsunddreißig Jahre alt. Diese Feststellung war von keiner Bitterkeit getrübt. Durch die Sturzflut der Ereignisse und meine Tätigkeit weit über mich hinausgetragen, war ich jünger als meine Sorgen.

Angesichts dieses Notstandes ereignete sich wenig auf dem Gebiet der Literatur, der Künste und des Theaters. Der Salon d'Automne wurde jedoch zu einer großen kulturellen Kundgebung, einem Rückblick auf die Vorkriegsmalerei: Nachdem die Deutschen die Bilder ins Zwielicht der Ateliers oder die Keller der Händler verbannt hatten, war es ein Ereignis, sie ans Licht kommen zu sehen. Eine ganze Abteilung war Picasso gewidmet. Wir waren oft bei ihm zu Besuch gewesen und kannten seine neuesten Gemälde. Aber hier war das Gesamtwerk dieser letzten Jahre zusammengetragen worden. Es gab schöne Gemälde von Braque, Marquet, Matisse, Dufy, Gromaire, Villon und den erstaunlichen *Hiob* des Francis Guber. Auch die Surrealisten stellten aus: Dominguez, Masson, Miró, Max Ernst. Der Tradition des Salon d'Automne getreu, kamen die Spießbürger herbeigeströmt. Diesmal wurde ihnen aber nicht die gewohnte Nahrung geboten: Vor den Picassos fingen sie an zu grinsen.

Es erschienen nur wenige Bücher. Ich ärgerte mich über Aragons *Aurélien* und nicht weniger über *Die Nußbäume der Altenburg,* das ein Jahr zuvor in der Schweiz erschienen war und den alten Groethuysen zu dem Ausspruch bewogen hatte: «Malraux ist im vollen Besitz seiner Mängel.» *L'Arbalète* brachte die zumeist vom Marcel Duhamel übersetzten Arbeiten unbekannter amerikanischer Autoren – Henry Miller, McCoy, Nathanael West, Damon Runyon, Dorothy Baker –, aber auch die Werke bekannter Verfasser: Hemingway, Richard Wright, Thomas Wolfe, Thornton Wilder, Caldwell und selbstverständlich Saroyan; man konnte keine Zeitschrift öffnen, ohne seinem Namen zu begegnen. In dieser Zeitschrift fand sich außerdem auch ein Engländer, Peter Cheyney. Man sprach von mehreren neuen englischen Schriftstellern: Auden, Spender, Graham Greene, kannte aber ihre Bücher noch nicht. Jemand lieh mir Hillarys *Der letzte Feind*. Der junge Flieger, der über dem Ärmelkanal abgeschossen worden war, einer der letzten langhaarigen Oxforder, schildert mit einem etwas mißtönigen Lachen die Operationen und Transplantationen, mit deren Hilfe man ihm die Augen, ein Gesicht, Hände wiedergegeben hatte. Durch die Absage an jeglichen Humanismus und Heroismus geht der Bericht weit über die Episode hinaus, die ihm als Vorwurf dient. Ich las auch eine große Anzahl von Kriegsbüchern – geringerer Qualität –, die in den USA eigens für die überseeischen Länder gedruckt worden waren. Auf dem weißen, rot gestreiften Umschlag war die Freiheitsstatue mit ihrer Fackel zu sehen. In seinem Buch *G. I. Joe* entwarf Ernie Pyle das Bild eines amerikanischen Frontkämpfers. Die Amerikaner vergötterten «diesen kleinen Mann in der zerknitterten Uniform, der den Krieg haßt, aber die Soldaten liebt und versteht» (Steinbeck). Er schilderte den Alltag des Krieges: «Den Krieg der Männer, die ihre Socken in ihrem Stahlhelm waschen.» (Steinbeck)

*Huis clos* [*Bei geschlossenen Türen*] erschien wieder auf dem Spielplan. Dullin inszenierte *Das Leben ein Traum*. Das Spectacle des Alliés am Pigalle diente vor allem patriotischen Zwecken. Die Stücke, die dort gespielt wurden, fanden wenig Beifall. In einer Privatvorstellung sah ich *Die Hoffnung* von Malraux. Die Dramatisierung gefiel mir ebensogut wie der Roman. Bis auf Capras Montagen *Why We Fight* und ab und zu einen alten Mack Sennett hatte der Film nichts Annehmbares zu bieten. Es hieß jedoch geduldig warten. Man berichtete Wunderdinge aus Hollywood. Ein junges, siebenundzwanzigjähriges Genie namens Orson Welles habe die Filmtechnik revolutioniert. Es sei ihm geglückt, den Hintergrund mit der gleichen Schärfe wiederzugeben wie den Vordergrund, und bei den Innenaufnahmen sei die Zimmerdecke zu sehen. Es hieß, daß die technische Umwälzung so weit gehe, daß man besondere Projektionsapparate brauche, um die neuesten amerikanischen Filme zu zeigen.

Ich übergab Gallimard *Le Sang des autres* [*Das Blut der anderen*], Sartre brachte ihm die beiden ersten Bände von *Les Chemins de la liberté* [*Die Wege der Freiheit*]. *Pyrrhus et Cinéas* erschien. Es war das eine der ersten Arbeiten, die nach der Befreiung das Licht der Welt erblickten. In der allgemeinen Euphorie – und wohl auch, weil man vier Jahre lang von ideologischen und literarischen Interessen abgeschnitten gewesen war – wurde dieser kleine Essay sehr günstig aufgenommen.

Ich fing wieder an zu schreiben. Ich konnte frei über meine Zeit verfügen, denn durch den Film und das Theater verdiente Sartre, der sich vom Staatsdienst hatte beurlauben lassen, etwas Geld. Wir hatten schon immer unsere Einkünfte in einen gemeinsamen Topf getan. Dabei blieb es, und ich hatte keine Nahrungssorgen mehr. Ich habe den Frauen oft zur Selbständigkeit geraten und erklärt, sie beginne beim Portemonnaie, so daß ich eine Haltung rechtfertigen muß, die mir im Augenblick selbstverständlich war. Meine materielle Unabhängigkeit war gesichert, weil ich im Notfall jederzeit meine Tätigkeit als Lehrerin fortsetzen konnte. Nachdem ich wieder in den Staatsdienst aufgenommen worden war, ließ ich mich beurlauben. Es wäre mir dumm und sogar tadelnswert erschienen, wenn ich kostbare Stunden geopfert hätte, nur um mir täglich zu beweisen, daß ich im Grunde unabhängig sei. Ich habe mich nie nach Prinzipien, immer nur nach dem Zweck gerichtet. Nun, ich hatte zu tun. Die Schriftstellerei war für mich zu einem anspruchsvollen Metier geworden. Sie sicherte meine moralische Unabhängigkeit. In der Einsamkeit der übernommenen Risiken, der zu treffenden Entscheidungen verwirklichte ich meine Willensfreiheit viel konsequenter, als wenn ich mich einträglichem Trott gebeugt hätte. Meine eigentliche Leistung waren meine Bücher, und sie ersparten mir jede andere Form der Selbstbehauptung. Ich widmete mich also restlos und ohne Bedenken meinem Werk: *Tous les hommes sont mortels* [*Alle Menschen sind sterblich*]. Jeden Morgen ging ich in die Bibliothèque Mazarine, um Berichte aus alten Zeiten zu lesen. Es war dort eiskalt, aber die Geschichte Karls V., das Abenteuer der Wiedertäufer ließen mich meine körperliche Schwäche vergessen, und ich hörte auf zu schlottern.

Im Jahre zuvor hatten wir uns, wie ich schon erwähnt habe, mit zwei Projekten beschäftigt: einer Enzyklopädie und einer Zeitschrift. Das erste gab Sartre auf, an dem zweiten hielt er fest. Wegen Papiermangels durften nur die Publikationen erscheinen, die schon vor dem Kriege existiert hatten oder während der Besatzungszeit in der freien Zone gegründet worden waren. *Esprit, Confluences, Poésie 44* waren zwar interessant, vertraten aber das Anliegen unserer Zeit nur recht unzulänglich. Man mußte sich etwas anderes einfallen lassen. Sartre äußerte sich über seine Absichten wie folgt: «Wenn es nur *eine* Wahrheit gibt, so dachte ich, dann darf man sie, wie Gide es von Gott gesagt hat, nirgendwo anders suchen als überall. Jedes gesellschaftliche Produkt und jede Haltung – sei es die intimste oder die öffentlichste – sind deren anspielungsreiche Verkörperungen. Eine Anekdote spiegelt ebenso die ganze Epoche wider wie eine politische Verfassung. Wir würden dem Sinn nachjagen, wir würden das Wahre über die Welt und über unser Leben sagen.» (*Merleau-Ponty vivant*) Im September hatten wir die Redaktion beisammen. Camus war zu sehr durch den *Combat* in Anspruch genommen, um mitzumachen. Malraux lehnte ab. Der Redaktion gehörten

21

Raymond Aron, Leiris, Merleau-Ponty, Albert Ollivier, Paulhan, Sartre und ich an. Damals vertrugen sich diese Namen noch miteinander.

Wir suchten einen Titel. Leiris, der sich aus seiner surrealistischen Jugend die Vorliebe für den Skandal bewahrt hatte, schlug einen knalligen Titel vor: «*Grabuge*» [Krach]. Er wurde nicht genehmigt, weil wir zwar kritisieren, aber zugleich auch konstruktiv sein wollten. Der Titel sollte andeuten, daß wir uns tatsächlich für aktuelle Fragen interessierten: Seit vielen Jahren hatten so viele Zeitschriften den gleichen Vorsatz gefaßt, daß keine große Auswahl mehr vorhanden war. Man einigte sich auf *Temps Modernes*. Das war zwar nicht brillant, aber die Verbindung mit Chaplins Film *Moderne Zeiten* gefiel uns. (Als die Zeitschrift gegründet war, passierte es öfters, daß uns *Argus* Zeitungsausschnitte zusandte, die den Film betrafen.) Außerdem sei es, sagte Paulhan in seinem gespielt ernsten Ton, aus dem der Ernst nicht völlig verbannt war, von Wichtigkeit, daß eine Zeitschrift sich durch ihre Initialen bezeichnen lasse, wie das mit NRF [*Nouvelle Revue Française*] der Fall war. TM klinge fast genausogut. Das zweite Problem war der Umschlag. Picasso machte einen recht hübschen Entwurf, der aber besser für eine Kunstrevue als für *Les Temps Modernes* geeignet gewesen wäre. Man hätte auf dem Umschlag keine Inhaltsangabe unterbringen können. Trotzdem hatte er seine Fürsprecher, und innerhalb der Redaktion entspannen sich lebhafte, wenn auch keineswegs bissige Debatten. Schließlich legte uns ein Graphiker des Verlages Gallimard eine Skizze vor, die einmütigen Beifall fand. Unsere Diskussionen gingen vorläufig nur um Lappalien, aber sie machten mir sehr viel Spaß. Diese Gemeinsamkeit im Handeln erschien mir als die vollkommenste Form der Freundschaft. Da Sartre verreist war, sollte ich im Januar in seinem Namen den damaligen Informationsminister Soustelle um eine Papierzuteilung bitten. Leiris, der ihn durch das Musée de l'Homme kennengelernt hatte, begleitete mich. Soustelle war sehr liebenswürdig, aber die Zusammensetzung der Redaktion ging ihm gegen den Strich. «Aron? Warum Aron?» Er warf ihm seine de Gaulle-feindliche Haltung vor. Schließlich entließ er uns mit Versprechungen, die einige Monate später erfüllt wurden.

Sowie die Züge wieder verkehrten, fuhren wir für drei Wochen zu Mme Lemaire. In einem überfüllten Abteil waren wir von acht Uhr früh bis acht Uhr abends unterwegs. Der Zug hielt sich nicht an den üblichen Fahrplan. Wir ließen unser Gepäck in Lion d'Angers und legten ohne Pause zu Fuß die siebzehn Kilometer bis La Pouèze zurück. Auch diesmal verlief der Aufenthalt angenehm und ohne Zwischenfälle.

Nach der Rückkehr bemühte ich mich in Paris um eine Aufführung von *Les Bouches inutiles* [*Unnütze Mäuler*]. Sartre hatte Raymond Rouleau eine Abschrift gegeben, der mir aber erklärte, daß ich mich «zu kurz gefaßt» hätte. Die Knappheit des Dialogs grenze an Trockenheit.

Ich gab mein Stück Vitold, der mir sagte, daß er es gern inszenieren wolle. Badel, der Direktor des Vieux Colombier, nahm es zur Aufführung an. Vitold begann die Rollen zu besetzen: die der Clarice hatte ich Olga zugedacht. Es war davon die Rede, daß Douking die Dekorationen machen sollte, und so unterhielt ich mich mit ihm darüber. Aus diesem Grund war ich mehrmals mit Sartre bei Badel zum Essen eingeladen worden. Eines Abends machte man das ‹Mörderspiel›, und ich war sehr stolz, daß ich der einzige Detektiv war, der den Mörder entdeckte. Ich hatte viel für Gaby Sylvia übrig, die sich nicht mit ihrer Schönheit und ihrer Begabung zufriedengab und etwas lernen wollte. Ihr Lehrer war Robert Kanters, der sie tatsächlich auf das Abitur vorbereitete. Aber ich fühlte mich nicht wohl in diesem allzu großartigen Salon, wo die Menschen nicht meine Sprache sprachen. Gaby Sylvias Kleider waren aus dem Hause Rochas und von einer ausgeklügelten und betörenden Einfachheit, so daß mein schlechthin einfaches schwarzes Kostüm, das ich mir in La Pouèze hatte anfertigen lassen, fast unhöflich wirkte. Ich liebte damals die Geselligkeit, aber das mondäne Leben langweilte mich.

«Würde es Ihnen und Sartre Spaß machen, Hemingway kennenzulernen?» fragte mich Lise eines Abends. «Natürlich!» erwiderte ich. Solche Vorschläge gefielen mir, und dieser kam nicht allzu überraschend. Lises Hauptvergnügen seit der Befreiung war die – wie sie sich ausdrückte – «Jagd auf Amerikaner». Diese verteilten mit leichter Hand ihre Zigaretten und ‹Rationen›, und die ewig hungrige Lise beabsichtigte, von dieser Freigebigkeit zu profitieren. Sie saß allein – anfangs auch zuweilen in Begleitung Scipions – abends auf der Terrasse des ‹Café de la Paix› oder an den Champs-Élysées und wartete darauf, daß ein G. I. sie anredete; gewöhnlich fehlte es nicht an Bewerbern. Wenn sie einen fand, der ihr gleichzeitig diskret und unterhaltsam schien, ließ sie sich zu einem Glas Wein, einer Jeep-Fahrt, einem Abendessen einladen. Als Handgeld für das versprochene Rendezvous, das sie im allgemeinen nicht einhielt, brachte sie Tee, Camels, Pulverkaffee und Fleischkonserven mit nach Hause. Das Spiel war nicht ungefährlich. Auf den Boulevards riefen die Soldaten ihr nach: «Zig-Zig Blondie!», worauf sie lachend weiterging. Wenn sie zudringlich wurden, warf sie ihnen Schimpfworte an den Kopf, die einen alten Haudegen zum Erröten gebracht hätten. Ihr englischer Wortschatz war ebenso reichhaltig wie ihr französischer. Auf der place de l'Opéra begann ihr einer auf die Nerven zu gehen. Sie stieß seinen Kopf kurzerhand gegen einen Laternenpfahl und ließ ihn bewußtlos auf dem Pflaster liegen. Aber sie machte auch erfreulichere Bekanntschaften. Sie hatte sich mit einem jungen, blonden und lustigen Riesen eingelassen, dem jüngeren Bruder Hemingways. Er zeigte ihr die Fotos seiner Frau und seiner Kinder, er brachte ihr Rationskisten, er erzählte ihr von dem «Bestseller», den er schreiben wollte. «Das Rezept kenne ich», sagte er.

An diesem Abend hatte sich Hemingway, der als Kriegsberichterstatter arbeitete und der gerade in Paris eingetroffen war, mit seinem Bruder im ‹Ritz›, wo er wohnte, verabredet. Der Bruder hatte Lise vorgeschlagen, ihn zu begleiten und Sartre und mich mitzunehmen. Das Zimmer, in das wir kamen, entsprach keineswegs der Vorstellung, die ich mir vom ‹Ritz› gemacht hatte. Es war groß, aber häßlich mit den beiden Kupferbetten. In dem einen lag Hemingway im Pyjama, die Augen durch einen grünen Schirm geschützt. In Reichweite standen auf einem Tisch eine beträchtliche Menge halbgeleerter oder ganz leerer Whiskyflaschen. Er stand auf, drückte Sartre die Hand und schloß ihn in die Arme. «Sie sind ein General!» sagte er. «Ich bin nur ein Captain: Sie aber sind ein General!» (Wenn er getrunken hatte, spielte er immer den Bescheidenen.) Das von zahlreichen Gläsern Whisky unterbrochene Gespräch war hinreißend. Trotz seiner Grippe war Hemingway von überschäumender Vitalität. Schlaftrunken wankte Sartre gegen drei Uhr morgens davon. Ich blieb bis zum Morgengrauen.

Bost wollte gern Journalist werden. Camus las das Manuskript des Buches, das er während des Krieges geschrieben und in dem er seine Erlebnisse als Infanterist geschildert hatte – Le Dernier des métiers. Er behielt es für die Reihe Espoir, die er bei Gallimard herausgab, und schickte Bost als Kriegsberichterstatter an die Front. Wenn man ihn um eine Gefälligkeit bat, erwies er sie mit einer so schlichten Selbstverständlichkeit, daß man nicht zögerte, gleich um die nächste zu bitten: es war niemals vergeblich. Als mehrere junge Leute aus unserer Umgebung Mitarbeiter des Combat werden wollten, nahm er sie alle bei sich auf. Wenn wir morgens die Zeitung aufschlugen, kam es uns fast so vor, als öffneten wir unsere Privatpost. Gegen Ende November wollten die USA Frankreich mit ihrer Kriegsrüstung vertraut machen und luden ein Dutzend Reporter ein. Nie hat sich Sartre so gefreut wie an dem Tag, als Camus ihm anbot, den Combat zu vertreten. Um sich die nötigen Papiere, eine Reiseerlaubnis und Dollars zu besorgen, mußte er eine Menge beschwerlicher Gänge machen. Er erledigte sie in der Dezemberkälte mit einer Munterkeit, die fast ein wenig beunruhigend wirkte: denn damals war nichts sicher. Es sah auch wirklich zwei bis drei Tage lang so aus, als sei das Projekt zum Scheitern verurteilt. An Sartres Bestürzung konnte ich seinen Eifer ermessen.

Amerika bedeutete ihm so viel! Vor allem: das Unerreichbare: Jazz, Film, Literatur hatten uns in unserer Jugend interessiert, waren aber auch ein großer Mythos gewesen: und ein Mythos ist eben unerreichbar. Die Reise sollte mit dem Flugzeug gemacht werden. Es erschien uns unglaublich, daß auch für uns die Leistung eines Lindbergh heutzutage möglich sein sollte. Amerika war außerdem der Erdteil, der die Befreier geschickt hatte. Die Zukunft war auf dem Marsch. Der Überfluß und die grenzenlosen Horizonte; ein Tohuwabohu legendärer Bilder: Wenn man sich überlegte, daß man das alles nun mit eigenen Augen sehen sollte, wurde einem schwindlig. Ich freute mich nicht nur für Sartre, sondern auch meinetwegen, da ich überzeugt war, daß, wenn der Weg erst einmal offenstand, ich ihm eines Tages folgen könnte.

Ich hatte gehofft, daß die Weihnachtsferien den Frohsinn unserer früheren Fiestas heraufbeschwören würden, aber am 24. Dezember war die Offensive der Deutschen eben erst aufgefangen worden. Die Angst war noch zu spüren. Bost war an der Front, Olga machte sich Sorgen um ihn. Wir verbrachten einige recht trübe Stunden bei Camille und Dullin. Gegen ein Uhr morgens gingen wir mit Olga und einer kleinen Schar zu Fuß nach Saint-Germain-des-Prés und beendeten die Nacht bei der schönen Evelyne Carral, wo wir Pute zu essen bekamen und Mouloudji seine gewohnten Erfolgschansons sang und Marcel Duhamel, der damals noch nicht Direktor der *Série Noire* war, mit viel Charme amerikanische Songs vortrug. Silvester feierten wir bei Camus, der die Wohnung von Gide in der rue Vaneau übernommen hatte. Dort gab es ein Trapez und ein Klavier. Gleich nach der Befreiung war Francine Camus aus Afrika gekommen, sehr blond, sehr frisch, sehr schön in ihrem schieferblauen Tailleur. Aber wir waren noch nicht oft mit ihr zusammen gewesen. Mehrere Gäste waren uns unbekannt. Camus machte uns auf einen Herrn aufmerksam, der den ganzen Abend hindurch nicht ein Wort von sich gegeben hatte: «Das ist der Mann», sagte er, «den ich als Vorbild für *Der Fremde* genommen habe.» In unseren Augen war die Zusammenkunft nicht intim genug. Eine junge Frau hatte mich in eine Ecke gedrängt und mich in rachsüchtigem Ton beschuldigt: «Sie glauben ja nicht an die Liebe!» Gegen zwei Uhr früh spielte Francine Bach. Niemand trank viel, bis auf Sartre, der sich einredete, daß der Abend nicht anders sei als die früheren, und der sehr bald so angeheitert war, daß er den Unterschied nicht mehr bemerkte.

Am 12. Januar flog Sartre mit einer Militärmaschine ab. Zwischen den USA und Frankreich gab es keinen privaten Postverkehr: Wie es ihm ging, erfuhr ich nur aus seinen Artikeln. Seine Journalistenlaufbahn leitete er mit einem Schnitzer ein, der Aron schaudern ließ: Er schilderte den Antigaullismus der führenden Kreise Amerikas während des Krieges mit solchem Wohlgefallen, daß man ihn beinahe nach Frankreich zurückgeschickt hätte.

Auf Grund einer Abmachung zwischen Camus und Brisson mußte er auch dem letzteren einige Artikel geben. Er schickte ihm Impressionen, Betrachtungen, flüchtig hingeworfene Notizen und reservierte für den *Combat* die Sachen, die ihn Zeit und Mühe kosteten. Camus, der am Tage zuvor im *Figaro* eine ungezwungene lustige Beschreibung amerikanischer Städte gelesen hatte, erhielt zu seiner Verblüffung eine gewissenhafte Studie über die Wirtschaftsprobleme des Tennessee Valley.

Aber auch ich hatte Glück. Meine Schwester hatte Lionel geheiratet, der jetzt am Institut Français in Lissabon beschäftigt war. Er gab eine französisch-portugiesische Zeitschrift, *Affinidades,* heraus und lud mich im Namen des Instituts ein, nach Portugal zu kommen und Vorträge über die Besatzungszeit zu halten. Ich stürzte in die Büros der Kulturabteilung und bat um eine Reiseerlaubnis. Ich mußte mit vielen Leuten verhandeln, aber alle machten mir Versprechungen, und so verzehrte ich mich in stiller Hoffnung.

Man begann im Vieux Colombier mit den Proben zum 3. und 4. Bild von *Les Bouches inutiles.* Ich sammelte Beiträge für *Les Temps Modernes,* knüpfte Beziehungen an. In den ‹Deux Magots› lernte ich Connolly kennen, den Direktor der englischen Zeitschrift *Horizon,* in der während des Krieges Arbeiten der in der Résistance tätigen Schriftsteller erschienen waren, unter anderem auch Aragons *Le Crève-cœur.* Er erzählte mir von den Neuerscheinungen auf dem englischen Büchermarkt und von Koestler, der in London lebte. *Ein spanisches Testament* hatte mir sehr gut gefallen. Am Weihnachtsabend hatte mir Camus *Sonnenfinsternis* geliehen, und ich hatte das Buch in der darauffolgenden Nacht in einem Zug ausgelesen. Mit Befriedigung hörte ich, daß Koestler die Bücher Sartres schätze. Das Mittag- wie das Abendessen nahm ich immer zusammen mit Freunden ein. Wir gingen zu ‹Chéramy›, in das ‹Vieux Paris›, in das ‹Armagnac›, in das ‹Petit Saint-Benoît›. Meine Abende verbrachte ich mit dem einen oder anderen im ‹Montana›, im ‹Méphisto›, in den ‹Deux Magots›. Bost nahm mich einmal zum Mittagessen ins ‹Scribe› mit, wo die Kriegskorrespondenten Zutritt hatten. Es war eine amerikanische Enklave mitten in Paris: Weißbrot, frische Eier, Konfitüren, Zucker, Dosenfleisch.

Ich schloß neue Freundschaften. Vor dem Krieg hatte eine Unbekannte Sartre ein kleines Buch zugeschickt, *Tropismen,* das unbemerkt geblieben war und von dessen Vorzügen wir sehr angetan waren. Es handelte sich um Nathalie Sarraute. Er hatte ihr geschrieben und sie kennengelernt. 1941 war sie zusammen mit Alfred Péron in einer Widerstandsgruppe tätig gewesen. Sartre hatte sie wiedergesehen, und auch ich hatte ihre Bekanntschaft gemacht. In diesem Winter ging ich recht oft mit ihr aus. Als Tochter russischer Juden, welche die zaristischen Verfolgungen zu Beginn des Jahrhunderts aus dem Land getrieben hatten, verdankte sie, wie ich annehme, diesen Umständen ihren nervösen Scharfblick. Ihre Art, die Dinge zu sehen, deckte sich genau mit den Gedanken Sartres. Sie lehnte alles Absolute ab, sie glaubte weder an klar umrissene Charaktere noch an genau bestimmbare Gefühle, noch auch an fix und fertige Anschauungen. In dem Buch, an dem sie momentan arbeitete, *Porträt eines Unbekannten,* bemühte sie sich, im vertrauten Milieu die schillernde Wahrheit des Lebens zu erfassen. Sie war nicht sehr mitteilsam, diskutierte aber leidenschaftlich gern über literarische Fragen.

Im Herbst begegnete ich beim Anstehen vor einem Kino an den Champs-Élysées in Gesellschaft einer gemeinsamen Bekannten einer eleganten, großen, blonden Frau mit außerordentlich häßlichen Zügen, aber strahlender Vitalität: Violette Leduc. Einige Tage später gab sie mir im ‹Flore› ein Manuskript. Ich glaube, es hieß: ‹Bekenntnisse einer Dame von Welt›. Ich schlug das Heft auf. «Meine Mutter hat mir nie die Hand gereicht.» Ich las in einem Zug die Hälfte der Erzählung, die plötzlich zu Ende war. Der Schluß war eine Verlegenheitslösung. Das sagte ich auch Violette Leduc: Sie strich daraufhin die letzten Kapitel und ersetzte sie durch andere, die den ersten gleichwertig waren. Sie war nicht nur begabt, sie konnte auch fleißig sein. Ich legte die Arbeit Camus vor, der sie sofort annahm. Als sie unter dem Titel *L'Asphyxie* einige Monate später erschien, erreichte sie zwar nicht das breite Publikum, erntete aber den Beifall anspruchsvoller Kritiker. Unter anderem trug sie der Verfasserin die Freundschaft von Jean Genet und Jouhandeau ein. Eigentlich hatte Violette Leduc gar nichts von einer Weltdame. Als ich sie kennenlernte, verdiente sie sich ihren Lebensunterhalt damit, daß sie Fleisch und Butter kiloweise aus den Bauernhöfen der Normandie heranschleppte. Mehrmals lud sie mich zum Essen in die Schwarzmarktlokale ein, die sie versorgte. Sie war lustig und zuweilen drollig, hatte aber unter der scheinbaren Glätte etwas Heftiges und Mißtrauisches. Stolz erzählte sie mir von ihren Geschäften, von den anstrengenden Märschen quer über Land, von den Dorfwirtshäusern, den Lastautos, den rußigen Zügen. Natürlich war sie ein Herz und eine Seele mit den Bauern, den Chauffeuren, den Händlern. Maurice Sachs, mit dem sie gut befreundet gewesen war, hatte sie zum Schreiben ermuntert. Sie lebte in großer Einsamkeit. Ich machte sie mit Colette Audry bekannt, die ich recht oft traf, und auch mit Nathalie Sarraute. Zwischen ihnen entspann sich eine Freundschaft, die aber recht bald an den unterschiedlichen Temperamenten gescheitert ist.

Die Säuberung führte bald zu Meinungsverschiedenheiten in den Reihen der früheren Widerstandskämpfer. Alle Welt war sich darin einig, daß die Art der Durchführung unmöglich sei. Aber während Mauriac Verzeihung predigte, forderten die Kommunisten Strenge. Im *Combat* versuchte Camus einen gerechten Mittelweg zu finden. Sartre und ich teilten seinen Standpunkt: Rache ist eitel – aber gewisse Menschen hatten in der Welt, die wir aufbauen wollten, keinen Platz. Praktisch hielt ich mich von allem fern. Ich war Mitglied des Schriftstellerverbandes (CNE) geworden, nahm jedoch nie an einer der Zusammenkünfte teil. Meiner Meinung nach machte Sartres Anwesenheit die meine überflüssig. Ich war aber einverstanden, als ich durch Sartre von den Beschlüssen des Komitees erfuhr, daß seine Mitglieder sich verpflichteten, nicht in den

Zeitschriften und Zeitungen mitzuarbeiten, die Beiträge aus der Feder früherer Kollaborateure veröffentlichten. Die Stimme von Menschen, die der Ermordung von Millionen Juden und Widerstandskämpfern zugestimmt hatten, wollte ich nicht mehr hören. Ich wollte ihren Namen nicht neben dem meinen gedruckt sehen. Wir hatten gesagt: «Wir werden es nicht vergessen.» Ich vergaß es nicht.

Ich fiel auch aus allen Wolken, als mich jemand – ich weiß nicht, wer – wenige Tage vor dem Prozeß gegen Brasillach bat, meinen Namen unter ein Schriftstück zu setzen, das seine Anwälte zirkulieren ließen: Die Unterzeichner sollten erklären, daß sie sich als Schriftsteller mit ihm solidarisch fühlten und das Gericht um Milde bäten. (Ich kann mich nicht mehr an den genauen Wortlaut dieser Bittschrift erinnern, aber das war ihr Sinn.) In keiner Weise, auf keinem Gebiet fühlte ich mich mit Brasillach solidarisch. Wie oft hatte ich beim Lesen seiner Artikel vor Zorn geweint! «Kein Mitleid mit den Meuchelmördern des Vaterlandes», hatte er geschrieben. Er hatte das Recht gefordert, «die Verräter anzuzeigen», und reichlich von ihm Gebrauch gemacht. Unter seiner Leitung war die Redaktion des *Je suis partout* eifrig damit beschäftigt, zu denunzieren, Köpfe zu fordern, Vichy in den Ohren zu liegen, man möge in der freien Zone das Tragen des gelben Sterns einführen. Sie hatten mehr getan, als ja und amen zu sagen. Sie hatten den Tod von Feldman, Cavaillès, Politzer und Bourla, die Deportation von Yvonne Picard, Péron, Kaan und Desnos gefordert. Es waren diese toten oder todgeweihten Freunde, mit denen ich mich solidarisch fühlte. Wenn ich auch nur einen Finger zugunsten Brasillachs gerührt hätte, hätte ich verdient, daß sie mir ins Gesicht spuckten. Ich zögerte keinen Moment, es kam überhaupt nicht in Frage. Camus reagierte ebenso. «Mit diesen Leuten haben wir nichts gemeinsam», sagte er zu mir. «Das Gericht wird entscheiden: Uns geht es nichts an.»

Ich wollte aber den Prozeß miterleben; meine Unterschrift hatte zwar kein Gewicht, und meine Weigerung war rein symbolisch gewesen. Doch selbst durch eine Geste übernimmt man eine gewisse Verantwortung, und es erschien mir allzu bequem, mich der meinen durch Gleichgültigkeit zu entziehen. Ich verschaffte mir einen Platz auf der Pressetribüne. Es war kein erfreuliches Erlebnis. Die Journalisten machten sich nonchalant ihre Notizen, malten Männchen aufs Papier und gähnten. Die Anwälte deklamierten, die Richter saßen zu Gericht, der Vorsitzende führte den Vorsitz – es war eine Komödie, eine Zeremonie: Für den Angeklagten aber war es der «Augenblick der Wahrheit», in dem es um sein Leben ging. Angesichts des sinnlosen Justizapparats existierte nur er, dessen Schicksal sich plötzlich vollendete, als Mensch von Fleisch und Blut. Gelassen bot er seinen Anklägern die Stirn, und als das Urteil verlesen wurde, zuckte er mit keiner Wimper. In meinen Augen wurde durch diesen Mut nichts wiedergutgemacht. Gerade die Faschisten legen auf die Art des Sterbens mehr Gewicht als auf die Taten. Ich finde mich auch nicht mit dem Gedanken ab, daß der Ablauf der Zeit genügen müsse, um meinen Zorn in Resignation zu verwandeln: Er läßt die Toten nicht wiederauferstehen, er wäscht ihre Mörder nicht rein. Aber wie so vielen anderen war mir ein Apparat unangenehm, der den Henker in das Opfer verwandelt und dadurch einer Verurteilung den Anschein der Unmenschlichkeit verleiht. Als ich den Justizpalast verließ, traf ich kommunistische Freunde und schilderte ihnen mein Unbehagen. «Wären Sie doch zu Hause geblieben», antworteten sie trocken.

Einige Tage später vertraute mir Camus etwas verlegen an, daß er, einem gewissen Druck ausgesetzt und aus Gründen, die er mir nur unzulänglich erklärte, doch ein Schriftstück zugunsten einer Begnadigung unterzeichnet habe. Ich für meine Person habe meine Enthaltung nie bereut – obwohl an dem Morgen, an dem die Hinrichtung stattfand, meine Gedanken sich unablässig damit beschäftigten. Man hat der Säuberungsaktion vorgeworfen, sie habe diejenigen, welche den Bau des Atlantikwalls befürworteten, härter bestraft als seine Erbauer. Ich finde es sehr ungerecht, daß man wirtschaftliche Zusammenarbeit entschuldigt, aber es war richtig, gegen Hitlers Propagandisten streng vorzugehen. Durch mein Handwerk, meinen Beruf messe ich den Worten eine ungeheure Bedeutung bei. Simone Weil hat vorgeschlagen, alle, die sich des Wortes bedienen, um die Menschen zu belügen, vor Gericht zu stellen, und ich verstehe es. Es gibt Worte, die so mörderisch sind wie eine Gaskammer. Es waren Worte, die den Mörder Jaurès' bewaffnet, Worte, die Salengro zum Selbstmord getrieben haben. Im Falle Brasillachs handelte es sich nicht um ein ‹Gesinnungsdelikt›. Durch seine Denunziationen, durch seine Aufrufe zum Töten und Völkermord hat er der Gestapo direkt in die Hände gearbeitet.

Die Deutschen hatten das Spiel verloren, aber sie gaben nicht nach. Hungersnot: Sie hatten die uralte Geißel nach Europa zurückgebracht. In der Erde scharrend, an Baumrinde nagend, wehrten sich Tausende von Holländern vergebens gegen diesen mittelalterlichen Tod. Bost brachte Fotos aus Holland mit, die Camus mir zeigte. «Das kann man nicht veröffentlichen!» sagte er und breitete auf seinem Schreibtisch die Bilder kleiner Kinder aus, die keinen Körper und kein Gesicht mehr hatten, nur noch Augen, riesige und irre Augen. Die Zeitungen brachten nur die harmlosesten, und doch fiel es einem schwer, sie anzuschauen.


Am 27. Februar bestieg ich am Abend den Zug nach Hendaye, mit Escudos und einer Reiseerlaubnis versehen – einem dreifarbigen Stück Papier, das in meinen Augen so kostbar war wie ein altes, mit dickem Wachs versiegeltes Pergament. Mein Nachbar las eifrig in einer Lebensbeschreibung Stalins. «Sehr trocken», sagte er. Die ganze Nacht hindurch unterhielt er sich mit zwei jungen Frauen über den Bolschewismus: ihre Einstellung dazu war im großen und ganzen positiv. Ich las Peter Cheyneys Buch *Hiebe auf den ersten Blick* zu Ende, begann Graham Greenes *Am Abgrund des Lebens* und schlief gegen Morgen ein. Plötzlich war der Himmel blau: Hendaye. Außer für mich und einen kleinen alten Mann, der ebenfalls nach Madrid fuhr, war das die Endstation. Eine Grenze überschreiten zu dürfen, war damals noch ein seltenes Privileg. Sechs Jahre lang war das nicht möglich gewesen, und fünfzehn Jahre waren vergangen, seit ich von Spanien Abschied genommen hatte. Ich mußte eine Stunde lang beim Militärkommandanten warten. Endlich hob sich der Schlagbaum, und ich sah die zweispitzigen Laklederhüte der Guardia Civil wieder. Am Straßenrand verkaufte eine Frau Orangen, Bananen und Schokolade. Mir schnürte es vor Gier und Empörung die Kehle zusammen: Warum wurde uns dieser Überfluß, zehn Meter von zu Hause entfernt, vorenthalten? Plötzlich erschien mir unsere Not nicht mehr so schicksalhaft; ich hatte den Eindruck, daß man uns bestrafen wollte. Wer? Mit welchem Recht? Im Zoll wechselte man mir die Escudos, lehnte aber die Francs ab. Den Koffer in der Hand, legte ich zu Fuß die zwei Kilometer bis Irun zurück, das im Bürgerkrieg in einen Trümmerhaufen verwandelt worden war. Im Zug traf ich den kleinen alten Mann wieder. Er erzählte mir, daß Spanier, die mich hatten vorbeigehen sehen, gesagt hätten: «Das ist eine arme Frau – sie hat keine Strümpfe.» Na schön, wir waren arm: keine Strümpfe, keine Orangen, und unser Geld war nichts wert. Auf den Bahnsteigen promenierten schwatzende und lachende junge Frauen, die Beine in Seidenstrümpfen. Die Schaufenster der Ortschaften, durch die wir kamen, waren voller Lebensmittel. Auf den Bahnhöfen boten uns Händler Obst, Bonbons und Schinken an. Die Büfetts in den Bahnhofsgaststätten strotzten von Lebensmitteln. Ich erinnerte mich an den Bahnhof von Nantes, wo wir, so ausgehungert und müde wie wir waren, nichts anderes kaufen konnten als dünne Fladen zu einem übertriebenen Preis. Voller Zorn fühlte ich mich mit dem Elend der Franzosen solidarisch.

Und dann schlief ich ein. Als ich aufwachte, lag Frankreich weit hinter mir. Über weißbereiften Hochebenen strahlte ein triumphierend blauer Himmel. Spanien. Der Escorial, so, wie er vor fünfzehn Jahren ausgesehen hatte; damals hatte ich die jahrhundertealten Quader ohne Staunen betrachtet. Jetzt fand ich diese Unvergänglichkeit bestürzend. Die zerstörten Dörfer und die eingestürzten Häuser in den Vorstädten Madrids erschienen mir als normal.

Das Madrid meiner Vergangenheit erkannte ich nicht wieder. Zwar gab es in der Gran Vía die gleichen schummrigen Cafés, und rings um die Plaza Mayor roch es wie immer nach heißem Öl, aber meine Augen hatten sich verändert. Der Überfluß, den ich damals nicht beachtet hatte, erschien mir ungewohnt und blendete mich. Seide, Wolle, Leder, Delikatessen! Ich lief herum, bis ich nicht mehr konnte, und aß im Gehen; dann setzte ich mich wieder hin und aß: Rosinen, *brioches*, *gambas*, Oliven, Kuchen, geröstete Eier und trank Kakao, Wein und echten Kaffee. In den volkreichen Straßen der Altstadt, in den schönen Vierteln Madrids betrachtete ich die Vorübergehenden, für die die dramatischen Ereignisse, die ich miterlebt hatte, nur ein Gerücht gewesen waren. Ein Schaufenster zog mich an. Hier waren prächtige Fotos ausgestellt, mit Unterschriften wie «Die deutsche Frau im Kriege» oder «Zum Ruhm des Volkssturms». Eine deutsche Propagandazentrale. Da stand ich und sah mit eigenen Augen die Bilder der heldischen Kreuzfahrer, die sich SS nannten. Ein wenig später erstrahlte Madrid im Licht. Ich mischte mich unter die Menge, die wie in früheren Zeiten durch die Alcalá hin und her flutete; hier fand sich der Anschluß an die Zeit wieder. Aber es war nicht meine Zeit, die für immer entschwunden war. Plötzlich packte mich eine dumpfe Angst. In Rouen hatte einmal ein fremdes Bewußtsein meinen Platz inmitten der Dinge eingenommen. Hier in der Calle de Alcalá geschah es wieder. Bis zu diesem Augenblick war Frankreich das Thema der Geschichte gewesen; jetzt drängte mir das fremde Spanien mit solcher Wucht seine Gegenwart auf, daß es selber zum Thema wurde. Frankreich wurde zu einem nebelhaften Etwas am fernen Horizont, und ich, ohne Kontakt mit diesem Milieu, in dem mein Körper sich bewegte, hatte aufgehört zu existieren. Eine schwere Mattigkeit, die nichts Persönliches an sich hatte, lastete auf der Menschenmenge.

Am nächsten Tag fand ich zu mir zurück. Aber ich ging durch den Prado wie eine zerstreute Touristin. Ich war von Greco, von Goya, von den verflossenen Jahrhunderten, von der Ewigkeit abgeschnitten. Mein Jahrhundert war mir auf den Fersen, und erst als ich ihm wiederbegegnete, fand ich endgültig zu mir zurück – auf dem kahlen, buckligen, zerklüfteten Hügel, auf dem früher einmal die Universitätsstadt gestanden hatte. Auf diesem öden Gelände hatten sich Leute hingesetzt, Kinder spielten, Menschen schliefen; rundherum ragten neue Wohnhäuser und Rohbauten in die Höhe. In der Mitte Trümmer, Mauerreste, Türen, die ins Leere führten. In den zerschossenen Städten der Normandie war ich im frischen Schutt umhergeirrt. Diese Ziegel aber besaßen die Würde, die seit Volney und Horace Vernet die Literatur und die Malerei den Ruinen zubilligen. Ihre Geschichte war indessen in meinem Innern verzeichnet: Auch dies war eine Wandlung. Früher einmal war ich sozusagen auf gebahntem Weg an der universellen Zeit entlanggeschritten; jetzt gab es tief in mir selbst eine andere Dimension der Erfahrung. Hier und da eine Inschrift: «Es lebe Franco!» An allen neuen Gebäuden hingen gelb-rote Fahnen. Ich trug ein gelb-rotes Halstuch, und ein Mann hatte mich angeschnauzt: «So was wollen wir hier nicht sehen!» Ich betrachtete die Weite der dürren kastilischen Ebenen zu meinen Füßen, die schneebedeckten Berge in der Ferne, und es gelang mir, in der

31

Wirklichkeit Fuß zu fassen: 1945, das Spanien Francos. An allen Straßenecken Falangisten, Polizei, Soldaten; auf den Bürgersteigen bewegten sich Prozessionen, Priester und schwarzgekleidete Kinder, das Kreuz in Händen. Die wohlgenährten Bürger, denen ich auf der Gran Vía begegnete, hatten den Sieg der Deutschen gewünscht. Und der Luxus ihrer Avenuen war nur Fassade.

Eine Freundin hatte mir die Adresse Franco-feindlicher Spanier gegeben. Auf ihren Rat fuhr ich nach Tetuán und Vallecas. Gleich im Norden Madrids schmiegte sich ein riesiges Wohnviertel an den Hügelhang, weitläufig wie ein großes Dorf, schmutzig wie ein Lumpensammlerquartier: baufällige Häuser mit roten Dächern und Mauern aus festgestampfter Erde, voll nackter Kinder, Ziegen und Hühner. Keine Kanalisation, kein Wasser. Kleine Mädchen kamen und gingen, unter der Last der gefüllten Eimer gebeugt. Die Männer waren kaum bekleidet, gingen barfuß oder in Pantoffeln. Ab und zu trabte eine Schafherde durch eine der engen Gassen und wirbelte den roten Staub auf. Vallecas war weniger ländlich, dafür roch es dort nach Fabriken; aber die Not war genauso groß. Die Straßen dienten als Rieselfelder. Frauen wuschen alte Lumpen auf der Schwelle ihrer Wohnlöcher. Sie waren alle schwarzgekleidet, und das Elend hatte ihre Züge verhärtet, so daß sie fast bösartig wirkten. Meine Gewährsleute hatten mir erzählt, daß ein Arbeiter 9 bis 12 Pesetas am Tage verdiene; und als ich die Warenpreise studierte, begriff ich, warum auf den Märkten kein Mensch lächelte. Die Leute konnten sich pro Tag 100 bis 200 Gramm Brot kaufen und eine Handvoll Erbsen, die auf dem Schwarzmarkt 10 Pesetas das Kilo kosteten. Eier und Fleisch waren für die Bewohner der Vorstädte unerschwinglich. Um sich die Brötchen und die Krapfen, welche Frauen in Körben an den Ecken berühmter Straßen verkauften, leisten zu können, mußte man reich sein. Es waren reiche Leute gewesen, die ich auf den Bahnsteigen gesehen hatte, und nur sie profitierten von dem Überfluß, der meinen Neid erregt hatte.

Ich sah mich um, ich hörte zu. Man erzählte mir, wie die Falange während des Krieges mit Deutschland zusammen gearbeitet hatte; die Polizei war in den Händen der Gestapo gewesen. Das Regime hatte versucht, den Antisemitismus zu propagieren, aber ohne Erfolg, weil heute das Wort Jude bei den Spaniern kein Echo mehr findet. Immer ungeduldiger beugten sie sich der Diktatur. In der Woche zuvor waren in einem falangistischen Büro drei Bomben explodiert. Zwei Falangisten waren getötet worden. Zur Strafe dafür hatte Franco offiziell siebzehn Kommunisten erschießen lassen. Viele andere waren in aller Stille umgebracht oder in den Gefängnissen gefoltert worden. Worauf warteten die Amerikaner, um Franco wegzujagen? fragte man sich. Aber ich zweifelte nicht daran, daß sie sich bald dazu entschließen würden.

In Lissabon erwarteten mich meine Schwester und Lionel auf dem

Bahnsteig. Im Taxi, zu Fuß, stehend, sitzend, auf der Straße, im Restaurant, in ihrer Wohnung plauderten wir, bis mich der Schlaf übermannte. Den Jubel dieser Ankunft habe ich in *Les Mandarins* [*Die Mandarins von Paris*] geschildert. Hier fand ich Marseille, Athen, Neapel, Barcelona wieder: eine glühende Stadt, vom Geruch des Meeres durchweht. Die Vergangenheit wurde mit einemmal durch die Frische ihrer Hügel und Vorgebirge, ihrer zarten Farben, ihrer Boote mit den weißen Segeln wieder lebendig.

Genauso wie in Madrid schien mir der Luxus in den Läden aus einer anderen Welt zu stammen. «Was sind denn das für Holzpantinen?» hatte meine Schwester gefragt, als sie meine Füße sah, und nahm sich gleich vor, mich neu einzukleiden. Noch nie hatte ich mich solchen Ausschweifungen hingegeben; da meine Vorlesungstournee gut bezahlt wurde, legte ich mir im Laufe eines Nachmittags eine komplette Ausstattung zu: drei Paar Schuhe, eine Handtasche, Strümpfe, Wäsche, Pullover, Kleider, Röcke, Hemden, eine weiße Leinenjacke und einen Pelzmantel. Auf der Cocktailparty, die das Institut Français gab, erschien ich von Kopf bis Fuß neu eingekleidet. Dort lernte ich Lionels portugiesische Freunde kennen, lauter Gegner des Regimes. Sie sprachen verächtlich über Paul Valéry, der in Portugal nichts anderes hatte sehen wollen als den blauen Himmel und die blühenden Granatäpfelbäume. Und all das dumme Gewäsch über die Geheimnisse und die Melancholie der portugiesischen Seele! Von sieben Millionen Portugiesen können sich nur siebzigtausend satt essen. Die Menschen sind traurig, weil sie hungern.

Zusammen mit meiner Schwester und Lionel hörte ich mir *fados* an und besuchte einen Stierkampf portugiesischen Stils. Ich ging in den Gärten von Sintra zwischen Kamelien und Baumfarnen spazieren. Ungeachtet der autolosen Tage und des Benzinmangels machten wir mit einem durch das Institut bereitgestellten Wagen eine große Rundfahrt durch Algarve. Noch hatte die Zeit mir diese Freude nicht vergällt, Tag für Tag, Stunde für Stunde neue Aspekte der Welt zu entdecken. Ich sah ein Land afrikanischer Farben, mit Mimosen und Agaven geschmückt, steile Felsen, die jäh in ein durch die Milde des Himmels besänftigtes Meer stürzen, weißgetünchte Dörfer, Kirchen von einem gemäßigteren Barock als in Spanien. Manchmal verbirgt sich hinter der nüchternen Fassade mit den geschwungenen Linien ein buntes Kaleidoskop: Wände und Säulen sowie die Beichtstühle, die Kanzel und der Altar sind bunt bemalt. Aus dem Halbdunkel tauchen seltsame Gestalten aus Holz, Stoff und Wachs auf – Christus und die Heiligen. Unterwegs begegnete ich Bauern, die Schaffellhosen und über der Achsel einen scheckigen Umhang trugen. Die Frauen waren bunt gekleidet. Auf dem unterm Kinn verknoteten Kopftuch thronte ein breitrandiger Sombrero. Viele balancierten einen Krug auf dem Kopf oder stemmten ihn gegen die Hüfte. Ab und zu sah ich Gruppen von Männern und Frauen über die Erde gebeugt im gleichen Rhythmus Unkraut jäten. Ihre roten, blauen, gelben und orangefarbenen Trachten leuchteten in der Sonne. Aber ich ließ mich nicht mehr täuschen, denn es gab ein Wort, dessen Gewicht ich zu ermessen begann: Hunger! Diese Menschen in ihren bunten Gewändern hungerten. Sie gingen barfuß mit verschlossener Miene, und in den trügerisch herausgeputzten Dörfern begegnete ich ihren stumpfen Blicken; in der sengenden Sonne verzehrten sie sich in wilder Verzweiflung. In der darauffolgenden Woche fuhren wir mit der Bahn nach Porto. Auf allen Bahnhöfen wurde der Zug von Bettlern überschwemmt. Abends glitzerte Porto, am frühen Morgen war es hell und schön in dem hellen Nebel, der vom Douro aufstieg. Aber ich hatte sehr bald den feuchten Unrat der ‹ungesunden Viertel› entdeckt, die von skrofulösen Kindern wimmelten. Kleine, in Lumpen gekleidete Mädchen durchwühlten gierig die Müllkästen. In mir rührte sich weder Abscheu noch Mitleid. Ich trank *vinho verde* und Baumerdbeerenschnaps und versank in der Heiterkeit meines Blutes und des Himmels. Wir standen früh auf, um das Meer in der Morgendämmerung erblassen zu sehen. Abends suchten wir nach den aufflammenden Leuchttürmen, während der Ozean langsam die glutrote Sonne verschlang. Voller Freude nahm ich die Schönheiten der Landschaften und Steine in mich auf: die der blühenden Hügel von Minho, Coimbra, Tomar, Batalha, Leiria, Óbidos. Überall aber war das Elend allzu groß, als daß man es hätte lange übersehen können. In Braga wurde ein Fest mit Prozessionen und einem Jahrmarkt gefeiert. Ich kaufte Halstücher, Vasen, Krüge und Keramik-Hähne. Ich bewunderte die prächtigen Rinder mit den leierförmigen Hörnern, die paarweise durch das geschnitzte hölzerne Joch aneinandergekoppelt sind. Aber es war einfach unmöglich, die Bettler, die mit Schorf bedeckten Kinder, die Scharen der barfüßigen Bauern, die unter ihrer Bürde gebeugten Frauen zu übersehen. In Nazaré vermochte das Malerische des Hafens, der Barken, der Trachten nicht die Trauer in den Augen zu verdecken. Die portugiesische Bourgeoisie ertrug das Elend der anderen mit großer Gelassenheit. Den ausgemergelten Kindern, die um ein Almosen bettelten, antworteten die Damen in den Pelzmänteln ungeduldig: «*Tenha paciência!*» In V., einer kleinen Hafenstadt in der Provinz Minho, aßen wir mit dem konsularischen Vertreter, einem Portugiesen, auf einer Terrasse zu Mittag. Stumm sahen uns die Kinder beim Essen zu. Er jagte sie weg. Als eines zurückkam, gab ich ihm 5 Escudos. Der Portugiese sprang auf: «Das ist zuviel! Er wird sich Bonbons kaufen!»

Während des Krieges hatte Portugal mit den Deutschen sympathisiert und sie in gewisser Hinsicht unterstützt. Nach Hitlers Niederlage näherte es sich Frankreich. Deshalb war dem Institut auch erlaubt worden, diese Tournee zu veranstalten. Ich hatte unterrichtet und daher keine Scheu, Vorträge zu halten, aber zuweilen entstand zwischen den Erlebnissen, die ich schilderte, und meinem Publikum eine Kluft, die entmutigend war. Man kam zu meinen Vorträgen, weil man nichts Besseres zu tun hatte, aus Snobismus oder oft auch in böser Absicht, weil die Zuneigung zahlreicher Zuhörer nach wie vor dem Faschismus gehörte. In V. herrschte eine eisige Stimmung im Saal. Lager, Hinrichtung, Foltern – niemand wollte es glauben. Als ich mich erhob, sagte der konsularische Vertreter zu mir: «Ich beglückwünsche Sie dazu, daß Sie uns Dinge erzählt haben, von denen wir absolut nichts wußten.» Ironisch betonte er das Wort absolut. Die francophilen Kreise dagegen verwechselten meine Berichte mit Heldengedichten. Ich schämte mich in Grund und Boden, als ich in einer Illustrierten las: «Simone de Beauvoir hat uns erzählt, daß man die Kartoffeln über Zeitungspapier kochte, daß man das Benzin sparte, um es den deutschen Panzern entgegenzuschleudern.» Paris hatte mehr und weniger gelitten, als man hier glaubte. Es war unnachgiebiger und unheroischer gewesen. Alle Fragen, die man mir stellte, gingen am eigentlichen Thema vorbei.

Dafür waren meine Gespräche mit den portugiesischen Antifaschisten desto interessanter. Vor allem lernte ich frühere Professoren, Minister, Männer reiferen oder höheren Alters kennen. Sie trugen lose Stehkrägen, Melonen oder schwarze Filzhüte, setzten ihr Vertrauen in das ewige Frankreich und in Georges Bidault, aber ich erhielt von ihnen eine Fülle von Angaben über das Leben der Bevölkerung, die wirtschaftliche Struktur des Landes, das Budget, die Syndikate, das Analphabetentum und auch über die Polizei, die Gefängnisse, die Unterdrückungsmaßnahmen. Ein junger Arzt führte mich in Arbeiterhäuser, enge Löcher, wo die Leute von getrockneten Sardinen lebten. Er nannte mir genaue Zahlen über die Unzulänglichkeit der Krankenhäuser, der ärztlichen Pflege, der Hygiene. Übrigens brauchte man nur mit offenen Augen in Lissabon herumzulaufen, um sich ein klares Bild zu machen. Das Volk hatte man absichtlich dem Schmutz und der Unwissenheit preisgegeben: Jetzt war man im Begriff, die Verherrlichung der Muttergottes von Fátima zu propagieren. «Der Jammer ist, daß Salazar nicht zugleich mit Franco stürzen wird», sagten meine Gesprächspartner. Sie fügten hinzu, daß sich die beiden Diktatoren durch die Niederlage der Achsenmächte leider nur wenig bedroht fühlten. Die englischen Kapitalisten hätten große Interessen in Portugal. Die Vereinigten Staaten seien dabei, über den Erwerb von Flugstützpunkten auf den Azoren zu verhandeln. Salazar könne also mit dem Beistand der Angelsachsen rechnen: deshalb sei es nötig, die öffentliche Meinung in Frankreich zu beeinflussen. Ein ehemaliger Minister bat mich, Bidault einen Brief zu übergeben: Wenn er behilflich wäre, eine neue Regierung auf die Beine zu stellen, würde diese neue Regierung Angola an Frankreich abtreten. Dieser kolonialistische Kuhhandel hätte mir tief mißfallen, wenn ich ihn hätte ernst nehmen können. Aber ich wußte, daß der Brief im Papierkorb landen würde. Ich lieferte ihn am Quai d'Orsay ab.

Anfang April kehrte ich bei schönem Wetter nach Paris zurück. Ich hatte fünfzig Kilo Lebensmittel bei mir: Schinken, rostfarbenen *chorizo*, Kuchen aus Algarve, Eibischteig aus Zucker und Ei, Tee, Kaffee, Schokolade. Triumphierend verteilte ich alles. Meinen Freundinnen brachte ich Pullover und Gürtel mit, Bost, Camus und Vitold bunte Hemden, wie die Fischer in Nazaré sie tragen. Ich selbst führte meinen neuen Staat spazieren. Eine elegante Unbekannte fragte mich auf der place Saint-Augustin, auf meine Kreppsohlen deutend: «Wo haben Sie diese Schuhe her?» – «Aus Lissabon», erwiderte ich nicht ohne Stolz. So schwierig ist es, sich nicht seines Glückes zu rühmen. Vitold hatte eine unangenehme Neuigkeit für mich. Er hatte sich mit Badel verzankt, der mein Stück nicht mehr aufführen wollte. Er versicherte mir aber, daß man leicht eine andere Bühne finden werde.

Ich schrieb meine Reportagen. Der Bericht über Madrid erschien unter meinem Namen im *Combat-Magazine*. Der spanische Rundfunk warf mir vor, daß ich gegen Bezahlung und ohne Paris verlassen zu haben, lauter faustdicke Verleumdungen verbreitet hätte. *Combat* begann eine Artikelserie über Portugal zu drucken, die ich mit einem Pseudonym unterzeichnete, um meinen Schwager nicht zu kompromittieren. Camus befand sich damals in Nordafrika, und Pia, der ihn vertrat, stellte plötzlich die Veröffentlichung der Serie ein. Sie wurde in den von Collinet herausgegebenen *Volontés* fortgesetzt. Einige Portugiesen schrieben mir herzliche Briefe, während die Propagandastellen protestierten. Ich machte mich wieder an meinen Roman. Nun waren durch die Fenster der Bibliothèque Mazarine grünes Laub und blauer Himmel zu sehen, und oft las ich die alten Geschichten nur zu meinem Vergnügen, ohne an meinen Helden zu denken.

Dullin führte *König Lear* auf. Camille hatte eine gute Bearbeitung gemacht und Dullin bei der Inszenierung geholfen. Die Kostüme und die Bühnenbilder, die mir persönlich sehr gut gefielen, waren von einer etwas aufdringlichen Extravaganz. Die Besetzung aber war ausgezeichnet, mit einer hinreißenden Cordelia – Ariane Borg. Bald abstoßend, bald rührend, bald rätselhaft, bald genial, bald unmenschlich, bald allzu menschlich hatte Dullin mit dem Lear ein seiner besten Leistungen vollbracht. Die Kritik aber fiel mit Klauen und Zähnen über die Aufführung her. Das Publikum lehnte sie ab. Für Dullin war dieser Durchfall eine Katastrophe, weil man erwog, ihm die Direktion des Théâtre Sarah-Bernhardt zu entziehen. Er bat mich, *König Lear* zu verteidigen. Ich schrieb einen Artikel, den Ponge in der *Action* druckte. Ich warf den Kritikern Unaufrichtigkeit vor: sie hätten die Inszenierung angegriffen, weil sie nicht zuzugeben wagten, daß Shakespeare sie langweile. Das kleine Pamphlet war weniger geistreich als ungestüm. Ich setzte keine großen Hoffnungen darauf, und es führte auch zu nichts. Es machte lediglich böses Blut.

36

Es war Frühling, der erste Friedensfrühling. In Paris liefen Préverts *Kinder des Olymp* und endlich auch amerikanische Filme: *Meine Frau, die Hexe, La Dame du vendredi, The Old Maid* mit Bette Davis. Ich war ein wenig enttäuscht: Wo war denn die Revolution des Films geblieben?

Es war ein strahlender April. Ich saß mit meinen Freunden auf den Caféterrassen, ich ging mit Herbaud, der gerade aus London zurückgekehrt war, im Wald von Chantilly spazieren. Unser gespanntes Verhältnis hatte sich von selber gegeben. Am 1. Mai schneite es. An den Straßenecken wurden nur ein paar klägliche Maiglöckchen zum Verkauf angeboten. Aber die Luft war milde an dem Abend, als große V's den Himmel zerrissen und ganz Paris singend durch die Straßen zog.

Sartre befand sich noch in New York, Bost in Deutschland. Ich verbrachte den Abend mit Olga, Mme Lemaire, Olga Barbezat, Vitold, Chauffard, Mouloudji, Roger Blin und einigen anderen. Wir waren alle zusammen mit der Métro zur place de la Concorde gefahren, wir gingen Arm in Arm, aber als wir auf den Platz hinauskamen, wurde unsere Gruppe auseinandergerissen. Ich klammerte mich an Mme Lemaire und an Vitold, der vergnügt brummte: «So ein Mumpitz!» – während uns die Wirbel zur place de l'Opéra entführten. Das Gebäude erstrahlte in den Farben der Trikolore, Fahnen flatterten, Fetzen der *Marseillaise* hingen in der Luft, es war zum Ersticken. Ein falscher Schritt, und man wäre auf der Stelle totgetreten worden. Wir stiegen nach Montmartre hinauf und kehrten in der ‹Cabane Cubaine› ein. Dort herrschte vielleicht ein Tohuwabohu! Ich sehe noch Mme Lemaire vor mir, wie sie über die Tische stieg, um die Bank zu erreichen, auf der es mir geglückt war, einen Platz zu ergattern. Olga Barbezat sprach mit Tränen in den Augen von meinen toten Freunden. Dann standen wir wieder auf der Straße, ein wenig ratlos: Wohin? Vitold und Mouloudji schlugen vor, zum Atelier einer ihrer Freundinnen zu gehen. Wir machten uns auf den Weg. Ein Jeep hielt am Trottoir, um uns mitzunehmen. Zwei amerikanische Soldaten und zwei amerikanische Luftwaffenhelferinnen landeten zusammen mit uns bei Christiane Lainier. Auf einer Kommode sitzend, schliefen die Amerikanerinnen ein, während Mouloudji sang und Blin ein Gedicht von Milosz deklamierte. Die Erinnerung, die ich an diese Nacht zurückbehalten habe, ist vielleicht infolge der Verwirrung meiner Gefühle viel verschwommener als die an unsere früheren Feste. Der Sieg war in großer Entfernung von uns errungen worden. Wir hatten ihn nicht, wie die Befreiung, fieberhaft und ängstlich erwartet. Er war seit langem vorauszusehen gewesen und weckte keine neuen Hoffnungen: Der Sieg zog nur einen Schlußstrich unter den Krieg. In gewisser Hinsicht ähnelte dieses Ende einem Sterben. Wenn ein Mensch stirbt, wenn für ihn die Zeit stillsteht, erstarrt sein Leben zu einem festen Block, in dem die Jahre einander überlagern und durchkreuzen: So wurden hinter mir alle die entschwundenen Augenblicke zu einer undeutlichen Masse: Freude, Tränen, Zorn, Trauer, Triumph, Entsetzen. Der Krieg war zu Ende. Er lastete wie ein schwerer Leichnam in unseren Armen, und es gab auf der ganzen Welt keine Stelle, wo wir ihn hätten begraben können.

Und was würde jetzt geschehen? Malraux behauptete, daß der dritte Weltkrieg bereits begonnen habe. Alle Antikommunisten wurden von einer Katastrophenstimmung erfaßt. Optimisten aber prophezeiten den ewigen Frieden. Der technische Fortschritt würde bald alle Länder zwingen, sich zu einem einzigen unteilbaren Block zusammenzuschließen. Meiner Meinung nach war es bis dahin noch ein weiter Weg, aber ich glaubte auch nicht, daß es morgen schon wieder losgehen werde. Eines Tages sah ich in der Métro unbekannte Uniformen mit roten Sternen geschmückt: russische Soldaten. Ein märchenhafter Anblick. Lise, die ihre Muttersprache noch immer beherrschte, versuchte, sich mit ihnen zu unterhalten. Sie fragten sie in strengem Ton, was sie in Frankreich zu suchen habe, und ihre Begeisterung nahm ein jähes Ende.

Kurze Zeit nach dem Tag V verbrachte ich eine lustige Nacht mit Camus, Chauffard, Loleh Bellon, Vitold und einer entzückenden Portugiesin namens Viola. Aus einer Bar am Montparnasse, die zugemacht hatte, gingen wir zum ‹Hôtel de la Louisiane›. Loleh lief barfuß auf dem Asphalt und sagte: «Ich habe Geburtstag, ich bin zwanzig Jahre alt geworden.» Wir kauften Wein und tranken ihn im runden Zimmer. Das Fenster stand in der milden Mainacht weit offen, Nachtbummler riefen uns freundschaftliche Grüße zu. Auch für sie war es der erste Friedensfrühling. Paris war nach wie vor so intim wie ein Dorf. Ich fühlte mich mit all den Unbekannten verbunden, die an meiner Vergangenheit teilgehabt hatten und sich mit mir über unsere Rettung freuten.

Aber es ging nicht alles gut. Die materielle Lage wurde nicht besser. Mendès-France war zurückgetreten. Das Programm der CNR blieb ein Stück Papier. Camus beschrieb nach seiner Rückkehr aus Algerien im *Combat* die maßlose Ausbeutung der Eingeborenen, ihr Elend, ihren Hunger. Die Europäer hatten ein Anrecht auf 300 Gramm Brot pro Tag, die Moslems auf zweihundertfünfzig, bekamen aber kaum hundert. Die Ereignisse in Sétif hatten nur ein geringes Echo hinterlassen. Am 8. Mai hätten, schrieb die *Humanité*, während der Siegesfeier faschistische Provokateure auf die Moslems geschossen, die das Feuer erwiderten. Die Armee habe die Ordnung wiederhergestellt. Man sprach von etwa hundert Toten. Erst viel später wurde die Ungeheuerlichkeit dieser Lüge bekannt. (Ungefähr achtzig Europäer waren ermordet worden, nachdem sie die Moslems provoziert hatten. Truppen ‹säuberten› das Gebiet; Ergebnis: vierzigtausend Tote.)

Unheimliche Gerüchte zirkulierten über die von den Amerikanern befreiten Konzentrationslager. Anfangs hatte man, ohne viel zu überlegen, Brot, Konserven, Wurst verteilt. Die Gefangenen waren auf der Stelle gestorben. Man wurde zwar vorsichtiger, aber noch immer mußten viele den Diätwechsel mit dem Leben bezahlen. Eigentlich wußte nämlich kein Arzt, wie er mit der Unterernährung fertig werden sollte, die man in den Lagern antraf: Das war völliges Neuland. Vielleicht waren in diesem Punkt die Amerikaner schuldloser, als man damals glaubte. Man warf ihnen vor, daß sie die Häftlinge allzu langsam nach Haus entließen. In Dachau grassierte der Typhus, an dem viele Menschen starben. In allen Lagern starben Menschen. Das französische Rote Kreuz hatte Zutritt verlangt, aber unsere Bundesgenossen hatten abgelehnt: Diese Weigerung ärgerte uns. Andererseits fanden wir es nicht richtig, daß die deutschen Kriegsgefangenen gut verpflegt wurden, während die französische Bevölkerung hungerte. Unsere Gefühle gegenüber unseren Rettern waren seit dem Dezember kühler geworden.

Die Deportierten kehrten zurück, und wir stellten fest, daß wir von nichts gewußt hatten. An den Mauern von Paris klebten Fotos der Beinhäuser. Bost war wenige Stunden nach den Amerikanern in Dachau eingetroffen. Ihm fehlten die Worte, um zu beschreiben, was er gesehen hatte. Ein anderer Kriegsberichterstatter erzählte zum erstenmal von den «Muselmännern». «Und das Schlimmste ist», sagte er zum Schluß in etwas verstörtem Ton, «daß sie einen anekeln.» Bald bekam ich ihre Gesichter in den Zeitungen zu sehen. Es gab einige von den Amerikanern gedrehte Kurzfilme und die schriftlichen und mündlichen Berichte, die Zeugenaussagen: Leichenzüge, ‹Selektionen›, Gaskammern, Krematorien, Experimente der Naziärzte, die langsame, tägliche Ausrottung. Als fünfzehn Jahre später der Eichmann-Prozeß und eine plötzliche Flut von Filmen und Büchern die schon so entlegene Zeit wieder heraufbeschworen, waren die Menschen erschüttert, schluchzten und wurden ohnmächtig. 1945 wurden uns die Enthüllungen in aller Frische zuteil, sie betrafen Freunde, Kameraden, unser eigenes Leben. Am beklemmendsten fand ich den wilden und vergeblichen Kampf der Todgeweihten um einen letzten Atemzug. Die verriegelten Waggons, Menschen, die sich halb erstickt auf den Leichen hochstemmen, um Luft zu holen, und tot zurücksinken; Sterbende, die sich zur Arbeit schleppen, zusammenbrechen und sogleich an Ort und Stelle erschlagen werden. Die Weigerung, die Unermeßlichkeit der Weigerung und dieses letzte, brutal ausgelöschte Aufflammen: nichts mehr, nicht einmal mehr die Nacht.

Yvonne Picard kehrte nicht zurück. Alfred Péron starb in der Schweiz, wenige Tage, nachdem er dorthin gebracht worden war. Pierre Kaan wurde am 10. Mai aus Buchenwald befreit. «Immerhin habe ich den deutschen Zusammenbruch erlebt», sagte er. Er starb am 20. Mai. Es ging das Gerücht, daß Robert Desnos' Rückkehr bevorstehe. Er starb am 8. Juni in Kerenice an Typhus. Von neuem schämte ich mich, noch am Leben zu sein. Ich fürchtete den Tod genauso wie früher. Aber wer nicht stirbt, sagte ich mir mit Abscheu, akzeptiert das Unabwendbare.

Sartre kehrte nach Paris zurück und berichtete von seiner Reise. Zunächst von der Ankunft im Hotel ‹Waldorf Astoria›, wo seine pelzgefütterte Jacke und der Aufzug seiner Kollegen Aufsehen erregt hatten. Man holte sofort einen Schneider. Dann erzählte er von den Städten, den Landschaften, den Bars, dem Jazz. Mit dem Flugzeug hatte er ganz Amerika bereist. Im Colorado Cañon fragte der Pilot von Zeit zu Zeit: Komme ich durch? Stößt die Tragfläche nicht an? Sartre war völlig betäubt von allem, was er gesehen hatte. Über das Wirtschaftssystem, die Rassentrennung und den Rassenhaß hinaus stieß er sich auch noch an so manchen anderen Dingen: an dem Konformismus der Amerikaner, ihren Wertmaßstäben, ihren Mythen, ihrem falschen Optimismus, ihrer Flucht vor der Tragik. Aber er fand die meisten Menschen, denen er begegnet war, sympathisch. Die Massen New Yorks hatten ihn erschüttert. In seinen Augen waren die Menschen mehr wert als das System. Die Persönlichkeit Roosevelts hatte im Verlauf der Zusammenkunft, die er der französischen Delegation gewährte, tiefen Eindruck auf ihn gemacht. Mit Erstaunen hatte er festgestellt, daß manche Intellektuelle durch das Anwachsen faschistischer Strömungen beunruhigt waren. Hie und da hatte er sogar nicht gerade ermutigende Äußerungen gehört. Anläßlich eines Essens hatte der Public-Relations-Direktor von Ford gut gelaunt den bevorstehenden Krieg gegen die UdSSR an die Wand gemalt. «Aber ihr habt doch keine gemeinsame Grenze – wo werdet ihr denn Krieg führen?» fragte ein kommunistischer Journalist. – «In Europa», erwiderte der Mann voller Natürlichkeit. Diese Antwort war ein Schock für die Franzosen, aber sie nahmen sie nicht ernst. Das amerikanische Volk war keineswegs kriegslüstern. So hatte sich Sartre ohne Hintergedanken den Freuden der Reise gewidmet. Er berichtete von den Emigranten, die er wiedergesehen hatte: in New York Stépha und Fernand, die schöne Bilder malten, in Hollywood Rirette Nizan, die sich dadurch ernährte, daß sie französische Filme mit Untertiteln versah. Er hatte Breton kennengelernt: – das sei schon ein Kerl. Und Léger, dessen Stil sich sehr geändert hatte: Die neueren Bilder gefielen Sartre besser als die früheren. Einige Tage nach seiner Rückkehr schleppte man einen großen schwarzen Koffer in mein Zimmer, der mit Kleidung und Lebensmitteln vollgestopft war.

Wir kamen nach wie vor mit vielen Menschen zusammen. Wir mischten uns mit größtem Vergnügen in das Pariser Gesellschaftstreiben, nahmen an Generalproben und Premieren teil, denn das politisch stark beschädigte Wort Résistance hatte unter den Intellektuellen seinen Sinn beibehalten. Schulter an Schulter bekräftigten sie ihre Solidarität, und das Schauspiel wurde zur Kundgebung. So sahen wir uns *Mord im Dom* im Vieux Colombier an, von Vilar gut inszeniert und gespielt, aber langweilig. Und *Der große Diktator,* auf den man ungeduldig gewartet hatte. Fast alle waren enttäuscht. Hitler brachte einen nicht mehr zum Lachen. René Leibowitz lud uns eines Nachmittags zu den Leiris ein und spielte auf dem Klavier Zwölftonmusik. Ich verstand nichts davon, aber sie war von den Nazis verboten worden, und Leibowitz hatte sich vier Jahre lang verstecken müssen. Jeder Augenblick grenzte ans Wunderbare. Ungefähr um dieselbe Zeit müssen wir im Quartier Latin an der Eröffnung des ‹Gipsy› teilgenommen haben, wo Mouloudji als Berufssänger debütierte.

Eines Abends ging ich mit Sartre und den Leiris zu Dora Marr, die sehr schöne Bilder malte. Sie glaubte ans Tischrücken, wir aber nicht. Sie schlug vor, einen Versuch zu machen. Wir legten die Hände auf einen recht großen einfüßigen runden Tisch. Es geschah nichts, und es fing bald an, langweilig zu werden. Plötzlich begann das Möbelstück zu zittern, zu wackeln, davonzulaufen. Wir liefen hinterher, die Hände nach wie vor auf der Platte und in enger Berührung miteinander. Der Geist teilte mit, daß er Sartres Großvater sei. Mit kurzen Stößen buchstabierte der Tisch das Wort: Hölle. Fast eine Stunde lang, sich drehend oder auf der Stelle hopsend, verhieß er uns allen das höllische Feuer und erzählte Sachen über Sartre, die nur er und ich kannten. Dora triumphierte. Die Leiris und Sartre lachten verblüfft. Beim Weggehen beichtete ich ihnen, daß ich den Tisch gesteuert hatte. Da ich laut gewettet hatte, er würde sich nicht bewegen, war kein Verdacht auf mich gefallen.

Im Juni wurde zum zweitenmal der Prix de la Pléiade verteilt. Zusammen mit der Jury, die bei Gallimard versammelt war, lud man mich zu einer Tasse Kaffee ein. Ich weiß nicht, wer den Preisträger durchgepaukt hatte, aber sie machten alle einen konsternierten Eindruck. Nach dem Kaffee ging man in den Garten. Es waren viele Leute gekommen, die Sonne schien, es gab Champagner, Gin und Whisky im Überfluß. Gegen Abend saß ich neben Queneau auf dem Rasen und diskutierte mit ihm über «das Ende der Geschichte». Das Thema tauchte häufig in den Gesprächen auf. Wir hatten die Realität der Geschichte und ihre Wichtigkeit entdeckt. Wir fragten nach ihrem Sinn. Queneau, durch Kojève in die Gedankenwelt Hegels eingeführt, war der Meinung, eines Tages würden sich alle Individuen in der siegreichen Einheit des Geistes zusammenfinden. «Aber wenn ich Kopfschmerzen habe?» sagte ich. *«Man* wird Ihre Kopfschmerzen haben», erwiderte Queneau. Wir stritten uns ziemlich lange und wurden immer leidenschaftlicher, je mehr die Dünste des Alkohols uns angenehm das Gehirn umnebelten. Wir beschlossen, die Diskussion am nächsten Tag fortzusetzen, und trafen eine Verabredung. Queneau schlug mir vor, ein letztes Glas zu trinken. Ich kannte meine

Grenzen und lehnte ab. Er ließ nicht locker. «Nur ein Glas Champagner.» Na schön. Er reichte es mir, ich trank und kam auf einem Sofa wieder zu mir, mit glühendem Kopf und umgedrehtem Magen. Queneau hatte das Glas, das ich auf einen Zug geleert hatte, zur Hälfte mit Gin gefüllt. Ich war sofort ohnmächtig geworden. Es war sehr spät, alle Gäste waren schon gegangen. Nur Sartre und die Familie Gallimard waren noch da. Ich schämte mich. Jeanne tröstete mich, so gut sie konnte. Man brachte mich im Auto nach Hause, und ich legte mich sofort ins Bett. Als ich zwölf Stunden später erwachte, war ich noch immer recht übel daran und hatte die Verabredung mit Queneau völlig vergessen; er hatte sich auch nicht mehr daran erinnert.

Damals tranken wir viel, anfangs, weil es wieder Alkohol gab, und nachher, weil wir das Bedürfnis hatten, uns zu entspannen. Es waren Festtage. Seltsame Festtage! Die nahe, schreckliche Vergangenheit verfolgte uns noch immer; angesichts der Zukunft schwankten wir zwischen Hoffnung und Zweifel; heitere Gelassenheit war uns nicht vergönnt; die Welt durchkreuzte unsere Hoffnungen: Es hieß vergessen und sogar vergessen, daß man vergaß.

Meine Schwester und Lionel kehrten Ende Mai nach Paris zurück. Sie war in all den Jahren fleißig gewesen. In der Galerie Jeanne Castel stellte sie Zeichnungen aus, zu denen sie durch Szenen im Krankenhaus von Lissabon angeregt worden war. Zusammen mit ihr sah ich mir wieder die Sammlungen im neueröffneten Louvre an. Sartre fuhr mit seiner Mutter aufs Land. Ihr Mann war im Winter gestorben. Ich entschloß mich zu einer Radtour. Da Vitold gerade Urlaub hatte, gondelten wir einige Tage lang Seite an Seite von Paris nach Vichy, durch die Schluchten der Creuse, dann quer über die Hochebene von Millevaches und durch die Auvergne. Wir sprachen über *Les Bouches inutiles*. Er hatte ein Theater in Aussicht. Wir unterhielten uns über eventuelle Umarbeitungen und über Einzelheiten der Inszenierung. Vitold hatte Liebeskummer und schüttete mir sein Herz aus. Noch immer war es schwierig, Verpflegung und Unterkunft zu finden. Wir hatten amerikanische Konserven mitgenommen, die unsere Mahlzeiten in höchst willkommener Weise ergänzten. Es kam vor, daß wir im Hinterzimmer eines Bäckerladens, auf Cafébänken und sogar einmal fast unter freiem Himmel in einer Köhlerhütte übernachteten. In Vichy trennte ich mich von ihm und fuhr ins Vercors-Massiv, das ich gern sehen wollte. Dort erlebte ich die große Trauerkirmes von Vassieux, die ich in *Les Mandarins* beschrieben habe. (Nur ein Detail stimmt nicht: Ich habe sie nach den Abwurf der ersten Atombombe verlegt, während sie einige Tage früher stattgefunden hat.)

Am 6. August – ich war gerade in Paris angekommen – fiel die Atombombe auf Hiroshima. Das war der endgültige Schluß des Krieges, ein empörendes Massaker. Vielleicht kündigte es den ewigen Frieden, vielleicht das Ende der Welt an. Wir unterhielten uns lange darüber.

Einen Monat verbrachten wie in La Pouèze und waren dort, als die zweite Bombe fiel, als die Russen in die Mandschurei einmarschierten und Japan kapitulierte. In Briefen erreichte Sartre das Echo des *V-day*, der Siegesfeier der Amerikaner. Für uns datierte der Sieg aus dem Mai.

Zum erstenmal reiste ich mit Sartre ins Ausland, nach Brügge, nach Antwerpen, nach Gent. Schon immer hatten die Dinge meine Einbildungskraft überstiegen. Ich stellte fest, daß auch mein Gedächtnis ihnen nicht gewachsen war. Ich fing an, die Freude des Wiedersehens zu schätzen. Ich war wirklich in ein anderes Lebensalter gekommen.

# 2

*Le Sang des autres* erschien im September. Das Hauptthema war, wie ich schon sagte, das Paradox dieser Existenz, die ich als Äußerung meines freien Willens betrachte und die von den anderen, die sich mir nähern, als Objekt aufgefaßt wird. Diese Absicht entging dem Publikum. Das Buch wurde als «ein Roman der Widerstandsbewegung» eingestuft.

Einen Augenblick lang ärgerte mich dieses Mißverständnis, aber ich fand mich damit ab, weil der Erfolg meine Erwartungen bei weitem übertraf. Er war viel größer als der von *L'Invitée* [*Sie kam und blieb*]. Alle Kritiker fanden meinen zweiten Roman besser als den ersten; mehrere Zeitungen widmeten dem Band pathetische Leitartikel. Schriftlich und mündlich wurde ich überschwenglich beglückwünscht. Camus verhehlte nicht sein Erstaunen, obwohl ihm das Buch gefiel. Aron erklärte mir mit dem Freimut des Freundes: «Ehrlich gesagt, ich finde diesen Erfolg widerlich.» Ich glaube, sein Einwand galt der gutgesinnten Voreingenommenheit, die mir diesen Beifall einbrachte. Wir Schriftsteller, Journalisten, Intellektuelle waren noch durch die jüngste Vergangenheit eng miteinander verbunden und neigten dazu, uns gegenseitig anzuhimmeln. Darüber hinaus war mein Roman der erste, der offen von der Résistance berichtete. Aber die Öffentlichkeit gehorchte nicht äußeren Einflüsterungen. Das Lob, das mir zuteil wurde, war ehrlich gemeint. Man las *Le Sang des autres* mit der gleichen Brille, die ich beim Schreiben aufgehabt hatte.

Auch in technischer Hinsicht glaubte ich, etwas Neues geschaffen zu haben. Die einen gratulierten mir zu dem ‹langen Tunnel›, der die Erzählung einleitet, andere beklagten sich darüber. Alle waren sich einig, daß die Form originell sei – so sehr hatte der französische Roman bis dahin die herkömmlichen Regeln respektiert. Was mich vor allem verblüffte, war, daß meine Schilderung als «blutvoll und lebendig» galt. Ein Buch ist ein kollektives Objekt, zu dessen Entstehung die Leser ebensoviel beitragen wie der Autor. Meine Leser standen auf dem gleichen moralischen Standpunkt wie ich. Die von mir gewählte Perspektive war ihnen so natürlich, daß sie der Meinung waren, sie sei die Wirklichkeit selbst. Unter der Oberfläche der abstrakten Begriffe und erbaulichen Wendungen entdeckten sie das Gefühl, das so ungeschickt darin untergegangen war. Sie ließen es wiederauferstehen. Es war ihr Blut, ihr Leben, das sie meinen Figuren schenkten. Dann vergingen Jahre. Die Verhältnisse wandelten sich und auch unsere Herzen. Gemeinsam definierten wir das Werk, das wir gemeinsam ausgedacht hatten. Bleibt ein Buch, dessen Mängel heute in die Augen springen.

Ein Roman über die Résistance: Er wurde aber auch als existentialistischer Roman katalogisiert. Von nun an begleitete dieses Wort automatisch Sartres und meine Werke. Während eines im Sommer von den Éditions du Cerf – das heißt von den Dominikanern – veranstalteten Podiumsgesprächs hatte Sartre sich dagegen gewehrt, daß Gabriel Marcel ihm dieses Etikett verpaßte: «Meine Philosophie ist eine Existentialphilosophie. Was Existentialismus ist, weiß ich nicht.» Ich war genauso verärgert wie er. Ich hatte meine Romane geschrieben, bevor ich diesen Begriff überhaupt kannte, und mich nicht von einem System, sondern von meiner Erfahrung leiten lassen. Aber wir protestierten vergebens. Schließlich benutzten wir selbst das Epitheton, das alle Welt gebrauchte, um uns abzustempeln.

Also lösten wir in diesem Herbst ohne besondere Absicht eine ‹existentialistische Offensive› aus. In den Wochen, die auf die Veröffentlichung meines Romans folgten, erschienen die beiden ersten Bände von *Les Chemins de la liberté* und die ersten Nummern von *Les Temps Modernes*. Sartre hielt außerdem einen Vortrag über «Ist der Existentialismus ein Humanismus?», und ich sprach im Club Maintenant über das Thema «Der Roman und die Metaphysik». *Les Bouches inutiles* wurde aufgeführt. (In ein und derselben Woche hat man Sartres Vortrag gehört, die Generalprobe von *Les Bouches inutiles* erlebt und die erste Nummer von *Les Temps Modernes* gelesen, stand in den *Arts* in einer leicht übertriebenen Kritik zu lesen.) Der Sturm, den wir entfesselt hatten, überraschte uns. Plötzlich, wie in manchen Filmen das Bild seinem Rahmen entwächst, sprengte mein Leben seine früheren Grenzen. Ich wurde ins Rampenlicht geschoben. Mein Gepäck war leicht, aber man verband meinen Namen mit dem Sartres, dessen sich der Ruhm brutal bemächtigte. Es verging keine Woche, ohne daß in den Zeitungen von uns die Rede war. Der *Combat* kommentierte mit Wohlwollen alles, was wir schrieben und von uns gaben. Die von Herbart gegründete Wochenschrift *Terre des hommes,* die nur wenige Monate existierte, widmete uns in jeder Nummer ellenlange Spalten mit freundschaftlichen oder süßsauren Kommentaren. Überall fanden unsere Bücher, fanden wir selber ein Echo. Auf der Straße verfolgten uns die Fotoreporter, sprachen uns die Leute an. Im ‹Flore› beobachtete man uns und tuschelte.

Zu Sartres Vortrag erschien eine solche Menschenmenge, daß der Saal sie nicht fassen konnte. Es herrschte ein fürchterliches Gedränge. Frauen fielen in Ohnmacht.

Dieser Tumult ließ sich zum Teil aus der ‹Inflation› erklären, die Sartre selbst kritisiert hat (*La Nationalisation de la littérature* [*Die Nationalisierung der Literatur*] in *Les Temps Modernes* vom November 1945). Da Frankreich eine zweitrangige Macht geworden war, wehrte es sich, indem es zu Exportzwecken die Produkte des Landes verherrlichte: Mode und Literatur. Das bescheidenste Geschreibsel erhielt Beifall, mit dem Verfasser wurde ein großes Tamtam gemacht. Das Ausland betrachtete diesen Lärm mit Wohlgefallen und verstärkte ihn noch. Daß die Umstände jedoch Sartre in so hohem Grade begünstigten, war kein Zufall. Es bestand, wenigstens auf den ersten Blick, eine bemerkenswerte Übereinstimmung zwischen dem, was er dem Publikum gab, und dem, was es verlangte. Auch die Spießbürger, die ihn lasen, hatten den Glauben an den ewigen Frieden, an den ruhigen Fortschritt, an die unveränderlichen Grundwerte verloren. Sie hatten die Geschichte in ihrer erschreckendsten Gestalt erlebt. Sie brauchten eine Ideologie, die diese Offenbarungen verarbeitete, sie aber nicht zwang, die frühere Denkweise über Bord zu werfen. Der Existentialismus, der sich bemühte, Geschichte und Moral miteinander zu versöhnen, ermöglichte ihnen, den Übergangszustand hinzunehmen, ohne auf ein gewisses Maß an Absolutem zu verzichten, dem Grauen und der Absurdität zu trotzen, ohne die Menschenwürde zu verlieren und ihre Eigenart zu bewahren. Er schien ihnen die erträumte Lösung zu bieten.

Das schien zwar so, traf aber in Wirklichkeit nicht zu. Und deshalb war Sartres Erfolg ebenso zweideutig wie gewaltig und wurde gerade durch diese Zweideutigkeit so aufgebauscht. Die Leute stürzten sich gierig auf eine Nahrung, die sie notwendig brauchten. Sie brachen sich an ihr die Zähne aus und erhoben ein Geschrei, dessen Heftigkeit die Neugier weckte und verlockend wirkte. Sartre verführte sie, indem er auf dem Niveau des Einzelnen die Rechte der Moral geltend machte. Die Moral aber, die er meinte, war nicht ihre Moral. Das Weltbild in seinen Romanen lehnten sie ab: Sie warfen ihm schmutzigen Realismus, Schwarzmalerei, Miserabilismus vor. Sie waren gewillt, sich einige sanfte Wahrheiten sagen zu lassen, nicht aber, sich selber ins Gesicht zu schauen. Gegenüber der marxistischen Dialektik machten sie ihre Freiheit geltend. Sartre aber übertrieb: Die Dialektik, die er ihnen offerierte, brachte beschwerliche Pflichten mit sich. Sie wandte sich gegen die gesellschaftlichen Institutionen, gegen die herrschenden Sitten. Sie zerstörte ihre Geborgenheit. Sartre forderte sie auf, sich auf diesem Umweg mit dem Proletariat zu verbünden. Dabei stellte sich heraus, daß sie wohl in die Geschichte eingehen wollten, aber nicht durch dieses Tor. Die klassifizierten und katalogisierten kommunistischen Intellektuellen waren ihnen nicht so lästig. In Sartre erkannten die Spießbürger sich wieder, ohne seinem Beispiel folgen zu wollen und über die Grenzen hinauszuwachsen. Er sprach in ihrer Sprache zu ihnen und benutzte diese Sprache, um ihnen etwas zu sagen, das sie nicht hören wollten. Immer wieder kamen sie zu ihm, weil er die Fragen stellte, die sie sich stellten: sie liefen weg, weil seine Antworten sie vor den Kopf stießen.

Sartre, gleichzeitig berühmt und berüchtigt, fand dieses Renommee unangenehm, das zwar seine früheren Ambitionen übertraf, ihnen aber auch zuwiderlief. Obwohl er sich den Beifall der Nachwelt gewünscht hatte, so hatte er doch nie davon geträumt, zu Lebzeiten ein größeres Publikum zu finden. Ein neuer Umstand, die Entstehung der One-World, machte ihn zu einem kosmopolitischen Autor. Er hätte nie geglaubt, daß *La Nausée* [*Der Ekel*] in kurzer Zeit übersetzt werden würde. Dank der modernen Technik, der Schnelligkeit der Verbindungen und Übermittlungen erschienen seine Werke in einem Dutzend fremder Sprachen. Das war bestürzend für einen Schriftsteller, der sich nach alten Vorbildern orientiert und in der Einsamkeit eines Baudelaire, eines Stendhal, eines Kafka das unerläßliche Unterpfand für die Genialität erblickt hatte. Weit davon entfernt, die Verbreitung seiner Bücher als Wertmaßstab zu nehmen: So viele mittelmäßige Bücher machten von sich reden, daß das Tamtam fast ein Zeichen der Mittelmäßigkeit zu sein schien. Im Vergleich zu der Obskurität Baudelaires hatte der alberne Ruhm, der sich über Sartre ergoß, etwas Verdrießliches.

Er kam ihm teuer zu stehen. Aus der ganzen Welt lief ihm ein unerwartet großer Leserkreis zu, aber er sah sich um das Publikum kommender Jahrhunderte betrogen. Die Ewigkeit war zusammengestürzt. Die Menschen der Zukunft würden zu jenen Krabben werden, an die sich Franz in *Les Séquestrés d'Altona* [*Die Eingeschlossenen*] wendet: undurchdringlich, verschlossen, völlig anders. Seine Bücher würden, selbst wenn man sie las, nicht mehr die Bücher sein, die er geschrieben hatte. Sein Werk würde nicht bestehenbleiben. Für ihn war damit eigentlich der Gott gestorben, der bis dahin unter der Maske der Phrasen weitergelebt hatte. Sartre war es seinem Stolz schuldig, eine so totale Katastrophe hinzunehmen. Das geschah in der *Présentation*, die im Oktober die erste Nummer der *Temps Modernes* einleitete. Die Literatur hat ihren geheiligten Charakter abgestreift. Schön. Von nun an wird er das Absolute ins Ephemere setzen. Eingesperrt in seine Epoche, wird er sich für sie und gegen die Ewigkeit entscheiden und sich damit abfinden, zusammen mit ihr unterzugehen. Dieser Entschluß war vieldeutig. Als Kind und Jüngling hatte Sartre davon geträumt, ein verstoßener und verkannter Dichter zu sein, dem der Ruhm erst jenseits des Grabes zufällt oder, damit er ihn doch ein wenig genieße, auf dem Sterbebett. Von neuem glaubte er an die Umwandlung der Niederlage in einen Sieg. Indem ihm alles im Übermaß zuteil wurde, hatte er alles verloren.

Wenn er sich auch damit abfand, alles zu verlieren, hegte er doch die stille Hoffnung, alles wiederzuerlangen. «Der Verzicht auf den Nachruhm müßte mir den Nachruhm eintragen.» (Unveröffentlichte Aufzeichnung.) Andererseits sah er mit vierzig Jahren seinen kühnsten Ehrgeiz auf gewisse Weise erreicht. So zweideutig auch sein Erfolg sein mochte, er würde nie einen größeren erringen. Die Wiederholung langweilte ihn. Jetzt hieß es neue Ziele ins Auge fassen. Wenn er, der die Untätigkeit verabscheute, das Werk den Taten vorzog, hatte er damit nicht die Betrachtung, die Träumerei, die Wirklichkeitsflucht im Sinn, sondern den konstruktiven Sinn. Er hatte im Stalag durch *Bariona*, während der Besetzung durch *Les Mouches* [*Die Fliegen*] die lebendige Rolle entdeckt, die das geschriebene Wort zu spielen vermag. Als er sich nun entschloß, nicht mehr zu sein, sondern zu handeln, forderte er, daß sein Werk von jetzt an immer einen Appell und ein Engagement enthalte. Damit sollte nicht etwa angedeutet werden, daß er die Literatur verachte, sondern es war im Gegenteil seine Absicht, ihr ihre Würde zurückzugeben. Wenn sie ihrem Wesen nach göttlichen Ursprungs ist, kann man, zerstreut mit der Feder spielend, ein heiliges Werk hervorbringen. Ist sie menschlicher Herkunft, muß der Mensch, damit sie nicht zur bloßen Unterhaltung herabsinkt, sie mit seiner eigenen Existenz verschmelzen, ohne sein Leben zu zerstören. Alles in allem ist das ‹Engagement› nichts anderes als die totale Identifizierung des Schriftstellers mit dem, was er schreibt.

Auf diese Weise brachte es Sartre fertig, gleichzeitig zu überzeugen und Unwillen zu erregen. Sein Artikel löste leidenschaftliche Diskussionen aus, die bis heute noch nicht aufgehört haben. In jener wirren Zeit, da das Getöse der Welt auch in die entlegenste Zuflucht drang, wünschte das Publikum nichts mehr, als die Kluft zwischen Presse und Literatur, zwischen seinen täglichen Interessen und den kulturellen Sorgen überbrückt zu sehen. Es verlangte danach, die Welt kennenzulernen, in die es hineingeraten war. Es würde tapfer seine Neugier befriedigen, wenn die Kunst sich dieser lebenden, brennenden Wirklichkeit bemächtigte, an die sich kein Akademiker je herangewagt hatte. Es wollte nur nicht auf die Ewigkeit verzichten. Die Lektüre sollte es in jene erhabenen Sphären entrücken, in denen das Kunstwerk souverän herrscht. Sartre respektierte die Literatur so sehr, daß er ihr Schicksal mit dem der Menschheit verknüpfte: Man hielt es für ein Sakrileg, daß er sie aus dem Himmel auf die Erde herabgeholt hatte. So ging es auf allen Gebieten. Was er für seine Leser schrieb, bereicherte sie, richtete aber auch Verwirrung an. Und sie lohnten es ihm eher mit Groll als mit Dankbarkeit.

Er war den Angriffen besonders schutzlos ausgeliefert, da er der Regel treu blieb, die wir uns gesetzt hatten: ohne Selbstdarstellung auf die Situation zu reagieren. Er änderte seine Gewohnheiten nicht, wohnte

48

im Hotel und im Café, kleidete sich, wie es ihm gerade paßte, und entzog sich allen bürgerlichen Konventionen. Er war nicht nur nicht verheiratet, sondern wir führten jeder ein so selbständiges Leben, daß man unsere Beziehungen nicht einmal als eine klassische ‹freie Ehe› bezeichnen konnte. Man hätte ihm diese Eigenheiten verziehen, wenn er sich hinter seiner Schriftstellerpose verschanzt hätte. Das hat er nie getan. Und in der Verwunderung über seine Metamorphose überlegte er sich nicht, daß er seinem neuen Status wenigstens Rechnung hätte tragen müssen. Dieses Naturell verschaffte ihm zahlreiche Freunde. Die Öffentlichkeit aber war schockiert. Da sie den Ernst jeder schriftstellerischen Arbeit nicht kennt, gesteht sie dem Schriftsteller seine Privilegien nur dann zu, wenn er ihr als das ‹Andere› erscheint, das ihrer Vorliebe für Mythen und Idole schmeichelt und den Neid entwaffnet. Das Andere aber ist das Unmenschliche. Die Komödien der Eitelkeit und Wichtigtuerei reichen nicht aus, zu verbergen, daß der berühmte Autor ein Mensch unter Menschen ist. Daß er gähnt, ißt und läuft, sind lauter Beweise seiner Heuchelei. Man stellt ihn nur auf ein Podest, um ihn gründlicher durchzuhecheln und den Schluß zu ziehen, er sei zu Unrecht dorthin gelangt. Aber solange er sich dort oben behauptet, wird der Abstand die Böswilligkeit dämpfen. Sartre machte das Spiel nicht mit, er blieb unter der Menge: als irgendeiner von ihnen. Die Leute, darauf versessen, ihn für das Andere zu halten, stellten fest, daß er ihresgleichen war, und bezeichneten ihn als den frechsten aller Taschenspieler. Als wir eines Abends das ‹Golfe-Juan› verließen, sagte ein Gast, der Sartre unaufhörlich beobachtet hatte, boshaft zu seiner Frau: «Na und? Er schneuzt sich.» Ein Vorwurf war schlimmer als der andere. Seine Einfachheit kehrte sich gegen ihn in dem Maße, wie er sich nicht den bürgerlichen Konventionen beugen wollte. Eigentlich hatte sie etwas Verdächtiges. Sie zeugte von allzu extrem demokratischen Anschauungen, als daß die Elite sich nicht in ihrer Überlegenheit bedroht gefühlt hätte.

Die Idylle des Herbstes 1944 fand ein baldiges Ende. Noch war über *L'Être et le Néant* nichts Ernsthaftes geschrieben worden, da gingen die Gutgesinnten bereits in Zeitschriften, Vorlesungen und Vorträgen zum Angriff über. Am 3. Juni 1945 sah *La Croix* im atheistischen Existentialismus «eine Gefahr, ernster als der Rationalismus des 18. und der Positivismus des 19. Jahrhunderts». Die äußerste Rechte begann, noch mit einer gewissen Vorsicht, aus ihrer Reserve herauszugehen. In Broschüren, mit Gerüchten und boshaftem Tratsch verbreitete sie Verleumdungen über Sartre. Im November 1945 bat mich im ‹Flore› ein junger, blauäugiger Mann, ihm etwas über Sartre zu erzählen. Er müsse für ein seit kurzem erscheinendes Sensationsblatt, *Samedi-Soir*, einen Artikel über ihn schreiben. Ich weigerte mich. Er erklärte, daß er den Artikel auf jeden Fall schreiben werde; dann wäre es doch besser, wenn er seine Informationen durch mich erhielte. Also informierte ich ihn. Einige Tage später wurde ein Mülleimer über Sartre ausgeleert. Seine schmutzige, frivole Philosophie sei einem kranken Volk angemessen. Moralisch und physisch liebe er nur den Unrat. Wir waren über die Angriffe bestürzt. Aber schließlich konnten uns diese Herrschaften ja nicht lieben. Wir lernten es, ihre Beschimpfungen an uns abgleiten zu lassen. Als Boutang sich fragte, ob Sartre ein Verrückter sei, war uns das gleichgültig. Sartre hatte sich von seiner Klasse losgesagt. Ihre Feindseligkeit war normal. Die der Kommunisten aber empfand er als ungerecht.

Im Juni 1945 hatte er an ihrer Stelle am Ausverkauf des CNE teilgenommen. («Monsieur Sartre», fragte ihn eine Dame gewissen Alters, «Ihrer Auffassung nach sind die anderen die Hölle!» – «Ja.» – «Dann bin ich das Paradies», erwiderte sie mit einem verwunderten Lächeln.) Er hatte geglaubt, daß seine Richtigstellung alle Differenzen beigelegt habe. Er irrte sich. In einem Artikel, den die *Action* brachte, warf ihm Lefebvre in sehr unangenehmem Ton vor, er habe seine Zeit damit vergeudet, in *L'Être et le Néant* Dinge darzustellen, die für einen Marxisten selbstverständlich seien. Er mache jegliche Geschichtsphilosophie unmöglich und vertusche gegenüber seinen Lesern die eigentlichen Probleme. Kanapa gab der ersten Nummer der *Temps Modernes* einen Artikel. «Wir sollten beide zusammen zu Maublanc gehen», sagte er zu Sartre. «Garaudy und Mougin möchten mit Ihnen sprechen.» Am Vorabend der Zusammenkunft telefonierte er verlegen, er könne nicht mitkommen. Sartre ging allein zu Maublanc, wo Garaudy und Mougin ihn beschimpften, daß er ein Idealist sei und die marxistische Jugend in die Irre führe. Kein Kommunist würde mehr für uns schreiben. Trotzdem wollten wir nicht mit ihnen brechen. Politisch hatte jene trügerische Einheitsfront, die Résistance, zu existieren aufgehört. Als Malraux im Dezember 1945 vor der Kammer an sie erinnerte, stieß er auf verlegene Mienen, während ein Jahr früher dieses Wort automatisch lauten Beifall entfesselt hätte. Von den drei Parteien, in die sie zerfallen war, hielt nur noch die KP die revolutionären Hoffnungen wach. Die unbewegliche anachronistische SFIO wurde von den Massen abgelehnt. Als das Land, nachdem es für eine konstituierende Versammlung mit begrenzten Vollmachten gestimmt hatte, an die Wahlurnen ging, siegten die Kommunisten. Wir hatten die gleichen Ziele wie sie, und nur sie konnten diese Ziele verwirklichen. In dem Konflikt zwischen Thorez und de Gaulle stellten wir uns auf die Seite des ersteren. (Thorez forderte für seine Partei eines der drei großen Ministerien. De Gaulle lehnte ab. Man einigte sich. Aber am 22. Januar 1946 trat de Gaulle zurück, weil er die von der sozialistisch-kommunistischen Mehrheit in der Kammer ausgearbeitete Verfassung nicht billigte.) Wir setzten unser Gespräch mit den Marxisten fort. Merleau-Ponty schrieb in der November-Nummer der *Temps Modernes*. Im Dezember erteilte ihm die *Action* in einem «Entweder – Oder» betitelten Artikel eine scharfe Antwort, ihm und zugleich auch Beaufret, der in *Confluences* über den Existentialismus geschrieben hatte. Anfang 1946, als Merleau-Ponty in der *Action* einen Artikel über die moderne Gestalt des Helden veröffentlichte, wurde ihm in den *Cahiers d'Action* entgegengehalten, der Kommunist sei «der permanente Held unserer Zeit». Hervé griff einen anderen Artikel Merleau-Pontys über den politischen Realismus an, der in den *Temps Modernes* erschienen war. Im März setzten Alquié und Naville in der *Revue Internationale* in gemäßigterem Ton die Diskussion fort. Da das Interesse am Existentialismus nicht nachließ – zu dem Vortrag, den Beaufret im Vieux Colombier über dieses Thema hielt, erschien das Publikum in hellen Scharen –, veranstaltete die *Action* eine Rundfrage: «Soll man Kafka verbrennen?», die sich gegen die ‹schwarze› Literatur richtete. Glücklicherweise fanden viele Leser diese Frage empörend. Unter den Antworten gab es nur ein einziges Ja. Wenn wir privat mit Courtade, Hervé, Rolland, Claude Roy zusammenkamen, wurde gelassen vor dem Hintergrund scheinbarer Hochachtung debattiert. Desto mehr ärgerte uns die öffentliche Kampagne.

Freilich war Sartre noch weit davon entfernt, die Fruchtbarkeit der dialektischen Methode und des marxistischen Materialismus zu begreifen: Das beweisen die Arbeiten, die er in diesem Jahr veröffentlichte. Sein zwei Jahre früher erschienenes Vorwort zu den *Écrits intimes* Baudelaires ist eine phänomenologische Beschreibung; es fehlt die psychoanalytische Studie, die Baudelaire aus seinen körperlichen Voraussetzungen und den Fakten seiner Lebensgeschichte erklärt hätte. (Dieses Vorwort wurde wenig später mit einer Einleitung von Leiris gesondert veröffentlicht. Sartres Absicht, die Momente eines Lebens aus seiner Totalität zu begreifen, entging den Kritikern mit Ausnahme Blanchots. Sie warfen ihm vor, er habe das Wesen der Dichtkunst verkannt.) Die *Réflexions sur la question juive* [*Betrachtungen zur Judenfrage*] verfeinerten und bereicherten die phänomenologische Methode durch ständige Bezugnahme auf die Gesellschaftsstruktur. Die konkreten Grundlagen einer Geschichte des Antisemitismus sind dort jedoch nicht zu finden. Der in *Les Temps Modernes* erschienene Artikel *Matérialisme et révolution* [*Materialismus und Revolution*] nahm ohne Umschweife den orthodoxen Materialismus aufs Korn. Sartre kritisierte – mit weniger stichhaltigen Argumenten als heute, aber von den gleichen Grundsätzen beseelt – den Gedanken einer Naturdialektik. Er deutete den Materialismus in seiner Stärke und in seinen Schwächen als revolutionären Mythos. Er wies darauf hin, welchen Platz die Revolution notgedrungen der Idee der Freiheit einräumt. An diesem Punkt machte sein Gedankengang halt, weil er in bezug auf das Verhältnis zwischen Freiheit und Situation und noch mehr in bezug auf das Geschichtliche schwankte.

In manchen Punkten weniger tiefgründig, in anderen weit anspruchsvoller als die marxistische Lehre, stand Sartres Philosophie nicht unbedingt zu ihr in Widerspruch. Er wollte Änderungen vornehmen. Die Kommunisten weigerten sich. Durch die Art, wie der Existentialismus interpretiert wurde, hatte die Bourgeoisie natürlich seinen Sinn verzerrt. Man sah in ihm – genauso wie in der Moraldoktrin Camus' – eine reaktionäre Ideologie. Die Kommunisten hieben in dieselbe Kerbe. Hatte die politische Konjunktur sie zu diesem Sektierertum gezwungen? Das war jedoch weniger wichtig. De facto war eine geistige Auseinandersetzung mit Sartre durchaus möglich – und es ist ebenso ein Faktum, daß sie es vorzogen, ihrerseits die Beschimpfungen aus dem Arsenal der Rechtskreise zu übernehmen: Sänger der Gosse, Philosoph des Nichts und der Verzweiflung. Sartre war tief verletzt, weil sie ihn auf diese Weise zu einem Feind der Massen stempelten. «Der Ruhm», notierte er später, «brachte mir den Haß.» Ein bestürzendes Erlebnis. Ganz abgesehen von seinen Erwartungen, hatte er sich vorgenommen, eindeutig für seine Mitmenschen da zu sein; desto hassenswerter fanden sie ihn, desto mehr haßten sie ihn. 1945/46 hoffte er noch, diese Situation ändern zu können; er glaubte aber nicht mehr, daß es leicht sein werde.

Ich habe mich oft gefragt, wo ich meinen Platz gefunden hätte, wenn ich nicht mit Sartre liiert gewesen wäre. Sicherlich in der Nähe der Kommunisten, aus Abscheu vor allem, was sie bekämpften. Andererseits liebte ich die Wahrheit viel zu sehr, als daß ich nicht das Recht beansprucht hätte, ihr ungehindert nachzugehen. Ich wäre nie in die KP eingetreten. Da meine Bedeutung objektiv geringer war als die Sartres, wären auch meine Schwierigkeiten geringer gewesen, aber ich hätte mich in einer ähnlichen Lage befunden wie er. Ich war also restlos mit ihm einverstanden. Aber da die Kommunisten nicht mich abkanzelten, beschimpften, brandmarkten, da nicht ich persönlich durch ihre Feindschaft betroffen wurde, war ich versucht, das alles auf die leichte Schulter zu nehmen. Ich wunderte mich über Sartres hartnäckige Bemühungen, seine Gegner matt zu setzen. Manchmal trieb ich ihn zur Ungeduld an. Durch eine zufällige Begegnung oder Lektüre beeinflußt, fragte ich mich dann wieder, ob wir nicht unsere Intellektuellen-Skrupel begraben und in der KP mitkämpfen sollten. Auch Sartre war Schwankungen unterworfen, die bald mit den meinen zusammenfielen, bald nicht. Wir diskutierten viel.

Ich hatte nie an den Heiligenschein der Literatur geglaubt. Mit vierzehn Jahren war Gott für mich gestorben, nichts hatte ihn ersetzt: Das Absolute existierte nur im Negativen, als ein für immer verlorener Horizont. Ich hatte mir gewünscht, wie Emily Brontë oder George Eliot eine Legende zu werden. Aber ich war allzusehr überzeugt, wenn ich erst einmal die Augen zumachte, würde es sinnlos sein, an solchen Träumen gehangen zu haben. Ich würde mit meiner Zeit untergehen, weil mir der Tod ja doch nicht erspart bleibt. Man kann nicht zweimal sterben. Ich wollte zu meinen Lebzeiten von vielen gelesen, geschätzt, geliebt werden. Aus dem Nachruhm machte ich mir nichts. Oder fast nichts.

Ich hatte mich an meine Schriftstellerhaut gewöhnt, und es geschah nicht mehr, daß ich diese neue Figur betrachtete und mir sagte: Das bin ich. Aber es machte mir Spaß, meinen Namen in den Zeitungen zu lesen, und eine Zeitlang fand ich den Lärm, der uns umgab, meine Rolle einer «echt pariserischen Erscheinung» amüsant. In mancher Hinsicht aber behagte es mir gar nicht. Ich war zwar nicht übermäßig empfindlich – wenn man mich die «große Sartreuse» oder «Notre-Dame de Sartre» nannte, lachte ich nur –, aber gewisse Männerblicke verletzten mich. Sie betrachteten die existentialistische, folglich entgleiste Frau als eine heimliche Komplicin ihrer Liederlichkeit. Alberne Gerüchte zu nähren, dumme Neugier zu wecken, war mir zuwider. Schließlich fühlte ich mich durch diese Bosheit kaum in meiner Eigenliebe gekränkt und genoß meine neue Berühmtheit. Ich wunderte mich nicht. Ich fand es normal, daß die Befreiung, als sie die Welt veränderte, auch mein Leben umgewandelt hatte. Ich machte mir auch nichts vor. Ich war bei weitem nicht so berühmt wie Sartre. Neidlos stellte ich diesen Abstand fest, weil ich viel zu sehr an ihm hing, um eifersüchtig zu werden, und auch, weil ich den Abstand für berechtigt hielt. Ich bedauerte nicht einmal, daß ich mir keine größeren Verdienste erworben hatte. Mein erstes Buch war vor zwei Jahren erschienen. Noch war es zu früh, Bilanz zu ziehen. Die Zukunft lag vor mir, ich hatte Vertrauen zu ihr. Wohin wird sie mich führen? Ich vermied es, mir über den Wert meiner Arbeiten, heute und morgen, den Kopf zu zerbrechen. Ich wollte mich weder in Illusionen wiegen, noch eine vielleicht grausame Klarheit riskieren.

Alles in allem fühlte ich mich im Gegensatz zu Sartre weder in meiner gesellschaftlichen Realität noch als Schriftstellerin von Zweifeln bedroht. Ich konnte von mir behaupten, daß ich mich in geringerem Maße als er durch die Fata Morgana des Daseins hatte locken lassen, da ich bereits in jungen Jahren den Preis für diesen Verzicht gezahlt hatte. Ich konnte mir auch vorwerfen, daß ich mich weigerte, mich meiner objektiven Existenz zu stellen. Bestimmt hat mir meine Skepsis geholfen, den Schwierigkeiten aus dem Wege zu gehen, mit denen Sartre sich herumquälte. Diese Flucht wurde mir durch mein Temperament erleichtert. Ich hatte immer mehr Geschmack am Unmittelbaren gefunden als er. Ich liebte alle körperlichen Freuden, die Farben der Jahreszeiten, die Spaziergänge, die Freundschaften, das Geplauder – kennenlernen, schauen. Außerdem: Weit davon entfernt, wie er vom Erfolg gesättigt zu sein, sah ich meinen Hoffnungen keine Grenzen gesetzt. Ich war überwältigt und nicht blasiert. Die Verhältnisse sicherten jeder Bemühung, dem kleinsten Erfolg, eine aufmunternde Resonanz. Aufgaben wurden zugleich mit den Mitteln, sie durchzuführen, an mich herangetragen. Mir genügten die Gegenwart und der unmittelbare Horizont.

Eine Zeitlang nahm mich die Zeitschrift in Anspruch. Dank Sartres Berühmtheit und den Auseinandersetzungen, die seine Theorie des Engagements entfesselte, wurde sie viel gelesen. Wir waren bestrebt, das Bild einer Epoche wiederzugeben, die sich selber zu erkennen trachtete, und der Erfolg hielt an. Paulhan, der ziemlich lange die *NRF* herausgegeben hatte, half uns mit seiner Tüchtigkeit. Für gewöhnlich besorgte er den Umbruch. Er brachte mir die Kassenführung bei. Aron, der seine Erfahrungen bei *La France libre* gesammelt hatte, gab uns ebenfalls technische Ratschläge. Er verfolgte den Weg der *Temps Modernes* sehr genau. Ich glaube, er rechnete damit, daß Sartre nicht genug Ausdauer hätte, um sich längere Zeit für die Zeitschrift zu interessieren, und daß er das Erbe antreten würde. Er beschäftigte sich insbesondere mit dem politischen Teil und erfand schlaue Gründe, um kommunistenfreundliche Artikel abzulehnen. Ausgezeichnet in der Analyse, waren seine Voraussagen erbärmlich. Am Vorabend der Wahlen, die dem MRP einen Sieg und der SFIO eine Niederlage brachten, prophezeite er den Sieg der Sozialisten. Wir waren nur selten der gleichen Meinung. Die Redakteure kamen oft zusammen, und es wurde heftig diskutiert.

Ich habe schon erwähnt, was die Zeitschrift für Sartre bedeutete. Alles in dieser Welt ist ein Zeichen, das wieder zurückstrahlt. Unsere Originalität bestand darin, daß wir heilsame und aufschlußreiche Fakten sammelten. Andererseits hofften wir durch die Auswahl der Texte, durch die Orientierung der Artikel unsere Zeitgenossen zu beeinflussen. Außerdem fanden wir es nützlich, daß wir ein Mittel in der Hand hatten, um ohne Umwege unserer Verwunderung, unserer Ungeduld, unserem Beifall Ausdruck zu verleihen. Ein Buch zu schreiben, dauert lang, und damals verging auch viel Zeit, bevor es erschien. In einer Zeitschrift kann man die Aktualität im Fluge fangen. Man kann sich fast ebenso schnell wie in einem Privatbrief an seine Freunde wenden, seine Gegner widerlegen. Wenn ich einen irritierenden Artikel las, sagte ich mir sofort: Ich werde antworten! Auf diese Weise kamen die Essays zustande, die ich in den *Temps Modernes* veröffentlicht habe. In jener tastenden, brodelnden Periode der Wiedergeburt gab es unaufhörlich neue Fragen, die der Beachtung wert waren. Da hieß es, Herausforderungen annehmen, Irrtümer berichtigen, Mißverständnisse zerstreuen, Kritik zurückweisen. Es erschienen wenig Bücher, wenig Zeitschriften. Unsere Intellektuellen-Polemik hatte die Intimität, den Eifer und die Hitze eines Familienzwistes.

Ich wünschte nichts sehnlicher, als *Les Bouches inutiles* aufgeführt zu sehen. Bei der Generalprobe von *Huis clos* hatte mich der tobende Beifall tief berührt: Er war gegenwärtiger, berauschender als das spärliche Echo, das ein Roman auslöst. Ich hatte *Caligula* von Camus gesehen, das mich bei der Lektüre kaltgelassen hatte. Gérard Philipe verzauberte das Stück. Ich wünschte mir, daß auch mein Stück eine so schmeichelhafte

Metamorphose erleben möge. Außerdem schwelgte ich immer noch in kindlichen Träumen: Mein Name auf den Kacheln der Métro würde der einer Dramatikerin sein, und diese Dramatikerin würde ich sein. Als Vitold mir eine Zusammenkunft mit Serge vorschlug, der das Théâtre du Carrefour leitete, lief ich schnell hin.

Vor zehn Jahren hatte ich in Rouen von einem schönen jungen Mann gehört, dem alle Herzen zuflogen. Er hatte die hübscheste meiner Schülerinnen aus dem dritten Jahrgang geheiratet. Er hieß Serge. Er war es. Olga kannte ihn. Als sie ihn wiedersah, rief sie aus: «Sie sind es, Serge!» «Natürlich», erwiderte er in einem Ton, als wollte er sich entschuldigen. Er war älter und dicker geworden und hatte viele Haare verloren. Er hatte sich scheiden lassen und Jacqueline Morane geheiratet, die sich für die Rolle der Catherine interessierte. Sie hatte eine gute Haltung und eine schöne Stimme. Serge entschloß sich, mein Stück aufzuführen. Die Proben hatten kaum begonnen, da sagte er mir, er werde sie abbrechen müssen. Es sei kein Geld vorhanden; ob ich welches beschaffen könnte? Das war nicht einfach. Wegen Papiermangels wurden nur fünftausend Exemplare von jedem Buch gedruckt. Unsere laufenden Einkünfte erlaubten uns ein bequemes Leben, aber nicht mehr. Ich hielt das Spiel für verloren, als mir unversehens ein Vermögen in den Schoß fiel.

Néron (siehe *La Force de l'âge*) war zu Anfang des Jahres aus Fresnes entlassen worden, und ich hatte ihn drei- bis viermal bei ‹Lipp›, im ‹Flore›, in den ‹Deux Magots› gesehen. Er hätte gern auf die eine oder andere Weise an den *Temps Modernes* mitgearbeitet, aber wir hatten keine Verwendung für ihn. «Dann bleibt mir also nichts anderes übrig, als zu schreiben», sagte er zu mir. Die Texte, die er mir zeigte, waren hoffnungslos fade. Er schilderte mir jedoch sehr kunstvoll einen seiner letzten Selbstmordversuche: hundert Aspirintabletten, eine nach der anderen verschluckt, die Langsamkeit, die Verdrießlichkeit dieser Operation, die mit heftigem Erbrechen endete. Er hatte es auch verschiedene Male mit Barbituraten versucht. Jedesmal ließ er sich eine Hintertür offen, ging aber trotzdem ein beträchtliches Risiko ein. «Das ist weder ein Hasardspiel noch eine Komödie», erklärte er mir. «Man steht dem Leben wie dem Tod gleichgültig gegenüber: Man gibt dem Tod eine Chance.»

Eines Morgens im Oktober stieß er die Tür des ‹Flore› auf. «Ich weiß, daß Sie Geld brauchen», sagte er zu mir. Das hatte er zweifellos durch Renée erfahren, die ich ab und zu traf. Er breitete einen Haufen Scheine auf meinem Tisch aus: hunderttausend Francs. Das war damals sehr viel. «Seien Sie unbesorgt, das Geld gehört mir. Ich habe es ehrlich verdient.» Renée hatte mir erzählt, daß er eine gute Stellung gefunden habe, und da er soviel Lebensart besaß, wunderte ich mich gar nicht. Er sei dem Ministerium zugeteilt worden, das den Wiederaufbau der zerstörten

Gebiete leitete, und bearbeite die Bauvorhaben. Dadurch, daß er *Les Bouches inutiles* finanziere, hoffe er den Streich, den er Sartre gespielt habe, wiedergutzumachen. Ich ging sofort mit dem Geld zu Serge.

Am nächsten Morgen um sieben Uhr wurde an meine Tür geklopft. «Polizei!» Zwei Beamte betraten das Zimmer und forderten mich auf, zum quai des Orfèvres mitzukommen. Ich sei der Hehlerei beschuldigt und müsse die hunderttausend Francs zurückerstatten. Ich zog mich an und lief ans andere Ende des Korridors, um Sartre zu verständigen. Er wollte die Summe von Gallimard leihen. Wir waren verdutzt. Was für eine neue Masche hatte Néron ersonnen? Warum hatte er mich reingelegt? Auf jeden Fall hatte ich einen Fehler gemacht. Der Staat wird seine Gelder nicht durch einen notorischen Betrüger verwalten lassen. Mein brennender Wunsch, das Stück aufgeführt zu sehen, hatte mein Urteilsvermögen getrübt.

Am quai des Orfèvres setzte man mich in einen großen Raum, der mit Tischen und Bänken möbliert war. Ich hatte Arbeit mitgenommen und schrieb drei bis vier Stunden lang. Inspektoren kamen und gingen, brachten Angeklagte mit und verhörten sie. Körbchen mit belegten Broten machten die Runde. Zwischen den Verhören wurde gegessen und geplaudert. Gegen Mittag ersuchte mich einer der Herren, ihm zu folgen. Er führte mich in das Zimmer eines Untersuchungsrichters, dem Sartre soeben das Geld ausgehändigt hatte und der uns um Autogramme bat. Am nächsten Tag berichtete die ganze Presse über dieses Abenteuer. Ein Journalist versah seine Notiz mit dem witzigen Titel: «Grausam wie sein Namensvetter, liefert Néron die Existentialisten der Polizei aus.»

Néron erklärte alles. Er verschaffte sich – er sagte nicht wie – die Namen geschädigter Personen, die im Verdacht standen, unrichtige Angaben gemacht zu haben. Mit falschen Papieren ausgerüstet, drohte er ihnen mit empfindlichen Geld- und Gefängnisstrafen und gab dann zu verstehen, daß sie sein Stillschweigen erkaufen könnten. Anderen, die ihre Kostenvoranschläge noch nicht eingereicht hatten, schlug er sogar vor, sie zu frisieren: ein Trinkgeld, und er würde sie genehmigen. Auch da glaubte er, daß die Mitschuld seiner Opfer ihn vor Strafe bewahren würde. Trotzdem kam die Sache ans Licht. Es galt aber nicht als Fälschung, sondern nur als Betrug, weil er sich gehütet hatte, die amtlichen Dokumente exakt nachzuahmen: Er hatte den dreifarbigen Querstreifen anders angeordnet. Als er plötzlich festgenommen und aufgefordert wurde, das erschwindelte Geld zurückzuzahlen, fand er es ehrenhafter, das Geld nicht vergeudet, sondern in ein künstlerisches Unternehmen investiert zu haben, und zog mich in die Geschichte mit hinein. Jedenfalls hat er es mir so geschildert. Er saß nicht lange im Gefängnis. Ich sah ihn nur noch selten. Es glückten ihm nur noch bescheidene Coups. Von Zeit zu Zeit machte er einen Selbstmordversuch. Eines Tages beschloß er, ganz sicherzugehen. Man fand ihn in seinem Hotelzimmer, im Bett

ausgestreckt, Renées Foto auf der Brust, durch eine gehörige Dosis Blausäure dahingerafft.

*Les Bouches inutiles* nahmen Gestalt an. Ich ging zu den Proben. Alles schien mir großartig, so sehr staunte ich darüber, daß meine Sätze sich in lebende Stimmen verwandelten. Nur in einem Punkt war ich enttäuscht. Ich hatte damit gerechnet, daß technische Anlagen einen blitzschnellen Szenenwechsel ermöglichen würden. Jedes Bild war aber in einen starren Rahmen eingefügt. Das Theater war nicht reich, es gab nicht genug Bühnenarbeiter. Als Sartre kam, um die Vorstellung ‹laufen› zu sehen, störten ihn die langsamen Umbauten. Man versicherte uns, daß es im gegebenen Augenblick schneller gehen würde. Aber am Tag der Kostümprobe zerstückelten lästige Stockungen die ganze Aufführung und verstärkten mein Unbehagen. Ich hatte mich heimlich mit einem harmlosen Spiel vergnügt. Plötzlich würden Zeugen, Richter aus ihm ein öffentliches Ereignis machen, für das ich verantwortlich war. Ich hatte sie herbeigeholt; Worte, meiner Feder entsprungen, dröhnten ihnen ins Ohr. Ich schämte mich meiner Unbesonnenheit. Gleichzeitig begann ich alles mit ihren Augen zu sehen. Mein Blick war getrübt. Bei bestimmten, allzu naiv durch den Existentialismus inspirierten Repliken sahen Freunde einander an. Ich saß neben Genet, der nicht mit strenger Kritik sparte. «Das ist kein Theater, auf keinen Fall», flüsterte er mir zu. Ich litt unsagbar. Nachdem der Vorhang gefallen war, beglückwünschte er mich trotzdem, und meine Zuversicht kehrte zurück. Am Abend der Generalprobe, als ich durch ein Loch im Vorhang zusah, wie der Zuschauerraum sich füllte, war ich ängstlich, aber optimistisch. Meine Freunde sprachen mir nochmals Mut zu, und ich hatte den Eindruck, daß viel applaudiert wurde. Ein Theaterstück ist nicht so träge wie ein Buch. Durch meine Vermittlung war einer großen Anzahl von Menschen etwas widerfahren: dem Regisseur, den Darstellern, den Bühnenarbeitern – meiner Meinung nach etwas Erfreuliches. Ich hatte in Gégés Wohnung ein Souper vorbereitet, meine Gäste waren guter Stimmung, und mit Hilfe des Whiskys wurde auch ich ganz vergnügt. Jacques Lemarchand nahm mich beiseite. Er bedauerte die starren Dekorationen, die toten Punkte. Außerdem hatte er, mit wenigen Ausnahmen, die Darsteller unzulänglich gefunden. Die Vorzüge des Stückes seien schlecht über die Rampe gegangen, die Mängel allzu gut. Da ich sein Wohlwollen kannte, verlor ich den Mut. Was würden die weniger freundschaftlich eingestellten Kritiker denken?

Die Tageszeitungen zerrissen mein Stück fast einmütig. Es war ein recht brutales Fiasko. Die Wochenzeitschriften waren weniger feindselig. Es fanden sich sogar eifrige Verteidiger: Philippe Hériat, der mir zwei Artikel widmete, der Kritiker der *Lettres françaises*, der vom Theater Corneilles sprach, und der Rezensent der *Terre des hommes*. Die *Action* hatte etwas an der Moral des Stückes auszusetzen, wußte aber sonst eher Gutes zu sagen. Die Mundpropaganda war nicht ungünstig. Ein paar Wochen lang strömte das Publikum herbei. Dann aber setzte die Kälte ein, und das Theater war schlecht geheizt. Die Lage war auch ungünstig. Zuweilen übertönte der Lärm der Hochbahn die Stimmen der Schauspieler. Die Einnahmen gingen zurück. Nach fünfzig Vorstellungen machte das Theater zu. Ich schluckte die bittere Pille hinunter. Ohne mir allzu große Illusionen über das Stück zu machen, redete ich mir ein, daß es nicht unter den günstigsten Umständen über die Bühne gegangen sei. Manchen Leuten hatte es gefallen. Selbstverständlich neigte ich dazu, ihnen mehr Glauben zu schenken als den anderen, denen es nicht gefallen hatte. Vor allem aber trieben mich allzu viele Interessen voran, als daß ich mich bei unnützen Lamentos aufgehalten hätte.

Bost kehrte aus Amerika zurück. Der *Combat* hatte ihn als Reporter hingeschickt. Er war enthusiastisch. Lise hatte sich mit einem G. I. verlobt und war dabei, zu ihm in die Vereinigten Staaten zu fahren. Sie hatte es eilig, Frankreich zu verlassen, wo ihr jede Möglichkeit versperrt war und wo sie gehungert hatte. Auch Sartre wollte wieder nach New York reisen. Im Januar hatte er eine junge Frau kennengelernt, die halb und halb von ihrem Mann getrennt lebte und trotz glänzender Umstände mit ihrem Leben nur mäßig zufrieden war. Sie hatten einander sehr gefallen. Als sie von meiner Existenz erfuhr, hatte sie beschlossen, ihn nach seiner Rückkehr nach Frankreich zu vergessen. Er hing aber zu sehr an ihr, als daß er sich gefügt hätte. Von Paris aus hatte er ihr geschrieben, und sie hatte geantwortet. Um sie wiederzusehen, hatte er sich von amerikanischen Universitäten einladen lassen und schiffte sich am 12. Dezember auf einem *liberty ship* ein.

Ich hätte Paris gern verlassen. Die Versorgung mit Lebensmitteln war nach wie vor unzulänglich. In den kleinen Restaurants, in denen ich verkehrte, bekam ich nicht genug zu essen. Ich wußte nicht mehr, wo ich arbeiten sollte. In meinem Zimmer war es kalt. Im ‹Flore› kannten mich zu viele Leute. Seit der Gründung der *Temps Modernes*, deren Redaktion sich im Haus Gallimard befand, gingen wir in die in der Nähe gelegene Bar des ‹Pont-Royal›. In dem vergoldeten Kellerlokal war es still und recht warm, aber es war unbequem, auf den Fässern zu schreiben, die als Tische dienten. Ich bekam einen Karbunkel am Bein, so daß ich mehrere Tage nicht laufen konnte. Die Alliance Française hatte mich eingeladen, in Tunesien und Algerien Vorträge zu halten. Die Kulturabteilung dachte diesmal aber nicht daran, mir die Reise zu erleichtern. Nie war ein Platz für mich an Bord eines der Schiffe oder Flugzeuge frei, die – übrigens sehr selten – nach Tunesien verkehrten.

Ich sah mir die Generalprobe von *Die Brüder Karamasow* an. Vitold spielte den Iwan, Dufilho den Smerdjakow, die Casarès war eine reizende Gruschenka. Ich war oft mit Camus zusammen. Eines Abends, nachdem wir bei ‹Lipp› gegessen und in der Bar des ‹Pont-Royal› bis zur Sperrstunde getrunken hatten, kaufte er eine Flasche Champagner, die wir im ‹Louisiane›, bis drei Uhr morgens plaudernd, leerten. Da ich eine Frau war – also seiner feudalen Auffassung nach ihm nicht ganz ebenbürtig –, ließ er sich dazu herbei, sich mir anzuvertrauen. Er gab mir Stellen aus seinen Tagebüchern zu lesen, er erzählte mir von seinen persönlichen Problemen. Er sprach oft von einem Thema, das ihn beschäftigte: Eines Tages müsse er die Wahrheit schreiben! Eigentlich gab es bei ihm zwischen Leben und Werk eine tiefere Kluft als bei vielen anderen. Wenn wir zusammen ausgingen, bis in die späte Nacht hinein trinkend, plaudernd, lachend, war er lustig, zynisch, ein wenig boshaft und in seiner Ausdrucksweise recht derb. Er bekannte sich zu seinen Gefühlen und gab seinen Impulsen nach. Er konnte sich um zwei Uhr morgens auf dem Bordstein in den Schnee setzen und pathetisch über die Liebe nachgrübeln: «Es heißt wählen. Entweder ist es von Dauer oder es brennt. Das Traurige ist, daß es nicht gleichzeitig von Dauer sein und brennen kann!» Ich liebte die unersättliche Leidenschaft, mit der er sich dem Leben und seinen Vergnügungen hingab, und seine überaus nette Art. Als Bost als Kriegsberichterstatter tätig war, rief Camus jedesmal Olga an, wenn er ein Kabel erhielt. Dabei warf man ihm in der Redaktion vor, hochmütig und schroff zu sein. In ernsten Diskussionen war er verschlossen und geschraubt, begegnete Argumenten mit erhabenen Phrasen, edlen Gedanken, heiligem, zweckmäßig gesteuertem Zorn. Mit der Feder in der Hand wurde er ein starrer Moralist, in dem ich unseren vergnügten nächtlichen Kumpan nicht wiedererkannte. Er war sich darüber im klaren, daß seine öffentliche Erscheinung so gar nicht mit seiner privaten Wirklichkeit übereinstimmte, und das war ihm zuweilen peinlich.

Da ich es satt hatte, in Paris zu warten, fuhr ich nach Megève zum Skifahren. Ich stieg wieder im Chalet ‹Idéal-Sport› ab. Ich war gerührt, als ich morgens die Augen aufschlug und dem Weiß der verschneiten Gipfel, den Erinnerungen an eine andere Zeit begegnete. In jener Zeit, die heute so völlig entschwunden und durch den Abstand so flach geworden ist – wie alle Erhebungen flach werden, wenn man in großer Höhe über sie hinwegfliegt –, entdeckte damals mein Gedächtnis mannigfaltige Tiefen. Ich staunte über eine noch frische, aber dennoch bereits fremde Vergangenheit. «Vor sechs Jahren», schrieb ich an Sartre, «habe ich Ihnen von hier aus geschrieben, und damals war Krieg. Mir scheint es viel länger zu sein. Ich fühle mich ein wenig abseits, wie in einem zweiten Leben. Ich erkenne mich selbst und auch die Welt von gestern nicht mehr so recht wieder. Aber die Erinnerungen sind geblieben, die Erinnerungen an unser Zusammensein in dem ersten Leben. Sie haben eine wunderliche, etwas beängstigende Wirkung, so wenig passen sie zur Gegenwart.»

Ich bekam Gesellschaft. Lefèvre-Pontalis, ein früherer Schüler Sartres, der mit Bourla befreundet gewesen war, hatte sich mit seiner Frau in einem kleinen Hotel am Hang des Mont d'Arbois eingemietet. Bald darauf erschien Bost mit Olga und Wanda im ‹Idéal-Sport›. Sie wagten sich nur selten auf die Pisten und nahmen lieber Sonnenbäder. Salacrou wohnte über mir – *Chez ma tante*. Er war ein viel besserer Skiläufer als wir alle und trank oft ein Glas mit uns. Ab und zu stieg ich frühmorgens, wenn die Skilifts noch schlummerten und die Berghänge menschenleer waren, allein in der Stille und Kälte nach Saint-Gervais hinunter. Im allgemeinen aber ging ich erst nachmittags aus. Vor dem Mittagessen arbeitete ich an *Tous les hommes sont mortels,* mitten in der ungeheuren glitzernden Schneelandschaft. Bis dahin war ich zu überschwenglich gewesen, um Arbeit und Spiel miteinander zu verbinden. Diese Mischung war mir in vieler Hinsicht angenehm. Nach dem Wirbel in Paris genoß ich die Zurückgezogenheit im Chalet. «Es tut mir so wohl, daß mich niemand sieht oder anredet!» schrieb ich an Sartre. Trotzdem fand ich es schmeichelhaft, als die Wirtin zu Bost sagte: «Aber Mademoiselle Beauvoir ist sehr bekannt. Es gibt viele, die fragen, ob sie es wirklich ist. Genauso wie bei Monsieur Salacrou.»

Schließlich wurde mir telegrafisch mitgeteilt, daß für mich ein Platz in einem Flugzeug gebucht sei, das drei Tage später in Marignane starten würde. Eilig kehrte ich nach Paris zurück, das einen tristen Eindruck machte. «Paris ist eisig, das Hotel nicht geheizt, und zu essen gibt es auch nichts. Vor neun Uhr morgens wird es nicht hell, und Strom ist auch nicht vorhanden. Sämtliche Lokale machen um zehn Uhr zu. Die Menschen sind trübsinnig, die Langeweile ist unerträglich», schrieb ich an Sartre. Gutgelaunt bestieg ich den Zug, der mich nach Pas des Lanciers brachte. Von dort fuhr ich mit einem Bus zum Flugplatz. Ich war ein bißchen ängstlich. Es war mein erster Flug. Aber ich freute mich, daß es für mich noch und immer wieder ein erstes Mal gab!

Leider hatte mir jemand meinen Platz gestohlen, und die nächste Maschine flog erst in drei Tagen. Ich hatte kein Geld bei mir, es goß in Strömen, man rechnete mit meiner Ankunft in Tunis. Die Ungeduld machte meine Verwirrung nur noch größer. Ich bat und bettelte. Die Piloten erbarmten sich meiner. Sie nahmen mich zwischen sich in die Kanzel. Zur Rechten, zur Linken, vor mir, bis ins Unendliche funkelte das Mittelmeer, und es schien mir ein wahres Wunder zu sein, daß ich es vom Himmel herab betrachten durfte ... Wir hatten einmal gesagt: Eines Tages, wenn wir reich sind, werden wir nach London fliegen, aber es ist einem offenbar die ganze Zeit übel, und auf jeden Fall sieht man fast nichts ... Ich glitt über die Berge Korsikas hinweg, ohne daß ich mir die Mühe hätte machen müssen, sie zu erklettern. Ich konnte die Menschen und Schafe erkennen. Und Sardinien zeichnete sich von dem Blau des Meeres genauso scharf ab wie im Atlas meiner Kindheit. Plötzlich tauchten Lehmhäuser, flache Dächer, Palmen, Kamele auf: Afrika und meine erste Landung.

Niemand erwartete mich auf dem Flugplatz. Um so besser. Diese unvorhergesehene Freiheit, dieses Inkognito erschienen mir reizvoll. Im Vergleich zu dem Grau in Grau der Pariser Steinmassen wirkten die *souks* so frisch wie einstmals die von Tetuan.

Am folgenden Tag nahm sich der Vertreter der Alliance Française, M. E., meiner an. Seine Frau ähnelte Kay Francis. Sie brachten mich im ‹Tunisia-Palace› unter und fuhren mit mir im Auto nach Karthago, nach Hammamet. In Sidi Bou Saïd mußte man zehn Meter zu Fuß gehen, um das Meer und das herrliche Panorama zu sehen. Benda war mitgefahren, weigerte sich aber auszusteigen und erklärte: «Ich stelle es mir vor, ich stelle es mir vor ...» Ich hoffte im stillen, daß ich nie so gleichgültig werden würde.

Davon war ich weit entfernt. Alle Stunden, die ich nicht meinen Vorträgen und den unerläßlichen gesellschaftlichen Pflichten widmen mußte, verbrachte ich mit Ausflügen. Die römischen Ruinen zu Dougga besuchte ich allein. Meine Gastgeber waren beunruhigt. Vor einem Jahr war eine Lehrerin in dieser Gegend vergewaltigt und ermordet worden. Für meine nächste Spazierfahrt schlugen sie mir daher Gramat ganz in der Nähe von Tunis vor. Dort gab es ein kleines Hotel am Strand und einsame Dünen. Nach dem Mittagessen legte ich mich mit einem Buch in den Sand. Ich schlief ein. Im Halbtraum dachte ich mir: Nanu, in diesen Dünen gibt es ja Katzen ... Da schlug ich die Augen auf: Es war keine Katze, sondern ein alter, sehr schmutziger Araber, der sich auf meinem Bauch niedergelassen hatte. Im Sand, neben seinem geflochtenen Korb, lag ein Messer. Lieber vergewaltigt als ermordet – sagte ich mir, wurde aber vor Schreck beinahe ohnmächtig. Während ich ihn zurückstieß, bot ich ihm mit großem Wortschwall Geld an. Er zögerte. Ich leerte meine Tasche in seine Hände und rannte davon, so schnell mich meine Beine trugen. Zum Glück hatte ich den größten Teil meiner Barschaft im Hotel gelassen. Ich erzählte der Wirtin, daß ich einem alten Landstreicher begegnet sei. Sie kannte ihn. Er räubere ab und zu ein wenig. Das Messer benütze er, um Spargel zu stechen. Vermutlich habe er mich ohne große Begeisterung überfallen, nur um sich diese Chance nicht entgehen zu lassen.

Mein Aufenthalt in Tunis war recht angenehm. Die E.s zeigten mir die hübschesten Restaurants. Eines Abends aßen wir bei dem Architekten Bernard Zehrfuss, dem Bruder eines meiner Kameraden aus dem Kolleg. Er war verheiratet. Ich hatte in der Menschenkenntnis einige Fortschritte gemacht; trotz ihrer vollendeten Zurückhaltung hatte ich den Eindruck, daß sich zwischen ihm und Mme E. etwas Ungreifbares abspiele. Einige Jahre später sollte ich erfahren, daß beide sich hatten scheiden lassen und einander geheiratet hatten.

Die E.s hielten die französische Politik gegenüber Tunesien für ungeschickt; sie befürworteten eine Annäherung des französischen und des moslemitischen Mittelstandes. Ich traf bei ihnen Tunesierinnen, die pariserisch gekleidet, geschminkt, frisiert und parfümiert waren. Den Schleier trugen sie nur noch, wenn sie morgens auf den Markt gingen. Sie dürsteten nach Freiheit. Was die Männer anging, so standen die jüngeren auf ihrer Seite. Sie litten darunter, sich von den Vätern unwissende und schlecht erzogene Bräute aufhalsen zu lassen. Niemand unterrichtete mich über den Gesamtaspekt der französisch-tunesischen Frage, und ich bestand auch nicht darauf. Der Dämon des Abenteuers hatte mich wieder gepackt. Ich nahm mir vor, Tunesien zu erforschen und über die Sahara nach Algerien zurückzukehren. Die Unregelmäßigkeit der Verbindungen machte dieses Unternehmen riskant. Um so verlockender erschien es mir.

Sousse, Sfax, der große römische Zirkus in El Djem, Kairouan, Djerba erreichte ich mühelos mit der Bahn, mit dem Auto und mit dem Schiff. Auf Djerba hatte Odysseus Penelope und Ithaka vergessen. Die Insel war der Legende würdig. Ein frischer Garten, mit einem bunten Rasenteppich. Palmen beschirmen mit ihren blanken Wipfeln die blühenden Bäume. Heftig peitscht das Meer die grünen Gestade. Ich war der einzige Gast im Hotel und wurde von der Wirtin verwöhnt. Sie erzählte mir von einer jungen Engländerin, die im vergangenen Sommer hier gewohnt und jeden Tag auf dem menschenleeren Strand ausgiebige Sonnenbäder genommen hatte. Eines Tages kam sie mit verstörter Miene zum Mittagessen und rührte keinen Bissen an. «Was ist denn los?» fragte die Wirtin. Das junge Mädchen brach in Tränen aus. Drei Araber, die sie schon seit mehreren Tagen belauert hatten, hatten sie der Reihe nach vergewaltigt. «Ich versuchte sie zu trösten», berichtete die Wirtin. «Ich sagte zu ihr: Ach, schauen Sie doch, Mademoiselle, auf der Reise! Na, beruhigen Sie sich: Auf der Reise!» Aber noch am selben Abend hatte sie ihre Koffer gepackt. Meiner Meinung nach war hier die Notzucht ganz entschieden kein Mythos. Viele Männer sind so arm, daß ihnen die Ehe, also eine Frau, versagt bleibt. Ihr Blut rebelliert. Außerdem sind sie den Schleier und die Scheu der Mohammedanerinnen gewohnt: Eine Frau, die sich allein, halbnackt in den Sand legt, ist eine Frau, die sich anbietet, eine Frau, die man nimmt. Sofort willigte ich ein, mich auf einem für den nächsten Tag geplanten Abstecher in ein Dorf, in dem ein Jahrmarkt abgehalten wurde, von einem bärtigen alten Mann begleiten zu lassen, für dessen Tugend sich die Wirtin verbürgte.

Um meine Reise fortzusetzen, mußte ich militärische Transportmittel benützen. Ich machte Station in Médenine und besichtigte dort die sonderbaren, gewölbten und aufeinandergetürmten Getreidespeicher, die *gorfa* heißen. Der Capitaine versprach mir, daß mich ein Lastauto am übernächsten Tag nach Matmata bringen würde. Mit einem Bus fuhr ich weiter nach Tataouine: Dieser furchteinflößende Name reizte mich. Als ich ausstieg, ersuchte mich ein Spahi in Paradeuniform feierlich, ihm zu folgen. Er begleitete mich bis zu der mit Teppichen und Kissen ausgestatteten Villa, die der Kommandant des AI bewohnte, ein bärtiger Bretone mit überaus blauen Augen. Man hatte ihm von Médenine aus meinen Besuch angekündigt, und er gab mir zu verstehen, daß nicht die Rede davon sein könne, zu Fuß und allein auf dem ihm unterstellten Gebiet herumzuwandern: Das hätte dem Ansehen Frankreichs geschadet. Ich würde mit einer Eskorte in einem Jeep fahren. Ich mußte mich zu Tisch setzen, in Gesellschaft der übrigen Offiziere und einer Ärztin, deren Mann, gleichfalls Arzt, verreist war. Sie irritierte mich ungeheuer durch ihre Reden und ihre Scherze, die von den männlichen Tischgenossen mit lautem Gelächter quittiert wurden: ein richtiges Mannweib! Ich schlief im Zimmer neben ihr. Da wurde ihr Ton plötzlich anders. Sie erklärte mir, daß ihre derbe Art sie vor Galanterie und Anzüglichkeit schütze. Sie arbeitete hart und bekämpfte vor allem die Geschlechtskrankheiten, die unter der Bevölkerung grassierten. Sie hatte die Frauen des Kaid künstlich befruchtet, da er selber keine Kinder zeugen konnte. Sie führte von außen gesehen ein seltsames Leben, das von Mißhelligkeiten nicht frei war. Sie erzählte mir, daß die Offiziere des AI nicht mit den Offizieren der Legion verkehrten. Sie bildeten einen kleinen geschlossenen Kreis. Sie waren beritten. Von Zeit zu Zeit fuhren sie nach Gabès. Sie langweilten sich unsagbar.

Das erklärte zweifellos den herzlichen Empfang: Jede Ablenkung war ihnen willkommen. Am Vormittag begleiteten sie mich durch Landstriche, deren Kahlheit bereits die Wüste ankündigte. Zu Mittag veranstalteten sie ein großes *méchoui*. Mit ihnen zusammen besuchte ich die in rosenfarbene Felsen eingemeißelten Troglodytendörfer. Die Honoratioren luden uns in ihre mit luxuriösen Teppichen ausgelegten Grotten ein, boten uns harte Eier an, die abzulehnen eine Beleidigung gewesen wäre und die ich trotzdem nicht hinunterwürgen konnte. Ich steckte sie haufenweise in meine Handtasche. Abends – der Capitaine hatte sich inzwischen nach mir erkundigt – wurde ich gebeten, über den Existentialismus zu sprechen. Man hatte den Schullehrer eingeladen. Ich weiß nicht mehr, was ich zusammengestottert habe.

In Médenine erwartete mich das versprochene Lastauto. Ich war der einzige Fahrgast. Der Chauffeur kannte sich auf der durch den Krieg beschädigten Straße nach Matmata aus. An zwei bis drei Stellen waren Brücken gesprengt worden, aber es glückte ihm, die Wadis zu durchqueren, und so brachte er mich in das eigenartige Dorf, in dem zehntausend Menschen unter der Erde hausen. Auf dem Marktplatz herrschte ein wüstes Gewimmel: lauter geschwätzige und vergnügte Männer in schneeweißen Burnussen. Die braunhäutigen und blauäugigen, zuweilen jungen und schönen, aber verdrossen aussehenden Frauen hockten in den

Gruben, in die die Grotten mündeten. Eine dieser Höhlen habe ich besucht: Im verräucherten Halbdunkel sah ich eine Schar halbnackter, kleiner Kinder, eine zahnlose Greisin, zwei ungepflegte Frauen mittleren Alters und ein hübsches, mit Schmuck behangenes Mädchen, das einen Teppich wob. Als ich ins helle Licht hinaustrat, begegnete ich dem Herrn des Hauses, der vom Markt zurückkehrte, strahlend weiß und vor Gesundheit strotzend. Da beklagte ich mein Geschlecht.

Ich übernachtete in Gabès. Der Hotelwirt schob mir ein Gedicht unter der Tür durch, in dem er, zwischen zwei galanten Komplimenten, bedauerte, daß ich Existentialistin sei. Anfangs enttäuschte mich die Oase. Ich spazierte auf schlammigen Wegen zwischen Lehmwänden umher und sah nichts außer den Palmen über meinem Kopf. Dann aber geriet ich in die Gärten und erlebte die Munterkeit der Springbrunnen zwischen den blühenden Bäumen. Die Gärten von Nefta waren noch zauberhafter. Dort gab es am Rand des Hauptplatzes ein reizendes Hotel, in dessen Gästebuch Gide sich eingetragen hatte: «Wenn ich Nefta gekannt hätte, wäre es mir lieber gewesen als Biskra.» (Ich zitiere aus dem Gedächtnis.) Am nächsten Morgen saß ich auf der Terrasse in der Sonne, las Koestlers Buch *Die Gladiatoren* und wartete auf das Auto, das mich ins Innere der Wüste bringen sollte. Der Fahrer, ein Tunesier, ließ mich vorn sitzen. Unter seinen Fahrgästen befand sich keine andere Frau und kein Europäer. Nach kurzer Zeit sah ich zu meinem Erstaunen, daß die Fahrbahn verschwand und das Auto durch den Sand fuhr. Um auf dem Sand zu fahren, hatte man mir erklärt, müsse man zuerst die Luft aus den Reifen herauslassen und außerdem eine glückliche Hand haben. Neulinge hätten bereits nach hundert Metern eine Panne. Der Fahrer schien geschickt zu sein. Trotzdem dachte ich jedesmal, wenn er eine Düne in Angriff nahm: «Er wird nicht raufkommen ...» Oben angelangt, blieb das Auto in bedrohlich schiefer Lage einen Augenblick stehen. «Er wird umkippen ...» dachte ich mir. Dann ging es abwärts, und alles begann wieder von vorn. Ringsumher wogten die Dünen in unabsehbaren Fernen, und ich fragte mich: «Warum ist das so schön?» Diese unendliche Sandfläche erweckte den Eindruck einer geglätteten und gesicherten Welt, die von der Oberfläche bis zum Kern aus einer einzigen Materie besteht. Ein köstliches Spiel der Kurven und Lichter entströmte wie Musik der Heiterkeit des einen Unteilbaren.

Im Mondschein spazierte ich durch El Oued. Die Erde besteht aus riesigen Kratern, in denen die Gärten versinken. Von weitem sieht das märchenhaft aus – Palmenwedel als Gartenblumen. Den Tag hatte ich auf dem Kamm einer Düne verbracht. Die Frauen aus einem benachbarten *douar* kamen heraufgeklettert und umringten mich. Sie öffneten meine Handtasche, spielten mit meinem Lippenstift, wickelten meinen Turban auseinander, während die Kinder unter lautem Geschrei im Sand herumtollten. Ich wurde es nicht müde, die ruhige Eintönigkeit der hohen, regungslosen Wogen zu betrachten. Auf dem Marktplatz zeigte man mir den eigenhändig eingravierten Namen Gides auf einer Bank.

In Ouargla saß ich drei Tage lang fest. Ich wollte nach Gardhaïa. Ein Dattelhändler erwartete ein Lastauto, das seine Ware dorthin befördern sollte. Jeden Morgen wanderte ich die wahnwitzigen Esplanaden entlang. Ein homosexueller Colonel hatte sie anlegen lassen – Colonel Carbillet. Offensichtlich hatte er sich für Lyautey gehalten. Ich fragte den Händler: «Ist das Auto gekommen?» Nein. Aber morgen kommt es bestimmt ... Ich kehrte ins Hotel zurück, dessen einziger Gast ich war und wo man mich mit Kamelfleisch verpflegte. Ich saß gern auf der Terrasse, die am Rand der gewellten Sandfläche lag. Ich hatte nichts mehr zu lesen, und im Dorf war nur eine alte Nummer der *Bataille* aufzutreiben. Zuweilen schien mir die Zeit endlos, und ich fühlte mich entmutigt. Dann wanderte ich, die Sandalen in der Hand, durch das Meer der aprikosenfarbenen Dünen, die in der Ferne an rosarote Felsen grenzten. Lautlos kam unter den Palmen eine verschleierte Frau, ein alter Mann mit einem Esel vorbei: Schön ist der Schritt eines Menschen, der durch die Reglosigkeit der Dinge hindurchschreitet, ohne sie zu stören. Ich machte mich auf den Rückweg zum Hotel. Mit Rührung sah ich meine Fußtapfen im weichen Sand. Nach den vielen Jahren kollektiven Lebens ging mir dieses Zusammensein mit mir selbst so tief zu Herzen, daß ich die Morgenröte der Weisheit zu erblicken glaubte. Es war nur eine Ruhepause, aber ich habe lange die Erinnerung an die Palmen, den Sand und die Stille bewahrt.

Man erwartete mich in Algier, also verzichtete ich auf Gardhaïa. In der Bar des ‹Grand Hôtel› in Touggourt fand ich zu meinem Unbehagen eine halbvergessene Zivilisation wieder: fahrig, geschwätzig, gefräßig. Am nächsten Tag fuhr ich weiter, aber nicht mit dem Triebwagen, den die Europäer benutzen, sondern – da ich mich einige Stunden in Biskra aufhalten wollte – mit einem viel früheren, viel langsameren und fast ausschließlich von Arabern benutzten Zug. Die Waggons waren gerammelt voll, auf den Trittbrettern drängten sich Menschentrauben. Es gelang mir, auf eine Plattform hinaufzuklettern, wo ich stehen blieb, von Sandböen gepeitscht. Ich hatte keine Zeit gehabt, mir eine Fahrkarte zu besorgen, und wollte eine beim Schaffner lösen. «Eine Fahrkarte? Was fällt Ihnen ein?» Lachend schüttelte er den Kopf. «Ich werde doch nicht eine Europäerin bezahlen lassen!» Ich bewunderte diese Logik. Weil ich Geld hatte, verlangte er keines von mir. Dafür beschimpfte er die Einheimischen. Die, die sich an den Puffern festhielten, beförderte er mit Faustschlägen auf die Erde. Der Zug fuhr nicht schnell, sie taten sich nicht weh, aber verzweifelt betrachteten sie die Wüste ringsumher, erhoben ein fürchterliches Geschrei und drohten mit den Fäusten.

Biskra war weniger verführerisch als in den Büchern Gides. Im regnerischen, unliebenswürdigen Constantine fror ich erbärmlich. In Algier ließ man mich nie allein, aber ich bekam nur die Kulissen zu sehen. Nach dem funkelnden Glanz der Sahara schien mir der Norden düster.

Ich flog nach Hause. Ich fand ein leeres Paris vor. Sartre war noch nicht zurückgekehrt, Olga war in der Normandie bei ihren Eltern, und Bost bereiste mit einer Gruppe Journalisten Italien. Camus fuhr nach Amerika. Ich arbeitete und langweilte mich ein wenig. Durch Queneau lernte ich Boris Vian kennen. Von Beruf Ingenieur, schrieb er und blies Trompete. Er war einer der Initiatoren der Zazou-Bewegung gewesen, die der Krieg und die Zusammenarbeit mit den Deutschen ausgelöst hatten. Während die reichen Eltern die meiste Zeit in Vichy verbrachten, organisierten die Söhne und Töchter des Hauses in den verlassenen Wohnungen *terrible* Feste. Sie leerten die Weinkeller, zerschlugen die Möbel, imitierten die plündernde Soldateska und machten Schwarzmarktgeschäfte. Anarchistisch, apolitisch, gegen die Pétain-freundlichen Eltern rebellierend, legten sie eine aufreizende Anglophilie an den Tag. Sie ahmten die steife Eleganz, den Tonfall, die Manieren der englischen Snobs nach. An Amerika dachten sie so wenig, daß sie bestürzt waren, als es in Paris plötzlich von Amerikanern wimmelte. Aber sie waren mit ihnen durch ein sehr starkes Band verknüpft – durch den Jazz, für den sie schwärmten. Die Kapelle Abadies, in der Vian spielte, wurde am Tag des Einzugs der Amerikaner in Paris vom French Welcome Committee engagiert und der Special Service Show zugeteilt. Daraus entstand die Mode, nach der die ehemaligen Zazous sich drei Jahre lang kleideten: Bluejeans und karierte Hemden aus amerikanischen Restbeständen. Sie versammelten sich in der avenue Rapp, im Viertel der Champs-Élysées und auch im ‹Champo›, Ecke der rue Champollion, das damals ein Tanzlokal war. Einige wenige unter ihnen liebten außer dem Jazz Sartre, Kafka und amerikanische Romane. Während des Krieges durchstöberten sie die Kästen der Bouquinisten an den Quais und triumphierten, wenn sie die verbotenen Werke Faulkners oder Hemingways entdeckten. Um zu lesen und zu diskutieren, kamen sie nach Saint-Germain-des-Prés.

Auf diese Weise lernte ich Vian in der Bar des ‹Pont-Royal› kennen. Er hatte bei Gallimard ein Manuskript eingereicht, das Queneau sehr gut gefiel. Ich trank zusammen mit ihnen und Astruc ein Glas und stellte fest, daß Vian sich gern reden hörte und einen allzu ausgeprägten Hang zum Paradoxen hatte. Im März gab er eine ‹Party›. Als ich hinkam, hatten alle schon ziemlich viel getrunken. Seine Frau Michelle, mit ihren langen, seidig blonden Haaren, die bis auf die Schultern herabhingen, lächelte verklärt. Astruc schlief mit nackten Füßen auf dem Sofa. Ich trank ebenfalls recht tapfer und hörte mir frisch aus Amerika importierte Schallplatten an. Gegen zwei Uhr morgens offerierte mir Boris eine Tasse Kaffee. Wir saßen in der Küche und unterhielten uns bis zum Morgengrauen: über seinen Roman, über Jazz, über

Literatur, über seinen Ingenieurberuf. Aus diesem länglichen glatten Gesicht und den weißen Händen sprach nichts Affektiertes mehr, sondern eher ein außerordentlicher Zartsinn und eine Art eigensinniger Aufrichtigkeit. Vians Abscheu vor «den Scheusalen» war ebenso glühend wie seine Liebe zu dem, was ihm am Herzen lag. Er blies Trompete, obwohl sein Herz es nicht zuließ. («Wenn Sie so weitermachen, sind Sie in zehn Jahren tot», hatte der Arzt zu ihm gesagt.) Wir plauderten, und der Tag kam viel zu schnell. Diese flüchtigen Augenblicke ewiger Freundschaft waren für mich äußerst wertvoll, wenn es mir vergönnt war, sie zu genießen.

Einen Monat später fand die erste Cocktailparty bei Gallimard statt. Astruc schlief hinter einem Sofa ein. Als er aufwachte, war der Salon leer. Tastend suchte er den Ausgang, kam ins Speisezimmer, in dem die Gallimards sich soeben zum Essen versammelt hatten, und tauchte die Hände in die Suppenschüssel.

Einer, den ich oft traf, war Merleau-Ponty, mit dem ich in den *Temps Modernes* zusammenarbeitete. Ich hatte in der Zeitschrift seine Abhandlung *Phénoménologie de la perception* rezensiert. Daß wir beide eine fromme bürgerliche Kindheit hinter uns hatten, war eine Brücke zwischen uns, aber unsere Reaktionen waren unterschiedlich. Er sehnte sich – im Gegensatz zu mir – noch immer nach dem verlorenen Paradies. Er suchte die Freundschaft alter Leute und war mißtrauisch gegen die Jugend, die ich bei weitem dem Alter vorzog. Er hatte in seinen Schriften eine Vorliebe für Nuancen und drückte sich zögernd aus – ich war für klare Entscheidungen. Er interessierte sich mehr für die Randbezirke des Denkens, für die dunklen Seiten des Daseins als für den festen Kern. Bei mir war das Gegenteil der Fall. Ich schätzte seine Bücher und Essays, fand aber, daß er Sartres Ideen schlecht verstanden hatte. Ich brachte eine Schärfe in unsere Diskussionen, die er lächelnd über sich ergehen ließ.

Gegen Mitte März kehrte Olga aus der Normandie zurück. Verwundert über ihr Fieber und ihre Mattigkeit, hatte der Hausarzt sie röntgen lassen: Beide Lungenflügel waren erkrankt. Das Fiasko von *Les Bouches inutiles* hatte sie sehr verdrossen, und die Sonnenbäder in Megève waren ihr nicht gut bekommen. Ich telegrafierte an Bost, der sofort nach Paris zurückkehrte. Die Spezialisten waren geteilter Meinung. Ohne Pneumothorax müsse Olga sterben. Ein Pneumothorax wäre der sichere Tod. Man müsse sie in ein Sanatorium schicken. Oder lieber doch nicht. Zuletzt ging sie ins Krankenhaus Beaujon und wurde operiert. Das war um so betrüblicher, als Dullin vorhatte, *Les Mouches* wieder aufzuführen. Der Plan wurde fallengelassen, da weder er noch Sartre eine andere Elektra haben wollten.

Ich hatte in Megève das 1943 angefangene Buch *Tous les hommes sont mortels* beendet. Nach seiner Rückkehr aus Amerika las Sartre den letzten Teil in dem lauten und verräucherten Keller des ‹Méphisto›, wo wir damals meistens unsere Abende verbrachten.

«Wie kann man sich damit abfinden, nicht alles zu sein?» fragte sich Georges Bataille in *L'Expérience intérieure*. Diese Wendung hatte mich überrascht, denn das war in *L'Invitée* die verzehrende Hoffnung Françoises gewesen: daß sie alles sein wollte. Ich bedauerte, daß ich diese Illusion und ihr Scheitern nicht deutlicher herausgearbeitet hatte. Ich beschloß, das Thema wieder aufzugreifen. Von Ehrgeiz und Neid zerfressen, sollte mein neuer Held darauf Anspruch erheben, sich mit dem Universum zu identifizieren. Er würde dann entdecken, daß die Welt in individuelle Freiheiten zerfällt, die alle unerreichbar sind. Während sich in *Le Sang des autres* Blomart für alles verantwortlich fühlt, würde dieser Mann darunter leiden, daß er nichts auszurichten vermag. So sollte sein Abenteuer die Ergänzung meines ersten und die Antithese des zweiten Romans sein. Aber ich wollte jede Ähnlichkeit vermeiden. In den Jahren 1943 und 1944 war ich mit dem Begriff des Geschichtlichen vertraut gemacht worden, und nun wollte ich von diesem Begriff ausgehen. Mein Held, den Reichtum und Ruhm nicht zufriedenstellen können, fordert Einfluß auf den Lauf der Welt. Ich verfiel auf den Gedanken, ihm die Unsterblichkeit zu verleihen. Dann würde sein Scheitern um so schrecklicher sein. Ich begann mich eingehend mit dem Zustand der Unsterblichkeit zu beschäftigen. Ich setzte die Meditationen über den Tod fort, zu denen der Krieg den Anstoß gegeben hatte. Ich dachte über den Sinn der Zeit nach. Sie war mir plötzlich zum Bewußtsein gebracht worden, und ich hatte entdeckt, daß sie mich, genauso wie die räumliche Entfernung, mir selber zu entreißen vermag. Die Fragen, die ich stellte, beantwortete ich nicht. *Le Sang des autres* war abstrakt konzipiert und durchgeführt. Von der Geschichte Foscas träumte ich nur.

Das Hauptthema, das im ganzen Buch, vielleicht allzu hartnäckig, immer wiederkehrt, ist der Konflikt zwischen dem Standpunkt des Todes, des Absoluten, des Sirius und dem des Lebens, des Einzelnen, der Erde. Schon mit zwanzig Jahren hatte ich in meinen Tagebüchern zwischen beiden geschwankt. In *Pyrrhus et Cinéas* hatte ich sie einander gegenübergestellt, in *L'Invitée* verzichtet Françoise, aus Müdigkeit oder Scheu, auf die lebende Welt und entgleitet in die Gleichgültigkeit des Todes. In *Le Sang des autres* versucht Hélène die Grenzenlosigkeit der Zukunft als Alibi zu benützen. Abermals stellte ich im geschichtlichen Ablauf das Relative dem Absoluten gegenüber. Aber wir hatten gesiegt, und die Gegenwart überhäufte uns mit Geschenken: Nur die Zukunft machte uns Sorgen. Wir hatten die kritischen Stimmen nicht hören wollen, die im August 1944 fragten: «Und nachher?» Ebensowenig kümmerte uns die Katastrophenstimmung der Leute, die 1945 verkündeten:

«Der dritte Weltkrieg steht vor der Tür.» Ich glaubte nicht daran, daß morgen die Atombombe die Erde in die Luft jagen würde. Trotzdem war der Sinn des alliierten Sieges in Frage gestellt, und ich fragte mich: Wie sieht das wahre Dilemma der Gegenwart aus? Wo ist unser Standort zwischen dem Nihilismus der falschen Propheten und dem Leichtsinn der Hasardeure?

Zuerst führte ich Fosca in ein bestimmtes Unternehmen: die Ruhmestat von Carmona; das sollte dazu führen, daß er die Unsterblichkeit wählt. Dieses fürchterliche Privileg aber bringt ihm die Gegenkräfte zu Bewußtsein, die jeden bedeutenden Erfolg zerfressen und zerstören. Der durch Fosca verkörperte Partikularistenstolz zerstückelt Italien und liefert es wehrlos zuerst dem König von Frankreich, dann dem Kaiser von Österreich aus. Dann sagt er sich von seinem Vaterland los und wird die graue Eminenz Karls V. Wenn es ihm mit seiner Hilfe gelänge, die ganze Welt zu vereinen, würde, so glaubt er, sein Werk fortbestehen. Wie aber läßt sich die Menschheit addieren, wenn jeder Mensch einzigartig ist? Entsetzt über die Metzeleien und das Unglück, das die Suche nach dem allgemeinen Wohl nach sich zieht, beginnt er, an diesem Wohl zu zweifeln. Die Menschen verneinen – und sei es wie bei den Wiedertäufern um den Preis wilder Zerstörung – jene starre Fülle, die ihnen nichts mehr zu tun übrigläßt. Er stellt fest, daß das Universum nirgends zu finden sei: «Es gibt nur Menschen, auf immer und ewig entzweite Menschen.» Er verzichtet auf die Herrschaft. «Man kann nichts für die Menschen tun. Ihr Wohl hängt nur von ihnen selber ab ... Sie wollen nicht das Glück, sie wollen leben. Man kann nichts für, nichts gegen sie tun. Man kann nichts tun.»

Das unglückselige Erlebnis Foscas erstreckt sich vom Ausgang des Mittelalters bis zum Beginn des 16. Jahrhunderts. Stupide Kriege, ein wirtschaftliches Chaos, sinnlose Aufstände, unnütze Massaker, eine Bevölkerungszunahme, die von keiner Verbesserung des Lebensstandards begleitet ist; alles an dieser Periode schien mir voller Verwirrung und Stagnation zu sein: Ich hatte sie mir absichtlich ausgesucht. Der Geschichtsbegriff, wie er sich aus diesem ersten Teil ergab, war entschieden pessimistisch. Ich betrachtete den Geschichtsablauf keineswegs als zyklisch, aber ich leugnete, daß er einen Fortschritt bedeute. Wie hätte ich auch annehmen können, daß meine Epoche mehr wert sei als die früheren, da sie doch auf den Schlachtfeldern, in den Lagern, in den bombardierten Städten die Greuel der Vergangenheit vervielfältigt hatte? Die romantische und die moralisierende Betrachtungsweise, die diesem Pessimismus die Waage hielten, entsprangen gleichfalls den Verhältnissen. Unsere im Widerstand gefallenen Freunde, alle Widerstandskämpfer, die durch ihren Tod unsere Freunde geworden waren – ihre Taten hatten wenig oder vielleicht gar nichts genützt. Also mußte man annehmen, daß ihr Leben sich selber gerechtfertigt habe. Man mußte an den Wert der Hingabe, des Fiebers, des Stolzes, der Hoffnung glauben. Daran glaube ich heute noch. Verbietet aber die Zerstreuung der Menschen der Menschheit jeden gemeinschaftlichen Sieg? Das ist eine andere Frage.

Übrigens bejahe ich sie nicht. Die am Beginn des Romans entworfene düstere Perspektive erfährt im letzten Kapitel keine Bestätigung. Die seit dem Anfang der industriellen Revolution durch die Arbeiterklasse errungenen Siege stellen eine Wahrheit dar, die auch ich anerkennen mußte. Eigentlich bekannte ich mich zu keiner Geschichtsphilosophie, und mein Roman identifiziert sich auch mit keiner. In dem Triumphmarsch, der seine Erinnerungen abschließt, sieht Fosca nur ein Auf-der-Stelle-Treten: Aber er weiß keine Lösung des Rätsels. Anfangs hat er die Welt mit den Augen des Politikers betrachtet, den die Form fasziniert: Stadt, Nation, Universum. Dann hat er ihr einen Inhalt gegeben: die Menschen. Aber er will sie von außen her, als Demiurg, beherrschen. Als er endlich begreift, daß sie frei und souverän sind, daß man ihnen dienen, aber nicht über sie verfügen kann, ist er zu müde, um ihnen seine Freundschaft zu bewahren. Sein Verzicht verneint keineswegs den Sinn der Geschichte, er deutet nur darauf hin, daß der Bruch zwischen den Generationen für den Vormarsch notwendig ist. Die Kommunisten sprechen im Gefolge Hegels von der Menschheit und ihrer Zukunft als von einer monolithischen Individualität: Ich wandte mich gegen diese Illusion, indem ich in Fosca den Mythos der Einheit verkörperte. Die Umwege, die Rückschläge, die Katastrophen der Geschichte, ihre Verbrechen sind zu schwer abzugrenzen, als daß ein Bewußtsein jahrhundertelang die Erinnerung an sie bewahren könnte, ohne zu verzweifeln. Zum Glück beginnt, von den Vätern auf die Söhne, das Leben in endloser Reihe immer wieder von neuem. Dieser Neubeginn bringt aber auch den Schmerz der Trennung mit sich. Wenn die Wünsche, welche die Menschen des 18. Jahrhunderts beseelten, sich im zwanzigsten verwirklichen, ernten die Toten nicht die Früchte ihrer Bemühungen. Der von einem tumultuarischen Vorbeimarsch mitgerissene Fosca denkt an die Frau, die er vor hundert Jahren geliebt hat: Was heute geschieht, sagt er sich, ist genau das, was sie gewollt hat, aber durchaus nicht das, was sie sich gewünscht hätte. Diese Entdeckung vollendet seine Niederlage: Er kann die Jahrhunderte nicht mit einem lebendigen Band verknüpfen, weil sie einander nur ablösen, indem sie einander verleugnen. Da er den Menschen, die sie bevölkern, gleichgültig gegenübersteht, verbindet ihn nichts mit ihren Plänen. Wenn er sie liebt, kann er die Treulosigkeit nicht ertragen, zu der sein Schicksal ihn verdammt.

Denn Fosca ist die verwünschte Stätte des Vergessens und des Verrats. Grausam war mir mein Unvermögen zu Bewußtsein gekommen, den Tod anderer auf irgendeine Weise zu erfassen. Selbst wenn noch so viele sterben, so bleibt doch die unwandelbare Fülle der Menschen bestehen.

In meinem zweiten Roman stellt Blomart einem im zwanzigsten Lebensjahr gefallenen Kameraden die Frage: «Wer ist er nicht gewesen?» Fosca stellt dieselbe Frage in bezug auf eine geliebte Frau: «Wo ist sie nicht?» Mehrere Male habe ich ihm diese Wendung in den Mund gelegt, die einmal auch in *Les Mandarins* vorkommt: «Die Toten waren tot, die Lebenden lebten.» Er darf noch nicht einmal hoffen, daß ihm die Erinnerung bleibt: Dieses Wort hat für ihn keinen Sinn. Alle seine Beziehungen zu den Menschen sind durch die Unsterblichkeit vergiftet. Er kann niemals wahre Liebe und Freundschaft empfinden, weil unsere Brüderlichkeit darin besteht, daß wir alle sterben. Nur ein ephemeres Geschöpf ist fähig, das Absolute in der Zeit zu entdecken. Für Fosca kann es keine Schönheit geben, ebensowenig wie irgendeinen anderen der lebendigen Werte, welche die Endlichkeit des Menschen begründen. Sein Blick verwüstet das Weltall: Es ist der Blick Gottes, wie ich ihn mit fünfzehn Jahren abgelehnt hatte, der Blick dessen, der über alles hinausgeht und alles gleichmacht, der alles weiß, alles vermag und den Menschen in einen Erdenwurm verwandelt. Allen, denen er sich nähert, raubt Fosca die Welt, ohne eine Gegenleistung dafür zu bieten. Er verstößt sie in die trostlose Gleichgültigkeit der Ewigkeit.

Das ist die Tragödie Régines, die ich als Gegengewicht zu der Tragödie Foscas konzipiert hatte. Einem Unsterblichen konnte ich den ungeheuerlichsten Ehrgeiz zuschreiben, nicht aber – da sich dieses Gefühl aus Faszination und Rachsucht zusammensetzt – den Neid. Mit ihm stattete ich eine Frau aus, der es nur darum geht, ihre Mitmenschen zu beherrschen, und die sich gegen jede Begrenzung auflehnt: Der Ruhm anderer ist für sie der Tod. Als sie Fosca begegnet, will sie sein unsterbliches Herz erobern. Auf diese Weise glaubt sie einzigartig zu sein. Es geschieht aber das Gegenteil: Unter seinem Blick löst sie sich auf. Ihre Handlungen, ihre Vorzüge bemänteln nur ein lächerliches Bemühen, genauso wie alle anderen Menschen zu sein. Mit Entsetzen sieht sie ihr Leben zur Komödie werden. Sie wird wahnsinnig. (Die Festszene, in der sie sich der Komödie bewußt wird, erinnert an die Szene in *L'Invitée*, wo Elisabeth, als sie das Trio empfängt, den Eindruck hat, sich einer Parodie auszuliefern. Ihr Leiden aber hat seelische Gründe. Bei Régine hat es einen metaphysischen Sinn.) Sie hat allerdings eine Erlösung geahnt, aber nicht die Kraft gehabt, sie zu erlangen: Sie hätte sich an ihrer Endlichkeit, an ihrer Begrenztheit festhalten müssen. Einer der Helden, Armand, begegnet dem Blick Foscas, ohne versteinert zu werden, weil er mit Leib und Seele seiner Zeit verhaftet ist. Diese Moral schließt sich den Folgerungen von *Pyrrhus et Cinéas* an, sie wird aber nicht als eine Lektion aufgetischt. Vielmehr dient sie einem imaginären Erlebnis als Vorwand. Besonders die Kritiker, die sich davon irritieren lassen, wenn ein Roman doziert, haben diesem Buch vorgeworfen, daß es nichts beweise; aber ich liebe ihn gerade wegen der Längen, der Wiederholungen

71

und der Überlastung. Als ich ihn wieder durchlas, habe ich mich gefragt: Was habe ich damit sagen wollen? Es ging mir nur um das Abenteuer, das ich mir ausgedacht hatte. Die Erzählung strotzt von Widersprüchen. Kein Gesichtspunkt setzt sich endgültig durch. Foscas und Armands Standpunkt sind beide richtig. Ich hatte in meinem früheren Essay erklärt, die Dimension der menschlichen Handlungen sei nicht das Endliche, nicht das Unendliche, sondern das Unbestimmte. Diesem Wort lassen sich keine Grenzen setzen. *Tous les hommes sont mortels* ist ein Versuch in dieser Richtung. Die Themen sind keine Thesen, aber jedes Thema ist ein Aufbruch zu einer Wanderung ins Blaue.

Nach meiner Rückkehr aus Tunesien hatte ich einen Essay angefangen, in dem ich die gleichen Probleme anschnitt. Die Idee dazu war mir ein Jahr zuvor gekommen. Ich hatte im Februar 1945 bei Gabriel Marcel vor fast ausschließlich katholischen Studenten einen Vortrag gehalten und einen früheren Schüler Sartres mitgebracht, den Existentialisten und Zionisten Misrahi. Er gehörte der Stern-Gruppe an. Sooft Gabriel Marcel mich angriff, stand er auf, um mich mit Feuereifer und Sachkenntnis zu verteidigen. Er hatte sich äußerst unbeliebt gemacht. Nachher unterhielt ich mich mit ihm in der ersten Etage des ‹Flore›. Ich sagte, daß man meiner Meinung nach auf *L'Être et le Néant* eine Moral aufbauen könnte, wenn man das eitle Verlangen, da zu sein, in eine Prämisse des Daseins verwandelt. «Schreiben Sie doch darüber!» erwiderte er. Im Herbst hatte mich Camus, ich weiß nicht mehr für welchen Sammelband, um eine Studie über das Handeln gebeten. Die günstige Aufnahme, die *Pyrrhus et Cinéas* gefunden hatte, machte mir Mut, zur Philosophie zurückzukehren. Außerdem, wenn ich Lefebvre, Naville, Mounin las, überkam mich die Lust, ihnen zu antworten. Ich begann also, zum Teil aus polemischen Gründen, mit der Abhandlung *Pour une morale de l'ambiguïté*.

Von allen meinen Arbeiten ist es diese, die mich am meisten ärgert. Den polemischen Teil halte ich für wertvoll, wenn ich auch meine Zeit damit vergeudet habe, lächerliche Einwände zurückzuweisen. Damals aber behandelte man den Existentialismus als eine nihilistische, schwarzmalende, frivole, liederliche, desperate, schändliche Philosophie: Es galt, ihn zu verteidigen. Ich kritisierte auf eine in meinen Augen überzeugende Weise den synthetischen Begriff einer einheitlichen monolithischen Menschheit, den die kommunistischen Schriftsteller – oft ohne es zuzugeben – benutzen, um Tod und Niederlage zu verbergen. Ich wies auf die Antinomien des Handelns hin: die unbegrenzte Transzendenz des Menschen gegenüber seiner Forderung nach Gewinn, die Zukunft gegenüber der Gegenwart, die kollektive Wirklichkeit gegenüber der Innerlichkeit jedes Einzelnen. Die damals so heiße Debatte über Mittel und Zweck weiterführend, habe ich einige Trugschlüsse zerschlagen. Ich habe die Probleme aufgezeigt, denen sich noch heute Intellektuelle gegenübersehen, selbst wenn sie unter einem Regime leben, das sie billigen. Ich bekenne mich auch zu dem Abschnitt über den Ästhetizismus und dem von mir angedeuteten Ausgleich zwischen dem Kunstwerk und dem Engagement des Künstlers. Das alles hat nicht verhindert, daß ich mir viel Mühe gegeben habe, eine Frage falsch zu stellen und eine Antwort darauf zu geben, die so hohl ist wie die kantischen Maximen. Meine Beschreibungen des Nihilisten, des Abenteurers, des Ästheten – offenbar durch Hegel beeinflußt – sind noch willkürlicher und abstrakter als die seinen, weil sie nicht einmal durch eine historische Entwicklung miteinander verknüpft werden. Die Verhaltensweisen, die ich untersuche, sind aus objektiven Zuständen zu erklären. Ich habe mich darauf beschränkt, den moralischen Sinn so restlos von ihnen loszulösen, daß meine Porträts nichts mehr mit der Wirklichkeit zu tun haben. Es war eine Verirrung, die Moral außerhalb des gesellschaftlichen Zusammenhangs definieren zu wollen. Ich konnte, ohne einer bestimmten Geschichtsphilosophie zu folgen, einen historischen Roman schreiben, nicht aber eine Theorie des Handelns entwickeln.

In den *Temps Modernes* hatte ich vier Artikel veröffentlicht, die der Verleger Nagel in einem Band gesammelt hat: drei davon befassen sich gleichfalls mit der Moral. Nach einem Krieg, der alles in Frage gestellt hatte, war es normal, daß man versuchte, Regeln und Grundlagen zu überprüfen. Frankreich befand sich zwischen zwei Machtblöcken, unser Schicksal wurde ohne uns entschieden; diese Passivität hinderte uns daran, die Praxis zum Gesetz zu erheben; ich wunderte mich also nicht über meine moralisierende Einstellung. Schwer begreiflich finde ich den Idealismus, der diesen Essays innewohnt. Eigentlich waren für mich die Menschen durch ihren Körper, ihre Bedürfnisse, ihre Tätigkeit definiert; denn ich stellte keine Formen, keine Werte höher als die Individuen aus Fleisch und Blut. Als ich nach meiner Rückkehr aus Portugal den Engländern ihre Mitschuld an einem Regime vorwarf, dem neben anderen Mängeln der tragische Prozentsatz der Kindersterblichkeit vorzuwerfen war, sagte Herbaud zu mir: «Es ist sicher bedauerlich, daß Kinder im Elend zugrunde gehen, aber vielleicht ist es kein zu hoher Preis für das Wunder der englischen Demokratie.» Ich war empört. Ich stritt mich auch mit Aron, der die von den Engländern ergriffenen Maßnahmen gegen die Einwanderung nach Israel mit den höheren Interessen Englands rechtfertigte. Die Schönheit der englischen Demokratie war blauer Dunst für die in den Lagern zusammengepferchten und verzweifelt an Bord der Schiffe umherirrenden Menschen. Warum aber hatte ich den Umweg über andere Werte eingeschlagen, statt das Bedürfnis selbst anzuerkennen und die grundlegende Bedeutung zu begründen, die ich akzeptierte? Warum schrieb ich «konkrete Freiheit» statt «Brot» und ordnete den Willen zum Leben dem Sinn des Lebens unter? Ich gab mich nie mit der einfachen Erklärung zufrieden, daß diese Menschen essen müssen, weil sie Hunger haben. Und doch dachte ich so. In Œil pour œil rechtfertigte ich die Säuberung, ohne das einzig stichhaltige Argument anzuführen: Milizsoldaten, Mörder und Folterknechte muß man beseitigen, nicht um zu demonstrieren, daß der Mensch frei sei, sondern um zu verhindern, daß sie es wieder tun. Wie viele Menschenleben wären erhalten geblieben, wenn man einen Brice liquidiert hätte! Ich hatte mich – genauso wie Sartre – nur unzulänglich von der Ideologie meiner Klasse freigemacht. In dem Augenblick, als ich sie verwarf, bediente ich mich noch ihrer Sprache. Sie ist mir widerlich geworden, weil ich heute weiß: nach Gründen dafür zu suchen, daß man einem Menschen nicht ins Gesicht treten dürfe, heißt akzeptieren, daß man ihm ins Gesicht tritt.


Nach seiner Rückkehr aus Amerika erzählte mir Sartre viel über M. Ihre Zuneigung schien damals gegenseitig zu sein, und sie hatten vor, jedes Jahr drei bis vier Monate miteinander zu verbringen. Es war nicht die Trennung, die mich erschreckte, sondern seine Schilderung der mit ihr in New York verbrachten Wochen; er war so hingerissen, daß mir angst und bange wurde. Ich hatte angenommen, er habe sich vor allem durch das Romantische dieses Abenteuers verführen lassen. Plötzlich fragte ich mich, ob er nicht an M. mehr hinge als an mir. Ich hatte meinen zähen Optimismus eingebüßt: Mir konnte alles widerfahren. Eine Verbindung, die seit über fünfzehn Jahren besteht: ist sie nicht bereits zur Gewohnheit geworden? Welche Konzessionen bringt sie mit sich? Meine Antwort kannte ich, nicht aber die Sartres. Ich verstand ihn jetzt besser als früher. Deshalb war er mir undurchsichtiger geworden. Zwischen uns gab es bedeutende Meinungsverschiedenheiten. Mich störte das nicht, im Gegenteil. Aber ihn? Nach seinen Erzählungen zu schließen, teilte M. restlos seine Reaktionen, seine Gefühle, seine Wünsche, seine Ungeduld. Wenn sie spazierengingen, hatte sie im gleichen Augenblick wie er Lust, stehenzubleiben, weiterzugehen. Vielleicht kennzeichnete das ein tiefes Einvernehmen – tief in den Quellen des Lebens, in seinen Strömen und seinem Rhythmus verwurzelt –, das zwischen Sartre und mir nicht existierte und das ihm wichtiger war als unser Bündnis. Ich wollte Klarheit gewinnen. Wenn einem eine gefährliche Frage auf der Zunge liegt, geschieht es oft, daß man den unpassendsten Augenblick wählt, um sie zu äußern. Wir verließen gerade mein Zimmer, um zu den Salacrous zum Mittagessen zu gehen, da fragte ich ihn: «Sagen Sie ehrlich: an wem hängen Sie mehr, an M. oder an mir?» – «Ich hänge ungeheuer an M.», erwiderte Sartre, «aber ich bin bei Ihnen.» Das verschlug mir den Atem. Ich glaubte zu verstehen, was er damit sagen wollte: «Ich respektiere unseren Pakt, verlangen Sie nicht mehr von mir.» Eine derartige Antwort stellte die ganze Zukunft in Frage. Es fiel mir äußerst schwer, Hände zu schütteln, zu lächeln, zu essen. Als ich sah, daß Sartre mich

74

besorgt beobachtete, biß ich die Zähne zusammen, aber mir schien, als wollte das Essen kein Ende nehmen. Am Nachmittag erklärte mir Sartre seine Worte. Wir hätten doch immer mehr Wert auf das Verhalten als auf die Phrasen gelegt, deshalb habe er sich, statt lange Reden zu halten, auf eine Tatsache berufen. Ich glaubte ihm.

Kurz nach seiner Rückkehr erkrankte Sartre an Mumps. Er legte sich im runden Zimmer zu Bett. Ein Arzt schmierte ihm Hals und Gesicht mit schwarzer Salbe ein. Nach einigen Tagen durfte er seine Freunde empfangen. Sie kamen nicht alle, aus Angst vor der Ansteckung. Trotzdem gab es ein großes Gedränge, und ich hatte Mühe, ihn vor Belästigungen zu schützen. Während dieser Zeit habe ich Tagebuch geführt. Hier einige Auszüge. Sie geben das wieder, was mein Gedächtnis nicht mehr heraufbeschwören kann: den täglichen Trott.

*30. April 1946*

Als ich um fünf Uhr ausging, herrschte am carrefour Buci lebhaftes Treiben. Frauen kauften Blumenkohl, Spargel, die ersten Erdbeeren. Es gab Maiglöckchen in kleinen, mit Silberpapier umwickelten Töpfen. An den Mauern, mit Kreide hingekritzelt, große JA und NEIN. (Es handelte sich darum, ob die von der konstituierenden Versammlung vorgeschlagene und von den Kommunisten befürwortete Verfassung anzunehmen oder abzulehnen sei.) Im vorigen Jahr hatte der Frühling etwas von einem Wunder an sich, es war der erste Frühling nach der Befreiung. Dieses Jahr ist er bereits im Frieden verankert. In den Läden gibt es Lebensmittel, zum Beispiel Datteln, Stoffe und Bücher, auf den Straßen Busse und Taxis. Seit dem vorigen Jahr hat sich viel verändert.

In den *Temps Modernes* habe ich Merleau-Ponty, Leiris, Ponge angetroffen. Ponge ist aus der *Action* ausgeschieden (aus welchem Grund?). Er sagt, es mache ihm große Mühe, unter den vielen Themen zu wählen, über die er gern schreiben würde. Warum alles erst zwanzig Jahre heranreifen lassen? Warum nicht, im Gegenteil, wahllos an alles herangehen, dem man unterwegs begegnet? Er hat mehr als zweihundert Gedichte angefangen und hat vor, sie eines Tages in Form eines illustrierten Alphabets zu veröffentlichen. Ich gebe Festy die Gedichte Genets und Larondes zum Abdruck und sage ihm, daß ich meinen Roman bestimmt nicht in der Zeitschrift zu publizieren gedächte. Ich trinke im ‹Pont-Royal› ein Glas mit Merleau-Ponty und Suzou, dann gehe ich nach Hause. Bei Sartre, der noch immer bandagiert ist und eine Zipfelmütze trägt, finde ich Lefèvre-Pontalis vor. Sartre geht es viel besser. Ich bringe ihm Bücher, Zeitschriften und gebe ihm zu essen. Ich gehe mit Bost und Pontalis ins ‹Petit Saint-Benoît›. Zugleich mit uns erscheint Giacometti und setzt sich an denselben Tisch. Er ist besser in Form denn je und erzählt eine Menge Geschichten. Gegen Ende der Mahlzeit fiel ein Salzfaß um. Bost stellte es auf. G. macht seine superkluge Miene. «Ich war neugierig, wer es aufstellen wird. Und Sie sind es gewesen!» – «Ich hätte es nicht angerührt», sagt Pontalis. «Man stellt sie immer wieder auf», sagt G. Daraufhin Bost: «Sie sind offenbar nicht dazu da, umgeworfen zu werden.» Giacometti, betroffen: «Ach! Wenn Sie das vor Breton gesagt hätten, dann hätte es Krach gegeben.» Er spricht vom Maler Bérard. «Ich finde ihn so schön.» Ich frage: «Ebenso schön wie Sartre?» Er antwortet ganz ernst: «Das ist etwas anderes. Bei Sartre die klassische, apollinische Schönheit – bei Bérard die dionysische.» Abschluß des Abends im ‹Chéramy›.

Heute früh kam Boubal mit strahlender Miene auf mich zu. «Wenn Sie in der Zeitung lesen, daß M. Sartre im Sterben liegt, regen Sie sich nicht auf. Ein Journalist hat sich nach ihm erkundigt, also habe ich gesagt, daß er krank sei, daß man das Schlimmste befürchtet. – Woran er erkrankt sei? – An einer geheimnisvollen Krankheit ...»

Auf der Treppe begegnete ich B. (einem früheren Schüler Sartres, der sich inzwischen als Arzt niedergelassen hat). Er wollte zu Sartre hinauf. Ich hielt ihn an. Er wisse, sagte er, daß Sartre von langweiligen Menschen bedrängt sei, und er wolle ihn nicht belästigen, aber er habe ihm etwas Aufregendes zu erzählen. Einem seiner Freunde namens Patrix sei «eine plastische Transposition des Klebstoffs» gelungen. Anscheinend handelt es sich um «eine Großmutter, eine uralte Großmutter, die sich in eine Kerze verwandelt».

*1. Mai*

Ich erinnere mich, daß es im vorigen Jahr geschneit hat. Heute früh ist der Himmel blau. Ich bleibe zu Hause. Ich trinke eine Tasse Nescafé und arbeite an *Pour une morale de l'ambiguïté*. Sartre geht es besser, er ist nicht mehr bandagiert, trägt keine Baumwollmütze mehr, hat aber dichte schwarze Koteletten und einen wuchernden Bart. Sein Gesicht ist auch noch geschwollen, er hat einen Pickel auf der Nase. Im Zimmer häufen sich von Tag zu Tag das schmutzige Geschirr, die alten Zeitungen und die Bücher, man weiß nicht mehr, wo man seinen Fuß hinsetzen soll. Er liest mir sehr hübsche Gedichte von Cocteau vor. Draußen strahlt die Sonne. Man hört trotz der geschlossenen Fenster die Straße mit den Händlern, die Maiglöckchen, Strümpfe und Hemdhosen aus Kunstseide verkaufen. Wenn ich das Haus verlasse, ziehe ich weder Mantel noch Strümpfe an. Überall Maiglöckchen. Die Kastanienbäume am boulevard Pasteur sind alle mit weißen und roten Blüten überladen, sie beginnen sogar schon ihre Blütenblätter zu verlieren. Ich esse bei meiner Mutter, die die *Sonnenfinsternis* liest. Auf dem Heimweg sehe ich in der Métro die Theaterzettel Dullins, auf denen die Ankündigung von *Les Mouches* fehlt, und mein Herz krampft sich zusammen.

Auf den Wänden die ersten Abstimmungsplakate: Mit Ja stimmen – mit Nein stimmen. Sämtliche ‹Nein› sind durchgestrichen.

Arbeit. Um 6 Uhr trinke ich ein Glas mit Bost und Rolland in der ‹Bar Vert›, die auf linkische Art dem ‹Chéramy› Konkurrenz machen will, mit schönen Plakaten, aber mit scheußlichen roten Tischen und viel zu grünen Wänden. Dort treffen wir Youki in einem hübschen, schwarz-weiß karierten Kleid. Sie spricht über den belgischen Dichter, den sie mir in die Redaktion geschickt hat. «Wissen Sie», sagt sie zu mir in ihrer gewohnten Naivität, «in meinem Haus verkehren lauter Dichter.»

### 2. Mai

Ein Tag, noch schöner, noch wärmer als der gestrige. Überall Mai-glöckchen. Noch nie hat man einen Frühling mit soviel Blumen erlebt. Ich begleite Bost nach Beaujon. Schon von weitem ist das Krankenhaus aus Backsteinen zu sehen, mit seinen großen roten Kreuzen. Es ist sehr hoch, wuchtig und streng und erinnert mich an Drancy. Vor dem Eingang warten viele Menschen, vor allem Frauen, die sich herausgeputzt haben. Man könnte meinen, für sie seien diese Besuche festliche Anlässe, sie lachen im Fahrstuhl, der langsam durch die elf Stockwerke hinauf-fährt. Der elfte Stock ist für die Lungenkranken reserviert. Auf der einen Seite liegen die jungen Frauen, auf der anderen Seite die alten. Es gibt nur eine Bettenreihe gegenüber einem breiten, vergitterten Balkon (vergittert, um Selbstmorde zu verhüten, weil manche Patientinnen, besonders die jüngeren, geneigt sind, aus dem Fenster zu springen). Man hat einen weiten Ausblick auf die Vororte der Stadt. Im Vordergrund ein Kriegsgefangenenlager, dahinter ganz Paris. Olgas Zimmer ist ein großer weißer Würfel, der gleichfalls auf den Balkon mündet. Sie er-zählt uns, die Aussicht sei am Abend, wenn alle Lichter aufflammen, besonders schön. Heute sieht sie gut aus, schön frisiert und geschminkt. Man hat ihr zum drittenmal Luft eingepumpt. Seit vierzehn Tagen liegt sie schon im Bett und beginnt ungeduldig zu werden.

Im Bus lese ich *Puschkin* von Troyat, das mich interessiert, und werfe einen Blick in den *Samedi-Soir*. Dort ist eine Besprechung von *Sonnen-finsternis*. «Koestler hat in erschütternder Weise die Unruhe der heutigen Zeit wiedergegeben, aber er ist nicht imstande, uns einen Ausweg zu zeigen.» Diese Art Vorwürfe gehen recht weit. Ich habe an mindestens hundert Diskussionen über *Sonnenfinsternis* teilgenommen. Die treffend-ste Kritik hat Giacometti neulich geäußert: Nicht subjektiv, sondern im Namen einer anderen Objektivität müßte sich Rubatschew dem Nr. 1 widersetzen. Zwischen ihnen müßte eine präzise Meinungsverschieden-heit politischer und technischer Art bestehen. Sonst wird Rubatschew unglaubwürdig.

Arbeit. Um 8 Uhr gehe ich zu Sartre. Er liest *Prête-moi ta plume* von Scipion, der heute mit Recht den von der Zeitung *Le Clou* ausgesetzten Preis für das beste satirische Werk erhalten hat und dessen Foto im *Combat* groß herausgestellt ist. Er hat mit Pontalis gesprochen, dem

Bosts Buch *Le Dernier des métiers* gut gefällt, und mit Genet, der Sartre gebeten hat, den Minister in einem Brief um die Erlaubnis zur Besichtigung der Besserungsanstalten zu ersuchen. Bost sucht nach einem Thema für einen Artikel für den *Combat*. Ich schlage ihm vor, über das ‹Hôtel Chaplain› zu schreiben. Er erzählt vom *Combat*, von Pia, der sich bemüht, die Zeitung umzubringen, indem er sich selber umbringt, von Ollivier, den alle nicht mögen und der das spürt, von Aron, der alle gegen sich aufbringt, weil er den *Combat* wirklich begreift und es ausspricht. Alle Welt hat Bost zu seinem Artikel über den Papst gratuliert. Altmann ist aus dem *Franc-Tireur* heraufgekommen, um ihm zu sagen: «Hart, aber ausgezeichnet.» Man staunt über die Sicherheit, mit der er das Kind beim richtigen Namen nennt. Drei Abonnenten haben die Zeitung abbestellt.

*3. Mai*

Vormittags habe ich in meinem Zimmer gearbeitet. Nachmittags schaue ich zusammen mit Sartre die Wochenblätter durch. Einige Notizen in der *Cavalcade* und der *Fontaine*, daß wir nicht mehr ins ‹Flore›, sondern ins ‹Pont-Royal› gingen. Ein recht wohlwollender Artikel Wahls über den Existentialismus, anläßlich eines Vortrags, den Merleau-Ponty gehalten hat. Ich gehe in die Redaktion. Dort wimmelt es von Menschen. Vivet stellt mir einen seiner Freunde vor: «X, der enorm begabt ist.» Ich sage: «Meine Glückwünsche, Monsieur. Was wollen Sie uns geben?» – «Was auch immer.» Pause. Dann fragt er mich: «Was soll ich Ihnen denn geben?» – «Was auch immer.» Wieder eine Pause. «Also besten Dank!» sagt er. «Nein, ich muß mich bedanken.»

Paulhan hat eine sehr hübsche Text-Montage angefertigt: seine, Léautauds und Bruchstücke barocker Manuskripte. Ich gehe zu ihm, um ihm zu gratulieren. In seinem Zimmer stehen zehn Personen mit dem Rücken zur Tür und wühlen in einem Schrank. «Wir schauen uns die Fotos der Gegend an, wo Rimbaud spazierengegangen ist», sagt Paulhan zu mir. «Wollen Sie sie sehen?» Aber ich muß bei Festy Korrekturabzüge abholen und nachher mit Leiris im ‹Pont-Royal› ein Glas trinken. Stéphane ist da und verlangt von mir sein «Interview mit Malraux».

Bei Sartre fragen wir uns wieder einmal, welche Beziehung zwischen Klarheit und Freiheit bestehe und ob unsere Moral wirklich aristokratisch sei. Bost schaut herein. Er sagt, im *Combat* herrsche große Aufregung wegen der Artikel Olliviers und Arons, die für ein Nein plädierten; viele Mitarbeiter würden mit Ja stimmen. Sie möchten gern eine Kampagne starten, welche die Leser auffordert, sozialistisch zu stimmen, sonst würde der *Combat* zu einem Rechtsorgan werden. Anscheinend werden sie alle nur durch den persönlichen Charme Pias bei der Stange gehalten, dessen Antikommunismus vergessen läßt, daß er sich als einen Mann der Linken betrachtet.

Ich esse im ‹Flore› ein Eis und lese dabei *De la Méditation dans la philosophie chez Hegel,* ein Buch, aus dem ich nichts lerne. Adamov, Henri Thomas, Marthe Robert sind da, nachher kommen Giacometti, Tzara und eine Menge anderer Leute hinzu. Ich kaufe bei Boubal Tee und gehe schlafen.

*4. Mai*

Grauer, etwas kalter Vormittag. Ich gehe zu den L., das Interview Stéphane–Malraux holen.

Malraux wirkt recht unsympathisch. Er hält sich gleichzeitig für Goethe und für Dostojevskij und spricht von allen mit bösartiger Mißachtung. Über Camus sagt er: «Ich bitte Sie, lassen Sie uns ernst bleiben. Wir sitzen nicht im ‹Café de Flore›. Sprechen wir über La Bruyère oder Chamfort.» Stéphane sagt zu ihm (ich weiß nicht, wo er es her hat): «Sartre will ein dickes, unflätiges Buch über die Résistance schreiben.» – «Ich würde eines schreiben, das nicht unflätig ist.» Aber er verteidigt sich recht gut gegen die Beschuldigungen, ein Faschist geworden zu sein. «Wenn man das geschrieben hat, was ich geschrieben habe, wird man nicht Faschist.»

Arbeit. Von Zeit zu Zeit fahren draußen Autos mit Lautsprechern vorbei, die rufen: «Stimmt mit Nein!» oder «Stimmt mit Ja!» Man spricht nur noch von der Abstimmung. Wir haben keinen Wählerausweis. (Wir sind im Rathaus gewesen, haben aber nicht darauf bestanden.) Pouillon wird nicht zur Wahl gehen, Bost zweifellos auch nicht. Trotzdem wird diskutiert. Übrigens steht das Ergebnis schon fest. Eine Umfrage in dieser Woche hat 54 Prozent Ja-Stimmen ergeben.

Um halb eins kommt Pontalis zu uns. Gestern hat er Genet an Sartres Bett angetroffen und ihn gefragt: «Eine Kippe gefällig?» Genet hat ihn von oben bis unten angesehen. «Warum sagen Sie zu einer Zigarette Kippe?» Und dann hat er eine lange Rede gehalten und erklärt, nach dem Wort Herriots sei Kultur das, was übrigbleibt, wenn man alles vergessen hat, aber man brauche nicht so zu tun, als hätte man alles vergessen, um kultiviert zu wirken. Als ob das Pontalis' größte Sorge wäre! Pontalis hatte Sartre ein Ei und etwas Schinken mitgebracht, den er mit verlegener Miene aus der Tasche zog. Sie haben sich lange unterhalten. Sartre sagte, man könne nicht sein Leben lang das, was die KP macht, dumm finden und ihr gleichzeitig die Hand reichen. Besser sei es, kommunistisch zu wählen, aber bei der Volksabstimmung mit Nein zu antworten. Pontalis ging recht betroffen weg.

Im ‹Flore› treffe ich Pouillon und Bost. Pouillon kommt aus Nürnberg. Er erzählte, daß es komisch anzusehen sei, wie alle, einschließlich der Angeklagten und der Anwälte, das Spiel mitmachen. Er werde darüber in den *Temps Modernes* schreiben. Er sagt, wenn er zur Wahl geht, wird er mit Nein stimmen, weil er als Sekretär und Redakteur an der

Verfassung mitgearbeitet hat und sie schlecht findet. Aber er wird nicht wählen, da er deswegen in die Provinz reisen müßte. Er rechtfertigt sich mit der Bemerkung: «Monsieur Gay hat erklärt, wer sich der Stimme enthält, sei ein Verräter und Missetäter. Da wir wissen, wer Monsieur Gay ist, darf man es sich hoch anrechnen, wenn man nicht wählt.»

Mit Bost in Beaujon. Olga ist nicht allzu ungeduldig.

In den Gängen des Hotels Klebezettel: «Stimmt mit Nein!» Wir sprechen mit Sartre darüber, daß die Leute, ob sie nun mit Ja oder Nein stimmen, es mit Unlust tun. Ich sage: «Ich werde mich raushalten.» – «So etwas zu sagen, ist nicht richtig!» erwidert Sartre. «Aber Sie gehen ja auch nicht zur Wahl?» – «Es ist nicht wichtig, seine Stimme abzugeben, sondern zu wissen, wie man stimmen würde.» Daß ich nicht lache! – hätte Giacometti gesagt.

Ich esse mit Bost im ‹Catalans›. Dort sitzen Solange Sicard, Grimaud und andere. Bost zeigt mir einen Artikel, den Vintenon über ihn geschrieben hat, und im Radio hat Fauchery ihn mit Lob überhäuft.

*Sonntag, den 5. Mai*

An manchen Tagen, wenn ich viel gearbeitet habe, fühle ich mich wie eine der Schollen, die zuviel gelaicht haben und auf den Felsen stranden, sterbenskrank, ihrer Substanz entleert. So geht es mir heute früh. Ich habe schlecht geträumt, und mir ist irgendwie kalt ums Herz. Blauer Himmel, brausender Wind. Die Zeitungsverkäufer machen ein lautes Geschrei, man zankt sich sogar auf der Straße: Es geht um die Volksabstimmung.

Wir wählen nicht, teils aus Leichtsinn und Faulheit, teils weil wir keinen Wählerausweis haben, und vor allem, weil wir uns zweifellos der Stimme enthalten würden.

Arbeit. Um vier Uhr habe ich Palle getroffen und ihn gebeten, seinen Artikel über Petiot ein wenig zu ändern. Er war ganz zauberhaft und schön und sehr liebenswürdig. Auch er ist nicht wählen gegangen.

Abends im ‹Chéramy› gibt das Radio die Ergebnisse der Volksabstimmung durch. Zur allgemeinen Überraschung scheint es mehr Nein- als Ja-Stimmen zu geben. Viele Stimmenthaltungen, weil die Leute sich genieren, entweder ja oder nein zu sagen.

Als ich nach Hause gehe, hält dieser sonderbare Angstzustand noch immer an. Zweifellos gibt es Menschen, die normalerweise so empfinden, ihre Haut zwischen sich und der Welt; also muß alles ganz anders sein. An diesem Abend sah ich fast überall nur Grausiges: Zum Beispiel die Frauenhand, an der die Knochen so deutlich hervorschauten und die in blonden Haaren wühlte; die Haare waren eine Pflanze mit einer Wurzel in der Kopfhaut. Während ich einschlief, faszinierte und erschreckte mich das Wort Wurzel.

Montag, den 6. Mai

Ergebnis der Volksabstimmung: 42 Prozent Nein-Stimmen gegen 38 Prozent Ja-Stimmen, 20 Prozent Stimmenthaltungen. Ich bin sofort hinuntergelaufen, um die Zeitungen zu holen. Die *Humanité* und der *Populaire* waren nicht mehr zu haben. Die Rechte gratulierte sich selbstverständlich.

Ich habe im ‹Petit Saint-Benoît› gegessen, zusammen mit Merleau-Ponty, der den kommunistischen Standpunkt verteidigt; dann kamen wir auf Sartres Philosophie zu sprechen, der er vorwirft, es fehle ihr die Weite der Welt. Das erweckt in mir den Wunsch, meinen Essay zu schreiben, aber ich bin müde, ich weiß nicht, warum. Sartre ist wieder munter; er hat sich rasiert und trägt einen schönen, ganz neuen blauen Schlafanzug. Genet hat für ihn den bei Barbezat gedruckten Prachtband dagelassen: *Le Miracle de la rose (Wunder der Rose)*, furchtbar dick, mit großen schwarzen Lettern und roten Kapitelüberschriften.

Um 4 Uhr gehe ich auf mein Zimmer und bin so erschöpft, daß ich zwei volle Stunden schlafe. Dann setzte ich mich an die Arbeit, und plötzlich fielen mir eine Menge Ideen ein. Um 10 Uhr ging ich zu Sartre hinunter. Im Zimmer war es recht dunkel, nur die kleine Lampe über seinem Kopf brannte. Genet und Lucien waren bei ihm. Man weiß nicht, was aus dem Manuskript *Pompes funèbres (Das Totenfest)* geworden ist, das Genet Gallimard anvertraut hat, und er erklärt, wenn es verlorengegangen sei, werde ein Unglück passieren.

Dienstag, den 7. Mai

Tee, Zeitungen, Arbeit. Sartre beginnt an seinen Bildern aus Amerika zu arbeiten. (Er hatte diese Arbeit aufgegeben.) Die Arbeit ermüdet ihn sehr. Genet kommt zu mir. Er hat eben wegen seines verschwundenen Manuskripts einen Auftritt mit den Gallimards gehabt. Er hat sie angeschrien und hinzugefügt: «Und eure Angestellten erlauben sich noch obendrein, mich wie einen Strichjungen zu behandeln!» (Er benutzte eine krassere Bezeichnung.) Claude Gallimard wußte nicht mehr, was er tun sollte. Mit Bost in Beaujon. Man hat Olga ein letztes Mal Luft eingepumpt. Erst morgen wird sie erfahren, ob es geklappt hat oder nicht. Im Röntgensaal hat sie junge Frauen gesehen, denen man Spangen angelegt hat und an deren Körpern überall Metallstücke hervorschauen. Das hat sie sehr aufgeregt. Das grelle weiße Licht in ihrem Zimmer verträgt sie schlecht, ebenso die Glasscheiben, durch die man sie vom Gang aus beobachten kann.

Im ‹Flore› zeigt mir Montandon eine Nummer des *Labyrinthe*, in dem unsere Vorträge in der Schweiz angekündigt sind, mit recht guten Fotos von Sartre und mir. Ich gratuliere Dora Marr zu ihrer Ausstellung, die ich mir vorgestern angesehen habe. Bei Gallimard treffe ich auf der Treppe Chamson. Er erkundigt sich nach Sartre. «Er hat Mumps», sagte ich. Er weicht zurück. «Aber das ist ja ansteckend.» – «Sehr ansteckend. Bestimmt ist es schon passiert.» Er ergreift die Flucht. Auch M., der mir uninteressante Artikel über England brachte, habe ich Angst gemacht. Besuch Ansermets; nachher weitere Besuche: ein junger Mann, der Filmkritiken schreiben möchte, das junge Paar, das seine Liebesnächte in schwülen Gesängen schildert, Rirette Nizan. Sie bringt mir einen Brief, den Nizan mit siebzehn Jahren an seine Eltern geschrieben hat. Er schildert ein Gespräch mit Sartre. Beide hatten, auf den Stufen einer Treppe sitzend, erklärt, sie seien wahre Übermenschen. Er erläuterte alle die moralischen Konsequenzen, die sich daraus ergeben. Ich gehe nach Hause. Auf der Treppe fragt mich eine angebliche frühere Schülerin im Auftrag des Gallup-Instituts, wie ich mir die Zukunft Frankreichs vorstelle. Ich erwiderte: Überhaupt nicht – und das scheint sie sehr tiefsinnig zu finden. Ich gehe zusammen mit Sartre Briefe und Manuskripte durch, die ich aus der Redaktion mitgebracht habe. Unter anderem zwei Kapitel von Louise Weiss. Mir fällt eine Stelle auf. Eine Französin begegnet während des Exodus ihrem ehemaligen Liebhaber Andlau, der die deutsche Uniform trägt. «Andlau, überaus intelligent und zynisch, wie er es schon immer gewesen ist – warum sollte er sich verändert haben? –, sagt lächelnd: ‹Mir scheint, Sie hätten ein Bad nötig.› Blanche spürte die Beleidigung.» Ferner: die Memoiren eines Unbekannten, verfaßt von einem Rekruten, der in Gefangenschaft geraten war. Wir werden das Kapitel über sein Leben auf dem Bauernhof bringen. Gedichte, Novellen, Kommentare. Ein junger siebzehnjähriger ‹Existentialist› schickt ein Gedicht ein, das mit den Worten beginnt: *Le vide tend vers le plein.»* *

Besuch Genets und Barbezats. Die Wirtin des ‹Flore› hat mir wieder ein ganz kleines Büchlein von Jean Ferry mit einer sehr liebenswürdigen Widmung übermittelt. Es heißt *Le Tigre mondain* und gefällt mir gut.

*8. Mai*

Leichte Kopfschmerzen, aber ich bin trotzdem fleißig. Dieser zweite Teil macht mir Mühe, aber es interessiert mich, meinen eigenen Gedanken nachzugehen.

Sartre wagt sich zum erstenmal aus dem Haus. Wir trinken ein Glas in der ‹Rhumerie›, unterhalten uns über die Zeitschrift und *Pour une morale de l'ambiguïté*.

Abends zu Hause mit Bost. Er berichtet, daß Aron und Ollivier drauf pfeifen, wie die Menschen leben, auf ihre Mühsal, ihr Elend. Für sie existiert das alles nicht. Er erzählt uns, die Insassen des ‹Hôtel Chaplain› hätten sich in dem im *Combat* erschienenen Artikel wiedererkannt, den er aber mit dem Pseudonym Jean Maury unterzeichnet hatte, und seien

---

* «Das Leere neigt zum Vollen.»

fuchsteufelswild. Von neuem diskutieren wir über die Kommunisten. Wir werden für sie stimmen, aber es ist anscheinend nach wie vor unmöglich, zu einer ideologischen Verständigung zu gelangen. Umständliches Hinundherraten. Das Problem unserer Beziehungen zu ihnen ist uns wichtig, und sie erlauben uns nicht, eine Lösung zu finden: – Sackgasse.

*9. Mai*

Es ärgert mich: kaum habe ich zwei Stunden gearbeitet, da bekomme ich Kopfschmerzen. Dabei interessiert mich die Arbeit. Am Nachmittag gehe ich mit Sartre aus, wir besuchen seine Mutter, er bewundert sein künftiges Zimmer. Abends im ‹Flore› sehe ich Limbour, den ich um politische Tagesberichte bitte, und Zette in Gesellschaft Leiris'. Bost ist außer sich, weil die Geschichte mit dem ‹Hôtel Chaplain› weitere Kreise zieht. Im *Combat* haben Leute nach ihm gefragt, um ihn zu verprügeln.

*10. Mai*

Vitold ist bei Sartre. Man unterhält sich über die Möglichkeit einer Tournee in Italien und einer Aufführung von *Huis clos* in der Schweiz. Vitold zögert, weil er im Juni einen Film drehen will. Ich esse mit ihm bei ‹Lipp›, hole dann Sartre ab. Wir setzen uns auf die Terrasse der ‹Deux Magots›, es ist schönes Wetter. Wir revidieren das Exemplar von *Morts sans sépulture* [*Tote ohne Begräbnis*], um es Nagel zum Abtippen zu geben. In der Redaktion große Aufregung. Vittorini erscheint zusammen mit Queneau und Mascolo, der einen schüchternen Eindruck macht und schlecht französisch spricht. Er bedauert, daß wir uns durch Bompiani nach Italien haben einladen lassen, der ein reaktionärer Verleger sei. «Hätten Sie sich von unserer Partei einladen lassen, dann wären wir mit Ihnen im Auto überallhin gefahren. Eluard haben wir überallhin gefahren.» Wir beschließen, unsere Zeitschriften auszutauschen. Wir werden uns in Mailand treffen und eine italienische Nummer vorbereiten. Besucher in Hülle und Fülle. Gaston Gallimard ist gekommen. Ich habe die Nase in sein Zimmer gesteckt und sofort die Flucht ergriffen, weil ich Malraux und Roger Martin du Gard hätte begrüßen müssen. Diese beiden Herren sind immer mit feierlichem Ernst beladen, und in Gastons Schlupfwinkel roch es nach Weihrauch. Er möchte mit mir über Genet sprechen, der ihm nach dem Zusammenstoß mit Claude einen beleidigenden Brief geschrieben hat. Er hat sich geradezu bei mir entschuldigt und beteuert, daß das Manuskript nicht verlorengegangen sei. Ich habe mit vielen Leuten gesprochen. Das schamlose junge Paar ist wieder aufgetaucht. Der junge Mann hat mir eine Novelle gebracht und mich mit seiner naiven und singenden Stimme gefragt: «Wird Sartre beim Prix de la Pléiade für mich stimmen?» Ich habe zusammen mit Renée Saurel (damals war sie Redaktionssekretärin) den Transport geregelt, sie ganz prächtig, mit flatterndem Haar; ich habe Leiris guten Tag gesagt und Paulhan das Manuskript Nathalie Sarrautes gebracht. Mit seiner schönen Handschrift fügte er den Titel und den Namen der Verfasserin hinzu. Es war wirklich ein Wunder, daß er allein war. Er zeigte mir einen kleinen, sehr hübschen Wols, den er in einer Schatulle mit indirekter Beleuchtung eingerahmt hat.

Um 7 Uhr traf ich die Queneaus im ‹Pont-Royal›. Und auch Georges Blin, der mich wegen *Sexualité et existentialisme* verspottete. Er gab mir die Aushängebogen einer Zeitschrift, die Wahl demnächst herausbringen wird. Wahl kritisiert *L'Être et le Néant* in einem wunderlichen analytischen Geist, nach dem Genre: «Der erste Absatz auf Seite 62 ist gut, aber die zweite Zeile schwach.» Ich trank drei Gin-Fizz und war sehr aufgeräumt. Nummer 8 ist erschienen, man findet sie recht geistreich.

Das Hotel ist frisch gestrichen worden. Es wird von Tag zu Tag schöner hergerichtet und verfügt jetzt über ein hübsches braunhaariges Stubenmädchen, eine frühere Mieterin, die Pech gehabt hat, und ein zweites Mädchen, eine Blondine, ganz *froufrou*. Man kommt sich vor wie in einem Bordell. Die sympathische Rothaarige ist verschwunden.

*Samstag, den 11. Mai*

Die Arbeit geht nur schlecht voran. Ich bin müde. Es ist ärgerlich, wenn die Hindernisse im Kopf sitzen. Mittagessen bei ‹Lipp›, zusammen mit Sartre und Pontalis. Bei Odette Lieutier signiert Dullin seine Bücher. Camille hat die Buchhandlung mit Masken, Fotos, vielen schönen Sachen dekoriert. Dullin sieht im Kreis seiner zahlreichen Bewunderer schön und sehr zufrieden aus. In den Straßen hängen einige Fahnen zu Ehren des V-Tages. Es wirkt recht trist.

Ich möchte arbeiten, schlafe aber statt dessen, der Kopf tut weh. Um 6 Uhr gehe ich zu Sartre hinunter. Dort finde ich Nathalie Sarraute vor. Sie ist schön frisiert, hat ein hellblaues Kostüm an und erklärt uns bedächtig, daß wir Kafkas ‹Schloß› seien. In unseren Akten trägt jeder seine Nummer, die er nicht kennt. Dem einen bewilligen wir jährlich soundso viele, dem anderen soundso viele Stunden, und es ist unmöglich, eine mehr zu erlangen, selbst wenn man sich vor einen Bus wirft. Nach einer einstündigen Beweisführung gelingt es uns, sie davon zu überzeugen, daß wir freundschaftliche Gefühle für sie empfinden. Übrigens gesteht sie, daß wir in ihren Augen reine Abstraktionen sind und daß sie auf unsere zufällige und menschliche Individualität pfeift. Immer der ‹Ölgötze› – das ‹Stroh-Idol›. Sie erzählt von ihrem Artikel über Valéry, der zweifellos recht seltsam ausfallen wird.

Ich esse mit Bost im ‹Golfe-Juan› zu Abend. Dort sitzen die Gallimards mit Badel. Der einäugige Heilsarmeesoldat mit dem Narbengesicht verkauft Jeanne Gallimard eine Bibel.

Mir fehlt die Zeit für dieses Tagebuch. Ich komme kaum dazu, die Anekdoten niederzuschreiben. Der Himmel ist bedeckt, die Kastanienbäume beginnen die Blütenblätter zu verlieren.

Vormittags habe ich gearbeitet, nachdem ich mir in den ‹Deux Magots› Zigaretten und die kleinen Sonntagsbrötchen gekauft hatte. Mittags habe ich Pagniez getroffen, der mir einen sehr interessanten Artikel über die Geschichte der konstituierenden Versammlung mitgebracht hat. Mittagessen mit Sartre bei ‹Lipp›. Vitold kam vorbei, um die Italien- und Schweiz-Pläne zu besprechen. Kaffee im ‹Montana›. Arbeit. Ich bin voller Eifer, weil ich endlich keine Kopfschmerzen mehr habe. Ich habe wieder ganz von vorn angefangen. Es ist ein amüsanter Augenblick, wenn man abschreibt und es Form bekommt. Um 6 Uhr Zusammenkunft in der Redaktion, in Sartres Zimmer. Seine Mutter hat *beignets* gebacken, ich habe Cognac mitgebracht, den ich beim Wirt gekauft hatte. Anwesend war Vian, der mit seiner Trompete erschien, denn er spielt im ‹Point Gamma›, um sich sein Brot zu verdienen. Seine *Chronique du menteur* ist ein bißchen naiv, aber lustig. Ferner: Paulhan, Pontalis, Vivet und sein Freund, der behauptet, man dürfe Steinbeck nicht vorwerfen, daß er «Schmeißt die Bomben» geschrieben hat, weil sein Buch verpfuscht sei. Wir nahmen uns vor, die ‹engagierte› amerikanische Literatur zu studieren: wieso Steinbeck, Dos Passos, Faulkner sich dazu hergeben, im Namen des Staates Propaganda zu treiben. Auch Roger Grenier ist erschienen, und um halb acht Uhr kommt Bost, wie eine Blume, wenn alles vorbei ist: Die drei nächsten Nummern sind zum Platzen voll.

Bost bleibt bei uns. Er erzählt, daß die jungen Patientinnen Olga besucht hätten. Sie sei über die Gefühllosigkeit bestürzt, mit der sie über ihr Leiden sprechen. Als Olga erwähnte, daß sie keine Spangen trage, hat eine erwidert: «Ach, die Spangen, die finden sich! Der Zuschneider kommt einmal im Monat vorbei. Solange er nicht erschienen ist, kriegst du keine Spangen. Aber sowie er auftaucht, wirst du es erleben, wie sie dir in den Schoß fallen, die Spangen…» Sie behauptet, daß die Männer es besser aushielten als die Frauen. Es komme oft vor, daß eine über das Balkongitter klettert, obwohl es sehr hoch und nach innen gekrümmt ist. Zwischen der elften Etage und der zehnten, in der die Männer untergebracht sind, wird viel geflirtet. Oft wird Theater gespielt. Alles erscheint im Schlafanzug. Sie verachten die Kranken, die nicht tuberkulös sind. Sie schätzen einander je nach dem Grade des Leidens und der moralischen Widerstandskraft.

*13. Mai*

Eine Weile habe ich mir gedacht: «Da bin ich jetzt in meinen Traum eingesperrt wie in Henrys Zeichnung. Nie mehr werde ich in mein Zimmer zurückfinden.» Es war wie ein Zaun um mein Bett. Schließlich

wachte ich auf, aber es war schon spät, fast neun Uhr. Ich war gut gelaunt, weil ich jetzt überhaupt nicht mehr müde bin, Sartre geht es besser, und am Samstag werden wir in die Schweiz fahren. Rolland hat uns
nach Konstanz eingeladen und gesagt: «Wir werden unter Kollegen
sein – mit Hervé und Courtade.» Keinerlei Ironie in der Stimme. Geschriebene Kränkungen zählen nicht.

Wir essen zusammen mit Giacometti im ‹Casque› zu Mittag.

Man fragt sich, wie Breton bei seiner Rückkehr nach Paris empfangen
wird. Aragon war niedergedrückt wegen des Mangels an Begeisterung.
«Niemand liebt mich...» Er glaubt an ein faschistisches Komplott.

Im ‹Flore› finde ich drei dicke, schöne amerikanische Bücher vor, aus
denen wir uns für die August/September-Nummer Sachen von Wright
aussuchen werden.

Ich arbeite von 3 bis 6, gehe dann ins ‹Flore›, um mit Montandon über
die Reise in die Schweiz zu sprechen. Ich sehe Salacrou in Gesellschaft
der rothaarigen und schönen Sophie Desmarets. Ich gehe nach Hause und
schreibe weiter im Tagebuch. Man darf sich nicht der Hoffnung hingeben, diese Worte würden anders sein als die anderen, sie würden die
Zauberkraft haben, das Leben aufzubewahren und die Vergangenheit
wieder heraufzubeschwören. Nein. Für mich selber sind diese letzten
vierzehn Tage schon nichts anderes mehr als hingeworfene Phrasen, weiter nichts. Oder man müßte der Erzählweise mehr Aufmerksamkeit
widmen. Dann aber würde es zur mühsamen Arbeit werden, und dazu
habe ich nicht die Zeit.

Abendessen mit Bost in Sartres Zimmer, es gibt Eier und Cornedbeef.
Bost ist ins ‹Hôtel Chaplain› zurückgekehrt, er hat mit Jeannette verhandelt, die sich ein wenig geschmeichelt fühlt. Er hat heute früh Wright
auf der Terrasse des ‹Flore› sitzen sehen, und Wright hat ihn angelacht.
Er scheint immer zu lachen, aber das ist eine Methode, sich nicht auszuliefern. Sartre und Bost ziehen sich der Reihe nach einen Scheitel mitten
durchs Haar, um zu beweisen, daß man dann dumm ausschaue. Merkwürdig ist, daß es verweiblicht. Bost erzählt uns von den Dreigroschen-
romanen mit 70 000 Anschlägen, die er seit zwei Jahren schreibt. Er
schreibt sie in zwei Tagen und bekommt 1500 Francs. Einer heißt «Eva
war nur schön». Er zeigt uns den Brief eines gewissen Jules Roy, der ihn
beglückwünscht, und den eines Mannes, der sich darüber beklagt, daß
im Rathaus des 16. Arrondissements die Bekanntmachungen schlecht pla-
ciert seien. Sein Buch hat viel Erfolg. Um 11 Uhr bekommt Sartre, nicht
ohne Grund, rote Augen, und wir lassen ihn schlafen. Wir trinken ein Glas
im ‹Chéramy›, wo uns ein mysteriöser General ein zweites spendiert.
Bost spricht über meinen Roman, den er heute endlich zu Gallimard
getragen hat. Die Episode mit den Indianern gefällt ihm sehr gut, aber
den Anfang findet er ein wenig zu lang. Auch Pontalis findet, daß er
sehr an eine Chronik erinnert.

Ich kehre um Mitternacht nach Hause zurück und verbringe eine Stunde damit, das Tagebuch durchzulesen und weiterzuschreiben. Ich würde mich gern mehr damit beschäftigen. Im Bett fühle ich mich wohl, der Schlaf zögert ein wenig, durch die Worte behindert. Ich höre draußen den Regen sachte fallen und von weitem Schritte. Morgen werde ich arbeiten. Bald geht es in die Schweiz. Ich bin zufrieden, möchte nichts geändert wissen. In diesem Augenblick hätte ich wirklich gern mehr Zeit zum Schreiben.

*Dienstag, den 14. Mai*

Graues Erwachen. Ich denke an alle die Besorgungen, die ich zu machen habe. Ich hasse Besorgungen. Ich hasse es vor allem, daran zu denken, um so mehr, als ich lange daran denken muß, weil ich sie hinausschiebe. Ich gehe die Zeitungen holen. Ein gewisser Pingaud hat einen bösartigen Artikel über Bosts Roman geschrieben. (Inzwischen haben wir uns mit ihm angefreundet, und er hat in der Redaktion der *Temps Modernes* mitgearbeitet.) Bost sei, schreibt der Mann, offensichtlich Existentialist, weil er sein Buch der Russin aus dem ‹Café de Flore› gewidmet hat; außerdem habe Sartre just in der ersten Nummer der *Temps Modernes*, in der *Le Dernier des métiers* erschien, die romanhafte Reportage in den Himmel gehoben. Außerdem gab es noch einen bösartigen Artikel des kleinen Clément über den Existentialismus. Ich finde in einem Schrank das Manuskript von *Le Sang des autres*, das ich Adamov geben werde, damit er es zugunsten Artauds verkauft. Es ist ein schönes Manuskript, verkritzelt und zerknittert, auf Blättern verschiedenen Formats mit verschiedener Tinte und sogar verschiedener Handschrift geschrieben. Im Vergleich zu einem Buch wirkt es lebendiger. Man spürt, daß es aus dem eigenen Körper herausgewachsen ist. Ihm haftet die Erinnerung an gewisse Momente an, da man es geschrieben hat. Ich sehe *Black Metropolis* durch, um etwas für die amerikanische Nummer auszuwählen. Ich hätte gern mehr Zeit zum Lesen.

Besorgungen. Arbeit im ‹Pont-Royal›. Um halb sechs gehe ich in die Redaktion hinauf. Alquié und Pouillon diskutieren mit Sartre über die kommunistische Politik.

Aron kommt für einen Augenblick vorbei. Paul Mohrien holt das *Porträt des Antisemiten* und meine vier in den *Temps Modernes* erschienenen Artikel. Ich gehe wieder ins ‹Pont-Royal›, treffe Vian, der mir seinen Roman und ein amerikanisches Buch über den Jazz mitgebracht hat, aus dem wir ein Stück übersetzen wollen. Er spricht mit Leidenschaft über den Jazz. Er erzählt mir, daß es in Amerika gute, ein wenig naive, aber reizvolle Hörspiele gibt, zum Beispiel eines, das von der kleinen Raupe handelt, die zu den Tönen *«Yes, sir, t'is my baby»* tanzt, oder das mit dem kleinen Jungen, der in den Sternen seinen von einem Bus überfahrenen Hund sucht, bis man in der letzten Minute merkt, daß auch er überfahren worden ist. Er wird einen Artikel darüber schreiben. Sein Roman *L'Écume des jours* ist höchst amüsant. Zum Beispiel das Rezept: «Man nehme ein Würstchen und ziehe ihm trotz seines Geschreis die Haut ab.»

Um 8 Uhr gehe ich mit Sartre, der sehr müde ist, nach Hause. Es ist ein schöner Abend, mit feuchtem Laub, grünen und roten Lichtern, einigen beleuchteten Schaufenstern und einem Nachglanz des Tages am Himmel.

Wir essen Schinken und besichtigen die für die Zeitschrift zusammengeraffte Beute. Die Novellen sind schlecht. Ein sehr guter Artikel von Pouillon: *Procès de Nuremberg*. Ein guter Artikel von Palle: *Petiot*. Ponges Beitrag, *Ad litem*, taugt nicht viel. Bost erscheint. Olga hat Spangen bekommen, sie fühlt sich im Krankenhaus nicht wohl, sie muß unbedingt dort weg. Er berichtet uns, es habe gestern in einem amerikanischen Gefängnis eine Meuterei gegeben, und fünf Häftlinge seien ums Leben gekommen, aber als er Erkundigungen einholen wollte, hätten die Beamten es wütend bestritten.

In einer Ansprache in der Sorbonne anläßlich des Geburtstages von Descartes hat Thorez Descartes für sich in Anspruch genommen: Er sei ein großer materialistischer Philosoph gewesen.

*15. Mai*

Zwei Stunden lang auf der Schweizer Gesandtschaft gewartet. Aber die Zeit vergeht schnell, weil ich Vians *L'Écume des jours* lese, ein Buch, das mir sehr gut gefällt, vor allem die traurige Geschichte von Chloé, die mit einer Seerose in der Lunge stirbt. Er hat sich eine eigene Welt geschaffen. Das ist selten, und ich finde es immer rührend. Die beiden letzten Seiten sind packend. Der Dialog mit dem Kruzifix entspricht dem «Nein» in *Das Mißverständnis* von Camus, ist aber behutsamer und überzeugender. Was mich verblüfft, ist die Wahrhaftigkeit dieses Romans und auch seine große Zärtlichkeit.

Mittagessen und Kaffee mit Sartre bei ‹Lipp›, im ‹Flore›, im ‹Chéramy›. Ich habe mir einen schönen Guide Bleu für die Schweiz gekauft. Ich bin begeistert und auch betrübt, weil ich weiß, daß es so vieles zu sehen gäbe, was ich nicht werde sehen können. Ich befürchte, daß die Reise einen allzu offiziellen Charakter haben wird. Aber ich freue mich trotzdem.

Auf der Treppe sprach mich ein hochgewachsener junger Mann mit Regenschirm an, um mich zu fragen, was Sartre unter *essence* verstehe. Ich verwies ihn auf *L'Être et le Néant*. Er erwiderte, er habe es wohl gelesen, aber er wolle nicht oberflächlich sein, und ich sollte ihm doch mit drei Worten eine Definition geben. Es sei für eine Zeitung in Straßburg bestimmt.

Der Frühling kehrt wieder. Als ich Zigaretten kaufen ging, sah ich auf einem Obst- und Gemüsewagen herrliche Spargel, in grünes Papier mit einem roten Mittelstreifen eingewickelt. Das sieht hübsch aus. Arbeit. Selten hat mir das Schreiben soviel Spaß gemacht, vor allem am Nachmittag, wenn ich um halb fünf in dieses Zimmer zurückkehre, dessen Luft noch mit dem Rauch des Vormittags geschwängert ist, wo auf dem Tisch das bereits mit grüner Tinte bedeckte Papier liegt und Zigaretten und Füllfederhalter sich angenehm an die Fingerspitzen anschmiegen. Ich verstehe Duchamp, der, als Bost ihn fragte, ob er es nie bereue, daß er aufgehört habe zu malen, zu ihm sagte: «Ich vermisse die Berührung mit der Tube, wenn man sie zusammendrückt und die Farbe auf die Palette schmiert. Das war köstlich.» Die physische Seite des Schreibens ist köstlich. Und auch mein Inneres scheint sich zu entspannen – das ist vielleicht eine Illusion. Auf jeden Fall spüre ich, daß ich etwas zu sagen habe. Da ist außerdem ein Romanprojekt, das gestern im ‹Chéramy› seinen Anfang genommen hat.

Ausstellung: Kermadec. Abendessen im ‹Catalans› mit Sartre und Bost, die sich in meiner Gegenwart unverschämterweise über New York unterhalten.

Mittags lerne ich im ‹Flore›, zusammen mit Sartre, Soupault kennen. Es ist immer merkwürdig, wenn ich jemandem begegne, den ich mit zwanzig Jahren bewundert habe, der mir unnahbar erschien und der ein gereifter Mensch aus Fleisch und Blut ist. Soupault fragt mich, ob ich Lust hätte, nach Amerika zu reisen. Er verspricht, sofern es mir recht wäre, mir eine Einladung zu besorgen, und Sartre findet es belustigend, daß er um meine zarte Konstitution besorgt zu sein scheint. Natürlich möchte ich gern fahren, und ich habe darauf gedrungen, und ich sehne mich danach, hinzufahren, und gleichzeitig ist mir ein wenig bange ums Herz bei dem Gedanken, vier Monate lang verreist zu sein.

Heute früh erschien in der *Cavalcade* ein idiotischer und giftiger Artikel von Monnerot über Sartre. Kommentare zu dem Artikel Mounins, von dem es heißt, er habe Sartre k. o. geschlagen. Sie sind nicht mehr anspruchsvoll. In der *Littéraire* ein Interview Paul Guths mit Zöglingen der École Normale, in dem von Sartre die Rede ist. Und mitten in einem Artikel von Billy über die ‹Literatur der Metaphysik› eine Zeichnung von mir, auf der ich wie eine fette Kuh aussehe. Mittagessen mit Pagniez im ‹Golfe-Juan›. Pagniez verteidigt den Reformismus.

In der Redaktion machen wir den Umbruch der Nummer 9. Es ist herrlich, wie zahlreich die Beiträge sind, über die wir jetzt verfügen. Leute kommen und gehen, bleiben aber nicht, so daß wir ungestört arbeiten können. Néron sei aus dem Gefängnis entlassen worden, erzählt uns Merleau-Ponty. Wir trinken ein Glas im ‹Pont-Royal›, zusammen mit den Leiris, den Queneaus und Giacometti. Abendessen im ‹Golfe-Juan› mit Giacometti und Bost. Lange Diskussion über den Prozeß gegen den Schloßbesitzer, der einen Gärtner, den Liebhaber seiner Tochter, mit einem Gewehr erschossen hat. Die Kleine ist sechzehn Jahre alt und schreibt Briefe, die so obszön sind, daß man sie nicht im Gerichtssaal verlesen kann. Der Gärtner war sechsunddreißig und ein ehemaliger Sträfling. Der Vater hat sich zusammen mit seinem Sohn im Zimmer der Tochter auf die Lauer gelegt, und die beiden haben den Gärtner getötet, das heißt, der Sohn hat zweimal daneben geschossen, aber der Vater hat den Kerl erwischt. Er wurde nur zu vier Jahren Gefängnis verurteilt, der Sohn bekam drei Jahre mit Bewährungsfrist. Bost lacht Tränen, als Sartre behauptet, dieses Verbrechen sei die Folge der letzten Wahlen. Seit der Befreiung fühle sich der Vater in eine aufrührerische Welt versetzt, und mit diesem Mord habe sich der Paroxysmus seiner Revolte geäußert. Daraufhin erinnert Giacometti an die Geschichte von dem Sergeanten Bertrand, der ein so sanftmütiger und solider Mann war, aber jede Nacht auf den Friedhöfen Leichen ausgrub, sie verstümmelte und annagte. Man hat ihn nur wegen Grabschändung verurteilen können, da weder von Verstümmlung noch von Leichenfraß im Gesetz die Rede ist. Er erzählt von Picasso, den er am Tag zuvor getroffen hat und der ihm Zeichnungen gezeigt hat. Anscheinend steht er vor jedem neuen Werk wie ein Anfänger, der eben erst die Möglichkeiten der Kunst zu entdecken beginnt. Picasso sagte: «Ich glaube, ich fange an, etwas zu verstehen. Zum erstenmal habe ich Zeichnungen zustande gebracht, die wirklich Zeichnungen sind.» Und er hat sich gefreut, als G. ihm sagte: «Ja, es ist ein Fortschritt zu sehen.» Den Abend haben wir im ‹Chéramy› beendet. Hier aber (wie man mit Bost sagen könnte) reicht ein Tagebuch nicht mehr aus. Man würde ein Tonbandgerät brauchen, um den hinreißenden Dialog zwischen Sartre und Giacometti aufzuzeichnen.

*18. Mai*

Heute abend reise ich in die Schweiz ab. Seit drei Wochen habe ich kaum mein Zimmer verlassen und fast niemanden außer Sartre und Bost gesehen. Das war erholsam und fruchtbringend. Heute nachmittag saß ich oben im ‹Flore› am Fenster, sah auf die feuchte Straße, die Platanen hinab, die ein scharfer Wind schüttelte. Eine Menge Menschen, und unten ein schrecklicher Lärm. Ich fühle mich hier nicht mehr wohl. Mir scheint, ich werde hier nie wieder so arbeiten, wie ich es in all diesen Jahren gewohnt war.

Bost holt mich ab. Er hat einen kurzen Brief erhalten, in dem Gide ihn zu *Le Dernier des métiers* beglückwünscht. Er hat mir auch eine Nummer von *La Rue* gezeigt, einer Zeitung, die Jules Vallès gegründet hat und die erst in einiger Zeit erscheinen wird. Eine Nummer aber muß erscheinen, um «das Anrecht auf den Titel zu behalten». Sie enthält Beiträge Préverts und Nadeaus, Zeichnungen von Henry und einen Klagegesang Queneaus über das Thema «Ich bin ein armer Narr». Wir fahren nach Beaujon. Olga erzählt von den Kranken, die sie gesehen hat. Eine junge Frau, Mutter zweier Kinder, ist hier gewesen, weil sie einen Pneumothorax bekommen sollte. Man hat es dreimal an drei verschiedenen Stellen versucht, und es ist mißglückt. Vor Verzweiflung fiel sie in Ohnmacht und war eine Dreiviertelstunde lang bewußtlos. Eine kleine Provinzlerin kam an und war der Meinung, daß nur die eine Lunge angegriffen sei. Als sie zu Benda, der sich gerade das Röntgenbild angesehen hatte, sagte: «Ich soll einen Pneu bekommen ...» – fragte er: «Auf welcher Seite?» Auf diese Weise hat sie erfahren, daß beide Lungenflügel erkrankt waren. Olga sagt, das schlimmste sei, daß man nach und nach resigniert, in dem Maße, wie man seine Vitalität einbüßt.

Zug nach Lausanne. Wir sind im Abteil allein mit einem schwarzhaarigen, kleinen, jungen Mädchen, das die Reisetasche ans Herz drückt. Sie schläft im Sitzen. Ich strecke mich aus und schlafe recht gut. Ich erinnere mich an eine Fahrt durch das Limousin, als ich dreizehn oder vierzehn Jahre alt war und die ganze Nacht am offenen Fenster verbrachte, den Mund voll Ruß, und mich über die Großen erhaben fühlte, die in der Hitze des Abteils dösten. An solchen Dingen merke ich, daß ich älter geworden bin. Nur einen Augenblick lang hing ein schöner, strahlender Mond am Himmel; und morgens tauchten Berge in grauroter Dämmerung auf. Dieses jähe Erwachen nach einem langen Schlummer, fern, zu früher Stunde, verfehlt nie seine Wirkung. Am stärksten habe ich es in der Wüste gespürt, vor Tozeur. Dann im Winter die Ankunft in Sallanches, und, ich weiß nicht recht warum, die regenfeuchte Landschaft der Auvergne bei der Ankunft in Mauriac.


Der Verleger Skira, der diese Vortragstournee arrangiert hat, hat uns in Genf in einem Hotel am See untergebracht. Von meinem Fenster aus sehe ich prunkende Schwäne und prächtige Blumenbeete. Der Überfluß in diesem Land versetzt mich in Staunen. Ich stelle fest: Es ist einer der erfreulichsten und allzuoft vergessenen Genüsse, egal was, egal zu welcher Zeit, essen zu können. Und darüber hinaus: Welches Vergnügen, nach dem Kino essen zu gehen: Das erinnert an die Vorkriegszeit! In der ‹Brasserie du Globe› kann man nach Belieben Whisky, Sherry, Porto-Flips bestellen, alles, was das Herz begehrt. Kärtchen verkünden: Röstbrot mit russischem Kaviar. Ich erinnere mich, wie aufgeregt ich war, als ich 1943 in Annemasse auf einem Wegweiser las: *Genève, 9 kilomètres.* Und die Leute sagten stolz: «Nachts sieht man die Lichter.» Ich sehe den beleuchteten Kursalon und das Flimmern der Leuchtschilder. Man hat uns nach Lausanne zu einem Konfektionär geführt, der «per Versand und Abzahlung» verkauft. Sartre hat einen Anzug und einen Regenmantel mitgenommen, ich habe ein grünes Seidenkleid und einen dreifarbigen Leinenrock erworben. In Genf habe ich mir wunderbare Lederschuhe, Koffer und eine Uhr mit schwarzem Zifferblatt und grünen Zeigern gekauft.

Viel Plackerei in diesen drei Wochen: nicht nur die Vorträge, sondern auch das Signieren der Bücher, die Rundfunksendungen. Eines Vormittags hat uns eine Kamera zwei Stunden lang durch die schläfrigen Straßen der Genfer Altstadt verfolgt. Außerdem: Festessen, Empfänge, langweiliges Geschwätz. Skira und seine hübsche Frau sind uns sympathisch. Er kennt alle Surrealisten, die er verlegt hat. «Ich war der Dompteur», sagte er. Gleichgültig bis zur Zerstreutheit und doch immer aufgeregt, leidenschaftlich an Frauen interessiert, sicherlich unter der Maske des egoistischen Genießers mit Komplexen behaftet, führt er eine zynische und amüsante Konversation, wenn er geruht, aus sich herauszugehen. Mit Montandon, dem Herausgeber des *Labyrinthe*, verstehen wir uns gut, trotz seiner Vorurteile gegen den Existentialismus. Er gehört der Arbeiterpartei an und ist Marxist. «Sämtliche Schweizer Intellektuellen sind Reaktionäre», behauptet er. «Während des Krieges wollte man eine antinazistische Kundgebung veranstalten und konnte nur zwei alte Professoren auftreiben, die an ihr teilnahmen. Deshalb bin ich sofort einer Volkspartei beigetreten.» Wir machten außerdem noch andere interessante oder angenehme Bekanntschaften. Aber es gab auch viele Leute, mit denen wir notgedrungen verkehren mußten und die uns langweilten oder sogar zuwider waren.

Unsere erste Mahlzeit im ‹Globe› war entsetzlich: ein Galaessen mit Tournedos und Eis und Schweizer Weinen, die sehr gut sind; aber die Stimmung war gedrückt. B. (ein französischer Regierungsvertreter sehr hohen Ranges) ist widerlich, wenn er von arabischen Hebammen erzählt, mit denen er in Afrika auf einem Lastwagen fuhr, und die man abends in einem anderen Haus unterbrachte, «weil sie schlecht rochen». Sie waren zum Katholizismus übergetreten und protestierten im Namen der Religion: «Aber wir haben genauso eine Seele wie Sie.» Man hat nur gelacht, sagt B., der das alles mit einer unerträglichen Selbstgefälligkeit erzählt und der in übertriebenem Maße mit seiner Vichy-Feindlichkeit prahlt. «Ich bin aus Vichy, aber nicht Vichyist.» Ein einziger interessanter Moment, als Montandon von der Debatte zwischen Merleau-Ponty und Tzara über *Sonnenfinsternis* berichtet. Tzara behauptet, Koestler sei ein Lump. Der Beweis: daß er während des Krieges die Sanatoriumskosten für seine kranke Frau bezahlen konnte. Daraufhin zerschlug M. P. ein Glas und sagte: «Unter diesen Umständen ist keine Diskussion möglich.» Eine Geste, über die ich mich um so mehr wundere, als M. P. Tzara mühelos in die Tasche gesteckt hätte. Immerhin war es eine gesunde Reaktion. Ich atmete auf, als das Essen zu Ende war. Wenn ich mit

Sartre beisammen bin, ist es mir unangenehmer als zum Beispiel in Portugal oder in Tunis, weil ich an die schönen Stunden denke, die wir ohne die anderen hätten miteinander verbringen können ...

Am Tag nach unserer Ankunft sind wir in der Umgebung von Interlaken spazierengegangen. Nachher hatte Sartre seinen Presseempfang. Als ich in die Hotelhalle hinunterkam, waren bereits eine Menge Menschen um Sartre versammelt, eine ganze Heerschar meist älterer und furchtbar dezenter Journalisten. Man ging in den Saal neben der Halle, Sartre und ich saßen nebeneinander wie ein katholisches Königspaar. Ich fand uns, besonders mich, recht lächerlich. Ein kleiner, alter Herr mit weißem Schnurrbart eröffnete das Feuer. Er hatte, wie er sagte, nichts über den Existentialismus gelesen, er kannte ihn nur vom Hörensagen. «Aber es scheint eine Lehre zu sein, die alles gestattet. Ist das nicht gefährlich?» Sartre klärte ihn auf. Die Atmosphäre war deutlich feindselig. Besonders ein dicker Mann mit kleinen Runzeln um die Augen legte die ganze desillusionierte und realistische Art des konservativen Idealisten an den Tag und wandte sie auf die Kindererziehung an: «Soll man die Freiheit des Kindes respektieren?» Und es wurde stillschweigend vorausgesetzt, daß der Arbeiter ein Kind sei. Das war, wie uns später der Presseattaché mitteilte, Gillouin, Pétains graue Eminenz. Der Attaché war wütend, daß es ihm gelungen war, sich einzuschleichen. Mit Hilfe von etwas Wermut und Käsebrötchen dauert die Zusammenkunft über eine Stunde. Eine schwarzhaarige junge Dame mit Zopffrisur stellt wohlwollende Fragen. Alle anderen riechen nach Faschismus oder Religion und sind entschieden gegen uns, ohne zu wissen, wovon die Rede ist.

Zu dem ersten Vortrag Sartres bin ich nicht gegangen, weil ich einen Ausflug machte, aber er hat mir alles erzählt. 1100 Personen waren erschienen. Man hörte aufmerksam zu, es wurde aber wenig applaudiert. Er sprach zwei Stunden. Nachher hat er vier Martinis getrunken, gegessen und den Abend in einem Tanzlokal verbracht. Eigentlich erinnert er sich kaum noch an etwas, außer daran, daß er einer ehrenwerten Dame aus dem Kanton Chaux-de-Fonds Ratschläge in bezug auf das Sexualleben ihres Sohnes erteilt hat. Die Dame befürchtet, er könnte irgendeinem Geschöpf ein Kind machen. «Na, dann bringen Sie ihm bei, sich zurückzuziehen, Madame», sagte Sartre. Sie erwiderte: «Ich werde ihm sogar sagen, daß der Ratschlag von Ihnen stammt, das wird ihm ungeheuer imponieren.»

In Zürich hat Sartre einen Vortrag gehalten, und im Theater wurde *Huis clos* aufgeführt.

*Mittwoch*

Skira hat uns im Bahnhofsrestaurant abgeholt, angetan mit einem auffallend gestreiften Hemd und begleitet von zwei Herren aus der Librairie Française, der eine ist schwarzhaarig, gemächlich (Harold, der später

93

durch seine Fotomontagen bekannt geworden ist), und der andere blond, lebhaft, aber beide sind sehr nett. Im Schaufenster der Buchhandlung hat man Zeitungsausschnitte, Bücher, Karikaturen und Fotos von Sartre ausgestellt. *Labyrinthe* hat an die Häuserwände Plakate kleben lassen, mit dem Namen Sartres in fetten roten Lettern. Diner und Vortrag. Unter lautem Beifall kommt Sartre herein, legt seinen Mantel ab wie der Boxer den Bademantel, wenn er den Ring betritt. Es sind ungefähr 600 Personen anwesend, meist junge Leute, die einen sehr interessierten Eindruck machen. Um 6 Uhr hatten uns die Buchhändler auf vorsorgliche Art die Journalisten vom Leibe gehalten, indem sie sie zu einem falschen Zug schickten, jetzt aber kamen sie angerückt, etwa fünfzehn Mann hoch, setzten sich an unseren Tisch und bestürmten Sartre mit Fragen. Inzwischen erzählt mir der Schwarzhaarige mit schleppender und melancholischer Stimme, daß er Kommunist gewesen sei, daß ihn aber die Methoden der Partei angewidert hätten. Wir diskutieren ein wenig über Koestler. Erstaunlich, wie man immer wieder auf die gleichen Themen zu sprechen kommt ...

*Donnerstag*

Gegen 7 Uhr treffe ich Sartre, der von einer Probe kommt. Er hat allen einen irrsinnigen Schreck eingejagt, als er in den drei Meter tiefen, mit einer Plane zugedeckten Orchesterraum fiel. Er war draufgetreten, die Plane war gerissen, und man sah ihn versinken. «Aus ist es mit dem Vortrag!» sagte der Buchhändler. Dann sah man ein etwas bestürztes Gesicht wieder auftauchen. Wir gehen ins Theater. Der Zuschauerraum ist gefüllt. Ich setze mich auf einen Platz im zweiten Rang. Sartre spricht zwanzig Minuten lang sehr gut über das Theater. Die Leute sehen zufrieden aus. Man wartet ziemlich lang, bis der Vorhang aufgeht. Die Darsteller haben ein wenig Lampenfieber. Chauffard zittern die Knie. Die Balachowa hat die Perücke und das Kleid gewechselt, die Silhouette wirkt viel besser. Sie haben alle ein wenig Schwierigkeiten mit der Sprache, und zuletzt will der Vorhang nicht fallen. Aber sie haben ihre Sache sehr gut gemacht, und das Publikum applaudiert lebhaft. Wir gehen alle miteinander in ein großes, mit wunderbaren Bildern von Picasso, Chirico usw. geschmücktes Restaurant. Der Besitzer zeigt hier seine Sammlung. Um Mitternacht trennen wir uns. Sartre bringt Marie Olivier nach Hause, die die Wanda spielte. Ich gehe mit Chauffard in einem Keller einen Gin-Fizz trinken. Er ist glücklich, weil Laffont seine Novellen herausgibt. Ich habe gar keine Lust, schlafen zu gehen. Aber man wirft uns hinaus. Nach Mitternacht macht in Zürich alles zu. Draußen regnet es. Betrübt wollen wir uns voneinander verabschieden, da begegnen wir dem Buchhändler, der unter einem großen Regenschirm daherkommt. Er schlägt vor, eine Flasche Wein zu kaufen und sie in der Buchhandlung zu trinken. Wir bleiben dort bis drei, schauen uns Kunstbücher, Zeichnungen, Zeitschriften an, und Chauffard liest uns mit lauter Stimme obszöne, mit dem Namen Claudinet signierte Gedichte vor, die vielleicht von Cocteau stammen. (Inzwischen habe ich erfahren, daß das nicht zutrifft.) Auf dem äußeren Umschlag steht als Titel *Vies*, auf dem inneren *Vits*. Eines ist sehr hübsch. Der Refrain lautet: «Wenn ich bloß zwei Francs hätte.»

In Bern haben wir in der Botschaft gegessen. Ein Theologe hat mich des langen und breiten über das Nichts, das Sein, das An-sich und das Für-sich ausgefragt. In Paris nehmen die Gespräche sehr bald eine politische, in der Schweiz eine theologische Wendung. Man stellte Sartre sogar beharrliche Fragen nach dem Wesen der Engel. Der Existentialismus hat eine Auseinandersetzung zwischen Ansermet und Leibowitz entfesselt; der erstere behauptet, die gesamte Musik vom Existentialismus her begreifen zu können; der letztere sagt, daß nur die serielle Musik mit dieser Philosophie vereinbar sei. Sie haben sich in *Labyrinthe* ordentlich gezaust.

Ich hielt in Lausanne einen Vortrag. Beim Ausgang sprach mich eine Dame an: «Ich verstehe es nicht. M. Sartre hat so schön gesprochen. Er sieht so anständig aus. Und dabei scheint er schreckliche Sachen zu schreiben. Aber warum denn, Madame? Warum?» Ich sprach auch in Genf vor Studenten. An diesem und am darauffolgenden Abend sind wir mit Skira und Annette ausgegangen, einem blutjungen Mädchen, für die sich Giacometti lebhaft interessierte. (Heute ist sie seine Frau.) Sie gefiel uns. Ich fand, daß sie in vieler Hinsicht Lise ähnlich war. Sie hatte den gleichen brüsken Rationalismus, die gleiche Dreistigkeit, die gleiche Lebensgier; ihre Augen verschlangen die Welt. Nichts und niemanden wollte sie sich entgehen lassen. Sie liebte die Gewalt und lachte über alles.

Bei einer Zusammenkunft in Lausanne hatte Sartre einen Mann namens Gorz kennengelernt, der Sartres Werke in- und auswendig kannte und sich treffend darüber äußerte. Wir trafen ihn in Genf wieder. Er wollte nicht zugeben, daß man, ausgehend von *L'Être et le Néant,* eine Wahl eher rechtfertigen könne als eine andere. Sartres Engagement war ihm peinlich. «Das kommt daher, weil Sie Schweizer sind», sagte Sartre zu ihm. In Wirklichkeit war er gar kein Schweizer, sondern ein österreichischer Jude, der seit Kriegsausbruch in der Schweiz lebte.

Wir haben uns Fribourg, Neuchâtel, Basel und die Museen angesehen. Die Dörfer waren mir allzu herausgeputzt, aber es gab auch sehr hübsche darunter. Wir tranken Weißwein in den Weinstuben mit den fleckenlos gescheuerten Fußböden. Uns gefielen die kleinen Plätze und die Springbrunnen in Luzern, die bemalten Häuser, die Türme und ganz besonders die beiden mit alten Bildern geschmückten, überdachten Holzbrücken. Wir sind nach Selisberg hinaufgestiegen, wo Sartre als kleiner Junge die Ferien verbracht hatte. Er zeigte mir sein Hotel, sein Zimmer mit einem Balkon, der auf den See geht: Von diesem Balkon aus wirft Estelle in

*Huis clos* ihr Kind ins Wasser. Es regnete heftig. Die dicken Schweizerinnen, die Schweizer mit den edelweißgeschmückten Velourshüten, die Ziehharmonika, die schlecht gesungenen Chorlieder gefielen mir wenig. Aber meine Manie beherrschte mich nach wie vor. Oft ließ ich Sartre in den Städten zurück und fuhr für einige Stunden oder einige Tage in die Berge. Ich hatte ihn überredet, mit mir nach Zermatt zu fahren. Mit der Drahtseilbahn sind wir über 3000 Meter hoch auf den Gornergrat gefahren. Auf einer Bank sitzend, die Füße im Schnee, haben wir lange das Matterhorn betrachtet, das wie eine furchteinflößende Gottheit halb in seine persönliche Wolke gehüllt war. Am nächsten Morgen preßte uns ein Schraubstock die Schläfen zusammen: die Bergkrankheit. Auf der Terrasse des Hotels waren sechzig Schweizer mit Abzeichen im Knopfloch versammelt, die die Landschaft mit sachkundiger Miene betrachteten. Sie nannten sich die «Zeitgenossen aus dem Chaux-de-Fonds». Wessen Zeitgenossen? Wir nahmen den Zug nach Paris. In Vallorbe sagte ein Zollbeamter zu Sartre, als er ihm seinen Paß zurückgab: «Ihre Bücher sind nirgends zu bekommen, Monsieur» – und zu mir: «Fahren Sie noch immer Tandem?»

Nach seiner Rückkehr aus Amerika hatte Sartre den Brief eines gewissen Jean Cau erhalten, der ihn bat, ihm Arbeit zu besorgen. Er bereite sich für die Aufnahmeprüfung der École Normale vor, aber es sei aussichtslos. Wenn es ihm nicht gelänge, unterzukommen, würden seine Eltern ihn zu sich in die Provinz zurückholen. Sartre antwortete, er würde sich umsehen. Er wurde krank, er fuhr in die Schweiz, er sah sich nicht um. Im Juni suchte Cau ihn auf (nachdem er vergebens ähnliche Bitten an andere Schriftsteller gerichtet hatte): das Schuljahr ging dem Ende zu. «Na gut», sagte Sartre, «dann werden Sie eben mein Sekretär.» Cau war einverstanden. Sartre bestellte ihn in die ‹Deux Magots›. Aber seine Post war noch nicht sehr umfangreich. Er brauchte gar keine Hilfe. Während ich an einem Nachbartisch arbeitete, sah ich ihn umständlich in seinen Taschen kramen und zwei oder drei Umschläge hervorangeln. Er erklärte Cau, was zu antworten sei. Zu mir sagte er seufzend, der Sekretär nehme ihm Zeit weg, statt ihm Zeit zu ersparen. Cau wiederum war ärgerlich, weil er sich eine Stellung, nicht ein Almosen gewünscht hatte. Die Sache ordnete sich allmählich, nachdem Sartre zu seiner Mutter in die rue Bonaparte gezogen war. In einem Zimmer neben dem Arbeitsraum beantwortete Cau am Vormittag telefonische Anrufe, legte Verabredungen fest und arbeitete die Korrespondenz auf; man hätte sagen können, daß das ausübende Organ sich seine Funktion geschaffen hatte. Es war höchste Zeit, daß Sartre ein bißchen Ordnung in sein Leben brachte, aber ich fragte mich mit Bedauern, ob er nicht die Freiheit einbüßen werde, die uns früher so teuer gewesen war.

Im Juni erschienen *Les Temps Modernes* mit dem Vermerk: Herausgeber Jean-Paul Sartre. Die Redaktion war geplatzt. Ollivier wanderte nach rechts, da er mit der soeben gegründeten Union gaulliste sympathisierte. Arons Antikommunismus wurde ausgeprägter. Zu dieser Zeit – oder etwas später – aßen wir im ‹Golfe-Juan› zusammen mit Aron und Pia, der sich auch vom Gaullismus betören ließ. Aron erklärte, daß er weder die USA noch die UdSSR liebe, aber im Falle eines Krieges würde er sich dem Westen anschließen. Sartre erwiderte, daß er weder für den Stalinismus noch für Amerika etwas übrig habe, aber wenn ein Krieg ausbräche, würde er auf seiten der Kommunisten stehen. «Alles in allem», folgerte Aron, «würden wir unter zwei Übeln jeweils ein anderes wählen: aber es geschähe auf alle Fälle nicht aus unserer Überzeugung heraus.» Wir fanden, daß er auf übertriebene Weise eine Meinungsverschiedenheit bagatellisierte, die wir für grundlegend hielten. Pia erläuterte uns die gaullistische Wirtschaftspolitik, ohne die Probleme der Löhne, der Preise, des Lebensstandards der Arbeiter auch nur zu streifen. Ich war erstaunt. «Was die soziale Wohlfahrt betrifft, wird man sich an die Jugendverbände halten», sagte er geringschätzig. In knapp zwei Jahren hatten die Bezeichnungen Rechts und Links voll und ganz ihren früheren Sinn wiedererlangt, und die Rechte gewann Boden. Im Mai hatte das MRP die Mehrzahl der Stimmen erobert.

Genet erzählte von der «Dame mit dem Einhorn», und ich sah mir die Ausstellung französischer Gobelins an. Endlich wurde in Paris *Citizen Kane* gezeigt. Orson Welles hatte den Film tatsächlich revolutioniert. Für den Prix de la Pléiade schlugen Queneau und Sartre Boris Vian vor, aber die Jury bevorzugte den Kandidaten von Malraux, Abbé Grosjean.

Mein Essay war fertig, und ich fragte mich: Was tun? Ich setzte mich in die ‹Deux Magots› und starrte auf das leere Blatt Papier. Ich spürte in den Fingerspitzen das Bedürfnis zu schreiben und in der Kehle den Geschmack der Worte, aber ich wußte nicht, was ich machen sollte. «Warum machen Sie denn ein so böses Gesicht?» fragte mich einmal Giacometti. «Weil ich schreiben möchte und nicht weiß, was ich schreiben soll.» – «Schreiben Sie doch irgend etwas.» Eigentlich hatte ich Lust, von mir selber zu erzählen. Mir gefiel *Mannesalter* von Leiris. Ich hatte eine Vorliebe für die Märtyrer-Essays, in denen man sich vorbehaltlos preisgibt. Ich begann davon zu träumen, mir Notizen zu machen und sprach mit Sartre darüber. Ich überlegte mir, daß die erste Frage lauten müßte: Was hat es für mich bedeutet, eine Frau zu sein? Anfänglich hatte ich geglaubt, schnell damit fertig zu werden. Ich hatte nie an Minderwertigkeitskomplexen gelitten, niemand hatte zu mir gesagt: «Sie denken so, weil Sie eine Frau sind ...» Daß ich eine Frau bin, hat mich in keiner Weise behindert. «Für mich», sagte ich zu Sartre, «hat das sozusagen keine Rolle gespielt.» – «Trotzdem sind Sie nicht so erzogen worden wie ein Junge: Das muß man genauer untersuchen.» Ich untersuchte es genauer und machte eine Entdeckung: Diese Welt ist eine Männerwelt, meine Jugend wurde mit Mythen gespeist, die von Männern erfunden worden waren, und ich hatte keineswegs so darauf reagiert, als wenn ich ein Junge gewesen wäre. Mein Interesse war so groß, daß ich den Plan einer persönlichen Beichte fallenließ, um mich mit der Lage der Frau im allgemeinen zu befassen. Ich nahm mir vor, in der Bibliothèque Nationale die entsprechende Literatur zu lesen und die Mythen des weiblichen Geschlechts zu untersuchen.

Am 2. Juli ließen die Amerikaner auf Bikini eine neue Bombe explodieren. Ich persönlich fühlte mich nicht bedroht – hatte mich nie vor den Gefahren atomarer Verseuchung gefürchtet. Viele aber begannen zu zittern. Als Jean Nocher in einer Rundfunksendung mitteilte, daß zufolge eines Unglücksfalles in der Materie eine unaufhaltsame Kettenreaktion eingesetzt habe und daß wir in wenigen Stunden alle sterben würden, glaubte man ihm aufs Wort. «Ich war bei meinem Vater», erzählte mir Mouloudji, «wir gingen spazieren und dachten bei uns: Das ist das Ende der Welt. Und wir waren sehr traurig.»


Unser Verleger Bompiani hatte uns nach Mailand eingeladen, und Mme Marzoli, die Leiterin der großen Librairie Française, hatte zusammen mit Vittorini ein bis zwei Vorträge für uns arrangiert. Italien wiedersehen! Ich dachte an nichts anderes mehr. Die Umstände waren nicht besonders günstig. Briga Marittima und Tenda waren Frankreich zugesprochen worden. Erbittert warf Italien seiner lateinischen Schwester diesen «Dolchstoß in den Rücken» vor. Andererseits forderte Tito den Anschluß von Triest an Jugoslawien. Die kommunistischen Intellektuellen Frankreichs hatten ein Manifest zu seinen Gunsten unterzeichnet. Zwei Tage vor dem festgelegten Abreisedatum wurde ich in der Bar des ‹Pont-Royal› am Telefon verlangt: Es war Mme Marzoli, die aus Mailand anrief. Sie riet mir, unsere Reise zu verschieben. Die Italiener würden nicht zu unseren Vorträgen kommen. Sie schlug einen so entschiedenen Ton an, daß Sartre, wäre er am Apparat gewesen, sicherlich nachgegeben hätte. Ich aber blieb hartnäckig. Wenn es eben so ist, werden wir halt schweigen, erwiderte ich, aber wir haben das Geld von Bompiani und unsere Visa, wir kommen. Sie bemühte sich, mich davon abzubringen; sie schrie sich heiser. Vergebens. Mit den Worten «Auf bald!» hängte ich ab. Ich gab Sartre eine gemilderte Version des Zwischenfalls, weil ich seine Bedenken fürchtete.

In Mailand wurden wir von dem Redaktionsstab des *Politecnico*, den Vittorini leitete, empfangen. Unsere Zeitschriften waren sehr ähnlich. Die ersten Nummern waren zur gleichen Zeit erschienen; das *Politecnico*, zuerst eine Wochen-, dann eine Monatsschrift, hatte Sartres

Manifest über die engagierte Literatur veröffentlicht. Wir hatten Vittorini in Paris kennengelernt. Ich hatte *Gespräche in Sizilien* auf französisch gelesen. Er war seiner Partei fanatisch ergeben. «Wenn man mich in achtzig Stücke schnitte, würden achtzig kleine Kommunisten dabei herauskommen», sagte er. Trotzdem spürten wir keine Schranken zwischen uns. Schon am ersten Abend, als wir bei Geigenklängen im Lieblingsrestaurant der Mailänder Intellektuellen mit ihm und seinen Freunden – Vigorelli, Veneziani, Fortini und anderen – aßen, begriffen wir, daß in Italien die Linken eine Einheitsfront bildeten. Wir plauderten bis in die späte Nacht hinein. Vittorini erzählte von den Schwierigkeiten, welche die Kommunisten zu überwinden hatten. Im Namen des revolutionären Internationalismus hatten sie anfangs Tito unterstützt. Aber das Echo in den grundlegenden Schichten hatte sie dazu veranlaßt, auf die patriotische Karte zu setzen, und jetzt sangen sie im Chor des übrigen Landes mit. Eluard, der in Italien Vorlesungen hielt, habe in öffentlichen Erklärungen ihre ursprüngliche Stellungnahme warm unterstützt. Eines schönen Tages veröffentlichte die Presse das Manifest der französischen Kommunisten zugunsten Jugoslawiens. Natürlich stand Eluards Name drauf. An diesem Tag sprach er in Venedig und wurde ausgepfiffen.

Wir trafen uns jeden Tag, bald unter den Arkaden am Scala-Platz, bald in der Bar unseres Hotels, inmitten eleganter Italienerinnen mit mattsilbernem Haar, und diskutierten. Es war aufregend, den Faschismus und den Krieg mit den Augen unserer ‹lateinischen Brüder› zu sehen. Einer von ihnen gestand, er habe – unter dem Faschismus geboren und erzogen – lange an ihm festgehalten. «Aber in der Nacht, als Mussolini gestürzt wurde, habe ich es begriffen!» sagte er zu uns in fanatisch triumphierendem Ton. Diese Konvertiten verachteten die Emigranten, die sich durch ihren Starrsinn von der Bevölkerung losgelöst hätten und denen es schwerlich gelingen würde, in der Wirklichkeit Fuß zu fassen; sie aber glaubten, durch ihre Irrtümer, ja sogar durch ihre Kompromisse politisch reifer geworden zu sein. Ihren tugendhaften Enthusiasmus würzten sie mit viel Ironie. «Heute», sagten sie, «hat Italien neunzig Millionen Einwohner. Fünfundvierzig Millionen, die Faschisten waren, fünfundvierzig Millionen, die keine waren.» Ich erinnere mich an eine ihrer Anekdoten. Ein italienischer Touristenautobus macht eine Rundfahrt über die Schlachtfelder. Vor jedem zerstörten Dorf ringt ein kleiner Mann hinten im Bus die Hände: «Daran bin ich schuld! Daran bin ich schuld!» Neugierig fragt ihn ein Mitreisender: «Warum denn gerade Sie?» – «Ich bin der einzige Faschist in diesem Bus.» Ein Stendhalianer (in politischer Beziehung), der gestern genauso eifrig gewesen war wie heute, aber die Farbe gewechselt hatte, erwähnte lachend, man habe ihm den Spitznamen «Schwarz und Rot» angehängt.

Ich besichtigte die Backsteinkirchen und den Palazzo di Milano, nicht aber das *Abendmahl*, das gerade restauriert wurde. Vigorelli fuhr mit uns im Auto rund um den Comer See. Er ließ eine am Ufer gelegene, sehr schöne romanische Kapelle öffnen, die mit Fresken von Masolino geschmückt war. Er zeigte uns Dongo, wo Stendhals Fabrice geboren war, Mussolini verhaftet und seine Eskorte erschlagen wurde. «Auf diese Blumen ist Blut geflossen», sagte er, auf die bunten Beete deutend, die sich im blauen Gewässer spiegelten. In dieser von Leidenschaften durchpulsten Gegend haben wir Eis gegessen, so mild wie ein Pfirsich, bevor wir in Vigorellis Villa oberhalb des Sees haltmachten.

Bompiani, welcher der äußersten nationalistischen Rechten angehörte, wiederholte Sartre gegenüber, daß ein linksstehender Franzose momentan in zweifacher Hinsicht als Feind gelte: Er habe Briga Marittima und Tenda annektiert und Tito unterstützt. Wenn Sartre in der Öffentlichkeit den Mund aufmachte, würde man ihn lynchen, und er hätte es verdient! Unsere Freunde befürchteten einen neofaschistischen Überfall. Vom Tor des Hofes, in dem Sartre sprach, bis ans Podium standen mit Maschinenpistolen bewaffnete Gendarmen. Der Hof war voller Menschen. Kein einziger Pfiff, nur Beifall. Ich sprach ohne jeden Zwischenfall in der Buchhandlung Mme Marzolis. Wir hatten Bompiani kompromittiert, und er hätte sich gern von uns losgesagt. Widerwillig lud er uns zum Essen ein. Er bewohnte ein Palais. Unten stieg man in einen Fahrstuhl ein, der direkt in einen Salon führte. Bei Tisch servierten livrierte Lakaien mit weißen Seidenhandschuhen. Bompiani machte den Mund nicht auf. Beim Kaffee griff er nach einer Zeitung, in die er sich vertiefte. Am nächsten Tag gab er Sartre zu verstehen, daß er nicht die Absicht habe, ihm das versprochene Geld auszuzahlen, mit dem wir gerechnet hatten, um unsere Reise zu verlängern.

Zum Glück erfuhr der Verleger Arnoldo Mondadori durch Vittorini von unserer Klemme. Sein Sohn Alberto, ein prächtiger Korsar mit Schnurrbart und Baßstimme, verhandelte mit Sartre, der sich verpflichtete, von nun an seine Sachen bei ihnen verlegen zu lassen. Dafür zahlte man ihm auf der Stelle einen angemessenen Vorschuß. Alberto bot außerdem an, uns mit dem Wagen nach Venedig und von dort nach Florenz zu bringen. Wir stimmten herzlich gern zu; denn er gefiel uns ebenso wie seine Frau Virginia. Sie war von jener lieblichen Schönheit und mit jenem Naturell begabt, das Stendhal an den Italienerinnen so sehr gepriesen hat. Ihre junge Schwester, die lebhaft und vergnügt war, und ein befreundeter Architekt waren noch mit von der Partie. Unterwegs wurde gelacht, geplaudert, gesungen. Einmal verstummten sie verwirrt, weil sie gemerkt hatten, daß sie aus vollem Halse die *Giovinezza* sangen. In Venedig erstaunte es mich, daß wir im ‹Grand Hotel› wohnten. Ich hätte im Traum nicht daran gedacht, daß ich es jemals betreten würde. Sie kannten alle guten Lokale, Restaurants und Bars. Sie liebten Italien und zeigten uns die Sehenswürdigkeiten mit ungezwungener Sachkenntnis. Unter den vielen strahlenden Augenblicken erinnere ich mich an unsere

Abfahrt nach Florenz. Als ich bei Tagesanbruch mit meinem Gepäck in die Gondel stieg, spürte ich auf der Haut die Frische, die vom Wasser aufstieg, und die Zärtlichkeit der aufgehenden Sonne. Am Abend zuvor waren wir lange vor dem Palazzo della Signoria auf und ab gegangen. Das Mondlicht umschmeichelte in der Loggia die Statue Cellinis, die der Architekt mit ergriffener Hand berührt hat. Trotz der Toten, der Trümmer, der Katastrophen war hier die Schönheit noch da.

Die Mondadoris sind nach Venedig zurückgekehrt. Wir haben ein Auto gemietet, um nach Rom zu fahren. Wir hatten Glück, daß uns vor den Toren der Stadt das Benzin ausging und ich den Geruch der Dämmerung auf der römischen Campagna kennenlernte. Man hatte für uns Zimmer im Hotel ‹Plaza› bestellt, in dem alle in offiziellem Auftrag reisenden Franzosen abstiegen. Mir wäre das ‹Albergo del Sol› lieber gewesen.

Sartre hielt zwei Vorträge, und da damals jeder französische Schriftsteller etwas Außerordentliches war, wurden wir mit großen Ehren empfangen. Der französische Kulturattaché zeigte uns den Teich und das Schloß der Bracciani. Jacques Ibert lud uns eines Abends in die Villa Medici ein, in deren Park wohlriechende Freudenfeuer loderten. Der französische Geschäftsträger gab ein Essen im Palazzo Farnese, und ich trug zum erstenmal in meinem Leben ein hochgeschlossenes, schwarzes, langes Abendkleid, das mir die Frau des Kulturattachés geliehen hatte. Ich mochte diese zeremoniellen Anlässe nicht, aber der italienische Charme milderte den Pomp. Carlo Levi tauchte auf, ohne Krawatte, mit weit geöffnetem Hemdkragen. Eine Woche früher war der Sohn Jacques Iberts mit einem Buch in die Redaktion der *Temps Modernes* gekommen. «Es ist gerade in Italien erschienen und hat großen Erfolg gehabt», sagte er zu mir. «Ich werde es übersetzen.» Es war Levis *Christus kam nur bis Eboli*. Ich hatte es gelesen, und wir wollten große Auszüge daraus in der November-Nummer bringen. Levi beschrieb das Leben in einem süditalienischen Dorf, in das er vor Kriegsausbruch wegen seiner antifaschistischen Gesinnung verbannt worden war. Soweit man hinter diesem Bericht den Menschen selbst erkennen konnte, hatte er mir sehr gefallen. Auch in Fleisch und Blut enttäuschte er mich nicht. Arzt, Maler, Schriftsteller, Journalist, gehörte er der Aktionspartei an, Erbin der in Frankreich durch die Brüder Rosselli gegründeten Bewegung «Gerechtigkeit und Freiheit», in der sich das demokratische Bürgertum gegen den Faschismus zusammengefunden hatte. Die 1941/42 in Mailand gegründete Aktionspartei hatte mit der SPI und der KPI einen Widerstandspakt geschlossen. Sie hatte unter dem Vorsitz Parris die erste Widerstandsregierung gebildet. Es war eine kleine Gruppe, die vor allem aus Intellektuellen bestand und keinen Kontakt mit den Massen hatte. Einige Monate früher hatte sich die liberale Fraktion von der revolutionären abgespalten, der Levi angehörte und die den Kommunisten sehr nahestand. (Die Aktionspartei zerfiel 1947. Manche Mitglieder traten in die KPI, andere in die SPI ein, andere wieder, wie Levi, sympathisierten zwar mit der KPI, blieben aber unabhängig.) Unsere Standpunkte waren ähnlich. Er sprach genauso charmant, wie er schrieb. Er beobachtete alles, fand alles amüsant, und seine unersättliche Neugier erinnerte mich an Giacometti: Sogar das Sterben erschien ihm ein interessantes Erlebnis. Er schilderte die Menschen und die Dinge, ohne jemals allgemeine Begriffe anzuwenden, sondern eher nach italienischer Manier, mit ausgesuchten, kurzen Anekdoten. Er bewohnte ein riesiges Atelier im obersten Stockwerk eines Palastes. Am Fuß der monumentalen Treppe – die der Schloßherr früher einmal zu Pferd hinaufgeritten war – stand ein Marmorfinger, so groß wie ein Mensch. An der Wand neben Levis Tür waren Beschimpfungen zu lesen, die der Hauseigentümer hingekritzelt hatte, der vergebens versuchte, Levi an die Luft zu setzen, und Levis Erwiderungen. Man konnte verstehen, daß er nicht ausziehen wollte: Von seinen Fenstern aus, die auf die Piazza Gesù gingen, war die ganze Stadt zu überschauen. Zwischen dem Wust von Papieren, Büchern, Gemälden bewahrte er sorgsam vertrocknete Rosen auf. «Anderswo wären sie schon längst zerfallen», sagte er. «Meine Nähe wirkt wohltätig.» Auf Menschen wie auf Blumen glaubte er einen entscheidenden Einfluß auszuüben. «In diesem Jahr werde ich nicht ausstellen», sagte er zu uns. «Ich bin auf der Suche nach etwas Neuem. Alle jungen Maler bemühen sich, mich nachzuahmen, während ich meiner Sache gar nicht sicher bin.» Er war von seiner Bedeutung überzeugt, schien aber keinerlei Eitelkeit daraus abzuleiten: Er schrieb sie weniger seinem Verdienst als einer Aura zu, die ihn umschwebe, ein Geschenk, das man ihm in die Wiege gelegt hatte; dieses Fluidum schütze ihn vor jedem Mißgeschick: sein Optimismus grenzte an Aberglauben. Während des Krieges hatte er es für unnötig gehalten, sich zu verstecken, fest überzeugt, Schnurrbart und Brille genügten, ihn zu tarnen: er war trotzdem auf hundert Schritt zu erkennen gewesen. Zum Glück hatte der Antisemitismus in Italien nicht Fuß gefaßt. Empfänglich für alle Annehmlichkeiten des Lebens, zeigte er den Frauen gegenüber eine für einen Italiener ungewöhnliche, liebevolle Verehrung; außerdem war er romantisch veranlagt. Als wir uns eines Abends von ihm trennten, sahen wir ihn zu unserem Erstaunen an einer Laterne hochklettern und durch ein Fenster einsteigen.

Silone, weniger witzig, verschlossener, war ebenfalls ein guter Erzähler. Früher einmal hatte mir sein Buch *Fontamara* gut gefallen, und vor kurzem habe ich *Brot und Wein* mit Vergnügen gelesen. Mir gefielen die Schilderungen seiner Kindheit in den Abruzzen und der harten Bauern in seinem Dorf sehr gut.

Er war in den Jahren zwischen 1924 und 1930 einer der Führer und nachher der Hauptverantwortliche der damals noch im Exil tätigen Kommunistischen Partei Italiens gewesen. 1931 war er aus Gründen, die wir nicht kannten, ausgeschlossen worden. (1950 gab es zwischen ihm und Togliatti eine lange, öffentliche Kontroverse über dieses Thema. Sie wurde in den *Temps Modernes* publiziert. Zumindest muß man sagen, daß Silone, wie er selber zugibt, von 1927 bis 1930 ein merkwürdiges Doppelspiel getrieben hat.) Als er nach Kriegsschluß nach Italien zurückkehrte, trat er in die SPI ein. Er sprach wenig über Politik. Wir waren nur betroffen über die Skepsis, die wir im Augenblick nicht auf seine persönliche Stellungnahme, sondern auf die Tatsache zurückführten, daß er Italiener war. Von der Höhe des Janiculus aus betrachtete er Rom, das zu seinen Füßen lag, und sagte nachdenklich: «Wie sollten wir denn etwas ganz ernst nehmen? So viele aufeinander getürmte Jahrhunderte, die einander bekämpft haben! Sooft Rom untergegangen ist, sooft ist es wieder auferstanden! Für einen Italiener ist es unmöglich, an eine absolute Wahrheit zu glauben.» (Diesen bei den Männern des rechten Flügels beliebten Relativismus benutzte er zweifellos als Rechtfertigung. Als sich kurze Zeit später die SPI spaltete, folgte er Saragat. Bald darauf wandte er sich dem Antikommunismus zu.) Er sprach sehr interessant über die Hintergründe der vatikanischen Politik und die zweideutige Haltung des italienischen Volkes, das zugleich religiös und abergläubisch ist, aber durch die bedrückende Nähe der Geistlichen in eine wilde antiklerikale Stimmung getrieben wird. Sehr sympathisch war mir seine Frau, eine Irländerin, deren fromme Kindheit noch beklemmender gewesen war als die meine.

Moravia haben wir nicht oft getroffen. Bei einem literarischen Mittagessen saß ich neben ihm. Wir hatten den Eindruck, daß die italienischen Schriftsteller einander nicht sehr zugetan sind. Sartres Tischnachbar flüsterte ihm zu: «Ich werde Sie laut fragen, wer Ihrer Meinung nach der größte Romancier ist, und Sie werden antworten: Vittorini. Da sollen Sie einmal Moravias Gesicht sehen!» Sartre hat sich aber nicht darauf eingelassen. Wenn der Name eines abwesenden Kollegen fiel, wurde er mit zwei Formeln abgetan: «Der da ist ja kein Schriftsteller, sondern ein Journalist!» oder: «Das Traurige ist, daß er nicht die nötige Reife hat.» Man fügte hinzu: «Er hat eine kindliche Mentalität behalten.» Oder: «Ein ewiger Jüngling ...» Man hätte meinen können, daß jeder in den anderen das eigene Bild sehe, das er in ihren Augen zu entdecken glaubt. Diese Bosheit mißfiel uns keineswegs. Wir hielten sie für die Kehrseite des lebhaften Interesses, das die Italiener einander entgegenbringen und das unserer Meinung nach höher zu werten ist als unsere lauwarme Art.

Im Hotel ‹Plaza› trafen wir Scipion, der aus Griechenland gekommen war. Wir aßen zusammen in einer Kneipe auf dem Monte Mario, mit der Aussicht auf das beleuchtete Rom, und er berichtete, daß er sich mit einem Mönch auf dem Berge Athos geprügelt hätte, der ihm einen unsittlichen Antrag gemacht hatte. Er beklagte sich über den Franzosenhaß der Italiener. Eine Hure hatte ihn zwischen zwei Umarmungen drohend angefahren: «Und Briga Marittima? Und Tenda?» Bei dem Essen im Farnese sah er in dem Anzug, den ihm der Kulturattaché geborgt hatte, äußerst seriös aus.

Jeanine Bouissounouse und ihr Mann, Louis de Villefosse, Vertreter Frankreichs bei der alliierten Kommission, fuhren uns im Auto nach Frascati und Nemi. Sie machten uns mit ihren italienischen Freunden bekannt: Donnini, einem Kommunisten, Professor der Religionsgeschichte, der lange im Exil gelebt hatte; Bandinelli, Generaldirektor für die Schönen Künste, der gleichfalls Kommunist war und auf seinen Besitzungen in der Toscana eine Bauerngenossenschaft gegründet hatte; Guttuso, dem kommunistischen Maler, der uns zu einem Abend in seinem Atelier in der Via Margutta einlud. Mit ihren übereinanderliegenden Terrassen, den Innenhöfen, Treppen und Gäßchen, war die Straße, in der vor allem Maler und Schriftsteller wohnen, während des Widerstandskampfes zu einem richtigen *maquis* geworden. Außer den Katakomben habe ich auch die ardeatinischen Gruben besucht. Nach einem Attentat, das dreiunddreißig Deutschen das Leben gekostet hatte, waren am 24. März 1944 dreihundertdreißig Widerstandskämpfer mit Maschinengewehren füsiliert worden. Die Deutschen hatten die Leichen in dem Steinbruch zurückgelassen, dessen Zugang sie mit Hilfe von Sprengungen verbarrikadiert hatten; man hat sie erst drei Monate später gefunden. 1946 war die Erinnerung an die Toten, die einige Jahre später zu Marmor erstarrte, noch frisch und lebendig; die Holzsärge waren auf den Galerien und auf der rötlichen Erde aufgereiht, jeder war mit einem Namen und zwei Jahreszahlen versehen: als einziger Schmuck dienten einige vertrocknete Blumen und ein Foto des Toten als Erstkommunikant, Bräutigam, Soldat oder als Fußballspieler.

Die ehemaligen Emigranten, mit denen wir uns in Rom unterhielten, hatten keinen sonderlichen Respekt vor den neubekehrten Antifaschisten. Wir wunderten uns über den Konflikt zwischen den Reingläubigen – zumeist älteren Leuten – und den Realisten der heranwachsenden Generation, die sich unserer Meinung nach der neuen Zeit besser anpaßten. (Es gab in Italien auch Leute, die makellos und realistisch waren, Antifaschisten, die heimlich an Ort und Stelle gekämpft hatten. Aber wir haben sie erst später kennengelernt.)

Zwei Tage verbrachten wir in Neapel. Die Stadt hatte schwer gelitten. Das einzige offene Hotel war halb verfallen. Über den eingestürzten Zimmerdecken gähnte der Himmel. Schutt bedeckte die Treppen. Vom Hafen und seiner Umgebung waren nur Trümmer übriggeblieben. In den heißen Straßen wirbelte der Wind den Staub der Ruinen auf. Das Museum war geschlossen. In dem unversehrten Capri fand ich meine Vergangenheit wieder. Wir blieben noch einige Tage in Rom, im Hotel ‹Città›, ohne uns mit jemandem zu treffen.

Wir freuten uns sehr, Italien wiederzusehen. Noch mehr freute es uns, dort die Atmosphäre wiederzufinden, die wir so kurze Zeit in den Tagen der Befreiung kennengelernt hatten. In Frankreich war die Einheit im Kampf gegen eine fremde Besatzungsmacht auf zweideutig nationalistischen Grundlagen zustande gekommen. Rechts und Links mußten sich daher zwangsläufig in dem Augenblick trennen, als die einigende Aufgabe nicht mehr existierte. In Italien waren die Nationalisten zu Faschisten geworden. Die gegnerische Koalition strebte einmütig nach Freiheit und Demokratie. Ihr Zusammenhalt entsprang nicht den Ereignissen, sondern den Prinzipien. Deshalb hat sie den Krieg überlebt. Liberale, Sozialisten, Kommunisten machten gemeinsam Front gegen die Rechte, um der neuen Verfassung Respekt zu verschaffen. Die Verbündeten der KPI haben nie daran gezweifelt, daß die republikanische und die demokratische Haltung der Partei aufrichtig gemeint sei. Der deutschrussische Pakt und die durch ihn ausgelösten Schwankungen in den Reihen der französischen Kommunisten hatten sie verwundbar gemacht. Der Widerstand der italienischen Kommunisten gegen den Faschismus war jedoch von keinem Schatten getrübt. Alle Antifaschisten – das heißt, seit kurzem das ganze oder fast das ganze Land – respektierten ihren Mut.

Aus weit zurückreichenden Gründen war die Lage der KPI vorteilhafter als die der KPF. In Frankreich führte die Bourgeoisie nach ihrer Revolution von 1789 ohne Zögern und geschlossen den Kampf gegen die Arbeiterklasse. In Italien wurde sie erst im 19. Jahrhundert über viele Spaltungen und Krisen hinweg zur herrschenden Klasse. Bei ihrem Aufstieg mußte sie sich, besonders zu Anfang des 20. Jahrhunderts, auf das Proletariat stützen. Diese Zusammenarbeit hatte wichtige kulturelle Folgen. Ein bürgerlicher Philosoph wie Labriola, der zuerst Hegelianer war, konnte sich dem Marxismus nähern. Die Aufgeschlossenheit der bürgerlichen Denkweise förderte auch den Entwicklungsprozeß des Marxismus. So nahm der Marxist Gramsci in einer glänzenden Synthese den bürgerlichen Humanismus für sich in Anspruch. Die KPI hatte noch andere, günstigere historische Möglichkeiten. Die Niederlage des europäischen Proletariats nach dem Ersten Weltkrieg trieb Italien in die Arme des Faschismus und die KPI in die Illegalität. Sie kämpfte aber auf nationalem Boden, was sie vor vielen Schwierigkeiten bewahrte. Die französische KP war eine Minoritätspartei, fast ohne Einfluß auf die Bevölkerung, und hatte sich als Hauptziel den Internationalismus gesetzt. Den Weisungen des Kreml hörig, gezwungen, Stalins Politik – unter anderem die Moskauer Prozesse – zu verteidigen, galt sie als eine ‹ausländischen Partei›, und ihre Unbeliebtheit verstärkte ihre starre Haltung. Die Résistance drückte ihr den Stempel der Vaterlandsliebe auf, und so erhielt sie bei den Wahlen mehr Stimmen als jede der beiden anderen Parteien. Trotzdem wurde sie keine Massenpartei. Im Jahre

1945 war Frankreich ein Industrieland mit einer stark gegliederten Gesellschaft. Die Bauern hatten nicht die gleichen Interessen wie die Arbeiter, und unter den Arbeitern gab es verschiedene Schichten, die einander bekämpften. Die Kommunisten rekrutierten sich vor allem aus den Reihen der Erwerbslosen. Trotz der umfangreichen Wählerschaft blieb die Zahl der Parteimitglieder begrenzt. Um stark zu sein, hätten sie einen festen Block bilden müssen.

Italien, das ohne Eisen und Kohle fast ein unterentwickeltes Land war, befand sich in einem Verschmelzungsprozeß. Es gab kaum eine Kluft zwischen Arbeitern und Bauern, die – besonders im Süden – eine revolutionäre Kraft darstellten. Die einen wie die anderen, gezeichnet von der Erinnerung an den Faschismus, dessen Leichnam noch warm war, hielten nur die Kommunisten für fähig, seine Niederlage zu besiegeln. Die KPI war also in der Gesamtbevölkerung fest verankert. Da sie in keiner Hinsicht auf ihre Besonderheit beschränkt war, kam sie nicht in Versuchung, Meinungsverschiedenheiten für Opposition zu halten. Vor allem betrachtete sie die Intellektuellen, die in Italien alle links standen und mit ihr sympathisierten, als Freunde und nicht als Gegner.

Auch das Bündnis mit der sozialistischen Partei trug dazu bei, sie vor der Isolierung zu bewahren, unter der die KPF litt. Dank der Unterbrechung durch den Faschismus konnte die SPI sich 1945 unter Nenni erneuern, und nach den Jahren gemeinsamen Kampfes entschied sie sich dafür, das gute Einvernehmen mit der KPI aufrechtzuerhalten. In Frankreich hatte der Sozialismus das Erbe der SFIO und ihres Antikommunismus angetreten. Wenn die KPF alle Nichtkommunisten als Feinde betrachtete, dann nur deshalb, weil sie es in der überwiegenden Zahl der Fälle auch waren. Das durch ihre Situation bedingte Mißtrauen erlaubte ihr nicht, Ausnahmen zu machen.

Damals konnten wir die Unterschiede zwischen den Kommunisten der beiden Länder zwar feststellen, aber nicht erklären. Jedenfalls genossen wir, bekümmert über die Feindseligkeit der Franzosen, die Freundschaft der Italiener mit einem Behagen, das sechzehn Jahre lang ungetrübt bleiben sollte.

Ich verließ Sartre in Mailand, um drei Wochen lang in den Dolomiten zu wandern. In Meran verbrachte ich meinen ersten einsamen Abend, der zu einer meiner köstlichsten Erinnerungen wurde. Ich aß und trank Weißwein in einem von Efeu umrankten Hof, vor einer kupfernen Uhr, die mich von der Mauer herab zu bewachen schien. Es war lange her, daß ich einen wochenlangen Aufenthalt im Gebirge und in der Stille vor mir gehabt hatte: Die Gefahren, die mir bewußt waren, verliehen meiner Freude etwas Rührendes, das mir die Tränen in die Augen trieb.

Bozen, die Hänge mit grünen Weinstöcken bedeckt, Vitipino, dessen Straßen bunt bemalt waren, wie in einem Zeichentrickfilm: Ich entdeckte das österreichische Italien. Und dann wanderte ich von Gipfel zu Gipfel, von Hütte zu Hütte, kreuz und quer über Berge und Felsen. Ich erlebte wieder einmal den Duft der Wiesen, das Gepolter der Steine an den Schutthalden, die keuchende Mühsal des Anstiegs, die Wollust der Entspannung, wenn der Rucksack von den Schultern gleitet, die sich an die weiche Erde schmiegen, der Aufbruch unter bleichem Himmel, die Wohltat, vom frühen Morgen an bis in die Nacht hinein dem Rhythmus des Tages zu folgen.

Eines Abends, mitten im Hochgebirge, abseits von allen Wegen, bat ich in einer Unterkunftshütte um ein Zimmer und etwas zu essen. Man bediente mich, aber ohne ein Wort oder ein Lächeln. An der Wand hing das mit einem Trauerflor geschmückte Foto eines jungen Mannes. Als ich vom Tisch aufstand, ließ die Wirtin sich zu einem einzigen Wort herbei: «*Tedesca?*» Nein, erwiderte ich, ich sei Französin. Die Mienen erhellten sich. Man erklärte mir, ich spräche italienisch mit deutscher Härte. Und der Sohn des Hauses war als Widerstandskämpfer gefallen.

Das war eine meiner anstrengendsten Fußwanderungen, eine der schönsten und – ich ahnte es voraus – die letzte.

Als ich nach Paris zurückkehrte, erfuhr ich Einzelheiten über das ‹existentialistische Verbrechen›, das seit mehreren Wochen die Zeitungen beschäftigte. B. (Arzt, früherer Schüler Sartres) besaß in Gif-sur-Yvette ein Häuschen, in dem er das Weekend verbrachte und das während der Woche Francis Vintenon zur Verfügung stand. Er erzählte uns, daß er an einem Samstagmorgen den Schlüssel nicht in dem vereinbarten Versteck gefunden habe und daß die Tür nicht verschlossen gewesen sei. Francis schläft noch, dachte er sich, und in der Hoffnung, ihn mit seiner Freundin zu überraschen, schlich er leise durch den Korridor. Im Haus herrschte ein merkwürdiger Geruch. «Ich betrat das Zimmer», berichtete er, «ich warf einen Blick aufs Bett und rief aus: Ein Neger! ...» Es war Francis, mit geschwärztem Gesicht, eine Schußwunde in der Schläfe, der Körper zur Hälfte mit Phosphor verbrannt. Ein bärtiger Mann hatte sich im Dorf herumgetrieben. B. und sein Freund, der Maler Patrix, trugen Bärte. Sie wurden vernommen: Sie hatten mit diesem Mord nichts zu tun. Anscheinend war Vintenon, der sich 1943 am Widerstand beteiligt hatte, von einem ehemaligen Kollaborateur umgebracht worden; es wurde sogar ein Name genannt; aber die Angelegenheit ist vertuscht worden.

Ein italienischer Regisseur wollte *Huis clos* verfilmen. Um am Drehbuch mitzuarbeiten und mit ihm zu reden, fuhr Sartre Ende September wieder nach Rom. Ich begleitete ihn. Lefèvre-Pontalis, den er gebeten hatte, ihm zu helfen, schloß sich uns an, zusammen mit seiner Frau. Wir blieben entsprechend unserem Geschmack mitten in der Stadt wohnen, im Hotel ‹Minerva›. Noch nie hatte ich Rom im sanften Licht des Oktobers gesehen. Noch nie hatte ich, von allen touristischen und gesellschaftlichen Pflichten befreit, ruhige Arbeitstage dort verbracht. Seitdem ich dort lebte, wurde mir die Stadt herrlich vertraut, und ihre Schönheit schien nur Beiwerk zu sein; es gab für mich noch viele unvorhergesehene Möglichkeiten, an den Gütern dieser Erde teilzuhaben.

Da mir Soupault viele Einladungen amerikanischer Universitäten verschafft hatte, war meine Reise in die Vereinigten Staaten beschlossene Sache; die Kulturabteilung hatte sich bereit erklärt, mein Flugbillett zu bezahlen: im Januar sollte es losgehen. Das ganze Vierteljahr war davon überglänzt. Für mich war es eine fieberhafte Zeit. Zwei Jahre hatten meine Lebensfreude nicht lähmen können. Ich wußte nur nicht so recht, womit ich sie nähren sollte. Ich gab die alten Illusionen nicht preis, obwohl ich den Glauben an sie verloren hatte. Die politischen Entscheidungen wurden immer schwieriger, und unsere freundschaftlichen Beziehungen litten unter diesem Zögern.

Trotz der gebieterischen Ratschläge de Gaulles, der mit seinen Reden in Bayeux und Épinal ins öffentliche Leben zurückgekehrt war, stimmten die Franzosen für die von der konstituierenden Versammlung vorgeschlagene Verfassung. Bei den Wahlen im November wurde die KP wieder zur stärksten Partei Frankreichs. Aber das MRP war nach wie vor stark, und die Gaullistische Union gewann Boden. Wir dachten nicht daran, uns von den Kommunisten zu entfernen – trotz ihrer hartnäckigen Feindseligkeit. (Kanapa veröffentlichte einen Roman über die Résistance, in dem Sartre als ein aufgeblasener Wichtigtuer, Feigling, ja fast als Provokateur hingestellt wurde.) Als Kritik an Koestlers *Sonnenfinsternis* und an seinem letzten Buch *Der Yogi und der Kommissar* veröffentlichte Merleau-Ponty in den *Temps Modernes* einen Artikel *Le Yogi et le Prolétaire*. Er beleuchtete den Sinn der Moskauer Prozesse und besonders des Verfahrens gegen Bucharin. Er schrieb, daß wir die objektive Wirklichkeit unserer Handlungen zwar nicht erfassen können, daß wir aber nach ihr und nicht nach unseren Handlungen beurteilt werden. Obwohl der politische Mensch sie nicht genau erkennen kann, unterwirft er sich ihr in dem Augenblick, da er seine Entscheidung trifft, und hat dann nicht mehr das Recht, seine Hände in Unschuld zu waschen. 1936 war in der isolierten, bedrohten Sowjetunion, welche die Revolution nur um den Preis monolithischer Härte retten konnte, das objektive Antlitz der Opposition der Verrat. Merleau-Ponty erinnerte die Russen daran, daß umgekehrt die Verräter nur Opponenten waren. Er ordnete die Moral dem geschichtlichen Ablauf unter – viel entschiedener, als das je ein Existentialist gewagt hatte. Wir hießen diesen Schritt gut, weil wir wußten – ohne uns von ihm gelöst zu haben –, daß der Moralismus die letzte Zitadelle des bürgerlichen Idealismus ist. Der Essay entfernte sich zu weit vom offiziellen Marxismus, als daß die Kommunisten ihn beifällig aufgenommen hätten. Bei der Rechten weckte er Empörung: Man beschuldigte ihn, den Stalinismus zu rechtfertigen.

Unsere Haltung mißfiel Camus. Sein Antikommunismus hatte bereits zu Auseinandersetzungen zwischen uns geführt. Als er mich im November 1945 im Auto nach Hause brachte, verteidigte er de Gaulle gegen Thorez. Im Wegfahren rief er mir durch die Tür nach: «General de Gaulle hat immerhin eine andere Schnauze als Monsieur Jacques Duclos!» Dieses nur durch schlechte Laune begründete Argument aus seinem Mund hat mich verblüfft. Sein damaliger Standpunkt war weit von de Gaulle entfernt, aber noch weiter von der KP. Als er aus New York zurückkehrte, hatte er für die USA noch weniger übrig als Sartre, aber seine feindselige Einstellung zur Sowjetunion wurde dadurch nicht gemildert. Während seiner Abwesenheit hatten Aron und Ollivier im *Combat* die SFIO unterstützt, die jetzt die Mehrzahl ihrer Anhänger aus dem Kleinbürgertum rekrutierte; er tadelte sie keineswegs dafür. Kurz nach seiner Rückkehr empfing er Bost in seinem Büro, das Aron mit den spöttischen Worten verließ: «Ich werde jetzt meinen reaktionären Leitartikel schreiben.» Camus war verwundert. Bost erklärte ihm, was er von der momentanen Linie der Zeitung halte. «Wenn es dir nicht paßt, kannst du ja gehen», sagte Camus. «Das werde ich auch tun!» erwiderte Bost, der mit dem *Combat* brach. Camus rief entrüstet aus: «Das also ist der Dank!» Trotzdem schrieb er längere Zeit hindurch nicht mehr im *Combat*, weil ihn, wie man mir erzählte, der wachsende Einfluß Arons irritierte. Ich glaube auch, daß er die Politik satt hatte. Er hatte sich ihr in dem Maße gewidmet, wie er in ihr den «direkten Appell des Menschen an seine Mitmenschen», das heißt eine Moral, gesehen hatte. Eines Tages hatte ihm Sartre diese Konfusion vorgeworfen. «Im *Combat* wird zuviel über Moral und zuwenig über Politik geschrieben.» Camus protestierte dagegen. Aber als er Mitte November 1946 zu der Zeitung zurückkehrte, geschah es abermals aus ethischen Erwägungen – mit dem Artikel «Weder Opfer noch Henker». Er liebte weder das Zögern noch die Risiken, die das politische Denken mit sich bringt. Um seiner selbst sicher zu sein, mußte er seiner Ideen sicher sein. Auf die widersprüchliche Lage reagierte er damit, daß er sich nicht mehr für sie interessierte, und Sartres Bemühungen, sich anzupassen, machten ihn ungeduldig. Der Existentialismus ging ihm auf die Nerven. Als er in den *Temps Modernes* den Anfang von *Pour une morale de l'ambiguïté* las, machte er einige bittere Bemerkungen. In seinen Augen hatte ich mich an der ‹französischen Klarheit› versündigt. Wir fanden, daß er sich im Namen dieses Ideals oft mit allzu simplen Gedanken begnügte – nicht aus Leichtsinn, sondern aus Voreingenommenheit: um sich zu schützen. Es ist hart, von anderen abhängig zu sein, wenn man sich für souverän gehalten hat. Von dieser den bürgerlichen Intellektuellen eigenen Illusion wurde keiner unter uns ohne Mühe kuriert. Bei allen zielte die moralische Reflexion darauf ab, diese Überlegenheit wieder zurückzugewinnen. Sartre und später auch ich hatten viel Ballast abgeworfen. Unsere alten Werte waren durch die Existenz der Massen untergraben worden: die Großmut, an der wir so hartnäckig festgehalten hatten, und sogar die Authentizität. Bei seinen Untersuchungen mochte Sartre zuweilen umhertasten, aber nie hatte er ein Brett vor dem Kopf. Camus war ständig auf der Hut. Er hatte eine Vorstellung von sich selber, auf die zu verzichten keine Mühe und keine Enthüllung ihn je hätte bewegen können. Unsere Beziehungen waren nach wie vor herzlich, aber dann und wann wurden sie durch Schatten getrübt. Die Schwankungen waren eher Camus als uns in die Schuhe zu schieben. Er räumte ein, daß wir ihm aus der Nähe sympathisch seien, aber daß er sich von weitem oft über uns ärgere.

Im Oktober gesellte sich ein sehr lebhafter und eigenwilliger Eindringling zu unserer Gruppe: Koestler, dessen Stück *Twilight Bar* in Paris aufgeführt werden sollte. Freunde hatten uns versichert, daß ihn sein Antistalinismus nicht nach rechts getrieben habe. Einer amerikanischen Zeitung hatte er erklärt, daß er, wenn er Franzose wäre, lieber nach Patagonien auswandern als unter einer gaullistischen Diktatur leben würde.

Unsere erste Begegnung fand im ‹Pont-Royal› statt. Er näherte sich Sartre mit angenehmer Einfachheit: «Guten Tag, ich bin Koestler.» Wir sahen ihn in der Wohnung an der place Saint-Germain-des-Prés wieder, die Sartre gerade zusammen mit seiner Mutter bezogen hatte. In kategorischem Ton, der durch ein fast frauliches Lächeln gemildert wurde, sagte Koestler zu Sartre: «Sie sind ein besserer Romanschriftsteller als ich, aber ein schlechterer Philosoph.» Er schrieb gerade an seinem philosophischen Hauptwerk, dessen Grundzüge er uns erläuterte. Er wollte dem Menschen etwas Freiheit zubilligen, ohne sich von dem physiologischen Materialismus zu entfernen. Mit Berufung auf die uns bekannten Werke erklärte er, daß die durch das Kleinhirn, den Thalamus und das Gehirn gesteuerten Systeme übereinanderliegen, ohne einander zu beherrschen. Zwischen dem Unten und dem Oben sei Platz für eine ‹Luftblase› der Freiheit. Ich dachte an *Die Kontingenz der Naturgesetze* von Boutroux und sagte mir, daß Koestler bestimmt ein besserer Romanschriftsteller als Philosoph sei. Am liebsten hätte ich gelacht, als er vom Thalamus sprach, weil er das Wort *thalamousse* aussprach, das mich an die *talmousses* genannten Kuchen erinnerte, die ich als Kind gegessen hatte. An diesem Tag fanden wir seine autodidaktische Pedanterie, seine doktrinäre Selbstsicherheit und die Wissenschaftelei, die er aus einer mittelmäßig fundierten marxistischen Bildung bezog, peinlich. Dieses Unbehagen blieb bestehen. Während wir mit Camus nie über unsere Bücher sprachen, war Koestler sofort bei der Hand, sich selber zu zitieren: «Sie müssen lesen, was ich darüber geschrieben habe.» Der Erfolg war ihm zu Kopf gestiegen: Er war eitel und rechthaberisch. Aber er besaß auch viel Wärme, Lebendigkeit und Wißbegier. Er war zu jeder beliebigen Tages- und Nachtzeit bereit, jede beliebige Frage zu diskutieren. Mit seinem Geld ging er genauso verschwenderisch um wie mit sich selber und seiner Zeit. Er protzte keineswegs, aber wenn man mit ihm ausging, wollte er immer zahlen und rechnete nicht nach, was er ausgab. Er war auf naive Weise stolz darauf, daß seine Frau Mamaine aus einer englischen Adelsfamilie stammte. Hellblond, sehr hübsch, sehr klug, war sie bereits von der Lungenkrankheit befallen, an der sie zehn Jahre später starb.

In den drei bis vier Wochen, die Koestler in Paris verbrachte, trafen wir ihn öfters, meistens in Gesellschaft von Camus. Die beiden waren eng miteinander befreundet. Einmal begleitete uns Bost, und unversehens entartete das Gespräch zu einem Wortwechsel, da Bost die Politik der KP verteidigte. «Sie hätten ihn nicht mitbringen sollen, das war ein Fehler», sagte Koestler am nächsten Tag streng zu uns. Er konnte junge Menschen nicht leiden. Er fühlte sich aus ihrer Zukunft ausgeschlossen und erblickte in jeder Diskriminierung ein Verdammungsurteil. Da er sehr sensibel war, verquält, voller Sehnsucht nach menschlicher Wärme, aber durch seine persönlichen Konflikte – «Ich habe meine Furien», sagte er – von seinen Mitmenschen abgeschnitten, gestalteten sich unsere Beziehungen zu ihm recht unterschiedlich. Eines Abends aßen wir zusammen mit ihm, Mamaine, Camus, Francine und gingen nachher in ein kleines Tanzlokal in der rue des Gravilliers. Dann lud er uns mit großartiger Geste ins ‹Shéhérazade› ein. Weder Camus noch wir setzten jemals einen Fuß in derartige Etablissements. Koestler bestellte Sakuski, Wodka, Champagner. Am nächsten Nachmittag sollte Sartre in der Sorbonne, unter der Schirmherrschaft der Unesco, einen Vortrag über die «Verantwortung des Schriftstellers» halten, auf den er sich noch nicht vorbereitet hatte. Wir hatten nicht damit gerechnet, daß es so spät werden würde. Der Alkohol, die Zigeunermusik und vor allem die Hitze unserer Debatten ließen uns die Zeit vergessen. Camus kehrte zu einem Thema zurück, das ihm am Herzen lag. «Wenn man doch die Wahrheit schreiben könnte!» Als Koestler die «Schwarzen Augen» hörte, wurde seine Miene finster. «Man kann unmöglich befreundet sein, wenn man sich auf politischem Gebiet nicht versteht!» sagte er in anklagendem Ton zu uns. Er brachte wieder seine Einwände gegen das Rußland Stalins aufs Tapet. Er warf Sartre und sogar auch Camus vor, mit dem Stalinismus zu paktieren. Wir nahmen seine Verdrossenheit nicht ernst. Wir hatten noch nicht begriffen, wie fanatisch er die Kommunisten haßte. Während er seinen Monolog hielt, sagte Camus zu uns: «Wir, das heißt ihr und ich, haben miteinander gemein, daß es uns vor allem auf die einzelne Person ankommt. Wir ziehen das Konkrete dem Abstrakten, die Menschen den Doktrinen vor, wir schätzen die Freundschaft höher als die Politik.» Wir stimmten ihm mit echter, durch den Alkohol und die späte Stunde gesteigerter Wärme zu. Koestler wiederholte: «Unmöglich! Unmöglich!» Und ich erwiderte leise, dann lauter: «Es ist möglich. Wir beweisen es in diesem Augenblick, weil wir trotz unserer Meinungsverschiedenheiten einander herzlich zugetan sind.» Zwischen uns und manchen Leuten hatte die Politik einen Abgrund geschaffen. Damals glaubten wir noch, von Camus nur durch sprachliche Nuancen getrennt zu sein.

Um 4 Uhr früh gingen wir essen und tranken dann in einem *bistro* bei den Hallen weiter. Koestler war nervös. Aus Scherz oder aus Gereiztheit wirft er eine Brotkruste über den Tisch, die Mamaine mitten ins Auge trifft. Ein wenig ernüchtert, entschuldigt er sich. Sartre machte sich immer wieder darüber lustig: «Wenn man bedenkt, daß ich über die Verantwortung des Schriftstellers sprechen werde!» Camus lachte. Auch ich lachte, aber der Alkohol hatte mich schon immer weinerlich gemacht, und als ich dann im Morgengrauen mit Sartre durch die Straßen von Paris wanderte, fing ich an zu schluchzen und das tragische Los der Menschen zu bedauern. Als wir die Seine überquerten, stieg ich auf die Brüstung der Brücke. «Ich verstehe nicht, warum man nicht ins Wasser springt!» – «Schön – springen wir!» sagte Sartre, der, von mir angesteckt, gleichfalls einige Tränen vergossen hatte. Um 8 Uhr morgens langten wir zu Hause an. Als ich Sartre um 4 Uhr nachmittags traf, sah er wüst aus. Er hatte nur zwei bis drei Stunden geschlafen und sich mit Orthedrin vollgepfropft, um den Vortrag entwerfen zu können. Als ich den überfüllten Hörsaal betrat, sagte ich mir: Wenn sie ihn heute früh um sechs gesehen hätten!

Durch Koestler lernten wir Manès Sperber kennen, der sich als seinen Lehrmeister und den fähigsten Psychologen des Jahrhunderts betrachtete. Er hatte viel Charme, aber als unversöhnlicher Adlerianer und wilder Antikommunist stieß er uns durch seinen Dogmatismus ab. Er erzählte uns, daß Malraux von einer sowjetischen Geheimwaffe gesprochen habe, die fürchterlicher sei als die Atombombe: ein unauffälliger Koffer, mit radioaktivem Staub gefüllt. Mitglieder der Fünften Kolonne – das heißt Kommunisten – würden zur gegebenen Stunde eine ganze Garnitur solcher Koffer an vorher bestimmten Stellen placieren, dann einen bestimmten Mechanismus auslösen und sich eilends entfernen. Die Einwohner Chicagos, New Yorks, Pittsburghs, Detroits würden wie die Fliegen umkommen. Man könne verstehen, daß Rechtskreise angesichts dieser Gefahr den Präventivkrieg predigten.

Etwa zwei Wochen nach unserem Bummel mit Koestler gaben die Vians ein Essen. Es waren viele Leute anwesend, darunter auch Merleau-Ponty. Vian hatte in den *Temps Modernes* mehrere Abschnitte seiner *Chroniques du menteur*, eine Novelle, *Les Fourmis*, und Bruchstücke aus

*L'Écume des jours* veröffentlicht, dessen Mißerfolg er gelassen hinzunehmen schien. Während wir uns Jazzplatten anhörten, unterhielten wir uns über Vernon Sullivan, den Autor des Romans *J'irai cracher sur vos tombes*, den Vian gerade übersetzt hatte: Es ging das Gerücht, daß Sullivan gar nicht existiere. Gegen 11 Uhr erschien Camus, schlecht gelaunt. Er war von einer Reise in den Süden zurückgekehrt. Er griff Merleau-Ponty wegen seines Artikels *Le Yogi et le Prolétaire* an. Er beschuldigte ihn, die Moskauer Prozesse in Schutz zu nehmen, und fand es empörend, daß er Opposition und Verrat auf eine Stufe stellte. Merleau-Ponty verteidigte sich, Sartre unterstützte ihn. Mit fassungsloser Miene schlug Camus die Tür hinter sich zu. Sartre und Bost liefen ihm auf die Straße nach, aber er weigerte sich, zurückzukommen. Dieses Zerwürfnis sollte bis zum März 1947 dauern.

Warum der Krach? Ich glaube, daß Camus sich in einer Krise befand, weil sein goldenes Zeitalter zu Ende ging. Er hatte einige triumphale Jahre erlebt. Er gefiel, er war beliebt. «Man findet mich charmant, stellt euch das vor! Wißt ihr, was Charme ist? Eine Manier, sich ja sagen zu hören, ohne daß eine klare Frage gestellt wurde.» (*Der Fall*) Seine Erfolge hatten ihn berauscht. Er glaubte sich zu allem fähig. «Da man mich mit Ehren überhäuft, hielt ich mich – ich zögere, es einzugestehen – für auserwählt.» Der Erfolg von *Der Fremde,* der Sieg der Widerstandsbewegung hatten ihn überzeugt, daß alles, was er anpackte, gelingen müsse. Wir besuchten zusammen mit ihm ein Konzert, zu dem ganz Paris gekommen war. Er war in Begleitung einer jungen Sängerin, für die er sich interessierte. «Wenn ich daran denke», sagte er zu Sartre, «daß wir morgen dieses Publikum beherrschen werden!» Dabei deutete er mit sieghafter Gebärde auf den Zuhörerraum. Auf seine Bitte schrieb Sartre die ersten Worte eines Chansons: «Mit der Hölle weiß ich umzugehen ...» Dabei blieb es. Als er kurz nach Hiroshima mit mir zu Mittag aß, sagte er, daß er beabsichtige, die Gelehrten der Welt zu bitten, ihre Forschungen einzustellen, um den Atomkrieg zu verhindern. «Ist das nicht ein bißchen utopisch?» wandte ich ein. Da schleuderte er mir entgegen: «Man könnte auch behaupten, daß es utopisch gewesen sei, Paris eigenhändig befreien zu wollen. Realismus heißt wagen!» Ich kannte seine Höhenflüge. Nachher gab er klein bei, ohne es recht einzugestehen. Von diesem Plan war nie mehr die Rede. Er merkte bald, daß alles nicht so einfach war, wie er es sich vorgestellt hatte. Er wich vor Hindernissen zurück, statt ihnen die Stirn zu bieten. Als ich mich auf einen Vortrag vorbereitete, gab er mir eines Tages einen verblüffenden Rat: «Wenn man Ihnen eine peinliche Frage stellen sollte, antworten Sie doch mit einer Gegenfrage.» Mehr als einmal enttäuschte er Studenten durch seine Ausflüchte. Er überflog die Bücher, statt sie richtig zu lesen; er war zu faul, um nachzudenken. Ich habe bereits erwähnt, wieviel Vorsicht sich hinter dieser Faulheit versteckte. Er liebte die Natur, die er beherrschte, aber die Geschichte stand seinem Individualismus entgegen, und er wollte sich ihr nicht fügen. Gerade durch diese Weigerung geriet er ins Hintertreffen: Sie verwandelte ihn aus einer «beispielhaften Wirklichkeit» in die «leere Bejahung eines Ideals», wie Sartre 1952 schrieb. Er wehrte sich gegen den Ansturm: Eher hätte er sich entschließen sollen, auf alte Träume zu verzichten. Nach und nach erregten die Widerstände, die seine Gesprächspartner, die philosophischen Systeme, die Welt im allgemeinen ihm bereiteten, seinen tiefen Unmut. Sie verletzten ihn wie Ungerechtigkeiten, weil er sich gegenüber den Dingen wie den Menschen im Recht fühlte. Da er selber sehr großzügig war, forderte er Anerkennung, und wenn man ein Wort, das ihm über die Lippen kam, ablehnte oder kritisierte, war das in seinen Augen reiner Undank. Es ging so weit, daß er einige Zeit später, von seiner eigenen Güte überwältigt, den Wunsch äußerte, «ohne Haß zu sterben»! (*Das Meer. Bordtagebuch*)

Im November fand die Generalprobe von *Morts sans sépulture* statt. Sartre hatte das Stück ein Jahr vorher geschrieben. In dem Augenblick, da die ehemaligen Kollaborateure wieder das Haupt zu heben begannen, hielt er es für richtig, Erinnerungen wachzurufen. Vier Jahre lang hatte er viel über das Problem der Folter nachgedacht. Im Freundeskreis diskutierte er darüber: Soll ich das Thema anschneiden? Wie wird man am besten mit diesem Problem fertig? Er hatte auch an die Beziehung zwischen dem Folterknecht und seinem Opfer gedacht. Alle seine Ideen waren in dem Stück enthalten. Wieder einmal stellte er Moral und Praxis einander gegenüber: Lucie bleibt in ihrem individualistischen Stolz fest, während es dem militanten Kommunisten, dem Sartre recht gibt, um die Wirkung zu tun ist.

Sartre hatte die Rollen Vitold, Cuny, Vibert, Chauffard und Marie Olivier anvertraut. Vitold besorgte die Inszenierung. Aber es war nicht leicht, ein Theater zu finden. Während Sartres Amerika-Reise hatte ich meine Anstrengungen verdoppelt. Die Folterepisode wirkte abschreckend: «Angesichts meiner Haltung im Kriege», sagte Hébertot, «kann ich es mir nicht erlauben, ein solches Stück aufzuführen.» Auch Beer zog sich zurück — nachdem er mir Hoffnung gemacht hatte, es für das Théâtre de l'Œuvre anzunehmen. Schließlich sprang Simone Berriau in die Bresche, die soeben wieder das Théâtre Antoine übernommen hatte. Masson entwarf die Dekorationen. Um den Abend zu füllen, schrieb Sartre in wenigen Tagen *La Putain respectueuse* [*Die ehrbare Dirne*], angeregt durch eine wahre Begebenheit, die er in Pozners *Die unvereinigten Staaten* gelesen hatte. Die Folterszene spielte fast nur hinter der Bühne; von der Kulisse aus gesehen, wirkte sie nicht so erschreckend und reizte sogar zum Lachen, weil Vitold, der um diese Zeit immer unheimlich hungrig war, sich auf sein Butterbrot stürzte und zwischen zwei Schmerzensschreien kräftig hineinbiß. Am Abend der Generalprobe saß ich im Zuschauerraum, und von dort aus war alles ganz anders. Ich hatte selber erlebt, wie aus einem bedeutungslosen Spiel ein Ereignis werden kann. Diesmal aber war, wie die weisen Theaterdirektoren es vorausgesehen hatten, das Ergebnis ein Skandal. Auch ich war betroffen. Vitolds Schreie, die ich nun sozusagen mit anderen Ohren vernahm, erschienen mir fast unerträglich. Mme Stève Passeur erhob sich, den Hut auf dem Kopf, und rief aus: «Das ist unerhört!» In den ersten Reihen wurde man handgreiflich. Arons Frau ging in der Pause weg, und er folgte ihr. Der Sinn dieses Gezeters war sonnenklar: Die Bourgeoisie war dabei, ihre alte Position wieder einzunehmen, und fand es geschmacklos, wenn man unangenehme Erinnerungen heraufbeschwor. Sartre selber wurde ein Opfer des Unbehagens, das er provozierte. Um sich dagegen zu wehren, trank er an den ersten Abenden, sowie die Folter begann, etliche Whiskies, und sehr oft schwankte er auf dem Heimweg. Die bürgerliche Kritik sprach von Grand Guignol und warf Sartre vor, den Haß zu schüren. Ein neu gegründetes Skandalblatt, *France-Dimanche*, schickte einen Journalisten zu Sartre, der, als die Tür aufging, schnell eine Aufnahme machte, die angeblich Sartres Mutter zeigte: Sie war es aber gar nicht. Der Artikel, den er veröffentlichte, war noch widerlicher als der, den der *Samedi-Soir* ein Jahr früher gebracht hatte.

Ungefähr um dieselbe Zeit inszenierte Barrault im Théâtre Marigny *Die Nächte des Zorns*, ein Stück, in dem auch Salacrou eine Geschichte aus der Widerstandsbewegung erzählt. Für seine Technik übernahm er aus dem Film die Rückblende und den Szenenschnitt. Die Dialoge, die Madeleine Renaud und Jean Desailly von einer abwartenden Haltung zum Verrat führten, fanden wir ausgezeichnet. Die ‹positiven› Seiten des Dramas traten weniger deutlich hervor. Die Gespräche der Milizleute sind auch in den *Morts sans sépulture* besser gelungen als die ihrer Opfer. Den Heroismus zu schildern, lohnt sich nicht. Daß so geschickte Dramaturgen wie Sartre und Salacrou sich überhaupt an diese Aufgabe herangewagt haben, hing damit zusammen, daß der Moralismus der damaligen Zeit nahezu unwiderstehlich war. (Das allgemeine Gerede und ganz besonders Henri Jeanson schrieben Sartre einen boshaften Kommentar zu: «Salacrou sind seine Kollabos besser geglückt als seine Widerstandskämpfer, weil er sie besser kannte.» Dabei hatte Sartre gesagt, daß er die Bourgeoisie im allgemeinen besser kenne als die *dinamiteros* der Résistance.) Ein wenig später, im Januar 1947, wurde im Théâtre de la Renaissance *Quatre femmes* von Mouloudji aufgeführt. Durch die Verhaftung Lolas inspiriert, schilderte er den Alltag von vier weiblichen Häftlingen. Das Stück hatte keinen Erfolg. Die Kritiker wiederholten nur gereizt, daß es an der Zeit sei, die Vergangenheit zu begraben.

Die Kommunisten hatten im großen und ganzen *Morts sans sépulture* gelobt. Als Sartre aber anläßlich eines von seinem Bühnenagenten, dem

Verleger Nagel, veranstalteten Essens zum erstenmal mit Ehrenburg zusammentraf, warf ihm dieser mit aller Schärfe vor, daß er aus den Widerstandskämpfern Feiglinge und Denunzianten gemacht habe. Sartre fiel aus allen Wolken. «Haben Sie das Stück gelesen?» Ehrenburg gab zu, daß er nur die ersten Bilder überflogen hatte, aber seine Auffassung war nicht zu erschüttern: «Wenn ich diesen Eindruck gewonnen habe, muß es Gründe dafür geben.» Was *La Putain respectueuse* betraf, so bedauerten die Kommunisten, daß Sartre dem Publikum nicht statt eines vor Angst und Ehrerbietung zitternden Negers einen echten Kämpfer vor Augen geführt habe. Sartre erwiderte darauf: «Weil mein Stück die Unmöglichkeit widerspiegelt, heute in den Vereinigten Staaten das Negerproblem zu lösen.» (Das war 1946.) Sie aber hatten eine kategorische Vorstellung von Sinn und Form der Literatur, eine Konzeption, der er sich nicht beugen wollte.

Sie forderten erhabene Werke: epische Größe, Optimismus. Sartre stellte die gleichen Forderungen, aber auf seine Art. Er hat es in seinen unveröffentlichten Aufzeichnungen niedergelegt, daß er die a-priori-Hoffnung ablehne. Damals sah er in der Handlung eine vermittelnde Idee zwischen einem gewissen, durch die Résistance inspirierten Moralismus und dem Realismus der Praxis. Die Tat darf sich nicht in ein Kalkül der Aussichten auflösen: Sie ist an und für sich die einzig zulässige Hoffnung. Der Schriftsteller soll nicht eine strahlende Zukunft in Aussicht stellen, sondern die Welt so zeigen, wie sie ist, und damit den Wunsch erwecken, sie zu ändern. Je überzeugender das Bild ist, das er gibt, desto besser verwirklicht er seine Absicht: Auch das düsterste Werk ist nicht pessimistisch, wenn es im Namen der Freiheit an den Freiheitssinn appelliert. So erregt *La Putain respectueuse* die Entrüstung des Publikums; andererseits lassen Lizzies Versuche, ihren seltsamen Verhältnissen zu entrinnen, eine Chance erkennen, daß sie dieses Ziel auch erreiche. Außerdem verstand Sartre den Gesichtspunkt der Kommunisten: Auf dem Niveau der Massen ist die Hoffnung ein Element des Handelns. Der Kampf ist zu schwer, als daß sie sich auf ihn einließen, wenn sie nicht an den Sieg glaubten. Was er als «harten Optimismus» bezeichnete, ist nur einem Publikum gegenüber angebracht, dem die Wirklichkeit nicht an die Gurgel springt: Es bedarf der Überlegung, der Distanz, der Zuversicht, um über die kritische Haltung hinauszugehen, statt in ihr zu versinken. Als *La Putain respectueuse* verfilmt wurde, änderte er den Schluß von sich aus. Lizzie beharrt auf ihrem Versuch, den unschuldigen Neger zu retten. Der Stil des Theaterstücks, einer zähneknirschenden Posse, wahrt den Abstand zwischen Zuschauer und Handlung. Auf der Leinwand hätte dieser Ausgang allzu direkt gewirkt. Wenn man außerdem den Leuten, die so wohlhabend sind, daß sie ins Theater gehen können, zeigt, daß es heutzutage erschreckende und hoffnungslose Situationen gibt, beunruhigt man sie, rüttelt sie auf: mit Recht. Der Film aber läuft vor Millionen von Zuschauern, für die ihr eigenes Dasein ausweglos im Elend versinkt. Jede Niederlage ist ihre Niederlage. Indem man sie entmutigt, verrät man sie. Sartre notierte einige Jahre später: «Die Kommunisten haben recht. Ich habe nicht unrecht. Für unterdrückte, ermattete Menschen ist die Hoffnung unerläßlich. Sie haben nur allzuoft Anlaß zur Verzweiflung. Aber man muß auch an der Möglichkeit einer illusionslosen Tat festhalten.» Er hat an ihr festgehalten. (In seinen Stükken und seinen Romanen nähert sich Sartre den ästhetischen Auffassungen, wie der junge Lukács sie in der *Theorie des Romans* definiert hat. Goldmann schreibt in einer Einleitung zu seinen frühen Schriften – *Temps Modernes*, August 1962 –, daß für Lukács der «Held des Romans ein problematisches Wesen» ist. Er «sucht die absoluten Werte in einer unechten und verkommen Welt». Die Romanwelt kann keinen positiven Helden zulassen, aus dem einfachen Grunde, weil alle Werte, die sie beherrschen, nur implicite gelten und weil in bezug auf diese Werte sämtliche Personen einen gleichzeitig negativen und positiven Charakter haben. Wenn aber die Literatur sich nicht mehr an die Privilegierten wendet, sondern an die Unterdrückten, ist es unmöglich, das Problem aufzuwerfen, ohne eine Lösung auch nur wenigstens zu skizzieren. Als wir 1955 den bedeutenden chinesischen Schriftsteller Lousin entdeckten, stellten wir zu unserer Überraschung fest, daß er wie Sartre 1936 mit seinen kommunistischen Genossen eine ähnliche Meinungsverschiedenheit auszukämpfen hatte. Er schilderte die Gesellschaft, in der zu der Zeit eine Revolution nicht möglich war, unter rein kritischen Gesichtspunkten. Man verlangte von ihm, die Zukunft vorauszusagen. Er fügte sich zuletzt im Namen der Handlungsimperative, war aber der Meinung, daß von diesem Augenblick an seine Werke keinen künstlerischen Wert mehr besaßen. Aus den gleichen Gründen war Brecht lange Zeit der Sowjetunion suspekt: Seine Waffe ist die Ironie, nicht aber die tugendhafte Regung.)

Ich arbeitete an meinem Essay und beschäftigte mich mit den *Temps Modernes*. Sooft ich ein Manuskript zur Hand nahm, spürte ich den Atem des Abenteuers. Ich las englische und amerikanische Bücher, die in Frankreich keine Beachtung fanden. Jeden Dienstag nahm ich bei Gallimard an der Lektorenkonferenz teil. Es gab lustige Intermezzi, als zum Beispiel Paulhan ein Buch auf kluge Art zerpflückte und dann hinzufügte: «Selbstverständlich muß man es veröffentlichen.» Einmal wöchentlich empfingen wir in der Redaktion Leute, die uns Manuskripte oder Vorschläge brachten oder einen Rat von uns haben wollten. In den letzten Jahren hatte sich vieles ereignet, und weder die Presse noch die Verlage verfügten über die materiellen Mittel, alles zu bewältigen. Augenzeugen und Chronisten gab es im Übermaß. Ich war schon froh, wenn ich einem Autor mitteilen konnte, daß seine Arbeit angenommen sei. Aber sobald Striche notwendig wurden, erschien dem, der sie geschrieben hatte, jede Zeile unentbehrlich. Eine noch undankbarere Aufgabe war es, nein zu sagen. Der Betreffende revoltierte: Er wies nach, daß sein Artikel vortrefflich, daß er, der Verfasser, begabt sei. Er ging weg mit der festen Überzeugung, daß er einer Intrige zum Opfer gefallen sei. Da gab es junge Menschen, die um jeden Preis sofort durchkommen wollten, alte, die einen letzten Versuch machten, Unverstandene, die davon träumten, der Langeweile des häuslichen Daseins zu entrinnen, Männer und Frauen jeglichen Alters, die Geld brauchten. Viele suchten in der Literatur aufrichtig eine Art Seelenheil, die meisten aber wollten sie billig erwerben, ohne den gerechten Preis an Mühe und Kummer zu zahlen. Im allgemeinen machten sie sich merkwürdige Vorstellungen von dem Zusammenhang zwischen Leben und Literatur. Eine junge Frau reichte ein Romanmanuskript ein, dessen Heldin zwischen einem widerlichen bürgerlichen Ehemann und einem proletarischen, mit allen Vorzügen ausgestatteten Liebhaber schwankt: Die Heldin schreibt ihre Lebensgeschichte, ein Verlag bringt das Buch heraus, sie verdient Millionen und geht mit dem geliebten Mann auf eine Weltreise. Ich kritisierte unter anderem die Engelsnatur des Liebhabers. «Ich verstehe Sie durchaus», sagte sie, «denn Sie kennen ihn nicht: Er ist wirklich so!» Zwei Jahre später schrieb sie mir: «Ihre Kritik war richtig. Ich hatte mich getäuscht. Er hat mit mir gespielt. Er ist nicht der Mensch, für den ich ihn hielt.» Manchmal mußte ich lachen, bei anderen Gelegenheiten kam mir das alles recht betrüblich vor – diese teils bescheidenen, teils wahnwitzigen Ambitionen, die in den vier Wänden der Redaktion gärten. Oft war es tragisch – oft aber auch burlesk. Einer unserer lärmendsten Besucher war der Surrealist Abbé Gengenbach, der, halb und halb schon von der Kirche ausgestoßen, seine Soutane verhöhnte, reichlich trank, sich mit Frauen herumtrieb und sich dann plötzlich in ein Kloster zurückzog, um Buße zu tun. Er reichte Manuskripte ein, die oft sehr geistreich waren, und verlangte Geld. Der Alkohol machte ihn gewalttätig. Eines Tages sprach er über Breton. «Aber warum verabscheut er Gott?» sagte er und weinte so hemmungslos, daß ich ihn in ein leeres Zimmer schleppte. Ein andermal kam eine Verlagssekretärin wie ein Wirbelwind hereingestürzt: Ein Autor, dessen Manuskript abgelehnt worden war, hatte sich in Lemarchands Büro die Pulsadern geöffnet.

Im November machte ich eine Vorlesungstournee durch Holland. «Vor zwei Jahren habe ich zwanzig Kilo mehr gewogen», sagte die junge Frau, die mich in Amsterdam vom Bahnhof abholte. Alle redeten nur von der Hungersnot. Die Parks waren verwüstet, weil man die Bäume gefällt hatte, um die Öfen zu heizen. Die alte Dame, die mir Rotterdam zeigte, führte mich durch große zerstörte Stadtteile. «Das waren die alten Viertel. Dort hat mein Haus gestanden.» Von der ganzen Stadt waren nur Trümmer übriggeblieben. Das Land erholte sich nicht sonderlich schnell. In den Schaufenstern lagen nur Attrappen. Die Läden waren leer. Für den kleinsten Einkauf mußte man Marken haben. Als ich nach

Paris zurückkehrte, hatte ich die Taschen voller Gulden, die ich nicht hatte loswerden können.

Ich wußte, wie tapfer die Holländer sich gegen die Besetzung gewehrt hatten; den meisten, die ich kennenlernte, brachte ich freundschaftliche Gefühle entgegen. Trotzdem bedrückte mich die offizielle Seite dieser Rundreise. Um die Schönheit der Städte und der Museumsschätze genießen zu können, mußte ich hie und da allein sein. Aus lauter Liebenswürdigkeit gönnte man mir keine freie Sekunde. Ich protestierte einige Male. Weit öfter gebrauchte ich eine List. Ich fuhr mit dem Frühzug nach Haarlem und behauptete, erst abends angekommen zu sein. Auf diese Weise konnte ich mir ungestört die Werke Frans Hals' anschauen.

Nach Ablauf einer Woche reiste Sartre mir nach. Er hatte die Generalprobe von *Twilight Bar* besucht: Es war eine Katastrophe gewesen. Gemeinsam betrachteten wir die Rembrandts, die Vermeers: ein Stück roter Mauer, die so erschütternd war wie die gelbe Mauer, die Proust geliebt hat. «Warum ist das so schön?» fragte sich Sartre. Wir saßen in einem Zug, der durch eine Heidelandschaft fuhr, und ich hörte ihm mit einer Wißbegier zu, die sich in fünfzehn Jahren nicht abgestumpft hatte. Diese gemalten Ziegel lieferten ihm die Definition des Begriffes Kunst, die er einige Wochen später in *Qu'est-ce que la littérature?* [*Was ist Literatur?*] veröffentlichte. Eine Erneuerung der Welt durch die Freiheit.

Wir blieben zwei Tage in Utrecht. Dort entdeckten wir den verheerenden Einfluß der Italiener auf die einheimischen Maler. Anfangs kraftvoll und echt, brachten sie nach der Rückkehr aus Florenz nur noch Albernheiten zustande. Wir besuchten das von Van Lennep geleitete psychologische Institut. Er hatte an Sartre geschrieben und in Paris mit ihm diskutiert. «Inwieweit ist das ‹Projekt› eine Flucht?» fragte er. Diese Frage interessierte mich ungeheuer, da ich so lange Zeit hindurch dazu geneigt hatte, jede Art von Beschäftigung als Zerstreuung zu betrachten. Van Lennep unterzog uns einer graphologischen Prüfung. Er hatte einen Apparat erfunden, der ihm erlaubte, während der Betreffende schreibt, den Druck, die Schnelligkeit und den Rhythmus der Schriftzüge zu messen. Nachher wurde unsere Schrift an die Wand projiziert. Der Unterschied zwischen meiner und Sartres Schrift war so groß, daß die anwesenden Sachverständigen uns bedauerten. Wir gaben uns zu verschiedenen im Versuchsstadium befindlichen Tests her, die Van Lennep erfunden hatte und die noch wenig bekannt waren. Er zeigte uns Bilder eines galoppierenden Pferdes, eines Motorbootes, eines Eisenbahnzuges, eines laufenden Menschen: Welches Bild uns den deutlichsten Eindruck der Geschwindigkeit vermittle? Der Mensch, erwiderte ich ohne Zögern: Nur bei ihm erscheine mir die Geschwindigkeit bewußt erlebt. Sartre wählte ohne Zögern das Boot, weil es sich auf die Wasserfläche stürzt und sie verschlingt. Er lachte über meine Antwort, ich lachte über seine

Antwort, und jeder war der Ansicht, daß sich der andere auf naivste Weise entlarvt habe.

Wir fuhren nach Paris zurück. Dort stellte Calder gerade seine Mobiles aus, die man in Frankreich noch nie gesehen hatte. Sartre hatte ihn in Amerika kennengelernt und fand diese ‹Kleinen Dorffeste› recht charmant. Er schrieb das Vorwort zu dem Katalog. Groß, dickbäuchig, korpulent, das feiste Puppengesicht von dichtem weißem Haar überwuchert, schien Calder dafür geschaffen, uns inmitten seiner luftigen Schöpfungen die Schwere der Materie vor Augen zu führen. Er fertigte gern Schmuck an. Am Tage der Vernissage schenkte er mir eine spiralförmige Brosche, die ich lange Zeit getragen habe.

Wir verkehrten mit vielen Menschen, und ich hatte seit 1943 meine Meinung nicht geändert: An Schriftstellern und Malern, deren Werke mir gefielen, fand ich immer etwas Sympathisches. Trotzdem wunderte es mich, wenn ich bei dem einen oder anderen gewisse Mängel entdeckte, die meine Sympathie herabminderten: Eitelkeit, Geltungsdrang. Statt die Beziehungen zum Leser in ihrer Wechselseitigkeit zu erleben, wendet man sich der eigenen Person zu, erfaßt sich selber in der Dimension des Anderen: Das ist Eitelkeit. Bei jungen Menschen finde ich sie fast rührend – sie kennzeichnet ihr naives Vertrauen zu anderen. Diese Naivität gibt sich bald. Verlängert sich aber dieser Zustand, dann verwandelt sich die Naivität in Infantilismus, und das Vertrauen wird zur Servilität. Der Eitle, der mit sich und der Welt zufrieden ist, kann ein recht angenehmer Gesellschafter sein, auch wenn er zu viel über sich selber spricht; man kann über ihn lachen. Er ist ein Tropf, der alle höflichen Komplimente für bare Münze nimmt. Hat er Schiffbruch erlitten, dann verfällt er in Mythomanie, schätzt sich höher ein als die Komplimente oder wird böse, spinnt üble Intrigen und brütet Rache. Auf alle Fälle ist er ein Heuchler. Sein Hochmut steht in Widerspruch zu der Abhängigkeit, in die er sich freiwillig begibt. Indem er Schmeichelei fordert, erniedrigt er sich, während er sich damit ins rechte Licht zu setzen glaubt. Indem er sich allzu laut über das Bild beklagt, das die Öffentlichkeit sich von ihm gemacht hat, wird er schließlich zum Sklaven dieses Bildes. Er verfällt unrettbar dem Geltungsdrang, der die akuteste Form der Eitelkeit ist.

Sooft ich diesem Phänomen bei einem Kollegen begegne, bin ich bestürzt: Wie kann man sich der persönlichen Wirkung zuliebe selbst verstümmeln! Es ist leichtsinnig – ich habe es erlebt –, das Gewicht der Persönlichkeit zu verkennen. Was man für den anderen bedeutet, muß man akzeptieren. Wenn man andererseits Fähigkeiten besitzt, ist es empfehlenswert, von ihnen Gebrauch zu machen, und im gegebenen Falle erlaubt, sich etwas darauf zugute zu tun. Die Wahrheit eines Menschen umfaßt seine objektive Existenz und seine Vergangenheit. Aber sie beschränkt sich nicht auf diese erstarrten Werte. Der Wichtigtuer, der in ihrem Namen die ständige Erneuerung des Lebens leugnet, verkörpert in seinen eigenen Augen eine Autorität, an der jede Einsicht zerschellt. Statt ehrlich nach einer Antwort auf die immer neuen Fragen zu suchen, die auf ihn zukommen, kennt er nur das eine Evangelium – sein Werk. Oder er stellt das, was er früher einmal gewesen ist, als Beispiel hin. Durch dieses ständige Wiederkäuen des Gestrigen bleibt er – mögen seine Leistungen noch so strahlend gewesen sein – hinter dem Lauf der Welt zurück und wird zu einem Museumsstück. In dieser erstarrten Einstellung steckt viel Heuchelei. Wenn man schon die Ehre für sich in Anspruch nimmt, warum verschanzt man sich dann hinter seinem Namen, seinem Ruf, seinen großen Taten? Entweder tut er nur so, als verachte er die Menschen, oder er will von ihnen vergöttert werden. Warum? Weil er es nicht wagt, auf gleichem Fuß mit ihnen zu verkehren. Er verzichtet auf seine Freiheit, weil er die Gefahren fürchtet. Diese Kurzsichtigkeit und diese Lügen empörten mich besonders bei den Schriftstellern, deren wichtigste Tugend – auch wenn sie sich den weitläufigsten Abschweifungen hingeben – eine unerschrockene Aufrichtigkeit sein müßte.

Ich bin nicht versucht, von mir selber fasziniert zu sein, weil ich noch nicht aufgehört habe, mich über mein Glück zu wundern. Obwohl das Reisen mit so viel Schwierigkeiten verbunden war, hatte ich zahlreiche Länder besucht und sollte nun nach Amerika fahren. Wenn mich jemand interessierte, glückte es mir meistens, seine Bekanntschaft zu machen. Ich wurde viel eingeladen: Wenn ich meinen Fuß nie in diverse Salons setzte, dann aus dem einfachen Grunde, weil ich keine Lust dazu hatte. Um an Menschen Gefallen zu finden, muß ich mit ihnen über grundlegende Dinge einer Meinung sein. Die emanzipiertesten Weltdamen würden nicht an meinen Tisch gehören. Hätte ich ihr Leben geteilt, würde ich mich gelangweilt und blamiert haben. Deshalb habe ich auch nie ein Abendkleid besessen. Ich sträubte mich nicht gegen die Livree meines Geschlechtes (oft trage ich ausgesprochen weibliche Kleider), sondern gegen die ihrer Klasse. Genet hat mir die übertriebene Einfachheit meiner Garderobe vorgeworfen. Simone Berriau sagte eines Tages zu mir: «Sie ziehen sich nicht gut genug an!» In Portugal hatte es mir Spaß gemacht, mich von Kopf bis Fuß neu einzukleiden. Hübsche Sachen finde ich hübsch. Aber der Kult der Eleganz setzt eine Wertskala voraus, die nicht die meine ist. Und mit Geld läßt sich allzuviel anfangen, als daß ich nicht Bedenken haben sollte, es für Toiletten zu vergeuden.

Das Geld wurde für mich zu einem Problem. Ich respektiere es, weil es die meisten Menschen nur mit harter Mühe erwerben. Als ich mir im Laufe jenes Jahres darüber klarwurde, daß Sartre von nun an über sehr viel Geld verfügen werde, wurde mir angst und bange. Wir hatten die Verpflichtung, es auf die bestmögliche Art anzuwenden. Wie aber sollte man unter den vielen wählen, die Geld brauchten? Auf unseren Spaziergängen rund um La Pouèze unterhielten wir uns besorgt über diese neuen Verpflichtungen. De facto wichen wir ihnen aus. Sartre hatte das Geld nie ernst genommen, er wollte nicht rechnen und fand es abscheulich. Er hatte weder Sinn noch Zeit, sich in eine philanthropische Institution zu verwandeln. Außerdem hat eine allzu perfekt geregelte Wohltätigkeit etwas Unangenehmes an sich. Fast alles, was er verdiente, gab er, so wie der Zufall es wollte, einem Freund, einem Bekannten, einem Bittsteller. Ich sah mit Entsetzen, daß er in seiner Großzügigkeit sehr leichtsinnig verfuhr, und beruhigte mein Unbehagen dadurch, daß ich für meine Person möglichst wenig ausgab. Für die Vortragstournee in Amerika brauchte ich ein Kleid. Ich kaufte mir in einem kleinen Modehaus ein Trikotkleid, das ich hinreißend fand, das aber teuer war: 25 000 Francs. «Das ist meine erste Konzession», sagte ich zu Sartre und brach in Tränen aus. Meine Freunde lachten mich aus, aber ich konnte mich gut verstehen. Noch bildete ich mir ein, obwohl ich in *Le Sang des autres* das Gegenteil bewiesen hatte, daß es einen Weg geben müsse, sich nicht mit dem sozialen Unrecht zu besudeln, und ich verübelte es uns beiden, daß wir diesen Weg nicht suchten. Eigentlich aber gibt es keinen, und mit der Zeit bin ich zu der Überzeugung gelangt, daß Sartres Lösung genauso gut ist wie jede andere. Im übrigen war er nicht damit zufrieden. Die Privilegien belasteten ihn. Wir hatten einen kleinbürgerlichen Geschmack, unsere Lebensweise war nach wie vor bescheiden. Trotzdem besuchten wir Restaurants und Bars, in denen Schieber verkehrten, in denen man auf rechtsgerichtete Leute stieß. Es ärgerte uns, daß wir überall Louis Vallon trafen. Ohne mich je an unsere neuen Lebensumstände zu gewöhnen, zögerte ich allmählich – zu Recht oder zu Unrecht – immer weniger, von ihnen zu profitieren: Es war ja dem Zufall überlassen, wann das Geld hereinströmte und wieder verschwand. Mehrere Male machte ich mit Sartre kostspielige Reisen. Ich wünschte sie mir so sehnlich, und sie brachten mir so viel ein, daß ich mir keinen Vorwurf daraus machte. Alles in allem war die Art, wie ich mich zu gewissen ‹Konzessionen› herbeiließ, während ich andere ablehnte, zweifellos willkürlich, aber ich halte es für unmöglich, auf diesem Gebiet konsequent zu bleiben. Ich werde später noch einmal darauf zu sprechen kommen.

Nach meiner Rückkehr aus Holland erfuhr ich, daß *Tous les hommes sont mortels* erschienen war. «Meine Frau mag Ihren letzten Roman sehr gern», sagte Nagel zu mir. «Sie wissen, die Leute finden ihn schlechter als die anderen, sie aber liebt ihn sehr.» Ich kannte mich nicht aus. Ich hatte mit so viel Freude daran gearbeitet, daß ich ihn bei weitem für den besten hielt. Mehrere Freunde, die das Manuskript gelesen hatten, waren derselben Meinung. Ich hatte gehört (vielleicht stimmt es nicht), daß Queneau Gallimard vorgeschlagen hatte, 75 000 Exemplare drucken zu lassen. Ich war bestürzt, als ich durch Zette erfuhr, daß Leiris mir vorwarf, das Phantastische auf allzu rationale Weise zu benützen: Das ist die Ansicht eines Surrealisten, sagte ich mir, um mich zu trösten. Nagels Äußerung überraschte mich und war für mich ein kleiner Schock. Sie wurde aber sehr bald auch von anderer Seite bestätigt. Die Kritik war schonungslos: Rousseaux ging so weit, daß er bereute, je ein günstiges Wort über mich geäußert zu haben, und erklärte, daß ich nie mehr etwas Gutes schreiben würde. Im engsten Kreis und auch außerhalb gab es nach wie vor Leute, die das Buch verteidigten, aber gemessen an meinen früheren Erfolgen war es ein unbestreitbares Fiasko. Ich war dem Urteil einzelner Rezensenten und noch mehr dem des Publikums durchaus zugänglich: Wenn man mich ablehnte, mußte es daran liegen, daß ich mehr oder weniger mein Ziel verfehlt hatte. Das fand ich bedauerlich, ohne mich übermäßig aufzuregen. Ich weigerte mich auch weiterhin, mich selbst zu erforschen und zu quälen, sondern gab nach wie vor das Vertrauen in die Zukunft nicht auf.

# 3

Ich hatte nicht die Absicht, ein Buch über Amerika zu schreiben, aber ich wollte Amerika gern sehen. Ich kannte die amerikanische Literatur, und trotz meines schrecklichen Akzents sprach ich fließend englisch. Ich hatte drüben einige Freunde: Stépha, Fernand, Lise. Sartre gab mir Adressen. Ich aß mit Ellen und Richard Wright zu Abend, die noch einmal nach New York fahren wollten, bevor sie sich endgültig in Paris niederließen.

Ich verabschiedete mich von Olga, die sich zur Kur in Leysin aufhielt. Sie war entschlossen, nicht mehr lange dort zu bleiben; vor lauter Langeweile hatte sie abgenommen. Das Milieu war genauso trist wie in Berck. Schon nach vierundzwanzig Stunden fühlte ich mich deprimiert. Ich kehrte nach Paris zurück. Und wartete. Es überquerten vorerst nur wenige Flugzeuge den Atlantik, und dieser Winter war so tückisch, daß sie sehr oft mitten über dem Ozean umkehren mußten. Ein Platz war schwer zu bekommen. Endlich begleitete mich Sartre eines Abends zur Gare des Invalides, und ich verbrachte in Orly zwei schreckliche Stunden: die Entfernung, die lange Dauer meiner Abwesenheit, der Nimbus Amerikas, alles an dieser Reise war berauschend und zugleich erschreckend. Und nun sollte die Maschine erst am nächsten Tag abfliegen! Ich rief im ‹Montana› an, traf mich dort mit Sartre und Bost, war aber nicht mehr ganz da, und den nächsten Tag tappte ich wie im Nebel umher. Endlich ging es los.

In New York traf ich M. Sie war im Begriff, nach Paris zu reisen, wo sie bis zu meiner Rückkehr bleiben wollte. Sie war so reizend, wie Sartre sie geschildert hatte, und hatte das hübscheste Lächeln der Welt.

Frankreich und Italien gingen noch in Sack und Asche. Die Schweiz war langweilig. Der amerikanische Luxus warf mich um: die Straßen, die Auslagen, die Autos, die Frisuren und Pelze, die Bars, die *drugstores*, die grellen Neonlichter, die riesigen Entfernungen, die man mit dem Flugzeug, der Bahn, dem Auto, mit den Greyhound-Bussen bewältigt, die abwechslungsreiche Pracht der Landschaft, vom Schnee des Niagara bis zu den flammenden Wüsten Arizonas, und die verschiedenartigen Menschen, mit denen ich mich tage- und nächtelang ausführlich unterhielt. Ich verkehrte nur mit Intellektuellen, aber was für ein Unterschied zwischen dem Weißkäsesalat am Vassar-College und der Marihuanazigarette, die ich mit Bohemiens aus Greenwich in einem Zimmer des ‹Plaza› rauchte! Eine der großen Möglichkeiten, die diese Reise – obwohl ich durch das Vortragsprogramm gebunden war – mir zu bieten hatte, lag darin, daß dem Zufall und der Phantasie ein bedeutender Spielraum gelassen war. Wie ich ihn ausgenutzt habe, das habe ich ausführlich in *L'Amérique au jour le jour* [*Amerika – Tag und Nacht*] geschildert.

Ich war bereit, Amerika zu lieben. Es war allerdings das Vaterland des Kapitalismus, aber es hatte dazu beigetragen, Europa vom Faschismus zu befreien. Die Atombombe hatte ihm die führende Rolle in der freien Welt gesichert, und es hatte nichts mehr zu befürchten. Die Bücher gewisser liberaler Amerikaner hatten mich davon überzeugt, daß diese Nation einen klaren und deutlichen Begriff von ihren Verpflichtungen habe. Ich fiel aus allen Wolken. Fast sämtliche Intellektuellen, auch die, die sich als Linke bezeichneten, waren einem Amerikanismus verfallen, der dem Chauvinismus meines Vaters ebenbürtig gewesen wäre. Sie billigten Trumans Reden. Ihr Antikommunismus war fast neurotisch. Europa und Frankreich betrachteten sie mit herablassender Arroganz. Es war ausgeschlossen, auch nur einen Augenblick lang ihre Selbstsicherheit zu untergraben. Das Gespräch schien mir oft so sinnlos wie eine Unterhaltung mit Paranoikern. Von Harvard bis New Orleans, von Washington bis Los Angeles hörte ich Studenten, Professoren, Journalisten ernsthaft die Frage stellen, ob man Moskau nicht bombardieren solle, bevor die UdSSR in der Lage sei, Vergeltung zu üben. Man erklärte mir, um die Freiheit zu verteidigen, sei es notwendig geworden, sie zu unterdrücken: die Hexenjagd nahm ihren Anfang.

Was mich am meisten beunruhigte, war die Untätigkeit aller Leute, die sich durch eine hysterische Propaganda irritiert fühlten. Es war damals noch nicht – wenigstens soviel ich weiß – von dem *organization man* die Rede: Gerade ihn aber beschreibe ich in meiner Reportage mit denselben Formulierungen, die die amerikanischen Soziologen später verwendet haben. Sie charakterisieren ihn vor allem durch seine extreme Anpassungsfähigkeit, und ich war verblüfft, daß selbst ganz jungen Menschen jede innere Motivierung fehlte. Sie waren nicht fähig, nachzudenken, etwas zu ersinnen, sich etwas vorzustellen, zu wählen, selbständige Entscheidungen zu treffen. Dieser Mangel wird in ihrem Konformismus deutlich. Auf allen Gebieten bedienten sie sich eines abstrakten Maßstabes, des Geldes, weil sie kein Zutrauen zu ihren eigenen Wertungen hatten. Eine weitere Überraschung war für mich die Amerikanerin. Wenn es stimmt, daß ihr Rachedurst ein solches Ausmaß angenommen hat, daß aus ihr eine ‹Gottesanbeterin› geworden ist, die das Männchen auffrißt, so bleibt sie darum nicht weniger ein abhängiges und relatives Geschöpf: Amerika ist eine männliche Welt. (Eve Merriam hat in einem 1961 in der *Nation* veröffentlichten Artikel bewiesen, daß der amerikanische Mann nicht durch die Frau, sondern durch die Organisation erdrückt wird.)

Immerhin traf ich mit einigen Schriftstellern zusammen, die mehr oder weniger mit Richard Wright befreundet waren und mit denen ich mich gut verständigen konnte. Als aufrichtige Pazifisten und Fortschrittler mißtrauten sie zwar dem stalinistischen Rußland, sparten aber nicht mit Kritik an ihrem eigenen Land. Trotzdem liebten sie es und wußten auch mich so dafür zu begeistern, daß ich seine Geschichte, seine Literatur, seine Schönheiten fast als mein Eigentum anzusehen begann. Es wurde mir noch vertrauter, als ich mich gegen Ende meines Aufenthalts mit Nelson Algren anfreundete. Obwohl ich diese Geschichte bereits – sehr flüchtig – in *Les Mandarins* erzählt habe, kehre ich zu ihr zurück, nicht aus Vorliebe für das Anekdotische, sondern um ein Problem näher zu beleuchten, das ich in *La Force de l'âge* allzu leichtfertig als gelöst betrachtete: Ist es möglich, Treue und Freiheit miteinander auszusöhnen? Um welchen Preis?

Oft gepredigt, selten gewahrt, ist die totale Treue gewöhnlich ein Attribut derjenigen, welche sie sich wie eine Selbstverstümmelung auferlegen: Sie trösten sich dann mit Sublimierungen oder mit Wein. Die traditionelle Ehe gibt dem männlichen Partner das Recht zu einigen ‹Seitensprüngen›, aber ohne der Frau das gleiche zu gestatten. Heute sind sich viele Frauen ihrer Rechte und der Grundbedingungen ihres Glücks bewußt geworden: denn wenn nichts sie in ihrem eigenen Leben für die männliche Unbeständigkeit entschädigt, werden sie von Eifersucht und Langeweile geplagt. Die Paare sind zahlreich, die ungefähr das gleiche Abkommen getroffen haben, wie es zwischen Sartre und mir besteht: trotz aller Seitensprünge ‹eine gewisse Treue› zu wahren. Ich bin dir auf meine Art treu gewesen, Cynara ... Das Unterfangen ist riskant. Es kann passieren, daß der eine Partner die neue Bindung der alten vorzieht. Dann fühlte sich der andere Teil ungerecht behandelt und verraten. Statt zwei freie Menschen stehen sich dann Opfer und Henker gegenüber.

In gewissen Fällen ist aus dem einen oder anderen Grunde – Kinder, ein gemeinsames Unternehmen, die gegenseitige Zuneigung – das Paar unzertrennlich. Wenn die beiden Bundesgenossen sich auf sexuelle Eintagsaffären beschränken, gibt es keine Schwierigkeiten, aber dann verdient auch die Freiheit, die sie einander einräumen, nicht diesen Namen. Sartre und ich waren ambitiöser. Wir wollten ‹bedingte Liebesbeziehungen› erleben. Da aber erhebt sich eine Frage, der wir leichtsinnig ausgewichen sind: Wie wird sich der dritte Partner in unsere Vereinbarung fügen? Manchmal ging es glatt. Unsere Verbindung ließ genügend Spielraum für zärtliche Freundschaft oder verliebte Kameraderie, für flüchtige Schwärmereien. Wenn aber der Protagonist mehr forderte, entstanden Konflikte. In diesem Punkt hat die unvermeidbare Diskretionspflicht die Genauigkeit des in *La Force de l'âge* entworfenen Bildes beeinträchtigt. Wenn mein Einverständnis mit Sartre über dreißig Jahre gedauert hat, ist das nicht ohne Verluste und Streit möglich gewesen, deren Kosten die ‹anderen› zu tragen hatten. Dieser Fehler in unserem System machte sich in der Periode, die ich jetzt schildern möchte, besonders kraß bemerkbar.

«Wenn Sie nach Chicago kommen, besuchen Sie doch Algren und grüßen Sie ihn von mir», hatte in New York Nelly Benson zu mir gesagt, eine junge Intellektuelle, bei der ich zum Essen eingeladen war. «Er ist ein erstaunlicher Mensch, einer meiner besten Freunde.» In *L'Amérique au jour le jour* habe ich meine erste Begegnung mit ihm wahrheitsgetreu beschrieben: unseren Abend im ärmsten Teil der Stadt, den Nachmittag des nächsten Tages in den Kneipen des polnischen Viertels. Ich habe aber nicht erwähnt, wie sehr wir uns sofort zueinander hingezogen fühlten, noch, wie enttäuscht wir waren, weil wir nicht zusammen essen gehen konnten. Ich war gezwungen, eine Einladung zweier französischer Funktionäre anzunehmen. Bevor ich zum Bahnhof fuhr, telefonierte ich mit ihm: Man mußte mir den Hörer aus den Händen reißen. Im Zug nach Los Angeles las ich eines seiner Bücher und dachte an ihn. Er hauste in einer Baracke ohne Badezimmer und Kühlschrank, am Rand einer Halde, auf der die Abfälle dampften und alte Zeitungen herumwirbelten. Diese Armut hatte ich als angenehm empfunden, weil ich den Dollardunst, den man in den großen Hotels und den eleganten Restaurants atmete, schwer ertragen konnte. Ich werde nach Chicago zurückkehren, sagte ich zu mir. Algren hatte mich darum gebeten, und ich hatte Lust dazu. Wenn aber dieser Abschied schon so schmerzlich gewesen war, würde uns der nächste nicht noch tiefer verwunden? Ich stellte diese Frage in dem Brief, den ich ihm schrieb. «Selbst wenn uns eine neue Trennung schwerfallen wird, läßt es sich nicht ändern», antwortete er.

Die Wochen vergingen. Nach meiner Rückkehr wurden die in New York geknüpften Freundschaftsbande noch fester. Eine freundschaftliche Beziehung beschäftigte mich besonders. Anfang Mai hatte Sartre mich in einem seiner Briefe gebeten, meine Abreise zu verschieben, weil M. noch zehn Tage lang in Paris bleiben wolle. Da überfiel mich jene Art Heimweh, wie ich es in *Les Mandarins* bei Anne geschildert habe. Ich hatte es satt, Touristin zu sein. Ich wollte zusammen mit einem Mann spazierengehen, der vorübergehend mir gehörte. Ich dachte an meinen New Yorker Freund. Aber er wollte weder seine Frau belügen noch ihr ein Abenteuer gestehen: also verzichteten wir. Ich beschloß, Algren anzurufen. «Können Sie herkommen?» fragte ich ihn. Er konnte nicht kommen, wollte aber, daß ich nach Chicago käme. Wir verabredeten uns auf dem Flughafen.

Unser erster Tag glich den Tagen, die Anne und Lewis in *Les Mandarins* miteinander verbringen: Befangenheit, Ungeduld, Mißverständnisse, Verdrossenheit und zuletzt der Glanz einer tiefen Übereinstimmung. Ich blieb nur drei Tage in Chicago. Ich mußte in New York noch einiges ordnen. Ich überredete Algren, mich zu begleiten. Es war das erste Mal, daß er mit dem Flugzeug reiste. Ich machte meine Gänge und verabschiedete mich von Freunden und Bekannten. Gegen fünf Uhr kehrte ich in unser Zimmer zurück, und bis zum nächsten Morgen trennten wir uns nicht mehr. Ganz zufällig hatte man oft mit mir über ihn gesprochen. Man hielt ihn für labil, düster und sogar neurotisch. Ich freute mich, daß ich als einzige ihn besser kannte. Wenn er, wie man behauptete, grob und brüsk sein konnte, so geschah dies sicherlich nur aus einer Art Notwehr. Er besaß nämlich die seltene Gabe, die ich als Güte bezeichnen würde, wenn dieses Wort nicht so abgegriffen wäre: Sagen wir lieber, daß er ehrlich um die Menschen besorgt war. Bevor ich ihn verließ, sagte ich ihm, daß ich für immer in Frankreich gebunden sei. Er glaubte mir, ohne es zu begreifen. Ich sagte auch, daß wir uns wiedersehen würden, aber wir wußten nicht, wann und wie, und so kam ich recht zerknittert in Paris an. Auch Sartre hatte einigen Kummer. Bevor M. sich nach Frankreich einschiffte, hatte sie ihm freimütig geschrieben: «Ich komme mit dem Entschluß, alles zu tun, damit Du mich bittest, zu bleiben.» Er hatte sie nicht darum gebeten. Sie wollte ihren Aufenthalt bis Juli verlängern. Obwohl sie mir in New York sehr freundschaftlich entgegengekommen war, hatte sie mich keineswegs ins Herz geschlossen. Um Reibungen zu vermeiden, mietete ich mich zusammen mit Sartre in der Umgebung von Paris in einem kleinen Hotel bei Port-Royal ein. Man war dort schon fast auf dem Lande, im Garten blühten Rosen, auf den Wiesen weideten Kühe, und ich arbeitete im Freien in der Sonne. Wir wanderten den Fußpfad Jean Racines entlang, der von Unkraut überwuchert und mit schlechten Alexandrinern eingesäumt war. Hin und wieder fuhr Sartre am Abend nach Paris, um M. zu treffen. Diese Lebensweise hätte mir gepaßt, wenn sie sich damit zufriedengegeben hätte. Aber nein! An den Abenden, da Sartre in Saint-Lambert blieb, führte sie mit ihm theatralische Telefongespräche. Sie wollte sich nicht damit abfinden, daß er sie nach Hause fahren ließ. Aber was blieb denn anderes übrig? Die Verhältnisse gestatteten keinen Mittelweg. Wenn M. sich in Paris niederließe und ihre Position, ihre Freundschaften, ihre Gewohnheiten opferte, wäre sie berechtigt, von Sartre alles zu verlangen, und das war mehr, als er ihr bieten konnte. Aber wenn er sie liebte, wie könne er es dann ertragen, sie monatelang nicht wiederzusehen? Ihre Klagen bereiteten ihm Gewissensbisse. Er fühlte sich schuldig. Er hatte M. allerdings gewarnt: Es käme nicht in Frage, daß er mit ihr zusammen sein Leben neugestaltete. Aber damit, daß er ihr seine Liebe erklärte, widerrief er sozusagen jene Proklamation, denn die Liebe besiegt – vor allem in den Augen einer Frau – alle Hindernisse. M. hatte nicht ganz unrecht. Liebesschwüre entspringen nur der Regung eines Augenblicks. Einschränkungen und Vorbehalte halten noch weniger stand. Auf jeden Fall verdrängt die Wahrheit des heutigen Tages gebieterisch die gestrigen Worte. Es war nur normal, daß M. glaubte, die Lage würde sich ändern. Ihr Irrtum lag darin, daß sie etwas für simple Vorsicht hielt, was bei Sartre weniger ein Entschluß als eine tiefe Erkenntnis war, und man darf annehmen, daß er sie insofern hintergangen hatte, als er nicht imstande war, ihr die Beweise zu geben. Sie hatte ihm ihrerseits nicht gesagt, daß sie, als sie sich auf diese Geschichte einließ, keine Grenzen mehr anerkennen würde. Vielleicht war es leichtsinnig von ihm gewesen, sich das nicht klar genug vor Augen zu führen. Er kann sich damit entschuldigen, daß er es zwar ablehnte, seine Beziehungen zu mir zu ändern, trotzdem aber sehr an ihr hing und bis zuletzt einen Ausgleich für möglich hielt.

Trotz der Schönheit des aufblühenden Sommers verbrachte ich drei schmerzliche Monate. Ich hatte zwar nach dem Fiasko von *Les Bouches inutiles* den Mißerfolg meines letzten Romans überwunden. Aber im Grunde meines Herzens bedrückte er mich. Ich machte keine Fortschritte mehr, sondern trat auf der Stelle. Ich hatte mich nicht entschließen können, mich endgültig von Amerika zu lösen, deshalb versuchte ich, die Reise durch ein Buch zu verlängern. Ich hatte mir keine Notizen gemacht. Lange Briefe an Sartre, einige im Taschenkalender verzeichnete Verabredungen dienten mir als Gedächtnisstützen. Diese Reportage interessierte mich. Doch ebensowenig wie mein – vorläufig beiseite gelegter – Essay über die Frau, konnte sie mir das bieten, was ich bisher von der Literatur gefordert hatte: das Gefühl, mich in Frage zu stellen und gleichzeitig über mich hinauszugreifen, eine fast religiöse Freude. «Ich arbeite wie im Schlaf», sagte ich zu Sartre. Auf jeden Fall reichten die Mühen und das Vergnügen des Schreibens nicht aus, die Erinnerung an meine letzten Tage in Amerika auszulöschen. Es war durchaus möglich, nach Chicago zurückzukehren, weil die Geldfrage keine Rolle mehr spielte. Aber wäre es nicht besser, einen Schlußstrich zu ziehen? Das fragte ich mich mit einer an Verstörtheit grenzenden Besorgnis. Um mein Gleichgewicht wiederherzustellen, nahm ich Orthedrin. Es half mir zwar im ersten Augenblick, ich vermute aber, daß dieses Mittel an den Angstzuständen, die mich damals quälten, nicht ganz schuldlos war. Meine durchaus begründete und sehr reale Unruhe hätte sich wenigstens auf diskrete Formen beschränken können: sie war aber von einer physischen Zerrüttung begleitet, wie sie noch nie durch die schlimmste Verzweiflung – auch dann nicht, wenn der Alkohol sie steigerte – ausgelöst worden war. Vielleicht hatten die Erschütterungen des Krieges und der Nachkriegszeit eine Disposition für solche Krämpfe geschaffen. Vielleicht auch waren diese Krisen ein letzter Aufruhr, bevor ich mich mit dem Alter und meinem Ende abfand: Noch wollte ich das Licht von der Finsternis scheiden. Plötzlich war ich ein Stein, den der Strahl zerspaltet: das ist die Hölle.

Anläßlich meiner Heimkehr veranstaltete ich in dem Keller in der rue de la Montagne-Sainte-Geneviève, in den ‹Les Lorientais› (so nannte sich die Kapelle Claude Luter) übergesiedelt waren, ein orgiastisches Fest. Vian, der die Bar bediente, servierte von Anfang an unbarmherzige Mixgetränke. Viele der geladenen Gäste versanken in Stumpfsinn. Giacometti schlief ein. Ich war vorsichtig und hielt mich bis zum Morgengrauen aufrecht. Beim Weggehen vergaß ich meine Handtasche. Als ich sie am Nachmittag zusammen mit Sartre holen ging, fragte uns die Hausmeisterin: «Und das Auge? Wollen Sie nicht auch das Auge mitnehmen?» Ein Freund Vians, der allgemein der Major genannt wurde, hatte sein Glasauge auf das Klavier gelegt und es dort liegenlassen. Einen Monat später wurde das ‹Tabou› eröffnet, ein Kellerlokal in der rue Dauphine, wo Anne-Marie Cazalis, eine rothaarige junge Dichterin, die den Prix Valéry erhalten hatte, ihre Gäste empfing. Vian und seine Kapelle wechselten ins ‹Tabou› über, das von Anfang an enormen Erfolg hatte. Man trank, man tanzte, und man prügelte sich auch recht oft, drinnen und draußen vor dem Eingang. Die Bewohner des Viertels erklärten Anne-Marie Cazalis den Krieg. Nachts leerten sie Eimer voll Wasser auf die Köpfe der Gäste und sogar gelegentlich auf die der Passanten aus. Ich ging nicht ins ‹Tabou› und sah mir auch nicht den Film *Gilda* an, von dem alle Welt sprach. Ich ging noch nicht einmal zu dem Vortrag über Kafka, den Sartre zugunsten der französischen Liga für ein freies Palästina hielt. (Es war die Zeit der Exodus-Affäre.) Ich verließ Saint-Lambert fast nie.

Sartre hatte mich in seinen Briefen auf dem laufenden gehalten, und nun unterhielten wir uns wieder über sein Leben während meiner Abwesenheit. Er hatte Genets Stück *Die Zofen* gesehen, das Jouvet nicht richtig inszeniert hatte. Er hatte Koestler wiedergesehen und ihm die soeben erschienenen *Réflexions sur la question juive* geben wollen. Da hatte Koestler ihn unterbrochen: «Ich war in Palästina. Mir hängt dieses Problem zum Hals heraus. Ich muß Sie gleich darauf aufmerksam machen, daß ich Ihr Buch nicht lesen werde.» M., die Camus kannte, hatte eine Aussöhnung zwischen ihm und Sartre herbeigeführt. *Die Pest* war gerade herausgekommen. Stellenweise machte sich der Ton von *Der Fremde* bemerkbar. Die Stimme von Camus ging uns nahe. Aber die Okkupation einer Naturkatastrophe gleichzusetzen, war abermals ein Mittel, der Geschichte und den wahren Problemen auszuweichen. Mit der blutlosen Moral, die diese Lehrfabel enthielt, war alle Welt nur allzu einverstanden. Kurz nach meiner Rückkehr trennte sich Camus vom *Combat*, dessen finanzielle Basis durch den Zeitungsstreik untergraben worden war. Das Blatt wurde durch Smadja flottgemacht und von Bourdet übernommen, der es gegründet, sich aber in einem Konzentrationslager befunden hatte, als es aus dem Verborgenen ans Licht trat. In einer Hinsicht war dieser Wechsel ein Glück. Der *Combat* schwenkte von neuem ins linke Lager. Camus aber war so sehr mit ihm verknüpft gewesen, daß sein Ausscheiden für uns das Ende einer Epoche bedeutete.

Das war nicht gerade erfreulich. Seit ich in Orly gelandet war, bedrückte mich die Armut Frankreichs. Blums Politik – Preise und Löhne zu stoppen – war gescheitert. Es fehlte an Kohle und Getreide, die Brotration war vermindert worden, man konnte sich nicht satt essen und sich nicht ordentlich anziehen, ohne auf dem Schwarzmarkt zu kaufen, und das gestattete der Lohn des Arbeiters nicht. Um gegen die Senkung des Lebensstandards zu protestieren, hatten am 30. April 20 000 Arbeiter bei Renault zu streiken begonnen. Der Hunger entfesselte Aufstände und neue Streiks – Hafenarbeiter, Gas und Elektrizität, Eisenbahnen –, die Ramadier einem unsichtbaren Dirigenten in die Schuhe schob. Ich hörte von den Vergeltungsmaßnahmen der Armee gegen die Madagassen: 80 000 Tote. (Im März waren ungefähr 200 französische Siedler ermordet worden. Die Zahl 80 000 wurde von seiten der Regierung nicht dementiert. Sie kam nur deshalb ans Licht, weil damals die Kommunisten in der Opposition saßen – während die Zahl der Opfer von Sétif verheimlicht worden war.) In Indochina gingen die Kämpfe weiter. (Am 6. März 1946 hatte Frankreich die Republik Vietnam unter der Präsidentschaft Ho Tschi-minhs anerkannt. Aber die Manöver Saigons und Bidaults «Politik der Festigkeit» hatten diese Abkommen torpediert.) Als ich nach Amerika abreiste, waren die Zeitungen voll von Berichten über den Aufstand in Hanoi. Erst nach meiner Rückkehr erfuhr ich, daß er durch die Beschießung Hai-phongs ausgelöst worden war. Unsere Artillerie hatte 6000 Personen, Männer, Frauen und Kinder, getötet. Ho Tschi-minh war untergetaucht. Die Regierung lehnte Verhandlungen ab. Coste-Floret beteuerte, daß es in Indochina keine militärischen Probleme mehr gäbe, während Leclerc einen jahrelangen Kleinkrieg prophezeite.

Die KP hatte gegen diesen Krieg Stellung genommen. Sie hatte gegen die Verhaftung der fünf madagassischen Abgeordneten protestiert. Die kommunistischen Minister unterstützten den Streik in den Renault-Betrieben und verließen das Kabinett. Unterdessen sprach de Gaulle in Bruneval und gab in Straßburg die Gründung des RPF bekannt. Der Klassenkampf zeigte sein wahres Gesicht. Und das Proletariat hatte keine Chancen mehr. Die Bourgeoisie hatte ihre Struktur gefestigt, wobei ihr die Wirtschaftslage zugute kam.

Der Zerfall der französischen Einheit war zum großen Teil durch den Zerfall der internationalen Solidarität bedingt. Es war erst zwei Jahre her, daß ich im Kino die G. I.s und die russischen Soldaten in Torgau an den Ufern der Elbe zusammen vor Freude hatte tanzen sehen. Heute planten die Vereinigten Staaten in einer Anwandlung von Großmut, Europa zu einem Satelliten zu machen, einschließlich der Oststaaten, die aber von Molotow gezwungen wurden, den Marshallplan abzulehnen. Der Kalte Krieg hatte begonnen. Sogar auf dem linken Flügel waren nur wenige mit dem Nein der Kommunisten einverstanden. Unter den Intellektuellen waren Sartre und Merleau-Ponty fast die einzigen, die den Standpunkt Thorez' und seine These von der «westlichen Falle» übernahmen.

Indessen waren zwischen Sartre und den Kommunisten alle Brücken abgebrochen. Die Parteiintellektuellen ärgerten sich über ihn, weil sie befürchteten, daß er ihnen ihre Klientel rauben könnte: Gerade weil er ihnen nahestand, hielten sie ihn für gefährlicher. «Sie hindern die Menschen daran, zu uns zu kommen», sagte Garaudy zu ihm. Und Elsa Triolet: «Sie sind Philosoph, infolgedessen Antikommunist.» Die *Prawda* hatte den Existentialismus mit Beschimpfungen überschüttet, die zwar lächerlich, aber dennoch betrüblich waren. Lefebvre hatte ihn in einem Buch ‹hingerichtet›, das Desanti in der *Action* und Guy Leclerc in den *Lettres françaises* lobten. In *La Pensée* war *La Sainte Famille existentialiste* von Mougin erschienen, nach dem Urteil der Kenner P. C. Garaudy, eine weitere meisterhafte Hinrichtung. Sartre wurde zwar als «Totengräber der Literatur» bezeichnet, aber in dieser Beleidigung war noch ein gewisser Anstand gewahrt, während Kanapa in *L'Existentialisme n'est pas un humanisme* uns in einem unflätigen Ton als Faschisten und Menschenfeinde behandelte.

Sartre war entschlossen, keine Rücksicht mehr walten zu lassen. Er hatte – unter anderem von Pierre Bost, Fombeure, Schlumberger, Mauriac, Guéhenno – eine Erklärung unterzeichnen lassen, die gegen die Verleumdungen protestierte, mit denen Nizan überhäuft worden war, und die Presse hatte sie veröffentlicht. Die CNE hatte geantwortet, und Sartre beabsichtigte, in der Juli-Nummer der *Temps Modernes* auf diese Antwort einzugehen. Der Bruch war unvermeidlich geworden, nachdem Sartre in *Qu'est-ce que la littérature?*, das soeben in den *Temps Modernes* erschien, geschrieben hatte: «Die Politik des stalinistischen Kommunismus ist mit der ehrlichen Ausübung des literarischen Handwerks unvereinbar.» Er warf der KP ihre populärwissenschaftlichen Dogmen, ihre Schwankungen zwischen Konservativismus und Opportunismus und einen Utilitarismus vor, der die Literatur zur Propaganda degradiert. Der Bourgeoisie verdächtig, ohne Kontakt zu den Massen, verurteilte sich Sartre selber dazu, kein Publikum mehr, sondern nur noch Leser zu haben. Diese Vereinsamung nahm er gern auf sich, weil sie seiner Abenteuerlust schmeichelte. Nichts hätte verzweifelter, nichts heiterer sein können als dieser Essay. Indem die Kommunisten Sartre ablehnten, nahmen sie ihm jeden politischen Einfluß. Die Dinge beim Namen nennen heißt aber unermüdlich entlarven und damit unermüdlich auf eine Änderung hinwirken; also entdeckte Sartre – den Begriff des Engagements erweiternd – in der Schriftstellerei eine ‹Praxis›. Er wies seine Sonderstellung als Kleinbürger von sich und versuchte sich als ‹unheilverkündendes Gewissen› zu etablieren. Aber das Jammern lag ihm nicht, und so zweifelte er nicht daran, daß es ihm gelingen werde, diesen Zustand zu überwinden.

Ich sah mir den Film *Das Spiel ist aus* an, den Delannoy nach einem alten Manuskript Sartres gedreht hatte. Nachher aßen wir zusammen mit Bost und Olga, die aus Leysin zurückgekehrt war und der es besser ging, im ‹Véfour›. Micheline Presle war von überwältigender Schönheit und Begabung. Pagliero aber, der mir in *Rom, offene Stadt* so gut gefallen hatte – ich hatte den Film in New York gesehen –, sprach französisch mit einem so schrecklichen Akzent, daß man ihn hatte synchronisieren müssen. Das Ergebnis war schauerlich, und die Helden wirkten nach ihrer Auferstehung genauso tot wie vorher.

Im Juni wurde – zum letztenmal – der Prix de la Pléiade verteilt. Sartre erzählte mir, daß die Sitzung stürmisch verlaufen sei. Er hatte durchgesetzt, daß Genets Theaterstücke – *Die Zofen* und *Unter Aufsicht* – preisgekrönt wurden, aber Lemarchand war zurückgetreten. Wie jedes Jahr wurde ich eingeladen, mit den Mitgliedern der Jury Kaffee zu trinken. Als ich den Speisesaal betrat, sprach Malraux, und alle schwiegen. Er sprach über *Die Pest*. «Die Frage», sagte er, «ist die, ob Richelieu *Die Pest* hätte schreiben können. Ich beantworte sie mit Ja. Übrigens hat General de Gaulle das Buch geschrieben. Es heißt: *Des Schwertes Schneide*.» Außerdem erklärte er in aggressivem Ton: «Damit ein Camus *Die Pest* schreiben kann, haben Menschen wie ich zu schreiben aufgehört.»

Trotz der fortgeschrittenen Saison brachte ein Londoner Theater *La Putain respectueuse* und *Morts sans sépulture*. Nagel überbrachte Sartre eine Einladung des Theaterdirektors. Ich wäre glücklich gewesen, wenn er uns nicht begleitet hätte. Da er sich vor Flugzeugen fürchtete, mußten wir mit der Bahn fahren, und er schwatzte unaufhörlich. In London hatte er eine bizarr möblierte Wohnung am St. James Square gemietet, die er mit uns teilte. Wir sahen uns ohne ihn die Museen und die Straßen an. Bombardements, V-1 und V-2: überall Trümmer. Von hohen Stockrosen überwuchert, schufen sie im Zentrum dieser unübersehbaren Stadt freie Flächen, Durchblicke, Gärten. Nach fünfzehn Jahren waren wir wieder von London begeistert. Ich bedauerte, daß wir nur vier Tage bleiben konnten.

Nagel hatte für Sartre eine Pressekonferenz organisiert. Er war verdutzt, als ich ihm erklärte, daß ich nicht teilnehmen werde. Dann erhellte sich seine Miene: «Ah», sagte er, «Sie sind sehr klug!» Er hatte keine Ahnung, daß ich ganz einfach spazierengehen wollte. Er hielt es für eiskalte Berechnung: Ich wollte erreichen, daß die englischen Journalisten nach mir fragten. In einem bedrückend prunkvollen Milieu – antike Möbel, Gemälde alter Meister – trafen wir den Satrapen Alexander Korda. In den Restaurants und Bars trafen wir Theaterleute. Und wir gingen zur Generalprobe. Der Regisseur hatte in spöttischem Ton zu Sartre gesagt: «Sie werden eine Überraschung erleben …» Wir waren auch wirklich überrascht: Er hatte ein Bild gestrichen. Während der Aufführung erregte das Erscheinen von Rita Hayworth im Zuschauerraum allgemeines Aufsehen. Sie trug ein kurzes Abendkleid aus schwarzem Samt und hatte eine Begleiterin bei sich. Wir soupierten zusammen mit ihr bei einem Holländer: Es waren nur sechs bis sieben Personen anwesend – eine triste Veranstaltung. Rita Hayworth sah mit ihren goldbraunen Schultern und dem gewölbten Busen großartig aus. Aber ein Star ohne Mann ist trostloser als ein Waisenkind. Sie erzählte sehr nett von ihrer Vergangenheit. Der Holländer machte einige Bemerkungen über die Rassenfrage, und sie protestierte. «Wenn Sie aber eine Tochter hätten, würden Sie ihr gestatten, einen Schwarzen zu heiraten?» fragte er. «Sie würde den Mann heiraten, den sie heiraten will», erwiderte sie. Sie war sicherlich nicht weniger intelligent als der Durchschnitt der Frauen, die ihre Schönheit nicht zu Markte tragen.

Kurze Zeit darauf begleitete Sartre M. nach Le Havre. Sie beklagte sich darüber, daß er ihr Gewalt angetan habe. Sie schrieb ihm, daß sie nie mehr oder für immer zurückkehren werde. Bei 40 Grad Wärme (noch nie, schrieben die Zeitungen, habe man so einen Sommer erlebt) schleppten wir uns in Paris durch die drückend heißen Tage. Pagniez, den wir nicht mehr oft trafen, für den wir aber eine ehrliche Zuneigung hegten, erzählte uns, daß seine Frau an einer Blutkrankheit leide, an der sie in ein bis zwei Jahren sterben müsse. Sartre quälte sich mit Gewissensbissen. Erleichtert bestieg ich das Flugzeug, das uns nach Kopenhagen entführte. In dieser schönen roten und grünen Stadt war es kühl. Unser erster Tag aber erinnerte mich an die trüben Stunden, als Sartre glaubte, daß die Langusten hinter ihm herliefen. Es war ein Sonntag, wir mischten uns unter die Familien, die am Meeresstrand spazierengingen. Sartre schwieg, ich gleichfalls, und ich fragte mich erschrocken, ob wir einander fremd geworden seien. Unsere Beklommenheit legte sich allmählich in den darauffolgenden Tagen, als wir zwischen den Schaubuden des Tivoli spazierengingen und in den Matrosenkneipen bis spät in die Nacht hinein Schnaps tranken.

In Hälsingborg schifften wir uns ein. Auf Kanälen und Seen, in denen die Baumstämme wie kleine Flottillen schwammen, kamen wir nach dreitägiger Bootsfahrt in Stockholm an. Ich fand Gefallen an dieser

Stadt, die nur aus Glas und Wasser besteht, und an der weißen Lässigkeit der Abende, die am Rande der Nacht zögern.

Schwedische Bekannte Sartres zeigten uns die Altstadt, die alten Restaurants, ein reizendes, altes, von Wäldern und Seen umgebenes Theater. Als wir eines Nachts auf dem Land spazierengingen, sahen wir ein Nordlicht. Oft gingen mir die Leute auf die Nerven: Wie soll man für Eindrücke empfänglich sein, wenn man ohne Unterlaß Höflichkeiten austauschen muß? Dieser Zwang verstärkte eine Spannung, die sich noch nicht gelockert hatte. Ich wurde von Albträumen gequält. Ich erinnere mich an ein gelbes Auge in meinem Hinterkopf, das mir mit einer langen Stricknadel ausgestochen wurde. Und die Angstzustände kehrten wieder. Ich versuchte, diese Krisen mit Worten zu beschwören:

«Die Vögel überfallen mich. Um sie mir vom Leibe zu halten, muß ich Tag und Nacht einen ermüdenden Kampf führen: den Tod, unsere Toten, die Einsamkeit, die Eitelkeit. Nachts lassen sie sich auf mir nieder. Erst wenn der Morgen graut, fliegen sie weg. Und wenn mich eine körperliche Schwäche befällt, kommen sie gleich pfeilschnell angeflogen. In einem Stockholmer Café schlagen sich die Farben Gelb und Grün, es ist ein qualvoller Anblick. Eine Hand packt mich bei der Kopfhaut, zerrt und zerrt daran, und der Kopf wird länger, immer länger, es ist der Tod, der mich wegschleppen will. Machen wir doch Schluß! Ich werde einen Revolver nehmen und schießen. Zuerst muß man üben. Vielleicht sollte man mit einem Kaninchen anfangen . . .»

Ich fuhr mit Sartre nordwärts, zuerst mit der Bahn, dann per Schiff, vorbei an einer Seenkette. Wir entdeckten neue Landschaften: Zwergwälder mit amethystfarbener Erde, mit korallroten oder goldgelben Sträuchern bepflanzt. Ich fühlte mich an Kindermärchen, an dunkle Mysterien erinnert: Hinter jeder Wegbiegung konnte ein Troll auftauchen. Tatsächlich wurde uns einmal eine verblüffende Erscheinung zuteil: der schneeweiße Hintern einer dicken Frau, als zwei Paare in friedlicher Nacktheit am Fuß eines Wasserfalls badeten. Wir machten in einem Dorf Rast, in dem Lappen hausten. Sie sind ganz klein, das lächelnde Gesicht in starre Falten gelegt, und tragen gelbbestickte, hellblaue Kleider und Mokassins aus Seehundsfell. Jeden Tag landet dort ein Hubschrauber. Der Arzt hat keine andere Möglichkeit, diesen Winkel zu erreichen, den kaum ein Boot in der Woche besucht. Wir hielten uns einige Tage in Abisko auf. Das Hotel war aus Holz gebaut, und in jedem Zimmer hing ein mit Knoten versehenes Seil, damit der Gast sich im Fall eines Brandes retten könne. (Das Hotel wurde zwei Jahre später, 1949, durch ein Großfeuer zerstört.) Ringsumher erstreckte sich ein riesiger Forst, und als ich mich dort mit einem Buch niederließ, kamen Rene herangeschlichen.

Nach Abisko führte keine Straße, sondern nur die Eisenbahn. Der Briefträger und der Milchlieferant benutzten den Schienenweg. Sie hatten wunderliche, grellrote, mit Pedalen versehene Vehikel. Eines Abends klingelte in dieser Einöde das Telefon. Ein Stockholmer Journalist teilte Sartre mit, daß die Polizei auf Grund der Beschwerden aus der Nachbarschaft das ‹Tabou› für vierzehn Tage geschlossen habe: Was er dazu meine ... Wir bestiegen den Njoulja, wunderten uns darüber, in einer Höhe von 1400 Metern ewigen Schnee anzutreffen, und sagten uns mit einer gewissen Bestürzung, daß wir nie mehr hierher zurückkehren würden. Sogar Sartre, der für die Vergänglichkeit der Dinge weniger empfänglich ist als ich, war betroffen: Diese schneegekrönte Felsenlandschaft, wo die Abenddämmerung mit der Morgenröte verschmilzt, würde noch da sein, auch wenn unser Blick sie für immer verlassen hat! Eines Morgens fuhren wir nach Narvik. Die Stadt lag in Trümmern. Das Elend dort stand in krassem Gegensatz zu dem Überfluß in Schweden. Die Geschichte spottet entschieden der Moral.

Auf dem Rückweg besuchten wir einen schwedischen Prinzen, einen alten Herrn, Freund der Wissenschaften und der Schönen Künste. Sartre hatte ihn bereits kennengelernt. Er war mit einer Französin verheiratet. Sie bewohnten ein hübsches, von sanften Hügeln umgebenes Haus und wunderten sich über ihr Glück. «Auch wir gehen einem frohen Alter entgegen!» sagte ich mir, während wir einen alten, in Holzfäßchen gelagerten Aquavit tranken. Ich muß doch noch viel erschütterter gewesen sein, als mir im Gedächtnis haftengeblieben ist, sonst wäre ich nicht in einen so abgelegenen und resignierten Traum geflüchtet. Aber die Tatsache bleibt, daß er mich tröstete, und so kehrte ich in besserer Stimmung nach Frankreich zurück.

Ich fuhr sofort wieder weg, weil ich Mitte September nach Chicago zurückkehren wollte. Ich hatte bei Algren telegrafisch angefragt, ob er einverstanden sei: Er war es. Ich flog mit einem Flugzeug der TWA, das aus Athen griechische Bauern und kleine Geschäftsleute nach Amerika beförderte. Es war eine alte, kurzatmige Maschine, deren äußerste Flughöhe 2000 Meter betrug und die von Shannon bis zu den Azoren zwölf Stunden brauchte. Ich schlief auf dieser Strecke ein und erwachte plötzlich. Die Maschine wendete. Ein Motor war ausgefallen, und wir kehrten nach Shannon zurück. Fünf Stunden lang ließ mich die Angst nicht los. Ich las Science-fiction-Romane. Zehn Minuten lang befand ich mich auf einem anderen Planeten oder in der Urzeit und sah mich dann wieder über dem Ozean schweben: Wenn ein zweiter Motor streikte, würde ich in seinen Tiefen versinken. Ich wünschte mir so sehr, daß der Tod verkleidet zu mir komme, ohne mir seine Nähe und, vor allem, seine Einsamkeit aufzuerlegen! Rings um mich rührte sich niemand. Aber was da plötzlich für ein lärmendes Geschnatter losging, nachdem die Maschine gelandet war! Ein Auto brachte uns über eine lange Straße am Rande eines Fjords in ein künstliches Dorf, das vom Flughafen lebte:

Jeder bekam ein eigenes Häuschen, in dem ein Torffeuer brannte. Dort blieb ich zwei Tage. Ich schlenderte auf Wegen umher, deren Schilder und Grenzsteine nicht zu entziffernde Inschriften trugen, setzte mich ins Gras der sanft abschüssigen, aschgrünen, von sehr niedrigen grauen Steinmäuerchen durchzogenen Wiesen. In der Kneipe trank ich irischen Whisky, während ich Algrens ersten Roman las, der von seiner Jugend erzählt. Ich war nicht mehr ganz sicher, ob er, ob Chicago, ob Paris existiere. Wir flogen wieder ab. Als die Maschine auf den Azoren landete, platzte ein Reifen, und ich mußte wieder ungefähr achtzehn Stunden in einem Saal warten. Nachher flogen wir durch eine Sturmzone: Die Maschine stürzte 1500 Meter tief aus einer Wolke in die andere. Bei der Ankunft war ich körperlich und seelisch wie gerädert. Die Zollbeamten wurden nicht damit fertig, die Kilometer Klöppelspitzen zu taxieren, welche die Griechen in ihren Koffern mitschleppten. Als ich in die Halle kam, war Algren nicht dort, und ich fürchtete, ihn nie mehr wiederzusehen.

Er erwartete mich seit vier Tagen in der Wabansia Avenue, und gleich auf den ersten Blick wußte ich, daß ich recht daran getan hatte, zurückzukehren.

Im Verlauf dieser beiden Wochen habe ich Chicago entdeckt (in *L'Amérique au jour le jour* habe ich den zweiten Aufenthalt mit dem ersten verschmolzen): Die Gefängnisse, die Polizeireviere und die *lineups*, die Spitäler, die Schlachthäuser, die Varietés, die Armenviertel mit ihren öden Bauplätzen und Brennesseln. Ich lernte nur wenige Menschen kennen. Einige von Algrens Freunden arbeiteten im Rundfunk und im Fernsehen; im übrigen war es für sie bereits schwierig, ihre Posten zu behalten: In Hollywood löste die antikommunistische Säuberung eine wahre Panik aus, und überall in den USA galten Liberale als Rote. Der andere Teil bestand aus Rauschgiftsüchtigen, Spielern, Huren, Dieben, ehemaligen Zuchthäuslern, geächteten Menschen. Algren behagte es in ihrer Gesellschaft, weil sie sich dem amerikanischen Konformismus entzogen, aber sie waren nicht sehr entgegenkommend. Er schilderte sie in dem Roman, an dem er gerade arbeitete. Ich las eine erste Fassung. Sie war auf gelbem Papier getippt und wimmelte von Korrekturen. Ich las außerdem die Lieblingsschriftsteller Algrens: Vachel Lindsay, Sandburg, Masters, Stephen Bennet, alte Rebellen, die Amerika vor der Entartung geschützt hatten, der es jetzt zu verfallen drohte. Ich las Zeitungen und Zeitschriften, um meine Reportage zu vervollständigen.

Von neuem fragte mich Algren, ob ich nicht endgültig bei ihm bleiben wolle, und ich erklärte ihm, daß das unmöglich sei. Aber die Trennung war diesmal weniger traurig als im Mai, weil ich im Frühjahr wiederkommen wollte, um mit ihm zusammen eine mehrmonatige Reise entlang des Mississippi nach Guatemala und nach Mexiko zu machen.

Im Juli hatte de Gaulle die Kommunisten als «Separatisten» und die KP als den «öffentlichen Feind Nummer eins» bezeichnet. Die französische Bourgeoisie träumte vom Präventivkrieg. Sie weidete sich an den Büchern Koestlers, Krawtschenkos und anderen Werken gleicher Art aus der Feder bußfertiger Kommunisten.

Ich lernte eine Reihe dieser Konvertiten kennen und wunderte mich über den wahnwitzigen Lyrismus ihres Hasses. Sie waren weder an einer Analyse der Zustände in der Sowjetunion noch an einer konstruktiven Kritik interessiert. Sie erzählten Feuilletonromane. Für sie war der Kommunismus eine weltweite Verschwörung, eine Fünfte Kolonne, eine Art *cagoule* oder Ku-Klux-Klan. Die Verzweiflung, die in ihren Augen zu lesen war, sprach gegen ein Regime, das es fertiggebracht hatte, sie zu entfachen, aber es war unmöglich, einen Trennungsstrich zwischen ihren Phantastereien und den stalinistischen Lügen zu ziehen. Sie mißtrauten einander aufs tiefste. Jeder hielt diejenigen, welche die Partei später verlassen hatten als er, für Verbrecher.

Es gab eine andere Kategorie, die uns auch nicht gefiel: Das waren die Leute, die um jeden Preis mit der KP sympathisierten – die Mitläufer. «Mir», sagte einer von ihnen stolz, «mögen die Kommunisten noch so in den Hintern treten: Ich lasse mich nicht abschrecken.» Angesichts der höchst beunruhigenden Tatsachen – damals war gerade Petkoff hingerichtet worden – schlossen sie die Augen: «Man muß an etwas glauben.» Für uns war die UdSSR das Land, das den Sozialismus verkörperte, aber auch eine der beiden Mächte, die einen neuen Krieg ausbrüteten. Die Russen wollten den Krieg zweifellos nicht, aber da sie ihn für unvermeidlich hielten, bereiteten sie ihn vor und gefährdeten dadurch den Weltfrieden. Wer sich weigerte, auf der Seite der Sowjetunion zu stehen, hatte damit noch keineswegs eine negative Haltung gewählt: Das hatte Sartre in *Qu'est-ce que la littérature?* betont. Indem er der Alternative der beiden Blocks auswich, entschied er sich für einen anderen Ausweg.

Einer seiner früheren Kollegen, Bonafé, kannte Ramadier gut und schlug ihm vor, uns im Rundfunk eine Sendereihe anzuvertrauen. Sartre griff zu. Da wir nicht von der Kanzlei des Ministerpräsidenten abhängig sein wollten, wurde die Sendung *Temps Modernes* der Abteilung für literarische und dramatische Programme unterstellt. In der ersten Woche ermahnte Sartre – unterstützt von einer Gruppe von Freunden, zu denen auch ich gehörte – seine Hörer, die Blockpolitik abzulehnen: Wenn man sich dem einen oder anderen Block anschließt, vertieft man dadurch nur die Kluft zwischen ihnen. Er betonte, daß es möglich sei, den Frieden aufrechtzuerhalten, und ergriff die Partei der Redakteure des *France-Dimanche,* die in einer der letzten Nummern demonstrativ den für die Schlagzeile bestimmten Platz leer gelassen hatten, weil sie die Worte nicht drucken wollten, die sich aufdrängten: «Noch vor Weihnachten werden wir Krieg haben.»

Am Tage nach dem Sieg, den das RPF bei den Bezirkswahlen davongetragen hatte, wandten wir uns in unserer Sendung gegen de Gaulle. Nach einem Verfahren, das Pascal in den *Provinciales* angewandt hat, zerpflückten wir – das heißt Sartre, Bonafé, Merleau-Ponty und ich – die Argumente eines Pseudogaullisten, dessen Rolle Chauffard übernommen hatte. Alle Äußerungen, die wir ihm in den Mund legten, waren den Publikationen des RPF entnommen, und wir hatten ausdrücklich erklärt, daß die Figur von einem Schauspieler verkörpert wurde: Trotzdem beschuldigte man uns des Betruges. Bonafé warf man eine in der Tat recht ungeschickte Heftigkeit vor, aber auf alle Fälle war man empört: Noch nie sei man von der Presse so freigebig mit Schmutz beworfen worden. Bénouville und Torrès forderten Sartre auf, die Diskussion mit ihnen vor dem Mikrophon fortzusetzen. Er erklärte sich einverstanden. Sie befürchteten aber zweifellos, daß er allzu leicht mit ihnen Abrechnung halten könne. Sie setzten Sartre in ein Zimmer der Rundfunkstation, versammelten sich in einem anderen, um zu beraten, und als sie wiederkamen, erklärten sie, daß sie nach reiflicher Überlegung zu der Ansicht gelangt seien, daß Sartre die zulässigen Grenzen überschritten habe und daß sie sich deshalb nicht zu einem Streitgespräch bereit finden könnten. Aron hatte Bénouville begleitet, mit dem er sich verbündet hatte. Diese Haltung führte zum endgültigen Bruch zwischen ihm und Sartre. Die Freundschaft hatte bereits einen Sprung bekommen, als Aron anfing, im *Figaro* zu schreiben und mit dem RPF sympathisierte.

Unsere Diskussion über die KP wurde zwei Wochen später gesendet. Die Kommunisten, aus der Regierung hinausgeworfen, von den Sozialisten angegriffen, von der Bourgeoisie gehaßt, wurden durch ihre Isolierung nicht gerade konzilianter. Immerhin hatte Hervé Sartre offiziell aufgefordert, die Initiative zur Gründung antifaschistischer Abwehrausschüsse – Comités de Vigilance – zu ergreifen. Wir mäßigten unsere Kritik und hielten uns zurück, um den gemeinsamen Kampf nicht unmöglich zu machen. Vergebens. Der von Hervé inspirierte Schritt wurde desavouiert, und Hervé selbst zerriß uns in der Luft. Wir hatten auch noch einige andere Sendungen gemacht: ein Interview mit Rousset, als er aus Deutschland zurückgekehrt war, eine Diskussion über den von Rechtskreisen angeprangerten sogenannten «schmutzigen Materialismus» der Massen. Am 3. Dezember aber, als Schuman Ramadier ablöste, wurde unsere Sendereihe sofort abgeschafft.

Während Schuman damit beschäftigt war, eine ‹dritte Kraft› zu organisieren, stiegen die Preise um 51 Prozent und die Löhne nur um 19 Prozent. Ramadier schaffte die Subventionen für die Kohlen ab: Sofort wurden Kohle, Gas, elektrischer Strom und die Verkehrsmittel um 40 Prozent teurer. In den Bergwerken, in Paris und in Marseille brachen Streiks aus, die zu einer wahren Rebellion wurden, als Schuman die Absicht ankündigte, ein Antistreikgesetz einzubringen. Eisenbahngleise wurden durch Sabotageakte beschädigt. Grubenarbeiter prügelten sich mit den CRS, die Moch entsandte, um die ‹Arbeitsfreiheit› zu verbürgen. Währenddessen zerfiel die gewerkschaftliche Einheitsfront. Die Zahl der Streikenden sank von drei Millionen auf eine Million. Die FO sagte sich von der CGT los. Die Arbeiterklasse war zu sehr geschwächt, um die Marshallisierung Frankreichs zu verhindern.

Einige Sozialisten – darunter Marceau-Pivert und Gazier – waren bemüht, innerhalb der SFIO eine Opposition zu organisieren, und suchten Beistand bei parteilosen Vertretern der Linken. Gemeinsam redigierten sie einen Aufruf zugunsten des Friedens und forderten die Schaffung eines sozialistischen und neutralen Europas. Einmal in der Woche trafen wir uns zusammen mit Rousset, Merleau-Ponty, Camus, Breton und einigen anderen im ‹Izard›. Man diskutierte über jede Silbe, jedes Komma. Im Dezember wurde der Wortlaut endlich vom *Esprit*, von den *Temps Modernes,* von Camus, Bourdet, Rousset unterzeichnet und in der Presse veröffentlicht. Camus und Breton stellten dann das Problem der Todesstrafe zur Diskussion: Sie verlangten ihre Abschaffung in politischen Fällen. Viele unter uns waren der Ansicht, daß sie im Gegenteil nur auf politischem Gebiet berechtigt sei. Wir konnten uns nicht einigen.

Zwischen uns und Camus gab es auch noch andere Meinungsverschiedenheiten. In politischer Hinsicht hatten wir trotzdem noch vieles miteinander gemein. Er mochte das RPF nicht, hatte sich mit Ollivier gestritten, der zum Gaullismus übergelaufen war und im *Carrefour* schrieb (oder gerade dabei war, mit ihm zu brechen). Unsere Freundschaft blieb bestehen, obwohl sie weniger intim, weniger ungezwungen als früher war. Dafür brachen wir in diesem Winter mit Koestler.

Anfangs gab er sich sehr freundschaftlich. An einem Herbstabend saß ich im ‹Flore› und schrieb. Er kam mit Mamaine herein und sagte: «Wollen wir nicht ein Glas Weißwein trinken?» Ich ging mit ihnen in ein benachbartes *bistro*. An der Theke fragte er mich: «Wir gehen ins Jeu de Paume – kommen Sie mit?» – «Warum nicht?» Die beiden lachten. «Wann immer man kommt: Sie sind frei. Sie sind immer frei. Das ist wunderbar.» Sie freuten sich über das Wiedersehen mit Paris, und es war angenehm, mit ihnen Bilder anzuschauen. Koestler studierte die im Erdgeschoß ausgestellten großen Fotos und kniff boshaft die Augen zusammen: «Haben Sie bemerkt, daß alle Maler, die große, schöne Köpfe, geniale Köpfe haben, mittelmäßig sind, während Cézanne und van Gogh kleine, unbedeutende Köpfe haben – wie Sartre und ich.» Eine derart kindliche Eitelkeit fand ich beinahe rührend. Peinlicher war es mir, als er mit Kennermiene sagte: «Wie hoch war die Auflage von *Die Pest*? Achtzigtausend. Nicht schlecht …» Und er erinnerte daran, daß *Sonnenfinsternis* mit 200 000 Exemplaren aufgelegt worden war.

Als ich ihn mit Sartre zusammen wiedersah, fanden wir ihn düsterer und aufgeregter als im Vorjahr. Er machte sich Sorgen um den Erfolg seines neuesten Buches, das in London erschienen war. Er lief oft in sein Hotel, das ‹Pont-Royal›, um nachzusehen, ob ihm sein Verleger Zeitungsausschnitte geschickt habe. Die Besatzungstruppen hatten Italien geräumt, und es sollten nun die ersten Wahlen stattfinden. Er war als Berichterstatter einer englischen Zeitung hingeschickt worden und kehrte mit der festen Überzeugung zurück, daß die Kommunisten den Sieg davontragen würden. Das werde die französische KP ermutigen, die Macht zu ergreifen, und ganz Europa würde dann in kurzer Zeit Stalin in die Hände fallen. Aus dieser Zukunft ausgeschlossen, glaubte er, sie seinen Zeitgenossen untersagen zu müssen: Sogar der Denkmechanismus müsse geändert werden. Er glaubte an die Telepathie: sie werde sich in einer Weise entwickeln, die man sich nicht vorstellen könne. Seine Katastrophenstimmung brachte ihm Kopfschmerzen, Schlaflosigkeit, schlechte Laune ein.

Er wollte die Nacht im ‹Shéhérazade› wiederholen. Wir, Mamaine, Camus, Sartre und ich – Francine war verreist –, gingen mit ihm in ein anderes russisches Lokal. Er versäumte nicht, den Oberkellner darauf aufmerksam zu machen, daß er die Ehre habe, Camus, Sartre und Koestler zu bedienen. In einem noch feindseligeren Ton als im vergangenen Jahr nahm er das alte Thema wieder auf: «Ohne politische Einigkeit gibt es keine Freundschaft...» Da Sartre sich langweilte, machte er Mamaine allzu offen den Hof, als daß es indiskret hätte sein können. Es wirkte aber trotz unserer Betrunkenheit aufreizend. Plötzlich warf Koestler Sartre ein Glas an den Kopf, das an der Wand zerschellte. Da hoben wir die Sitzung auf. Koestler wollte nicht nach Hause gehen, und da er seine Brieftasche verloren hatte, blieb er im Lokal zurück. Sartre wankte hemmungslos lachend auf dem Trottoir umher, bis Koestler sich endlich entschloß, auf allen vieren die Treppe hinaufzuklettern. Er wollte den Streit mit Sartre fortsetzen. «Los, fahren wir nach Hause!» sagte Camus freundschaftlich und packte ihn bei der Schulter. Heftig riß er sich los und ohrfeigte Camus, der sich auf ihn stürzen wollte und den wir daran hindern mußten. Koestler in der Obhut seiner Frau zurücklassend, stiegen wir zu Camus in das Auto. Auch er hatte von Wodka und Champagner einen ordentlichen Schwips und Tränen in den Augen. «Er war mein Freund! Er hat mich geschlagen!» Er sackte über dem Steuer zusammen und gab das Auto den beängstigendsten Zickzackmanövern preis. Vom Schreck ernüchtert, rissen wir ihn hoch. In den darauffolgenden Tagen erinnerten wir uns oft gegenseitig an diese Nacht. Camus fragte uns verdutzt: «Glaubt ihr, man kann derartig trinken und gleichzeitig arbeiten?» Nein. Eigentlich waren für uns drei solche Exzesse recht selten geworden. Sie hatten früher einmal einen Sinn gehabt, als wir nicht wahrhaben wollten, daß uns der Sieg entrissen worden war. Jetzt hatten wir Partei ergriffen.

Damals erklärte Koestler, wenn man alles genau bedenke, sei der

Gaullismus für Frankreich die beste Lösung. Er diskutierte mehrere Male mit Sartre. Als ich eines Tages mit Violette Leduc an der Bar des ‹Pont-Royal› saß, kam er in Begleitung eines Mitgliedes des RPF auf mich zu. Der Mann fiel ohne Umschweife über mich her: In der Öffentlichkeit bekämpfe Sartre de Gaulle, aber das Rassemblement habe mit ihm Kontakt aufgenommen, man habe ihm interessante Versprechungen gemacht, und er habe sich verpflichtet, die Bewegung zu unterstützen. Ich zuckte die Achseln. Da der Gaullist nicht lockerließ, wurde ich wütend. Koestler hörte lächelnd zu und sagte: «Schließt doch eine Wette ab. Ich bin Zeuge. Wer sich irrt, zahlt eine Flasche Champagner.» Da hatte ich es satt. Als Sartre ihm seine Haltung vorwarf, erwiderte er lachend, man müsse auf alles gefaßt sein, und ich hätte die Angelegenheit viel zu ernst genommen. «Typisch weiblich!» sagte er zuletzt und wollte in Sartre einen männlichen Komplicen finden, was ihm aber nicht gelang. Er verließ Paris. Als er kurz darauf wiederkam, trafen wir ihn vor dem ‹Pont-Royal›, und er fragte: «Wann sieht man sich?» Sartre zog seinen Kalender aus der Tasche, überlegte sich's dann aber anders. «Wir haben uns nichts mehr zu sagen.» – «Man braucht doch nicht aus politischen Gründen die Beziehungen abzubrechen!» erwiderte Koestler mit einer Inkonsequenz, die uns verblüffte. Sartre steckte das Büchlein wieder ein. «Wenn man so verschiedener Ansicht ist, kann man sich nicht einmal gemeinsam einen Film ansehen.» (In seinem Bericht über diese Episode behauptet Koestler fälschlich, ich hätte den Bruch herbeigeführt.) Dabei blieb es. Einige Wochen später lasen wir im *Carrefour* zwei Artikel – *Où va la France?* –, in denen Koestler die französische KP beschuldigte, insgeheim den Bürgerkrieg vorzubereiten. Er wünschte und prophezeite den Sieg des Gaullismus.

Sartres Feinde förderten die Zweideutigkeit, die rund um den Begriff des Existentialismus entstanden war. Mit diesem Etikett hatte man unsere sämtlichen Bücher – auch die aus der Vorkriegszeit – und die unserer Freunde (dazu zählte unter anderen Mouloudji) versehen, ebenso eine bestimmte Malerei und eine bestimmte Musik. Anne-Marie Cazalis kam auf die Idee, diese Mode auszunützen. Sie war wie Vian und einige andere gleichzeitig in dem literarischen Saint-Germain-des-Prés und in den Jazzkellern zu Hause. In ihren Gesprächen mit Journalisten bezeichnete sie die Clique, die sie umgab, und die Jugend, die zwischen dem ‹Tabou› und der ‹Pergola› hin- und herwechselte, als existentialistisch. Die Presse, besonders der *Samedi-Soir,* der an einem Erfolg finanziell interessiert war, machte enorme Reklame für das ‹Tabou›. Im Herbst des Jahres 1947 verging keine Woche, ohne daß nicht von Schlägereien, Festlichkeiten und von den Stammgästen – Schriftstellern, Journalisten, Politikern – die Rede gewesen wäre. Anne-Marie Cazalis stellte sich mit Feuereifer den Pressefotografen und Reportern, und man begann sich auch für ihre Freundin, die rundliche Toutoune, zu interessieren, die zu einem schönen jungen Mädchen mit langen schwarzen Haaren herangewachsen war: Gréco. In *Victor oder die Kinder an der Macht* hatte sie im Gaieté-Montparnasse bei Agnès Capri die Rolle des Görs gespielt. Sie trug die neue ‹existentialistische› Tracht. Die Musiker aus den Kellerlokalen und ihre Fans waren während des Sommers an der Côte d'Azur gewesen und hatten von dort die aus Capri importierte – und durch die faschistische Tradition inspirierte – Mode mitgebracht: Pullover, Hemd und schwarze Hose.

Anne-Marie Cazalis hatte mir sehr gefallen, als ich sie im ‹Flore› kennenlernte, kurz nachdem sie ihren Preis erhalten hatte. Sie war eng mit Astruc liiert gewesen. Bost brachte ihr freundschaftliche Gefühle entgegen, da er sie für intelligent und bemerkenswert kultiviert hielt. Sie war protestantisch erzogen worden. Ihre zurückhaltende Art und ihre Konversation standen in krassem Gegensatz zu dem Bild ‹einer alkoholisierten Schlampe›, das sich die kleinen Geschäftsleute des Viertels von ihr machten. Trotzdem war ich ihr böse, weil sie zu großen Teilen den Artikel im *France-Dimanche* über den «Skandal Sartre» geschrieben hatte. Als wir eines Abends mit Herbaud ausgingen, wollte er im ‹Tabou› vorbeischauen. Das Lokal war so laut, so überfüllt, so verräuchert, daß man sich weder verständigen noch atmen konnte. Wir saßen mit der Cazalis an einer Tischecke und brachten immerhin ein Gespräch zustande. Sie erwies sich als recht lustig und pfiffig. Sie beherrschte die rhetorischen Tricks meisterhaft: Aussparung, Anspielung, *litotes*. In bezug auf den «Skandal Sartre» wies sie alle Vorwürfe von sich und behauptete zu guter Letzt: «Eigentlich ist Astruc dafür verantwortlich.» Ich hatte Astruc sehr gern, und diese Gemeinheit ging mir gegen den Strich. Hier war das Gespräch zu Ende. Sooft ich Anne-Marie Cazalis wiedersah, war ich für ihren witzigen Charme, ihre Bosheit empfänglich, aber sie trieb die Klatschsucht so weit, daß es unappetitlich wurde.

Sartre, der die Jugend und den Jazz liebte, ärgerte sich über die gegen die sogenannten ‹Existentialisten› gerichteten Angriffe. Umherstrolchen, tanzen, Vian Trompete spielen hören, das sollte ein Verbrechen sein? Indessen benützte man sie, um ihn in Verruf zu bringen. Wieviel Vertrauen verdient schon ein Philosoph, dessen Lehre Orgien entfesselt? Wie sollte man an die politische Aufrichtigkeit eines ‹Denkers› glauben, dessen Jünger nur dem Vergnügen leben? Mit seinem Namen wurde noch mehr hergemacht als in den Jahren 1944 und 1945, aber auf eine viel schäbigere Art. Die Journalisten der Résistance hatten sich nicht durchsetzen können, man hatte die Wiederauferstehung eines Journalismus erlebt, der vor keiner Gemeinheit zurückschrak. Anläßlich eines großen Essens, das er nach seiner Rückkehr aus Amerika veranstaltete, als er sich gerade anschickte, den *France-Soir* wieder in die Hand zu nehmen, hatte Lazareff erklärt: «Ich werde mir den existentialistischen Balg schon holen.»

Mit diesem frommen Wunsch stand er nicht allein da. Aber um Sartre zu schaden, mußte man so nachdrücklich von ihm sprechen, daß die Presse ihm selbst die Publizität lieferte, die anzustreben sie ihn beschuldigte. Zwischen einem (giftigen) Referat über seine gegen den Gaullismus gerichtete Sendung und einem zweiten (böswilligen) über eine Besprechung, in der Theologen sich mit ihm beschäftigt hatten, schilderte man die Abende im ‹Tabou›, zu dessen Stammgästen er angeblich gehörte. (Wir waren zweimal dort gewesen.) Man erging sich in unerfreulichen oder lächerlichen Details, an denen kein wahres Wort war. Nehmen wir als Beispiel den perlgrauen Hut, der von der Nachlässigkeit seiner übrigen Kleidung absteche und den er zu der Zeit, als er Professor war, jeden Monat habe kokett aufbürsten lassen. Sartre hat nie einen Hut getragen. Die Blicke, die uns in der Öffentlichkeit folgten, waren durch diesen Schmutz vergiftet; infolgedessen ging ich nicht mehr gern aus.

Die Weihnachtsferien verbrachten wir in La Pouèze. Mme Lemaire hielt die politischen Anschauungen Sartres für übertrieben, und wir hatten sie im Verdacht, daß sie auf der Seite des MRP stand. Sie war gegen den unentgeltlichen Unterricht (Stipendien genügten), gegen die Sozialversicherung (wegen der Mißbräuche), gegen Tarifverträge (im Namen der Arbeitsfreiheit). Aber wir legten ihren Ansichten ebensowenig Bedeutung bei wie sie den unseren. Wir freuten uns immer, sie wiederzusehen, erstens ihrer selbst wegen, zweitens, weil sie für uns das Bindeglied zu einer verlorenen Vergangenheit war. Pagniez hatte sich, wie ich bereits erwähnt habe, völlig zurückgezogen. Marco war aus unserem Leben verschwunden: Nach Kriegsende war er durch eine unglückliche Liebe, das Scheitern seiner ehrgeizigen Pläne, seine Glatzköpfigkeit und Fettleibigkeit halb zum Wahnsinn getrieben worden. Er weinte dicke Tränen in den Armen Sartres, der ihn getreulich fast jede Woche besuchte. Ein Psychiater unterwarf ihn einer Elektroschockbehandlung. Danach hörte er mit dem Weinen auf, begann aber seine Umgebung zu hassen. Er streute das Gerücht aus, Mme Lemaire sei eine Giftmischerin und habe ihm seine Bibliothek gestohlen. Ab und zu kam er noch zu Besuch. (1957 starb er bei einem Autounfall in Algerien.) Während dieses Aufenthalts in La Pouèze arbeitete ich an meiner Abhandlung über die Frau. Sartre träumte von einem neuen Stück, *Les Mains sales* [*Die schmutzigen Hände*] und machte sich an die Arbeit.

Im Februar wurden wir nach Berlin eingeladen, um dort der Generalprobe von *Les Mouches* beizuwohnen. «Geht vor allem nicht in die Sowjetzone», sagte Sperber, der uns gerade über den Weg lief. «Ein Auto fährt an den Bordstein, die Tür geht auf, und man schnappt euch. Kein Mensch sieht euch jemals wieder.»

Mir war nicht wohl zumute, als ich in den Zug nach Berlin einstieg. Der Gedanke, Deutsche zu sehen und mit ihnen zu sprechen, war mir zuwider. Aber man hatte mir schließlich früher einmal eingeschärft:

sich erinnern heißt vergessen. Für alle verrinnt die Zeit, auch für mich. Kaum hatte ich den Fuß auf Berliner Boden gesetzt, da war mein Groll verflogen: Überall Ruinen. So viele Krüppel – und was für ein Elend! Alexanderplatz, Unter den Linden, alles lag in Trümmern. Monumentale Tore gaben den Blick frei auf Gemüsegärten, Balkone hingen schief an ausgeweideten Fassaden. Wie Claudine Chonez in den *Temps Modernes* geschrieben hatte, würden hier ein Regenschirm und eine Nähmaschine auf einem Seziertisch keineswegs deplaciert gewirkt haben.* Das Milieu war kein Milieu mehr. Es erübrigte sich, seiner Phantasie die Zügel schießen zu lassen oder Sinnestäuschungen heraufzubeschwören: Die Dinge selbst hatten zu delirieren begonnen. Und ich marschierte über die Reste jenes legendären Albtraums: Hitlers Reichskanzlei.

Wir wohnten in einem Vorort in der französischen Zone, wo noch einige Villen stehengeblieben waren. Unsere Mahlzeiten nahmen wir bei dem Kulturattaché, in Privathäusern oder in Klubs ein. Einmal versuchten wir es auf Marken in einem Restaurant: wir bekamen nur einen Teller Suppe. Wir sprachen mit Studenten. Keine Bücher, auch nicht in den Bibliotheken, nichts zu essen, die Kälte, und eine bohrende Frage: Ist es gerecht, uns dafür büßen zu lassen, uns, die wir nichts getan haben?

Das Problem der Bestrafung beschäftigte alle Deutschen. Manche – besonders im linken Lager – waren der Meinung, daß die Erinnerung an die begangenen Fehler wachgehalten werden müsse. Das war das Thema des Films *Die Mörder sind unter uns,* der in der russischen Zone gedreht worden war. Die anderen ertrugen nur grollend die Unbilden der Gegenwart. Die Zensur stopfte ihnen den Mund. Presse und Theater wichen ihr aus, indem sie sich die Vielzahl der Besatzungszonen zunutze machten. Die Amerikaner duldeten, daß man die Russen verspottete – und vice versa. Wir sahen eine von düsterem Humor geprägte Revue, die eine Satire auf die Besatzung war.

Die Aufführung von *Les Mouches* fanden wir verwirrend. Man hatte das Stück im expressionistischen Stil inszeniert. Die Bühnenbilder schienen aus der Hölle zu stammen: Der Tempel des Apoll ähnelte dem Innern eines Bunkers. Ich fand die Aufführung nicht gut. Aber das Publikum applaudierte begeistert, weil es aufgefordert wurde, sich von seinen Gewissensbissen zu befreien. In seinen Vorträgen – die ich nicht besuchte, weil ich lieber zwischen den Trümmern umherwanderte – wiederholte Sartre, daß es besser sei, die Zukunft aufzubauen, als die Vergangenheit zu beklagen.

Wir waren in den Sowjetsektor hinüberspaziert, ohne es zu merken, daß wir ihn betreten hatten, und kein Auto hat uns entführt. Die beiden Russen aber, die wir bei dem Kulturattaché trafen, waren von eisiger

---

* Dieser Ausspruch stammt in Wirklichkeit von Lautréamont (*Chants de Maldoror*). Anm. d. Verl.

Kälte. Als man für uns eine private Vorführung des Films *Die Mörder sind unter uns* arrangierte, war niemand da, uns zu empfangen – weder der Regisseur noch der Kinobesitzer. Das war für Sartre kein Grund, das Spiel der Amerikaner mitzumachen, die ihn zu angeln versuchten. Er folgte nur der Einladung zu einem privaten Essen bei einer Amerikanerin, die ihn mit einigen deutschen Schriftstellern zusammenbringen wollte. Als die Tür aufging, entdeckten wir, daß zweihundert Personen versammelt waren. Man hatte uns in eine Falle gelockt. Statt sich zu Tisch zu setzen, mußte Sartre Fragen beantworten. Anna Seghers war anwesend, und mit ihrem weißen Haar, ihren hellblauen Augen und ihrem Lächeln söhnte sie mich fast mit dem Gedanken an das Altwerden aus. Sie stimmte mit Sartre nicht überein. «Wir Deutschen brauchen heute die Gewissensbisse», betonte sie. Sartre wurde von einem Marxisten namens Stoiniger zur Rede gestellt, der vor kurzem in einer Zeitung der SED Sartre als einen Agenten des amerikanischen Kapitalismus hingestellt hatte. Sartre antwortete, und der Mann sah mehr oder weniger die Richtigkeit seiner Argumente ein. Im Laufe dieses Abends wurden wir in einen sowjetischen Klub eingeladen, und diesmal tauten die Russen ein wenig auf: ein wenig. Sartre saß zwischen einer Russin und einer Deutschen, die ihn bat, ein Buch zu signieren. Er erfüllte ihr diese Bitte und wandte sich dann etwas verlegen an seine zweite Tischnachbarin: «Ich nehme an, daß Sie diese Sitte idiotisch finden.» – «Warum denn?» erwiderte sie. Sie riß einen Zipfel von einer Papierserviette ab, aber ihr Mann sah sie mit einer strafenden Miene an, und da rollte sie das Papier zu einer Kugel. Deutschland hinterließ bei uns einen traurigen Eindruck. Wir waren weit davon entfernt, das ‹Wunder› zu ahnen, das wenige Monate später eine grundlegende Wandlung einleiten sollte.

Misrahi war als Mitglied der Stern-Gruppe verhaftet worden, weil man bei ihm Waffen und Sprengstoffe gefunden hatte. Er saß in der Santé. Am 15. Februar sagte Sartre zu seinen Gunsten aus. Misrahi besaß die ganze Sympathie des Publikums und des Gerichtshofes. Als Sartre erklärte, daß er ein guter Schüler gewesen sei, fiel ihm der Vorsitzende ins Wort: «Gut? Sie wollen wohl sagen ‹ausgezeichnet›.» – «Gewiß», sagte Sartre, der begriff, daß er auf seine übliche Nüchternheit verzichten müsse. Misrahi kam mit einer Geldstrafe von 12 000 Francs davon. Betty Knout wohnte der Gerichtsverhandlung bei.

Zu dieser Zeit führten Altmann und Rousset ein langes Gespräch mit Sartre. Von allen Leuten, die wir im ‹Izard› kennengelernt hatten, war David Rousset wenn nicht der interessanteste, so doch der umfangreichste. Merleau-Ponty hatte ihn vor dem Krieg, als Rousset noch Trotzkist war, kennengelernt. Er hatte ihn beschrieben, wie er nach seiner Rückkehr aus der Deportation aussah: ein gebrechliches Skelett in einem viel zu weiten japanischen Kimono mit einem Körpergewicht von vierzig Kilo. Als Merleau-Ponty uns mit ihm bekannt machte, hatte Rousset seinen alten Leibesumfang zurückgewonnen. Ein schwarzes Viereck bedeckte das eine Auge, und es fehlten ihm mehrere Zähne. Er sah aus wie ein Korsar und hatte eine gewaltige Stimme. Wir hatten zuerst in der *Revue Internationale* seine Studie über das *Univers concentrationnaire* und dann *Les Jours de notre mort* gelesen. Ich bewunderte den Lebenswillen, der aus seinen Berichten sprach: Durch den im ‹Izard› redigierten ‹Aufruf› inspiriert, tat er sich mit Altmann, Jean Rous, Boutbien, Badiou, Rosenthal und einigen anderen zusammen, um ein Rassemblement démocratique et révolutionnaire auf die Beine zu stellen. Es ging darum, sämtliche nicht dem Kommunismus angeschlossenen sozialistischen Kräfte zusammenzufassen und mit ihnen ein von den beiden Blocks unabhängiges Europa aufzubauen. Es gab zahlreiche Bewegungen, die für ein geeintes Europa kämpften: die ‹Generalstaaten Europas› sollten im Mai in Den Haag tagen. Der Gedanke des RDR aber bestand darin, daß die Einigung von unten her erfolgen müsse, mit einer sozialistischen und neutralistischen Perspektive. Man wollte Sartre als Vorstandsmitglied haben. Ich befürchtete, daß er zuviel Zeit mit diesem Abenteuer vergeuden würde: Wir hatten schon im ‹Izard› soviel Zeit vergeudet! Er wandte dagegen ein, daß man nicht das Engagement predigen und sich dann drücken könne, sobald einem eine Gelegenheit geboten wird. Die Gründung der Kominform und der Prager Staatsstreich am 25. Februar schürten den Antikommunismus und die Kriegspsychose. Amerikaner sagten ihre Europareisen ab. In Frankreich dachte zwar niemand daran, seine Koffer zu packen, aber es wurde viel von einem Einmarsch der Russen gesprochen. Sartre glaubte, zwischen der KP, die sich auf die Seite der Sowjetunion stellte, und einer verbürgerlichten SFIO einen Platz einnehmen zu müssen. Er unterzeichnete ein Manifest, in dem er sich zu Rousset und seinen Freunden bekannte, und entwickelte am 10. März in einer Pressekonferenz das Thema: «Der Krieg ist nicht unvermeidlich.» Am 19. März fand in der Salle Wagram eine Versammlung statt: Der Zustrom war enorm, und viele schlossen sich der Bewegung an. Bourdet trat nicht bei, unterstützte uns aber durch Artikel. Er leitete seinerseits im *Combat* eine Kampagne für den Frieden und die Einheit Europas ein. Diese Schützenhilfe änderte nichts daran, daß das RDR ein eigenes Organ brauchte. Sartre hätte es normal gefunden, wenn Altmann, der neben Rousset zu den Gründern gehörte, den *Franc-Tireur* zum Sprachrohr der Bewegung gemacht hätte. Altmann lehnte ab. Man mußte sich mit einer monatlich zweimal erscheinenden Zeitschrift begnügen, *La Gauche R. D. R.*, deren erste Nummer im Mai erschien und nicht besonders eindrucksvoll war. Es fehlte an Geld. Das war auch, wie Rousset sagte, der Grund dafür, daß das RDR sich nur langsam entwickelte. Aber er hatte ein großes und ansteckendes Vertrauen in die Zukunft. Unterdessen verdoppelte de Gaulle in seiner Märzrede in Compiègne die Wucht seines gegen die Kommunisten gerichteten Angriffs. Im April fand in Marseille ein großer Kongreß des RPF statt. Die Amerikaner verlangten den Ausschluß Joliot-Curies aus der Atomkraftkommission. Bei den italienischen Wahlen siegte de Gasperi. Gegen diesen Rechtsdruck anzukämpfen und sich gleichzeitig vom Stalinismus zu distanzieren, war nicht einfach. Sartre erläuterte seine Haltung in den *Entretiens sur la politique* mit Rousset, die zuerst in den *Temps Modernes* und dann als Buch erschienen.

Dem RDR hatte er sich nur aus objektiven Gründen angeschlossen. Warum aber hatte er das Bedürfnis gehabt, in eine (wenigstens dem Prinzip nach) kämpferische Bewegung einzutreten? Das hat er einige Jahre später in seinen unveröffentlichten Aufzeichnungen angedeutet:

«Mein zu jener Zeit grundlegender Gedanke: Man kann nichts weiter tun als für eine Lebensweise Zeugnis ablegen, die zum Verschwinden verurteilt ist, aber wiederauferstehen wird. Vielleicht werden in der Zukunft die besten Werke für diese Lebensweise zeugen und ihre Rettung ermöglichen. Daher das Schwanken zwischen der ideologischen Stellungnahme und der Aktion. Sowie ich aber einen ideologischen Standpunkt präzisiere, treiben mich die Leute sogleich zur Aktion an. *Qu'est-ce que la littérature?* führte mich zum RDR.»

Diesem Wechsel stimmte er deshalb zu, weil er eine neue Beziehung zu sich selber gefunden hatte, die den durch seine Person und Tätigkeit entfesselten Haßgefühlen entsprang: «Gute Wirkungen des Hasses. Sich gehaßt fühlen – ein Element der Kultur.» Zuerst war er empört gewesen. Er hatte sich ja gerade im Namen des bürgerlichen Humanismus und des demokratischen Ideals den Massen angeschlossen: Aber sie waren gegen ihn! Wenn es keinen Gott gibt, ist das Urteil der anderen absolut: «Der Haß der Anderen offenbart mir meine Objektivität.» Während er früher auf die jeweilige Situation unvoreingenommen, ohne Rücksicht auf sich selber, reagiert hatte, wußte er jetzt, daß sie für die Anderen die eigene Wirklichkeit mit einbezog. Es galt jene Objektivität zurückzugewinnen, das heißt, sie mit den inneren Entscheidungen in Einklang zu bringen. «Von 1947 an hatte ich ein doppeltes Beziehungsprinzip: Auch meine Grundsätze beurteilte ich nach den Grundsätzen Anderer – dem Marxismus.» Das bedeutete, daß er sich nicht damit abfinden konnte, sich subjektiv im Recht zu fühlen. Es war ihm unmöglich, ein Feind der Unterdrückten zu sein. Es galt, zur Umwandlung der innenpolitischen und internationalen Lage beizutragen und dadurch Beziehungen zu den Massen neu zu gestalten. Es galt, an einer Aktion teilzunehmen.

«Nehmen wir an, dieser Widerspruch, von dem ich spreche (in der Mitte zwischen Bourgeoisie und Proletariat) und von dem ich weiß, daß er die Zeit kennzeichnet, sei nicht die Freiheit, einen positiven Inhalt zu repräsentieren, sondern nur der Ausdruck einer recht besonderen Lebenshaltung (der des sozialistisch angehauchten bürgerlichen Intellektuellen) – nehmen wir an, daß die Zukunft ihn auslöschen wird. Alles in allem schwanke ich zwischen dem einen Gedanken, daß meine privilegierte Stellung es mir ermöglicht, eine Synthese der formellen Freiheit und der materiellen Freiheit herzustellen – und dem anderen Gedanken, daß meine widerspruchsvolle Stellung mir überhaupt keine Freiheit zugesteht! Sie macht mir ein schlechtes Gewissen, das ist alles. Im zweiten Falle ist meine Transzendenz zum Schwinden verurteilt. Ich spiegle nur meine Situation wider. Alle meine politischen Bestrebungen haben nur den Sinn, die Gruppierung zu finden, die meiner Transzendenz einen Sinn verleiht, die durch ihre Existenz (Europäisches RDR) beweist, daß meine zerrissene Position die wahre sei.

Habe ich jedoch unrecht, dann befinde ich mich in einer Situation, in der keine Synthese möglich ist. Der Versuch, über mich hinauszugehen, ist an und für sich bereits falsch. In diesem Falle muß man auf den optimistischen Gedanken verzichten, daß man in jeder Situation Mensch sein könne. Ein durch die Widerstandsbewegung inspirierter Gedanke: Selbst unter der Folter könne man ein Mensch sein. Aber nicht dort lag das Problem, sondern darin, daß gewisse Situationen durchaus erlebt werden können, aber durch die objektiven Widersprüche unerträglich verfälscht werden.

Das RDR besteht für mich aus:

1. Mittelschichten und Proletariat. (Ich verstehe nicht, daß das nichtkommunistische Proletariat sich für den Bourgeois entscheidet. Es hat eine andere Struktur.)

2. Europa. Weder Amerika noch die UdSSR, sondern ein Mittelding zwischen den beiden (also etwas von beiden).

3. Demokratischen und materiellen Freiheiten. Im Grunde wollte ich den Konflikt lösen, ohne über meine Situation hinauszugehen ...»

Das Unbehagen, das Sartre dazu getrieben hatte, sich dem RDR anzuschließen, veranlaßte ihn auch zu einer ideologischen Revision. Zwei Jahre lang arbeitete er fleißig an der Aufgabe, Dialektik und Geschichte, Moral und Praxis miteinander zu konfrontieren, in der Hoffnung, zu einer Synthese des Handelns und des Seins zu gelangen, in der die eigentlich ethischen Werte bestehen bleiben könnten.

Um die Zeitschrift kümmerten wir uns weniger als in den vergangenen Jahren. Im Grunde war es sowieso Merleau-Ponty, der sie herausgab. Es wurde behauptet, daß ich die Verfasserin von «Das Leben einer Prostituierten» sei, das wir veröffentlichten. Ich wäre aber völlig außerstande gewesen, dieses erstaunliche Produkt urwüchsiger Literatur hervorzubringen. Marie-Thérèse existierte, und sie hatte in einem Zuge und allein ihre Memoiren geschrieben, bevor sie zu ihrem früheren Beruf, dem einer Krankenschwester, zurückkehrte.

Ab und zu gingen wir aus. An dem Tag, als *Paris 1900* uraufgeführt wurde, fand ein Verkehrsstreik statt. Wir fuhren im Fiaker hin. Nicole Vedrès hatte gute Arbeit geleistet und den Mythos von der Belle époque zertrümmert. Dank Gérard Philipe und Micheline Presle erschien uns der Film *Stürmische Jugend*, den wir in einer Privatvorführung zu sehen bekamen, des Romans von Radiguet nicht unwürdig. An italienischen Filmen kannten wir bereits *Rom, offene Stadt, Sciuscià, Vier Schritte in die Wolken*, aber *Paisà*, besonders die von Rossellini gedrehte Episode im Schilf, übertraf alle anderen Filme. Aus Amerika kamen *Die Früchte des Zorns*. Dullin inszenierte *Archipel Lenoir* von Salacrou. Er hatte das Théâtre Sarah-Bernhardt verlassen, hatte kein eigenes Theater mehr und spielte im Théâtre Montparnasse die Rolle des Großvaters, des alten Satyrs. Wir gingen auch ins Théâtre Marigny, wo Barrault *Kümmere dich um Amelie* herausbrachte. In der Orangerie sahen wir uns die Turner-Ausstellung an. Von Zeit zu Zeit besuchten wir ein Konzert. Sartre begann an Schönberg und Alban Berg Geschmack zu finden.

Er bemühte sich, *Les Mains sales* auf die Bühne zu bringen. Die Idee dazu war ihm gekommen, als er von der Ermordung Trotzkis erfuhr. Ich hatte in New York einen ehemaligen Sekretär Trotzkis kennengelernt, der mir erzählte, daß es dem Mörder gelungen war, sich gleichfalls als Sekretär engagieren zu lassen, um recht lange an der Seite seines Opfers in einem streng bewachten Hause zu wohnen. Sartres Phantasie war durch diese Situation – hinter verschlossenen Türen – angeregt worden. Er erfand die Figur eines aus der Bourgeoisie stammenden jungen Kommunisten, der durch eine Tat seine Herkunft auslöschen will, dem es aber nicht gelingt, auch nicht um den Preis eines Mordes, sich seiner Subjektivität zu entledigen. Ihm stellte er einen völlig seinen Zielen verschworenen Kämpfer entgegen. (Wieder einmal die Konfrontation der Moral mit der Praxis.) Wie Sartre in seinen Interviews betonte, hatte er kein politisches Stück schreiben wollen. Es wurde aber zu einem politischen Stück, weil er als Protagonisten Mitglieder der KP gewählt hatte. Ich fand es nicht antikommunistisch. Verglichen mit dem Regime der faschistischen Bourgeoisie, waren die Kommunisten die einzige wertvolle Kraft. Wenn ein Führer im Interesse der Widerstandsbewegung, der Freiheit, des Sozialismus, der Massen einen anderen beseitigen ließ, war ich ebenso wie Sartre der Meinung, daß er außerhalb jedes moralisch begründeten Urteils stehe. Im Krieg wird gekämpft. Das bedeutete nicht, daß die Kommunistische Partei aus Mördern bestand. Außerdem stand Sartre in *Les Mains sales* auf seiten Hoederers – so wie in *Morts sans sépulture* der griechische Kommunist dem egozentrischen und hochmütigen Henri moralisch überlegen ist. Hugo beschließt zu töten, um sich selber zu beweisen, daß er dazu fähig sei, ohne zu wissen, ob Louis Hoederer gegenüber recht hat. Nachher will er diese unbesonnene Tat rechtfertigen, obwohl seine Genossen ihn auffordern, zu schweigen. Er ist so sehr im Unrecht, daß das Stück in einem kommunistischen Land, während einer Tauwetterperiode, spielen könnte. Übrigens hat sich etwas Ähnliches vor kurzem in Jugoslawien ereignet. Nur im Paris des Jahres 1948 sahen die Verhältnisse anders aus.

Sartre war sich darüber im klaren und hatte sich seine Gedanken darüber gemacht. Sein Anschluß an das RDR hatte ihm neue Angriffe eingetragen. Im Februar brachte die *Action* auf der Seite des «Pique-Feu», die den satirischen Sticheleien gewidmet war, anonyme und widerwärtige Verdächtigungen unseres Privatlebens. Die *Lettres françaises* veröffentlichten *Le Génie de six heures*: Magnane entwarf von Sartre ein kaum wiederzuerkennendes und verzerrtes Bild. Unterdessen riß Kanapa *Situations I* herunter. Elsa Triolet schrieb ein Buch und hielt Vorträge, um einen Boykott der Schmutzliteratur Sartres, Camus' und Bretons zu erreichen. Meine Schwester hatte sie in Belgrad öffentlich in bissigem Haß gegen Sartre sprechen hören. Die Situation konnte einfach nicht schlimmer werden.

Simone Berriau nahm *Les Mains sales* sofort an. Die Rollen Hoederers und Jessicas wurden mit Luguet und Marie Olivier besetzt. Wer aber sollte Hugo spielen? Namen wurden vorgeschlagen und verworfen. Eines Nachmittags sagte Simone Berriau im ‹Véfour›: «Ich werde etwas ganz Dummes sagen: Ob man es nicht mit Perrier versucht?» Wir stellten uns Hugo mager und gequält vor. Aber schließlich, warum sollte man nicht den Versuch wagen? Gleich bei den ersten Proben setzte sich Perrier durch: Er war Hugo, so wie Vitold in *Huis clos* Garcin gewesen war. Die Inszenierung wurde Valde anvertraut und freundschaftlicherweise von Cocteau überwacht. Zu den Bühnenbildern steuerte Bérard einige Ratschläge bei: Seinen Bart umschwebte stets ein leichter Äthergeruch. Die Ausdrucksweise der Leute vom Theater fand ich bezaubernd. Anfangs verlieh Luguet dem kämpferischen Kommunisten gewisse Züge eines Charmeurs. «Ich weiß», sagte Cocteau, «daß du ungeheuer charmant bist, daß du von Charme triefst. Gib aber damit nicht so an, im Gegenteil: Bemühe dich, *nicht* charmant zu sein. Sonst wird, selbst wenn deine schöpferische Leistung ganz außerordentlich ist, die Figur, die du verkörperst, nicht echt und richtig hervortreten.» – «Kurz und gut, du findest mich sauschlecht?» In dem Stück gab es eine Replik, die ihm nicht paßte. «Er ist vulgär», sagt Jessica zu Hugo. Sartre erklärte ihm, daß sie lügt, um das Interesse zu verbergen, das Hoederer ihr einflößt. «Ach, wenn Sie glauben, daß das Publikum mich deshalb vulgär finden wird, ist das Ihr gutes Recht», sagte Luguet.

Bei der Generalprobe war Sartre nicht anwesend. (Er hielt einen Vortrag in einer Freimaurerloge; einige Freimaurer hatten ihm versichert, daß ihre Organisation die Bestrebungen des RDR ernsthaft fördern könnte. Er ging hin, hörte zu und wußte Bescheid.) Sämtliche Schauspieler waren ausgezeichnet. Am nächsten Tag verkündeten die Zeitungen, Perrier habe sich als neuer Guitry entpuppt. Ich saß mit Bost in einer Loge, und man schüttelte uns die Hand: «Großartig! Bewundernswert!» Trotzdem äußerte sich die bürgerliche Presse nicht sofort, sondern wartete das Urteil der Kommunisten ab, die das Stück beschimpften. «Für dreißig Silberlinge und ein amerikanisches Linsengericht hat Jean-Paul Sartre den letzten Rest seiner Ehre und Redlichkeit verkauft», schrieb ein russischer Kritiker. Nun wurde Sartre von der Bourgeoisie mit Blumen überhäuft. Eines Nachmittags kam Claude Roy an der Terrasse der ‹Rhumerie› vorbei und drückte mir die Hand. Er hatte sich nie einen Tiefschlag gegen Sartre erlaubt. «Was für ein Jammer», sagte ich zu ihm, «daß ihr Kommunisten nicht *Les Mains sales* für euch beansprucht habt!» Eigentlich aber wäre eine solche Kehrtwendung damals gar nicht denkbar gewesen. Das Stück wirkte antikommunistisch, weil das Publikum Hugo recht gab. Die Ermordung Hoederers stellte man auf eine Stufe mit den der Kominform nachgesagten Verbrechen. Vor allem der Machiavellismus der Führung, ihre Umkehr am Schluß verurteilte die KP in den Augen ihrer Gegner. Politisch gesehen war das der beste Aspekt des Stückes: In allen kommunistischen Parteien in der Welt wird die Opposition, die eine neue und richtige Linie durchzusetzen versucht, liquidiert (gewaltsam oder ohne physische Gewalt): nachher geben die Führer den neuen Kurs als ihre eigene Idee aus. Im Falle Illyriens (durch Ungarn inspiriert) ist das Zögern der Partei und die endgültige Entscheidung durch die Umstände gerechtfertigt: Aber die internen Schwierigkeiten werden vor Leuten zur Sprache gebracht, welche die Partei von außen her mit feindseligen Blicken betrachten. Sie unterlegen dem Stück einen Sinn, den es eigentlich nur für sie hat. Deshalb sah Sartre sich veranlaßt, mehrere Male eine Aufführung im Ausland zu verbieten.

Im Oktober hatte sich eine große Anzahl früherer Vichy-Anhänger dem RPF angeschlossen, und die Kollaborateure gelangten schnell wieder nach vorn. Flandin schrieb in *L'Aurore*, Montherlant brachte *Le Maître de Santiago* und Sacha Guitry *Der hinkende Teufel* auf die Bühne, ein Stück, das eine durchsichtige Apologie der Kollaboration war. Maurras wollte Stéphane und Bourdet vor Gericht verklagen. *La Table Ronde*, von Mauriac protegiert, öffnete brüderlich ihre Spalten den früheren Kollabos und ihren Freunden. (Camus verirrte sich in die erste Nummer, roch aber den Braten und kehrte nicht mehr wieder.) Es erschienen viele Bücher, die Pétains Politik entschuldigten oder rechtfertigten; das wäre noch vor zwei Jahren unvorstellbar gewesen. In seinem *Lettre à Mauriac* ging Bardèche so weit, *Je suis partout* zu verteidigen. Boutang lobte in seinen Vorträgen Maurras. In Versammlungen wurde Pétain mit Beifall bedacht, und im April wurde ein Komitee zur Befreiung Pétains gegründet. In gewissen Kreisen sprach man ironisch von ‹Widerständlern› und betrachtete die Résistance als eine Berechnung und eine Mode. Die Ge-

gensäuberung tobte: Man beschuldigte die Mitglieder der Résistance summarischer Erschießungen, sie wurden verfolgt und oft auch verurteilt.

Da ich zusammen mit Sartre ein wenig in Theaterkreisen verkehrte, bekam ich oft Dinge zu hören, die meine Ohren beleidigten. Es hieß, Jean Rigaud habe, als er vor seinem Auftritt die Liste der bekannten Persönlichkeiten, die sich im Zuschauerraum befanden, durchging und jüdische Namen entdeckte, gemurmelt: «Es waren keine Krematorien, es waren Brutstätten.» Lachend wiederholte man dieses Bonmot. Im ‹Véfour› tat mein Tischnachbar so, als habe er die Speisekarte falsch gelesen, und fragte: «Was ist denn das? Koteletts à la Buchenwald?» Ich wollte keine Szene machen und sagte: «Das sind nur Worte» – aber es war schon bezeichnend, daß man sie auszusprechen wagte. Die Kriegsgewinnler von gestern hüllten sich in das Gewand der Opfer und erklärten uns, wie gemein es sei, sich auf die Seite der Sieger zu begeben. Man bedauerte den armen Brinon, man machte aus Brasillach einen Märtyrer. Ich wies diese Erpressung zurück. Ich hatte meine eigenen Märtyrer. Wenn ich an sie dachte und mir sagte, daß so viel Elend umsonst gewesen sei, wurde mir angst und bange. Der gewaltige Leichnam, der hinter uns lag, der Krieg, begann zu verwesen und verpestete die Luft.

Als die Proben beendet waren, hielt uns nichts mehr in Paris zurück, und wir fuhren in den Süden. Wir blieben diesmal in Ramatuelle, wo wir ein ländliches Hotel gefunden hatten. Die Zimmer waren mit roten Fliesen ausgelegt. Die großen Fenster des Speisesaals gingen auf den Garten hinaus, und dahinter in der Ferne lag das Meer. Abends loderte ein Holzfeuer im Kamin, morgens arbeitete ich im Sonnenschein unter blühenden Bäumen. Wir waren allein, wir kamen uns vor wie in einem eigenen Haus. Wir bestiegen die Türme der Sarazenen, wir wanderten nach Saint-Tropez hinunter, um im Hafen ein Glas Wein zu trinken oder bei Vachon provenzalische Röcke zu kaufen. Ich war fleißig: Ich las die Erinnerungen an Vichy von Henri du Moulin de Labarthète und den Briefwechsel zwischen Gide und Jammes.

Bost, der mit Olga ein kleines Haus in Capri gemietet hatte, verbrachte zwei Tage bei uns. Er war gerade da, als zur Mittagszeit Simone Berriau, ihren Sturzhelm auf dem Kopf, mit ihrem Mann, Brandel, und Yves Mirande einem amerikanischen Wagen entstieg. Sie kamen aus Mauvannes, ihrem Besitz in der Nähe von Hyères. Sie betrat den Speisesaal, deutete auf ihren Mann und trompetete: «Wißt ihr, was dieser Herr mir heute früh angetan hat?» und sie berichtete es. «Das mag ja sein», sagte Mirande, «aber es lohnt sich nicht, die Dienstboten zu informieren.» Wir verbrachten vierundzwanzig Stunden in Mauvannes. Frühmorgens, als sie mit mir auf der Terrasse allein war, machte sie mir mit einem vielsagenden Augenzwinkern so präzise Geständnisse, daß ich am liebsten in den Erdboden versunken wäre. Sie spielte gern die Kupplerin und konnte nicht begreifen, daß eine junge Schauspielerin sich weigerte, mit dem erstbesten Milliardär ins Bett zu gehen. Sie war voller Vitalität und Eifer, verfolgte aber nur ihre persönlichen Ziele. Sie schien jedoch ehrlich an Mirande zu hängen, der unter ihrem Dach wohnte. Trotz seiner Jahre war Mirande eine altmodische Inkarnation jener lebemännischen Attitüde, die mein Vater so gern gehabt hatte, und war nach wie vor vom schönen Geschlecht besessen. Er war frivol, aber drollig. Er hatte etwas von dem Timbre ‹Blaue Blume›, das sich so gut mit einem ausschweifenden Lebenswandel verträgt. Er erzählte uns, daß er in Hollywood ein leidenschaftliches Verhältnis mit Greta Garbo gehabt habe. Tief betrübt, habe er mit ihr gebrochen. «Weil ich mich nicht lächerlich machen wollte», sagte er und fügte hinzu – in seinem Mund klang es mysteriös: «Außerdem war sie lasterhaft.» Er war sehr nett zu Sartre. Seine Bonmots, sein Lachen, seine Gutmütigkeit dämpften viele Zusammenstöße, die durch die Anwesenheit des Gatten Simone Berriaus nicht gerade gemildert wurden.

Die Briefe, die M. schrieb, waren düster. Nur unwillig war sie bereit gewesen, vier Monate mit Sartre zu verbringen, während ich mit Algren auf Reisen ging. Wenige Tage vor meinem Abflug schrieb sie, daß sie entschlossen sei, Sartre nicht mehr wiederzusehen – jedenfalls nicht unter diesen Umständen. Ich wußte weder aus noch ein. Ich sehnte mich nach dem Zusammensein mit Algren, hatte aber schließlich bisher nur drei Wochen mit ihm gelebt. Ich wußte nicht, bis zu welchem Grade ich an ihm hing: ein wenig, sehr oder noch mehr? Die Frage wäre müßig gewesen, wenn die Umstände sie für mich entschieden hätten. Plötzlich aber stand ich vor einer Wahl: Da ich wußte, daß ich bei Sartre bleiben könnte, riskierte ich ein schlechtes Gewissen, das, wenn es nicht Algren gegenüber in Unmut umschlug, zumindest mir selber Verdruß bereiten würde. Ich traf eine halbe Entscheidung: zwei Monate statt vier. Algren rechnete damit, mich lange bei sich zu haben, und ich wagte nicht, ihm klipp und klar meine neuen Dispositionen mitzuteilen. Ich wollte es mündlich mit ihm ordnen.

Diesmal nahm ich eine hoch und schnell fliegende Maschine. Um zwei Uhr früh setzte sie mich auf Island ab, wo ich zwischen bärtigen Seebären eine Tasse Kaffee trank. Beim Abflug verblüffte mich die Landschaft: silbernes Licht, hohe weiße Berge am Rande eines glatten Meeres vor dem Hintergrund eines kirschroten Himmels. Ich überflog das verschneite Labrador und landete auf dem Flughafen La Guardia. In meinem Paß war als Zweck der Reise angegeben: Vorträge. «Worüber?» fragte mich der Einwanderungsbeamte. Als er das Wort Philosophie hörte, zuckte er zusammen. «Was für eine Philosophie?» Das sollte ich ihm in fünf Minuten erklären. «Unmöglich», erwiderte ich. «Hängt es mit Politik zusammen? Sind Sie Kommunistin? Sie werden es ja doch nicht zugeben.» Ich hatte den Eindruck, daß ein Franzose von vornherein verdächtig war. Nachdem er in den Akten nachgesehen hatte, bewilligte er mir einen Aufenthalt von drei Wochen.

Ich verbrachte den Tag zusammen mit Fernand und Stépha. Es regnete in Strömen, und ich fand mich nicht zurecht. New York kam mir weniger luxuriös vor als im vergangenen Jahr, weil Paris noch luxuriöser war. Bis auf das Publikum der eleganten Bars sahen die Frauen mit ihren langen Röcken des New Look alle aus wie Dienstmädchen. Am nächsten Tag erweckte New York unter einer glühenden Sonne an den Ufern des East River den Eindruck einer großen Hafenstadt am Mittelmeer. Ich traf alte Freunde und sah mir *La Putain respectueuse* an: Es war eine Katastrophe! Man hatte die Hälfte der Szenen zwischen Lizzie und dem Neger gestrichen. Sie sprachen ohne jede Betonung und sahen sich dabei nicht an. Trotzdem war es die fünfzigste Vorstellung, und der Zuschauerraum war voll besetzt.

Am nächsten Tag landete ich um Mitternacht in Chicago, und vierundzwanzig Stunden lang fragte ich mich, was ich dort zu suchen hätte. Am Nachmittag führte mich Algren zu einer Bande morphiumsüchtiger Diebe, die ich seiner Behauptung zufolge unbedingt sehen *müsse*. Ich verbrachte zwei Stunden in einer schmutzigen Bude, umgeben von Unbekannten, die sich so schnell, daß ich sie nicht verstand, mit anderen Unbekannten unterhielten. Unter ihnen befand sich eine aus dem Gefängnis entlassene Vierzigjährige, die bis auf die Knochen mit Rauschgift durchtränkt war. Ihr früherer Mann, mit einem rissigen, fahlen Gesicht, noch vergifteter als sie, saß nachts an der Trommel, um Geld zu verdienen, und tagsüber am Steuer eines Taxis, um die Stadt auf der Suche nach Rauschgift zu durchstreifen. Ihr fester Liebhaber wurde von der Polizei wegen Diebstahls und Betrügereien gesucht. Sie lebten alle zusammen. Die Frau hatte eine entzückende und seit zwei Monaten anständig verheiratete Tochter, die zu Besuch gekommen war. In ihrer Gegenwart nahm sich das Trio einigermaßen zusammen. Trotzdem stürzte der ehemalige Gatte ins Badezimmer und verpaßte sich eine Spritze unter den Augen Algrens, die ihn vergebens zu ihren Riten bekehren wollten. Algren sagte, daß sie nur das Thema Rauschgift interessiere. Als ich wieder mit ihm allein war, legte sich mein Unbehagen. Am darauffolgenden Tag begleitete ich ihn zu der Frau eines Einbrechers, der sich gleichfalls vor der Polizei versteckt hielt und der zu schreiben begonnen hatte, seit er Algren kannte. Weinend wartete sie auf ihren Mann, zeigte uns aber voller Stolz das Buch, das er auf eigene Kosten hatte abtippen lassen. Sie zog zwei taubstumme Kinder groß. Zwischendurch machten wir im Regen unsere Besorgungen. Der guatemaltekische Konsulatsbeamte, der mir mein Visum ausstellte, erklärte mir eine geschlagene Stunde lang, wie sehr sein Land Frankreich liebe. Algren gegenüber war er sehr kurz angebunden, vor allem, als er seine

Staatsangehörigkeit notierte. «Amerikaner? – Bürger der Vereinigten Staaten», berichtete er. «Amerikaner bin ich genausogut wie Sie.»

Nach einem Tag leidenschaftsloser, aber rastloser Tätigkeit fuhren wir mit dem Morgenzug nach Cincinnati: 700 000 Einwohner; Plätze, grüne Anhöhen, Vögel, provinzielle Stille. Beim Abendessen mußten wir das Fernsehen mit in Kauf nehmen, das sich bereits in sämtlichen öffentlichen Lokalen breitzumachen begann. Am nächsten Abend gingen wir an Bord eines Raddampfers. Cincinnati feierte ein Fest. Am Himmel kreisten Flugzeuge und Scheinwerfer, an den Ufern leuchteten Freudenfeuer, die Lichter der Autos huschten über die großen Eisenbrücken. Dann glitten wir durch die stumme Nacht des flachen Landes.

Mir gefiel die Monotonie der Fahrt durch diese ungeheure Wasserlandschaft. Im Sonnenschein auf der Brücke sitzend, übersetzte ich eine Novelle Algrens, las, oder wir plauderten bei einem Glas Scotch. Algren bemühte sich, mit einer deutschen Kamera, mit der er nicht umzugehen wußte, Aufnahmen zu machen. Er war tief befriedigt, weil es ihm gelang, ein leises Geräusch zu erzeugen, wenn er auf den Auslöser drückte. Im Abendlicht sah ich, wie die Fluten des Ohio sich mit den Gewässern des Mississippi vermischten. Von diesem Fluß hatte ich geträumt, wenn ich *Ol' Man River* hörte und auch als ich *Tous les hommes sont mortels* schrieb. Aber ich hatte mir den Zauber seiner Dämmerung und seiner Mondnächte nicht vorstellen können.

Jeden Tag legten wir für einige Stunden an. Louisville bot einen tristen Anblick im Regen; ein Städtchen in Kentucky mit schäbigen Kneipen, in denen die Farmer zechten. Memphis: längs der Kais Baumwollballen, Kattunfabriken, Handelshäuser, die Baumwolle verkaufen. Natchez, mit seinen 40 000 Einwohnern eine der ältesten Städte des Südens. Der Anlegeplatz befand sich außerhalb der Stadt. Ein dicker Mann machte sich erbötig, uns mit dem Auto ins Zentrum zu bringen. Trotz der drückenden Hitze trug er wie die meisten Weißen einen steifen Kragen und einen korrekten Anzug. Er erklärte uns, daß die Schwarzen in Natchez ein äußerst angenehmes Leben führten, und er hütete sich, sie Nigger zu nennen. Ein einziges Mal entschlüpfte ihm dieses Wort. Wir verließen ihn am Rande des Negerviertels. Im Taxi besuchten wir alte Plantagen, darunter auch die von Jefferson Davis. Wir hielten vor einem pompösen, mit Säulen geschmückten Gebäude, dessen Bau durch den Bürgerkrieg unterbrochen worden war und das nun zwischen gigantischen, mit spanischem Moos bedeckten Bäumen verfiel. Eine alte Dame wollte nicht, daß Algren eine Aufnahme machte. Der Chauffeur zuckte die Achseln. «Sie ist die Schwester des Besitzers. Sie stammt aus New York», fügte er voller Abscheu hinzu. Schwarze und Weiße, erklärte er, verstünden einander gut, weil jeder an seinem Platz bleibe und die Schwarzen höflich seien. «In Kalifornien», sagte er mit plötzlichem Zorn, «ziehen sie nicht einmal den Hut und antworten nur kurz mit *yes* und *no* und reden die Weißen an!» Er war nervös. Es war ihm unangenehm, Leute aus dem Norden herumzuführen. Abends kamen wir an Baton Rouge vorbei. Hinter den Lichtern des Hafens und der erhellten Gebäude spien die Hochöfen ihre Flammen. Am nächsten Nachmittag gingen wir in New Orleans an Land.

Mitten im französischen Viertel fanden wir ein riesiges Zimmer mit einem riesigen Ventilator und einem Holzbalkon, der auf den Innenhof ging. Varietétänzerinnen und junge Prostituierte turnten im Negligé in den Gängen des Hotels herum, dessen Besitzerin, eine dicke, halbverrückte Russin, hartnäckig behauptete, daß ich Russin sei. Nach einem kreolischen Essen (das Dessert bestand aus mit Rum flambiertem Eis) machten wir uns auf die Suche nach gutem Jazz; wir suchten von der ‹Napoleon Bar› bis zum ‹Absinth House›, von Zombie zu Julep, aber anscheinend gab es in den Vierteln der Weißen überhaupt keinen Neger-Jazz mehr. Der Frühling war schon vorbei. Keine Azaleen, kein Regen, ein trockenes und heißes Wetter. Wir badeten den ganzen Tag im Ponchartrain-See. Sämtliche Fotos Algrens waren mißlungen.

Dann kam Yukatan mit seinen Dschungeln, seinen blauen Agavenfeldern, seinen brandroten Flammenbäumen. Mérida mit seinen spanischen Kirchen in subtropischer Feuchtigkeit und Üppigkeit. Unsere Fahrt nach Chichen Itzá habe ich in *Les Mandarins* beschrieben. Noch schöner waren die Ruinen von Uxmal, aber um hinzukommen, mußte man um sechs Uhr morgens einen Bus nehmen, und es gab noch nicht einmal ein Café dort. Algren, der angesichts dieser halsstarrigen Steine von Verzweiflung heimgesucht wurde, weigerte sich, ihnen auch nur einen Blick zu gönnen. Ich durchforschte sie einsam und unfroh. Diese Anfälle schlechter Laune waren recht selten. Algren fand sich mit allem ab, mit den Bohnen und den Tortillas, mit den Insekten, mit der Hitze; er war genauso entzückt wie ich von den kleinen Indianerinnen mit den langen Röcken und den schwarzglänzenden Zöpfen, deren Züge man auf den Basreliefs der Maya-Tempel wiederfindet. Ich habe bereits geschildert, was uns in Guatemala gefiel. Aber die Straßen waren trist, die Frauen gingen barfuß unter prächtigen und schmutzigen Stoffen, während die Männer mit schweren Bürden beladen dahintrabten. Vor den mit Stroh gedeckten Holz- oder Lehmhütten, aus denen die Dörfer bestanden, sah man Kinder mit aufgeblähten Bäuchen und durch das Trachom erblindeten Augen. Die Indianer, 67 Prozent der Bevölkerung, waren erst seit zwölf Jahren frei: Bis 1936 hatte man sie, unter dem Vorwand, daß sie mit den Steuern im Rückstand seien, zur Zwangsarbeit verurteilt. Heute lebten sie genauso wie gestern in einem hoffnungslosen Elend, und ich hatte den Eindruck, daß sie sich ihm mit stumpfsinniger Trägheit fügten.

México war eine richtige Stadt, wo es allerhand zu sehen gab. Wir flanierten durch die Vorstädte und die übelberüchtigten Viertel. Eines Abends ließen wir uns überreden, an einer Vorführung einheimischer

‹Volkstänze› teilzunehmen, die eigentlich von einem alten amerikanischen Schieber organisiert wurden. Bejahrte Touristen beiderlei Geschlechts applaudierten herzlich den luxuriös kostümierten jungen Mädchen, die Bauerntänze imitierten. Nach einer halben Stunde machten wir uns aus dem Staub, und um uns schadlos zu halten, landeten wir in dem erbärmlichsten Kabuff des Verbrecherviertels. Fette Taxigirls tanzten mit kleinen indianischen, mexikanischen, spanischen Ganoven. Man betrachtete uns höchst verwundert und unterhielt sich mit uns, während wir unseren Tequilla tranken. Für viele Amerikaner ist México ein Dschungel, wo man an jeder Straßenecke Gefahr läuft, abgemurkst zu werden. Algren aber hatte in seinem Leben mit tausend Halsabschneidern verkehrt, ohne jemals erlebt zu haben, daß jemandem der Hals abgeschnitten wurde. Im übrigen, sagte er, sei in México der Prozentsatz der Verbrechen geringer als in New York oder in Chicago. Sonntags sahen wir uns die Stierkämpfe in den gigantischen Arenen an: Auf ein Dutzend kamen drei bis vier ausgezeichnete Kämpfe. Was Algren ärgerte, war, daß jede Corrida ein in sich abgeschlossenes Ereignis darstellt, während der Sieg eines Boxers einen neuen Zyklus der Herausforderungen und Kämpfe einleitet. Beim Weggehen mischten wir uns unter die Menge und folgten ihr bis in die fernen Vorstädte, kehrten dann ins Zentrum zurück, aßen Pute mit Schokoladensauce, *tamales,* die einem den Mund verbrennen, mörderisches *chili con carne.* Nachts regnete es. Am nächsten Morgen wanderte man unter einem sanftblauen Himmel durch die Pfützen.

Ich hatte die Frage meiner Abreise noch nicht berührt. Bei der Ankunft brachte ich es nicht übers Herz, und auch in den darauffolgenden Wochen fehlte mir der Mut. Mit jedem Tage wurde es dringlicher und schwieriger. Auf einer langen Autofahrt von México nach Morelia teilte ich Algren mit linkischer Ungeniertheit mit, daß ich am 14. Juli wieder in Paris sein müsse. «Na schön», sagte er. Ich wundere mich noch heute, daß ich mich durch diese scheinbare Gleichgültigkeit täuschen lassen konnte. Daß er in Morelia keine Lust hatte, spazierenzugehen, fand ich natürlich. Vergnügt machte ich mich allein auf den Weg durch die Straßen und über die Plätze der alten spanischen Stadt. Ich amüsierte mich auf dem Pazcuaro-Markt, wo blaugekleidete Indianer blaue Stoffe verkauften. Wir fuhren über den See bis zur Insel Janitzio, die von oben bis unten mit den Netzen der Fischer geschmückt war. Ich kaufte mir bestickte Blusen. Nachdem wir das Land wieder erreicht hatten, gingen wir zu Fuß ins Hotel, und ich machte Pläne für den kommenden Tag. Algren fiel mir ins Wort: Er habe die Indianer und die Märkte, Mexiko und das Reisen satt. Ich dachte, es handle sich, so wie in Uxmal, um eine vorübergehende Laune. Aber es hielt recht lange an, und ich wurde unruhig. Mit schnellen Schritten ging er voraus. Als ich ihn einholte, antwortete er nicht auf meine Fragen. Im Hotel setzte ich mein Verhör fort: «Was ist denn los? Es war alles so schön: Warum müssen Sie es verderben?» Ungerührt über eine Bestürzung, die mir die Tränen in die Augen trieb, ließ er mich stehen. Nach seiner Rückkehr versöhnten wir uns, ohne uns auszusprechen. Das genügte, um mich zu beruhigen. Die folgenden Tage verbrachte ich, ohne mir Sorgen zu machen. Wir besuchten Cholula mit den dreihundert Kirchen. In Puebla, dessen Bordellgassen mich an die rue Bouterie erinnerten, lausten die kleinen Huren ihre Kinder auf der Schwelle der nach der Straße zu offenen Zimmer. Riesige dunkelgrüne Bäume beschatteten die alten Plätze aus der Kolonialzeit in Cuernavaca. In dem hügeligen Taxco, mitten im Gebiet der Silberbergwerke, wurde längs der Straßen Silberschmuck feilgeboten. Wir tranken köstliche Whisky-Sours auf einer von Bougainvillea-Sträuchern umrankten Hotelterrasse und betrachteten die Fassade einer schönen Barockkirche. «Noch zwei Tage, und ich würde auf der Straße mit dem Revolver herumknallen, damit endlich etwas passiert», sagte Algren zu mir. Das Land ging ihm entschieden auf die Nerven. Schön. Wir flogen nach New York zurück.

In den glühendheißen Straßen promenierten die Frauen unter riesigen Cocktailhüten, den Busen bis zu den Brustwarzen entblößt, den Nabel freigelegt. Die Stadt hatte sich mit den Farben eines Karnevals geschmückt, behielt aber ihren geschäftigen und harten Charakter bei. Ich begann für meine Feigheit und Unbekümmertheit zu büßen. Algren sprach mit mir nicht mehr in seiner früheren Art, und gelegentlich machte sich sogar eine gewisse Feindseligkeit bemerkbar. Eines Abends fragte ich ihn: «Sie haben mich nicht mehr so gern wie früher?» – «Nein», erwiderte er, «es ist nicht mehr dasselbe.» Ans Fenster gelehnt, weinte ich die ganze Nacht zwischen der Stille des Himmels und den gleichgültigen Geräuschen der Stadt. Wir wohnten im ‹Brittany› am unteren Ende der Fifth Avenue. Wir gingen in Greenwich Village spazieren, ich schleppte mich über den heißen Asphalt, und wir kauften große Brocken Johannisbeereis, das wir auf unserem Zimmer verzehrten: Trotzdem saß mir die Glut in der Kehle. Wir verbrachten peinliche Stunden in den französischen Restaurants des Ostens, in die ich Algren auf der Jagd nach etwas frischer Luft schleppte, und in den erstickend schwülen Lokalen des Westens, die er bevorzugte, weil er dort keinen Schlips und keine Jacke tragen mußte. Ich meinerseits nahm ihm seine Verdrossenheit übel. Eines Abends saßen wir auf der Terrasse einer Taverne mitten im Central Park, gingen nachher ins Café ‹Society›, um Jazzmusik zu hören, und er führte sich besonders unangenehm auf. «Ich kann auch schon morgen abreisen», sagte ich zu ihm. Wir wechselten einige Worte, und dann sagte er urplötzlich: «Ich bin bereit, Sie auf der Stelle zu heiraten.» Da wußte ich, daß ich ihm niemals etwas nachtragen könnte: Alle Schuld lag auf meiner Seite. Ich verließ ihn am 14. Juli und hatte keine Ahnung, ob ich ihn je wiedersehen würde. Diese Heimfahrt über den Ozean war ein Albtraum, ich war versunken in eine Nacht ohne Anfang und Ende, vollgestopft mit Schlafmitteln, ohne schlafen zu können, verloren, vernichtet.

Wäre ich so ehrlich und klug gewesen, Algren vor unserem Wiedersehen von der Verkürzung meines Aufenthaltes zu erzählen, dann wäre alles besser verlaufen: Zweifellos hätte er mich mit geringerer Begeisterung empfangen, aber mir wäre sein Groll erspart geblieben. Ich habe mich oft gefragt, welche Bedeutung dieses Mißgeschick für unsere Beziehung gehabt haben mag. Es hatte ihm, wie ich glaube, lediglich eine Situation enthüllt, die er auf jeden Fall nicht länger akzeptiert hätte. Auf den ersten Blick war sie mit der Situation identisch, in der ich mich befand. Auch wenn es Sartre nicht gegeben hätte, wäre ich nicht in Chicago geblieben, und auch wenn ich's versucht hätte, so hätte ich es doch sicherlich nicht länger als ein bis zwei Jahre in einem Exil ausgehalten, das meine Denkweise und meine schriftstellerischen Möglichkeiten völlig zerstören würde. Algren seinerseits konnte unter keinen Umständen – obwohl ich es ihm oft vorgeschlagen hatte – in Paris leben, und wäre es auch nur für ein halbes Jahr. Um zu schreiben, brauchte er die Verbindung zu seinem Land, mit seiner Stadt, mit dem Milieu, das er sich geschaffen hatte. Ein jeder hatte sich sein Leben aufgebaut, es ließ sich nicht verpflanzen. Indessen bedeuteten uns beiden unsere Gefühle mehr als ein Scherz, mehr auch als eine leichtfertige Eskapade. Wir bedauerten beide, daß der Partner sich weigerte, bei dem anderen zu bleiben.

Aber es gab doch einen großen Unterschied zwischen uns. Ich beherrschte seine Sprache, ich kannte die Literatur und Geschichte seines Landes ziemlich gut, ich las die Bücher, die ihm gefielen, die Bücher, die er geschrieben hatte. In seiner Nähe vergaß ich mich, wurde ich von seiner Welt verschluckt. Von meiner Welt wußte er so gut wie gar nichts. Er hatte einige meiner Artikel gelesen, von Sartre kaum mehr, und die französischen Schriftsteller interessierten ihn im allgemeinen wenig. Andererseits ging es mir in Paris viel besser als ihm in Chicago. Er litt unter der harten amerikanischen Einsamkeit. Seit es mich gab, verschmolz die Leere, in der er lebte, mit meiner Abwesenheit, und das nahm er mir übel. Auch für mich war der Abschied herzzerreißend – vor allem aus einem Grund: Algren wollte mir nicht sagen, ob wir uns je wiedersehen würden. Diese Ungewißheit belastete mich am stärksten. Hätte er mit fester Stimme erklärt: «Nächstes Jahr!», dann wäre ich durchaus oder beinahe zufrieden gewesen. Ich hätte in meinem ‹schizophrenen› Zustand verharren müssen – schizophren in dem Sinne, wie Sartre und ich diesen Ausdruck auffaßten –, um mir einzubilden, daß er sich mit der Situation abfinden werde. Oft war ich traurig, weil er sich gar keine Mühe gab, sich damit abzufinden: Aber ich weiß auch sehr gut, daß er sich nicht mit ihr abfinden konnte.

Hätte ich also die Affäre ablehnen und mich mit der Sympathie begnügen sollen, die Algren mir einflößte? Daß er soviel Umsicht genauso verachtet haben würde wie ich, genügte nicht zu meiner Entschuldigung. Was ich in bezug auf Sartre und M. geäußert habe, hatte auch hier seine Gültigkeit. Ich war mir meiner Bindung an Sartre auf unaussprechliche Weise bewußt. Von allem Anfang an waren die Würfel gefälscht: Die aufrichtigsten Worte waren ein Verrat an der Wahrheit. Aber auch in diesem Fall drängte die Entfernung auf das Alles oder Nichts. Man überquert nicht einen Ozean, man trennt sich nicht wochenlang von seinem gewohnten Leben, ohne daß es mehr wäre als Sympathie. Es kann von Dauer sein, wenn es sich in ein stärkeres Gefühl verwandelt. Ich bedaure nicht, daß es existierte. Es hat uns mehr gegeben als genommen.

Sartre hatte mich über die Ereignisse in Frankreich auf dem laufenden gehalten. Ende Mai hatte er mir geschrieben: «Widerstandskämpfer aus Charbonnière bei Lyon haben Sacha Guitry gekidnapt, als er nach einem seiner ewigen Vorträge in eigener Sache (wie er sich reinwaschen will, weiß ich nicht) den Saal verließ, haben ihn gezwungen, vor dem Denkmal der im Jahre 1944 gefallenen Widerstandskämpfer den Hut zu ziehen und sich aus dem Staube zu machen. *Paris-Presse* hat für eine Million Francs das Foto von Sacha gekauft (das zwar recht undeutlich, aber doch sehr eindrucksvoll ist), wie er barhäuptig mit erschreckten Karnickelaugen dasteht und sich mit der Hand über die Glatze streicht. Man spricht von nichts anderem.» Das war eine Episode aus dem Kampf zwischen ehemaligen Mitgliedern der Résistance und ehemaligen Kollaborateuren. Die Vichy-Anhänger trugen einen ernsthaften Sieg davon. Am 20. Juli huldigte de Gaulle dem «Sieger von Verdun» und entschuldigte beinahe die Politik Pétains, «der sich unter den Einwirkungen des Alters von dem Regen der Kapitulationen hatte mitreißen lassen».

Wie die ganze nichtkommunistische Linke setzte auch Sartre große Hoffnungen auf den Bruch zwischen Tito und der Sowjetunion. Wenn Jugoslawien die Alternative der beiden Blöcke ablehnte, wurde die Position des Neutralismus verbessert. Im Augenblick war es um die Chancen des Friedens schlecht bestellt. Daß die Amerikaner die Deutsche Mark in Umlauf setzten, war offenbar ein Vorspiel der Gründung einer anderen Regierung in Ostdeutschland. Der Gegenschlag der Russen, die Blockade Berlins, hatte die internationale Spannung aufs äußerste gesteigert. In Frankreich und in Italien verschärfte diese Krise die Meinungsverschiedenheiten. Ich war gerade in Paris eingetroffen, als am 14. Juli gegen elf Uhr ein Student namens Ballante drei Revolverschüsse auf Togliatti abfeuerte. Das italienische Proletariat reagierte so heftig, daß man eine Revolution für möglich hielt.

*L'Amérique au jour le jour* erschien bei Mohrien und hatte einen schönen Achtungserfolg. Ich nahm mir wieder meine Abhandlung über die Frau vor. Sartre las viel Nationalökonomie und Geschichte. Er kritzelte mit winziger Schrift unermüdlich die Hefte voll, in denen er seine Morallehre entwickelte. Er hatte eine Studie über Mallarmé begonnen (er schrieb etwa hundert Seiten, die später verlorengegangen sind) und arbeitete an *La Mort dans l'âme* [*Der Pfahl im Fleische*]. Wir wollten gegen Ende Juli zusammen auf Urlaub fahren. M. rief aus New York an: Sie könne die Trennung nicht länger ertragen, sie verlangte, eine Woche lang bei ihm sein zu dürfen, sie schluchzte übers Meer hinweg, es waren lästige, aber aufrichtige Tränen: Er gab nach. Aber während des ganzen Monats, den sie gemeinsam im Süden verbrachten, nahm er ihr diesen launischen Gewaltstreich übel. Er hatte seine Gewissensbisse mit grollendem Unmut vertauscht. Für ihn war das ein sehr vorteilhafter Tausch.

Ich bereute, daß ich meinen Aufenthalt in den USA vorzeitig abgebrochen hatte. Ich machte Algren telegrafisch den Vorschlag, nach Chicago zurückzukehren. «Nein. Zuviel Arbeit», antwortete er. Das tat mir weh, denn es war ein Vorwand. Zugleich aber fühlte ich mich erleichtert. Immer wieder dieses Wiedersehen, dieser Abschied, diese Reibungen, diese Sehnsucht – das alles belastete mich ungeheuer. Einen Monat lang lebte ich in Paris, arbeitete, las und traf mich mit meinen Freunden.

Schließlich schiffte ich mich mit Sartre nach Algerien ein. Wir sehnten uns nach Sonne, wir liebten das Mittelmeer. Es war ein Urlaub, eine Vergnügungsreise. Wir gingen spazieren, schrieben und unterhielten uns. Eines Tages hatte Camus zu uns gesagt: «Das Glück existiert, es hat seine Bedeutung. Warum soll man es zurückweisen? Dadurch, daß man es akzeptiert, verschlimmert man das Unglück anderer nicht. Und wenn auch: Es hilft einem, für sie zu kämpfen. Ja», hatte er hinzugefügt, «ich finde das Schamgefühl bedauerlich, das einen heutzutage befällt, wenn man sich glücklich fühlt.» Ich war durchaus mit ihm einverstanden. Fröhlich betrachtete ich am ersten Morgen von meinem Zimmer im Hotel ‹Saint-Georges› aus das blaue Meer. Am Nachmittag schlenderten wir durch die Kasbah, und ich merkte, daß die Touristenrolle, die wir früher gern gespielt hatten, tot und begraben war. Das Malerische war in Verwesung geraten. In den alten Gassen begegneten wir nur noch dem Elend und der Erbitterung.

Wir blieben vierzehn Tage lang in Algier. Der Wirt des Hotels gestand den Journalisten, daß er sich über die «Einfachheit» Sartres wundere: Am ersten Tag hätten wir den Autobus genommen, um in die Stadt zu fahren! Wenn Bernstein arbeitete, verlangte er, daß man sämtliche Uhren abstelle. Der Hotelier schien enttäuscht zu sein, daß Sartre nichts dergleichen verlangte. Ich schrieb am Fenster. Wir saßen im Garten unter den Palmen und tranken schweren Mascara. Wir fuhren im Taxi die Uferstraßen entlang und wanderten unter Kiefern und über sanfte Hügel. Camus aber hatte, wenn man sich's recht überlegte, die Frage falsch gestellt. Wir weigerten uns nicht, glücklich zu sein, wir brachten es einfach nicht fertig.

Algren schrieb mir nicht. Ich schickte ihm ein Telegramm, das er nicht beantwortete. Ich beschloß, ihn vorläufig zu vergessen. Ich hatte diese Traurigkeit satt. Eines Morgens ging ich in Tipasa am Meeresstrand spazieren, zerrieb Minzeblätter zwischen den Fingern, atmete den urzeitlichen Duft der Sonne und des Gesträuchs und war plötzlich zwanzig Jahre alt: keine Reue, keine Erwartungen, nur die Erde und das Wasser und mein Leben. In den Städten fröstelte ich. Wie bedrückend war Cherchell! Nur die Neugier veranlaßte uns, die Reise fortzusetzen. Wir erwarteten kein Vergnügen mehr.

«Fahren Sie nicht nach Kabylien: Wenn ich hin muß, nehme ich einen Revolver mit», hatte uns ein Gast im ‹Saint-Georges› gesagt. Einige andere *colons* hatten ihm zugestimmt. Wir ließen uns für einige Tage in Michelet nieder, im Hotel ‹Transatlantique›. Wir wanderten durch die Dörfer: Lehmhütten, dicht aneinandergereiht, Gassen, so eng, daß man den Eindruck hatte, durch Korridore zu gehen. Keine Springbrunnen. Die Männer arbeiteten im fernen Tal. Auf den Schwellen der Häuser waren nur Kinder und Frauen zu sehen, die Wimpern mit Kohle geschwärzt. Ihre Regungen waren nicht zu enträtseln. In Michelet fand ein Jahrmarkt statt. Nichts als Männer und Vieh. Die Luft roch nach Schweiß. Als ich abends in mein Zimmer zurückkehrte, beschlich mich ein seltsames Gefühl. Es fehlte ein Päckchen Zigaretten, das ich auf meinem Tisch hatte liegenlassen. Ich stellte fest, daß aus dem verschlossenen Koffer Wäsche und Geld verschwunden waren. Und jemand hatte sich auf meinem Balkon übergeben. Ich mußte dem Hotelbesitzer mitteilen, daß bei mir eingebrochen worden war. «Sind Sie bestohlen worden?» Ich verneinte diese Frage, aber es fiel mir schwer, ihn zu überzeugen. Nachts verriegelte ich die Tür, und das war gut so: Geräuschvoll drehte jemand am Türknauf. Am nächsten Morgen wurde in einem leeren Zimmer ein Schlachter aus einem benachbarten Dorf schlafend und völlig betrunken vorgefunden. Der Wirt zögerte eine Weile, verzichtete aber dann darauf, Anzeige zu erstatten. Dieser klägliche und tolpatschige Diebstahl hinterließ aus irgendwelchen Gründen einen bitteren Nachgeschmack.

Bost reiste uns nach Bougie nach. Gemeinsam verbrachten wir einige Tage in einem verlassenen Palast am Strande von Djidjelli. Außer Sand und Meer gab es nichts zu sehen. Wir badeten Tag und Nacht. Ich hätte mir gern Gardhaïa angesehen, das mir vor zwei Jahren entgangen war. Ich fuhr mit Sartre in einem Taxi bis Bou Saada. Ein zweites Taxi brachte uns nach Djelfa, wo die Menschen nicht einmal mehr in Höhlen, sondern in Erdlöchern hausten. Die Hitze war kaum zu ertragen, die Autos fuhren nur während der Nacht. Auch diesmal mußte ich auf Gardhaïa verzichten.

# 4

Ich hatte das Hotelleben satt, da ich nur unzulänglich vor den Journalisten und den Indiskretionen geschützt war. Mouloudji und Lola erzählten von einem möblierten Zimmer in der rue de la Bûcherie, in dem sie gewohnt hatten: Der Mieter, der nach ihnen eingezogen war, wollte es aufgeben. Im Oktober zog ich ein, hängte rote Gardinen an die Fenster, kaufte Stehlampen aus grüner Bronze, die Giacomettis Bruder nach seinen Entwürfen angefertigt hatte. An den Wänden und an den dicken Deckenbalken hängte ich die Gegenstände auf, die ich von meinen Reisen mitgebracht hatte. Eines der Fenster ging auf die rue de l'Hôtel-Colbert, die auf die Quais mündet: Ich konnte die Seine, Efeu, Bäume und Notre-Dame sehen. Dem anderen Fenster gegenüber befand sich ein von Nordafrikanern bewohntes Hotel und im Erdgeschoß ein Café, das ‹Café des Amis›, in dem man sich recht munter prügelte. «Sie werden nie Langeweile haben», sagte Lola zu mir. «Man braucht nur ans Fenster zu gehen und hinauszuschauen.» Frühmorgens brachten Lumpensammler dem Aufkäufer des Viertels kiloweise die in Kinderwagen aufgestapelten alten Zeitungen. *Clochards* und *clochardes* saßen auf den Stufen des Bürgersteigs, tranken literweise Rotwein, sangen, tanzten, hielten Selbstgespräche und zankten sich. Auf den Dächern streunten die Katzen in Rudeln umher. In meiner Straße gab es zwei Tierärzte, zu denen die Frauen ihre Lieblinge brachten. Das Haus, ein ehemaliges Privatpalais, das aus den Fugen zu geraten begann, hallte von Hundegebell wider. Bei der Klinik *patronnée par le Duc de Windsor* fing es an, reichte bis zur Loge der Hausmeisterin, die einen großen schwarzen Hund besaß, und verschonte auch mein Stockwerk nicht: Betty Stern, die Tochter des Theateragenten, die mir gegenüber wohnte, hatte vier Hunde. Jeder kannte jeden. Die Concierge, Mme D., eine lebhafte, magere kleine Frau, die zusammen mit ihrem Ehemann, einem erwachsenen Sohn und einem erwachsenen Neffen lebte, half mir beim Aufräumen. Betty, die sehr schön gewesen war, Marlene Dietrich eng und Max Reinhardt sehr gut gekannt hatte, unterhielt sich oft mit mir. Ein Jahr lang hatte sie sich während der Besatzungszeit bei den Maquis versteckt gehalten. Unter ihr wohnte eine Filmcutterin, die etwas später ihre Wohnung Bost überließ. Schließlich gab es über mir eine Schneiderin, die ich zuweilen in Anspruch nahm. Weder die Fassade noch die Treppe bestachen durch ihr Äußeres, aber ich fühlte mich in meiner neuen Behausung wohl. Wir verbrachten dort die meisten unserer Abende, weil uns in den Cafés zu viele Leute belästigten.

Jede Woche fand ich in meinem Briefkasten einen in Chicago abgestempelten Umschlag: mir war jetzt klar, warum ich in Algerien so selten Nachricht von Algren erhalten hatte: Er hatte nach Tunis statt nach Ténès geschrieben. So ging der Brief an ihn zurück, und er schickte ihn wieder ab. Es war ein Glück, daß er verlorengegangen war, denn er hätte mir damals sehr wehgetan. Als er auf Versammlungen zugunsten von Wallace sprach, hatte er sich, schrieb er, in eine junge Frau verliebt. Sie sei im Begriff, sich scheiden zu lassen, und er habe sich mit dem Gedanken getragen, sie zu heiraten. Sie hatte einen Psychoanalytiker konsultiert und wollte sich nicht vor Beendigung der Behandlung auf eine neue Geschichte einlassen. Als der Brief mich im Dezember erreichte, sahen sie sich nur noch selten. Aber er betonte: «Ich werde mit dieser Frau kein Verhältnis haben, sie bedeutet mir nicht viel. Was sich aber nicht geändert hat, ist mein Verlangen, eines Tages das zu besitzen, was sie mir drei bis vier Wochen lang geboten hat: einen Winkel, in dem ich mit meiner Frau und vielleicht sogar mit meinem Kind leben kann. Dieser Wunsch ist im Grunde nichts Außergewöhnliches, ja eigentlich etwas recht Alltägliches, nur habe ich bis jetzt nichts davon gewußt. Vielleicht liegt es daran, daß ich vierzig Jahre alt werde. Bei Ihnen ist es anders. Sie haben Sartre und außerdem eine bestimmte Lebensweise: Menschen, ein lebendiges Interesse an bestimmten Ideen. Sie nehmen eifrig am kulturellen Leben Frankreichs teil, und jeden Tag sind Sie befriedigt von Ihrer Arbeit, von Ihrem Leben. Von alldem ist Chicago ungefähr ebensoweit entfernt wie Uxmal. Mein Leben ist steril, da es ausschließlich auf mich selber bezogen ist: Ich kann mich ganz und gar nicht daran gewöhnen. Ich habe mich hier festgesetzt, weil, wie ich es Ihnen schon erzählt habe und wie Sie es wohl begriffen haben, meine Arbeit darin besteht, über diese Stadt zu schreiben, und das kann ich nur hier tun. Es hat keinen Zweck, das alles wieder durchzukauen. Aber mir bleibt kaum ein Mensch, mit dem ich mich unterhalten kann. Mit anderen Worten: ich bin in meine eigene Falle geraten. Ohne mir darüber klar zu sein, habe ich mir das Leben ausgesucht, das am besten zu dem literarischen Genre paßt, das mir liegt. Leute, die sich mit Politik beschäftigen, und die Intellektuellen langweilen mich, weil sie mir unwirklich vorkommen. Die Menschen, mit denen ich gegenwärtig verkehre, scheinen mir wirklicher: Huren, Diebe, Rauschgiftsüchtige usw. Mein Privatleben geht aber dabei zum Teufel. Jene Geschichte hat mir geholfen, unsere Beziehung deutlicher zu erfassen. Voriges Jahr hätte ich Angst gehabt, etwas zu zerstören, wenn ich Ihnen nicht treu geblieben wäre. Jetzt weiß ich, wie dumm das war, weil Arme keine Wärme schenken, wenn sie sich auf der anderen Seite des Ozeans befinden, und weil das Leben viel zu kurz, viel zu kalt ist, als daß man während so vieler Monate auf jede Wärme verzichten könnte.»

In einem anderen Brief griff er dasselbe Thema wieder auf: «Nach jenem unglückseligen Sonntag im Restaurant des Central Park, als ich anfing, alles zu zerstören, hat sich das Gefühl eingestellt, von dem ich in meinem vorigen Brief sprach, der Wunsch, etwas Eigenes zu besitzen. Zum großen Teil liegt es an dieser Frau, die mir einige Wochen lang so nahe und so teuer erschienen war (es ist nicht mehr der Fall, aber es ändert nichts an der Sache). Wäre nicht sie es gewesen, dann wäre es eine andere gewesen. Das bedeutet nicht, daß ich aufgehört hätte, Sie zu lieben, aber Sie waren so weit weg, und unser Wiedersehen schien mir in endloser Ferne ... Ich finde es ein wenig absurd, von Dingen zu sprechen, die vorbei sind. Aber es kommt auf dasselbe hinaus, da Sie nicht im Exil in Chicago leben können und ich nicht im Exil in Paris leben kann und immer wieder hierher zurückkehren muß, zu meiner Schreibmaschine und meiner Einsamkeit, und immer wieder das Bedürfnis empfinden werde, jemanden in meiner Nähe zu haben, weil Sie so weit weg sind ...»

Darauf gab es nichts zu erwidern. Er hatte völlig recht. Das machte es aber nicht besser. Es hätte mir sehr leid getan, wenn unsere Beziehung damals ein Ende genommen hätte. Das Glück der Tage und Nächte in Chicago, auf dem Mississippi, in Guatemala – das jähe Ende hatte sie in eine Fata Morgana verwandelt. Glücklicherweise wurden Algrens Briefe nach und nach wärmer. Er schilderte mir, wie er so in den Tag hinein lebte. Er schickte mir Zeitungsausschnitte, erbauliche Traktätchen gegen den Alkohol und das Tabakrauchen, Bücher, Schokolade, zwei Flaschen gut gelagerten Whisky (in einem riesigen Sack Mehl versteckt). Er versprach auch, im Juni nach Paris zu kommen, und buchte einen Schiffsplatz. Meine Stimmung besserte sich, aber manchmal packte mich die Angst, daß unsere Beziehung dazu verurteilt war, ein Ende zu nehmen, und zwar bald. Vierzig Jahre. Einundvierzig Jahre. Das Alter rückt näher. Es lauerte auf mich in der Tiefe des Spiegels. Mich wunderte, daß es mit so sicheren Schritten auf mich zukam, während sich nichts in mir mit ihm abfinden wollte.


Ab Mai erschien in den *Temps Modernes* meine Studie «Die Frau und die Mythen». Leiris sagte mir, daß Lévi-Strauss mir in bezug auf die primitiven Gesellschaftssysteme gewisse Ungenauigkeiten vorwerfen würde. Er war damals im Begriff, seine Dissertation über *Les Structures de la parenté* abzuschließen, und ich bat ihn, sie mir zu zeigen. Mehrere Vormittage hintereinander ging ich zu ihm, setzte mich an einen Tisch und las eine maschinengeschriebene Kopie seines Buches. Ich sah mich in meiner Auffassung bestätigt, daß die Frau den Begriff des Anderen verkörpert, daß der Mann nach wie vor die Hauptrolle spielt, sogar im Schoße der durch die mütterliche Erbfolge beherrschten Gesellschaft, die man als matriarchalisch bezeichnet. Ich ging auch weiterhin fleißig in die Bibliothèque Nationale; denn es ist ein Vergnügen und eine Erholung, sich die Augen an Worten zu sättigen, die bereits da sind, statt seine Wendungen aus dem Nichts hervorstampfen zu müssen. Von Zeit zu Zeit schrieb ich, vormittags in meinem Zimmer, nachmittags bei Sartre: Von meinem Tisch aus konnte ich in der Pause zwischen zwei Absätzen die Terrasse der ‹Deux Magots› und die place Saint-Germain-des-Prés überschauen. Der erste Band wurde im Laufe des Herbstes fertig, und ich beschloß, ihn sofort Gallimard zu übergeben. Aber wie sollte der Titel lauten? Sartre und ich grübelten lange. «Ariane», «Mélusine» paßten nicht, da ich die Mythen ablehnte. Ich dachte eher an «Die Andere», «Die Zweite»: aber diese Titel gab es schon. Eines Abends hatten Sartre, Bost und ich in meinem Zimmer stundenlang mit Worten jongliert – als ich vorschlug: «Das andere Geschlecht»? Nein. Da machte Bost den Vorschlag: «Das zweite Geschlecht» – und nach reiflicher Überlegung fanden wir diesen Titel angemessen. Ich machte mich nun stehenden Fußes an den zweiten Band.

Zweimal wöchentlich traf ich in Sartres Büro die ständigen Mitarbeiter der *Temps Modernes*: Merleau-Ponty, Colette Audry, Bost, Cau, Erval, Guyonnet, Jeanson, Lefort, Pontalis, Pouillon, J.-H. Roy, Renée Saurel, Stéphane, Todd – viel zuviel Personen für das kleine Zimmer, das sich mit Rauch füllte. Wir tranken klaren Schnaps, den Sartre von seiner Familie aus dem Elsaß erhielt, ließen die Welt Revue passieren und schmiedeten Pläne.

Im Oktober oder November bat Gaston Gallimard Sartre um eine Unterredung. In der Juli-Nummer der *Temps Modernes* war Malraux auf eine recht unfreundliche Weise erwähnt worden. Merleau-Ponty hatte einen Artikel der *New York Times* zitiert, in dem Malraux dazu beglückwünscht wurde, daß er sich dem Gaullismus angeschlossen habe; damit sei er seiner früheren trotzkistischen Einstellung treu geblieben. Dann druckte er die empörte Antwort der Witwe Trotzkis ab: «Malraux hat nie mit dem Trotzkismus sympathisiert, im Gegenteil... Malraux, der scheinbar mit dem Stalinismus gebrochen hat, dient nur seinen alten Herren, wenn er versucht, einen Zusammenhang zwischen dem Trotzkismus und der Reaktion herzustellen.» Das Dossier wurde durch den Brief eines Amerikaners ergänzt, in dem es hieß, Malraux sei zweimal von Trotzki gebeten worden, zu seinen Gunsten auszusagen, und habe sich jedesmal gedrückt. Merleau-Ponty erinnerte daran, daß Malraux sich vor 1939 de facto für Stalin gegen Trotzki entschieden habe: Er warf ihm vor, das Gegenteil zu behaupten und den Gaullismus mit dem Trotzkismus auf eine Stufe zu stellen. Malraux war sofort zu Gallimard gegangen und hatte mit Repressalien gedroht, wenn er uns nicht auf die Straße setzte. Zur großen Erleichterung Gaston Gallimards, der seinen Mitarbeitern mit dem Brustton der Überzeugung erklärte: «Dieser Mann ist ein echter Demokrat», nahm Sartre die Angelegenheit von der heiteren Seite. Julliard bot uns seine Gastfreundschaft an. Malraux versuchte dessen Teilhaber Laffont einzuschüchtern, bei dem die Memoiren de Gaulles erscheinen sollten: dem General werde es zweifellos nicht recht sein, daß seine Memoiren in demselben Verlag erscheinen wie die *Temps Modernes,* es könnte sein, daß er sein Manuskript zurückziehe... Trotzdem übersiedelten wir im Dezember auf die andere Seite der rue de l'Université.

Sartre hatte auch noch andere Unannehmlichkeiten. Die Aufführung von *Les Mains sales* in New York war kein Erfolg gewesen. Man hatte den Text verstümmelt. Boyer, der den Hoederer spielte, hatte sich außerdem an der Replik gestoßen: «Er ist vulgär». Er ließ Jessica sagen: *«He looks like a king.»* Man hatte ein Lied über die Ermordung Lincolns eingefügt und alles durcheinandergebracht. Aus dem Stück war ein unvorstellbares Melodram geworden. Sartre versuchte, die Aufführung zu untersagen, und hatte die Absicht, Nagel zu verklagen, der die Aufführung ohne Sartres Zustimmung autorisiert hatte.

Alles ging schief. Das RPF war gescheitert, weil die Bourgeoisie es nicht mehr benötigte. Von neuem geeint und stark, hatte sie einen betrüblichen Sieg über das entzweite Proletariat davongetragen. Die Schlacht um die Löhne war verloren. Trotz der Marshall-Hilfe, trotz der Produktionssteigerung und einer ausgezeichneten Ernte hatten sich zwischen dem Sommer 1947 und dem Herbst des Jahres 1948 die Preise verdoppelt. Noch nie war die Kaufkraft der Arbeiter so niedrig gewesen. Am 4. Oktober traten 300 000 Grubenarbeiter in einen Streik, der acht Wochen dauerte. Jules Moch entsandte abermals die CRS, die zwei Streikende tötete. 2000 wurden eingesperrt, 6000 entlassen. Auch die Hafenarbeiter und die Eisenbahner legten die Arbeit nieder. Vergebens. Die sozialistischen Hoffnungen des Jahres 1944 waren längst begraben. In allen Punkten hatte sich das Programm der CNR durchgesetzt. Die herrschende Klasse steuerte entschlossen einen kolonialistischen Kurs. Am 5. Oktober fiel das Urteil von Tananarive: sechs Männer wurden zum Tode verurteilt, darunter zwei Abgeordnete. In Indochina begannen führende Kreise mit der Operation Bao-Dai gegen die Vietminh (Bao-Dai unterzeichnete am 8. März das Abkommen mit Auriol), deren Unzulänglichkeit deutlich sichtbar war. Seit 1947 brandmarkten die *Temps Modernes* die Sinnlosigkeit und die Greuel dieses Krieges. Wir trafen des öfteren Van Chi, den Kulturattaché der Vietnam-Delegation – die paradoxerweise noch immer existierte –, und er machte uns mit ihrem Vorsitzenden bekannt. Bourdet nahm an diesen Unterredungen teil.

Die Blockade Berlins dauerte an. In China trug Mao Tse-tung entscheidende Siege davon. Nanking fiel: Man fragte sich, ob die USA nicht intervenieren würden. In diesem Falle – so überlegte man – würden sie ihre Streitkräfte im Fernen Osten konzentrieren und vorübergehend Europa den Russen preisgeben, mit deren Einmarsch zu rechnen sein würde. Danach würden die beiden Großmächte einander in Deutschland und in Frankreich gegenüberstehen. Einer der wildesten amerikanischen Kriegstreiber, Forrestal, litt unter so furchtbaren Visionen von der Roten Armee, wie sie die ganze Erde und auch New York erobert, daß man ihn in eine Anstalt bringen mußte: Schließlich sprang er aus dem sechzehnten Stock der Klinik. In Frankreich schürte die Rechte bewußt die Angst vor den Russen. Sie donnerte abwechselnd oder gleichzeitig mit zwei Stimmen: 1. Das Sowjetregime ist abscheulich, es hat notgedrungen Elend, Hunger, Diktatur und Mord im Gefolge. 2. Ohne die Hilfe Amerikas können wir uns nicht wehren – die Rote Armee würde binnen einer Woche in Brest sein, und wir würden die Schrecken einer Besetzung erleben. Unter den Auspizien dieser gelenkten Panikstimmung veranstaltete *Carrefour* – in derselben Nummer, in der triumphierend verkündet wurde: Thomas Dewey, 33. Präsident der Vereinigten Staaten, zieht mit einem Besen bewaffnet ins Weiße Haus ein – eine Rundfrage: «Was machen Sie, wenn die Rote Armee Frankreich besetzt?» Die eigentliche Gefahr war im Grunde der Atlantikpakt, den Robert Schuman, Anhänger des ‹kleinen Europas›, sich zu unterzeichnen anschickte: Er würde die Welt endgültig in zwei Teile teilen, Frankreich in den Krieg mit hineinziehen, falls Amerika ihn entfesseln sollte.

Zu dieser Zeit entstanden oder entfalteten sich eine ganze Reihe pazifistischer Bewegungen. Am geräuschvollsten war die Aktion von Gary Davis. Dieser «kleine Mann», wie man ihn damals nannte, ließ sich am 14. September in der Säulenhalle des UNO-Gebäudes nieder, das als internationales Territorium galt. In Interviews erklärte er, daß er auf die amerikanische Staatsbürgerschaft verzichte, um «Weltbürger» zu werden. Am 22. Oktober bildete sich um seine Person ein «Solidaritätsausschuß», dem sich Camus, Breton, Mounier und Richard Wright anschlossen, der vor kurzem nach Paris gekommen war. An dem Novembertag, an dem Davis in der UNO Ärgernis erregte, hielt Camus in einem benachbarten Café eine Pressekonferenz ab, in der er sich hinter Gary stellte. Bourdet schrieb einen Artikel über ihn, und von nun an widmete der *Combat* jeden Monat eine Seite den Bestrebungen «Für eine Weltregierung». Am 3. Dezember fand in der Salle Pleyel eine Versammlung statt, auf der Camus, Breton, Vercors und Paulhan diese Idee verteidigten. Camus war gekränkt, weil Sartre sich weigerte, daran teilzunehmen, und erzählte uns triumphierend, daß am 9. Dezember die Versammlung im Vélodrome d'Hiver zwanzigtausend Personen angezogen habe. Sartre hielt genau wie die Kommunisten die Angelegenheit Gary Davis für blauen Dunst. Wir mußten lachen, als die Rechte Davis beschuldigte, «von Moskau bestochen» zu sein. Seine Idee war nicht neu. Seit einem Jahr war viel von einer ‹Weltföderation› gesprochen worden. Sein Verhalten war auch nicht weiter erstaunlich: In Amerika wimmelte es von begeisterten Exzentrikern, die mit großem Pomp einfältige Losungen verkünden. Bezeichnend ist nur, daß ihn die ‹linken› Intellektuellen in Europa ernst nahmen.

Einige Tage nach der Versammlung am 9. Dezember, in der Camus für den Frieden eingetreten war, legte ihm Van Chi eine Petition gegen den Krieg in Indochina vor, die Sartre und Bourdet in Umlauf gesetzt hatten. Er unterschrieb nicht: «Ich will das Spiel der Kommunisten nicht mitmachen.» Selten ließ er sich von den hohen Grundsätzen wegen einzelner Fälle abbringen. Sartre war der Meinung, daß man am ehesten für den Weltfrieden eintrat, indem man sämtliche Kriege einzeln bekämpfte.

Das RDR wollte die sozialistischen Kräfte Europas auf eine fest umrissene Politik, den Neutralismus, einigen. Sartre sah im RDR zwar eine kleine Gruppe, die aber genug Dynamik besaß, um die öffentliche Meinung und durch sie die Ereignisse zu beeinflussen. Rousset strebte eine Massenaktion an: «Wir sind fünfzigtausend», sagte er im Februar (fünftausend wäre eine genauere Zahl gewesen). «Im Oktober werden es dreihunderttausend sein – oder wir haben das Spiel verloren.» Er war uns weit weniger sympathisch als zu Anfang. Er war von einem Ehrgeiz besessen, der höchst beunruhigend war, da er ins Leere ging; hinter seinem Selbstbewußtsein verbargen sich Unsicherheit und Unwissenheit, und seine Selbstgefälligkeit ging ins Uferlose. Der Klang der eigenen Stimme berauschte ihn: es genügte ihm, sich reden zu hören, um an seine Worte zu glauben. Er sprach von der ungeheuren Breite des «Publikums», an das die Bewegung schon herangekommen sei, ohne sich über die kläglichen Mängel der organisatorischen Arbeit Sorge zu machen. Es geschah oft, daß, wenn Leute zu einer Bezirksversammlung erschienen, sie die Tür des Lokals verschlossen fanden und niemand einen Schlüssel besaß. Er liebte nur die Massenversammlungen. Dort ereiferte er sich und geriet in Begeisterung. Das RDR organisierte Anfang Dezember eine solche Versammlung in der Salle Pleyel: Man forderte die Intellektuellen aus verschiedenen Ländern auf, für die Sache des Friedens zu sprechen. Camus nahm teil neben Rousset, Sartre, Plievier (der Autor des Buches *Stalingrad*), Carlo Levi, Richard Wright, dessen Rede ich verdolmetschte. Es waren viele Menschen gekommen, und es gab viel Beifall. Rousset schimpfte auf die Kommunisten. Im Schoß des RDR bahnte sich eine Spaltung an, weil die Mehrheit sich den sozialen Bestrebungen der KP anschließen wollte. Eine Minderheit – die den größten Teil der verantwortlichen Köpfe umfaßte – rutschte allmählich nach rechts, unter dem Vorwand, die Kommunisten stünden dem Rassemblement feindlich gegenüber.

Rousset erzählte uns, daß er Mittel und Wege gefunden habe, um das Geld zu beschaffen, das dem RDR fehlte. Anfang Februar reiste er mit Altmann in die Vereinigten Staaten. Sie wollten mit dem CIO Kontakt aufnehmen. (Das war der am weitesten links stehende amerikanische Gewerkschaftsbund, und Rousset setzte auf diese zweideutige Chance.) Wir wußten noch nicht, inwieweit der CIO die Regierung in ihrem Kampf gegen den Kommunismus unterstützte, aber wir wußten, daß sie eine Politik der Klassenzusammenarbeit verfolgte, und so war Sartre mit diesem Schritt nicht einverstanden. Das RDR sei eine europäische Bewegung: Amerikaner konnten – wie Richard Wright – mit ihr sympathisieren, sie aber nicht finanzieren.

Das Etikett ‹linker Amerikaner› war im übrigen nur eine recht unsichere Garantie, darüber wurden wir uns an dem Nachmittag klar, als Wright in die Salons eines großen Hotels französische und amerikanische Intellektuelle eingeladen hatte. Ich lernte Daniel Guérin kennen, mit dem ich über die wirtschaftlichen Aspekte des amerikanischen Negerproblems diskutierte, und Antonina Vallentin, die ausgezeichnete Biographien über Heine und Mirabeau geschrieben hatte. Unter anderen hielt auch Sartre eine kleine Rede. Der Amerikaner Louis Fischer, der mehrere Jahre Zeitungskorrespondent in Moskau gewesen war und mit den Sowjets sympathisiert hatte, meldete sich zum Wort, um die UdSSR anzugreifen. Er schleppte Sartre in eine Ecke und erzählte ihm von den Greueln des Sowjetregimes. Während wir mit den Wrights bei ‹Lipp› aßen, ging es weiter. Wilden Fanatismus in den funkelnden Augen, erzählte er atemlos vom Verschwinden der Menschen, von Verrat, von Liquidationen, Geschichten, die zweifellos stimmten, nur daß man weder ihren Sinn noch ihre Tragweite begriff. Im Gegensatz dazu strich er die Vorzüge Amerikas heraus.

Sartre faßte das RDR als ein vermittelndes Glied zwischen dem fortgeschrittenen Flügel des reformistischen Kleinbürgertums und dem revolutionären Proletariat auf: denn aus diesen Schichten rekrutierten die Kommunisten ihre Anhänger. Sartre war also noch eindeutiger denn je in ihren Augen ein Feind. Auf dem Kongreß in Breslau, der das Bündnis der Intellektuellen aus aller Welt zugunsten des Friedens besiegeln sollte, hatte Fadejew ihn als «Füllfederschakal» bezeichnet und ihn beschuldigt, den «Menschen auf vier Beine zu stellen». Mit der Affäre Lysenko mischte sich der Stalinsche Dogmatismus sogar in die Naturwissenschaften ein; Aragon, der nichts davon verstand, bewies im *Europe*, daß Lysenko recht habe; die Künste waren nicht mehr frei: sämtliche Kommunisten mußten die im Herbstsalon ausgestellten «Fischverkäuferinnen» von

Fougeron bewundern. Lukács, der im Januar auf der Durchreise in Paris war, griff das «dekadente Cogito des Existentialismus» an. In einem Interview mit dem *Combat* erklärte Sartre, daß Lukács nichts vom Marxismus verstehe. Lukács' Entgegnung und Sartres zweite Antwort erschienen gleichzeitig in einer weiteren Nummer. Im Februar erklärte Ehrenburg in Paris, er habe Sartre früher bemitleidet. Seit *Les Mains sales* empfinde er für ihn nur noch Verachtung. Schließlich hatte Kanapa die Leitung der *Nouvelle Critique* übernommen, und jede, oder fast jede Nummer enthielt einen Angriff auf den Existentialismus im allgemeinen und auf Sartre im besonderen.

Nicht weniger heftig griff ihn die Zeitschrift *Liberté de l'Esprit* an, die im Februar unter der Leitung Claude Mauriacs gegründet worden war und sich zum Ziel gesetzt hatte, die ‹abendländischen Werte› zu verteidigen. Dem Mitarbeiterstab gehörten Mitglieder des RPF und ehemalige Kollaborateure an. Ein Neuling, Roger Nimier, Verfasser eines schlechten kleinen Romans, *Les Épées,* fiel in der ersten Nummer durch seine Bemerkung über den Krieg auf: «Wir werden ihn weder mit den Schultern Herrn Sartres noch auch mit der Lunge des Herrn Camus führen (und schon gar nicht mit der schönen Seele Herrn Bretons).» Die Anspielung auf Camus' Lunge machte so viel böses Blut, daß er sich entschuldigen mußte. In den nächsten Nummern glänzten die ‹abendländischen Werte› durch ihre Abwesenheit, aber der Kreuzzug gegen die Kommunisten wurde eifrig fortgesetzt.

Der Antisowjetismus erlebte eine Blütezeit. Im November sprang eine Weißrussin, die Konsenkina, in New York aus dem Fenster des sowjetrussischen Konsulats. Dieses Melodram wurde sehr aufgebauscht.

Im Januar begann der Prozeß Kravtschenko. Er hatte die *Lettres françaises* wegen Verleumdung verklagt, weil sie behauptet hatten, sein Buch *Ich wählte die Freiheit* sei vom amerikanischen Geheimdienst fabriziert worden. Ich nahm zusammen mit Sartre an einer der Verhandlungen teil, die recht schleppend vonstatten ging. Trotzdem war diese Affäre, die wochenlang die Spalten der Presse füllte, sehr interessant. Es ging um die UdSSR. Die von Queuille und Washington geförderten Antikommunisten mobilisierten Heerscharen von Zeugen – die Russen ihrerseits schickten Gegenzeugen aus Moskau. Niemand kam gut dabei weg. Kravtschenko erhielt zwar eine Entschädigung, die aber weit geringer war als die von ihm geforderte, und hatte Haare gelassen. Aber ob er nun gelogen hatte oder käuflich gewesen sein mochte – und obwohl die meisten seiner Zeugen genauso verdächtig waren wie er –, eines ging aus ihren Aussagen hervor: die Existenz der Zwangsarbeitslager. Der logische und intelligente Bericht von Frau Buber-Neumann war von überzeugender Beweiskraft: Nach Abschluß des deutsch-russischen Paktes hatten die Russen deportierte Personen deutscher Herkunft an Hitler ausgeliefert. Die Häftlinge wurden zwar nicht massenweise umgebracht, aber die Ausbeutung war so stark und die Behandlung so schlecht, daß viele starben. Die Größenordnung der Zahl der Opfer blieb unbekannt. Aber wir begannen uns zu fragen, ob die UdSSR und die Volksdemokratien die Bezeichnung ‹sozialistische Länder› verdienten. Kardinal Mindszenty war sicherlich nicht unschuldig: Wie aber hatte man ihn zu seinem Geständnis gezwungen? Er hatte gestanden, was man von ihm verlangt hatte. Was ging in Bulgarien vor? Was bedeutete die ‹Degradierung› Dimitroffs? In allen Ländern starteten die Kommunisten eine Friedensoffensive – unserer Meinung nach deshalb, weil sie ein Interesse daran hatten, den Waffenstillstand zu verlängern, der es ihnen erlaubte, den Krieg vorzubereiten.

Sartre machte sich auch weiterhin Gedanken über die zwiespältige Situation und über die Mittel, sie zu überwinden. Er las und sammelte Berge von Notizen. Er schrieb auch die Fortsetzung von *La Mort dans l'âme*, die «La Dernière Chance» [Die letzte Chance] heißen sollte. Um in Ruhe arbeiten zu können, reisten wir in den Süden. Ich suchte mir an der Côte d'Estérel ein wie ein Schiff gebautes und unmittelbar auf dem Wasser gelegenes Hotel aus. Nachts drang das Rauschen der Wellen in mein Zimmer herein, und ich fühlte mich wie auf hoher See. Aber die Förmlichkeit der Mahlzeiten in dem riesigen, öden Speisesaal verdarb uns den Appetit. Es gab wenig Möglichkeiten, spazierenzugehen, da sich dicht hinter uns bereits die Berge befanden. Wir übersiedelten in eine mildere Gegend, ins ‹La Cagnard› auf der Höhe von Cagnes. Wir hatten angenehme Zimmer im obersten Stock. Mein Zimmer grenzte an eine Terrasse, auf der wir uns hinsetzten, um zu plaudern. Von den Ziegeldächern stieg leichter Rauch auf, der gut nach brennendem Holz roch, und in der Ferne war das Meer zu sehen. Wir gingen unter blühenden Bäumen spazieren, wir wanderten bis Saint-Paul-de-Vence, das damals noch nicht so übertrieben elegant war wie heute. Manchmal machten wir eine Spazierfahrt mit dem Taxi. Sartre war gut gelaunt, aber ein wenig unruhig, weil M. sich anschickte, nach Frankreich überzusiedeln. Er versuchte, es ihr auszureden.

Der erste Band von *Le deuxième Sexe* [*Das andere Geschlecht*] sollte erscheinen. Ich beendete den zweiten, aus dem ich Auszüge in den *Temps Modernes* veröffentlichen wollte. Welche Stellen? Die letzten Kapitel wären geeignet gewesen, aber sie gehörten nicht unbedingt zum Thema. Wir entschieden uns für die Kapitel, die ich gerade abgeschlossen hatte und die von der weiblichen Sexualität handelten.

Seit einiger Zeit dachte ich an einen Roman. Oft träumte ich von ihm, während wir in den Kiefernwäldern spazierengingen oder durch die Lavendelfelder marschierten. Ich begann mir Notizen zu machen.

Als wir nach drei Wochen nach Paris zurückkehrten, näherte sich der Tag, der für die Unterzeichnung des Atlantikpaktes vorgesehen war – der 4. April. Gilson griff ihn in *Le Monde* an, unterstützt durch Beuve-

Méry. Im *Combat* empfahl Bourdet die Gründung eines bewaffneten «neutralen Blocks», der dazu dienen sollte, nicht die amerikanischen Stützpunkte, sondern die Unabhängigkeit Europas zu verteidigen. Die von den Kommunisten ins Leben gerufene Friedensbewegung versammelte am 20. April ihre Anhänger unter dem Vorsitz Joliot-Curies in der Salle Pleyel. Der Kongreß, dessen Emblem Picasso gezeichnet hatte – die berühmte Taube –, endete mit einer Massenkundgebung im Buffalo.

Rousset war nach Frankreich zurückgekehrt und brachte aus Amerika den Plan sogenannter ‹Studientage› mit, die dem Frieden gewidmet sein und zehn Tage nach dem Kongreß in der Salle Pleyel beginnen sollten. Wir begriffen sofort, daß er in ihnen eine Entgegnung auf die Friedensbewegung sah. Altmann veröffentlichte im *Franc-Tireur* eine Reportage über die USA. Was für ein Idyll! Das Regime sei weder sozialistisch noch kapitalistisch: es sei eine Gewerkschaftszivilisation. Es gäbe keine Gleichheit, denn es existieren sogar Elendsquartiere: aber was für ein Komfort! Man habe zwar einen Prozeß gegen die Kommunisten angestrengt, aber sie dürfen ungehindert auf der Straße Reden halten. Neger und Weiße verbrüderten sich miteinander. Und im Grunde regierten die Arbeiter. («Die Würde und Gegenwehr der Arbeiterschaft lasten mit ihrem vollen Gewicht auf den Staatsgeschäften.») Rousset machte auf mich den denkbar unangenehmsten Eindruck. Er erzählte, wie triumphal seine Rundreise verlaufen sei, was man ihm gezeigt habe, was für ein ‹Publikum› er gefunden habe. Er lobte die Gewerkschaftsführer, Mrs. Roosevelt, den amerikanischen Liberalismus. Man hatte ihn mit Schmeicheleien überhäuft und ihm einige Subventionen zugeschanzt, und er hatte sein Mäntelchen nach dem Winde gehängt. (Vielleicht hing es aber schon vorher in diese Richtung ...) Ich protestierte gegen das Bild, das er von Amerika entwarf. Da zeigte er anklagend mit dem Zeigefinger auf mich und sprudelte hervor: «Heutzutage, Simone de Beauvoir, ist es in Frankreich leicht, schlecht von Amerika zu sprechen!» Unter den Personen, deren Beteiligung an den Debatten er ins Auge gefaßt hatte, nannte er Sydney Hook. Ich hatte ihn in New York kennengelernt. Der frühere Marxist war zu einem wilden Antikommunisten geworden. Sartre setzte sich dafür ein, statt öffentlich mit Ausländern zu diskutieren, einen internen Kongreß einzuberufen, der eine möglichst große Anzahl aktiver Kämpfer aus der Provinz zusammenholen sollte. Dazu fehle das nötige Geld, erwiderte Rousset. Wer sollte denn aber den «Tag des Widerstandes gegen Diktatur und Krieg» finanzieren? Übrigens: Um welche ‹Diktatur› handelte es sich? Richard Wright, den die amerikanische Gesandschaft drängte, an der Kundgebung teilzunehmen, sagte zu Sartre, er finde diesen Eifer verdächtig. Sartre frage sich, ob er hingehen solle, um seinen eigenen Standpunkt gegen Rousset zu verteidigen, oder ob es ratsamer wäre, fern zu bleiben. Ausnahmsweise gab ich ihm einmal einen politischen Rat. Seine Anwesenheit würde mehr ins Gewicht fallen als seine Äußerungen. Er dürfe nicht hingehen. Am 30. April sandten Merleau-Ponty, Wright und Sartre eine gegen die Politik des State Department gerichtete kollektive Botschaft. Man verlas nebelhafe Botschaften von Mrs. Roosevelt und Gary Davis. Sydney Hook und ein sozialistischer Abgeordneter aus Holland namens Kadt betonten die Vorzüge des Marshallplans gegenüber der stalinistischen Diktatur. Einer lobte die Atombombe. Im Saale schwirrten Gerüchte umher, und die Trotzkisten bemächtigten sich der Tribüne. Sartre berief auf seine Kosten einen Kongreß des RDR ein, und die Versammlung sprach sich gegen Rousset aus. Die Bewegung zerbrach. Im Augenblick dachten wir, daß Sartres einziger Fehler darin bestanden habe, sich auf Rousset und Altmann verlassen zu haben, die, ehrgeiziger und aktiver, über die ehrlichen Leute siegten. Die Gruppe war zahlenmäßig so klein, daß auf diesem Niveau Kleinigkeiten und vor allem Personalfragen mitspielten. Der Zerfall der Bewegung sei kein Beweis dafür, daß sie von vornherein zum Scheitern verurteilt gewesen sei. Bald darauf bekannte Sartre sich zum Gegenteil: «Zerfall des RDR. Schwerer Schlag. Eine neue und endgültige Lektion im Realismus. Eine Bewegung läßt sich nicht aus dem Boden stampfen.» (Unveröffentlichte Aufzeichnung.) Das RDR hatte nicht die Absicht gehabt, die Massen anzuziehen; sich jedoch mit einer kleinen Bewegung zu begnügen, ist steriler Idealismus. Wenn vier Arbeiter, die dem RDR angehören, an einem von den Kommunisten organisierten Streik teilnehmen, werden sie seinen Inhalt nicht beeinflussen. «Die Umstände waren dem Rassemblement nur scheinbar günstig. Es entsprach sehr gut einem abstrakten, durch die objektive Lage bedingten Bedürfnis, nicht aber einem realen Bedürfnis der Menschen. Deshalb sind sie nicht gekommen.»

*Heiliger Bimbam* von Queneau macht mir viel Vergnügen: seine Sprache, sein toller Humor, das gelassen schaurige Bild, das er von der menschlichen Existenz entwirft. Ich bewunderte – allerdings ein bißchen weniger als seine früheren Werke – Genets Buch *Pompes funèbres (Das Totenfest). Stalingrad* von Plievier war ein erschreckendes Dokument. In Amerika war soeben die Untersuchung Dr. Kinseys über das sexuelle Verhalten des amerikanischen Mannes erschienen: Viel Lärm um nichts.

Meine Schwester und Lionel kehrten nach Paris zurück, nachdem sie zuerst in Wien, dann in Belgrad gelebt hatten. Sie mieteten in Louveciennes eine hübsche Villa aus dem 18. Jahrhundert, die ein wenig verfallen, aber von einem großen Garten voll üppiger Blumen umgeben war. Wir besuchten sie oft. Zusammen mit Olga ging ich eines Abends, um Jazz zu hören, in die ‹Rose Rouge›, die Mireille Trépel – die früher im ‹Flore› verkehrt hatte – und Nico leiteten. Sie übersiedelten in die rue de Rennes und etablierten sich gegenüber dem Haus, in dem ich meine Jugend verbracht hatte. Dort hörte ich auch die Frères Jacques: Ihr Erfolg war enorm und wohlverdient. Im Théâtre des Champs-Élysées inszenierte Boris Kochno ein neues Ballett, *La Rencontre*. Cocteau und Bérard baten Sartre um eine Einführung. Wir sahen uns eine Probe an. Leslie Caron, graziös und eifrig, im schwarzen Trikot, verlieh der Sphinx das Geheimnis ihrer fünfzehn Jahre. Es gelang ihr, das aufgedonnerte Generalprobepublikum zu erobern. Weniger interessant fanden wir die Ballette der Katherine Dunham, die ganz Paris anlockten. Dem Stück *Der Belagerungszustand* von Camus blieben wir fern, aber nicht aus Mangel an Freundschaft. Im Théâtre Marigny sahen wir *Scapins Streiche*: Barrault hatte sich entschieden, nur noch Kaufmann zu sein.

Sartre, der Bourdet politisch sehr nahestand (Bourdet schrieb kurze Zeit später die politische Chronik für die *Temps Modernes*), bat mich eines Nachmittags, zu der von Ida veranstalteten Cocktailparty zu gehen. Ihre Empfänge waren beliebt, und es kamen ungeheuer viele Menschen: viel zu viele. Der Anblick dieser Menschen, die durch so manches voneinander getrennt waren und einander nun auf die Schulter klopften, erfüllte mich mit tiefem Unbehagen. Altmann, den ich damals für einen Linken hielt, fiel Louis Vallon um den Hals. Und was für Hände habe ich nicht gedrückt! Van Chi irrte in der Menge umher und machte einen genauso unglücklichen Eindruck wie ich. Den Gegnern genauso zuzulächeln wie den Freunden, heißt das Engagement auf die reine Meinung zu reduzieren, und alle Intellektuellen, ob rechts oder links, haben ihre gemeinsamen bürgerlichen Grundlagen. Das wurde mir hier gründlich eingebleut – eine Wahrheit, die auch für mich galt –, und deshalb wurde ich das schmerzliche Gefühl der Niederlage nicht los.


Anfang Juni zog ich den blauen Mantel an, den ich vor zwei Jahren in Chicago getragen hatte, und ging zur Gare Saint-Lazare zu dem Zug, der die Reisenden aus Übersee brachte, um Algren abzuholen. Wie würden wir einander wiederfinden? Wir hatten uns nicht im Guten getrennt – aber er kam. Ich ließ meine Blicke über die Gleise, den Zug, den Strom der Reisenden wandern: Ich sah ihn nicht. Die letzten Wagen leerten sich, sie waren leer: kein Algren. Ich wartete noch eine ganze Weile. Es war kein Mensch mehr auf dem Bahnsteig, als ich mich entschloß, kehrtzumachen. Langsam entfernte ich mich und warf noch einige Blicke über die Achsel: vergebens. «Ich werde zum nächsten Zug gehen», sagte ich mir und fuhr mit einem Taxi nach Hause. Da ich viel zu verstört war, um zu lesen, setzte ich mich aufs Sofa und zündete mir eine Zigarette an. Plötzlich ertönte von der Straße herauf eine amerikanische Stimme. Ein mit einem schweren Koffer beladener Mann betrat das «Café des Amis», kam wieder heraus und näherte sich der Haustür. Es war Algren. Von seinem Abteil aus hatte er meinen Mantel wiedererkannt, war aber dermaßen mit seinem Gepäck beschäftigt gewesen, daß er erst lange nach den übrigen Fahrgästen ausstieg.

Er brachte mir Schokolade, Whisky, Bücher, Fotos und ein geblümtes Hauskleid mit. Als er G. I. war, hatte er zwei Tage in Paris verbracht, im ‹Grand Hôtel de Chicago› bei Batignolles. Er hatte von der Stadt fast nichts gesehen. Als ich an seiner Seite durch die rue Mouffetard ging, fand ich es seltsam, und ich fragte mich: «Zum erstenmal sieht er Paris – was für einen Eindruck werden diese Häuser, diese Geschäfte auf ihn machen?» Ich war besorgt. Ich wollte die verdrossene Miene nicht wiedersehen, die er mir in New York zuweilen vorgeführt hatte. Das Übermaß meiner Besorgnis war ihm, wie er mir später gestand, in diesen ersten Tagen peinlich. Aber ich beruhigte mich schnell. Er strahlte.

Zu Fuß, im Taxi, einmal auch im Fiaker habe ich ihm alles gezeigt, und es gefiel ihm alles: die Straßen, die Menschen, die Märkte. Gewisse Einzelheiten erregten bei ihm Anstoß: es gab keine Feuerleitern an den Fassaden, kein Geländer am Kanal Saint-Martin. «Wenn ein Feuer ausbricht, muß man also bei lebendigem Leibe verbrennen? Ich beginne die Franzosen zu verstehen. Wenn man verbrennt, dann verbrennt man eben! Wenn ein Kind ertrinkt, dann ertrinkt es eben! Gegen das Schicksal kommt man nicht an!» Die Autofahrer fand er verrückt. Die französische Küche und der Beaujolais schmeckten ihm, obwohl er die Würste der Gänseleber vorzog. Gern kaufte er in den Läden des Viertels ein. Das Zeremoniell der Konversation fand er entzückend: «Guten Tag, mein Herr, wie geht's, danke sehr, ausgezeichnet, und Ihnen, gutes Wetter, schlechtes Wetter heute, auf Wiedersehen, mein Herr, vielen Dank, mein Herr.» In Chicago, erzählte er mir, macht man seine Einkäufe wortlos.

Ich brachte ihn mit meinen Freunden zusammen. Die Unterhaltung mit Sartre war ein bißchen schwierig, weil Sartre nicht Englisch konnte, und zum Dolmetschen fehlt mir die Geduld. Aber sie gefielen einander. Wir sprachen kurz über Tito und viel über Mao Tse-tung: über China wußte man so wenig, daß es sich zu allen nur denkbaren Abschweifungen eignete. Man staunte darüber, daß Mao Tse-tung Verse schrieb, weil man nicht wußte, daß dort jeder General mit dem Pinsel umzugehen verstand. Man schrieb diesen Revolutionären, die gleichzeitig Literaten waren, eine urtümliche Weisheit zu, die mit dem Marxismus eine geheimnisvolle und verführerische Mischung ergab. Man erzählte schöne, übrigens wahre Geschichten vom Alphabet auf den Äckern, vom Soldatentheater, von der Frauenbefreiung. Man glaubte, daß der chinesische Weg zum Kommunismus geschmeidiger und liberaler sein würde als der russische und daß das gesamte Antlitz der sozialistischen Welt sich verändern müsse.

In der ‹Rose Rouge› verglichen Bost und Algren die Erinnerungen eines G. I. mit denen eines französischen Infanteristen. Olga beeindruckte

Algren durch ihre Art, sich alle Geschichten, die er erzählte, mit weit aufgerissenen Augen anzuhören. Er kannte sehr viele, und wenn er den Faden verlor, erfand er welche hinzu. Als wir zu viert im Restaurant des Eiffelturms saßen – Treffpunkt der Amerikaner, wo man schlecht ißt und trinkt, aber eine wunderbare Aussicht hat –, sprach er zwei Stunden lang von seinen Freunden, den Morphinisten und Dieben, und mir gelang es nicht mehr, die Wahrheit von der Dichtung zu unterscheiden. Bost glaubte ihm kein Wort, Olga schluckte alles. Ich arrangierte einen Abend bei Vian: man hatte die Cazalis, die Gréco und Scipion eingeladen. Ich nahm Algren zu einer von Gallimard zu Ehren Caldwells veranstalteten Cocktailparty mit. Oft tranken wir im ‹Montana› ein Glas mit diesen und jenen. Anfangs betrachteten die ‹Linkser› in unserer Gruppe, unter anderen Scipion, den Amerikaner mit Mißtrauen. Durch diese Feindseligkeit verärgert, fand er Spaß an paradoxen Formulierungen und ungereimten Wahrheiten. Als man aber erfuhr, daß er für Wallace gestimmt hatte, daß alle seine Freunde wegen ‹antiamerikanischer› Gesinnung aus dem Rundfunk und dem Fernsehen vertrieben worden waren, vor allem, als man ihn besser kennengelernt hatte, wurde er akzeptiert. Er faßte eine tiefe Zuneigung zu Michelle Vian, die er Zazou taufte und die ihm gewissenhaft als Dolmetscherin diente, auch dann, wenn wir im Eifer des Gesprächs uns fortreißen ließen. Am 14. Juli strandeten wir, nachdem wir in geschlossener Schar die Tanzlokale des Viertels durchstreift hatten, in einem *tabac*, das erst gegen Morgengrauen zumachte. Queneau war in Hochform, und von Zeit zu Zeit wandte ich mich an Algren: «Eben hat er etwas sehr Lustiges gesagt.» Algren brachte nur ein leicht gezwungenes Lächeln zuwege. Michelle saß neben ihm und übersetzte alles getreulich. Auch Scipion gefiel ihm sehr, wegen seines Lachens, und er hielt seine Nase für die schönste von der Welt. In der Bibliothek über dem ‹Club Saint-Germain› traf er mit Guyonnet zusammen, der seinen letzten Roman zu übersetzen versuchte und ihn mit Fragen nach den in Chicago gebräuchlichen Slangausdrücken plagte. Guyonnet lud ihn ein, einmal morgens zu ihm zu kommen, um mit ihm und Jean Cau zu boxen. Als wir uns danach auf der Terrasse der ‹Bouteille d'Or› am Quai trafen, ließ er sich auf einen Stuhl fallen. «Diese Franzosen», sagte er, «sind alle plemplem.» Den Weisungen Guyonnets folgend, war er bis in ein in der sechsten Etage gelegenes Zimmer hinaufgestiegen und mit lautem Geschrei empfangen worden: «Da ist ja der tapfere Amerikaner!» Durchs Fenster sah er Cau und Guyonnet, die ihm Zeichen machten, daß er zu ihnen auf eine Terrasse hinauskommen solle, die übers Dach zu erreichen war. Für Algren, der an Schwindelanfällen litt, war das ein beängstigendes Abenteuer. Die Terrasse war so groß wie ein Taschentuch und hatte kein Geländer. Man boxte am Rande eines Abgrundes. «Alle plemplem!» wiederholte Algren, noch immer leicht verstört.

Um ihm die Pariser Massen zu zeigen, ging ich mit ihm zum Fest des 18. Juni. Die avenue d'Orléans war im Verlauf einer Zeremonie unter dem Vorsitz der Generalin in «avenue du Général-Leclerc» umgetauft worden. Als wir im Gewimmel unter einer glühenden Sonne mitmarschierten, erkannte mich ein Mann: «Sie haben hier nichts zu suchen!» Dabei durchbohrte mich sein gaullistischer Blick. Gemeinsam sahen wir uns im Jeu de Paume die van Goghs und Toulouse-Lautrecs an. Ich führte ihn auch ins Musée Grevin. Er war dermaßen erstaunt über das ‹Spiegelkabinett›, die Unendlichkeit der Wälder, der Säulengänge, der Sterne und Leuchter, die Lichtspiele – vor allem das ‹schwarze Licht› –, daß er sofort alle seine Landsleute dorthin schickte, wenn sie nach Paris fuhren. Eines Nachmittags mietete Sartre eine *slota*. Zusammen mit Bost, Michelle und Scipion machten wir eine große Tour durch die Umgebung. In Clichy besichtigten wir den Hundefriedhof: eine kleine Insel in der Seine. Dort empfängt einen die Statue eines Bernhardinerhundes, der, glaube ich, neunundneunzig Menschen gerettet hat. Die Grabinschriften betonen die Überlegenheit des Tieres über den Menschen. Sie werden von gipsernen Spaniels, Foxterriers, Doggen bewacht. Plötzlich versetzte Algren einem Pudel einen wütenden Fußtritt, und der Kopf kollerte über den Erdboden. «Was hast du denn?» fragten wir ihn lachend. «Seine Miene hat mir nicht gefallen», erwiderte er. Der Kult, der hier mit den Tieren getrieben wird, irritierte ihn.

Um ihn zu zerstreuen, ging ich mit ihm zum Rennen nach Auteuil, aber er fand sich in dem französischen Wett- und Ankündigungssystem nicht zurecht. Dagegen interessierte er sich für die Boxkämpfe im Central. Er brachte mich in Verlegenheit, weil ich mir in meiner Jugend ein wenig menschliche Rücksicht angeeignet hatte und er kein Jota davon besaß. Mitten im Kampf machte er seine Aufnahmen mit Blitzlicht und Kamera.

Ich ging mit ihm in den ‹Club Saint-Germain›, den Boubal ein Jahr zuvor eröffnet hatte und in den Vian und Cazalis übergesiedelt waren. Der New Orleans-Stil, der im ‹Tabou› noch *en vogue* war, hatte hier bereits dem Bebop Platz gemacht. Das Kellerlokal war überfüllt. Aus einem Rahmen lächelte eine bärtige Dame herab. Im ‹Rose Rouge› hatte ich die Frères Jacques wieder gehört mit ihren *Exercices de style*. Algren gefielen sie. Noch besser gefielen ihm Montand, der im ‹A. B. C.› sang, und Mouloudji. Zum erstenmal in meinem Leben trank ich im ‹Lido› Champagner, um eine Attraktion zu sehen, von der Sartre mir erzählt hatte. Ein Bauchredner namens Winces benützte seine linke Hand als Puppe. Zwei Stiefelknöpfe bildeten die Augen, zwei rot geschminkte Finger die Lippen. Obendrauf saß eine Perücke, darunter ein Körper. Die Puppe bewegte den Mund, sie zog ihn so breit, daß er einen Billardball schlucken konnte, sie rauchte, sie streckte die Zunge heraus (einen dritten Finger). Sie wirkte so lebendig, daß man tatsächlich glaubte, sie sprechen zu hören. Als sie sich in ihre Bestandteile auflöste, war es, als sei ein kleines, freches und charmantes Geschöpf gestorben.

Algren wollte die Alte Welt kennenlernen. Spanien war tabu; es war völlig ausgeschlossen, seinen Fuß in Francos Domänen zu setzen. Wir flogen nach Rom. Ich fand es erstaunlich, mit einem einzigen Blick die Stadt, das Meer und eine riesige, versengte Landschaft zu erfassen. Außerdem war es verblüffend: nach dem Abflug morgens aus Paris Mittagessen an der Piazza Navona. Wir sind viel umhergelaufen und haben uns vieles angesehen. In einer Kneipe auf dem Janiculus aßen wir zusammen mit Carlo Levi und spielten eine Partie Kegel. Wir haben mit den Silones zu Mittag gegessen, und wir haben uns *Aida* in den Thermen des Caracalla angesehen. Mir machte es Spaß, ein Flugzeug hoch oben über einer Verdi-Arie brummen zu hören. Eines Nachts fuhr uns ein Fiaker bei Gewitter durch nasse und finstere Straßen. Aber für Algrens Geschmack gab es zu viele Ruinen, und die Stadt war ihm zu sittsam. Wir fuhren mit dem Auto nach Neapel. In Monte Cassino machten wir halt: die von der Sonne beglänzten Trümmer wirkten ebenso alt wie die Ruinen Pompejis.

Algren gefiel Neapel. Er wußte, was Elend ist, er war ihm tagtäglich begegnet, er fühlte sich nicht peinlich berührt, wenn er in den volkreichen Vierteln umherspazierte. Ich war noch verlegener als im Central, wenn er zu fotografieren anfing: eigentlich aber ließen sich die Menschen das Blitzlicht lächelnd gefallen, und die Kinder balgten sich um die brennendheißen Glühlämpchen. Als er wiederkam, um Abzüge zu verteilen, wurde er wie ein guter Freund empfangen.

Die Italiener fand er reizend. Nach unserer Ankunft in Porto d'Ischia, wo wir einige Tage bleiben wollten, gingen wir ins Restaurant, und er bestellte ein Glas Milch. Es gab keine Milch. Der Kellner, der Algren bis zum Gürtel reichte, wies ihn streng zurecht: «Man soll keine Milch trinken, Monsieur! Man soll Wein trinken – nur so wird man groß und stark!» Das kleine, ausgedörrte Hafenstädtchen mit den staubigen Oleandersträuchern und den Federbüschen auf den Köpfen der Pferde gefiel uns nicht. Wir übersiedelten nach Forio. Das kleine Hotel auf der Anhöhe über dem Meer war leer. Es hatte einen schattigen Speisesaal und eine Terrasse. Die Wirtin mästete uns mit gebackenen Langusten. Auf der Piazza, wo wir Kaffee tranken, zeigte man uns Mussolinis Witwe. Wir machten Ausflüge im Fiaker. Stundenlang lagen wir am Strand. In unserer Erinnerung blieb Ischia das Paradies. Aber wir waren auch in Amalfi, in Sorrent, in Ravello glücklich, und die Ruinen Pompejis imponierten ihm trotz allem.

Ein Flugzeug brachte uns von Rom nach Tunis: Algren fand die *souks* und die Mellah faszinierend. Ich weiß nicht mehr, auf welche Weise wir Amour Hassine kennenlernten, einen Chauffeur, der mit seiner Familie nach Djerba fuhr, um das Ende des Ramadan zu feiern. Er nahm uns gegen ein mäßiges Entgelt mit. Am Abend unserer Ankunft war die Insel das reinste Tollhaus. Alle Mohammedaner in der ganzen Welt lauerten auf den Mond. Wenn er sich im Laufe der Nacht zeigte, wurden die Glaubensgenossen telegrafisch verständigt, und das Fasten war zu Ende. Essend, trinkend, tanzend, rauchend und den Himmel betrachtend, schlugen die Menschen die Zeit tot – mit einer Nervosität, die mir durch den vierundzwanzigstündigen Aufschub nicht gerechtfertigt erschien. An einem Cafétisch, von entfesselter Musik umgeben, rauchte Algren zusammen mit Amour Hassine Wasserpfeife. Hassine beichtete uns, daß er im Laufe des Jahres zuweilen einen Schluck Wein trinke und oft gegen die Gebote des Koran verstoße. Während des Ramadan aber aß er zwischen Tagesanbruch und Abenddämmerung keinen Bissen und rauchte keine Zigarette. «Das würde mir Gott nicht verzeihen!» sagte er. Aus der Spannung, der Ermüdung jener Fasttage erklärte sich die frenetische Ungeduld der Menge. Der Mond blieb verborgen. Die nächste Nacht verlief ruhig, weil es keine Ungewißheit mehr gab. Der Ramadan war zu Ende.

Wir verbrachten drei Tage auf der Insel. Im jüdischen Dorf betrachtete Algren erstaunt die schönen Frauen mit den dunklen Augen, die in das traditionelle schwarze Kopftuch gehüllt waren. «Genau solche Frauen kenne ich aus Chicago», sagte er zu mir. Wir besuchten die Synagoge, zu der Juden aus der ganzen Welt gepilgert kamen. Oft saßen wir in einer in eine Taverne umgewandelten Grotte. Die Bierflaschen schwammen im Wasser eines kleinen Bassins, in dem der Wirt, um sich zu erfrischen, mit nackten Füßen umherpatschte. Er gab Algren *kiff* (eine Mischung aus indischem Hanf und Tabak) zu rauchen. «Passen Sie auf – Sie werden fliegen!» Sämtliche Gäste beobachteten ihn gespannt. Algren verspürte zwar einen kleinen Stoß, der ihn von der Erde loslöste. Aber er sank sofort wieder zurück.

Bei Amour Hassines Vettern aßen wir zinnoberrote Ragouts und tranken Veilchensirup. Über Médenine und Kairouan fuhren wir mit ihm nach Tunis zurück. Angesichts der *gorfa* riß Algren die Augen auf: «Ich weiß wirklich nicht mehr, wo ich bin!» Amour Hassine zeigte uns ein Foto, auf dem er mit einem Telefonhörer am Ohr zu sehen war. «Ich spreche mit Paris», sagte er prahlend. Er war stolz darauf, einen Amerikaner zu fahren, konnte aber nicht begreifen, daß dieser Amerikaner kein Auto hatte. «Auch dort drüben sind nicht alle reich», sagte Algren. Hassine überlegte. Als er uns immer wieder Pfannkuchen und *briques* kaufen sah, rief er aus: «Gibt es Eier und Milch in Amerika? ... Dann nehmt mich mit! Wir lassen uns an einer Straßenkreuzung nieder, backen *crêpes* und *beignets* und werden reich.» Er haßte zwei Völker, die Franzosen und die Israeliten. Was Frankreich betraf, so äußerte er sich aus Rücksicht auf mich nur mit versteckten Anspielungen. Was die Juden anging, so schüttete er sein Herz aus (da Algren nicht protestierte):

«Sie haben nie eine Fahne gehabt, und jetzt wollen sie ein eigenes Land haben!»

Nach Tunis kam Algier an die Reihe, dann Fès und Marrakesch. Soviel Licht, so viele Farben, soviel Schönheit, so viele Wunden: Algrens Augen weiteten sich immer mehr. Er wollte auch Marseille wiedersehen, wo er nach Kriegsende auf das Schiff nach Amerika gewartet hatte. Nachher besuchten wir Olga und Bost in ihrem Haus in Cabris. Die Fenster gingen auf Oliventerrassen und das ferne Meer. Das Dorf hatte sich seit dem Jahre 1941 nicht verändert. Eines Abends mieteten wir uns ein Auto und verloren im Casino von Monte Carlo ein wenig – sehr wenig – Geld. In Antibes – in einem Speicher, in dem der Club du Vieux-Colombier gastierte – hörten wir Luter spielen. Die Gréco sang: *Si tu t'imagines* und *La rue des Blancs-Manteaux*. Algren trank viel. Er tanzte zuerst mit Olga und dann sehr graziös mit einem Stuhl.

Der September in Paris war herrlich. Wir hatten uns nie besser verstanden. Im nächsten Jahr sollte ich nach Chicago kommen. Als ich mich von Algren verabschiedete, war ich überzeugt, ihn wiederzusehen. Trotzdem schnürte es mir das Herz zusammen, als ich ihn nach Orly begleitete. Er ging durch den Zoll und verschwand. Das kam mir so unfaßbar vor, daß mit einemmal alles möglich war, sogar – und vor allem – daß ich ihn nie mehr wiedersehen würde. Ich fuhr im Taxi nach Paris zurück. Die roten Lichter an der Spitze der Masten sagten mir ein schreckliches Unglück voraus.

Ich mußte mich getäuscht haben. Algrens erster Brief war von überschäumender Fröhlichkeit. Bei der Zwischenlandung in Gander hatte er in einer Zeitschrift gelesen, daß er den Pulitzer-Preis erhalten hatte. Cocktailparties, Interviews, Rundfunk, Fernsehen. New York feierte ihn, ein Freund brachte ihn im Auto nach Chicago. Er freute sich darüber, wieder zu Hause zu sein. Er schrieb mir: «Den ganzen Samstag und Sonntag sind wir gefahren, und es war herrlich, amerikanische Bäume, den weiten Himmel Amerikas, die breiten Flüsse und die Ebenen wiederzusehen. Das ist kein so buntes Land wie Frankreich. Es greift einem nicht so ans Herz wie die kleinen roten Dächer, wenn man mit dem Zug in Paris ankommt oder auf der Strecke Marseille–Paris über sie hinwegfliegt. Es ist auch nicht so beängstigend wie das graugrüne Licht in Marrakesch. Es ist nur unglaublich groß, heiß und gemächlich, selbstsicher und schläfrig, und das kostet Zeit. Ich war immer glücklich, ihm anzugehören, und gleichsam erleichtert durch den Gedanken, wo ich auch hinkäme, dieses sei das Land, in das ich stets zurückkehren könne.»

Er wiederholte, daß er mich erwarte, und meine Zuversicht kehrte wieder.

Der erste Band von *Le deuxième Sexe* kam im Juni heraus. Im Mai war in den *Temps Modernes* das Kapitel über die sexuelle Initiation der Frau erschienen. Im Juni und Juli folgten die Kapitel, die sich mit der ‹Lesbierin› und mit der ‹Mutterschaft› befaßten. Im November brachte Gallimard den zweiten Band heraus.

Ich habe erwähnt, daß dieses Buch fast zufällig konzipiert worden ist. Als ich von mir sprechen wollte, merkte ich, daß es sich nicht umgehen ließe, die Lage der Frau zu schildern. Zuerst untersuchte ich die Mythen, welche die Männer in der Kosmologie, in der Religion, im Aberglauben, in der Ideologie, in der Literatur geschaffen haben. Ich versuchte Ordnung in das auf den ersten Blick zusammenhanglose Bild zu bringen, das sich mir darbot: In jedem Fall tritt der Mann als Subjekt auf und betrachtet die Frau als Objekt, als das ‹Andere›. Diese Anmaßung ist offenbar aus historischen Gegebenheiten zu erklären, und Sartre ermahnte mich, auch die physiologischen Grundlagen anzuführen. Damals befanden wir uns in Ramatuelle. Wir sprachen lange darüber, und ich zögerte. Ich hatte nicht vorgehabt, ein so umfangreiches Werk zu schreiben. Aber meine Studie über die Mythen hing tatsächlich in der Luft, wenn man nicht wußte, welche Wirklichkeit sie zu verschleiern hatten. Ich vertiefte mich folglich in Physiologie- und Geschichtsbücher. Ich begnügte mich nicht mit Kompilationen. Die Wissenschaftler selber – und zwar beiderlei Geschlechts – sind mit männlichen Vorurteilen behaftet, und ich versuchte, hinter ihren Deutungen die genauen Fakten zu finden. Aus der Geschichte leitete ich einige Gedanken ab, die ich noch nirgends angetroffen hatte: Ich verknüpfte die Geschichte der Frau mit der des Erbrechts, das heißt, sie erschien mir als eine Folge der wirtschaftlichen Entwicklung der Männerwelt.

Ich hatte mich bemüht, die Frauen mit unvoreingenommenem Blick zu betrachten, und erlebte eine Überraschung nach der anderen. Es ist merkwürdig und es ist anregend, mit vierzig Jahren plötzlich einen Aspekt der Welt zu entdecken, der in die Augen springt und den man vorher nicht gesehen hat. Eines der Mißverständnisse, die mein Buch ausgelöst hat, besteht darin, daß man glaubte, ich leugnete jeden Unterschied zwischen Mann und Frau. Ganz im Gegenteil. Beim Schreiben wurde mir klar, was die Geschlechter trennt. Ich behaupte lediglich, daß diese Verschiedenheiten nicht natur-, sondern kulturbedingt sind. Ich habe ihre Entstehung von der Kindheit an bis ins Alter hinein zu beschreiben versucht. Ich habe die Möglichkeiten untersucht, die diese Welt den Frauen bietet, und die Möglichkeiten, die sie ihnen vorenthält, ihre Begrenzungen, ihr Glück und Unglück, ihre Ausflüchte, ihre Leistungen. Auf diese Weise kam der zweite Band zustande: «Gelebte Erfahrung».

Zu dieser Arbeit brauchte ich nur zwei Jahre. (Sie wurde im Oktober 1946 begonnen und im Juni 1949 abgeschlossen. 1947 aber habe ich vier Monate in Amerika zugebracht, und *L'Amérique au jour le jour* hatte mich sechs Monate lang beschäftigt.) Ich besaß psychologische und soziologische Kenntnisse. Meiner Universitätsbildung verdankte ich wirksame Arbeitsmethoden: Ich verstand es, Bücher schnell zu klassifizieren, auszuwählen und alle diejenigen auszumerzen, die nichts weiter sind als Abklatsch oder Phantasterei. Ich legte mir ein fast erschöpfendes Verzeichnis der Texte an, die in französischer und englischer Sprache zu diesem Thema erschienen waren. Es gab eine ungeheure Literatur darüber, aber wie in vielen anderen Fällen kommt nur eine kleine Anzahl dieser Studien wirklich in Betracht. Vor allem im zweiten Band profitierte ich von dem Interesse, das wir, Sartre und ich, den Menschen entgegenbrachten. Mein Gedächtnis lieferte mir reichliches Material.

Der erste Band fand eine günstige Aufnahme. In der ersten Woche wurden zweiundzwanzigtausend Exemplare verkauft. Auch der zweite Band ging gut, erregte aber sehr viel Anstoß. Ich war verblüfft über die Diskussionen, die die in den *Temps Modernes* abgedruckten Kapitel auslösten. Ich hatte den «französischen Hang zur Schlüpfrigkeit» gründlich unterschätzt, von dem Julien Gracq in einem Artikel sprach, in dem er mich zwar mit Poincaré verglich, wie er auf den Friedhöfen Reden schwang, mich aber zu meinem ‹Mut› beglückwünschte. Das wunderte mich. Ich hörte es zum erstenmal. «Sie sind aber mutig!» sagte Claudine Chonez zu mir mit etwas bemitleidender Bewunderung. «Mutig?» – «Sie werden viele Freunde verlieren!» Wenn ich sie verliere, dachte ich bei mir, waren es keine Freunde. Auf jeden Fall hatte ich das Buch so geschrieben, wie ich es mir in den Kopf gesetzt hatte – aber von keinerlei Heroismus angehaucht. Die Menschen in meiner Umgebung – Sartre, Bost, Merleau-Ponty, Leiris, Giacometti und die Redaktion der *Temps Modernes* – erwiesen sich auch in diesem Punkt als echte Demokraten: Wenn ich nur an sie gedacht hätte, hätte ich eher befürchtet, offene Türen einzurennen. Das machte man mir übrigens zum Vorwurf. Ebenso warf man mir vor, ich hätte erfunden, travestiert, deliriert, mich im Unendlichen verirrt. Man warf mir so vieles vor: eigentlich alles! Vor allem meine Unanständigkeit. Die Juni/Juli/August-Nummern der *Temps Modernes* gingen weg wie warme Semmeln: Aber man las sie, wie ich zu behaupten wage, mit Scheuklappen vor den Augen. Man hätte meinen können, daß es Freud und die Psychoanalyse nie gegeben habe. Was für Freuden der Obszönität unter dem Vorwand, die meine zu geißeln! Der brave, alte gallische Witz ergoß sich in Strömen. Ich erhielt signierte und anonyme Epigramme, Satiren, Strafpredigten, Ermahnungen, die, zum Beispiel, «äußerst aktive Angehörige des ersten Geschlechts» an mich richteten. Man sagte, daß ich unbefriedigt, frigid, priapisch, nymphoman, lesbisch sei und hundert Abtreibungen hinter mir habe und sogar heimlich ein Kind hätte. Man machte sich erbötig, meine Frigidität zu heilen, meine vampirischen Gelüste zu befriedigen, man versprach mir Offenbarungen, zwar mit schmutzigen Ausdrücken, aber im Namen des Wahren, des Schönen, des Guten, der Gesundheit und sogar der Poesie, an denen ich mich auf unwürdige Weise vergangen hatte. Schön. Es ist langweilig, Klosettwände zu bekritzeln: Daß manische Sexualphantasten es vorzogen, mir ihre Fleißarbeiten zuzuschikken, konnte ich verstehen. Aber daß sich selbst Mauriac darunter befand! Er schrieb an einen Mitarbeiter der *Temps Modernes*: «Nun weiß ich alles über die Vagina Ihrer Chefin.» Daraus ersieht man, daß er privatim keine Angst vor gewissen Wörtern hat. Sie gedruckt zu sehen, tat ihm innerlich so weh, daß er im *Figaro Littéraire* eine Rundfrage veranstaltete, in der er die Jugend eindringlich aufforderte, die Pornographie im allgemeinen und meine Artikel im besonderen zu verurteilen. Der Erfolg war mager. Obwohl man die Erwiderungen Pouillons und Caus, die mir zu Hilfe eilten – und zweifellos auch die vieler anderer –, unterdrückte, fand ich Verteidiger, darunter auch Domenach. Die christlichen Kreise waren nur mäßig entrüstet, und die Jugend schien im großen und ganzen nicht sonderlich über meine verbalen Ausschweifungen entsetzt zu sein. Das fand Mauriac betrüblich. Aber in dem Augenblick, als die Rundfrage abgeschlossen werden sollte, schickte ihm ein junges Mädchen, ein engelhaftes Wesen, einen Brief, der so völlig seinen Wünschen entsprach, daß viele von uns sich an diesem Zufall ergötzten. Indessen passierte es oft in den Restaurants, in den Cafés – mit Algren ging ich häufiger aus als sonst –, daß man mich höhnisch lächelnd ansah oder sogar mit dem Finger auf mich zeigte. Während eines Essens im ‹Nos Provinces› am boulevard Montparnasse beobachtete mich unaufhörlich eine benachbarte Tischrunde und lachte schallend. Ich wollte Algren nicht in einen Skandal mit hineinziehen und richtete beim Weggehen einige Worte an die braven Leute.

Die Heftigkeit dieser Reaktionen und ihre Niedertracht verblüfften mich. Bei den lateinischen Völkern hat der Katholizismus die männliche Tyrannei gefördert und sie oft bis zum Sadismus gesteigert. Wenn sie aber bei den Italienern in Geschmacklosigkeit, bei den Spaniern in Arroganz ausartet, so sind die Schlüpfrigkeiten typisch französisch. Warum? Zweifellos vor allem deshalb, weil sich in Frankreich die Männer durch die Konkurrenz der Frauen wirtschaftlich bedroht fühlen. Das einfachste Mittel, um ihnen gegenüber eine Überlegenheit zu wahren, die nicht mehr durch die Sitte verbürgt ist, besteht darin, sie zu erniedrigen. Eine entsprechende Tradition liefert ein ganzes Arsenal von Zoten, die es ermöglichen, die Frauen auf ihre Funktion als Sexualobjekte zu reduzieren; Redensarten, Metaphern, Anekdoten und sogar das Vokabular. Andererseits ist auf dem Gebiet der Erotik der uralte Mythos von der französischen Vorherrschaft gefährdet. Der ideale Liebhaber ist in seiner ganzen Erscheinung heute eher italienischer als französischer Nationalität. Schließlich verletzt oder ärgert die Kritik der emanzipierten Frauen ihre Partner und weckt ein Ressentiment. Es ist der alte französische

Hang zur Schlüpfrigkeit, der von den wehrlosen und rachsüchtigen Männern übernommen wird. (Bei den Amerikanern gibt es auch einen gewissen Frauenhaß. Aber selbst die giftigsten Pamphlete, wie das von Philip Wylie, gleiten nicht ins Obszöne ab. Es liegt ihnen nichts daran, die Frau sexuell zu degradieren.)

Im November kam es zu einem neuen Aufstand. Die Kritiker fielen aus allen Wolken; das Problem existiere ja gar nicht: Die Frauen seien seit jeher den Männern ebenbürtig, sie seien ihnen für ewige Zeiten unterlegen, und alles, was ich sagte, wisse man bereits, und an allem, was ich sagte, sei kein wahres Wort. In *Liberté de l'Esprit* wetteiferten Boideffre und Nimier miteinander an Verachtung. Ich sei ein «armes Geschöpf», neurotisch, verschmäht, enttäuscht, enterbt, ein Mannweib, unbefriedigt, neidisch, eine gegenüber Männern und Frauen mit Minderwertigkeitskomplexen behaftete, von Ressentiments zerfleischte Tante. (Als zehn Jahre später *Das Ruhekissen* von Christiane Rochefort erschien, ein Buch, das kein geringeres Aufsehen erregte, stimmten die männlichen Rezensenten abermals den Refrain an: «Sie ist häßlich und verschmäht...») Jean Guitton schrieb voll christlicher Barmherzigkeit, *Le deuxième Sexe* habe ihn schmerzlich berührt, weil aus ihm im Filigran mein «trauriges Leben» zu ersehen sei. Armand Hoog übertraf sich selbst: «Sie empfindet es als erniedrigend, eine Frau zu sein. Sie ist sich schmerzlich bewußt, daß die Aufmerksamkeit der Männer sie in ihrem Zustand fixiert. Sie lehnt diese Aufmerksamkeit und diesen Zustand gleichermaßen ab.»

Das Thema der Demütigung wurde von zahlreichen Kommentatoren aufgegriffen; dermaßen von dem Gefühl ihrer männlichen Überlegenheit durchdrungen, konnten sie sich nicht vorstellen, daß sie mich nie belastet hatte. Der Mann, den ich höher stelle als alle anderen, war nicht der Meinung, daß ich ihm unterlegen sei. Ich hatte viele Männer zu Freunden, deren Aufmerksamkeit mich durchaus nicht in meinen Grenzen fixierte, sondern die mich zur Gänze als menschliches Wesen anerkannten. Dieses Glück hat mich vor jedem Verdruß und jedem Groll bewahrt: Es war offensichtlich, daß weder meine Kindheit noch meine Jugendzeit mich vergiftet hatten. (Ich bin weit davon entfernt, Verdruß und Groll oder andere negative Gefühle zu unterschätzen. Oft sind sie durch die Umstände gerechtfertigt, und man könnte glauben, daß es sich um eine Lücke in meiner Erfahrung handle. Wenn ich hier davon absehe, dann nur aus dem Wunsch, *Le deuxième Sexe* so aufgefaßt zu sehen, wie ich es geschrieben habe.) Scharfsinnigere Leser folgerten, ich sei eine Menschenfeindin und hätte die Frauen, unter dem Vorwand, ihre Partei zu ergreifen, unmöglich gemacht. Das ist falsch: Ich hebe die Frauen nicht in den Himmel und schildere die sich aus ihrer Stellung ergebenden Mängel, aber ich habe auch ihre Vorzüge und ihre Verdienste aufgezeigt. Ich habe allzu vielen Frauen allzuviel Zuneigung geschenkt, um sie zu verraten und mich als ‹ehrenhalber männlich› zu betrachten. Auch die Aufmerksamkeit der Männer hat mich nie verletzt. De facto wurde ich erst nach dem Erscheinen von *Le deuxième Sexe* zur Zielscheibe der Sarkasmen. Vorher hatte man mir Gleichgültigkeit oder Wohlwollen entgegengebracht. Von nun an geschah es oft, daß ich als Frau angegriffen wurde, weil man glaubte, mich an einer verwundbaren Stelle zu treffen: Ich wußte aber genau, daß dieser Unwille meinen moralischen und sozialen Standpunkten galt. Weit davon entfernt, unter meiner Weiblichkeit zu leiden, habe ich eher von meinem zwanzigsten Lebensjahr an die Vorteile beider Geschlechter genossen. Nach dem Erscheinen von *L'Invitée* behandelte mich meine Umgebung gleichzeitig als einen Schriftsteller und als eine Frau. Besonders auffällig war das in Amerika: Bei Empfängen und Parties standen die verheirateten Frauen beisammen und plauderten miteinander, während ich mich mit den Männern unterhielt, die mich höflicher behandelten als ihre Geschlechtsgenossen. Es war aber gerade diese bevorzugte Stellung, die mich ermutigte, *Le deuxième Sexe* zu schreiben. Sie erlaubte es mir, mich in völliger Gelassenheit zu äußern. Und entgegen ihren eigenen Behauptungen hat viele meiner männlichen Leser gerade dieser Gleichmut geärgert: Einen Wutausbruch, den Aufschrei einer verwundeten Seele hätten sie mit gerührter Herablassung aufgenommen. Sie verziehen mir aber meine Objektivität nicht, sondern taten so, als würden sie sie nicht wahrnehmen. Ich stolperte zum Beispiel über eine Formulierung Claude Mauriacs, weil sie die Arroganz des ersten Geschlechtes beleuchtet: «Was hat sie gegen mich?» fragte er sich. Nichts: Es war mir nur um meine Zitate zu tun. Es ist merkwürdig, daß sich viele Intellektuelle weigern, an die Realität geistiger Leidenschaften zu glauben. (Ein rechtsstehender Romanschriftsteller und Pamphletist, den Bost in den *Temps Modernes* heftig angegriffen hatte, rief gekränkt aus: «Aber warum dieser Haß? Er kennt mich ja nicht einmal!»)

Selbst bei meinen Freunden erregte ich hier und dort Ärgernis. Ein fortschrittlicher Universitätsprofessor brach die Lektüre meines Buches ab und schleuderte es durchs Zimmer. Camus beschuldigte mich mit einigen mißgelaunten Sätzen, den französischen Mann lächerlich gemacht zu haben. Aus dem Mittelmeerraum stammend, von spanischem Stolz besessen, billigte er der Frau die Gleichheit nur im Unterschiede zu, und offensichtlich war er, wie George Orwell es ausgedrückt haben würde, der ‹gleichere›. Er hatte uns früher einmal fröhlich gestanden, daß er den Gedanken, von einer Frau abgeschätzt und beurteilt zu werden, schwer ertragen könne: Sie war für ihn das Objekt, er das Bewußtsein und die Aufmerksamkeit. Er lachte darüber, aber es stimmte schon, daß er keine Gegenseitigkeit gelten ließ. Am Schluß wurde er plötzlich freundlich: «Es gibt ein Argument, das Sie in den Vordergrund hätten rücken müssen: daß der Mann selber darunter leidet, weil er in der Frau nicht die echte Gefährtin findet, da er nach Gleichheit strebt.» Auch er zog der Vernunft den Aufschrei des Herzens vor: und noch dazu kam diese Bemerkung von einem Mann! Für die meisten waren meine Ausführungen über die Frigidität der Frau eine Beleidigung. Sie wollten nach wie vor an dem Glauben festhalten, daß sie das Vergnügen nach eigenem Gutdünken schenkten. Daran zweifeln, hieß sie entmannen.

Die Rechte konnte nicht anders, als das Buch verabscheuen, das übrigens in Rom auf den Index gesetzt wurde. Ich hoffte, daß es auf der äußersten Linken eine günstigere Aufnahme finden würde. Wir standen mit den Kommunisten auf denkbar schlechtem Fuß. Trotzdem verdankte meine Abhandlung vieles dem Marxismus und ergänzte ihn so ausgezeichnet, daß ich mir von dieser Seite etwas Unparteilichkeit erwartete. Marie-Louise Barron beschränkte sich in den *Lettres françaises* auf die Feststellung, daß die Arbeiter in Billancourt das Buch recht lächerlich finden würden. Das hieße die Arbeiter in Billancourt gröblichst unterschätzen, entgegnete Colette Audry in einer «kritischen Übersicht», die sie im *Combat* veröffentlichte. Die *Action* widmete mir einen anonymen und unverständlichen Artikel, der durch ein Foto ergänzt wurde, auf dem eine Frau einen Affen umarmte.

Die nichtstalinistischen Marxisten waren nicht viel besser. Als ich einen Vortrag an der École Émancipée hielt, erwiderte man mir, daß, wenn erst einmal die Revolution stattgefunden habe, es das Problem der Frau nicht mehr gäbe. Schön, sagte ich – aber bis dahin? Die Gegenwart schien sie nicht zu interessieren.

Meine Gegner ließen rund um *Le deuxième Sexe* zahlreiche Mißverständnisse entstehen, an denen sie eifrig festhielten. Vor allem griff man mich wegen des Kapitels über die Mutterschaft an. Viele Männer erklärten, ich sei nicht berechtigt, über die Mutterschaft zu sprechen, weil ich kein Kind geboren hatte: Und sie selber? (Sie haben die Mütter gefragt: dasselbe habe ich getan.) Trotzdem konfrontierten sie mich mit festgefahrenen Auffassungen. Ich hätte dem Muttergefühl und der Liebe jeden Wert abgesprochen, was gar nicht zutraf. Ich hatte verlangt, daß die Frau sie wahrhaft und frei erlebe, während sie doch oft nur als Alibi dienten, und daß sich die Frau in dem Augenblick von ihnen lossage, da sie ihr fremd geworden sind, weil das Herz verstummt ist. Ich hätte sexuelle Zügellosigkeit gepredigt: Ich habe aber nie einem Menschen geraten, mit wem auch immer und wann auch immer ins Bett zu gehen. Ich bin nur der Meinung, daß auf diesem Gebiet die Wahl, die Zustimmung und die Weigerung nicht den gesellschaftlichen Einrichtungen, den Konventionen und den Interessen unterworfen sein dürften. Wenn die Gründe nicht der Handlungsweise entsprechen, die sie motivieren, endet alles mit Lügen, Verdrehungen und Verstümmelungen.

Ein Kapitel hatte ich dem Problem der Abtreibung gewidmet. Sartre hatte darüber in *L'Âge de raison* [*Zeit der Reife*], ich in *Le Sang des autres* geschrieben. Viele Leute kamen daraufhin in die Redaktion der *Temps Modernes* gestürzt und verlangten Adressen von der Sekretärin, Mme Sorbets. Sie war so ärgerlich, daß sie eines Tages ein Plakat zeichnete: «Wir machen hier alles selber.» Eines Morgens schlief ich noch, als an meine Tür geklopft wurde. «Meine Frau ist schwanger», sagte ein verstört aussehender junger Mann. «Geben Sie mir eine Adresse.» – «Aber ich weiß ja keine», erwiderte ich. Worauf sich der junge Mann unter Verwünschungen entfernte. «Niemand hilft einem ...!» Ich wußte wirklich keine Adresse, und warum sollte ich einem wildfremden Menschen vertrauen, der sich so wenig zu beherrschen wußte? Man zwingt die Frauen und Ehepaare zur Heimlichtuerei. Wenn ich ihnen helfen kann, helfe ich ohne Zögern. Aber es war mir nicht angenehm, daß man mich anscheinend für eine berufsmäßige Vermittlerin hielt.

Das Buch fand auch Verteidiger: Francis Jeanson, Nadeau und Mounier. Es löste öffentliche Debatten und Vorträge aus und bescherte mir viel Post. Schlecht gelesen, schlecht begriffen, brachte es die Gemüter in Bewegung. Alles in allem ist es vielleicht unter meinen Büchern dasjenige, das mir die tiefste Befriedigung gewährt hat. Wenn man mich fragt, wie ich es heute beurteile, zögere ich nicht mit der Antwort: Ich bin dafür.

Ich gebe ohne weiteres zu, daß am Stil und am Aufbau einiges auszusetzen ist. Ich könnte aus dem vorhandenen Stoff leicht ein eleganteres Werk zurechtschneidern. Da mir die Gedanken in dem Augenblick kamen, da ich sie formulieren mußte, konnte ich aber nichts Besseres zustande bringen. Im Grunde habe ich im ersten Band einen materialistischen Standpunkt vertreten. Ich begründete den Begriff des ‹Anderen› und den Manichäismus, der nicht aus einem a priori und idealistischen Gewissenskampf, sondern aus der Seltenheit und dem Bedürfnis hervorgeht: Das habe ich in *La Longue Marche* [*China. Das weitgesteckte Ziel*] getan, wo ich von der jahrtausendelangen Unterdrückung der Chinesinnen spreche. Diese Modifikation ändert nichts an den Schlußfolgerungen. Im großen und ganzen stehe ich zu dem, was ich gesagt habe. Ich habe mich nie der Illusion hingegeben, die Lage der Frau ändern zu können. Sie hängt von der zukünftigen Entwicklung der Arbeitsverhältnisse auf der ganzen Welt ab, und sie wird nur um den Preis einer Umwälzung der gesamten Produktion wirklich zu ändern sein. Deshalb habe ich es vermieden, mich in den Grenzen der sogenannten ‹Frauenrechtlerei› zu bewegen. Ich habe auch nicht versucht, für jedes Übel ein Heilmittel zu finden. Zumindest aber habe ich meinen Zeitgenossinnen geholfen, sich ihrer selbst und ihrer Lage bewußt zu werden.

Viele von ihnen haben mein Buch sicherlich nicht gebilligt. Ich habe sie verwirrt, ihnen widersprochen, sie geärgert oder erschreckt. Aus den zahlreichen Aussagen und vor allem aus einer Korrespondenz, die sich über zwölf Jahre erstreckt hat, geht hervor, daß ich manchen einen Dienst erwiesen habe. In meinen Ausführungen haben sie Beistand gegen das Bild gefunden, das sie sich von sich selber gemacht hatten und das ihnen empörend erschien, gegen die Mythen, die sie bedrückten. Sie haben eingesehen, daß ihre Schwierigkeiten kein privates Mißgeschick sind, sondern ein allgemeiner Zustand. Diese Einsicht hat sie davor bewahrt, sich selber zu verachten, und manchen die Kraft gegeben, sich zu wehren. Klarheit macht zwar nicht glücklich, hilft aber, glücklich zu werden, und flößt Mut ein. Psychiater haben mir gesagt, daß sie das Buch ihren Patientinnen, und nicht nur Intellektuellen, sondern auch Kleinbürgerinnen, Angestellten, Arbeiterinnen, zu lesen geben. «Ihr Buch war mir eine große Hilfe ... Ihr Buch hat mich gerettet», schrieben mir Frauen aller Altersstufen und verschiedenster Schichten.

Wenn mein Buch den Frauen geholfen hat, dann nur deshalb, weil es ihnen Ausdruck verleiht. Als Gegenleistung haben sie ihm seinen Wahrheitsgehalt gegeben. Ihnen ist es zu verdanken, daß das Buch heute keinen Anstoß mehr erregt. In den letzten zehn Jahren sind die männlichen Mythen geplatzt. Und viele Schriftstellerinnen haben mich an Kühnheit weit übertroffen. Meinem Geschmack nach sind es allzu viele, die die Sexualität als Thema gewählt haben. Zumindest aber präsentieren sie sich sozusagen als Subjekt, als Bewußtsein, als freier Mensch.

Mit dreißig Jahren wäre ich überrascht und sogar irritiert gewesen, wenn man mir vorausgesagt hätte, daß ich mich mit Frauenproblemen beschäftigen würde und mein ernsthaftestes Publikum Frauen sein würden. Ich bedaure es nicht. Für sie, die so uneinig, so beschimpft, so benachteiligt sind, gibt es noch mehr Risiken, Siege und Niederlagen als für die Männer. Sie interessieren mich, und lieber will ich durch ihre Vermittlung einen begrenzten, aber soliden Einfluß auf die Welt haben, als im Allgemeinen zu verbleiben.


Es war noch sehr schön und warm, als ich Mitte Oktober mit Sartre nach Cagnes zurückkehrte. Ich bekam wieder mein Zimmer, das Frühstück auf meinem Balkon, meinen Tisch aus blankem Holz unter einem kleinen Fenster mit roten Vorhängen. Die Abhandlungen von Lévi-Strauss waren erschienen, und ich schrieb an einer Rezension für die *Temps Modernes*. Dann machte ich mich an den Roman, der mir schon seit langem im Kopf herumspukte. Ich wollte ganz darin aufgehen: ich wollte mein Verhältnis zum Leben, zum Tod, zur Zeit, zur Literatur, zur Liebe, zur Freundschaft, zum Reisen beschreiben. Ich wollte auch andere Menschen schildern, und vor allem die fiebrige, von lauter Enttäuschungen begleitete Geschichte der Nachkriegszeit erzählen. Ich kritzelte einige Worte aufs Papier – den Beginn des ersten Selbstgesprächs, das Anne mit sich führt –, aber als ich die leeren Blätter sah, wurde mir schwindlig. Ich hatte genug zu sagen, es fehlte mir nicht an Stoff: Aber wie sollte ich anfangen? Es war weiß Gott keine Arbeit, die man im Halbschlaf erledigt! Obwohl voller Enthusiasmus, war ich ängstlich. Wie lange wird dieses Abenteuer dauern? Drei oder vier Jahre? Auf jeden Fall sehr lange. Und wohin wird es mich führen?

Um auszuruhen und mich anzuregen, las ich das *Tagebuch eines Diebes* von Genet, eines seiner schönsten Bücher, und ging mit Sartre spazieren. Pagniez, der in Juans-les-Pins bei Mme Lemaire wohnte, kam zusammen mit seinen Kindern uns besuchen. Der Tod seiner Frau hatte uns einander nähergebracht. Die Ärzte hatten sich nicht geirrt. Zwei Jahre hatte ihr Siechtum gedauert. Es zerriß einem das Herz, wenn man sie Pläne machen hörte, als sie im Bett lag, und dabei immer schwächer, immer abgezehrter wurde. Sie glaubte sich auf dem Wege der Besserung, als sie im Laufe des Winters starb.

Wir fuhren mit dem Taxi nach Sospel und Peira-Cava und nahmen dort auf der Terrasse unseren Tee. Als wir einige Tage später den *France-Dimanche* aufschlugen, entdeckten wir zu unserem Erstaunen eine Schilderung dieses Nachmittags. Der Zeichner Soro, der für die Klatschspalten dieses Blattes arbeitete, verbrachte seinen Urlaub in der Nähe. Er fand es abgeschmackt, daß wir mit einem Familienvater verkehrten. In höhnischem Ton äußerte er sich über meine Gespräche mit Sartre, ohne sich entscheiden zu können, ob er ihnen ihr Dunkel oder ihre Einfachheit vorwerfen sollte. Im Grunde waren mir alle diese Tratschereien herzlich gleichgültig, aber es paßte mir nicht, mich bis in meine Schlupfwinkel hinein verfolgt zu fühlen.

Der dritte Band von *Les Chemins de la liberté – La Mort dans l'âme –* erschien kurz nach unserer Rückkehr nach Paris. Ich ziehe ihn den beiden anderen vor. In der Durchsichtigkeit jedes einzelnen Bildes behält die Welt ihre Undurchsichtigkeit. Alles ist außerhalb, alles ist innerhalb. Man erfaßt die Wirklichkeit in ihrem doppelten Aspekt: das Schwergewicht der Dinge und das, was man trotz allem als Freiheit bezeichnen muß. Der Roman hatte aber weniger Erfolg als die vorhergehenden. «Es ist eine Fortsetzung, ohne ein Abschluß zu sein, deshalb zögert das Publikum, ihn zu kaufen», sagte Gaston Gallimard, der ihn gleichzeitig mit dem letzten Band hatte herausbringen wollen. Zweifellos ließen sich die Leser auch durch die Kritik beeinflussen. Die Rechte war empört, weil Sartre Offiziere zeigte, die sich aus dem Staube machten und ihre Leute im Stich ließen. Die Kommunisten waren entrüstet, weil das französische Volk, Zivilisten wie Soldaten, als passiv und apolitisch erschien.

*La Mort dans l'âme* endet mit lauter Fragezeichen: Ist Mathieu tot oder nicht? (An anderer Stelle hatte Sartre angedeutet, daß er am Leben geblieben sei, aber aus dem Roman geht das nicht hervor.) Wer ist dieser Schneider, der Brunet beunruhigt? Was ist aus den übrigen Personen geworden? «La Dernière Chance» sollte diese Fragen beantworten. Die erste Episode erschien Ende 1949 in den *Temps Modernes* unter dem

Titel *Drôle d'amitié*. Ein frisch im Stalag eingetroffener Gefangener, Chalais, ein Kommunist, erkennt in Schneider den Journalisten Vicarios wieder, der nach dem Abschluß des deutsch-russischen Paktes aus der Partei ausgetreten ist: Die KP hat vor ihm gewarnt und ihn als Spitzel bezeichnet. Chalais behauptete, daß die UdSSR nie in den Krieg eintreten werde, und bestätigte, daß die *Humanité* die Losung zur Zusammenarbeit ausgegeben habe. Als Brunet, beunruhigt, entrüstet, unschlüssig, von Vicarios erfährt, daß dieser zu fliehen beabsichtige, um seinen Verleumdern entgegenzutreten, beschließt er, ihm zu folgen. Diese gemeinsame Flucht besiegelt die Freundschaft, die Brunet allen zum Trotz für Vicarios bewahrt. Vicarios wird erschossen, Brunet wieder gefangen. Das Ende ist nebelhaft. Brunet entschließt sich zu einem neuen Versuch. Man hat ihm von einem Gefangenen erzählt, der eine Organisation aufgebaut hat, die Gefangenen zur Flucht verhilft. Er sucht ihn, findet ihn, und es ist Mathieu, der soeben an der Hinrichtung eines Spitzels teilnimmt. Mathieu, der noch einmal davongekommen ist, hat es satt, seit seiner Kindheit «für nichts und wieder nichts» frei zu sein; er hat sich endlich freudigen Herzens für die Tat entschieden. Dank seiner Hilfe entkommt Brunet und erreicht Paris. Verblüfft stellt er fest, daß durch einen ähnlichen Kunstgriff, der am Schluß von *Les Mains sales* Hugo zum Selbstmord treibt, die UdSSR in den Krieg eingetreten ist und die KP die Kollaborateure verdammt. Nachdem es ihm gelungen ist, Schneider zu rehabilitieren, nimmt er seinen Platz als Kämpfer in der Widerstandsbewegung wieder ein. Der Zweifel, der Skandal und die Einsamkeit haben ihm seine Subjektivität enthüllt. Innerhalb des Engagements hat er seine Freiheit wiedergefunden. Mathieu geht den entgegengesetzten Weg. Daniel, der mit dem Feind zusammen arbeitet, hat ihm einen Streich gespielt und ihn als Redakteur einer von den Deutschen kontrollierten Zeitung nach Paris rufen lassen. Mathieu taucht unter und arbeitet illegal. Im Stalag war seine Tätigkeit noch die eines individualistischen Abenteurers gewesen. Jetzt, als er einer kollektiven Disziplin unterworfen ist, lernt er das echte Engagement kennen. Brunet und Mathieu, von verschiedenen Ausgangspunkten ausgehend – der eine von der Entfremdung zwischen ihm und der Sache, der andere von einem abstrakten Freiheitsbegriff –, verkörpern beide den echten Mann der Tat, wie Sartre ihn sich vorstellt. Mathieu und Odette verlieben sich, sie verläßt Jacques, und sie lernen das Ausmaß einer spontanen Leidenschaft kennen. Mathieu wird verhaftet und stirbt bei der Folterung, da er seinem Wesen nach kein Held ist, sondern weil er aus sich einen Helden gemacht hat. Auch Philippe wird aus Groll gegen Daniel Widerstandskämpfer und versucht, sich zu beweisen, daß er kein Feigling sei. Bei einer Razzia in einem Café des Quartier Latin kommt er ums Leben. Wahnsinnig vor Kummer und Zorn, verbirgt Daniel in seiner Aktenmappe eine der Handgranaten, die Philippe in seinem Zimmer versteckt hatte. Er geht zu einer Zusammenkunft von wichtigen deutschen Persönlichkeiten und sprengt sich zusammen mit ihnen in die Luft. Sarah, die nach Marseille geflüchtet ist, springt an dem Tag, da die Deutschen sie verhaften wollen, mit ihrem Kind aus dem Fenster. Boris wird mit dem Fallschirm ins Maquis befördert. Alle oder fast alle sterben. Es bleibt keiner übrig, der sich mit den Problemen der Nachkriegszeit auseinandersetzen könnte.

Es waren aber diese Probleme, die Sartre im Augenblick interessierten. Über die Résistance wußte er nichts mehr zu sagen, weil der Roman alles in Frage stellen sollte und weil man in der Besatzungszeit unzweideutig gewußt hatte, wie man sich verhalten mußte. Für seine Helden ist mit dem Schluß von *Drôle d'amitié* das Spiel zu Ende. Die kritischen Momente in ihrem Leben sind vorbei: wenn Daniel mit Eifer das Schlechte wählt, wenn Mathieu dahin kommt, daß er die Leere seiner Freiheit nicht mehr ertragen kann, wenn Brunet sich den Kopf zermartert. Es wäre Sartre nichts anderes übriggeblieben, als reife Früchte zu pflücken. Er zog es jedoch vor, neuen Boden zu bestellen, zu bearbeiten, zu bepflanzen. Ohne daß er den Gedanken an einen vierten Band aufgegeben hätte, war er immer mit einer Arbeit beschäftigt, die ihm vordringlich schien. Zehn Jahre zu überspringen und die Personen mit den Sorgen der heutigen Zeit zu konfrontieren, hätte keinen Sinn gehabt: Der letzte Band würde alle Erwartungen des vorletzten Bandes zunichte gemacht haben. Er war auf allzu starre Weise im voraus festgelegt, als daß er den Plan hätte umstoßen können und als daß er Lust gehabt hätte, sich ihm zu fügen.

Ich freute mich, daß *Wochenend in Zuidcoote* von Merle, das wir in den *Temps Modernes* veröffentlicht hatten, den Prix Goncourt erhielt. Ich sah mir einige Filme an. Was *Fahrraddiebe* betraf, war ich derselben Meinung wie Cocteau: Das ist Rom und ein Meisterwerk. Mit *Höllische Annalen* entdeckte Paris Ghelderode. Bei Agnès Capri gab man *Les Limites de la forêt* von Queneau: die Hauptrolle spielte ein Hund; aber das war noch nicht alles. Mir fiel die reizende Barbara Laage auf, die nur wenig später *La Putain respectueuse* drehen sollte. Das Publikum bestand zum größten Teil aus Mitgliedern des vierten Geschlechts: mit Brillanten behangene Fünfzigerinnen an der Seite junger Mädchen, die sie sichtlich aushielten.

Camus kehrte überanstrengt aus Südamerika zurück. Am Abend der Generalprobe von *Die Gerechten* sah er sehr müde aus. Aber die Wärme, mit der er empfangen wurde, rief die Erinnerung an die schönsten Zeiten unserer Freundschaft wach. Das Stück, vollendet gespielt, machte auf uns einen steifen Eindruck. Mit lächelnder und skeptischer Schlichtheit nahm er die Händedrücke und Glückwünsche entgegen. Rosemonde Gérard, bucklig, zerknittert, herausgeputzt, stürzte auf ihn zu. «Das gefällt mir besser als *Les Mains sales*», erklärte sie. Sie hatte Sartre nicht ge-

sehen, dem Camus mit den Worten: «Zwei Fliegen auf einen Schlag!»
einen vielsagenden Blick zuwarf. Es war ihm nicht recht, daß man ihn
für einen Nachahmer Sartres hielt.

Wir besuchten das Atelier von Léger. Er schenkte Sartre ein Bild und
mir ein sehr hübsches Aquarell. Seit seiner Rückkehr aus Amerika hatten
seine Bilder viel mehr Wärme und Farbe als früher. Das Musée d'Art
Moderne zeigte eine umfassende Auswahl. Etwas später sah ich mir dort
Henry Moores Skulpturen an.

Seit Dullin kein eigenes Theater mehr hatte, machte er recht anstrengende Tourneen durch Frankreich und Europa. Camille erleichterte ihm
das Leben nicht gerade, weil sie selber mit Schwierigkeiten zu kämpfen
hatte und unmäßig trank. Zerschlagen und erschöpft, wie er war, bekam
er plötzlich so heftige Schmerzen, daß er ins Krankenhaus Saint-Antoine
gebracht werden mußte. Man schnitt ihm den Bauch auf und nähte ihn
gleich wieder zu. Es war Krebs. Als er im Sterben lag, gaben sich zwei
Reporter des *Samedi-Soir* als seine Schüler aus und erzwangen sich Zutritt. «Raus mit euch!» schrie Dullin. Aber sie hatten ihn bereits geknipst.
Dieses Vorgehen erregte allgemeinen Unwillen. Der *Samedi-Soir* verteidigte sich weinerlich. Nach einem Todeskampf von zwei bis drei Tagen starb Dullin. Ich hatte ihn schon lange nicht mehr wiedergesehen.
Da er alt und leidend war, empfand ich seinen Tod als nicht so tragisch
wie den von Bourla, aber ich bewahrte rührende Erinnerungen an ihn.
Ein großer Teil meiner Vergangenheit stürzte ein, und ich hatte das
Gefühl, daß mein eigenes Sterben begonnen habe.

Während unseres üblichen Aufenthalts in La Pouèze arbeitete Sartre
an einer Vorrede zu den Werken Genets, um die Gallimard ihn gebeten
hatte. Ich korrigierte die Übersetzung von Algrens Roman und arbeitete
an meinem Romanprojekt. Selbst in Paris wurde ich nicht oft bei der
Arbeit gestört. Cléo de Mérode, die durch eine Rundfunksendung erfuhr, daß ich sie in *Le deuxième Sexe* als Hetäre behandelt hatte, beabsichtigte, mich zu verklagen; die Zeitungen schrieben darüber. Ich übergab
die Angelegenheit Suzanne Blum und kümmerte mich nicht mehr darum.

Im Februar veranstalteten Dullins Freunde und Schüler im Théâtre
de l'Atelier eine Gedenkfeier. Als wir Camille abholen wollten, öffnete
die hinreißende Ariane Borg tief bestürzt die Tür. Um sich Mut zu machen, hatte Camille Rotwein getrunken. Sie war völlig in Tränen aufgelöst, und ihr Haar war in Unordnung. Wir mußten sie geradezu aus
dem Taxi in die Loge tragen, wo sie sich schluchzend während der Feier
versteckt hielt. Salacrou und Jules Romain hielten kurze Ansprachen.
Ein Schauspieler las Sartres Rede vor. Olga spielte im Kostüm eine
Szene aus *Les Mouches,* sehr gut. Man bekam die auf einer Platte auf-
genommene Stimme Dullins mit dem Monolog aus *Der Geizige* zu
hören.

Im März besuchte ich einige Proben und die Generalprobe zweier kurzer Stücke von Chauffard im Théâtre de Poche: *Le Dernier des Sioux* und *Un Collier d'une reine*. Der Regisseur war Claude Martin. Das junge Ensemble arbeitete einträchtig und gut gelaunt: Ich bedauerte, daß es bei Sartres Stücken niemals der Fall gewesen war. Denner (den seine Darstellung des Landru berühmt gemacht hat) spielte die Rolle des Königs, Loleh Bellon war eine charmante Königin, und Olga, die endlich auf die Bühne zurückgekehrt war, sprühte Funken. Die Kritik beglückwünschte sie. Sartre beabsichtigte, sobald sie völlig wiederhergestellt sein würde, *Les Mouches* wieder aufführen zu lassen.

Ganz in meiner Nähe gab es einen kleinen Zeitungshändler, mit dem ich mich oft unterhielt. «Ich», hatte er eines Tages zu mir gesagt, «heiße Martin Eden.» Er las und studierte. Er war entschlossen, allen Autodidakten in seinem Viertel zu helfen. «Weil ich zuviel leiden mußte, bis ich etwas erreichen konnte ...» Es war ihm mit Mühe und Not gelungen, in einem Saal in der rue Mouffetard eine Art Club zu organisieren, und er bat Intellektuelle, dort Vorträge zu halten. Sartre sprach über das Theater, Clouzot über den Film. Ich sprach über die Lage der Frau: Es war das erste Mal, daß ich mit Zuhörern aus dem Volk in Berührung kam, und ich stellte fest, daß sie sich, im Gegensatz zu dem, was Mme Barron gesagt hatte, durchaus für die Probleme interessierten, die ich behandelte.

Die neutralistischen Gehversuche waren gescheitert. Unter dem Vorwand, sich mit einem Kriegsdienstverweigerer namens Moreau zu solidarisieren, zerriß Gary Davis seine Papiere und führte zu seinem eigenen Vorteil eine Reklamekampagne durch, die seine Anhänger abstieß. Das RDR war endgültig zusammengebrochen. Zwischen den beiden Machtblöcken gab es ganz entschieden keinen dritten Weg. Und es war nach wie vor unmöglich, sich zu entscheiden. Das State Department unterstützte auch weiterhin den nach Formosa geflüchteten Tschiang Kai-schek gegen die am 1. November proklamierte chinesische Volksrepublik. Es hatte auch Franco finanzielle Unterstützung gewährt: Für Spanien war das entsprechend dem Titel eines in den *Temps Modernes* veröffentlichten Essays das Ende der Hoffnung. In Griechenland hatte man im Einverständnis mit Großbritannien der Reaktion zum Sieg verholfen: Die Kommunisten und die gesamte Opposition gingen im Lager von Makrissos zugrunde. Aber man konnte sich auch nicht vorbehaltlos für die UdSSR entscheiden, solange sich in den stalinistischen Ländern so viele öffentliche und verschleierte Tragödien abspielten. Noch klangen einem die Ohren von den Geständnissen des Kardinal Mindszenty, da begann auch Rajk alles zu gestehen – Hochverrat, Verschwörungen –, bevor er am 15. Oktober in Budapest gehenkt wurde. Kostoff gab nichts zu und wurde im Dezember in Sofia gehenkt. In der Person dieser beiden ‹Ver-

brecher›, die für Tito büßen mußten, brandmarkte Stalin den ‹Kosmo-
politismus› und die ‹Kosmopoliten›.

Sartre gehörte zwar einem Ausschuß an, der die Revision des Verfahrens von Tananarive anstrebte, aber er hatte jede politische Tätigkeit
so gut wie völlig aufgegeben. Zusammen mit Merleau-Ponty kümmerte
er sich um die Zeitschrift, die im übrigen nicht mehr so gut ging wie
früher. Vor vier Jahren waren wir mit aller Welt befreundet gewesen –
jetzt hielten uns alle für ihre Feinde. Sartre begann zwei Arbeiten, die
gar keine Beziehung zu den augenblicklichen Verhältnissen hatten: «La
Reine Albemarle et le dernier touriste» sollte gewissermaßen ein *La
Nausée* seines reifen Alters sein. Auf launige Art schilderte er die heutige
Struktur Italiens, seine Geschichte, seine Landschaften und beschäftigte
sich gleichzeitig mit der Rolle des Touristen. (Er schrieb Hunderte von
Seiten, hatte aber weder Lust noch Zeit, sie durchzusehen, und veröffentlichte nur kleine Bruchstücke.) Dagegen wurde sein Vorwort zu den
Werken Genets ein dickes Buch, in dem er versuchte – weit gründlicher
als in *Baudelaire* –, einen Menschen zu erfassen. Er hatte sich sowohl mit
der Psychoanalyse wie mit dem Marxismus beschäftigt, und es schien
ihm, als seien die Möglichkeiten des Einzelnen durch die Situationen eng
begrenzt. Seine Freiheit bestehe nur darin, daß er sich nicht passiv unterwirft, sondern sie durch die Eigenbewegung seiner Existenz verinnerlicht
und über sie zu einem Sinn hinausgeht. In gewissen Fällen ist der Spielraum, der seiner Wahl bleibt, gleich Null. In anderen Fällen erstreckt
sich die Wahl über viele Jahre. Das berichtete Sartre von Genet. Er
untersuchte die Werte, die durch seine Wahl aufs Spiel gesetzt wurden
– das Heilige, das Dämonische, das Gute, das Böse –, in ihrer Beziehung
zu den sozialen Zusammenhängen.

Die eigentliche Morallehre legte Sartre in diesem Jahre beiseite, weil
er sich davon überzeugt hatte, daß «die moralische Haltung dann her-
vortritt, wenn die technischen und sozialen Bedingungen ein positives
Verhalten nicht zulassen. Die Moral ist die Gesamtheit der idealistischen
Kunstgriffe, die einem helfen, das zu erleben, was der Mangel an Mitteln
und technischen Methoden einem auferlegt.» (Unveröffentlichte Aufzeichnung.) Er beschäftigte sich vor allem mit der Geschichte und der
Nationalökonomie. Der junge marxistische Philosoph Tran Duc Thao
schlug ihm vor, Gespräche zu führen, die nachher in Buchform veröffentlicht würden. Sartre war einverstanden.

Im November suchte Roger Stéphane ihn auf, die sowjetischen Bestimmungen über die Zwangsarbeit in Besserungsanstalten in der Hand,
eine Broschüre, die soeben in England eine neue Auflage erlebt hatte und
Anfang August Gegenstand einer Debatte in der UNO gewesen war.
In Frankreich kannte man sie nicht. (Sie war 1936 zum erstenmal erschienen. Schon damals wußte man von der Existenz der Arbeitslager.
Aber die KPF war eine allzu kleine Partei, und die UdSSR allzu weit

entfernt, als daß die öffentliche Meinung sich damit beschäftigt hätte. Damals standen Sartre und ich der Politik so gleichgültig gegenüber, daß wir uns überhaupt nicht darum gekümmert hatten.) Diese Broschüre bestätigte die Enthüllungen über die Existenz von Arbeitslagern, von denen im Kravtschenko-Prozeß die Rede gewesen war. Ob Sartre den Text in den *Temps Modernes* veröffentlichen wolle? Natürlich. Sartre bekannte sich, wie ich schon oft erwähnt habe, zum Sozialismus. Seinen Gedankengang hat er einige Jahre später in *Le Fantôme de Staline* niedergelegt: In ihrer Gesamtheit gesehen, ist die sozialistische Bewegung «der absolute Richter über alle anderen Bewegungen, weil die Ausgebeuteten der Ausbeutung und dem Klassenkampf als ihrer eigenen Wirklichkeit und als der Wahrheit der bürgerlichen Gesellschaft gegenüberstehen ... sie ist die Bewegung des Menschen, der im Entstehen begriffen ist. Die anderen Parteien halten den Menschen für fix und fertig. Wenn man ein politisches Unternehmen richtig würdigen will, so ist der Sozialismus der absolute Maßstab.» Also blieb die UdSSR trotz allem nach wie vor das sozialistische Vaterland: denn dort war die revolutionäre Machtergreifung durchgeführt worden. Selbst wenn die Bürokratie sich dort breitgemacht, selbst wenn die Polizei enorme Vollmachten an sich gerissen hatte, selbst wenn Verbrechen begangen worden waren, so hatte doch die Sowjetunion nie die Vergesellschaftung der Produktionsmittel in Frage gestellt. Das Regime unterschied sich grundlegend von anderen, die darauf ausgehen, die Herrschaft einer Klasse zu errichten oder aufrechtzuerhalten. Ohne die Fehler der Führung zu leugnen, war Sartre der Meinung, daß sie sich so sehr der Kritik aussetze, weil sie das Alibi ablehne, das den bürgerlichen Politikern die angeblichen ‹ökonomischen Gesetze› liefern. Sie übernehme die Verantwortung für alles, was im Lande geschieht.

Die Revolution, hieß es, sei verraten und entstellt worden. Darauf entgegnete Sartre: Das ist nicht der Fall. Sie ist Wirklichkeit geworden, das heißt, daß das Allgemeine zum Besonderen herabgesunken ist. Durch die Verwirklichung gerät sie sehr bald in Widersprüche, die sie von ihrer begrifflichen Reinheit trennen: Aber der russische Sozialismus habe vor dem Traum von einem makellosen Sozialismus den ungeheuren Vorteil voraus, daß er existiere. Schon damals dachte Sartre über die stalinistische Epoche genauso, wie er es vor kurzem in einem noch unveröffentlichten Kapitel der *Critique de la raison dialectique* formuliert hat: «In der UdSSR herrscht nach wie vor der Sozialismus, wenn auch durch die praktische Notwendigkeit gekennzeichnet, zu verschwinden oder mit Hilfe einer verzweifelten und blutigen Anstrengung zu dem zu werden, was er heute ist ... Unter gewissen Umständen kann die Mitte zwischen Gegensätzen ein Synonym der Hölle sein.» Auch in *Le Fantôme de Staline* schreibt er: «Kann man dieses blutige, sich selbst zerfleischende Ungeheuer Sozialismus nennen? Ich sage offen: ja.»

Aber trotz dieser unbestrittenen Vormachtstellung, die er der UdSSR zubilligte, lehnte er das Entweder-Oder ab, auf das Kanapa und Aron ihn festlegen wollten. Er forderte die Franzosen auf, ihre Freiheit zu verteidigen: Sie setze voraus, daß man auf alle Fälle der Wahrheit die Stirn bietet. Er war entschlossen, die Wahrheit nie zu verfälschen – nicht aus einem abstrakten Prinzip heraus, sondern weil sie in seinen Augen einen praktischen Wert besitzt. Auch wenn er der UdSSR noch nähergestanden hätte, würde er die Wahrheit gesagt haben, weil in seinen Augen der Intellektuelle nicht vor der gleichen Aufgabe steht wie der Politiker: Er soll allerdings ein Unternehmen nicht nach Moralregeln beurteilen, die von außen stammen, sondern aufpassen, daß es sich nicht in seiner Entwicklung, seinen Grundsätzen und seinen Zielen widerspreche. Wenn die Polizeimethoden in einem sozialistischen Land den Sozialismus kompromittieren, muß man sie kritisieren. Sartre vereinbarte mit Stéphane, in der Dezember-Nummer der *Temps Modernes* das sowjetische Gesetz zu veröffentlichen und zu kommentieren.

Am 12. November aber stand im *Figaro Littéraire* mit riesigen Lettern: «Appell an die Deportierten aus den Nazilagern. Helft den Deportierten in den sowjetischen Lagern». Es war Rousset, der diesen Schrei ausgestoßen hatte. Er zitierte die Paragraphen aus der Broschüre, die eine «administrative Internierung», das heißt willkürliche Verhaftungen und Deportationen, möglich machten. In enger Zusammenarbeit mit dem *Figaro* zog er eine bewundernswerte antisowjetische Maschinerie auf. Die nächsten Nummern des *Figaro Littéraire* und die gesamte Rechtspresse nutzten das nach Kräften aus. Was für ein Signal! Hunderte von Berichten, Erinnerungen, Zeugenaussagen wurden aus den Schubladen geholt und abgedruckt. Man brachte auch schreckliche Fotos, auf denen Panzerzüge und «Muselmänner» zu sehen waren, die aufs Haar den Fotos von den nazistischen Panzerzügen und Konzentrationslagern glichen: Man hatte nur die alten Klischees etwas retuschiert. Die Fälschung wurde aufgedeckt, aber niemandem kam es auf eine Lüge oder auf die Wahrheit an. Gegenüber den 40 000 Toten von Sétif, den 80 000 ermordeten Madagassen, dem Hunger und Elend in Algerien, den brennenden Dörfern in Indochina, den in Konzentrationslagern verschmachteten Griechen, den von Franco erschossenen Spaniern völlig gleichgültig, bluteten plötzlich die Bürgerherzen angesichts des Unglücks der sowjetrussischen Gefangenen. In Wirklichkeit atmeten sie erleichtert auf, als ob kolonialistische Verbrechen und die kapitalistische Ausbeutung durch die sibirischen Lager ausgelöscht worden wären. Was Rousset anging, so hatte er einen Job gefunden.

Die Tatsache war jedoch nicht abzuleugnen: Die Verwaltung besaß unumschränkte Vollmachten, und der Einzelne war in keiner Weise vor der Willkür ihrer Entscheidungen geschützt. Im Januar veröffentlichten die *Temps Modernes* den Bericht über die Debatten in der UNO und einen von Merleau-Ponty verfaßten, von ihm und Sartre unterzeichneten Leitartikel, in dem sie ihren Standpunkt darlegten. (In *Les Mandarins* ist eine romantische, von den Tatsachen weit entfernte Version dieser Angelegenheit: Ich behauptete sogar, daß die französischen Intellektuellen schon 1946 das Phänomen der sowjetrussischen Konzentrationslager in seinem ganzen Umfang entdeckt haben. Das war möglich, weil die Dokumente existierten. Aber es war ein Spiel der Phantasie.) An Hand gewisser Angaben und ernsthafter Berechnungen wurde die Zahl der Deportierten auf zehn Millionen geschätzt. (Die Zahl ist umstritten, ebenso die Zahl der Jahre, die die Gefangenen durchschnittlich im Lager zubrachten. Oft waren es fünf Jahre. Unbekannt blieb auch die Anzahl der Toten und sogar der Sinn und die Tragweite des Phänomens. Heute betrachten es die Russen als eines der ‹blutigen Verbrechen› Stalins und beschönigen es nicht. Aber ihre Schätzungen wechseln.) In dem Leitartikel hieß es: «Von Sozialismus kann nicht die Rede sein, wenn von zwanzig Bürgern des Landes einer im Lager sitzt.» Den Kommunisten wurde ihre Heuchelei vorgeworfen. Mehrere Male hatte fast gleichzeitig Wurmser in den *Lettres françaises* behauptet: Es gibt keine Lager! Und Daix hatte verkündet: Die Lager sind der schönste Ruhmestitel der Sowjetunion. Dann griff Merleau-Ponty Rousset an: Wenn Rousset die Gründung eines Untersuchungsausschusses fordere, setze er damit nur seine antikommunistischen Manöver fort. Er wies auf die seiner Meinung nach akzeptablen Teile der Erwiderung des russischen Delegierten in der UNO hin, der den Lagern die Millionen Arbeitsloser in der westlichen Welt gegenüberstellte. Wenn der Russe erkläre: «Die Kolonien sind die Zwangsarbeitslager der Demokratie», sei das keine Lüge. Die Systeme – russischer Sozialismus und westlicher Kapitalismus – müßten in ihrer Totalität betrachtet werden. Nicht zufällig beruhe das kapitalistische System auf Arbeitslosigkeit und kolonialistischer Ausbeutung.

Dieser Artikel erregte überall oder fast überall Mißfallen. Er verbesserte keineswegs unsere Beziehungen zur KP. Die kommunistischen Intellektuellen hatten uns auf alle Fälle bis zum Überdruß satt. Ihre Haltung gegenüber *Le deuxième Sexe,* die wiederholten Angriffe von Kanapa irritierten uns weniger als der Haß, mit dem Aragon Nizan verfolgte. In seinem Roman *Die Kommunisten* hatte er einem Verräter Nizans Züge verliehen: Orfilat hat genau wie Nizan den außenpolitischen Teil der *Humanité* redigiert. Wie Nizan Philosoph, hat er mit Brunsvig und den bürgerlichen Ideologen abgerechnet und eine Studie über einen altgriechischen Philosophen geschrieben (über Heraklit, während Nizan über Epikur geschrieben hat). Die Nichtkommunisten sagen von ihm wie von Nizan: «Er ist der einzige intelligente Marxist, der einzige, mit dem man reden kann.» Nachdem Aragon ihn auf diese Weise unzweideutig charakterisiert hat, zeigt er Orfilat-Nizan, wie er nach dem Abschluß des deutsch-russischen Paktes bei dem Gedanken, an die Front zu müssen, vor Angst zu schluchzen beginnt und dann hingeht, um eine Anstellung im Außenministerium zu erbetteln, wo ihm ein biederer Liberaler das Beschämende seines Verhaltens vorhält. Die literarische Wertlosigkeit dieses Porträts änderte nichts an seiner Perfidie. Elsa Triolet entfesselte ihrerseits die ‹Bücherschlacht›. Die kommunistischen Schriftsteller hielten in Marseille und dann in den Vororten von Paris Vorträge, in denen sie ihre Ware anpriesen und die ‹bürgerliche› Literatur – Breton, Camus, Sartre – in den Schmutz zogen.

Der Devisenskandal, der Anfang des Jahres 1950 platzte, entlarvte das wahre Gesicht des ‹Schmutzigen Krieges›, wie Beuve-Méry ihn genannt hatte. Für einen kleinen Personenkreis war es ein einträgliches Geschäft. Trotzdem ging der Krieg weiter. Mao Tse-tungs Sieg hatte die Lage verändert. Ho Tschi-minh, von China und der UdSSR anerkannt, trat aus der halben Neutralität hervor, hinter der er sich bisher wegen der Beziehungen zu beiden Machtblöcken verschanzt hatte. Von nun an wurde der Krieg in Indochina von der französischen Propaganda als ein Glied in der Kette des ‹antikommunistischen Kreuzzugs› hingestellt. Der Westen verging vor Entsetzen, als General Bradley am 12. Oktober 1949 mitteilte, daß der Tag des ‹roten Atoms› gekommen sei: Sowjetrußland besitze Atombomben. Bald war von einer viel stärkeren Waffe die Rede, der H-Bombe, deren Herstellung Truman im Jahre 1950 anordnete. Ihre Wirkung wurde lang und breit geschildert. *Match* zeigte bereitwillig auf einem Foto, was geschehen würde, wenn die Bombe auf Paris fiele: 80 Quadratkilometer würden verwüstet werden. Die Furcht, die die H-Bombe ausgelöst hatte, nahm kosmische Dimensionen an: In Amerika und Frankreich wurden ‹fliegende Untertassen› gesichtet – am Himmel und zuweilen auch auf Feldern. Manche Leute hatten sogar Marsmenschen gesehen. Die Zeitungen schürten die Panik. Nur noch den *Combat* lasen wir mit Wohlwollen, aber Bourdet legte die Leitung nieder, weil Smadja, der Geldgeber, sich in redaktionelle Fragen einmischen wollte. In der Folge machten sich dort Rousset und Sérant breit. Mit Stéphanes Unterstützung gründete Bourdet den *Observateur*, der damals nur eine klägliche, sehr langweilige Wochenzeitschrift war und wenig Leser hatte.

Im vergangenen Sommer hatte ich keine Reise zusammen mit Sartre gemacht. Wir planten eine für das Frühjahr. Leiris, der auf das schwarze Afrika spezialisierte Ethnograph, schlug uns vor, an Ort und Stelle anzusehen, was sich dort abspielte. Die französischen Siedler hatten vergebens versucht, einen Widerruf der im Jahre 1947 in der verfassunggebenden Versammlung beschlossenen Lex Houphouet zu erreichen, die die Zwangsarbeit abgeschafft hatte. Da sie sich auf legalem Wege nicht durchsetzen konnten, begannen sie, immer neue Zwischenfälle zu provozieren, die das System aushöhlen sollten. (Bei den Provokationen und

‹Unterdrückungsmaßnahmen› im Januar 1949 hat Colonel Lacheroy eine große Rolle gespielt.) Das RDA bemühte sich durch Vermittlung der Gewerkschaften, die kleinen afrikanischen Produzenten zu schützen, aber die großen Konzerne verlangten von der Verwaltung, daß sie dagegen einschreite. Seit dem Dezember des Jahres 1949 herrschte an der Elfenbeinküste der Terror. Zahlreiche Führer des RDA waren verhaftet, gefoltert, erschlagen, Mitglieder des Rassemblemet, Sympathisierende, Verdächtige massakriert oder eingekerkert worden. Im Februar kam es abermals zu Unruhen. Die Unterdrückungsmaßnahmen forderten – nach offiziellen Angaben – zwölf Tote und sechzig Verwundete. Mit dem RDA Verbindung aufzunehmen, Erkundigungen einzuholen und die Tatsachen bekanntzumachen, würde nützlich sein. Der Plan mißfiel – wie Leiris erfuhr, als er ihn zu realisieren versuchte – der KP, der zahlreiche führende Funktionäre des RDA angehörten. Wir hofften aber, daß diese Leute zugänglicher als ihre französischen Genossen sein würden. Da ich die Sahara sehen wollte, entwarfen wir eine Route, die uns von Algier ins Hoggar, von dort nach Gao, Timbuktu, Bobo-Dioulasso und Bamako führen sollte, wo Mitglieder des RDA Sartre empfangen und an die Elfenbeinküste einladen würden. Ich klapperte die Reisebüros ab. Die Lastautos, die von Gardhaïa nach Tamanrasset fahren, nehmen einige Passagiere mit. Ich buchte zwei Plätze.

Diesmal – es war ein dritter Versuch – gelangte ich unbehindert von Algier nach Gardhaïa. Die Stadt lohnte meine Mühen. Ein prachtvoll komponiertes kubistisches Gemälde: Weiße und ockergelbe Vierecke, die im Licht blau erschienen, stiegen pyramidenförmig empor. Auf der obersten Spitze saß schief eine gelbe Terrakottaskulptur, von der man hätte meinen können, sie sei, riesenhaft, extravagant und prächtig, aus Picassos Händen hervorgegangen: die Moschee. Die Straßen wimmelten von Händlern und Waren: Karotten, Porree, Kohlköpfe, so blank und glatt, daß sie nicht wie Gemüse, sondern eher wie Obst aussahen. Die Mozabiten, dick, mit ruhigen Zügen, machten einen wohlgenährten Eindruck. Die meisten Gewürzkrämer Algeriens stammen aus dem M'Zab und kehren dorthin zurück, sobald sie ein Vermögen angesammelt haben. Auf dem hochgelegenen großen Platz hielten hagere und braungebrannte Wüstenbewohner zwischen knienden Kamelen ihre Waren feil.

Das Hotel gefiel uns, und wir blieben mehrere Tage. Es hatte einen geräumigen Innenhof und rundherum eine Galerie, auf die die Zimmer mündeten. Vormittags arbeitete ich auf der Terrasse. Wenn gegen elf Uhr der Himmel zu glühen begann, flüchtete ich in den Schatten. Nachmittags besuchten wir benachbarte mozambitische Ortschaften, die provinzieller waren als Gardhaïa, aber genauso schön: Benis-Isguen und Melika. Wir bedauerten, daß wir nicht malen konnten, sonst hätten wir einen Vorwand gehabt, uns stundenlang vor ihnen aufzuhalten. Einige Beamte baten Sartre um einen Vortrag, und er willigte ein. Wir waren zwar Gegner des Kolonialsystems, aber nicht a priori gegen die Männer eingestellt, die die einheimischen Angelegenheiten verwalteten oder den Straßenbau leiteten.

Ich war tief bewegt, als ich mich im Morgengrauen in das Führerhaus des ersten Lastautos setzte: Selbst auf Reisen ist ein wahrer Beginn recht selten. Nie hatte ich den dicken, orangefarbenen Mond vergessen, der in dem Augenblick hinter Ägina stand, als unser Boot auf der Fahrt zu den Inseln Piräus verließ. Als an diesem Morgen das Lastauto den Felsen erklommen hatte, der das Tal begrenzt, wuchs eine gewaltige Johannisbeere aus der Erde: eine Sonne, so naiv wie eine Kindheitserinnerung. Sartre betrachtete sie mit demselben Entzücken wie ich. Am Himmel strahlten, noch unberührt und wunderbar frisch, alle die Freuden, die wir gemeinsam genießen würden. Diese Sonne hat sich meinem Gedächtnis eingeprägt, wie das Wappen eines entschwundenen Glücks.

Zehn Kilometer weiter kamen wir an zwei jungen Deutschen vorbei, die, mit weißen Tropenhelmen angetan, neben ihren schweren Rucksäcken in der Sonne saßen, die sehr bald mörderisch sein würde: Sie reisten per Anhalter. «Arme Narren!» sagte der Chauffeur. Das Auto war mit Waren und Menschen beladen, man hätte noch nicht einmal mehr einen Kolibri unterbringen können. Es war anzunehmen, daß die Straße den ganzen Tag leer bleiben würde. Selbst wenn zufällig ein Vehikel vorbeikäme, würde es sicherlich bis zum Rand voll sein. In der Sahara ist das Unvorhergesehene so sorgfältig einkalkuliert, daß für das Abenteuer kein Raum bleibt. Aber es gibt eben, wie unser Chauffeur sagte, so unendlich viele Narren.

In einem *bordj* aßen wir zu Mittag. Außerdem hatten wir zwei Reifenpannen: Das waren angenehme Unterbrechungen. Die Araber sprangen herunter, rissen das Strauchwerk zwischen den Bäumen aus, zündeten im Handumdrehen ein Feuer an und stellten einen Wasserkessel auf die Flammen. Das Wasser, das sie einem an der Seitenwand des Autos befestigten Schlauch entnahmen, war abgestanden, aber der Tee, den sie uns in bemalten Gläsern anboten, schmeckte vorzüglich. Kaum war das Rad ausgewechselt, traten sie das Feuer aus und ließen ihre Gerätschaften verschwinden.

Gemächlich erstreckte sich die Straße über dreihundertundzwanzig Kilometer. Bis Tamanrasset mußten wir noch drei andere, ganz ähnliche Etappen zurücklegen, und zweimal wurde in El Goléa und in In Salah für je vierundzwanzig Stunden haltgemacht. Die Zeit wurde uns nie lang: Wir lernten eine neue Welt kennen. Da war zunächst die Straße: Wir entdeckten zu unserer Überraschung, daß es nur eine ideale Achse gab, an der sich die befahrbare Piste entlangschlängelte. Straßenarbeiter waren dort beschäftigt, Straßenwalzen walzten sie glatt, aber sie wurde nie befahren. Entweder war sie gerade etliche Kilometer lang erneuert worden und durfte nicht beschädigt werden, oder – und das war üblich –

sie war repariert: dann war sie so voller Risse, verbeult, gewellt, bucklig und durchlöchert, daß selbst ein robustes Fahrzeug binnen fünf Minuten steckenbleiben mußte. Trotzdem ließ sich das Ingenieurkorps nicht davon abhalten, mit Feuereifer an diesen tausend Kilometern zu basteln und auf ‹die Straße› stolz zu sein. «Die Straße bin ich», sagten uns nacheinander der Kommandant von El Goléa, dem die gesamte Strecke unterstand, Offiziere, denen Teilstrecken anvertraut waren, Ingenieure, welche die Berechnungen durchgeführt hatten, Bauunternehmer und sogar ein oder zwei Vorarbeiter. Nur die Arbeiter schwiegen. Wir sahen eine Gruppe ganz aus der Nähe – einer von ihnen war von einer Schlange gebissen worden –, aber sie prahlten nicht.

Abgesehen von der Fahrt durch eine anthrazitfarbene *hammada*, wo es buchstäblich nichts zu sehen gab (gleich hinter El Goléa), bot die Sahara einen ebenso lebendigen Anblick wie das Meer. Die Färbung der Dünen wechselte im Laufe der Stunden und entsprechend dem Neigungswinkel des Lichts: In der Ferne golden wie Aprikosen, wurden sie zu frischer Butter, wenn wir an ihnen vorbeikamen. Hinter uns färbten sie sich rot. Das Material, vom Sandkorn bis zum Felsgestein, war ebenso verschiedenartig wie die Farbnuancen. Seine runden oder eckigen Konturen verliehen der angeblichen Monotonie des Erg eine unendliche Mannigfaltigkeit. Ab und zu flimmerte eine Fata Morgana mit ihren metallischen Reflexen vor unserem Blick, erstarrte und verflüchtigte sich. Der Samum wirbelte den Staub zu einsamen Säulen hoch, die sich wild um sich selber drehten, ohne die Regungslosigkeit der Welt zu erschüttern.

Wir begegneten einigen Karawanen. Der schaukelnde Gang der Kamele ließ die Wüste noch unermeßlicher erscheinen. Immerhin entsprach die Anzahl der Menschen, der Tiere und Gepäckstücke den Ausmaßen der Wüste. Woher aber kam und wohin wanderte der Mann, der aus dem Nichts auftauchte und mit großen Schritten dahinmarschierte? Wir folgten ihm mit unseren Blicken, bis ihn die gewaltige Leere, die uns einhüllte, verschlungen hatte.

Während der letzten Tage sind wir durch Schluchten geholpert, an riesigen Burgen – Zitadellen, schwarz wie Lava mit ihren Zinnen und zyklopischen Mauern – vorbeigefahren, haben weiße, mit schwarzen Felsnadeln gespickte Sandflächen durchquert: Die Luft war dünn, die Erde hatte sich in eine Mondlandschaft verwandelt. «Unglaublich!» sagten wir. Aber ein Gemälde oder sogar ein Foto dieser Landschaft wäre uns noch erstaunlicher vorgekommen: da wir uns mitten drin befanden, war es uns vertraut und natürlich geworden. Phantastisch ist immer nur das Abbild: Indem es Wirklichkeit wird, zerstört es sich selbst. Deshalb ist es so schwer, eine Reise zu schildern. Man führt den Leser zu nahe oder nicht nahe genug heran.

Durstig, staubig, halb betäubt, ein wenig steif, freute man sich auf die abendliche Ankunft, wo immer es sein mochte. Als ich das Hotel in El

Goléa betrat, kam es mir mit seiner Fülle von bunten Wandteppichen, seinen Kupferlaternen, all seinen Sahara-Nippes wie ein Palast aus Tausendundeine Nacht vor. Auf dem Rasen hatten Amerikaner zu Ehren der Firma Shell ein großes *méchoui* organisiert. Das brachte mich in mein Jahrhundert zurück. Frühmorgens gingen wir in den Ort, sahen uns den Markt und das frühere Sklavenviertel an, in dem noch heute die Neger wohnen. Wir aßen bei dem Kommandeur des Ingenieurkorps zu Mittag. Seine Frau, die unsere Bücher gelesen hatte, hatte uns äußerst höflich eingeladen. Sie ließ uns ein französisches Essen mit Frühgemüse servieren, und ihr Mann sprach von «seiner Straße».

Kaum waren wir in In Salah angekommen, schloß Sartre sich in sein Zimmer ein, um zu arbeiten. Ich wanderte über die Dünen, die von dichtem Schilf (oder vielleicht zerzausten Zwergpalmen) umsäumt waren. Der Abend brach herein. Der Sand, in dem ich mich ausstreckte, war so weich wie zarte Haut. Ich war beinahe darauf gefaßt, daß er unter meiner Wange vibrieren würde. Auf einem Trampelpfad kamen im Gänsemarsch hochgewachsene, blaugekleidete Negerinnen mit unverschleierten Gesichtern vorbei. An ihren Ohren baumelten Goldringe. Schweigend kamen sie von den Feldern, und ihre nackten Füße verursachten kein Geräusch. Der Frieden der Abenddämmerung verlieh diesem Zug etwas Ergreifendes. Auch am nächsten Morgen war ich tiefbewegt, als ich mich aus dem Fenster beugte. Es ging auf einen riesigen Platz – oder besser auf ein freies Gelände –, das Männer und Frauen mit schnellen Schritten überquerten, jeder mit seinen eigenen Gedanken beschäftigt. Ich kannte Bilder, auf denen diese teuflische Macht des Raumes ausgedrückt ist, die die Menschen voneinander trennt, indem sie sie in seinem Rahmen vereint: Hier aber schien es mir alles lebendig zu sein. Die Häuser von In Salah sind aus Lehm, rot angestrichen und mit Zinnen versehen. Trotz der quer über die Straßen gezogenen Schranken hat der Sand sie zur Hälfte begraben. Auf dem Markt sah ich wieder schöne, blaugekleidete Negerinnen.

Am letzten Halteplatz blieben wir nur eine Nacht in der Tiefe der Schluchten von Arak am Fuß einer schwarzen Granitfestung. Dort befand sich eine Poststation, in der man ein Bett, aber nichts zu essen bekam. Zwei junge Leute kampierten auf der Terrasse, und ihr Radio brachte Musik aus einer anderen Welt. Sie reisten mit einem Jeep, ohne Eskorte, obwohl es eigentlich keinem Fahrzeug erlaubt ist, sich allein auf die Pisten hinauszuwagen. «Es ist gefährlich», sagte der Chauffeur zu uns. Da wir die Reise zweimal unterbrochen hatten, war das unser dritter Fahrer. Er war redseliger als die beiden anderen und ebenfalls überzeugt, daß die Touristen arme Narren seien. Er zeigte uns unterwegs das Gerippe eines Autos. «Mit so etwas durch die Sahara fahren! Der Wagen ist in Brand geraten!» Seiner Behauptung nach hatte die Sonnenglut ausgereicht, um das Auto in Brand zu setzen. Er erzählte uns auch noch andere Anekdoten, während wir im Schatten eines stachligen Strauches zu Mittag aßen: Es war das der einzige Strauch, den wir auf der ganzen Strecke gesehen haben. Der Schatten bedeckte nicht einmal zur Hälfte unsere Köpfe, aber in den Gräben gab es Wasser, und dort wuchsen frische Gräser, wie auf einer normannischen Wiese. «Wenn es regnet, ist alles voller Gräser und Blumen», sagte uns der Chauffeur. Er fügte hinzu, daß die Regengüsse selten seien, aber im allgemeinen wolkenbruchartig. Vor ein bis zwei Jahren war ein Dodge in einen dieser Tornados geraten. Nachdem die übliche Frist verstrichen war, hatte man unseren Chauffeur mit einem Lastauto zu Hilfe geschickt. Er hatte den Dodge einsam wie eine Arche auf den Fluten schwimmen sehen. Aber ehe er das Auto erreicht hatte, blieb er selber im Schlamm stecken. Man hatte sich wegen seines Ausbleibens nicht gleich Sorgen gemacht: Folglich mußten die Touristen eine Woche und er fünf Tage ohne einen Bissen Essen zubringen und hatten nichts anderes zu trinken als schlammiges Wasser. Während er noch sprach, begann ein Soldat mit verstörter Miene auf Konservendosen zu schießen, die er in die Luft warf. Auch er erzählte uns finstere Dramen. Unsere Reisegefährten, die Leute, die man zufällig an den Halteplätzen traf, konnten alle mit einer Unmenge außergewöhnlicher und schrecklicher Geschichten aufwarten. Sie dementierten energisch alles, was wir früher gehört hatten. «Ich kenne den Kerl, der Ihnen das erzählt hat, der ist verrückt», sagten sie und versicherten uns, daß ihre Berichte der Wahrheit entsprächen. Sicherlich gab es unter dieser Vielzahl auch einige wahre – aber welche?

Abends erreichten wir das Endziel dieser ersten Reise – Tamanrasset und das kleine Hotel der SATT. Es war nicht möglich, eine andere Unterkunft zu wählen: Die SATT hat ein Monopol auf die Beförderung der Touristen und ihre Unterbringung. Darüber hinaus fordert sie von Einzelreisenden hohe Kautionen, unter dem Vorwand, notfalls ihre Rettung sicherzustellen. Mir waren viele Proteste gegen diese Privilegien zu Ohren gekommen. In Tamanrasset wurde gemunkelt, das Fehlen jeglicher Konkurrenz ermuntere den Hotelwirt, sich wie ein Potentat aufzuführen. Ein fröhlicher Herr mit schalkhaftem Lächeln, schien er sich wirklich seiner Rechte bewußt zu sein. Aber sein Haus, das durch Lastautos und Flugzeuge verproviantiert wurde, führte er sehr gut. «Zu Weihnachten gab es Austern – ein Pilot hatte sie uns direkt aus dem Meer geholt!» erzählte er voller Stolz. Alles in allem war es ein idealer Sommeraufenthalt. In einer Höhe von fünfzehnhundert Metern waren die Vormittage so angenehm, daß ich vis-à-vis dem schwarzen und zerklüfteten Hoggar-Massiv im Garten arbeiten konnte. An den Baumästen waren Kamelfleischbrocken zum Trocknen aufgehängt, und ich war froh, daß man sie nicht den Gästen auftischte. Wir hatten keine Lust, uns in die Berge zu wagen: Es wäre eine richtige Expedition mit Führern und Kamelen gewesen. Wir begnügten uns mit einigen Spazierfahrten im

Auto und mit den prächtigen Sonnenuntergängen, welche die Bergkuppen wie mit Tinte färbten.

Die gute Gesellschaft von Tamanrasset war sehr exklusiv. Die Frauen der Offiziere und Beamten lebten wie in Romorantin: Sie trugen Hüte, sie beobachteten sich gegenseitig und tratschten. Wir wußten, daß wir nicht gut angeschrieben waren. Ein Capitaine beehrte uns mit einem kurzen Besuch, und dabei blieb es. Aber wir hatten das Glück, daß sich die Lehrkräfte der Schule, Mme und M. B., und der Forschungsreisende Henri Lhote unser annahmen. Mme und M. B. unterrichten Franzosen und Tuaregs, die, wie sie sagten, sehr intelligent, aber nervös und labil seien. Ihre Eltern schickten sie nur unregelmäßig zur Schule. In manchen, zwei bis drei Tagemärsche entfernten Gebirgsdörfern erhalten die Kinder überhaupt keinen Unterricht. Man hatte eine Wanderschule eingerichtet. Zu dieser Zeit befand sich gerade ein Lehrer in den Bergen.

Henri Lhote durchstreifte das Hoggar-Gebirge auf der Suche nach Felszeichnungen und Felsmalereien. Er hatte eine große Sammlung von Fotos und Skizzen zusammengetragen, deren Echtheit damals noch umstritten war. Auch seine Schilderungen erweckten gewisse Zweifel: Hundertmal wäre er beinahe unter dramatischen und ungewöhnlichen Umständen zugrunde gegangen. Er sei zum Beispiel eines Tages halb verdurstet am Rande eines Brunnens angelangt, in dessen Tiefe ein bißchen Wasser glitzerte: Aber das Seil, an dem der Eimer hing, war zu kurz! Er fabrizierte ein neues Seil aus seinen Kleidern, und nachdem er seinen Durst gestillt hatte, wanderte er splitternackt durchs Erg. Man fragte sich, warum er dann nicht an einem Sonnenstich gestorben war. Aber wie dem auch sei: In seinen Märchen war soviel Poesie enthalten, daß sie uns gut gefielen.

Immer, wenn wir die B.s besuchten, trafen wir dort große, verschleierte Burschen, die Karten spielten, plauderten, schliefen: es waren die Söhne des Aménokal, ihre Vettern und Freunde. Sie trafen sich dort wie in einem Club. Mit Ausnahme einiger Bordelle, in denen sie sich abends die Zeit vertrieben, bot ihnen Tamanrasset keine weiteren Zerstreuungen. Da ihnen die wilden Schießereien und Überfälle untersagt waren und man sie daran hinderte, Sklaven auszubeuten, fristete dieses Kriegervolk ein untätiges, leeres und fast elendes Dasein. Ihre hauptsächlichen Verdienstquellen sind die Schafzucht und vor allem das Salzbergwerk in Amadror, das nicht weit von Tamanrasset entfernt war. Vom Juli bis zum September ziehen sie aus zahlreichen Dörfern dorthin und schürfen mit Beilhieben das Salz. Vom Oktober bis zum Februar wandern sie mit ihren Karawanen in den Sudan, wo sie ihre Ware gegen Hirse und handwerkliche Erzeugnisse eintauschen. Solche Handelsgeschäfte sind aber für die großen Stammeshäuptlinge und ihre Familien unwürdig. Ich kaufte Mme B. aus Schnüren geflochtene Kamele ab. «Der älteste Sohn des Aménokal stellt sie her», erzählte sie mir. «Damit verdient er sich ein kleines Taschengeld, aber er will nicht, daß man es erfährt.» Früher einmal mästeten die Häuptlinge ihre Frauen dermaßen, daß ihnen mehrere Diener helfen mußten, wenn sie diese Fettberge begatten wollten. Diese Zeiten waren längst vorbei. «Nehmen Sie ein Pfund Tee mit», rieten uns die B.s an dem Abend, als sie uns im Auto zu einem Besuch beim Aménokal mitnahmen. Diese Besuche waren für ihn eine nicht unbeträchtliche Einnahmequelle. Sein Zelt stand, von einigen anderen umgeben, etwa fünfzehn Kilometer von der Stadt entfernt. Mit Teppichen ausgelegt und mit Truhen möbliert, war es recht luxuriös, aber zu klein, um uns alle aufzunehmen. Wir setzten uns draußen rund um ein Feuer, das nicht sonderlich wärmte. Decken über die Schultern gebreitet, tranken wir fröstelnd unseren Tee, aber ich genoß das Ungewohnte meines Aufenthalts unter diesen neuen Sternen, in diesem Zeltlager, das räumlich und zeitlich so weit von mir entfernt war. Die vom Joch der Fettleibigkeit befreite Frau des Aménokal war mager und nervös und hatte harte, stolze Züge und dirigierte höflich und gebieterisch den Empfang. Man erzählte uns, daß sie der eigentliche Stammeschef sei. Beim Abschied deutete Mme B. auf die unendliche Weite der Wüste: «Schauen Sie doch nur, was für ein Leben diese Burschen führen!» Tatsächlich sind mir selten Menschen begegnet, die der heutigen Welt weniger angepaßt waren als diese hochmütigen und verarmten jungen Prinzen. Sie sahen gut aus in ihren indigofarbenen Gewändern. Über dem Gesichtsschleier funkelten düstere Augen. Eines Nachmittags bat Mme B. den Sohn des Aménokal, sein Gesicht zu entschleiern: «Sei nett und nimm den Schleier nur eine Minute ab, Chéri.» (Er nannte sich Chéri, und es war komisch anzuhören, wie diese gesetzte Frau ihn herumdirigierte: Chéri, Chéri ...) Er zierte sich, lachte laut auf, schlug den Schleier hoch: Eine große Adlernase entstellte seine Züge. Sooft ich unverhofft das Gesicht eines Targui zu sehen bekam, entdeckte ich diese Nase, diese enttäuschende Häßlichkeit unter den schwarzen leuchtenden Augen. Die Frauen sind besser dran. Übrigens war es nicht leicht, die Bekanntschaft von Frauen zu machen. Henri Lhote sah keine andere Möglichkeit, als eines Abends die ortsansässigen Prostituierten einzuladen. Die meisten wurden im Krankenhaus gegen Syphilis behandelt. Er verschaffte ihnen die Erlaubnis, ein paar Stunden lang auszugehen, und auf einem Teppich hockend, tranken wir im Garten der Schule Tee.

Wir verbrachten mehr als eine Woche in Tamanrasset. Man hielt uns über sämtliche Gerüchte auf dem laufenden, die zwischen Laghouat und dem Hoggar umherschwirrten. Die mitten in diesen schwindelerregenden Weiten über mehr als tausend Kilometer verstreuten Europäer kannten, beobachteten, verabscheuten, verleumdeten einander und klatschten mit soviel Akribie und Eifer, als würden sie in einer Bezirkshauptstadt wohnen. Dieser Ferngespräch-Klatsch machte uns viel Spaß. An dem Abend vor unserer Abreise hielt er mich bis zu später Stunde wach. Nach dem Essen hatten wir uns von einer Terrasse aus das Kreuz des Südens angesehen. Dann ging Sartre schlafen. Ich blieb an der Bar stehen, trank und schwatzte mit dem Wirt und zwei Lastwagenführern. Der eine war blond und schön wie Jean Marais mit zwanzig Jahren. Sie sprachen über Leute, denen ich seit Gardhaïa begegnet war, besonders über einen Bordellwirt, der zu dem ‹übrigen› den Chauffeuren ein gutes Essen und ein weiches Nachtlager offerierte. Jeder beschuldigte vergnügt den anderen, daß er sich diese günstige Gelegenheit zunutze gemacht habe. Dann fingen sie an, mir ihre Lebensgeschichten zu erzählen. Es interessierte mich, und ich nahm auch keinen Anstoß an ihrer derben Ausdrucksweise: Manchmal brachte ich es sogar fertig, dieselbe Sprache zu benutzen wie sie. Jeder von uns, einschließlich des Hotelbesitzers, spendierte mehrere Runden. Gegen drei Uhr früh ging ich gutgelaunt zu Bett. Mit Entsetzen vernahm ich, wie meine Zimmertür geöffnet wurde: Es war der Wirt, der mir im Flüsterton Angebote machte. Ich war um so verblüffter, als seine Frau einen nicht gerade toleranten Eindruck machte. Am nächsten Morgen kam er mit einem breiten Lächeln und einem Korb voller Orangen auf mich zu: In Tamanrasset sind Orangen eine Seltenheit, und ich begriff, daß er mein Schweigen erkaufen wollte. Ich war einverstanden: Ich hatte keinen Augenblick lang beabsichtigt, einen Skandal zu entfesseln. Er aber äußerte sich nicht über seinen Verführungsversuch, sondern über meine alkoholischen und sprachlichen Ausschweifungen: Als ich einige Tage später den *Samedi-Soir* aufschlug, fand ich dort eine Schilderung jenes nächtlichen Trinkgelages. Es hieß darin, daß ich mit meinem Gardistenjargon die Lastwagenchauffeure zum Erröten gebracht hätte. Es waren auch noch einige andere Liebenswürdigkeiten zu lesen, die ich aber vergessen habe (der Artikel erschien nicht in der Pariser Ausgabe; an Schändlichkeit übertraf er aber noch das Höchstmaß, das im *Samedi-Soir* sonst üblich war), die mich aber im Augenblick beunruhigten. Da ich nun einmal mit Sartre solidarisch war, so galt es ihm genau wie mir, wenn man mich mit Jauche übergoß. Ich machte mir Vorwürfe, daß ich mir diese Blöße gegeben hatte. Aber sollte ich denn immer auf der Hut sein, immer auf meine Zunge und die Anzahl der geleerten Gläser achten? «Unsere Situation hat den Vorteil», sagte Sartre zu mir, «daß wir tun können, was wir wollen: Es wird nie schlimmer sein als das, was man sich erzählt.»

Drei Stunden im Flugzeug. Von oben gesehen, verschwand die Mannigfaltigkeit der Sahara, sie wirkte monoton. Aber die Einförmigkeit, die so reizlos ist, wenn sie die sture Wiederholung menschlicher Bestrebungen charakterisiert, fasziniert mich, wenn ich in ihr eines der ursprünglichen Antlitze unseres Planeten entdecke – so zum Beispiel: im ewigen Schnee, im makellosen blauen Himmel, im Wolkenmeer unter den Tragflächen eines Flugzeuges, in der Wüste. Während des ganzen Fluges waren meine Blicke auf das rote Sandmeer gerichtet. Ich war alles andere als blasiert. Den Niger zu überfliegen kam mir wie ein Wunder vor. Eine ungeheure graue Wasserstraße: Aber als die Maschine nach unten ging und einen Bogen machte, erblickte ich gegenüber einem goldgelben Sandstrand eine kleine korallfarbene Insel. An dieser Stelle war der Fluß emailblau. «Welches Glück», sagte ich zu mir, «gerade heute zu leben und mit eigenen Augen diese Dinge zu sehen!» Die Erdoberfläche enttäuschte mich jedoch. Das Gestein war nicht mehr sauber, sondern mit dürrem Gras und verkümmerten Sträuchern durchwachsen. Ich setzte den Fuß auf die Landebahn, und die Sonne schlug mir wie ein Hammer gegen die Stirn. Wir suchten in einem Hangar Zuflucht. Dabei war der Himmel so grau wie der Fluß. Man hatte uns gewarnt: «Dort unten gibt es kein Blau mehr wegen der Dunstglocke.» Der Dunst trübte das Licht, ohne die heftige Sonnenglut zu dämpfen. Als wir aus dem Auto stiegen, rief die Hotelwirtin: «Sie müssen Helme aufsetzen, sonst sind Sie heute abend tot.» Trotz unserer Abneigung gegen touristische Maskeraden begaben wir uns zu dem Basar, den sie uns zeigte. Als wir die wenigen Meter dorthin zurücklegten, glaubten wir jeden Augenblick, umzufallen. Im Schatten waren es vierzig Grad. «Man kann es ertragen, weil die Luft trocken ist», sagten die Leute. Die Luft war zwar trocken, aber wir fanden es gar nicht so erträglich. Unserem Reiseplan entsprechend hätten wir drei Wochen früher in Gao eintreffen müssen, aber Sartre war aufgehalten worden, und wir hatten gedacht: «Was spielen drei Wochen für eine Rolle?» De facto aber spielten gerade hier diese drei Wochen eine Rolle. Der Verkehr auf dem Niger würde von nun an mehrere Monate unterbrochen sein.

Vorschriftsmäßig behelmt, machten wir einen Rundgang auf dem Markt, der auf dem großen Platz gleich vor dem Hotel abgehalten wurde. Endlich – plötzlich – wieder Frauen an Stelle der verschleierten Phantome, die in den Araberdörfern umhergeisterten. Schöne Negerinnen, mit grellbunten Kattunstoffen bekleidet, die Frisur in Zöpfen hochgetürmt, stellten ihre Gesichter, ihre Schultern, ihre Brüste und ihr Lächeln zur Schau. Strahlend die Jungen mit der bräunlichen Haut und den weißen Zähnen. Aber auch die patinierte, trockene Nacktheit der Alten hatte nichts Anstößiges. Sie plapperten untereinander und diskutierten mit den Männern. Und was für eine Vielfalt an Silhouetten, Typen und Kleidern! Da gab es die Peuhls, so schön mit ihrem zarten Profil, ihrer Kopfhaltung, ihrem hohen Wuchs. Die Frauen schmücken Hals, Handgelenke und Haare mit kleinen Kaurimuscheln, die auch als Zahlungsmittel dienen. Manche Schwarze trugen grellbunte Pluderhosen, andere gingen in Kniehosen mit Filzhüten und Sonnenbrillen. Einige blaugekleidete, verschleierte Tuaregs mischten sich unter die Menge. An den Markttagen kommen in Gao zahlreiche Stämme aus der Umgebung zusammen, und die Bevölkerung selbst ist äußerst gemischt. Diese farbige Vielfalt machte einen geradezu luxuriösen Eindruck. Dieser Eindruck verschwand aber, als wir sahen, mit welch armseligen Waren hier gehandelt wurde: schlechtes Brot, jämmerliche Stoffe und Weißblech! Wie man uns ein wenig später erzählte, fehlte es den Einheimischen in dieser Gegend an allem. Es wurde Getreide verteilt, sonst hätten sie nichts zu essen gehabt.

Die Stadt ist in sudanesischem Stil aus Stampflehm gebaut: würfelförmige, dicht aneinandergeschmiegte Häuser, enge Gassen. Die große Attraktion ist der Niger. Gegen fünf Uhr abends gingen wir hin, um ihn zu betrachten: Flach wie ein See und fleckig badete er in einer falschen Dämmerung, die mich an das Mitternachtslicht in Abisko erinnerte. In einer Piroge folgten wir seinem Lauf. Man fühlte sich fast in eine nordische Landschaft versetzt, über der eine Bangigkeit lag, wie man sie nur in den heißen Landstrichen antrifft. Ganze Völkerscharen lagerten an den Ufern: Man machte Feuer, man kochte und bereitete sich auf die Nacht vor. Wir kehrten am frühen Morgen zurück und sahen sie aufwachen: Entschleierte Tuaregs betrachteten kokett ihr Gesicht im Spiegel. Als wir uns näherten, zogen sie hastig den Limath hoch. Wie lange gedachten sie an diesen Ufern zu bleiben? Wovon lebten sie?

Gao verwirrte uns durch seine traurigen und lustigen Seiten. Als wir nachmittags durch die Straßen schlenderten, hörten wir ein Tamtam. Wir gingen ihm nach und gelangten zu einem Haus, dessen Hof von Gelächter und Gesang erfüllt war: eine Hochzeit. Eine Gruppe Neger stand draußen vor dem Tor und sah zu. Auch wir sahen lange den Festlichkeiten zu, gefesselt durch den Überschwang der Tänze und Stimmen.

Man hätte irgend jemand kennen müssen, um das Land ein wenig zu begreifen. Wir trafen fast niemanden. Wir wurden von einem jungen Geologen eingeladen, den die Geologie langweilte. Er empfing uns auf seiner Terrasse, und wir tranken Tee mit den Moslems, die ihm sein Zimmer vermieteten. Während des Gesprächs betrachtete ich die Stadt zu meinen Füßen und die zwielichtige Landschaft, die nicht mehr Wüste, aber auch noch nicht Savanne war. Er bat Sartre, sich seine Gemälde anzuschauen: Sein Vater war ein bekannter Maler gewesen, und auch er wäre gern Maler geworden. Er zeigte uns das eine und andere Bild, es war alles noch recht unfertig, aber Sartre zögerte kaum: «Wenn Sie wirklich Lust haben zu malen, dann los!» sagte er zu ihm. Der junge Mann hat seinen Rat befolgt.

Wir aßen bei dem Verwaltungschef zu Abend. Er war jung, unverheiratet und liebenswürdig. Es war ihm gerade seine Löwin gestorben, die er mit viel Liebe großgezogen hatte. Über die Eingeborenen wußte er wenig zu berichten. Immerhin, er erwähnte, daß die Religion ihr Elend nur noch verschlimmere: Den Bewohnern der Flußufer war verboten, Fische zu essen. So waren sie trotz des Überflusses unterernährt. Am nächsten Tag stellte er uns ein Auto zur Verfügung. Wir fuhren den Fluß entlang und besichtigten einige Elendsdörfer. Die Gegend machte entschieden einen unfruchtbaren Eindruck. Das einzig Merkwürdige waren die Termitenhügel. Wenn man in ihrem Schatten einschläft, behauptete der Chauffeur, erwacht man ohne einen Faden auf dem Leib.

Einer der Orte, die ich unter anderen kennenlernen wollte, war Timbuktu, das von Gao vierhundert Kilometer entfernt liegt. In Paris war mir die Entfernung gering erschienen. Wenn keine Boote verkehrten, gab es sicherlich Lastautos. Als ich mich erkundigte, lachte man mich aus: Bei dieser Hitze sei die zu allen Jahreszeiten wenig benützte Straße unbefahrbar. Ich resignierte mit überraschender Gelassenheit. In der Folge hat sich das mehrmals wiederholt: Eine Gegend oder Stadt, die mir bei der Abreise als die Hauptattraktion erschienen war, verlor an Bedeutung, sobald ich in ihre Nähe kam. Aus der Ferne scheint der Name ein ganzes Land zu repräsentieren: an Ort und Stelle offenbart sich das Land auf tausenderlei andere Art. Auf dem Markt von Gao, an den Ufern des Niger sah ich die Bilder Wirklichkeit werden, die ich mir von Timbuktu gemacht hatte.

Vielleicht machte mir auch die Müdigkeit meinen Entschluß leichter: zwölf Stunden auf einem Lastauto, in der glühenden Sonne – das schien meine Kräfte zu übersteigen. Den ganzen Tag herrschte eine unerträgliche Hitze. Zur Siestazeit wirbelte der Ventilator in unserem Zimmer brennend heiße Luft von einer Wand zur anderen, und man konnte nicht schlafen. Die Dusche bestand aus einem Eimer, den man umkippte: Das Wasser ergoß sich in einem einzigen Schwall über den Körper und war kaum frischer als die Luft. Gegen Abend begannen sich auf den Bäumen dicke Vögel zu rühren, die man Gendarmen nennt. Sie flatterten und sangen. Aber die Hitze ließ kaum nach. Alle schliefen im Freien. Unsere Betten wurden, in Moskitonetze gehüllt, in einer Ecke der Terrasse aufgestellt. Ich schlafe gern unter den Sternen, aber die Nacht war so drückend, daß man nicht einmal das Gewicht einer Decke ertragen konnte. Gegen vier Uhr morgens bewegte eine leichte Brise den Musselin. «Endlich Wind in den Segeln!» dachte ich schlaftrunken. Einige Minuten lang schaukelte ich auf einem kühlen See. Ein sanftes Licht überzog den Himmel, es war ein köstlicher Augenblick – der einzige im Laufe des Tages. Sehr schnell wurde die Sonne wieder brutal. Wir gingen in unser Zimmer hinunter. Im Innenhof lagen Menschen mit geschlossenen Augen, in ihrem Schlummer enger miteinander vereint als im täglichen Leben. Gestern abend hatten sich der Adjutant und seine Frau bei Tisch bitter gezankt: Jetzt ruhte der Kopf der Gattin an der nackten Schulter des Gatten.

Zwei Tage nach unserer Ankunft wurde Sartre krank. Ich ließ den Arzt kommen: «Vierzig Grad Fieber.» Er verschrieb Chinin. Sartre stopfte so viel in sich hinein, daß er drauf und dran war, den Gleichgewichts-, Gehör- und Gesichtssinn zu verlieren. Er lag zwei Tage lang zu Bett. Die Wirtin zuckte die Achseln: «Vierzig Grad Fieber! Das passiert mir jede Woche und hindert mich nicht daran, die Parkettböden zu bohnern.» Das Fieber blieb mir zwar erspart, aber ich litt an einem Übel, das ebenso unangenehm ist wie sein Name: «Bourbouille». In den Kniekehlen, den Armbeugen und zwischen den Zehen ruft der Schweiß eine Art rötlicher Flechte hervor. Obwohl sie juckt, darf man sich unter keinen Umständen kratzen. Eine Schramme oder die kleinste Infektion genügen, und die cro-cro tauchen auf, richtige Wunden, die leicht eitern. Ich verbrachte zwei bittere Nachmittage in dem Zimmer, in dem Sartre fast ohne Bewußtsein lag. Um drei Uhr setzte ich mich an den Tisch und begann zu arbeiten. Was sonst sollte ich tun? Die Fensterladen waren geschlossen: ein heftiger Schirokko schüttelte draußen die Bäume. Der Schatten und das Rauschen des Windes schienen Kühle zu verheißen. Aber der Wind war eine Flamme, und das Thermometer an der Wand zeigte 43 Grad.

Sowie Sartre wieder auf den Beinen war, wollten wir abreisen. Enttäuscht verließ ich das Reisebüro. Die Flugzeuge landeten und starteten nur sehr unregelmäßig. Man konnte mir kein bestimmtes Datum nennen. Mir paßte es ganz und gar nicht, in diesen Ofen eingesperrt zu sein.

Schließlich erhielt ich die Nachricht, daß am nächsten Tag eine Maschine nach Bobo-Dioulasso fliegen würde. Sartres Fieber war gefallen, und so gingen wir an Bord. Sehnsüchtig betrachtete ich den Wald in der Tiefe und die roten Straßen, die wir nicht befahren sollten. Es gab eine Zwischenlandung in Ouagadougou. In der Wartehalle des Flughafens verkaufte ein Neger Bleifiguren, ein Tamtam, Zauberer, Hirschkühe. Ich kaufte mir eine ganze Sammlung.

«Bobo ist ungesund und feucht», hatte man uns in Gao gesagt. Bei der Landung aber schien mir die Feuchtigkeit der Luft angenehm. Ein Mann mit einem fahlen, aufgedunsenen Gesicht erwartete uns. In Gao haben die Menschen noch die braune Hautfarbe der Wüstenbewohner: Hier erinnerten die Gesichter an gekochten Fisch. «Ich bringe Sie ins Hotel», sagte der Unbekannte und setzte uns in sein Auto. Es war ein Beamter, der uns im Namen der Verwaltungsbehörden empfing. Wir machten uns auf den Weg in die Stadt. «Bobo-Dioulasso», hatte ein Freund zu mir gesagt, «ist wie die Normandie.» Tatsächlich war die Gegend wellig und grün, aber von einem verdächtigen Grün, und der Geruch nach fauliger Erde erinnerte keineswegs an französische Wiesen. Die Häuser, niedrig, langgestreckt, mit schwarzem Stroh gedeckt, hatten entschieden tropischen Charakter. Unser Betreuer setzte uns vor einem Hotel ab. Das Zimmer war noch nicht frei, und wir ließen uns gegenüber einem kleinen Tanzparkett unter freiem Himmel auf der Veranda in bequemen Sesseln nieder. Der Stellvertreter des Verwaltungschefs, B., suchte uns auf und überreichte uns eine Einladung zum Abendessen bei seinem Vorgesetzten. Dann zeigte er uns einen Marktplatz, um den die verschiedenen Eingeborenenviertel gruppiert waren. Auf eines dieser

Viertel machte er uns besonders aufmerksam. «Dort drüben sieht es übel aus, dort hat sich das RDA eingenistet. Gehen Sie ja nicht dort spazieren!» Viel hatte er uns nicht gezeigt. «Nehmen wir einen Apéritif!» schlug er vor. Wir kehrten zum Flughafen zurück, dessen Bar der europäischen Elite als Treffpunkt dient, weil sie um einige Meter höher liegt als die Stadt und die Temperatur angeblich niedriger ist: Mir freilich kam es genauso drückend vor wie unten. Das Gefühl der Entspannung, das ich in der ersten Stunde empfunden hatte, war völlig verflogen. Vor dem Mittagessen schafften wir unser Gepäck aufs Zimmer. Es roch nach Karbol und war ein Schwitzkasten. Wir ließen die Tür offen, die auf den Hof ging, und begaben uns zu Tisch. Ein Unbekannter, ein Pflanzer aus Guinea, näherte sich uns in freundschaftlicher Weise. Er wollte uns zu einem Apéritif einladen. Obwohl wir schon einen getrunken hatten, ließ er nicht locker. «Hier muß man trinken, viel trinken.» Und er erzählte uns die Geschichte einer jungen koketten Frau, die mit Rücksicht auf ihre schlanke Linie sehr wenig trank. Nach wenigen Wochen war sie tot, dehydriert. Säuglinge müsse man von früh bis abends mit Wasser begießen, sonst vertrockneten sie und stürben. Wir tranken also einige Cassis mit Wasser. Während des Mittagessens brach ein kurzes, aber heftiges Unwetter los. Als wir zur Siesta in unser Zimmer zurückkehrten, waren die Betten durchnäßt. Aus den Abflußrohren der Dusche krochen die Kakerlaken und liefen auf dem Fußboden und an der Decke entlang. Wir ergriffen die Flucht und irrten in der Eingeborenenstadt umher. Steile Regenwasserrillen, fast ausgetrocknet, durchzogen die Hügel von oben nach unten. Die Frauen wuschen ihre Wäsche in den Pfützen, während die Kinder zwischen den gelben Felsen spielten. Aber abgesehen von diesen kleinen Ausnahmen, bildete jedes Viertel einen kompakten Block, der auf uns einen feindseligen Eindruck machte. Die Häuser kehrten uns fensterlose Mauern zu, und in den Gassen begegnete man fast keiner Menschenseele. Unmöglich, hier einzudringen, wenn man keine Einwohner kannte. Unsere Ankunft war in der Lokalpresse bekanntgegeben worden, und Sartre hoffte, im Hotel eine Mitteilung des RDA vorzufinden. Es war noch keine eingetroffen.

Wir aßen bei dem Verwaltungschef zusammen mit B. und seiner Frau, einer sehr hübschen Kreolin von Martinique, die sich über die Absicht ihres Mannes beklagte, mit ihr in diesem Sommer nach Paris zu fahren, das sie nicht kannte. «Dort ist es so kalt!» sagte sie mit ängstlicher Stimme. «Im August ist es warm», versicherte ich ihr. «Aber August ist fast schon September, und im September werde ich mir eine Lungenentzündung holen, die ich nicht überlebe.» Als wir nach dem Essen auf der Terrasse saßen, suchte ich am Himmel das Kreuz des Südens. «In Gao hat man es mir gezeigt.» – «Sicherlich war es falsch: Es ist immer das falsche, das einem gezeigt wird.» B. sprach über die letzten Wahlen. «Ich hätte die nötigen Stimmen», sagte er augenzwinkernd, unser Einverständnis voraussetzend. Wir gingen frühzeitig weg und tranken noch zusammen mit dem Pflanzer ein Glas in dem beleuchteten Tanzlokal. Vor dem Eingang schlug ein verkleideter Affe seine Kapriolen. Wir waren todmüde, konnten aber kaum einschlafen. Sartre machte fast kein Auge zu. Sein Bett war noch durchnäßt, die Jazzmusik ohrenbetäubend, und er fürchtete sich vor den Kakerlaken, die über die Decke spazierten. So verbrachte er die Nacht mit der Lektüre eines Buches von Mme Roland.

Am nächsten Morgen brachte uns ein durch den Verwaltungschef zur Verfügung gestelltes Auto in den Wald. Unter einem Baum sahen wir den Fetisch eines Dorfes: eine dicke, mit äußerst schmutzigen Federn geschmückte Kugel. Die mit einem Schurz bekleideten Frauen trugen statt Schmuck ins Kinn eingebettete Elfenbeinsplitter. (Das erinnerte mich an den Zahn, den ich mir eines schönen Tages aus dem Kinn gezogen hatte.) Zwei von ihnen, groß, robust, das Haar mit Kakaobutter eingeschmiert – es stank erbärmlich –, zerstampften Getreide in einem Mörser. Auf den Stufen einer Treppe (manche dieser elenden Hütten hatten zwei Etagen) saß zwischen anderen nackten Kindern ein kleiner Albino. Seine helle Haut wirkte unnatürlich. Man hätte meinen können, eine Säure habe sie zerfressen und sie sei nur mehr ein ungenügender Schutz für ihn. Wir befanden uns ganz in der Nähe der Stadt, und trotzdem schien diese Bevölkerung in den Tiefen eines Urwalds verloren zu sein, an dem die Zeit spurlos vorübergegangen war. Auf dem Rückweg begegneten wir jungen Burschen auf Fahrrädern. Sie waren europäisch gekleidet und machten einen munteren Eindruck: Aber auch sie wohnten in diesem Dorf. Innerhalb weniger Jahre würden die nackten Kinder zu einer sich unserem Zeitalter angepaßten Jugend heranwachsen. Wir hätten gern gewußt, wie diese jungen Radfahrer diese doppelte Zugehörigkeit erlebten.

Sartre war enttäuscht, daß auch an diesem Tag das RDA nichts von sich hören ließ. Wir mußten uns damit begnügen, die Weißen auf einer Cocktailparty, die uns zu Ehren veranstaltet wurde, auszufragen. Sartre unterhielt sich mit zwei künftigen Verwaltungschefs, die sehr viel guten Willen zeigten: Wenn man ein wenig nachstieß, merkte man, daß sie sich bereits darauf vorbereiteten, ihre Ideen den Umständen anzupassen. Die Reise wurde burlesk und unerfreulich. Wir waren gekommen, um den Kampf der Schwarzen gegen die Weißen zu sehen. Wir fanden sie nicht und wurden dafür äußerst hochachtungsvoll von den Verwaltungsbeamten empfangen. Würden wir vielleicht in Bamako mehr Glück haben? Noch am selben Abend bestiegen wir ein Flugzeug.

Sartre hatte wieder hohes Fieber. Er zitterte an allen Gliedern, als wir ziemlich spät nachts landeten. Das beste Hotel war voll belegt. Ein Junge riß Sartres Gepäck an sich und nahm ihn energisch ins Schlepptau, während ein anderer mich ebenso gebieterisch in die entgegengesetzte

Richtung führte. Ich landete allein in einer Art Käfig, der mit einem Stuhl und einer Pritsche möbliert war und auf die Bahnhofsperrons ging. Zum Glück fuhren nur wenige Züge, aber hinter dem Eisengitter, mit dem das Fenster barrikadiert war, und unter dem Glasdach, das die Gleise vor dem Regen schützte, war die Luft mit Rußdünsten gesättigt. Ich kannte Sartres Zimmernummer nicht, und als ich mir vorstellte, daß er krank in einer ähnlichen Situation lag wie ich, wurde mir angst und bange. Ich verbrachte eine abscheuliche Nacht.

Am nächsten Tag ging es Sartre besser, und das Zentralhotel hatte Zimmer für uns frei. Auch dort erstickte man fast trotz der enormen Ventilatoren, aber man konnte wenigstens auf dem Balkon schlafen: Dieser Balkon voller halbnackter Leiber bot morgens einen erstaunlichen Anblick. Das Essen war gut, man servierte uns sogar Erdbeeren. Was den Aufenthalt wirklich sehr angenehm machte, war die herzliche Haltung des Luftwaffenkommandeurs C. Er hatte dem Geschwader Normandie-Njemen angehört und eine so schöne Zeit in Moskau verbracht, daß er nichts gegen linksgerichtete Schriftsteller einzuwenden hatte. Er war nicht einmal besonders neugierig auf uns. «Ich war zur gleichen Zeit wie Sie in Gao», erzählte er Sartre, «wo man mir gesagt hat, daß Simone de Beauvoir in Gesellschaft Pierre Dacs eingetroffen sei. Nachher habe ich erfahren, daß Sie es waren ...» Er hatte eigentlich nicht die Absicht gehabt, uns kennenzulernen. Aber er hegte warme Gefühle für eine junge Frau, die eine eifrige Bücherleserin war, und sie hatte ihn dazu gedrängt, mit uns zu sprechen. Er nannte sie Juju. Sie war schön und lebhaft. Er bewunderte ihre Intelligenz, ihre Kultiviertheit und ihre Unerschrockenheit ungeheuer. Sie war mit einem Offizier der Luftwaffe verheiratet, der gerade verreist war. C. hatte Frau und Kinder, die den Sommer an der Küste von Guinea verbrachten. Aber es wurde uns sehr bald klar, daß die beiden entschlossen waren, sich scheiden zu lassen und einander zu heiraten – und diese Absicht führten sie auch einige Zeit später durch. Menschen, deren Herz noch nicht vertrocknet ist, macht die Liebe geneigt, alle Welt zu lieben: Wir profitierten von dieser Aufgeschlossenheit und auch von ihrer Verwunderung. Wie sie uns später gestanden, hatten sie erwartet, nicht menschlichen Wesen, sondern Ungeheuern zu begegnen. Man warf ihnen vor, daß sie sich mit uns kompromittierten. Diese Mißbilligung machte unser Verhältnis nur noch vertrauter.

Juju und C. bewohnten große, fast haargenau gleiche, mit einer Veranda umgebene und mit modischen Badezimmern versehene Villen am Stadtrand: Der Fliesenboden und die leichten Möbel machten einen hellen und freundlichen Eindruck. Bei Juju stand auf einem Tisch ein Tamtam, ähnlich dem, das ich gekauft hatte, nur viel größer. Sie besaß eine Menge anderer, gut ausgewählter einheimischer Nippsachen. Jeden Abend tranken wir unseren Apéritif auf ihrer Terrasse, und sie zeigte uns in der Ferne den Bauplatz, auf dem sehr bald ein großes, hyper-modernes Hotel errichtet werden sollte. Oft leistete uns einer ihrer Freunde, V., ebenfalls Flieger, Gesellschaft. Seine Vitalität wirkte an-regend. «An das Klima gewöhnt man sich schnell. Wenn das Thermo-meter bei vierzig Grad angelangt ist, setze ich mich in meinen Jeep und jage Büffel, das verscheucht das Fieber.» Er gab zu, daß die Bourbouille unangenehm sei. «Wenn man sich schlafen legt, muß man mit einem ein-zigen Ruck unter der Decke verschwinden» – und er imitierte die Be-wegungen eines heroischen Schwimmers, der ins eiskalte Wasser springt. Die Großwildjagd – Büffel und sogar Löwen – nahm im Leben dieser Menschen einen beträchtlichen Raum ein. Juju schoß genausogut wie ein Mann. Oft begleitete sie ihre Freunde im Flugzeug oder auf ihren Expe-ditionen mit dem Jeep.

Am ersten Morgen fuhren wir allein in einer Kutsche durch die Euro-päerstadt, die mit ihren Häusern im alten Kolonialstil recht hübsch aus-sieht, und anschließend ging es quer durch die Eingeborenenstadt, von der wir nicht viel zu sehen bekamen, weil der Kutscher nicht halten wollte. Später trennten wir uns kaum noch von unseren neuen Freunden. Sie zeigten uns den Markt. Die Bevölkerung war nicht so mannigfaltig wie in Gao, aber die Waren kamen uns reichlicher und appetitlicher vor. Stoffe für Frauenkleider gab es in Hülle und Fülle: Perkal, der zwar im Elsaß hergestellt wurde, dessen kühne Druckmuster aber damals noch eine ausschließlich afrikanische Spezialität waren. Ich kaufte mehrere Meter. Abends fuhr uns Major C. im Jeep durch eine mäßig bewaldete, unschöne Landschaft bis zur Talsperre des Niger. Auf der roten Laterit-straße wurde mir klar, was ich gehört hatte, ohne es recht zu glauben: Ein Auto kann diesem Wellblech nur standhalten, wenn es schneller fährt als achtzig Stundenkilometer, weil es sonst durch die Erschütterung aus den Fugen gerät. Am Straßenrand arbeiteten Häftlinge unter der Auf-sicht bewaffneter Wächter. Man zeigte uns zwei, die wegen Menschen-fresserei verurteilt worden waren. Alle diese Gesichter schienen in Ver-zweiflung und Haß versteinert zu sein.

In Bamako und Umgebung herrschten fürchterliche Krankheiten. Lan-ge Würmer bohren sich in die Haut der Fußsohlen ein und rollen sich zu-sammen. Um sie herauszuholen, muß man das eine Ende erwischen und um ein Streichholz wickeln, das man jeden Tag etwas dreht. Wenn man versucht, den Parasiten mit einem Ruck herauszureißen, wird er in zwei Stücke gerissen, und man wird ihn nie mehr los. Man schilderte uns auch die Schrecken der Elefantiasis und die der Schlafkrankheit. Eine der üb-lichsten Geißeln ist der Aussatz. In Bamako gibt es ein großes Kranken-haus für Leprakranke.

Der Leiter des Krankenhauses bereitete uns einen herzlichen Empfang. Er unterhielt sich mit mir über Le deuxième Sexe, das er ausgezeichnet fand. Zusammen mit ihm waren wir durch ein großes Dorf gefahren:

Hütten, Märkte, auf denen fliegende Händler allerlei Produkte feilboten. Aussätzige wohnten dort bei ihren Angehörigen, weil man ihr Leiden nicht mehr für ansteckend hielt. Außerdem kann man es, wenn man es in seinen Anfängen behandelt, leicht eindämmen. Der Arzt zeigte uns die Station, wo leichte Fälle behandelt wurden. Nur eine etwas verfärbte Stelle am rechten Arm verriet den Zustand der jungen Negerin, der ein Krankenpfleger soeben eine Spritze gab. «Sie kann achtzig Jahre alt werden, ohne daß die Krankheit sich verschlimmert», sagte uns der Arzt. Noch verwendete man ein altes indisches Heilmittel, das Cholmoogra-Öl, aber das Asiaticoside war gerade entdeckt worden, und man hoffte, daß es damit möglich sein wird, die Krankheit einzudämmen und sie sogar völlig zu heilen. Trotzdem gab es eine gewisse Anzahl von Männern und Frauen, die zu spät ins Krankenhaus eingeliefert worden waren und die sich in einem Zustand fortgeschrittenen Verfalls befanden. Wir besuchten den Schlafsaal, in dem sie lagen, und ich glaubte ohnmächtig zu werden, anfangs wegen des Gestanks, nachher wegen der ‹Löwen›-Gesichter, deren Mund zu einer Schnauze geworden ist. Die Nase ist zerfressen, die Hände sind verstümmelt. «Auch sie sterben nicht unmittelbar an Lepra», sagte der Arzt zu uns. «Die Krankheit schreitet sehr langsam voran, schwächt aber den Organismus. Eine Grippe genügt, um den Aussätzigen dahinzuraffen.» Im Busch gab es ungeheuer viele Leprakranke, und die Zahl derer, die in Bamako herumliefen, war auch groß. Sicherlich sind wir auf dem Markt etlichen begegnet. Aber nur wenn man barfüßig ist, setzt man sich einer Ansteckung aus.

Major C. machte uns mit einem Neger bekannt, mit dem er befreundet war, einem recht betagten Arzt, der Sartre eine umfangreiche Arbeit über die einheimische Pharmakopöe zugeschickt hatte. Aber er sprach mit uns nicht über Politik. Tag für Tag wartete Sartre voller Ungeduld darauf, daß das RDA sich mit ihm in Verbindung setze. Immer wieder gab es eine Enttäuschung. Diesem Schweigen lag offenbar ein System zugrunde. Um so mehr betrübte es ihn. Nach einem letzten Abend zusammen mit Juju und C. auf einem Tanzboden unter freiem Himmel reisten wir nach Dakar weiter.

Dakar war eine meiner Mythen. Es war *die* Kolonie: Männer mit weißen Tropenhelmen und gelber Gesichtsfarbe trinken in erdrückender Hitze den ganzen lieben langen Tag Whisky, der ihnen die Leber und den Verstand zerstört. Die Bewohner Bamakos betrachten Dakar als einen Hafen der Frische. «In Dakar kriecht man unter einer Decke hervor», hatte man sehnsuchtsvoll zu mir gesagt. Vor der Landung lud uns der Pilot in seine Kanzel ein und zog gemächliche Kreise über der Stadt, um uns den Hafen, das Meer und die Insel Gorée zu zeigen. Wir landeten, und zum erstenmal seit Tamanrasset fühlte ich mich wohl in meiner Haut: 25 Grad. Im Hotel ließen wir unsere Helme zurück, dann gingen wir durch die Straßen.

Man sah keine Schwarzen auf den Caféterrassen und in den mit Klimaanlagen ausgestatteten Luxusrestaurants, in denen wir zu Mittag aßen. Offiziell gab es keine Rassentrennung. An ihre Stelle trat die ökonomische Kluft in der Gesellschaft. Kein oder fast kein Neger konnte es sich leisten, die Lokale zu besuchen, in denen die Weißen verkehrten. Das Europäerviertel war banal, und die Küste, der wir im Taxi einige Kilometer weit gefolgt sind, war trotz der Pracht des Ozeans recht dürftig: dürre Palmen, graue Hütten und eine verkümmerte Vegetation. Reizend fanden wir die Insel Gorée, die rötlichen Mauern der geschleiften alten portugiesischen Festung. Aber unser Interesse erwachte erst abends wirklich, als wir durch die Vororte schlenderten. Es war unsere erste Berührung mit proletarisierten Eingeborenen. Die von Strohhütten umgebenen schlammigen Straßen waren von einer dörflichen Ländlichkeit, aber breit, lang und gradlinig. Die schwarzhäutige Menge, die sich in ihnen drängte, bestand aus Arbeitern, die uns – in einer für uns paradoxen Weise – gleichzeitig an den Busch und an Aubervilliers erinnerten. Wir konnten uns nicht vorstellen, was hinter diesen meist schönen, ruhigen, aber verschlossenen Gesichtern vorging. Genau wie die Halbwüchsigen, die auf Fahrrädern in ihr fetischistisches Dorf zurückkehrten, gehörten auch diese Menschen zwei Zivilisationen an: Wie kamen sie mit beiden zurecht? Wir verließen Dakar, ohne es erfahren zu haben. – Diese kurze Fahrt durch das schwarze Afrika war ein Fiasko gewesen. In Paris wurde uns unser Verdacht bestätigt: Die kommunistischen Ratschläge waren von sämtlichen Mitgliedern des RDA befolgt worden, und man hatte absichtlich jedes Zusammentreffen mit Sartre vermieden.

Um uns von den Anstrengungen zu erholen und in Ruhe zu arbeiten, blieben wir zwei Wochen lang in Marokko. Wir hielten uns kurze Zeit in Meknès und dann länger in Fès auf. Diesmal war es Frühling, die Bäume blühten, der Himmel war leicht, und das Palais Djalnaï hatte seine Pforten geöffnet. Man brachte mich im Zimmer der Sultanin unter, das mit Teppichen und Mosaiken geschmückt war und auf einen entzückenden Innenhof mündete. Ich arbeitete bei offener Tür. Oft traten Besucher ein und machten einen Rundgang um meinen Tisch, als wäre ich ein Museumsstück. Von dem mit Panoramafenstern versehenen Speisesaal aus konnte man die weiße Stadt übersehen. Dort trafen wir Rousset und begrüßten einander ohne Begeisterung.

Seit Juni wohnten meine Schwester und ihr Mann in Casablanca. Ich blieb einige Tage bei ihnen, und wir machten eine Autotour durch den Mittleren Atlas bis Marrakesch und sahen von dort aus über den roten Felswänden den Schnee der hohen Gipfel glitzern.

Boris Vian wurde zu einer Geldstrafe von 100 000 Francs verurteilt, weil er *J'irai cracher sur vos tombes* geschrieben hatte. Man gab seinen und Sartres Büchern die Schuld an zahlreichen Selbstmorden, Delikten und Morden, besonders aber an dem «Verbrechen der J 3». Als Michel Mourre zur Kanzel in der Notre-Dame hinaufkletterte, schob man auch dieses ‹Sakrileg› dem Existentialismus in die Schuhe.

Wie ich bereits erwähnt habe, säuberte Sartre sein Denken von allen idealistischen Resten. Aber er verzichtete nicht auf die existentielle Evidenz und forderte nach wie vor eine Synthese beider Standpunkte in der Praxis. In einem Vorwort zu Stéphanes *Portrait de l'aventurier* wünschte er dem Kämpfer einige Tugenden der Männer, die Stéphane als Abenteurer bezeichnete. «Die Tat hat zwei Gesichter: ein negativistisches, das abenteuerlich ist, und ein konstruktives, das in der Disziplin besteht. Es gilt, innerhalb der Disziplin das Negativistische, die Unruhe und die Selbstkritik wiederherzustellen.» Von einer ähnlichen Besorgnis war die Studie getragen, mit der er Dalmas' Buch über Jugoslawien einleitete. Er schrieb, daß der stalinistische Objektivismus den Subjektivismus der Gegner annulliere, indem er sie, oft mit ihrer Zustimmung, als objektive Verräter hinstellt. Der Fall Tito sei einzigartig. Tito habe sich durchgesetzt und infolgedessen diese Rückbildung vereitelt. Seine Opposition habe innerhalb der Revolution die Präsenz des Subjektivismus wiederhergestellt. Die Aufgabe einer wahrhaft revolutionären Ideologie gegenüber dem Stalinismus bestünde darin, der Subjektivität ihren gebührenden Platz einzuräumen.

Tito war das Schwarze Schaf der Kommunisten. Sie beschimpften Bourdet, Mounier, Cassou, Domenach, die für ihn Partei ergriffen hatten, die beiden letzteren wurden sogar aus der Friedensbewegung ausgeschlossen. Sartres Vorwort lieferte ihnen einen neuen Vorwand, ihm zu grollen. Er hatte kein Glück bei ihnen. Seine Gespräche mit Thao hielt er für so schlecht, daß er sich ihrer Veröffentlichung widersetzte. Thao, der sich ohne Bedenken an die bürgerliche Justiz wandte, wollte ihn verklagen, und Domarchi, der an den Gesprächen teilgenommen hatte, ohne den Mund aufzutun, es sei denn, um Thao recht zu geben, schloß sich ihm an und forderte Schadenersatz von einer Million Francs. Die jüngsten Prozesse und die Existenz der Zwangsarbeitslager hatten uns dermaßen gegen den Stalinismus aufgebracht, daß wir – und das war nicht richtig – den Stockholmer Aufruf nicht unterzeichneten, der Ende Juni in Frankreich acht Millionen Unterschriften erbrachte. Trotzdem hing uns das ‹Abendland› zum Hals heraus. Mit Bedauern erfuhren wir, daß Silone zusammen mit Koestler an dem Kongreß «Für die Verteidigung der Kultur» teilnahm, den die Bewegung «Liberté et l'esprit» nach Berlin einberufen hatte.

Sartre hatte private Sorgen. 1949 war er mit M. in Mexiko und Guatemala gewesen und hatte auch Kuba, Panama, Haiti, Curaçao besucht. Sie vertrugen sich nicht mehr so gut. Trotz Sartres Widerstand war sie nach Paris gekommen. Sie stritten viel, und zuletzt kam es zum Bruch.

Ich hatte das ganze Jahr mit Algren korrespondiert. Seit seiner Rückkehr nach Amerika war er sehr enttäuscht. Das Land veränderte sich in raschem Tempo. Die Hexenjagd ereilte eine große Anzahl seiner Freunde. In Hollywood, wo der Pulitzer-Preis ihn hingeführt hatte, waren sämtliche linksgerichteten Filmleute auf die Straße gesetzt worden. Viele emigrierten nach Europa. John Garfield hatte Algrens *Der Mann mit dem goldenen Arm* nicht drehen dürfen. Nach der Rückkehr aus Kalifornien hatte Algren sich ein Haus am Michigan-See gekauft: Dort wollten wir zwei Monate verbringen. Ich freute mich bei dem Gedanken, mit ihm einmal ein wirklich gemeinsames Leben führen zu dürfen.

In dem Augenblick, als ich abfliegen wollte, marschierten die Nordkoreaner in Südkorea ein. Auf der Stelle intervenierte die amerikanische Luftwaffe und dann die Infanterie. Wenn China Formosa angreifen würde, war der Weltkrieg eine Tatsache. Der Stockholmer Aufruf konnte binnen wenigen Tagen weitere drei Millionen Unterschriften sammeln. Alle Welt sprach von der Besetzung Frankreichs durch die Rote Armee. Der *Samedi-Soir* brachte als Schlagzeile: «Muß man Angst haben?» und beantwortete die Frage mit ja. Obwohl ich Algren wiedersehen wollte und ihn ungern wieder enttäuschte, zögerte ich sehr, bevor ich Frankreich verließ. «Reisen Sie doch!» sagte Sartre. «Sie können ja jederzeit zurückkehren. Ich glaube nicht an einen Krieg.» Er führte Argumente an, die er im August in einem Brief wiederholte. In Paris herrschte noch immer Panik, der Goldkurs war von 3 500 auf 4 200 gestiegen, man stand Schlange vor den Gemischtwarenläden, um Konserven und Zucker zu hamstern, von einem Tag auf den anderen erwartete man entweder die Rote Armee oder die Bomben. Sartre aber fuhr fort, mich zu beruhigen. «Auf jeden Fall bin ich der Meinung, daß ein blutiger Krieg unmöglich ist. Die Russen haben keine Atombomben, die Amerikaner keine Soldaten. Deshalb wird der Krieg – mathematisch gesehen – erst in einigen Jahren möglich sein. Mit ebenso großer mathematischer Sicherheit darf man behaupten, daß beide Partner sich auf den Krieg vorbereiten werden. Also gibt es nur zwei Möglichkeiten: Entweder wird durch eine ungeschickte Geste des einen oder anderen Lagers der Kriegszustand erklärt, ohne daß der Krieg wirklich in Gang kommt – dann wird die sowjetische Armee bis Brest marschieren, und man hat mit drei bis vier Jahren Besatzungsregime zu rechnen, bevor die Wendung eintritt. Oder man wartet ab, während man kräftig rüstet: Dann wird sich überall die mythologische Kriegsstimmung mit Zensur, Spionenangst, Manichäismus und, wenn Sie wollen, einer heimlichen amerikanischen Besetzung breitmachen. Sie können wählen. Ich glaube eher an die zweite Möglichkeit . . .»

Ich reiste ab, doch in meinem Herzen spürte ich eine dumpfe Angst, die durch die traurige Ankunft verstärkt wurde. Meine ersten Tage in Chicago glichen jenen in *Les Mandarins* beschriebenen Tagen, als Anne und Lewis sich zum letztenmal trafen. Das ganze Jahr hindurch hatte Algren mir heitere und zärtliche Briefe geschrieben. Plötzlich erklärte er mir, daß er mich nicht mehr liebe. Er liebe keine andere, es sei nichts passiert, aber er liebe mich nicht mehr. «Trotzdem werden wir einen sehr schönen Sommer erleben», versicherte er mir mit erzwungener Unbeschwertheit. Und am nächsten Tag ging er mit mir und unbekannten Leuten zum Rennen. Meine Tränen hinunterschluckend, irrte ich in diesem fremden Getümmel umher. Ich hatte nicht die Absicht – außer bei unmittelbarer Gefahr –, nach Frankreich zurückzukehren: Zuerst mußte ich mit meinem Herzen und meinem Körper Worte begreifen, die mir noch nicht einmal in den Kopf hatten hineinwollen. Was für eine erschreckende Perspektive! Es kostete mich bereits genug Mühe, die Stunden aneinanderzureihen. In dem engen ‹Wabansia› erdrückten mich die stickige Hitze und die Nähe Algrens. Ich ging aus: Die Straßen zeigten mir ein feindseliges Gesicht. Bei einem kleinen Friseur im polnischen Viertel fragte mich die Angestellte, die mir die Haare wusch: «Warum seid ihr in Frankreich lauter Kommunisten?» Eine Französin zu sein, hieß verdächtig, undankbar, fast eine Feindin sein. Übrigens ging es mir wie dem Asphalt auf der Straße, ich begann zu zerfließen, und in den Bars konnte man weder lesen noch weinen. Ich wußte buchstäblich nicht, was ich mit mir anfangen sollte.

Schließlich brachte uns ein Freund im Auto nach Miller, und die Zeit begann allmählich in Fluß zu geraten. Ein wohltuender Trott füllte die Tage aus. Ich bewohnte ein eigenes Zimmer, arbeitete neben dem durch ein Metallgitter geschützten Fenster, oder ich legte mich, nachdem ich mich mit einem Mückenmittel eingerieben hatte, mit Sandburgs *Abraham Lincoln* ins Gras. Ich las zahlreiche Bücher über die amerikanische Literatur und Geschichte und auch Fitzgeralds erschütterndes Bekenntnisbuch *The Crack-Up*, ferner Science-fiction-Romane, die oft enttäuschend waren, aber zuweilen ein beunruhigendes Licht auf dieses Jahrhundert warfen. Der Garten senkte sich zu einem Teich, und an den Seiten versperrte mir dichter Hochwald den Ausblick. Dicke, graue Eichhörnchen huschten umher, Vögel sangen. Gegen Mittag fuhren wir in einem Kahn über den Teich. Wir legten an, liefen die Dünen hinunter, wobei wir uns die Füße verbrannten, und kamen ans Ufer des Michigan-Sees, der riesenhaft und bewegt war wie das Meer. Auf dem ganzen unermeßlichen Sandstrand befand sich kein Mensch. Weiße Vögel stelzten auf langen Beinen vorbei. Ich badete und legte mich in die Sonne. Im Wasser achtete ich darauf, den Boden nicht unter den Füßen zu verlieren, weil ich kaum schwimmen konnte. Eines Tages aber, als ich nach einigen Schwimmstößen mit der großen Zehe nach dem Grund tastete, fand ich ihn nicht. Ich erschrak und ging unter. Ich rief Algren, der mir aus weiter Ferne zulächelte. Ich wurde deutlicher: «Hilfe!» Er lächelte noch immer. Trotzdem beunruhigte ihn mein Gezappel. Als er mich zu fassen bekam, hatte ich bereits den Kopf unter Wasser und auf den Lippen, wie er sagte, ein völlig idiotisches Lächeln. Er fügte hinzu, daß auch er eine Heidenangst gehabt habe, weil er ein sehr schlechter Schwimmer sei. Im Laufschritt eilten wir nach Hause, tranken Unmengen Whisky, und in der Euphorie dieser Rettung vor dem Tode flammte die Freundschaft zwischen uns auf, so lebhaft, als wäre sie von den Schlacken einer verlorenen Liebe befreit worden.

Sie hatte ihre schönen Seiten. Nachts gingen wir am Strand spazieren. In der Ferne spien die mächtigen Hochöfen von Gary ihre Flammen in den Himmel. Ein großer rötlicher Mond spiegelte sich im See, und wir plauderten ziellos über die Anfänge oder über das Ende der Welt oder saßen vor dem Fernsehschirm: es gab alte und berühmte Boxkämpfe zu sehen, die Algren kommentierte, alte Filme und am Samstag ein ausgezeichnetes Varietéprogramm. Oft aber, und ohne ersichtlichen Grund – vielleicht weil er befürchtete, einer von uns könnte sich durch diese illusorische Harmonie täuschen lassen –, verschloß sich sein Gesicht. Er rückte von mir ab und schwieg. Eines Tages waren wir wieder einmal zusammen mit einem Freund beim Rennen gewesen. Ich hatte mich gelangweilt. Auf der Rückfahrt im Auto meldete das Radio mit großem Tamtam, daß ein Krieg bevorstehe. Der Gedanke, von Frankreich abgeschnitten zu sein und diese Katastrophe allein erleben zu müssen, kam mir so abscheulich und absurd vor, daß ich in Tränen ausbrach. «Reine Propaganda, das bedeutet gar nichts», sagte Algren, der nicht an den Krieg glaubte. Aber ich war in einen Abgrund gestürzt und brauchte Stunden, um mich aus ihm herauszuarbeiten. An einem anderen Abend war Algren nach Chicago gefahren. Da ich ihn liebte, fürchtete ich die erbarmungslose Stille dieser einsamen Tage. Als ich mich vor den Bildschirm setzte, waren mir seit dem frühen Morgen viele traurige Gedanken durch den Kopf gegangen. Man gab Noël Cowards *Begegnung,* und ich durchnäßte die Kissen mit meinen Tränen.

Nachdem ein Monat vergangen war, kam Lise nach Miller. Ich hatte sie 1947 wiedergesehen: Genau wie früher hatten wir uns viel gestritten, aber auch sehr gut verstanden. Glücklich fielen wir einander in die Arme. Sie hatte ihre volle Schönheit und ihre barocken Konturen behalten. In dem konventionellen Milieu, in dem sie lebte, hatte ihr ihr Benehmen, das sie um keinen Preis aufgeben wollte, eine Menge Geschichten eingebrockt, die sie auf lustige Art erzählte. Trotzdem fiel ein Schatten auf unser Wiedersehen. Algren hatte sich dagegen gesträubt, eine fremde Person bei sich zu beherbergen. Außerdem war das Haus zu klein. Er hatte für Lise in einer Entfernung von fünfhundert Metern ein Zimmer besorgt. Das ärgerte sie. Sie hatte zwei Wochen lang bleiben wollen: In einem Monat sollte ich nach Frankreich zurückkehren, und wegen der Mißhelligkeiten zwischen mir und Algren hatte ich das Bedürfnis, mit ihm allein zu sein. Gegen Lises Freimütigkeit hatte ich schon immer nur eine einzige Waffe besessen: eine ebenso rückhaltlose Frei- mütigkeit. Ich bediente mich ihrer, und sie behandelte mich wieder ein- mal wie «eine Uhr im Kühlschrank». Algren hielt Lise für einen kalten Menschen – trotz ihrer großmütigen und einschmeichelnden Art. Außer- dem, behauptete er, mache sie stets den Eindruck, als erwarte sie von mir, daß ich kopfstehe. De facto war Lises Haltung ironisch und heraus- fordernd. Um sie zu besiegen, mußte man sich durch natürliche Großtaten hervortun. Algren ging so weit, mir eines Morgens mitzuteilen, daß er nach Chicago zu ziehen beabsichtige. Schließlich beschlossen wir, daß ich mit Lise für zwei bis drei Tage dort hinfahren würde.

Ihre Gefühle für mich waren sehr zwiespältig. Auf ihren Rat hin hatte ich mich in den Kriegsjahren weniger um sie gekümmert, als es meine Pflicht gewesen wäre. Sie nahm es mir noch immer übel, daß ich sie meiner Arbeit geopfert hatte, und dieser Unmut kehrte sich gegen das, was ich schrieb. Immer wieder sagte sie in indirekter, aber durch- sichtiger Weise: «Es ist so traurig, ein zweitklassiger Schriftsteller zu sein!» Diese Verdrossenheit spiegelte auch ihr eigenes Verhältnis zur Literatur wider: Sie wollte schreiben und doch nicht schreiben. «Was hat es für einen Zweck, wenn einem eine Bombe auf den Kopf fallen wird?» sagte sie zu mir. In Wirklichkeit war sie unschlüssig, weil sie zwar begabt war, aber keine Berufung in sich spürte. Ihr Talent machte sich in Novellen und Erzählungen, die in Zeitschriften erschienen waren, und vor allem in ihren Briefen, bemerkbar. Sie beherrschte die Kunst der Kürze und wählte ihre Worte mit vollendeter Nonchalance, aber wenn sie allein vor einem Stoß weißer Papierblätter saß, verlor sie den Mut. Ich glaube, sie interessierte sich zu wenig für andere Menschen, als daß sie große Geduld aufgebracht hätte, Seite für Seite von ihnen zu sprechen.

Ihr Leben war schief geraten. Sie war nach den Vereinigten Staaten gekommen, weil sie einen Mann liebte und nichts zu essen hatte. Nach- dem die Liebe erloschen war, wollte sie sich scheiden lassen. Und sie war jetzt gewöhnt, sich satt zu essen. Sie hatte gehofft, die Tristesse ihres frühen Alters durch die Mutterfreuden kompensieren zu können, aber gerade diese Tristesse hatte sie schlecht darauf vorbereitet, sich um eine kleine Tochter zu kümmern, mit der sie sich immer weniger identifizierte. Sie war den USA dankbar dafür, daß sie sie adoptiert hatten, aber sie fand hier nicht jene menschlichen und geistigen Beziehungen, die sie in Paris gehabt hatte. Sie bereitete sich auf eine Professur vor und ließ ihr Licht leuchten, aber durch ihre aggressive Art stieß sie viele ihrer Hörer vor den Kopf. Hochmütig und zugleich sehr leicht fasziniert, von den Menschen durch die Kälte getrennt, die Algren aufgefallen war, ließ sie sich auf komplizierte und unmögliche Abenteuer ein. Im Augenblick war sie von einem homosexuellen Paar besessen und in den älteren, Willy, verliebt. Im Namen des Existentialismus versuchte sie ihm einzureden, man *sei* nicht Päderast: es handle sich um eine stets widerrufbare Wahl. Er brachte ihr eine tiefe Zuneigung entgegen, aber das genügte ihr nicht. Ich erinnere mich an einen peinlichen Spaziergang in Chicago. Ich zeigte ihr Algrens Haus, bittere Erinnerungen bedrückten mich – sie wiederholte mit der scholastischen Leidenschaft eines mittelalterlichen Doktors, Willy könne seine Willensfreiheit dadurch manifestieren, daß er sie, Lise, liebe. Ich stumm, sie mit lauter Stimme – so hielten wir unsere Selbstgespräche in der stickigen, heißen Luft, die Straßen unter unseren Füßen waren endlos, und wir kamen keinen Schritt voran.

Sie war vorausgefahren nach Chicago, wo Willy und sein Freund Bernard sich mit ihr verabredet hatten. Als an dem Morgen meiner Abreise der Bus, der mich nach Gary zum Bahnhof bringen sollte, auf sich warten ließ, hielt Algren ein Auto an und übergab mich der Obhut des Fahrers. Sowie der Mann erfahren hatte, daß ich Französin war, ging er zum Angriff über. «Stimmt es, daß ihr lauter Kommunisten seid? Und daß bei euch die Weißen mit den Negern schlafen?» Ich tat so, als verstünde ich kein Englisch. Ich hatte Sympathie für Willy und Bernard, aber das Trio, das sie zusammen mit Lise bildeten, war mir peinlich. Sie wollten unbedingt die miesesten Lokale besuchen, wo die Frauen sich auf der Bühne auszogen, und sie sprachen von den körperlichen Details mit einem Hohn, aus dem ich weiß nicht was für ein Ressentiment gegen die gesamte Menschheit sprach.

Ich kehrte allein nach Miller zurück. Algren, der vor einigen Monaten in Hollywood seine frühere Frau getroffen hatte, sagte mir, daß er sich mit dem Gedanken trage, sie wieder zu heiraten. Schön. Die Verzweiflung hatte mich allmählich gelähmt, und ich reagierte nicht mehr. Es war Nachsommer – *indian summer*. Ich wanderte rund um den Teich, geblendet von der Schönheit des rotgoldenen, grüngoldenen, gelbgoldenen, kupfer- und feuerfarbenen Laubes, und mein Herz war schwer, ich konnte weder an die Vergangenheit noch an die Zukunft glauben. Plötzlich erwachte ich und warf mich ins Gras. «Es ist aus – warum?» Es war ein kindischer Kummer, weil ich mich wie ein Kind gegen das Unerklärliche sträubte.

Wir kehrten für kurze Zeit nach Chicago zurück. Um Haltung zu wahren, verbrachten wir unseren letzten Nachmittag beim Rennen. Algren verlor sein ganzes Bargeld. Um das Essen bezahlen zu können, rief er einen Freund an, der auch dann nicht von unserer Seite wich, als wir ein Taxi zum Flughafen nahmen. Algren schien das nicht zu stören. Chicago, das unter zarten, grauen Schleiern funkelte, war mir noch nie so schön erschienen. Wie eine Schlafwandlerin ging ich zwischen den beiden Männern und dachte mir: «Nie werde ich ihn wiedersehen – nie.» Als ich im Flugzeug saß, stopfte ich mich mit Belladenal voll, ohne einschlafen zu können, die Kehle von dem Schrei zerrissen, den ich nicht laut werden ließ.

Sartre wurde auch weiterhin reichlich beschimpft. Ein gewisser Robichon erklärte in der *Liberté de l'Esprit,* daß man die Jugend seinem verderblichen Einfluß entziehen müsse, eine Jugend, die sich übrigens – hieß es im gleichen Atemzug – durch ihn gar nicht beeinflussen lasse. «Soll Sartre verbrannt werden?» fragte ironisch der *Combat,* in dessen Redaktion wir noch immer ein paar Freunde hatten. Sartre hatte in den *Temps Modernes* große Teile seiner Studie über Genet abdrucken lassen. Sie stießen auf Interesse. Andererseits: was für ein Skandal! Obwohl Mauriac ein Jahr zuvor anläßlich der Haute Surveillance Genets Begabung anerkannt hatte, schrieb er im *Figaro* einen wutschäumenden Artikel über den «Exkrementialismus». Andererseits wunderten sich Freunde darüber, daß die Zeitschrift noch keinen einzigen Artikel über den Korea-Krieg gebracht hatte. Der *Observateur* bedauerte, daß sie nicht mehr auf aktuelle Fragen einging. Merleau-Ponty, der in der Praxis als Redakteur fungierte, war durch den Korea-Krieg zu einer apolitischen Haltung bekehrt worden. «Die Kanonen reden, wir können nur noch schweigen», sagte er dem Sinne nach zu uns.

Die zweite von Sartres Hypothesen verwirklichte sich: Die Amerikaner okkupierten in aller Stille Frankreich. Sie halfen Lattre, der in Indochina ernsthafte Rückschläge erlitten hatte, die Lage zu stabilisieren. Als Gegengabe billigte Pleven prinzipiell die Wiederaufrüstung Deutschlands und erlaubte die Errichtung amerikanischer Stützpunkte in Frankreich. Vergebens demonstrierten die Kommunisten, als Eisenhower sich im Januar in Paris niederließ. Frankreich akzeptierte den Gedanken eines durch die USA ausgehaltenen Europas, das bereit sein würde, für es zu kämpfen. Beuve-Méry wurde von Brisson als ‹geschlechtslos› behandelt, da er wieder einmal für den Neutralismus eingetreten war. «Geht es also um ‹Haben oder Nichthaben›?» fragte Beuve-Méry. Der Disput wirbelte völlig unnötig viel Staub auf. Als Gilson einen Ruf nach Toronto annahm, beschuldigte man ihn, sein Land dem Einmarsch der Roten Armee preiszugeben, man fand seine «präventive Abreise» empörend. (Gabriel Marcel behandelte seinen Fall in einem Stück!)

Ich machte mir keinerlei Gedanken – bis zu unserem Gespräch mit Camus (im ‹Balzar›). «Haben Sie sich Gedanken darüber gemacht, was Ihnen passieren wird, wenn die Russen hierherkommen?» fragte er Sartre und fügte in leidenschaftlichem Ton hinzu: «Gehen Sie lieber weg!» – «Und Sie?» fragte Sartre. «Wollen Sie denn fliehen?» – «Ich werde dasselbe tun, was ich während der deutschen Besetzung getan habe.» Loustaunau-Lacau, ein *cagoulard,* war es gewesen, der den Gedanken des «bewaffneten und geheimen Widerstandes» zur Diskussion stellte. Aber wir konnten nicht mehr ungezwungen mit Camus diskutieren. Er wurde allzu schnell zornig oder zumindest sehr ausfallend. Sartre wandte lediglich ein, daß er sich nie dazu hergeben werde, gegen das Proletariat zu kämpfen. «Das Proletariat darf nicht zu einer Mystik werden», erwiderte Camus lebhaft und warf den französischen Arbeitern ihre Gleichgültigkeit gegenüber den Ereignissen im sowjetischen Lager vor. Sartre sagte: «Sie sind auch so schon genug geplagt, um sich darum zu kümmern, was in Sibirien vorgeht.» – «Zugegeben», sagte Camus, «aber ich würde ihnen trotzdem nicht das Kreuz der Ehrenlegion verleihen.» Das war seltsam. Camus und Sartre hatten 1945 abgelehnt, als Freunde, die an der Macht waren, ihnen das Kreuz der Ehrenlegion verleihen wollten. Die Kluft zwischen uns wurde immer tiefer. Aber er ermahnte Sartre mit ehrlicher Wärme: «Reisen Sie ab! Wenn Sie bleiben, wird man Sie nicht nur umbringen, sondern Ihnen auch die Ehre rauben. Sie werden auf dem Weg ins Lager sterben. Man wird behaupten, Sie seien am Leben, man wird so tun, als predigten Sie den Rückzug, die Unterwerfung, den Verrat, und man wird Glauben finden.» Ich war tief betroffen, und in den darauffolgenden Tagen machte ich mir die Argumente Camus' zu eigen. Vielleicht würde man Sartre ungeschoren lassen – unter der Bedingung, daß er den Mund hielt. Es würden aber Dinge geschehen – daran zu zweifeln war sinnlos –, die er nicht schweigend hinnehmen würde, und man wußte, welches Los Stalin für aufsässige Intellektuelle bereithielt. Während eines Mittagessens bei ‹Lipp› fragte ich Merleau-Ponty, was er denn vorhabe: Er dachte nicht daran, sich aus dem Staub zu machen. Suzou wandte sich Sartre zu: «Viele werden enttäuscht sein, wenn Sie abreisen», sagte sie mit einer Mischung aus Unschuld und Provokation. «Man erwartet, daß Sie Selbstmord begehen.» Ein andermal flehte ihn Stéphane an: «Sartre, Sie müssen mir auf jeden Fall versprechen, daß Sie kein Geständnis ablegen werden!» Diese heroischen Perspektiven gefielen mir ganz und gar nicht. Ich ging von neuem zum Angriff über. Ein Bündnis mit den Faschisten gegen die französischen Arbeiter kam nicht in Betracht. Zu allem ja und amen sagen, war ebenfalls ausgeschlossen. Und offene Opposition würde mit einem Selbstmord enden. Sartre hörte mir verdrossen zu. Mit jeder Faser lehnte er den Gedanken an das Exil ab. Algren, der überzeugt war, daß ein unüberlegter Streich MacArthurs den Weltkrieg entfesseln könne, lud uns nach Miller ein. Wir hatten aber Amerika noch nie mehr verabscheut. Im August hatte es Sartre peinlich berührt – weniger als Merleau-Ponty, aber doch ein bißchen –, daß die Nordkoreaner als erste die Grenze überschritten hatten und daß die kommunistische Presse es leugnete. Jetzt glaubten wir zu wissen, daß sie in eine Falle geraten waren. MacArthur hatte diesen Konflikt gewünscht, in der Hoffnung, China zum Kriegsschauplatz zu machen. Andererseits hatten die Feudalherren im Süden begehrliche Blicke auf die nordkoreanische Industrie geworfen. Menschenjagd, Plünderungen, Schikanen: Die G. I. führten einen ebenso erbitterten Rassenkrieg wie unsere Truppen in Indochina. Wenn wir Frankreich verließen, käme nur ein neutrales Land in Frage. «In Brasilien enden wie Stefan Zweig, stellen Sie sich das vor!» sagte Sartre.

Er war der Überzeugung, daß, wer immer – auch aus den triftigsten Gründen – ins Exil geht, seinen Platz auf der Erde verliere und ihn nie zurückgewinnen werde. Und wir sollten einem Regime zu entfliehen versuchen, das trotz allem den Sozialismus verkörperte! Wir saßen im gleichen Boot wie die Rechten: Sie begnügten sich nicht mit Geschwätz, sondern benutzten ihr Vermögen und ihre Beziehungen, um sich Schiffs- und Flugplätze zu sichern. Wir aßen bei den Clouzots zu Mittag. Véra war mit ausgesuchter Nonchalance gekleidet: lange schwarze Hose, eine Goldkette am Fußgelenk, das prächtige Haar in lockeren Kaskaden auf die Schultern herabfallend. André Gillois und seine Frau waren auch zugegen. Während der ganzen Mahlzeit drehte sich das Gespräch um die praktischen Möglichkeiten einer Abreise. Sartre konnte sich nicht damit abfinden, daß er plötzlich in dieses Lager gedrängt wurde. «Man weiß nicht, welcher Platz auf der Welt uns zwischen der amerikanischen Schändlichkeit und dem Fanatismus der KP übrigbleibt», schrieb ich an meine Schwester. Sartre wurde sich voller Empörung darüber klar, daß ihn die Kommunisten, die ihn als Feind behandelten, in die Enge trieben und ihn zwangen, sich so zu benehmen, als wäre er ihr Feind. Er glaubte nie so recht an eine russische Besetzung («Diese Vermutungen erschreckten mich kaum, weil ich nicht an eine Invasion glaubte: Für mich war es ein geistreiches Spiel, das die Dinge auf die Spitze trieb und jedem die Notwendigkeit der Wahl und die Konsequenzen seiner Wahl vor Augen führte ... Über diese grämlichen Phantastereien hinaus fühlte ich mich an die Wand gedrängt.» [*Merleau-Ponty vivant*]), aber wenn er sie betrachtete, empfand er aufs stärkste das Paradoxe unserer Situation. Die Entrüstung, die sich seiner bemächtigte, hat in seiner späteren Entwicklung eine große Rolle gespielt.

# 5

Meine Lebensweise hatte sich geändert. Ich war viel zu Hause. Das Wort
Zuhause hatte einen neuen Sinn bekommen. Lange Zeit hindurch hatte
ich weder Möbel noch eine Garderobe besessen. Jetzt hingen in meinem
Wandschrank guatemaltekische Jacken und Röcke, mexikanische Blusen,
amerikanische Mäntel und ein Schneiderkostüm. Mein Zimmer war mit
wertlosen, aber für mich kostbaren Sachen angefüllt: Straußeneier aus
der Sahara, Tamtams aus Blei, Trommeln, die mir Sartre aus Haiti mitgebracht hatte, gläserne Degen und venezianische Spiegel, die ich mir
in der rue Bonaparte gekauft hatte, ein Gipsabguß der Hände Sartres
und die Lampenständer Giacomettis. Ich saß bei der Arbeit gern vor
dem Fenster: Der von roten Vorhängen umrahmte blaue Himmel glich
einer Dekoration von Bérard. Hier verbrachte ich viele Abende zusammen mit Sartre; ich offerierte ihm Fruchtsäfte, weil er vorübergehend
dem Alkohol abgeschworen hatte. Und wir machten Musik. Nach 1945
hatte ich mir die *Ode an Napoleon*, dirigiert von Leibowitz, angehört
und einige andere Konzerte besucht, aber nur wenige und nur gelegentlich. In diesem Winter hörte ich mir zusammen mit Sartre den *Messias*
an, und bei ihm zu Hause, zusammen mit seiner Mutter, im Radio
Alban Bergs *Wozzeck*. Ich wollte einen Plattenspieler haben. Beim Kauf
assistierte mir Vian, und Sartre half mir, eine Plattensammlung anzulegen. Er interessierte sich für Schönberg, Berg und Webern. Er hatte mir
die Grundbegriffe ihrer Musik erklärt, aber in Frankreich gab es keine
Schallplattenaufnahmen ihrer Werke. Ich kaufte mir auch klassische
Sachen, die *Vier Jahreszeiten* Vivaldis, von dem Paris plötzlich schwärm-
te, vieles von César Franck, Debussy, Ravel, Strawinsky und Bartók.
In Amerika, wo Bartók große Mode geworden war, hatten wir ihn
unsererseits entdeckt, und damals war er – mit den letzten Quartetten
und der Violinsonate – der Komponist, der uns am meisten zusagte.
Ich kaufte auch, von Vian beraten, sehr viele Jazzplatten: Charlie Parker, Ellington, Gillespie. Alle fünf Minuten die Platten und oft auch die

Nadel wechseln – das war ein Geduldsspiel! Und die Konservenmusik klang durchaus nicht so gut wie die frische. Aber es war angenehm, in den eigenen vier Wänden, nach eigenem Geschmack und zu jeder beliebigen Zeit, ein Konzert veranstalten zu können.

Am Silvesterabend, zu dem Olga, Wanda, Bost, Michelle, Scipion und Sartre zu mir kamen, gab es eine neue Attraktion: ein Tonbandgerät, das M. bei Sartre untergestellt hatte. Ohne es vorher anzukündigen, nahm ich mehrere Gespräche auf. Worte sind dazu da, sich in blauen Dunst aufzulösen: Es ist daher unheimlich, wenn man flüchtige, unbesonnen hingeworfene Phrasen erstarrt, endgültig und gleichsam zu dichterischem Rang erhoben wieder zu hören bekommt. Scipion, der sich in glühenden Tönen über die Reize Colette Darfeuils (die er gar nicht kannte) geäußert hatte, war zutiefst betroffen, als er sich deklamieren hörte.

Ab und zu ging ich ins Kino. Mir gefiel die Kargheit des Films *Tagebuch eines Landpfarrers* von Bresson und, trotz des Mißbrauchs surrealistischer Reminiszenzen, die Kraßheit in *Die Vergessenen* von Buñuel. *Goldhelm* wurde endlich der Schönheit und der Begabung Simone Signorets gerecht.

Vor einiger Zeit war ein Restaurant an Stelle des früheren ‹Procope› eröffnet worden, dessen Namen es übernahm. Marmortische, Lederbänke – mir gefiel es dort. Im ersten Stock befand sich ein Club, in dem die vornehme Gesellschaft bei Kerzenlicht soupierte. Unten sah man alte Habitués des Viertels sitzen, darunter den betrunkenen Louis Vallon. Von weitem brummte er an meine Adresse gerichtete Beschimpfungen vor sich hin. Aber wenn er damit fertig war, setzte er sich an meinen Tisch, um mir mit tränenfeuchten Augen von Colette Audry zu erzählen, die er vor dem Krieg geliebt hatte, damals, als er Sozialist war. Im ‹Procope› traf ich ab und zu Antonina Vallentin, mit der ich zu Mittag aß, wenn ich nicht gar den Nachmittag bei ihr verbrachte. Da sie sich schlecht kleidete, häßliche Hüte trug oder in einem reizlosen Morgenrock herumlief, war ich sehr überrascht, als sie mir ein Foto zeigte, auf dem sie jung und schön war. Ihr biographisches Talent machte sich in ihrer Konversation bemerkbar: Sie wußte ausgezeichnet über Menschen zu sprechen. Sie hatte viele Politiker kennengelernt und war mit Stresemann und Einstein befreundet gewesen, über den sie ein Buch schrieb. Sie hatte auch sehr erfolgreiche Werke über Goya und Leonardo verfaßt. Sie arbeitete an den *Temps Modernes* mit, vor allem als Kunstkritikerin. Wir verkehrten miteinander bis zum August 1957, als ein Herzanfall ihrem Leben ein Ende setzte.

Nachdem Julliard von Gallimard die *Temps Modernes* übernommen hatte, lud er uns manchmal zum Essen ein. Seine Frau, die elegante Gisèle d'Assailly, gefiel sich darin, in ihrem Haus bekannte Persönlichkeiten zu versammeln, die einander nicht immer viel zu sagen hatten.

Bei ihr trafen wir Poulenc, Brianchon, Lucie und Edgar Faure, Maurice Chevalier und Jean Massin, einen bärtigen Priester, der zwar den Glauben noch hatte, aber aus der Kirche ausgetreten war. Er las die Messe in seinem Zimmer. Er erklärte uns seine Gründe und seine Probleme. Von Zeit zu Zeit unterbrach ihn Merleau-Ponty: «Das sollten Sie in den *Temps Modernes* schreiben.» Und jedesmal erwiderte er sanft: «Ich pfeife auf die *Temps Modernes.*» Später wandte er sich vom Glauben ab, heiratete und schrieb zusammen mit seiner Frau marxistisch angehauchte, zum Teil ausgezeichnete Bücher über Mozart, Beethoven, Robespierre und Marat.

Simone Berriau stellte mich der Colette vor, die sie sehr gut kannte. Als junges Mädchen hatte mich Colette fasziniert. Wie alle Welt fand ich Gefallen an ihrer Ausdrucksweise, und drei oder vier ihrer Bücher liebte ich heiß. «Schade, daß sie keine Tiere mag», hatte Cocteau eines Tages zu uns gesagt, denn es stimmt, daß, wenn sie von Hunden oder Katzen erzählt, sie eigentlich nur von sich spricht, und mir wäre es lieber, wenn sie das unverhohlen täte. Die Liebe, die Kulissen der Varietés und die Provence passen besser zu ihr als die Tiere. Ihre Selbstgefälligkeit, ihre Verachtung gegenüber anderen Frauen, ihr Respekt vor wertbeständigen Dingen waren mir nicht sympathisch. Aber sie hatte gelebt, sie hatte gearbeitet, und ich erinnerte mich an ihr Gesicht. Man hatte mir erzählt, daß sie Frauen meines Alters nicht sehr liebenswürdig behandle, und sie empfing mich kühl. «Lieben Sie die Tiere?» – «Nein», erwiderte ich. Sie durchbohrte mich mit einem olympischen Blick. Mir war es egal. Ich hatte nicht damit gerechnet, daß wir Kontakt zueinander fänden. Mir genügte es, sie zu betrachten. Wie sie da vor mir saß, gelähmt, das Haar in wilder Unordnung, stark geschminkt, verlieh das Alter ihren scharfen Zügen, ihren blauen Augen einen imponierenden Glanz. Zwischen ihrer Sammlung von Briefbeschwerern und Blumentöpfen zwischen den Fenstern kam sie mir – starr und souverän – wie eine ehrfurchtgebietende Göttin-Mutter vor. Als wir zusammen mit ihr und Cocteau bei Simone Berriau zu Abend aßen, hatte auch Sartre den Eindruck, sich einem «heiligen Ungeheuer» zu nähern. Sie war hauptsächlich aus Neugier gekommen, um ihn kennenzulernen, und auch weil sie wußte, daß sie für ihn die Attraktion des Abends war. Diese Rolle spielte sie denn auch mit hoheitsvoller Bonhomie. Sie erzählte Anekdoten aus ihrem Leben, über allerlei Leute. Die burgundische Rundlichkeit ihrer Stimme dämpfte keineswegs die Schärfe ihrer Worte. Bei ihr entsprang die Rede aus einem frischen Quell, und im Vergleich zu diesem Naturell bester Provenienz wirkten Cocteaus Geistreicheleien gekünstelt.

Wir aßen zusammen mit Genet bei Leonor Fini. Sie hatte ihn gemalt. Beide verkehrten mit Milliardären, die sie mehr oder weniger erfolgreich als Mäzene anzuwerben versuchten. Ich interessierte mich für ihre Zeichnungen, aber bedeutend weniger für ihre Katzen, und noch weniger für die ausgestopften Mäuse, die unter einer Glasglocke Komödie spielten.

Einer, den wir oft in Saint-Germain-des-Prés trafen, war der Maler Wols. Er hatte einen Text von Sartre illustriert, *Visages*. Paulhan kaufte ihm ab und zu eine Zeichnung oder ein Aquarell ab. Was er machte, gefiel uns sehr gut. Er war Deutscher und lebte seit langem im Exil in Frankreich. Er trank täglich einen Liter Marc (den weißen Tresterbranntwein) und wirkte trotz seiner sechsunddreißig Jahre, seiner blonden Haare, seines rosigen Teints recht alt. Seine Augen waren blutunterlaufen, und ich glaube, ich habe ihn nie nüchtern gesehen. Einige Freunde unterstützten ihn, Sartre mietete ihm ein Zimmer im ‹Hôtel des Saints-Pères›: Der Wirt beklagte sich darüber, daß man ihn nachts schlafend in den Korridoren antraf und daß er um 5 Uhr morgens Freunde bei sich aufnahm. Eines Tages trank ich mit ihm ein Glas auf der Terrasse der ‹Rhumerie›. Er war zerlumpt, unrasiert und sah aus wie ein *clochard*. Ein gut gekleideter Herr mit strenger Miene, Wohlstand ausstrahlend, näherte sich ihm und sagte einige Worte. Als er weggegangen war, wandte sich Wols zu mir. «Ich bitte um Entschuldigung, dieses Individuum ist mein Bruder: ein Bankier!» sagte er im Ton eines Bankiers, der zugeben muß, daß sein Bruder ein *clochard* ist.

Barrault hatte Sartre eines Tages von Cervantes' *Il rufio dichoso* erzählt: Ein eingefleischter Schurke beschließt beim Würfeln, sich zum Guten zu bekehren. In La Pouèze begann Sartre ein Theaterstück, zu dem er durch diese Episode angeregt worden war; aber er modifizierte den Verlauf. Bei ihm schwindelt der Held, um zu verlieren. Beeinflußt durch seine Studie über Genet und seine Beschäftigung mit der Französischen Revolution, wollte er vor allem ein erschöpfendes Bild der Gesellschaft vermitteln: Der Adel wurde durch eine gewisse Dosia verkörpert, die ihm viel Kummer bereitete und die er zugunsten Catherines und Hildas fallenließ. Als wir nach Paris zurückkehrten, war der erste Akt fertig. Simone Berriau bat Sartre, ihn Jouvet vorzulegen, dem sie die Inszenierung anvertrauen wollte. Zuerst wurde, wie gewöhnlich, ganz hervorragend zu Mittag gegessen. Brandel erzählte, daß er oft bei den Aufführungen Barraults in seiner Loge, hinter einem Pfeiler versteckt, schliefe. Nachdem man sich vom Tisch erhoben hatte, begann Sartre vorzulesen und Brandel zu schnarchen. Seine Frau kniff ihn, um ihn aufzuwecken. Mirande döste vor sich hin. Jouvets Gesicht war steinern. Als Sartre geendet hatte, herrschte bleierne Stille. Jouvet machte den Mund nicht auf. Mirande, in seinem alten Gedächtnis eine Eloge suchend, die zu seiner Jugendzeit Mode gewesen war, rief munter aus: «Deine Repliken sind Vitriol!» Niemand aber schien etwas von ätzender Schärfe gespürt zu haben. Man diskutierte über die Besetzung. Für den Götz war Brasseur der gegebene Mann. Für den Heinrich hatte Sartre an Vitold gedacht, aber Vitold war nicht frei. Vilar, der uns in Pirandellos *Heinrich der Vierte* außerordentlich gefallen hatte, wurde vorgeschlagen und genehmigt. Die Frauenrollen wurden der Casarès und Marie Olivier anvertraut. Zuerst aber mußte das Stück zu Ende geschrieben werden, und Sartre machte sich zugleich an den zweiten Akt.

Olga war fast völlig wiederhergestellt und mehrmals mit Erfolg aufgetreten. Obwohl der Arzt ihr davon abriet, wollte sie möglichst bald wieder die Elektra spielen. Hermantier, der *Les Mouches* in Nîmes gegeben hatte, wollte sie im Vieux Colombier herausbringen. Es schien also alles in bester Ordnung zu sein. De facto war das aber nicht der Fall. Hermantier hielt sich für eine Reinkarnation Dullins, konnte aber die Darsteller nicht führen, hatte kein Gefühl für den Dialog und wählte scheußliche Dekorationen und Kostüme: Es wurde eine Katastrophe. Olga war ihrer Mittel noch nicht wieder Herr geworden. Ihre Stimme und ihr Atem ließen sie im Stich. Sartre, in *Le Diable et le bon Dieu* [*Der Teufel und der liebe Gott*] vertieft, ging viel zu selten zu den Proben. Am Abend der Generalprobe machte ich mir die größten Sorgen, und zwar mit Recht: Das Publikum fand die Aufführung miserabel. Das Souper bei ‹Lipp› mit Olga und einigen Freunden war wenig heiter. Später schnitt Hermantier den Dialog zurecht und ließ nur ein Skelett übrig, das bald darauf beerdigt wurde. Das wäre nicht weiter schlimm gewesen, wenn es nicht Olga bewogen hätte, von der Bühne abzutreten, während sie doch nur den Fehler begangen hatte, zu früh zurückzukehren.

Sartre brauchte Ruhe, um sein Stück zu vollenden. Ich hatte Lust, wieder einmal Ski zu fahren, und Bost begleitete uns nach Auron. In einem Liegestuhl ausgestreckt, die Augen von der Weiße des Schnees geblendet, die Haut von der Sonne verbrannt, kehrte der Geschmack an früheren Freuden wieder zurück. Die Sportlehrer waren toleranter als im Jahre 1946 und erlaubten den Stemmbogen. Ich amüsierte mich großartig. Sartre mußte Dosias Schicksal entscheiden, und da er seit langem nicht mehr Ski gefahren war, hätte er höchstens unliebsames Aufsehen erregt. Er steckte die Nase kaum zur Tür hinaus: Die Leute hielten ihn für verrückt. In Montroc purzelten wir gemeinsam auf den Pisten herum, niemand kannte uns, das war vielleicht ein Vergnügen! Wenn ich um fünf Uhr in sein Zimmer kam, berauscht von der Luft und dem Geruch der Berge, saß er in Rauchwolken eingehüllt am Tisch und schrieb. Nur mit Mühe riß er sich los, um in dem riesigen Speisesaal zu Abend zu essen, wo eine einsame junge Frau *Im Anfang war nur Liebe* las.

Wir hatten Michelle Vian, die ein Haus in Saint-Tropez besaß, gebeten, sich nach einer Wohnung für uns umzuschauen. Das Appartement, das sie uns besorgte, ging auf eine enge Gasse, war eiskalt, und der Kamin zog nicht. Wir flüchteten nach Aïoli. Auf dem Fußboden rote Fliesen, alter Kreton an den Wänden: Die Zimmer, die von einem homosexuellen Antiquar eingerichtet waren, dem das Hotel gehörte, hatten viel Charme. Wieder kaufte ich mir Röcke bei Mme Vachon, die damals noch fast unbekannt war. Wir feierten Wiedersehen mit Ramatuelle und Gassin; ich arbeitete und las. Sartre aber blieb im Deutschland des 16. Jahrhunderts verkapselt. Ich hatte alle Mühe, ihn ab und zu auf die Straße und die kleinen Feldwege zu schleppen.

Pierre Brasseur, der mit Sartre über seine Rolle sprechen wollte, besuchte uns einige Tage; er hatte keine Ähnlichkeit mehr mit dem jungen Mann, der in *Hafen im Nebel* mit soviel Talent die Ohrfeigen einsteckte; mit seinem Bart besaß er aber die Haudegenfigur und die Kauzigkeit des Götz. Während seine Augen mit etwas beunruhigender Bosheit funkelten, erzählte er Geschichten von berühmten Leuten, die er gekannt hatte. Er imitierte sie hinreißend. Auf der Terrasse des ‹Sennequier›, im Garten der ‹Auberge des Maures›, wo die Bienen ein mit Fenchel und Thymian gewürztes Gratin à la Dauphiné umsurrten und der Sonnenschein die Karaffen mit dem *vin rosé* vergoldete, unterhielt er uns mit unvergleichlichen Darbietungen. Seine Frau Lina hatte ich zu der Zeit, als sie noch Pianistin war und das schwarze Haar bis auf ihre Achseln reichte, oft allein in der Bar des ‹Pont-Royal› sitzen sehen. Sie hatte dem Klavier adieu gesagt und sich die Haare schneiden lassen, war aber noch immer genauso schön. Sie wohnten in Mauvannes, und wir verbrachten zwei Tage mit ihnen. Dort trafen wir auch – in Begleitung seiner Frau – Henri Jeanson (er war sehr freundschaftlich, aber ich fand ihn gar nicht amüsant) und den Regisseur des *Tire-au-flanc*, den man Rivers junior nannte und der *Les Mains sales* verfilmen wollte: Er stand im Ruf, keine Aufnahme zu wiederholen. Simone Berriau, die damit rechnete, *Le Diable et le bon Dieu* im Mai herauszubringen, regte sich auf: «Was soll das denn heißen? Er kann nicht mehr schreiben?» Der geheimnisvolle Ton deutete den Verdacht an, daß Sartre von einem schimpflichen Leiden befallen sei. Sie glaubte, daß das Schreiben eine natürliche Sekretion sei. Wenn die Produktivität des Schriftstellers versiegt, ist das wie bei den Milchkühen: Etwas Organisches funktioniert nicht mehr. Übrigens hatte sie recht, wenn sie sich Sorgen machte. Nach Sartres Rückkehr in die Hauptstadt fing man zu proben an, und die letzten Szenen waren noch immer nicht zu Papier gebracht.

Das Stück dauerte bereits länger als eine normale Vorstellung. Die immer besorgter werdende Simone Berriau bat Sartre, es nach weiteren zwanzig Repliken abzuschließen, und verlangte gewaltige Striche. Sartre behauptete, daß ihre Finger mechanisch die Bewegungen einer Schere nachahmten, wenn sie über die Bühne ging. Sie bat alle engeren Freunde Sartres, ihn unter Druck zu setzen. Nur Cau kam dieser Aufforderung nach: Seine Intervention wurde denn auch sehr übel aufgenommen. Brasseur unterstützte ihn, weil die Rolle seinem Gedächtnis zuviel wur-

233

de. Bei jedem Wort, das er schrieb, wußte Sartre, daß die Direktion und der Hauptdarsteller nichts Eiligeres zu tun haben würden, als seine Streichung zu fordern. Das zehnte Bild machte ihm viel Mühe, obwohl er es früher oder beinahe früher als alle anderen konzipiert hatte. Mochte die Anklage Heinrichs gegen Götz noch so ungestüm sein, die Szene bekam dadurch einen didaktischen Anstrich. Sie wurde erst in dem Augenblick lebendiger, als Götz vor dem sprachlosen Heinrich sich selber anklagte. Sartre trug das Manuskript ins Theater. «Ich werde es sofort abtippen lassen», sagte Simone Berriau. Als Cau an ihrer Loge vorbeikam, entdeckte er Henri Jeanson, den sie dort versteckt und dem sie Sartres Text gegeben hatte. Sie mißtraute Sartre und ihrem eigenen Urteil. Jeanson beruhigte sie.

Jouvet nahm an diesen Debatten nicht teil: im Grunde war er bereits ein toter Mann; herzkrank, mehr oder weniger im klaren darüber, daß er zum Tode verurteilt sei, hatte er sich am Aschermittwoch fotografieren lassen, wie er die Asche empfing. Er verabscheute Sartres Blasphemien. Den rechten Daumen an der linken Pulsader, den Blick auf seine Taschenuhr geheftet, ließ er die Szenen, unter dem Vorwand, ihre Länge zu messen, unbeachtet an sich vorüberziehen. Einmal aß ich zusammen mit ihm und Sartre im ‹Lapérouse›. Er wurde ein wenig lebhafter. Man könne, sagte er, unter vier Alexandrinern Racines jeweils einen durch ein Gebrabbel oder sogar eine Schweinerei ersetzen, ohne daß das Publikum etwas merke. Diese Mißachtung des Textes beunruhigte uns.

Die Schauspieler trösteten uns. Im ersten Akt gab Brasseur eine verblüffend gute Darstellung des Götz; leider spielte er den zweiten Teil völlig falsch – als Götz in seinem wilden Hochmut sich aufrichtig von einem verlogenen Guten lossagt. Ich bedauerte auch, daß er sich weigerte, den Monolog zu lernen, zu dem Sartre sich durch den heiligen Johannes vom Kreuz hatte inspirieren lassen. In den letzten Bildern fand er sich wieder zurecht. Vilar war Heinrich: Wir sahen ihn einmal, als er ein Taxi angehalten hatte, beiseite treten, um seinen Teufel zuerst einsteigen zu lassen. Die Casarès, Marie Olivier, Chauffard, fast sämtliche Darsteller waren ausgezeichnet. Die Bühnenbilder von Labisse fand ich zu realistisch. Und Sartre konnte nicht erreichen, daß man die von Schiaparelli angefertigten, viel zu schönen Kostüme beschmutzte und zerriß.

Immer waren bei den Proben viele Leute anwesend. Wir trafen uns oft mit Brasseur und Lina. Wir aßen zusammen mit Lazareff, der Simone Berriau bei der Finanzierung der Aufführung unterstützte. Trotz allem, was ihn von Sartre trennte, verlief das Essen in herzlicher Stimmung. Camus holte oft die Casarès ab, und sie tranken ein Glas mit Sartre: Für kurze Zeit wurde die alte Freundschaft wieder lebendig.

Endlich kam der Tag der Premiere: aber die Intrigen und Zwistigkeiten waren so, daß wir mit Simone Berriau und mit den Brasseurs verzankt waren. Jouvet war in die Provinz gereist. Ich wartete im Hinter-

234

grund des Zuschauerraums darauf, daß der Vorhang sich hob. Ich stand neben Lina, die einen prachtvollen Abendmantel anhatte. Die gleiche Erregung schnürte uns die Kehle zusammen, aber wir wechselten kein Wort. Ich wußte, was die drei Gongschläge bedeuteten: Plötzlich tritt an Stelle eines vertrauten Textes ein öffentliches Werk ans Licht. Ich wünschte es herbei und zitterte mehr denn je. Sehr bald war ich beruhigt; ein vereinzelter Pfiff ertönte, ab und zu lief ein Schauder durch die Reihen, aber das Publikum war gefesselt. Aufatmend wanderte ich durch die Gänge, setzte mich ab und zu in Simone Berriaus Proszeniumsloge, ohne mit ihr zu sprechen.

Weder der Autor noch seine Freunde waren zu dem Souper eingeladen, das sie bei ‹Maxim› gab. Wir wären sowieso nicht hingegangen. Wir soupierten mit Camus, der Casarès, Wanda, Olga, Bost in einem Lokal, das einer Frau von den Antillen namens Moune gehörte. Es war recht trist. Zwischen uns und Camus wollte der Funke nicht mehr zünden. Nach der General- oder Kostümprobe war es lustiger zugegangen. Geschlossen – unter anderem waren Merleau-Ponty und Scipion mit dabei gewesen – waren wir ins ‹Plantation› gezogen, das Mireille Trépel am boulevard Edgar-Quinet führte. Dort gab es eine sehr gute Neger-Jazzkapelle.

Ob man dafür oder dagegen war – das Stück wurde mit leidenschaftlichem Interesse aufgenommen. Es irritierte die Christen. Daniel-Rops, der allen voraus sein wollte, hatte bei Simone Berriau die Erlaubnis erwirkt, sich vier Tage vor der Generalprobe in einer Parterreloge zu verstecken: Er zerfetzte das Stück in der *Aurore*. Mauriac und andere behaupteten, wenn Sartre so heftig gegen Gott wettere, müsse er an ihn glauben. Man warf ihm vor, Blasphemien aus den zeitgenössischen Texten entnommen zu haben. Aber er hatte auch Anhänger. Im großen und ganzen zogen die Kritiker den ersten Akt allen anderen vor, und so entging ihnen der Sinn des Stückes. (Zehn Jahre später, als Messemer den zweiten Teil besser spielte als den ersten, kamen die Herren Kritiker zu einem entgegengesetzten Urteil.) Kemp war der einzige, dem die Verwandtschaft mit dem Essay über Genet auffiel; denn es handelte sich um das gleiche Thema: das Gute, das Böse, die Heiligkeit, die Entfremdung, das Dämonische. Götz ist wie Genet ein Bastard. Die uneheliche Geburt symbolisiert den Gegensatz, den Sartre zwischen seiner bürgerlichen Herkunft und seiner geistigen Wahl erlebt hatte. Die Kritiker begingen den gewaltigen Fehler, zu glauben, daß Götz durch den Mord, den er am Ende des letzten Bildes verübt, zum Bösen zurückgekehrt sei. In Wirklichkeit setzte Sartre wieder einmal die Wirksamkeit der Praxis und die Nichtigkeit der Moral einander gegenüber. Diese Konfrontation geht viel weiter als in seinen früheren Stücken; in *Le Diable et le bon Dieu* spiegelt sich seine gesamte ideologische Entwicklung wider. Der Kontrast zwischen dem Aufbruch des Orest am Schluß von *Les Mouches* und der

Selbstbehauptung des Götz zeigt den Weg auf, den Sartre von der anarchistischen Haltung bis zum Engagement zurückgelegt hatte. Dazu findet sich folgende Notiz: «Die Formulierung: Wir waren nie freier als unter der Besetzung, wendet sich gegen die Persönlichkeit Heinrichs, des objektiven Verräters, der zum subjektiven Verräter und dann wahnsinnig wird. Dazwischen liegen sieben Jahre und der Zerfall der Résistance.» (Unveröffentlichte Aufzeichnung.) 1944 glaubte Sartre noch, daß jede Situation durch eine subjektive Bewegung überwunden werden könne; 1951 wußte er, daß uns die Umstände zuweilen unsere Transzendenz rauben, daß es dann nicht mehr um das Wohl des Einzelnen geht, sondern nur noch um den kollektiven Kampf. Zum Unterschied von den früheren Stücken siegt der Kämpfer, Nasty, nicht über den Abenteurer: Dieser ist es, der zwischen beiden Figuren die Synthese herstellt, von der Sartre in seinem Vorwort zu Stéphanes Buch geträumt hat: Er akzeptiert die Disziplin des Bauernkrieges, ohne auf seine Subjektivität zu verzichten, er wahrt in der Unternehmung das Moment des Negativen. Er ist die vollendete Inkarnation des Tatmenschen, wie Sartre sich ihn vorstellte.

«Ich werde den Götz das tun lassen, was ich niemals tun konnte.» (Unveröffentlichte Aufzeichnung.) Götz überwindet einen Widerspruch, den Sartre nach dem Scheitern des RDR und vor allem seit dem Ausbruch des Korea-Krieges sehr stark spürte, ohne daß es ihm aber gelungen wäre, darüber hinwegzukommen: «Der Widerspruch lag nicht in den Ideen. Er lag in mir. Denn die Freiheit, die ich war, hätte die aller anderen mit einschließen müssen. Und es waren nicht alle frei. Ich konnte mich nicht, ohne zu zerbrechen, der Disziplin aller anderen unterwerfen. Und ich konnte nicht als einziger frei sein.» (Unveröffentlichte Aufzeichnung.) Diese Zerrissenheit empfand er besonders deutlich auf seinem ureigensten Gebiet der Mitteilung: «Mit dem Menschen sprechen, den man 'nicht überzeugen kann (der Hindu, der verhungert) – sonst ist jede Mitteilung in Frage gestellt. Das ist sicherlich der Sinn meiner Entwicklung und meines inneren Widerspruchs.» (Unveröffentlichte Aufzeichnung.)

Daß er sein Problem einer ästhetischen Lösung zugeführt hatte, genügte ihm nicht. Er suchte nach Möglichkeiten, das zu tun, was Götz getan hatte.

Gegen Juni hatte ich eine erste Version meines Romans beendet: entgegen meiner Gewohnheit hatte ich Sartre nichts gezeigt. Ich hatte sehr mit mir ringen müssen und hätte den Gedanken nicht ertragen, daß ein fremder Blick, wäre es auch der seine, auf den noch heißen Seiten ruhte. Er sollte es während des Urlaubs lesen. Inzwischen verführten mich die Umstände und meine Lust dazu, über de Sade zu schreiben. Zwei bis drei Jahre früher hatte Pauvert mich um ein Vorwort zu *Justine* gebeten. Ich kannte de Sade nicht sehr gut. *Die Philosophie im Boudoir* hatte ich lächerlich, den Stil von *Das Mißgeschick der Tugend* langweilig, *Die hundertzwanzig Tage von Sodom* schematisch und abstrakt gefunden. *Justine*, dieses epische Sturm-und-Drang-Werk, war für mich eine Offenbarung. De Sade stellt in zugespitzter Form das Problem des ‹Anderen›; jenseits aller Überspanntheit stehen der Mensch als Transzendenz und der Mensch als Objekt einander dramatisch gegenüber. Aber ich hätte viel Zeit gebraucht, um das Buch sorgfältig zu lesen: daher gab ich dem Verlag die Korrekturabzüge zurück. 1951 schlug Queneau mir vor, in einem in Vorbereitung befindlichen Sammelwerk, *Les Écrivains célèbres*, über einen berühmten Autor zu schreiben. Ich wählte de Sade. Auch wenn es sich nur um eine kurze Schilderung handelte, wollte ich alles gelesen haben, und ich fing einen Essay an, der für die *Temps Modernes* gedacht war. Aus der Geheimabteilung der Bibliothèque Nationale lieh man mir eine reizende, mit Stichen geschmückte Ausgabe aus dem 18. Jahrhundert: Personen in Perücken und Staatsgewändern geben sich mit zerstreuter Miene den kompliziertesten Übungen hin. Oft sind de Sades Schilderungen genauso eiskalt wie die Bilder; bis plötzlich ein Schrei hervorblitzt, ein Lichtstrahl, der alles rettet.

Seit Jahren ließ ich meine Manuskripte von Lucienne Baudin abtippen, einer netten Frau in meinem Alter. Sie hatte eine kleine, etwa zehnjährige Tochter. Trotz einiger Abenteuer mit Männern gehörte ihre Neigung den Frauen. Sie lebte mit einer Fünfzigjährigen zusammen. Gemeinsam zogen sie das Kind groß. Sie sprach mit mir über ihre Probleme, ihre Geldsorgen, ihre Freundschaften, ihre Liebschaften, über eine Welt, die noch weniger bekannt ist als die der Päderasten – die Welt der Lesbierinnen. Ich sah sie selten, hatte sie aber gern. Nach einiger Zeit fing sie an, schlecht zu arbeiten und unpünktlich zu sein. Sie wurde nervös. «Ich glaube, ich habe etwas in der Brust», sagte sie zu mir. Ich drängte sie, einen Arzt aufzusuchen. «Ich kann nicht aufhören zu arbeiten.» Ein Jahr später sagte sie zu mir: «Ich habe ein Krebsgeschwür – es ist schon so groß wie eine Nuß.» Man schickte sie nach Villejuif ins Krebsinstitut. Ich besuchte sie, und als sie mich sah, fing sie an zu weinen. Sie teilte ihr Zimmer mit drei anderen Patientinnen. Die eine, der man eine Brust entfernt hatte, schrie zwischen den Morphiumspritzen vor Schmerzen. Der anderen, die ihre rechte Brust schon etliche Jahre zuvor eingebüßt hatte, wurde jetzt die linke entfernt. Lucienne war völlig verängstigt. Da es für einen Eingriff zu spät war, verordnete man Bestrahlungen. Die Bestrahlungen hatten keinen Erfolg. Man schickte sie nach Hause und injizierte ihr männliche Hormone. Als ich sie wieder einmal besuchte, war sie kaum wiederzuerkennen, ein Schnurrbart umschattete ihre Lippen, und sie sprach mit einer tiefen Männerstimme. Nur der Schimmer ihrer weißen Zähne war geblieben. Von Zeit zu Zeit faßte sie sich mit der Hand an die bandagierte Brust und seufzte: man spürte, wie gebrechlich und geplagt dieses Drüsenbündel war, das bereits in Fäulnis überzugehen begann, und ich wäre am liebsten davongelaufen. Sie schrieb an Heilkünstler, sie versuchte es mit Wundermitteln, sie träumte davon, nach Amerika zu reisen, um dort Spezialisten zu konsultieren. Und sie weinte. Man brachte sie ins Krankenhaus: In den Nachbarbetten starben alte Frauen an Krebs. Man verabreichte ihr auch weiterhin Hormoninjektionen. Aufgebläht, bärtig, von einer grotesken Häßlichkeit, litt sie unsäglich und konnte sich nicht mit dem Tod abfinden. Als ich aus Saint-Tropez zurückkehrte, teilte mir ihre Freundin mit, daß sie im Sterben läge. Am nächsten Tage war sie tot nach einem Todeskampf, der vierundzwanzig Stunden gedauert hatte. «Sie sieht aus wie eine achtzigjährige Greisin», erzählte mir ihre Freundin. Ich hatte nicht den Mut, mir die Leiche anzusehen.

Dieser Zwischenfall verdüsterte noch obendrein ein Jahr, das trotz fleißiger Arbeit, trotz der Freude und Erregung, die mir Sartres Stück schenkte, für mich ein recht melancholisches war. Die Menschen waren verdrossen. Obwohl MacArthur kaltgestellt worden war, gingen die Kämpfe in Korea weiter, und die französische Wirtschaft litt darunter. Bei der Beerdigung Pétains hatten Vichy-Anhänger und ehemalige Kollaborateure in aufsehenerregender Weise demonstriert, und die Juni-Wahlen brachten dank dem System der Listenkoppelung den Sieg der demokratischen Bourgeoisie. Sartre fand die Ereignisse und seine eigene Situation wenig erheiternd, und das stimmte mich traurig. Olgas Mißerfolg bereitete mir Kummer. Und es fiel mir schwer, über die Affäre mit Algren hinwegzukommen. Er hatte nicht wieder geheiratet, aber das war nicht der springende Punkt. Es war zwecklos, mich nach seinen Gefühlen zu fragen: Selbst wenn es ihn viel Überwindung kostete, mich beiseite zu schieben, würde er es tun, falls er es für nötig hielt. Diese Affäre war zu Ende. Ich war weniger niedergedrückt, als ich es zwei Jahre früher gewesen wäre: Jetzt war ich nicht mehr fähig, meine Erinnerungen in welkes Laub zu verwandeln, es wurden lauter klingende Golddukaten. Außerdem hatte sich in den zwei Monaten in Miller die Betäubung in Resignation gewandelt. Ich litt nicht mehr. Aber von Zeit zu Zeit gähnte in mir eine Leere. Mir war, als sei mein Leben stehengeblieben. Ich betrachtete die place Saint-Germain-des-Prés. Dahinter fand sich nichts mehr. Früher hatte mein Herz auch anderswo geschlagen. Heute saß ich mehr oder weniger dort, wo ich saß. Wie armselig!

Wir schrieben einander selten und ohne uns viel zu sagen. In einem Brief, den ich in Saint-Tropez erhielt, schlug er mir vor, den Oktober in Miller zu verbringen. Er bot mir unzweideutig jene Freundschaft an, die sich so leicht aufrechterhalten läßt, wenn ein Bruch ohne Groll erfolgt ist und man in derselben Stadt wohnt. Ich fragte Sartre um Rat. «Warum nicht?» sagte er. Ich willigte ein.

Ende Juni kam Lise mit Willy und Bernard nach Paris. Ihre Freunde

freuten sich über das Wiedersehen, und bei ihrer Ankunft strahlte sie
über das ganze Gesicht; trotzdem war auf beiden Seiten die Enttäuschung
groß: Sie verstand uns nicht mehr, und uns schien sie sehr fremd. Scipion
fiel aus allen Wolken, als sie ihm vorwarf, daß er nicht jeden Monat ein
Budget aufstelle. Die USA waren ihr Vaterland geworden. Sie bewunderte und akzeptierte fast alles. Am 14. Juli bummelte ich zusammen mit
ihr und einer ganzen Bande durch die Tanzlokale des Viertels. Wir kehrten auch im *bal des timides* (Bei den ‹Schüchternen›) gegenüber der
‹Closerie des Lilas› ein. Als ich mich aber von ihr verabschiedete, war mir
klar, daß sie keine Lust mehr hatte, auch nur vorübergehend nach Paris
zurückzukehren. Ein paar Jahre lang korrespondierten wir miteinander;
nach und nach siegte von den gemischten Gefühlen, die sie mir gegenüber
hatte, die Animosität. Ich hörte auf, ihr zu schreiben; momentan tauschen wir nur Weihnachtskarten aus. Sie hat wieder geheiratet, hat Kinder, und anscheinend geht es ihr trotz ernsthafter körperlicher Beschwerden und einer gewissen Unzufriedenheit gut.

Mitte Juli flogen wir nach Oslo, und ich ließ meine melancholischen Anwandlungen zurück. Sartres norwegischer Verleger stellte uns ein Auto
und einen Chauffeur für eine Fahrt durch Telemarken zur Verfügung:
Kiefern, Seen, alte Holzkirchen, die einsam mitten in den Wiesen standen. Dann Bergen mit seinen uralten Speichern, seinen alten bunten
Holzhäusern rund um den stillen Hafen, dem lebhaften Treiben auf
dem Fischmarkt. Abends gingen wir an Bord eines Dampfers. In jedem
Hafen stand ein Auto bereit, um uns über Land zu fahren. Sartre hatte
diese Gegend schon früher einmal in Gesellschaft seiner Eltern besucht.
In den gleichfalls aus Holz erbauten Städtchen des Nordens gab es Gär-
ten, in denen Felsen an die Stelle des Rasens und der Gesträucher traten.
Tagsüber saß ich auf der Brücke und las Boswells *Das Leben von Samuel
Johnson* und seine Tagebücher. Abends betrachtete ich lang die regungslos am Rande des Horizonts verweilende Sonne und den delirierenden
Himmel. Eine von Finsternis umgebene Feuerkugel: So stellt sich in der
ersten Novelle, die Sartre geschrieben hatte, ein kleines Mädchen die
Mitternachtssonne vor. Die Wirklichkeit hatte ihn enttäuscht: Es war
ganz einfach Mitternacht, und der Tag brach an. Ich war nicht enttäuscht; die ungewohnte nächtliche Helligkeit hielt mich auf der Brücke
bis zu einer Stunde fest, die anderswo die des Morgengrauens ist. Wir
fuhren um verschneite Felsklippen, deren weiße Hänge steil ins Meer
abfielen. Von Kirkenes aus brachte uns ein Auto bis zur russischen Grenze: Hinter Gestrüpp und Stacheldraht waren die mit dem roten Stern
versehenen Wachtposten zu sehen. Ich war ergriffen, als ich mit eigenen
Augen das verbotene Land sah, das uns soviel bedeutete. Wir kehrten
um und besuchten andere Häfen. Die «Bergenbane», der Stolz Norwe-
gens, brachte uns nach Oslo zurück: Es ist die einzige Eisenbahn der

Welt, die über Gletscher fährt. Obwohl sie nicht höher als 1300 Meter steigt, rollten wir stundenlang durch ewigen Schnee.

Sartre war genau wie ich auf Island zwischengelandet, und so hatten wir uns vorgenommen, uns dort umzusehen. Wir verbrachten auf Island zehn erstaunliche Tage. Diese erst seit dem 10. Jahrhundert bewohnte kleine Vulkaninsel kennt keine Vorgeschichte, nicht einmal Fossilien. Die Bäche dampfen, die Zentralheizung wird aus unterirdischen Quellen gespeist: am schwierigsten war es, in den Hotelzimmern kaltes Wasser zu bekommen. Mitten im Freien stehen Kabinen, die als ‹Dampfbäder› dienen. Es gibt fast keine Bäume. Ein Dickicht bezeichnete man als Wald. Aber dafür gab es Lavawüsten, Berge von der Farbe fauler Eier, welche Schwefeldünste speien und von ‹Hexenkesseln› durchlöchert sind, in denen der Schlamm kocht, Schlacken, die von weitem wie die Umrisse phantastischer Städte aussehen. Schneefelder und Gletscher bedecken diese Vulkane, und ihr grelles Weiß reicht bis ins Meer hinab. Es gab keine Eisenbahn und nur wenige Straßen. Nicht nur die mit Hühnerkäfigen beladenen Bauern werden im Flugzeug befördert, sondern auch die Wanderungen der Schafherden vollziehen sich per Flug. Die Bauern ähneln eher amerikanischen Cowboys als den Landwirten Europas: gut gekleidet, immer in Stiefeln, wohnen sie in Häusern, die mit allem modernen Komfort ausgestattet sind, und reisen zu Pferd.

Während die Landschaft von einer planetarischen Schönheit ist, wirken die Städte mit ihren Holzhäusern und Wellblechdächern sehr trist. Unaufhörlich fegt ein scharfer Wind durch die geradlinigen Straßen Reykjaviks. Wir wohnten wie alle Ausländer im Hotel ‹Borg›. Auf den Tischen des Speisesaals verkündeten kleine Fähnchen die Nationalität der Gäste. Wir wurden von den dort ansässigen Franzosen, unter ihnen Paul-Émile Victor, liebenswürdig empfangen. Mehrere Male im Laufe der Woche beförderte er mit Fallschirmen Lebensmittel, Medikamente, Gerätschaften zu den Stationen auf Grönland. Abends sagte er: «Ich komme aus Grönland», so als ob er einen Tag in Meudon verbracht hätte. Er erzählte uns von den Eskimos, von seinen Expeditionen, von seinen Erlebnissen als Fallschirmjäger. Es waren auch zwei Filmleute da. Sie drehten einen Dokumentarfilm. Den einen hatte ich in Hollywood kennengelernt, der andere war Stammgast im ‹Flore›. Sie nahmen uns im Auto zum See Thingvallavatn mit, dessen blaue Gewässer mit kleinen Vulkanen und einer Art aus Schlacken gebildeten Atollen bestreut sind; sie gleichen riesigen Maulwurfshügeln. Wir lernten auch den Sohn des Nordpolforschers Scott kennen, der wilde Tiere fing, und einen isländischen Geologen, der nach Steinen suchte. Sie brachten uns mit dem Jeep in Felslandschaften, die bunter waren als Blumenbeete. Wir flogen nach dem düsteren Akureyri, und von dort aus folgte ich in einem Wasserflugzeug der herrlichen Nordküste bis zu dem an der nördlichen Spitze der Insel gelegenen kleinen Hafen. Meine einzigen Reisegefährten waren zwei bärtige junge Männer. «Wir bereisen Island per Anhalter», hatten sie mir erklärt.

Die Isländer trinken viel. Sie sind imstande, Schnaps aus Stiefelwichse herzustellen. Die Hauptarbeit der Polizei besteht darin, nachts in den Straßen die Betrunkenen einzusammeln. Am Samstagabend wurde im Hotel ‹Borg› getanzt, und es waren Herren im Smoking mit besudelten Hemdbrüsten, die von der Polizei in die grüne Minna verladen wurden.

Beim französischen Gesandten fand ein Empfang statt: Das war damals einer der wenigen Winkel auf der Erde, wo russische und amerikanische Würdenträger einander zuprosteten. Ich unterhielt mich auf englisch mit der Frau eines Sowjetdiplomaten, die auf ihrer blonden Frisur eine Jardiniere trug. «Ich möchte gern Paris kennenlernen», sagte sie zu mir. «Ich möchte gern Moskau kennenlernen.» Dabei ließen wir es bewenden.

Nachher flogen wir nach Edinburgh. Schottland, das wir zu Schiff, von See zu See, von Insel zu Insel durchstreiften, war nicht so seltsam wie Island, aber sehr schön. Platt und fahl lag die Insel Iona vor uns mit ihren keltischen Relikten, Fingals Fels, dessen Eingang zu den Grotten an diesem Tag durch haushohe Wellen versperrt war. Auf der Fahrt durch die Hebriden las ich die Schilderung der Reise, die Johnson und Boswell dorthin gemacht hatten. Wir durchstreiften ein riesiges, hügeliges, mit Heidekraut bewachsenes Gelände. Auf den Karten waren die berühmten Stätten entweder durch zwei Degen – Schlacht – oder durch einen Degen – Blutbad – gekennzeichnet. Wir spazierten in Walter Scotts Landschaft umher und besuchten die Melrose-Abtei. Aber die schottische Kargheit wurde uns zuviel. Nur mit größter Mühe waren Zimmer aufzutreiben, und in den Zimmern konnte man nicht arbeiten: es gab weder Tisch noch Lampe. «Wenn Sie schreiben wollen, gehen Sie bitte ins Schreibzimmer», sagte man zu Sartre. Er breitete seine Papiere auf dem Nachttisch oder auf den Knien aus. Die Mahlzeiten waren nicht weniger streng geregelt. Wenn wir um zehn Uhr vormittags auf ein Boot warteten, servierte uns kein Hotel einen Milchkaffee oder ein Stück Brot: Fürs Frühstück war es zu spät, fürs Mittagessen zu früh. Die Städte waren von einer entmutigenden Tristesse.

Wir blieben vierzehn Tage in London. Zufällig trafen wir Mamaine Koestler in einem Restaurant. Sie war geschieden, sah genauso graziös und noch zarter aus als früher. Zusammen mit ihrer Freundin Sonja, der Witwe George Orwells, führte sie uns in einen jener privaten Clubs, die in London die einzige Zuflucht der Nachtschwärmer sind: das ‹Gargoyle›, sechs Etagen hoch gelegen. Dort trafen wir Leute – unter anderem einen Neffen Freuds, der Maler war – und tranken. Als wir am nächsten Morgen in das Flugzeug nach Paris einstiegen, war ich völlig erschlagen. «Der ist schon jetzt übel», murmelte ein Steward zu meiner tiefen Beschämung.

Auf unserer Reise durch Norwegen zeigte ich Sartre die erste Version meines Romans. Es verspräche mein bestes Buch zu werden, sagte er, aber ich müsse noch fleißig daran arbeiten. Allzu perfekt gebaute Intrigen ärgerten mich durch ihre Künstlichkeit. Ich hatte mir vorgenommen, die Unordnung, die Unbestimmtheit und die Zufälligkeit des Lebens nachzuahmen. Ich ließ die Personen und die Ereignisse kreuz und quer durcheinanderlaufen. Alles Wichtige spielte sich hinter den Kulissen ab. Sartre sagte mir, daß ich entweder eine völlig andere Technik hätte wählen müssen, oder die von mir gewählte, da sie zu meinem Thema paßte, rigoroser hätte anwenden müssen. So wie das Buch jetzt aussehe, sei es schlecht konstruiert und lähme das Interesse des Lesers. Er überredete mich dazu, die Episoden fester miteinander zu verknüpfen, spannende und retardierende Momente einzuschalten. Die Schwierigkeiten des Dialogs hätte ich zwar begriffen, aber nicht überwunden. Zuweilen sprechen die Intellektuellen von ihren Ideen, diskutieren und argumentieren: Selbst gekürzt und transponiert, sagte Sartre, drohen solche Gespräche langweilig zu werden. Sie waren tatsächlich langweilig. Noch etwas störte ihn: Um meine Personen völlig glaubhaft zu finden, müßte der Leser ihre Werke kennen. Ich könne sie nicht ihm zuliebe zu Papier bringen: Also entziehe sich ihm ihre objektive Realität. Ihre Arbeit, der wesentliche Kern ihres Lebens, spiele nur indirekt, gleichsam am Rande eine Rolle. Dieser Fehler entsprach meinem Vorhaben. Was das übrige betraf, so entschloß ich mich, alles umzuarbeiten. In solchen Fällen berichten die Klatschtanten, man habe «alles verbrannt und von neuem begonnen»: Das macht kein Mensch. Man baut auf der bereits geleisteten Arbeit auf.

Den Monat Oktober verbrachte ich bei Algren. Flugzeug, Eisenbahn, Taxi. Als ich vor dem Haus an der Forrest Avenue ankam, war ich ganz ruhig. Ich hatte nichts mehr zu gewinnen, nichts mehr zu verlieren. Der *indian summer* entfaltete abermals seine Pracht. Wieder badete ich im See, saß mit einem Buch in der Sonne, sah mir die Fernsehsendungen an. Ich beendete meinen Essay über de Sade. Ich fuhr nur sehr selten nach Chicago. Eines Abends trank ich mit Algren Martinis im ‹Tip-top-tap›, etliche zwanzig Stockwerke über den Häusern der Stadt. Nachher sahen wir uns Renoirs Film *Der Strom* an: eine unanständig verlogene Geschichte, die auf Algren einschläfernd wirkte. Ein andermal hielt Algren einen Vortrag in einem israelitischen Club. Da in Chicago der Antisemitismus sehr ausgeprägt war, bildete ich mir ein, wer unter ihm zu leiden habe, müsse geneigt sein, die bestehende Ordnung anzuzweifeln. Aber als Algren die Rauschgifte verteidigte und die Gesellschaft angriff, welche die Jugend zu trauriger Wirklichkeitsflucht zwinge, sah ich nur lauter saure Gesichter. «Er spricht weniger gut, als er schreibt», murmelte man. Algren geißelte auch die Korruption der Polizei. Ein im Saal anwesender Richter antwortete mit einer Lobrede auf die Bravheit der «Blauen Jungen» – der Polizeibeamten. Man zollte ihm Beifall. (Zehn Jahre später kam das offizielle Eingeständnis: Eine große Zahl städtischer Polizeibeamter wurde wegen Einbruchdiebstahls, Erpressung, Mittäterschaft usw. vor Gericht gestellt. So lange hatte es gedauert, bis der Skandal platzte, aber auch schon 1951 ging es so zu wie 1960, und viele wußten es.)

Algren beabsichtigte, seine frühere Frau wieder zu heiraten. Als ich während der letzten Oktobertage am Strand zwischen den goldbepuderten Dünen und dem schillernden Blau des Wassers spazierenging, überlegte ich mir gründlicher denn je, daß ich weder ihn noch das Haus, noch den See, noch diesen Sand, auf dem die kleinen weißen Stelzenläufer ihre Nahrung suchten, je wiedersehen würde, und ich wußte nicht, was ich tiefer bedauerte: Ging es um einen Mann, um eine Landschaft oder um mich selber? Beide wollten wir den Abschied so kurz wie nur möglich gestalten. Algren würde mich um die Mittagszeit in den Zug nach Gary setzen, ich würde dann allein zum Flughafen fahren. Am letzten Vormittag kam uns die Zeit sehr lang vor. Wir hatten keine Lust, miteinander zu reden, und das Schweigen war uns peinlich. Schließlich sagte ich, ich sei mit meinem Aufenthalt zufrieden, und es sei zwischen uns zumindest eine wahre Freundschaft erhalten geblieben. «Es ist keine Freundschaft», erwiderte er brutal. «Ich könnte Ihnen nie weniger geben als Liebe.» Diese Worte, so plötzlich nach den friedlichen Wochen, stellten alles wieder in Frage: Wenn die Liebe noch da war, warum dieser endgültige Abschied? Die ganze Vergangenheit lastete wieder auf meinem Herzen, und meine Niederlage war mir unerträglich. Im Taxi, im Zug, im Flugzeug und abends in New York bei einem Disney-Film, in dem Tiere einander auffressen, weinte ich unaufhörlich. Von meinem Zimmer im Hotel ‹Lincoln› aus schrieb ich mit einem Tränenschleier vor den Augen einen kurzen Brief an Algren: Ist es aus oder nicht? Am Allerseelentag traf ich in Paris ein. Überall Chrysanthemen und schwarzgekleidete Menschen. Und ich wußte die Antwort auf meine Frage.

«Man kann Gefühle für jemanden bewahren», schrieb mir Algren, «ohne sich damit abzufinden, daß sie einem auch weiterhin das ganze Leben beherrschen und durcheinanderbringen. Eine Frau zu lieben, die einem nicht gehört, die anderen Dingen und anderen Menschen den Vorrang gibt, ohne daß es in Frage käme, jemals an die erste Stelle zu rücken, damit kann man sich nicht abfinden. Ich bereue keine der Stunden, die wir miteinander verbracht haben. Aber ich wünsche mir jetzt ein anderes Leben mit einer eigenen Frau und einem eigenen Haus ... Die Enttäuschung, die ich vor drei Jahren erlebt habe, als ich einzusehen begann, daß Ihr Leben Paris und Sartre gehört, liegt weit zurück und ist verklungen. Seither habe ich versucht, Ihnen mein Leben wieder wegzunehmen. Ich hänge sehr an meinem Leben, es paßt mir nicht, daß es einem so weit entfernten Menschen gehöre, einem Menschen, den ich jedes Jahr nur für wenige Wochen zu sehen bekomme ...»

Es blieb nichts übrig, als einen Strich unter alles zu machen. Ich machte ihn.


Als Sartre und ich während der Besetzung Frankreichs auf unseren Fahrrädern durch die Gegend strampelten, träumten wir von einem Motorrad. 1951 war es uns möglich, einen viel ehrgeizigeren Plan zu verwirklichen, den ich vor dem Krieg gehegt hatte: ein Auto zu kaufen. Auf Genets Rat entschied ich mich für einen Simca neueren Modells, eine Aronde. An der place Montparnasse nahm ich Unterricht bei einem Fahrlehrer, dessen Name prädestiniert schien: M. Voiturin. Bost, der gerade erst seinen Führerschein erworben hatte, fuhr mit mir am Sonntag in die Umgebung hinaus, und ich durfte üben: Es ging nur mit Ach und Krach. Bei der Durchfahrt durch ein Dorf geriet ich – zum Glück mit fünf Stundenkilometern – auf den Bürgersteig. Ich erschreckte die Leute und war selber ganz verängstigt. Trotzdem staunte ich darüber, daß mir, obwohl ich es nie fertiggebracht hatte, auch nur den kleinsten Apparat zu beherrschen, diese Maschine einigermaßen gehorchte. Als ich meinen Führerschein in der Tasche hatte, dehnten sich unsere Spazierfahrten, an denen auch Olga oft teilnahm, auf einen ganzen Tag oder sogar zwei Tage aus. Ich liebte die Waldstraßen, deren roter Pelz im Winter weiß verbrämt war. Ich liebte den normannischen Frühling, die Teiche der Sologne, die Dörfer der Touraine. Ich entdeckte Kirchen, Abteien, Schlösser. Ich fuhr nach Auvers. Ich sah van Goghs Café, die Kirche, die Hochebene und auf dem Friedhof die von Efeu überwucherten Doppelplatten.

Nach der hundertsten Aufführung von *Le Diable et le bon Dieu* lud Simone Berriau ganz Paris ins ‹Carlton› ein. Weder der Autor noch seine Freunde ließen sich blicken. Wir trafen uns jetzt wieder in der ‹Plantation›, wo Transvestiten verkehrten. Seit einiger Zeit waren Wortspiele große Mode. Scipion paradierte mit einem doppelten und aktuellen Wortspiel: «Es muß jetzt heißen, diese Rotte Korea geht mir auf die Nerven, und nicht ...» Cau, der einen Sprung an die Champs-Élysées gemacht hatte, erzählte uns von der offiziellen Festlichkeit. Neujahr feierten wir, wie im vergangenen Jahr, bei mir zu Hause.

Die Mitarbeiter der *Temps Modernes* trafen sich auch weiterhin am Sonntagnachmittag bei Sartre, zu den Klängen des Dudelsacks: Auf der Schwelle des Hauses spielten kostümierte Musikanten Volksweisen, und in einem Nachbarhaus tanzten Bretonen. Neue Gesichter waren aufgetaucht: Péju, Claude Lanzmann, Chambure. Klappstühle waren gekauft worden, damit alle sitzen konnten. Lanzmann und Péju waren bei verschiedenen Zeitungen als *rewriters* angestellt, eine Beschäftigung, die ihnen das tägliche Brot garantierte und genug Zeit ließ, sich mit anderen Dingen zu beschäftigen. Sie besaßen eine solide philosophische Bildung, aber ihr Hauptinteresse galt der Politik. Sie halfen Sartre, die politische Seite der Zeitschrift wieder mehr herauszustellen, und sie sind es vor allem gewesen, die *Les Temps Modernes* die Wendung zur ‹kritischen Kameradschaft› mit den Kommunisten gaben, die Merleau-Ponty über Bord geworfen hatte (*Merleau-Ponty vivant*). Lanzmann war mir sehr sympathisch. Viele Frauen fanden ihn attraktiv: auch ich gehörte zu ihnen. In zwanglosem Ton servierte er die gewagtesten Formulierungen, und seine Geisteshaltung ähnelte der Sartres. Sein gespielt-naiver Humor hat so manche Zusammenkunft aufgeheitert. Wir tranken Himbeersaft und diskutierten heftig, machten Vorschläge, sprachen über dieses und jenes und zitierten Perlen aus den *Aspects de la France* und dem *Rivarol*. Ende November bat Sartre, daß sich jemand freiwillig melden möge, um eine Rezension über Camus' Essayband *Der Mensch in der Revolte* zu schreiben. Da wir mit Camus befreundet waren, wollte er nicht, daß das Buch schlecht besprochen wurde. Keiner von uns aber hielt etwas von dem Buch, und wir fragten uns, wie man aus dieser Sackgasse herauskommen könnte.

Diese Zusammenkünfte zählten zu den seltenen Lichtpunkten in einer Zeit, die eine der finstersten in meinem Leben war. In Frankreich und außerhalb seiner Grenzen wurde es immer schlimmer. «Das rückständigste Unternehmertum der Welt» versteifte sich auf den Malthusianismus. Die Produktion erreichte mit Mühe und Not das Niveau von 1929, die Preise stiegen unaufhörlich, während die Löhne und Gehälter sich kaum änderten. Unbekümmert ob der Flaute wetterte die Bourgeoisie gegen die Kommunisten. Die Hochfinanz und die Regierung bezahlten Jean-Paul David, damit er seine Propaganda gegen die Fünfte Kolonne verstärke: Er hatte eine Sendereihe im Radio und überschwemmte Paris mit Plakaten und Broschüren. Die zersplitterte Linke brachte es nicht fertig, den Krieg in Indochina zu beenden oder wegen der Gärung in Nordafrika die kolonialistische Politik zu mildern. (Im Dezember fand an der Elfenbeinküste der Prozeß gegen 460 Schwarze statt, die unter den von mir angedeuteten Umständen verhaftet worden waren.) Abgesehen von Kritzeleien an den Wänden – «U.S. go home» – hatten die Linken der geheimen Besetzung, wie sie Sartre vor einem Jahr vorausgesagt hatte, nichts entgegenzusetzen. In den USA war McCarthy im Juni so weit gegangen, zuerst General Marshall und dann Dean Acheson anzuklagen. Man begann die Vertreter der Vereinigten Staaten bei der UNO unter die Lupe zu nehmen. Diese Verfolgungen waren unverhohlene Präliminarien eines Präventivkrieges, den Eisenhower selbst in einem Interview ankündigte, das er im Oktober der Illustrierten *Match* bewilligte: Die Armeen des Westens müßten sich darauf vorbereiten, sehr bald in den Außenbezirken Leningrads zu kämpfen. *Collier's*

*Weekly* brachte eine Reportage über den Zustand der Welt im Jahre 1960, fünf Jahre nach dem Atomkrieg. Meiner Phantasie fiel es schwer, sich solche Katastrophen auszumalen, aber ich glaubte auch nicht mehr an den Frieden. Die Zukunft war genau wie 1940 in tiefes Dunkel gehüllt, und ich vegetierte dahin, ohne zu leben. Fast ebenso schmerzlich wie damals berührte mich Frankreichs Versklavung. Eines Abends, während einer Autotour, aß ich mit Olga und Bost in einem Restaurant in Chinon. Der Speisesaal war hübsch, wir tranken guten Wein und waren vergnügt. Zwei amerikanische Militärs kamen herein, und da schnürte es mir das Herz zusammen: Ich kannte dieses Gefühl. Bost sagte ganz laut: «Sie wirken auf mich genauso wie die Boches.» Vor sieben Jahren hatten wir sie geliebt, diese großen Soldaten in ihren Khakiuniformen, mit ihrem friedlichen Aussehen: Sie waren unsere Befreier gewesen. Jetzt verteidigten sie ein Land, das von einem Ende des Erdballs bis zum anderen Diktatur und Korruption unterstützte: Syngman Rhee, Tschiang Kai-schek, Franco, Salazar, Batista ... Jetzt waren ihre Uniformen ein Zeichen der Abhängigkeit und der tödlichen Gefahr.

Wenn man zu altern beginnt, wird die Zeit kürzer. Sieben Jahre waren Gestern. Der schöne Sommer, als alles von neuem begonnen hatte, war noch immer die Wirklichkeit meines Lebens, und zwar in einem solchen Ausmaß, daß ich den Roman, an dem ich arbeitete, «Les Survivants» nennen wollte. Diese Wirklichkeit aber war zerstört worden, und obwohl meine Enttäuschung bereits 1948 ihren Anfang genommen hatte, hatte ich sie noch nicht bis zu Ende ausgekostet. Mein Aufruhr verschlimmerte die Niedergeschlagenheit, die die meisten meiner Landsleute mit mir teilten.

Die Jugend von 1945 war bitter enttäuscht worden. Der französische Film verkümmerte. Abgesehen von den kommunistischen Organen gab es keine Linkspresse mehr. Filmgenies und Journalisten in spe lieferten eine recht magere Ernte. Die Menschen, die damals jung gewesen waren, zweifelten allzusehr an ihrer Zeit (folglich an sich selber), als daß sie sich für die Literatur hätten erwärmen können. Vian, der Schärfste, hatte fast ganz und gar auf die Schriftstellerei verzichtet: Er verfaßte Chansons, die er dann vortrug, und schrieb an einer Jazzchronik. Für die Politik interessierten sie sich gerade nur, um in den Bars von Saint-Germain-des-Prés miteinander darüber diskutieren zu können, nicht aber, um in ihr eine Lebensweise oder den Sinn des Lebens zu suchen. Es war nicht ihre Schuld. Was sollten sie tun? Was sollte man zu jener Zeit in Frankreich tun? Die Hoffnung hatte uns geeint: Jetzt war sie uns fast völlig abhanden gekommen. Mit unseren älteren Freunden blieben wir durch die Vergangenheit verbunden, aber in bezug auf die Gegenwart und die Zukunft waren wir, abgesehen von Genet, Giacometti und Leiris, mit keinem restlos einer Meinung. Die Menschen, die in unserem Leben vor dem Krieg eine Rolle gespielt hatten, waren – mit Ausnahme von Olga und Bost – mehr oder weniger von der Bühne abgetreten. Mme Lemaire wohnte auf dem Land, Herbaud war im Ausland. Pagniez war wieder schlecht auf Sartre zu sprechen, sie hatten eigentlich miteinander gebrochen. Camille hatte sich seit Dullins Tod völlig zurückgezogen.

Zum zweitenmal hatte ich meine Erinnerungen an Chicago begraben. Sie schmerzten nicht mehr: Aber wie traurig war diese Beruhigung! «Jetzt ist es aus», sagte ich mir, und dabei dachte ich nicht nur an mein Glück an Algrens Seite. Ich fühlte mich weniger denn je zu sogenannten Abenteuern geneigt und überlegte mir, daß mein Alter und die Umstände es nicht mehr erlaubten, auf eine neue Liebe zu hoffen. Mein Körper paßte sich mühelos an – vielleicht dank einem seit jeher tief verwurzelten Stolz: Er forderte nichts. Irgend etwas in mir aber wollte sich mit dieser Gleichgültigkeit nicht abfinden. «Ich werde nie mehr in der Wärme eines Körpers eingehüllt schlafen.» Nie mehr: Welch ein Totengeläute! Als mich diese Gewißheit überfiel, taumelte ich dem Tod entgegen. Schon immer hatte das Nichts mich erschreckt, aber bisher war ich Tag für Tag gestorben, ohne es zu bemerken: Plötzlich, mit einem Schlag, versank ein großes Stück meiner selbst. Das war so brutal, wie eine Verstümmlung, und unerklärlich, weil mir ja nichts geschehen war. Mein Spiegelbild hatte sich nicht verändert. Hinter mir lag eine Vergangenheit voller Leidenschaft, die mir noch ganz nahe war: Aber in den langen Jahren, die noch vor mir lagen, würde sie nie wieder aufblühen – nie mehr. Plötzlich befand ich mich jenseits einer Grenze, die ich nie im Leben überschritten hatte: Ich war vor Erstaunen und Verdruß wie vor den Kopf geschlagen.

Meine Arbeit würde mir nicht erlauben, diese Zukunft zu erschließen, zu der mir die Weltgeschichte wie die meines kleinen privaten Lebens den Zutritt verwehrten. Ich war nicht sicher, ob es mir gelingen würde, die Schwächen auszumerzen, auf die Sartre mich aufmerksam gemacht hatte. Immerhin hatte es ein bis zwei Jahre gedauert, bevor ich mich an die Arbeit heranwagte. Der Horizont war so schwarz, daß ich, um weiterzumachen, fast ebensoviel Mut aufbieten mußte wie 1941, als ich die Arbeit an *L'Invitée* wiederaufnahm. Mir lag sehr viel an diesem Buch. 1943 und 1945 hatten meine Erfolge mich befriedigt. Im Augenblick war ich weit weniger zufrieden. *Tous les hommes sont mortels* war nicht angekommen. *Le deuxième Sexe* behauptete sich, hatte mir aber in Frankreich einen äußerst zweideutigen Ruf verschafft. Ich hätte gern etwas anderes angefangen. Leider würde – davon war ich überzeugt – das geplante Buch nur ein geringes Echo erwecken. Ich schrieb, strich aus, fing wieder von vorn an, quälte und plagte mich und machte mir gar keine Hoffnungen. Was sich in der großen Welt ereignete, war auch nicht gerade ermutigend. Für Leute, die es ablehnten, sich einem der beiden Blöcke anzuschließen, war kein Platz mehr. Sartre war wie ich der Meinung, daß ich Links wie Rechts Mißfallen erregen würde: Wenn ich dreitausend Leser fände, dann wäre es schon sehr schön. Dieses drohende Fiasko, an dem wir nicht zweifelten, stimmte uns an und für sich schon traurig, besonders aber deshalb, weil es von unserer Isolierung, von unserem Exil zeugte. Jede politische Aktivität war uns versagt, und unsere literarischen Produkte würden ebenfalls im Wüstensand versickern.

Sartre war mir wie immer eine große Hilfe. Trotzdem schien er mir fremder, als er es je gewesen war und als er es je hätte sein dürfen. Seine Erfolge hatten ihn nicht verändert, aber sie hatten eine Situation geschaffen, die ihn mehr oder weniger von der übrigen Welt absonderte und damit auch manche Bindung zerstörte, die zwischen uns bestand. Er setzte den Fuß nicht mehr in die Cafés, in denen wir früher so gern beisammen gewesen waren, er war in Auron nicht mit mir auf die Skihänge gegangen, der unbekannte Teilhaber unseres gemeinsamen Lebens war durch die Macht der Umstände zu einer Persönlichkeit des öffentlichen Lebens geworden. Ich hatte ein Gefühl, als ob man ihn mir geraubt habe! «Warum sind Sie denn nicht ein unbekannter Poet!» sagte ich oft zu ihm. In dem Bemühen, seinen politischen Standpunkt zu überprüfen, mußte er eine äußerst aufreibende innere Arbeit und gleichzeitig umfangreiche Studien bewältigen, die seine ganze Zeit in Anspruch nahmen. Ich trauerte seinem früheren Leichtsinn und den Vergnügungen unseres goldenen Zeitalters nach – den Spaziergängen, den Bummeleien, den Abenden im Kino (wo wir überhaupt nicht mehr hingingen). Er forderte mich auf, es ihm gleichzutun. «Das müssen Sie lesen!» sagte er zu mir und deutete auf die Bände, die sich in seinem Arbeitszimmer häuften. Er betonte: «Das ist aufregend!» Ich konnte nicht: Ich mußte meinen Roman beenden. Ich hatte zwar auch das Verlangen, mein Jahrhundert und meinen Standort besser zu begreifen, aber es war mir nicht so unerläßlich wie ihm. Im vergangenen Jahr hatte er sich gezwungen gesehen, hypothetisch für den Fall eines Einmarsches der Russen zwischen zwei Lösungen zu wählen. Die eine war undurchführbar: bleiben, ohne sich unterjochen zu lassen – die zweite abscheulich: fliehen. Daraus hatte er geschlossen, daß es ihm unmöglich sei, der zu sein, der er war, und er sah keinen Weg, weiterzuleben, wenn er diesen Engpaß nicht überwinden konnte. Also kam er notgedrungen wieder auf den Plan zurück, den er seit Jahren mit sich herumtrug: eine Ideologie aufzubauen, die dem Menschen hilft, seine Situation zu erkennen, und ihm dadurch eine praktische Haltung empfiehlt. Ein solcher Ehrgeiz lag mir fern. Meine Bedeutung war, objektiv gesehen, nicht so groß, als daß die Eventualität einer russischen Besetzung mich persönlich vor besondere Probleme gestellt hätte. Ich konnte nicht damit rechnen und hatte im Augenblick auch kein Verlangen danach, auch nur die geringste politische Rolle zu spielen. Dieselben Bücher zu lesen wie Sartre, über dieselben Themen nachzudenken, wäre also für mich eine sinnlose Beschäftigung gewesen. Sein Vorhaben war allzu eng mit seiner Person verknüpft, als daß ein anderer Mensch, sogar ich, hätte mitmachen können. Obwohl ich das wußte, hatte ich den Eindruck, daß mich seine Einsamkeit von ihm trennte. «Es ist nicht mehr so wie früher», sagte ich mir. Da ich meiner Vergangenheit treu geblieben war, genügte dieser Gedanke, um mir das Herz zu zerreißen. Der Heldin in *Les Mandarins* habe ich Worte in den Mund gelegt, die ich mir selber sagte: «Daß ich mich nicht mehr glücklich fühle, macht mich unglücklich.» Auch sagte ich mir: «Es gibt Menschen, die unglücklicher sind als ich» – aber diese Wahrheit war mir kein Trost, im Gegenteil: Diese matte Trauer in meinem Innern glich einem Resonanzboden, der einen Klagechor einfing. Eine allgemeine Verzweiflung beschlich mein Herz, bis ich mir wünschte, die Welt möge untergehen.

Diese Umstände erklären die Panik, die mich zu Anfang des Frühjahrs befiel. Bis dahin war ich nie schwerkrank gewesen: 1935 hatte ich nicht gewußt, wie ernst mein Zustand war. Zum erstenmal in meinem Leben fühlte ich mich bedroht.

«Es ist nichts», sagte ich mir anfangs. Dann fragte ich mich: «Ist es etwas?» Ich verspürte in der rechten Brust ein leichtes Stechen, und an einer bestimmten Stelle befand sich eine Schwellung. «Es ist nichts», sagte ich mir immer häufiger, und immer häufiger betastete ich bestürzt die ungewohnte haselnußgroße Beule. Ich erinnerte mich an Lucienne Baudins behaartes Gesicht, an ihre Agonie. Einen Augenblick lang packte mich die Angst: «Und wenn es Krebs ist?» Ich schob diesen Gedanken beiseite: Ich fühlte mich wohl. Dann kehrten die stechenden Schmerzen zurück und mit ihnen die Besorgnis. Mein Körper schien nicht mehr unverwundbar. Von Jahr zu Jahr verfiel er heimlich und allmählich: Warum sollte er sich nicht auf einen Schlag zersetzt haben? Mit geheucheltem Gleichmut erzählte ich Sartre davon. «Gehen Sie doch zum Arzt, damit er Sie beruhigt.» Man nannte mir einen Spezialisten. Ich suchte ihn an einem jener Apriltage, da der Sommer vorzeitig vom Himmel zu fallen scheint, auf. Ich hatte wie am Tag zuvor meinen Pelzmantel angezogen und kam vor Hitze um, während ich eine der trostlosen Avenuen entlangging, die von der Alma abzweigen. Der Chirurg äußerte sich anfangs sehr ermutigend: Im Hinblick auf mein Alter sei es ratsam, zu operieren und an Ort und Stelle eine Biopsie vorzunehmen. Aber andererseits sähe ich nicht aus wie eine Krebskranke, und die verdächtige Geschwulst lasse sich mit dem Finger hin und her schieben: Das sei ein Beweis für ihren gutartigen Charakter. Um aber der Konsultation eine des Honorars würdige ernste Wendung zu geben, ließ er einen Zweifel bestehen. Er fragte mich, ob ich für den Fall, daß es sich um einen bösartigen Tumor handelte, mit der Entfernung der Brust einverstanden wäre. «Natürlich», erwiderte ich. Leicht erschüttert ging ich weg. Es ging mir nicht um die Verstümmelung, aber ich erinnerte mich an Lucinnes Zimmergefährtin. Zehn Jahre später greift dann der Krebs auf die andere Brust über, und man stirbt unter entsetzlichen Schmerzen. (Das trifft bei weitem nicht immer zu, aber ich bildete es mir ein.) Von meinem viel zu schweren Mantel erdrückt, schweißgebadet, von Angst geschüttelt, blickte ich zu dem blauen Himmel auf und dachte: «Wenn es wirklich ein Krebsgeschwür sein sollte, wird er genauso aussehen, er wird mir kein Zeichen geben ...» Mit erstickter Stimme erzählte ich Sartre, was der Arzt gesagt hatte. Die Art und Weise, wie er mich tröstete, zeigte deutlich, was für Wolken auf der Zukunft lasteten: Im schlimmsten Fall könnte ich mit ungefähr zwölf weiteren Lebensjahren rechnen – und in zwölf Jahren würde die Atombombe uns alle erledigt haben.

Ich sollte am Montag operiert werden. Am Sonntag fuhr ich mit Bost weg, um die schöne Abtei von Larchant zu besichtigen. Ich steuerte wie eine Schlafmütze und würgte den Motor dauernd ab. Bost wurde ungeduldig: Statt etwas dazuzulernen, vergaß ich das Gelernte. Er verstand den Zusammenhang zwischen einer Operation, die er für harmlos hielt, und meiner Nervosität nicht. «Sie müssen wissen», sagte ich auf der Heimfahrt, «daß ich vielleicht Krebs habe!» Er sah mich verblüfft an: «Aber nein! Das kann Ihnen doch nicht passieren.» Ich bewunderte an ihm, daß er so tapfer an meinem früheren Optimismus festhielt. Abends ging ich in die Klinik. Ich aß, ich las, ich legte mich frühzeitig ins Bett. Eine Schwester rasierte mir die Achselhöhle. «Für den Fall, daß man Ihnen alles wegnehmen muß ...» sagte sie lächelnd. Man gab mir eine Spritze, und ich schlief. Ich hatte resigniert: Nicht aus Neugier wie damals, als mir vorübergehend ein Aufenthalt im Sanatorium gedroht hatte, sondern eher aus bitterer Gleichgültigkeit. Nachdem ich noch eine Spritze erhalten hatte, holte man mich am nächsten Morgen mit einem Rollwagen ab, der nur mit einem Laken zugedeckt war. Am Eingang zum Operationssaal erhielt ich noch eine Injektion in eine Vene am linken Arm. Ich sagte noch: «Es riecht nach Knoblauch», und dann spürte ich nichts mehr. Als ich auf die Erde zurückkehrte, hörte ich eine Stimme: «Es fehlt Ihnen absolut nichts» – und dann machte ich die Augen wieder zu. Engel schaukelten mich. Nach zwei Tagen wurde ich entlassen, die Brust dick bandagiert, aber aufs höchste verwundert darüber, daß ich wohlbehalten und von meiner Furcht befreit war.

Der Frühling steckte mich mit seiner Fröhlichkeit an. Sartre, Bost, Michelle und ich fuhren im Auto in den Süden. Michelle hatte sich von Boris getrennt, und Sartre, der sie schon immer anziehend gefunden hatte, war eng mit ihr liiert. Ich mochte sie gern, denn sie war überall gern gesehen, weil sie sich nie vordrängte. Sie war eine reizende Reisegefährtin, heiter, ein wenig geheimnisvoll, sehr zurückhaltend und doch sehr gegenwärtig. Die Fahrt machte uns Spaß, in Tournus besuchten wir die Abtei des heiligen Philibert und in Hauterive das Haus des Briefträgers

Cheval. Ich zankte mich eifrig mit Bost um das Steuer: Beide fuhren wir gern lange Strecken. In Saint-Tropez ruhte sich Bost ein bißchen aus. Eines Abends brachte ich ihn zum Bahnhof von Saint-Raphaël, und auf dem Rückweg war ich ganz aufgeregt, weil ich zum erstenmal allein am Steuer saß. Meine Kühnheit wuchs. Bei Tagesanbruch verließ ich das Hotel in Aïoli. In den Straßen mit den geschlossenen Läden fand ich die Atmosphäre meiner früheren Wanderungen wieder. Damals fuhr ich oft per Anhalter. Wie herrlich war es gewesen, wenn ein Wagen hielt und mich mitnahm! Mir kam es wie ein Wunder vor, in zehn Minuten zwei Marschstunden zu bezwingen. Jetzt, da ich Chauffeur und Fahrgast zugleich war, hatte ich immerzu Lust, mich bei mir selber zu bedanken. Die Fußwanderungen hatten mir Freude gemacht. Aber die des heutigen Tages waren mir so neu, daß ich die gestrige beinahe vergaß. Ich fand die Provence wieder, die ich vor zwanzig Jahren geliebt hatte, und sah sie dennoch in einem anderen Licht: Die Vergangenheit und die Gegenwart verschmolzen in meinem Herzen. Ich wagte es sogar, Merleau-Ponty und seine Frau, die gerade nach Saint-Tropez gekommen waren, auf den schmalen Straßen der Maures-Berge spazierenzufahren. Sie hielten sich sehr tapfer. Sie waren allerdings mit einem Ehepaar gereist, das keinen Führerschein besaß. An gefährlichen Stellen hatten Mann und Frau mit Faustschlägen um das Steuer des Wagens gekämpft. Viele Leute aus meinem Bekanntenkreis lernten fahren. Nachdem die Not der Nachkriegszeit vorbei war, konnte man sich allmählich wieder ein Auto leisten.

Ich arbeitete ein wenig. Sartre schrieb über Mallarmé. Auf der Terrasse des ‹Sennequier›, in der ‹Bar de la Ponche› unterhielt er sich mit mir und erklärte mir einige Gedichte. Durch Verabredungen in Zeitnot gebracht, fuhr er mit der Bahn nach Paris zurück. Ich fuhr allein bis Avignon, stolz auf mein Können und ein wenig von der Angst vor einer Reifenpanne verfolgt, die ich nicht hätte beheben können. In Avignon holte ich Bost vom Frühzug ab, der aus Paris kam, um mir auf der Rückfahrt behilflich zu sein.

Kurze Zeit später fuhr ich wieder fort. Während Sartre mit Michelle drei Wochen in Italien verbrachte, fuhr ich mit Olga und Bost spazieren, entdeckte kleine Seitenwege und Winkel, die ohne Auto schwer zugänglich sind: zum Beispiel Volterra. Es war angenehm, nach Lust und Laune über Ort und Zeit verfügen zu können. Als ich nach Paris zurückkehrte, sah ich mir die prachtvolle mexikanische Ausstellung an.

Zwei Tatsachen kennzeichneten den Beginn dieses Sommers: Sartre verfeindete sich mit Camus und näherte sich den Kommunisten.

Zum letztenmal traf ich Camus mit Sartre im April, in einem kleinen Café an der place Saint-Sulpice. Er zog gewisse Vorwürfe ins Lächerliche, die gegen sein Buch erhoben worden waren. Er war davon überzeugt, daß es uns gefiel, und Sartre war es sehr peinlich, ihm antworten zu müssen. Ein wenig später traf ihn Sartre im ‹Pont-Royal› und bereitete ihn darauf vor, daß die Besprechung in den *Temps Modernes* reserviert, vielleicht sogar streng ausfallen werde. Camus war anscheinend unangenehm überrascht. Francis Jeanson hatte sich schließlich bereit erklärt, *Der Mensch in der Revolte* zu rezensieren. Er hatte uns zwar versprochen, das Buch schonend zu behandeln, er hatte sich aber dann doch gehenlassen. Sartre setzte gewisse Milderungen durch, aber in der Redaktion der *Temps Modernes* gab es keine Zensur. Camus tat so, als ob er Jeanson ignorierte, und richtete an Sartre einen Offenen Brief, in dem er ihn «Herr Chefredakteur» betitelte. Sartre antwortete in derselben Nummer. Und damit war zwischen ihnen alles aus.

Diese Freundschaft nahm eigentlich nur deshalb ein so plötzliches Ende, weil schon seit einiger Zeit nicht mehr viel von ihr übriggeblieben war. Der ideologische und politische Gegensatz, der bereits 1945 zwischen Sartre und Camus bestanden hatte, war von Jahr zu Jahr deutlicher geworden. Camus war Idealist, Moralist, Antikommunist. Nachdem er sich eine Zeitlang den Erfordernissen der Geschichte hatte beugen müssen, war er bestrebt, sich so schnell wie möglich zurückzuziehen. Das Elend der Menschen bedrückte ihn, aber er führte es auf die natürlichen Gegebenheiten zurück. Sartre hatte sich seit 1940 bemüht, den Idealismus zu widerlegen, sich von seinem ursprünglichen Individualismus zu lösen, um den historischen Ablauf mitzuerleben. Da er dem Marxismus nahestand, bemühte er sich um ein Bündnis mit den Kommunisten. Camus kämpfte für hohe Grundsätze. Deshalb hatte er sich von dem blauen Dunst Gary Davis' täuschen lassen. Im allgemeinen weigerte er sich, die präzisen Aktionen mitzumachen, für die Sartre sich einsetzte. Während Sartre an die Wahrheit des Sozialismus glaubte, verteidigte Camus immer entschlossener die bürgerlichen Werte. In *Der Mensch in der Revolte* bekannte er sich zu ihnen. Da eine neutrale Haltung zwischen den beiden Blöcken unmöglich geworden war, näherte sich Sartre der UdSSR. Camus verabscheute sie, und obwohl er die USA nicht liebte, stellte er sich praktisch auf ihre Seite. Ich erzählte ihm die Episode in Chinon. «Ich fühlte mich in die Zeit der Besetzung zurückversetzt», sagte ich zu ihm. Er betrachtete mich mit einem gleichzeitig aufrichtigen und gespielten Erstaunen. «Wirklich?» Er lächelte. «Warten Sie eine Weile. Sie werden eine Besetzung erleben, aber andere Besatzungssoldaten.»

Diese Meinungsverschiedenheiten waren viel zu ernst, als daß sie eine Freundschaft nicht in ihren Grundfesten erschüttert hätten. Außerdem erleichterte Camus' Charakter keine Kompromisse. Ich nehme an, daß er die Brüchigkeit seiner Standpunkte geahnt hat. Er duldete keinen Widerspruch. Sowie er auf Kritik stieß, bekam er einen seiner abstrakten Wutausbrüche, die an eine Flucht erinnerten. Als *Le Diable et le bon Dieu* aufgeführt wurde, war es zu einer Annäherung zwischen ihm und Sartre gekommen, und wir hatten in den *Temps Modernes* seinen Essay über Nietzsche veröffentlicht, obwohl er uns ganz und gar nicht befriedigte. Aber diese schüchterne Wiederbelebung alter Beziehungen war nicht von Dauer gewesen. Camus wartete die erstbeste Gelegenheit ab, um Sartre seine Nachgiebigkeit gegenüber dem «autoritären Sozialismus» vorzuwerfen. Sartre war schon seit langem der Meinung, daß Camus sich auf der ganzen Linie täusche und daß er darüber hinaus, wie er es ihm in seinem Brief vorhielt, «völlig unerträglich» geworden sei. Mich persönlich berührte dieser Bruch nicht. Der Camus, den ich früher einmal gern gehabt hatte, existierte sowieso nicht mehr.

Die Kommunisten hatten Sartre zum Eintritt in das Komitee für die Befreiung Henri Martins aufgefordert und ihn gebeten, an einem Buch mitzuarbeiten, das diese Affäre schildern sollte. Er willigte ein. Er fand diese Festnahme skandalös und war froh, daß sich eine Verständigung anbahnte. Die Umstände hatten ihn davon überzeugt, daß es für die Linke keinen anderen Ausweg gebe, als die Aktionseinheit mit der KP wiederherzustellen. Und der Widerspruch, der ihn quälte, war ihm unerträglich geworden. «Ich war Opfer und Komplice des Klassenkampfes. Opfer, weil ich von einer ganzen Klasse gehaßt wurde, Komplice, weil ich mich verantwortlich und machtlos fühlte.» (Unveröffentlichte Aufzeichnung.) «Ich hatte den Klassenkampf in der allmählichen Spaltung entdeckt, die uns mit jedem Tage weiter von ihnen [den Arbeitern] entfernte. Ich bekannte mich zu ihm, konnte mir aber nicht vorstellen, daß er total sei ... Ich habe ihn gegen meinen Willen entdeckt.» (Unveröffentlichte Aufzeichnung.) Sartre sagte eines Tages zu mir: «Meine Gedanken waren immer gegen mich selber gerichtet.» Nie aber ereiferte er sich so sehr wie in den Jahren von 1950 bis 1952. Die 1945 mit dem Artikel über das literarische Engagement eingeleitete Arbeit war vollendet. Er hatte alle seine Illusionen über die Möglichkeit einer persönlichen Erlösung aufgegeben. Er war an dem gleichen Wendepunkt angelangt wie der Götz: Er war bereit, eine kollektive Disziplin zu akzeptieren, aber nicht, auf seine Freiheit zu verzichten. «Nach zehn Jahren endloser Grübeleien hatte ich den Punkt erreicht, da es nicht mehr weiterging, und es bedurfte nur noch eines Anstoßes.» (Unveröffentlichte Aufzeichnung.) Ein Buch von Guillemin, *Le Coup du 2 décembre*, hatte großen Eindruck auf ihn gemacht. In seiner Jugend hatte er Politzer, für den die Bürger zur Gänze durch ihre Ausbeuterrolle definiert waren, entgegengehalten, daß die Bourgeois untereinander gewisser Tugenden fähig seien. Er respektierte seinen Stiefvater, einen Ingenieur, der andere und sich selber hart anfaßte, überaus fleißig war und ein einfaches Leben führte. Die Zusammenarbeit mit den Deutschen (die meisten Freunde des Stiefvaters wurden zu Kollaborateuren, obwohl er selber Gaullist war) ließ Sartre vermuten, daß alle bürgerlichen Vorzüge durch die Entfremdung in ihr Gegenteil verkehrt werden. *Le Coup du 2 décembre* zeigte ihm, was Menschen zu denken und zu schreiben vermögen, die genauso anständig waren wie der Mann seiner Mutter. Aus dem Mund der Kapitalisten spricht das Kapital, aber der Bourgeois, der, um seine Interessen zu verteidigen, kaum bemäntelte Gewaltmittel anwendet, ist darum nicht weniger ein Mensch aus Fleisch und Blut. Guillemin riß die Schleier weg, die diese Verfahrenspraxis verschleiern. Von da an erschien der Klassenkampf Sartre in seinem wahren Licht: Es standen hier Menschen gegen Menschen. Mit einemmal hatten Freundschaften und Feindschaften nur noch gefühlsmäßigen Charakter. Er schäumte vor Wut, als er in Italien von der Verhaftung Duclos' erfuhr, die am Abend der gegen Ridgway gerichteten Kundgebung erfolgt war. (Ridgway hatte Eisenhower an der Spitze des SHAPE abgelöst. Drei Tage vorher war André Stil verhaftet worden, weil er ihn in der *Humanité* als den «General des bakteriologischen Krieges» bezeichnet hatte.) Dann brach am 4. Juli der Streik zusammen. Die Reaktion triumphierte, es kam zu zahlreichen Verhaftungen und Beschlagnahmen, Gerüchte schwirrten durch die Gegend, deren groteskestes die Geschichte von den Brieftauben war. «Im Namen der Prinzipien, die sie mir eingeimpft hatte, im Namen der Freiheit, der Gleichheit, der Brüderlichkeit schwor ich der Bourgeoisie einen Haß, der nur mit meinem Leben enden wird. Als ich Hals über Kopf nach Paris zurückkehrte, mußte ich schreiben, oder ich wäre erstickt.» (*Merleau-Ponty vivant*) Er schrieb den ersten Teil von *Les Communistes et la paix* mit einem Ungestüm, das mich erschreckte. Ich schrieb an meine Schwester: «Im Laufe von zwei Wochen hat er fünf Nächte lang kein Auge zugetan und in den übrigen Nächten nur vier bis fünf Stunden geschlafen.»

Der Artikel erschien in den *Temps Modernes* einen Monat vor der Antwort an Camus. Beide Elaborate hatten den gleichen Sinn: die Nachkriegszeit sei endgültig zu Ende. Jetzt gebe es keinen Aufschub mehr und keine Versöhnung. Man sei vor eine klare Wahl gestellt. So schwierig Sartres Position war, so hat er doch nie bereut, diesen Standpunkt bezogen zu haben. Sein Irrtum hatte bisher, wie er meinte, darin bestanden, daß er den Konflikt lösen wollte, ohne über seine Situation hinauszugehen. «Es galt, einen Schritt zu tun, der aus mir einen anderen Menschen machte. Es galt, den Standpunkt der UdSSR vorbehaltlos zu akzeptieren und mich nur auf mich selber zu verlassen, soweit es galt, meinen eigenen Standpunkt aufrechtzuerhalten. Schließlich war ich deshalb allein, weil ich es nicht energisch genug sein wollte.» (Unveröffentlichte Aufzeichnung.)

Die Zeit, die wir damals erlebten, habe ich in *Les Mandarins* wiederzugeben versucht. Das Buch sollte mich noch monatelang beschäftigen. Aber es war alles bereits entschieden. Trotzdem möchte ich hier einiges darüber sagen.

Von 1943 an war mein Glück von den Ereignissen getragen worden. Ich war so fest mit meiner Zeit verbunden gewesen, daß ich nichts über sie zu sagen wußte. *Tous les hommes sont mortels* spiegelt wider: wenn auch auf dem Umweg über eine Fabel, die mich aus meinem Jahrhundert entführte. Als ich mich 1946 fragte: «Was soll ich jetzt schreiben?», nahm ich mir vor, von mir nicht, aber von meiner Zeit zu sprechen: Ich stellte sie nicht in Frage. Als ich an *Le deuxième Sexe* arbeitete, veränderten sich die Dinge um mich her. Der Sieg des Guten über das Böse vollzog sich nicht mehr von selbst: er schien sogar aufs schwerste gefährdet zu sein. Aus dem kollektiven Azurblau war ich zusammen mit vielen anderen in den Staub der Erde hinuntergepurzelt: Der Boden war mit zerstörten Illusionen übersät. So wie früher das Fiasko, das mein Privatleben durcheinanderbrachte, *L'Invitée* inspiriert hatte, so reagierte ich auch jetzt auf meine jüngsten Erlebnisse und empfand den Wunsch, sie durch Worte zu retten: Es war mir möglich und notwendig geworden, sie in ein Buch zu bannen.

Ein Erlebnis ist keine Reihe von Tatsachen, und ich hatte nicht die Absicht, eine Chronik zu schreiben. (Wenn ich heute meine Vergangenheit in historischem Stil schildere, gehe ich von einem Plan aus, über den ich mir erst später Rechenschaft ablegte und der anders aussieht als mein ursprünglicher Plan, den ich 1949 im Bann eines Mißgeschicks entwarf, das ich noch nicht überwunden, ja noch nicht einmal begriffen hatte und das mich noch quälte.) Ich habe bereits erwähnt, was für mich eine der wesentlichen Rollen der Literatur ist: zweideutige, widersprüchliche, voneinander getrennte Wirklichkeiten zu formulieren, die kein einzelner Augenblick weder in mir noch außerhalb meiner selbst zu addieren vermag. In gewissen Fällen lassen sie sich nur dadurch zusammenfassen, indem man sie in die Einheit eines imaginären Objekts einzeichnet. Meiner Meinung nach konnte nur ein Roman den vielfältigen und wechselnden Sinn der veränderten Welt herausstellen, in der ich im August 1944 aufgewacht war: eine in ständigem Wandel begriffene Welt, die nicht mehr aufgehört hatte, in Bewegung zu sein.

Sie riß mich in ihrem Strom mit, und zugleich mit mir die Dinge, an die ich geglaubt hatte: das Glück, die Literatur. Was ist das Glück wert, wenn es mir die Wahrheit verschleiert, statt sie zu enthüllen? Warum schreibt man, wenn man sich nicht mehr mit einer Mission betraut fühlt? Nicht nur mein Leben (das ich mir ja nicht zurechtspinne), sondern sein Gesicht, das Gesicht meiner Zeit und all dessen, das ich liebte, hing von der Zukunft ab. Wenn ich mir vorstellte, die Menschheit sei auf dem Weg zum Frieden, zur Gerechtigkeit, zum Überfluß, dann hatten meine Tage eine andere Färbung, als wenn sie dem Krieg zustrebte oder in ihrem Jammer nicht von der Stelle kam. Wie schon früher langweilte mich die praktische Politik – Komitees, Versammlungen, Fabrikation langatmiger Manifeste, Diskussionen. Aber ich interessierte mich für alles, was sich in der Welt tat. Was man damals den ‹Zusammenbruch der Résistance› nannte, hatte ich als eine persönliche Niederlage empfunden, als die siegreiche Wiederkehr des bürgerlichen Regimes. Mein Privatleben war stark in Mitleidenschaft gezogen worden. Unter lärmenden Zusammenstößen oder in aller Stille waren die Feuer der Freundschaft, die nach Beendigung der Besetzung rund um mich her loderten, mehr oder weniger erloschen. Ihre Agonie war mit dem Erlöschen unserer gemeinsamen Hoffnungen Hand in Hand gegangen, und um diesen Kern gruppierte sich mein Buch. Um von mir zu sprechen, mußte ich von uns sprechen, in dem Sinn, den das Wort 1944 besessen hatte.

Eine Schwierigkeit dabei war mir klar. Wir waren Intellektuelle, eine besondere Gattung Menschen: Man rät den Romanciers, sich nicht mit ihr zu befassen. Eine merkwürdige Fauna zu schildern, deren Abenteuer nur anekdotisches Interesse haben, wäre keine verlockende Aufgabe gewesen. Aber wir sind doch schließlich und endlich menschliche Geschöpfe, eben nur ein wenig mehr als andere darauf bedacht, unser Leben in Worte zu kleiden. Wenn sich mir der Wunsch aufdrängte, einen Roman zu schreiben, dann nur deshalb, weil ich mich damals an einen bestimmten Punkt in Zeit und Raum versetzt fühlte, von dem auch alle die Töne, die ich mir selber abringen würde, die Chance hatten, in einer Vielzahl anderer Herzen ein Echo zu finden.

Ich erfand eine Menge Figuren, die uns repräsentieren sollten, darunter zwei ‹Hauptpersonen›. Obwohl die Grundhandlung sich um den Bruch der Freundschaft zwischen zwei Männern und ihr Wiederaufleben dreht, hatte ich eine der privilegierten Rollen einer Frau zugeteilt, da vieles, das ich sagen wollte, mit meiner Lage als Frau zusammenhing. Zahlreiche Gründe bewogen mich, Anne einen männlichen Helden an die Seite zu stellen. Erstens einmal ist es bequem, mehrere Blickpunkte zu benützen, um zu zeigen, wie schwer durchschaubar die Welt ist. Ferner sollten die Beziehungen zwischen Henri und Dubreuilh von dem einen innerlich erlebt werden. Vor allem aber wäre das Buch, hätte ich Anne die Totalität meines Erlebnisses aufgebürdet, entgegen meiner Absicht die Studie eines Einzelfalles geworden. Indem ich einen Schriftsteller schilderte, wollte ich den Leser veranlassen, in ihm seinesgleichen und nicht ein merkwürdiges Tier zu sehen. Eine Frau aber, deren Berufung und Beruf die Schriftstellerei ist, ist eine größere Ausnahme als der männliche Kollege. (Ausnahme sei hier weder mit Monstrum noch mit Wunderding synonym, ich fasse das Wort im statistischen Sinne auf.) Meine Feder habe ich also nicht Anne, sondern Henri anvertraut. Ihr habe ich einen Beruf gegeben, den sie mit weiser Zurückhaltung ausübt. Die Achse ihres Lebens ist das Leben anderer Menschen: ihres Mannes, ihrer Tochter. Diese Abhängigkeit, durch die Anne mit der Mehrzahl der Frauen verwandt ist, interessierte mich an und für sich und hatte außerdem einen großen Vorteil: Tief in die von mir geschilderten Konflikte verstrickt, die ihr trotzdem fremd bleiben, sieht Anne sie aus einer ganz anderen Perspektive als Henri und Dubreuilh. Ich wollte aus meiner Nachkriegszeit erkennbare und zugleich schleierhafte Bilder bieten, klare, aber niemals starre Bilder. Anne lieferte die Negative der Gegenstände, die sich, mit Henris Augen gesehen, in positiver Gestalt offenbarten. Meine Einstellung zur Literatur war zwiespältig: Es war eher eine Frage des Auftrags als des eigenen Seelenheils. Angesichts der H-Bombe und der hungernden Millionen schienen mir Worte sinnlos zu sein. Trotzdem arbeitete ich mit Feuereifer an *Les Mandarins*. Anne schreibt nicht, hat aber das Bedürfnis, daß Dubreuilh seine schriftstellerische Tätigkeit fortsetze. Henri will einmal schweigen, dann wieder nicht schweigen. Aus der Kombination der Widersprüche gewann ich eine Vielfalt verschiedener Belichtungen: Genauso konfrontierte ich mich selber mit der Aktion und ihren Skandalen, mit dem Elend der anderen, mit ihrem Tod, mit meinem Tod, mit der Vergänglichkeit der Zeit ... Eingedenk der Opposition, auf der ich *Tous les hommes sont mortels* aufgebaut hatte, schenkte ich Anne den Sinn für den Tod und den Geschmack am Absoluten, die ihrer Passivität angemessen sind, während Henri sich mit dem Dasein begnügt. So sind die beiden Aussagen, die in dem Roman miteinander abwechseln, nicht symmetrisch; ich habe mich vielmehr bemüht, zwischen ihnen eine Art Kontrapunkt zu setzen, so daß sie einander ein ums andere Mal verstärken, nuancieren, aufheben.

Während ich Henri so schilderte, wie er sich selber empfindet, in seiner Familiarität, wollte ich daneben auch einen Schriftsteller in seinem Überschwang und seiner Manie zeigen. Dubreuilh, berühmt, älter, der Politik und der Literatur fanatischer verschworen als Henri, nimmt in diesem Buch eine Schlüsselstellung ein, weil Anne, seine Frau, und Henri, sein Freund, durch die Beziehungen zu ihm definiert sind. Obwohl ich ihm, da Anne ihn so genau kennt, recht nahe auf den Leib rücke, habe ich seine Undurchsichtigkeit bestehen lassen. Durch die Kraft seiner Erfahrungen und die Schärfe seines Denkens ist er den anderen überlegen. Da jedoch sein Monolog geheim bleibt, habe ich auf dem Umweg über die beiden anderen mehr über ihn ausgesagt als auf direktem Wege.

An zwei Porträts habe ich mit viel Sorgfalt gearbeitet: Nadine und Paule. Anfangs wollte ich mich an Nadine für gewisse Züge rächen, die mich bei Lise und bei mehreren Frauen, die jünger waren als ich, abgestoßen hatten, darunter auch eine sexuelle Roheit, die auf unangenehme Weise ihre Frigidität verrät, und eine Aggressivität, die nur sehr unzulänglich ihr Minderwertigkeitsgefühl verdeckt. Sie fordern Unabhängigkeit, ohne daß sie den Mut hätten, den Preis dafür zu zahlen; das Unbehagen, zu dem sie sich selber verurteilen, verwandeln sie in Groll. Ich habe anderswo erwähnt, daß die Kinder berühmter Eltern es oft schwer haben, heranzuwachsen. Der Charakter, den ich anfangs skizziert hatte, schien der Tochter Dubreuilhs angemessen zu sein. Nach und nach sah ich in den Umständen, aus denen ihr schlechtes Benehmen zu erklären war, Entschuldigungsgründe. Nadine erschien mir mehr als ein Opfer denn als schuldig. Ihr Egoismus zerfiel. Hinter der harten Fassade war sie plötzlich sensibel, generös und der Hingabe fähig geworden. Ohne zu entscheiden, ob sie sie ergreifen werde, bot ich ihr am Schluß des Buches die Chance, glücklich zu werden.

Unter allen meinen Geschöpfen war es Paule, die es am schwersten hatte, Gestalt anzunehmen, weil ich mich ihr auf verschiedenen Wegen näherte, die einander nicht kreuzten. Bei Anne wird die Abhängigkeit durch ihr direktes und warmes Interesse an den Dingen und Menschen gemildert. Paule konzipierte ich als eine Frau, die sich von ihrem Mann völlig entfernt hat und ihn im Namen dieser Versklavung tyrannisiert: eine Verliebte. Besser als zu der Zeit, als ich in *Le Sang des autres* eine dieser Unglückseligen unter dem Namen Denise skizziert hatte, wußte ich jetzt, wie gefährlich es für eine Frau ist, sich von ganzer Seele an einen Schriftsteller oder Maler zu binden, der nur seine Pläne im Auge hat: Sie verzichtet auf ihre eigenen Interessen, auf ihre Beschäftigung, sie strengt sich an, ihn zu imitieren, ohne sich mit ihm vereinen zu können, und wenn er sich von ihr abwendet, steht sie mit leeren Händen da. Ich habe zahllose Beispiele dieses Abstiegs gesehen und wollte mich dazu äußern. Ich dachte auch an die Frauen, die in ihrer Jugend bis zum Übermaß schön und strahlend sind und sich nachher zwecklos Mühe geben, die Zeit aufzuhalten: Allzu viele Gesichter spukten in meinem Kopf. Außerdem erinnerte ich mich an das Delirium Louise Perrons. Es fehlte mir an Zeit, um aus präzisen Absichten, Bildfetzen, verzehrenden Erinnerungen eine der Gesamtheit des Buches angemessene Person und Handlung zu ersinnen.

Man hat mir zuweilen vorgeworfen, daß ich mein Geschlecht nicht durch eine Frau habe repräsentieren lassen, die wie die Männer berufliche und politische Verantwortung auf sich nimmt. In diesem Roman machte ich einen Bogen um die Ausnahme. Ich schilderte die Frauen so, wie ich sie im allgemeinen sah, wie ich sie heute noch sehe: zersplittert. Paule klammert sich an die traditionell weiblichen Werte: sie genügen ihr nicht, sie ist innerlich bis zum Irrsinn zerrissen. Nadine gelingt es nicht, ihre Weiblichkeit zu akzeptieren noch über sie hinauszuwachsen. Anne kommt eher als die anderen einer wahren Freiheit nahe. Trotzdem gelingt es ihr nicht, in ihren eigenen Unternehmungen eine Erfüllung zu finden. Keine kann vom feministischen Gesichtspunkt aus als eine ‹positive Heldin› gelten. Das gebe ich zu, ohne es zu bereuen.

Ich habe bereits erwähnt, daß ich die Bindungen zwischen diesen Personen anfangs recht locker gestalten wollte. Mich langweilten die allzu straffen Konstruktionen, die dem Roman sehr oft eigen sind. Das war einer der Vorwürfe, die Sartre mir machte, nachdem er die erste Version gelesen hatte. In Anbetracht der von mir gewählten Form war die Unklarheit des Handlungsablaufs nicht böse Absicht, sondern eine Schwäche: Ich schürzte den Knoten fester. Aber mich störte es nicht, daß eine lange und wichtige Episode am Rande blieb: die Liebe zwischen Anne und Lewis. Ich habe davon erzählt, weil ich gern ein Ereignis, das mir am Herzen lag, ins Romantische transponieren wollte; und da die auf ihre Augenzeugenrolle beschränkte Anne keine Präsenz besessen hätte, lag mir daran, ihr ein persönliches Leben zu schenken. Außerdem war es für mich eines der Wunder der Jahre nach 1945 gewesen, daß sich die Welt so plötzlich öffnete: Diese Erweiterung des Horizonts habe ich dadurch angedeutet, daß ich meine Heldin ein überseeisches Abenteuer erleben lasse. Soweit meine Schilderung überzeugend wirkt, verdankt sie es ihrem zufälligen Charakter, denn in dem Augenblick, als Anne Lewis begegnet, hat sie für den Leser schon seit langem existiert, er kennt die Welt, in der sie lebt, er hat Zeit gehabt, sich für sie zu erwärmen. Ich konnte ihn mit ihr vertraut machen, bevor etwas Drastisches passierte, weil der Roman andere Brennpunkte hatte. Das haben die Leute nicht begriffen, die zwar diese Liebesgeschichte billigen, aber es vorgezogen hätten, wenn ich sie, auf die Einheitlichkeit bedacht, gesondert behandelt hätte. Hätte ich sie aus dem Zusammenhang herausgerissen, dann wäre ihr Inhalt verlorengegangen: Das, was man die Fülle eines imaginären oder realen Individuums nennt, ist die Verinnerlichung seiner Umgebung. Freilich steht Lewis in keinem Zusammenhang mit dem Ganzen, aber wir sehen ihn mit Annes Augen. Mir ist es recht, daß er nur in dem Augenblick existiert, da er für sie existiert, und daß man nur in dem Maße an ihn herankommt, wie es ihr selber gelingt. Wenn man sie für glaubhaft hält, dann ist man auch geneigt, ihn für glaubhaft zu halten. Unter allen meinen Personen nähert sich Lewis am meisten einem lebenden Modell. Da er außerhalb der Handlung steht, bleibt er von ihren Erfordernissen verschont, und es stand mir frei, ihn nach Gutdünken zu zeichnen. Es traf sich – ein seltener Zufall –, daß Algren in Wirklichkeit äußerst repräsentativ war für das, was ich darstellen wollte. Aber ich bin nicht bei der anekdotischen Treue stehengeblieben. Ich habe Algren benutzt, um eine Figur zu erfinden, die ohne Bezug zur Welt der Lebenden existieren soll.

Denn es ist falsch, wenn behauptet wird, daß *Les Mandarins* ein Schlüsselroman sei. Schlüsselromane mag ich genausowenig wie romanhafte Lebensbeschreibungen: Ich kann nicht schlafen und träumen, wenn meine Sinne wach sind – ich kann mich nicht für eine Geschichte erwärmen, solange ich in der Welt verankert bin. Wenn sie gleichzeitig imaginär und real ist, dann wird der Blick des Lesers dadurch getrübt, und es zeugt von der Böswilligkeit des Autors, der ihm diese doppelte Bürde aufhalst. Es macht wenig aus, inwieweit und auf welche Weise das Erdichtete durch die gegebenen Tatsachen angeregt wurde: Es kann nur entstehen, wenn man die Fakten verbrennt und in anderer Gestalt auferstehen läßt. (Der geglückte historische Roman trägt diesem Erfordernis Rechnung. Alexandre Dumas projiziert die historischen Ereignisse und Figuren in die Dimension des Imaginären. Sein Richelieu ist unzweideutig eine Phantasiegestalt.) Den Klatschbasen, die sich über die Aschenreste beugen, entgeht das, was das Werk ihnen zu bieten hat; was sie erfassen, ist ein Nichts. Keine Tatsache hat Wahrheitsgehalt, wenn sie nicht im richtigen Zusammenhang dargestellt wird.

Dann ist Anne also nicht mit mir identisch? Zugegeben, ich habe sie nach meinem Bild geformt, aber man hat gesehen, welche Gründe mich bewogen haben, aus ihr eine Frau zu machen, in der ich mich nicht wiedererkenne. Ich habe ihr Interessen, Gefühle, Reaktionen, Erinnerungen geliehen, die meine eigenen sind, und ich spreche oft aus ihrem Mund. Trotzdem hat sie weder meine Interessen noch meinen Starrsinn, und vor allem auch nicht die Selbständigkeit, die mir ein Metier schenkt, das mir am Herzen liegt. Ihre Beziehungen zu einem zwanzig Jahre älteren Mann sind beinahe töchterlich, und obwohl die beiden eng miteinander verbunden sind, bleibt sie einsam. Nur sehr zaghaft interessiert sie sich für seine berufliche Tätigkeit. Da sie keine eigenen Ziele und Pläne hat, führt sie das ‹relative› Leben eines ‹sekundären› Wesens. Durch sie habe ich vor allem den negativen Seiten meiner Erfahrungen Ausdruck verliehen: der Angst vor dem Sterben, dem Schwindelgefühl vor dem Nichts, der Vergänglichkeit irdischer Freuden, der Schande des Vergessens, dem Ärgernis des Daseins. Die Lebensfreude, die Unternehmungslust, das Vergnügen an der Schriftstellerei habe ich Henri angedichtet. Er gleicht mir mindestens so sehr wie Anne, wenn nicht mehr.

Denn Henri – was man auch darüber gesagt haben mag – ist auf keinen Fall Camus. Er ist jung, hat braunes Haar und leitet eine Zeitschrift: Das ist aber auch alles. Zweifellos hat Camus genauso geschrieben wie er, sich seines Lebens gefreut und sich mit Politik beschäftigt, aber diese Züge hat er mit vielen anderen gemein, sowohl mit Sartre als auch mit mir. Henri ähnelt weder in seiner Sprache noch in seiner Haltung, noch in seinem Charakter, seinen Beziehungen zu den Mitmenschen, seiner Weltanschauung, noch in den Einzelheiten seines Privatlebens dem angeblichen Modell. Schon die tiefe Abneigung Camus' gegen den Kommunismus würde genügen – an und für sich und durch ihre Konsequenzen –, eine Kluft zwischen ihnen aufzureißen. Mein Held steht durch seine Beziehungen zur KP, durch seine Einstellung zum Sozialismus eher Sartre und Merleau-Ponty nahe, keineswegs aber Camus, und meistens sind es meine eigenen Empfindungen und Gedanken, die ihn erfüllen.

Sartre mit Dubreuilh zu identifizieren, ist nicht weniger abwegig. Die einzige Analogie besteht in der Neugier, in der Weltoffenheit, im Arbeitseifer. Dubreuilh aber ist zwanzig Jahre älter als Sartre, er ist durch seine Vergangenheit gezeichnet, und er zieht die Politik der Literatur vor. Autoritär, zäh, verschlossen, wenig empfindsam und wenig umgänglich, selbst in der besten Laune noch düster, unterscheidet er sich grundlegend von Sartre. Und ihre Lebensschicksale sind einander noch nicht einmal ähnlich. Während Dubreuilh enthusiastisch die SRL gründet, hat Sartre sich ohne frenetische Begeisterung verschiedenen Gruppen angeschlossen, die ihn darum ersuchten. Er hat keinen Augenblick lang auf das Schreiben verzichtet. Als er davon Kenntnis erhielt, hat er ohne Zögern das sowjetische Zwangsarbeitergesetz veröffentlicht. Die von mir erfundene Handlung weicht auch von den Tatsachen ab, und das aus gutem Grund: Da sind zunächst einmal die zeitlichen Verschiebungen. In die Jahre 1945 bis 1947 habe ich Ereignisse und Probleme verlegt, die in eine spätere Zeit gehören. Das RDR ist in der Periode des Neutralismus entstanden. Von den russischen Lagern war erst 1949 die Rede, usw. Die Verbundenheit von Henri und Dubreuilh ähnelt weit eher unserem Verhältnis zu Bost als der distanzierten Freundschaft, die uns mit Camus verband. Man hat gesehen, unter welchen Umständen Camus und Sartre sich entzweiten und damit einen Schlußpunkt hinter langjährige Meinungsverschiedenheiten setzten. Der Bruch zwischen Henri und Dubreuilh ist so völlig anders, da ich ihn schon 1950 für eine erste Version beschrieben hatte, und außerdem erfolgt eine Aussöhnung, die zwischen Sartre und Camus nie stattgefunden hat. Ihre politischen Ansichten waren schon gleich nach der Befreiung ganz verschieden. Camus gehörte weder dem Mitarbeiterstab der *Temps Modernes* noch dem RDR an. Es hat nie eine Zusammenarbeit zwischen dem RDR und dem *Combat* gegeben, dem übrigens *L'Espoir* weit weniger ähnelt als dem *Franc-Tireur*. Camus hatte die Redaktion seiner Zeitung aus Gründen verlassen, die nichts mit Sartre zu tun hatten, er gehörte ihr nicht mehr an, als man von den ‹Sowjetlagern› zu reden begann, und er stand nie vor der Frage, ihre Existenz bekanntzumachen oder zu verschweigen. Das gleiche gilt für die Nebenpersonen und sekundären Episoden: aller Stoff aus meinem Gedächtnis wurde zerstampft, zurechtgehämmert, entstellt, kombiniert transponiert, verdreht, manchmal sogar ins Gegenteil verkehrt und immer neu gestaltet. Mir wäre es lieber gewesen, wenn man das Buch für das genommen hätte, was es ist: weder eine Autobiographie noch eine Reportage, sondern eine Geisterbeschwörung.

Ich habe es auch nicht gern, wenn man *Les Mandarins* als einen Tendenzroman bezeichnet. Der Tendenzroman vertritt eine Wahrheit, die alles andere überschattet und den unendlichen Kreislauf der Zweifel zum Stillstand bringt. Ich habe dagegen gewisse Verhaltensweisen aus der Nachkriegszeit geschildert, ohne eine Lösung der Probleme zu empfehlen, die meine Helden beunruhigen. Eines der Hauptthemen meines Berichtes ist das der Wiederholung, in dem Sinne, den Kierkegaard diesem Wort verleiht: Um etwas wirklich zu besitzen, muß man es verloren und wiedergefunden haben. Am Schluß des Romans greifen Henri und Dubreuilh den Faden ihrer Freundschaft, ihrer literarischen und politischen Arbeit wieder auf. Sie kehren an den Ausgangspunkt zurück. In der Zwischenzeit aber sind ihre Hoffnungen vernichtet worden. Von nun an werden sie, statt sich in einem bequemen Optimismus zu wiegen, die Schwierigkeiten, die Fehlschläge, die Skandale hinnehmen, die jede Unternehmung mit sich bringt. Der Enthusiasmus der Parteinahme wird bei ihnen durch eine strenge Priorität ersetzt. Durch die Schilderung dieser Lehrjahre ist nichts bewiesen. Die endgültige Entscheidung der beiden Männer kann man nicht als eine Lehre bewerten; denn sie haben sie, so wie sie sind, unter den Umständen, in denen sie sich befinden, getroffen. Aber man kann schon erkennen, daß diese Zweifel in der Zukunft neu erwachen werden. Noch grundlegender wird ihr Standpunkt, der Standpunkt der Tat, der Endgültigkeit des Lebens, durch Anne in Frage gestellt, in der ich den Standpunkt des Seins, des Absoluten, des Todes verkörpert habe. Ihre Vergangenheit prädestiniert sie zu diesem Einspruch, den ihr das Grauen diktiert, das auf der Erde herrscht. Das ist ein anderes wichtiges Thema des Romans, das bereits in *Le Sang des autres* auftaucht. Als ich aber *Le Sang des autres* schrieb, hatte ich das Grauen gerade erst entdeckt. Ich versuchte mich zu wehren und behauptete mit der Stimme meines Helden, daß man es hinnehmen müsse: Auf diese Weise verfiel ich ins Didaktische. 1950 war es mir zu einer vertrauten Dimension geworden, und ich dachte nicht mehr daran, mich davor zu drücken. Während Dubreuilh glaubt, es überwinden zu können, beschäftigt sich Anne damit und trägt sich mit dem Gedanken, durch einen Selbstmord die unerträgliche Wahrheit zu bekräftigen: Diese beiden Auswege hat es für mich nie gegeben. Anne nimmt sich zuletzt doch nicht das Leben. Ich wollte nicht den Fehler, den ich bei *L'Invitée* gemacht hatte, wiederholen und meiner Heldin einen durch rein metaphysische Beweggründe veranlaßten Schritt zumuten. Anne hat nicht das Zeug zu einer Selbstmörderin, aber ihre Rückkehr zum täglichen Einerlei ähnelt mehr einer Niederlage als einem Sieg. In einer Novelle, die ich mit achtzehn Jahren geschrieben habe, geht die Heldin am Ende eine Treppe hinunter, die von ihrem Zimmer zum Salon führt: Sie wird sich zu den anderen gesellen, sich ihren Konventionen und ihren Lügen unterwerfen und das ‹wahre Leben› verraten, das sie in der Einsamkeit geahnt hat. Es ist kein Zufall, daß Anne, als sie ihr Zimmer verläßt, um zu Dubreuilh zu gehen, eine Treppe hinuntergeht: Auch sie übt Verrat. Übrigens ist die Zukunft für sie wie für Henri ungewiß. Die Konfrontation der Existenz mit dem Nichts, die ich mit zwanzig Jahren in meinem Tagebuch angedeutet, durch alle meine Bücher hindurch verfolgt und nie zu Ende geführt hatte, fand auch hier keine klare Lösung. Ich habe immer Menschen geschildert, die eine Beute der Hoffnungen und der Zweifel sind und ihren Weg tastend suchen: Was damit bewiesen ist, möchte ich gern wissen.

In *Les Mandarins* blieb ich der Technik treu, die ich bei *L'Invitée* benützt hatte, jetzt aber besser zu handhaben verstand: Annes Erzählung ist mit einem Monolog verflochten, der sich in der Gegenwart abspielt und mir erlaubt, sie zu unterbrechen, zu verkürzen, unbehindert zu kommentieren. Ich kannte die Nachteile der Form, die ich benutzt hatte. Hätte ich mich aber den Konventionen entzogen, die sie mir aufdrängte, dann wäre ich gezwungen gewesen, andere zu akzeptieren, die mich noch weniger befriedigt haben würden. Kurz nach dem Erscheinen von *Les Mandarins* schrieb Nathalie Sarraute einen Artikel, in dem sie diesen Traditionalismus in Grund und Boden verdammte. Ihre Kritik ist in meinen Augen falsch, weil sie eine unhaltbare Metaphysik voraussetzt. Ihrer Auffassung nach hat sich ‹heute› die Wirklichkeit in «kaum wahrnehmbare Zuckungen» verwandelt. Der Romanschriftsteller, der sich nicht von den «unbekannten Schlupfwinkeln der Psyche» faszinieren läßt, kann nur Attrappen oder Trugbilder fabrizieren. Sie verwechselt das Äußere mit dem Schein. Aber die äußere Welt existiert. Es ist durchaus möglich, vom Standpunkt eines veralteten Psychologismus aus gute Bücher zu schreiben, aber ich wüßte wirklich nicht, wie man daraus eine brauchbare Ästhetik ableiten könnte. Nathalie Sarraute gibt zu, daß es außerhalb ihres persönlichen Bereiches «schweres Leid, große und schlichte Freuden, mächtige Bedürfnisse» gibt und daß man sich vornehmen könnte, «in plausibler Weise das Leid und die Kämpfe der Menschen darzustellen». Aber für die Literatur sei das eine allzu niedrige Beschäftigung: Mit einer erstaunlichen Ungeniertheit überläßt sie dies den Journalisten. Demnach müßte man den Leser mit klinischen Studien, mit psychoanalytischen Protokollen, mit den unverblümten Zeugnissen der Paranoiker und Schizophrenen füttern. Da sie so gewissenhaft ist, wenn es sich darum handelt, einen Ehrgeiz oder ein Ärgernis zu sezieren, glaubte sie denn, es genügten Rechenschaftsberichte und Statistiken, um das Leben in einer Fabrik oder in einer Mietskaserne zu schildern? Die Kollektive, die Ereignisse, die Massen, die Beziehungen der Menschen untereinander und zu den Dingen, alle diese durchaus realen Gegenstände, die sich nicht auf eine geheime Herzensregung reduzieren lassen, verdienen es und fordern, von der Kunst behandelt zu werden. Daß der Dialog für den Autor ein Problem ist, gebe ich zu. Aber ich bin durchaus nicht der Meinung, daß das gesprochene Wort «die Verlängerung geheimer Regungen» sein müsse. Es dient höchst unterschiedlichen Zwecken. Am häufigsten ist es eine durch die Situation ausgelöste Handlung, die ans Licht drängt, das Schweigen durchbricht, und man entstellt es, wenn man es in die Kontinuität eines inneren Monologs einkapselt. Es gilt, nach Mitteln zu suchen, die dem Romancier helfen, die Welt gründlicher zu entschleiern, nicht aber, ihn von ihr abzulenken, um ihn in die Grenzen eines manischen und unwahren Subjektivismus zu verweisen.

Was den Stil von *Les Mandarins* betrifft, so gefällt er oder er gefällt nicht. Aber man hat ihn oft auf eine akademische Art kritisiert, als ob es einen ‹guten Stil› an und für sich gäbe, von dem ich abgewichen wäre. Ich habe mich besonders darum bemüht, der gesprochenen Sprache zu folgen. Diese Memoiren sind in einem anderen Ton geschrieben. Ein Bericht, der sich mit einer erstarrten Vergangenheit befaßt, kann durchaus etwas streng sein. Mein Roman aber sollte das Leben in seiner schäumenden Fülle heraufbeschwören, und es war mein Wunsch, eine Ausdrucksweise zu finden, die diesem bewegten Auf und Ab angemessen ist.

# Zwischenspiel

Warum plötzlich diese Pause? Ich bin mir sehr wohl bewußt, daß ein Leben nicht in scharf voneinander getrennte Perioden zerfällt, und das Jahr 1952 hat in meinem Leben keine Zäsur hinterlassen. Aber das Gelände ist nicht mehr mit der Karte identisch. Bevor ich meine Erzählung fortsetze, muß ich einige Korrekturen vornehmen.

Ein Mangel der intimen Tagebücher und der Autobiographien liegt darin, daß für gewöhnlich das, ‹was selbstverständlich ist›, nicht erwähnt wird und daß einem so das Wesentliche entgeht. Auch ich verfalle in diesen Fehler. In *Les Mandarins* habe ich zu zeigen versucht, wieviel die Arbeit meinen Helden bedeutete. Ich hatte gehofft, hier meine Arbeit deutlicher beschreiben zu können, aber das war ein Irrtum. Arbeit läßt sich nicht beschreiben. Man verrichtet sie, weiter nichts. Deshalb nimmt sie in diesem Buch einen so geringen Platz ein, während sie in meinem Leben einen so wichtigen Platz beansprucht: Sie ist der Mittelpunkt, um den sich alles gruppiert. Das betone ich deshalb, damit das Publikum sich einigermaßen einen Begriff davon macht, wieviel Zeit und Mühe ein Essay kostet. Aber für gewöhnlich glauben die Leute, daß der Roman oder die Lebenserinnerungen nur so aus der Feder flössen. «Das ist keine Kunst, das hätte ich auch gekonnt», haben junge Frauen gesagt, nachdem sie *Les Mémoires d'une jeune fille rangée* gelesen hatten: dabei ist es kein Zufall, daß sie es nicht geschafft haben. Mit ein bis zwei Ausnahmen plagen sich alle Schriftsteller, die ich kenne, ungeheuerlich: das gilt auch für mich. Und entgegen der üblichen Annahme beschäftigen mich der Roman oder die Autobiographie viel intensiver als ein Essay. Sie machen mir auch mehr Freude. Ich beginne schon sehr früh, darüber nachzudenken. Ich habe von den Gestalten in *Les Mandarins* so lange geträumt, bis ich an ihre Existenz glaubte. Was meine Memoiren betrifft, so habe ich Briefe, alte Bücher, meine Tagebücher, Tageszeitungen wieder durchgelesen, um mich mit meiner Vergangenheit vertraut zu machen. Wenn ich bereit zu sein glaube, schreibe ich hintereinander drei- bis

265

vierhundert Seiten. Das ist eine beschwerliche Arbeit: Sie erfordert enorme Konzentration, und der Wortschwall, der sich anhäuft, ist mir zuwider. Nach ein bis zwei Monaten bin ich so angewidert, daß ich nicht weiterkann. Dann fange ich wieder beim Nullpunkt an. Obwohl sich soviel Stoff angesammelt hat, ist das Blatt Papier wieder weiß, und ich zögere, mich kopfüber in die Arbeit zu stürzen. Im allgemeinen bringe ich aus Ungeduld am Anfang nichts Gutes zustande. Da ich gern alles auf einmal sagen möchte, wird die Schilderung plump, wirr und trocken. Ganz allmählich komme ich dann dahin, mir Zeit zu lassen. Dann kommt der Augenblick, da ich den Abstand, den Ton, den Rhythmus finde, die mich befriedigen. Jetzt erst beginne ich ernsthaft mit der Arbeit. Mein Konzept benützend, entwerfe ich in großen Zügen ein Kapitel. Dann kehre ich zur ersten Seite zurück, und wenn ich sie wieder durchgelesen habe, schreibe ich sie Zeile für Zeile um. Dann korrigiere ich jede einzelne Zeile im Hinblick auf die ganze Seite, jede Seite im Hinblick auf das ganze Kapitel, und später jedes Kapitel, jede Seite, jede Zeile im Hinblick auf die Gesamtheit des Buches. Die Maler, sagte Baudelaire, entwickeln aus der Skizze das vollendete Werk, indem sie das ganze Bild in jedem Stadium malen: Dasselbe versuche ich zu tun. Deshalb brauche ich zu jedem meiner Werke zwei bis drei Jahre – bei *Les Mandarins* waren es vier – und bringe dabei täglich sechs bis sieben Stunden an meinem Schreibtisch zu. Man macht sich oft eine romantischere Vorstellung von der Literatur. Aber sie erzwingt diese Disziplin gerade deshalb, weil sie etwas anderes ist als ein Beruf: nämlich eine Leidenschaft oder, sagen wir, eine Manie. Kaum wache ich auf, habe ich das Verlangen, sogleich nach der Füllfeder zu greifen. Nur in den finsteren Perioden, wenn ich an allem zweifle, füge ich mich abstrakten Ratschlägen, die dann sogar auf recht wackligen Füßen stehen mögen. Aber wenn ich nicht auf Reisen bin oder sich etwas Außerordentliches ereignet, hinterläßt ein Tag, an dem ich nicht geschrieben habe, einen Geschmack nach Asche.

Die Inspiration spielt natürlich eine Rolle: Ohne sie würde aller Fleiß nichts nützen. Auf recht launische Weise entsteht, erneuert, bereichert, wandelt sich der Plan, gewisse Dinge auf eine gewisse Art auszudrücken. Die innere Resonanz eines Vorfalls, einer Einsicht, das jähe Aufblitzen einer Erinnerung, kann ebensowenig wie ein zufälliges Bild, ein zufälliges Wort säuberlich eingeordnet werden. Während ich genau nach meinem Plan verfahre, trage ich meinen Stimmungen Rechnung: Wenn mich plötzlich die Lust überkommt, eine Szene zu schildern, an ein Thema heranzugehen, tue ich's, ohne mich durch die festgelegte Reihenfolge stören zu lassen. Wenn erst einmal das Gerippe des Buches fertig ist, verlasse ich mich gern auf den Zufall: Ich träume, ich schweife ab, nicht nur vor dem Papier, sondern den ganzen Tag, ja sogar in der Nacht. Es passiert mir sehr oft, daß mir vor dem Einschlafen oder während ich schlaflos im Bett liege, eine Wendung durch den Kopf schießt und ich aufstehe, um sie zu notieren. Zahlreiche Seiten von *Les Mandarins* und meinen Erinnerungen sind unter dem Einfluß einer Gemütsbewegung in einem Zuge niedergeschrieben worden: Manchmal überarbeite ich die Seiten am nächsten Tag, manchmal auch nicht.

Wenn ich schließlich nach sechs Monaten oder einem Jahr oder vielleicht sogar erst nach zwei Jahren das Ergebnis Sartre vorlege, bin ich noch nicht zufrieden, kann aber nicht mehr weiter: Ich brauche sein strenges Urteil und seinen Zuspruch, um den Elan zurückzugewinnen. Zuerst versichert er mir: «Das ist ausgezeichnet ... das wird ein gutes Buch.» Dann ärgert er sich über Kleinigkeiten: Das ist zu lang oder zu kurz geraten, das ist nicht richtig, das ist schlecht formuliert, das ist gestümpert, das ist verpfuscht. Wäre ich nicht seine scharfe Sprache gewöhnt – meine ist nicht sanfter, wenn ich ihn kritisiere –, würde mich diese Kritik niederdrücken. Eigentlich war ich nur ein einziges Mal ernsthaft beunruhigt, als ich nämlich *Les Mandarins* beendete. Für gewöhnlich wirkten seine Einwände stimulierend, weil sie mir einen Weg zeigten, die Fehler zu überwinden, deren ich mir mehr oder weniger bewußt war und die mir oft, wenn ich ihm nur beim Lesen zuschaute, in die Augen sprangen. Er schlägt mir Striche und Änderungen vor. Vor allem aber spornt er mich an, den Hindernissen zu trotzen und ihnen die Stirn zu bieten, statt ihnen auszuweichen. Seine Ratschläge entsprechen meist auch meinen Ideen, und ich brauche dann nur noch einige Wochen, höchstens einige Monate, um meinem Buch eine endgültige Gestalt zu geben. Sobald ich den Eindruck habe, daß mein Buch zwar nicht vollkommen ist, ich aber nichts weiter daran verbessern könnte, höre ich auf.

In den Jahren, von denen hier die Rede ist, bin ich oft in Urlaub gefahren: Im allgemeinen bedeutet das aber nur, daß ich woanders weiterarbeitete. Ich habe aber lange Reisen unternommen, die mir keine Zeit ließen, eine Zeile zu schreiben – weil mein Wunsch, die Welt kennenzulernen, aufs engste mit dem Wunsch verknüpft ist, sie auszudrücken. Meine Wißbegier ist weniger zügellos als in meiner Jugend, aber fast noch genauso anspruchsvoll. Man hört nie auf, zu lernen, weil man immer unwissend bleiben wird. Ich will nicht behaupten, daß ich mir nie eine freie Minute gegönnt hätte: Aber es kam mir kein Augenblick vergeudet vor, wenn er mir Freude bereitet hatte. Aber hinter dem Gewirr meiner Beschäftigungen, Zerstreuungen, dem Vagabundieren steckte der beharrliche Wille, mein Wissen zu bereichern.

Je weiter ich kam, desto gewaltsamer drang die Welt in mein Leben ein, bis es aus den Fugen zu gehen drohte. Um sie zu schildern, hätte ich hundert Register gebraucht und ein Pedal, um die Gefühle – Melancholie, Freude, Ekel, die ganzen Perioden ihre Färbung verliehen haben – über das Aussetzen des Herzens hinaus zu erhalten. Jeder einzelne Augenblick spiegelt meine Vergangenheit, meinen Körper, meine Beziehungen zu den Mitmenschen, meine Unternehmungen, die Gesellschaft, den gesamten Erdball wider. Diese untereinander verknüpften und auch selbständigen Realitäten verstärken zuweilen einander und stehen miteinander in Einklang, zuweilen widersprechen sie einander oder heben sich gegenseitig auf. Wenn die Totalität nicht immer gegenwärtig ist, habe ich mich nicht exakt ausgedrückt. Aber wenn ich diese Schwierigkeit überwinde, falle ich anderen zum Opfer: Ein Menschenleben ist eine seltsame Angelegenheit, von einem Augenblick zum anderen sonnenklar und im ganzen undurchsichtig, etwas, das ich mir selber zurechtmache und das mir aufgezwungen wird, dessen Substanz mir die Welt gibt und nimmt, zermahlen durch die Ereignisse, zerstückelt, zerfetzt, zerhackt und dennoch ein einheitlich Ganzes. Schwerwiegend und flüchtig: ein Widerspruch, der die Mißverständnisse begünstigt. Man hat gesagt, daß ich durch den Kriegsausbruch nicht so tief erschüttert gewesen sei, wie ich behaupte, weil ich 1941 Spaß daran hatte, spazierenzugehen. Man wird zweifellos auch behaupten, daß der Algerien-Krieg mich kaltgelassen hat, weil Rom, die Musik, bestimmte Bücher ihre Anziehungskraft auf mich beibehalten hatten. Aber jedermann weiß, daß man sich auch mit trauerndem Herzen zerstreuen kann. Auch die heftigsten und die aufrichtigsten Gemütsbewegungen sind nicht von Dauer: Manchmal lösen sie Handlungen aus, verursachen eine Manie, aber sie verschwinden. Dagegen hört ein Kummer, den man sich vorübergehend aus dem Sinn geschlagen hat, nicht auf, fortzubestehen: Er lebt in meinem Bemühen weiter, ihm auszuweichen. Worte sind oft nur Schweigen, und das Schweigen hat seine Stimmen. War ich, als Sartre in Gefangenschaft geriet, unglücklich oder noch immer glücklich? Ich war so, wie ich mich beschrieben habe, mit meinen heiteren Stunden, meinen Ängsten, meinen Depressionen, meinen Hoffnungen. Ich habe versucht, die Wirklichkeit in ihrer Vielfalt und ihrem Fluß zu erfassen. Meinen Bericht in endgültige Formulierungen pressen zu wollen, ist ebenso abwegig, wie ein schönes Gedicht in Prosa zu übersetzen.

Der tragische oder heitere Hintergrund, von dem meine Erlebnisse sich abheben, schenkt ihnen ihren wahren Sinn und ihre Einheit. Ich habe es vermieden, sie durch Übergänge miteinander zu verknüpfen, die allzu eindeutig und daher künstlich sein würden. Wenn mir nun aber die Totalität so unerläßlich vorkommt, warum habe ich mich dann der chronologischen Ordnung bedient, statt eine andere Konstruktion zu wählen? Ich habe darüber nachgedacht und habe geschwankt. Was jedoch in meinem Leben am schwersten ins Gewicht fällt, ist, daß die Zeit verrinnt. Ich werde älter, die Welt verändert sich, mein Verhältnis zu ihr wechselt. Die Wandlungen, die Reifeprozesse, den unaufhaltsamen Verfall meiner selbst und der anderen zu zeigen – nichts ist mir wichtiger. Das zwingt mich aber, die Folge der Jahre genau einzuhalten: so unbedingt, daß ich nach Beendigung dieses Zwischenspiels den Faden meiner Geschichte dort wieder aufnehme, wo ich ihn habe fallen lassen.

*Wer Bücher schenkt ...*

... schenkt Wertpapiere, heißt es bei Stendhal. Denn: Bücher sind Geschenke ganz besonderer Art; sie verwelken nicht, sie zerbrechen nicht, sie veralten nicht, und sie gleichen dem Kuchen im Märchen, den man ißt, und der nicht kleiner wird.

Man könnte hinzufügen, etwas prosaischer: Und sie tragen Zinsen wie ein klug angelegtes Kapital.

Wer Bücher schenkt, schenkt Wertpapiere.

# Zweiter Teil

# 6

Junge Frauen haben einen entschiedenen Sinn dafür, was man zu tun und zu lassen hat, wenn man nicht mehr jung ist. «Ich verstehe nicht», sagen sie, «daß man sich nach seinem vierzigsten Lebensjahr die Haare blond färbt, daß man sich im Bikini zeigt, daß man mit den Männern kokettiert. Wenn ich erst einmal so alt bin ...» Wenn dann das Alter kommt, färben sie ihre Haare blond, tragen Bikinis und lächeln den Männern zu. Mit dreißig Jahren verkündete ich und habe ebenfalls geschrieben: «Nach dem vierzigsten Lebensjahr muß man auf eine bestimmte Art der Liebe verzichten.» Ich verachtete die «alten Bälger», wie ich sie nannte, und gelobte mir hoch und heilig, meinen Balg, wenn er ausgedient hatte, in den Schrank zu hängen. Was mich nicht daran gehindert hat, mich mit neununddreißig Jahren auf eine Affäre einzulassen. Inzwischen war ich vierundvierzig geworden und endgültig ins Schattenreich hinübergewechselt. Aber, wie schon gesagt, obwohl mein Körper sich fügte, wollte meine Phantasie keineswegs resignieren. Wenn sich die Gelegenheit einer Wiedergeburt bieten sollte, würde ich sie ergreifen.

Der Juli ging zu Ende. Da wir beabsichtigten, zwei Monate kreuz und quer durch Italien zu reisen, sollte ich das Auto nach Mailand fahren, und Sartre wollte mit der Bahn nachkommen. Bost und Cau waren vom Verleger Nagel beauftragt worden, einen Reiseführer zusammenzustellen, und bereiteten voll freudiger Erwartung ihren Flug nach Brasilien vor. Sie kauften sich weiße Smokings, und Bost lud uns zu einer Abschiedsfeier ein. Ich schlug ihm vor, auch Claude Lanzmann einzuladen. Es wurde sehr spät, und es wurde viel getrunken. Am nächsten Morgen klingelte mein Telefon. «Ich würde gern mit Ihnen ins Kino gehen», sagte Lanzmann. «Ins Kino? Zu welchem Film?» – «Egal, zu welchem Film.» Ich zögerte. Vor der Abreise gab es für mich noch sehr viel zu tun ... Aber ich wußte, daß ich nicht ablehnen durfte. Wir verabredeten uns. Zu meiner großen Überraschung fing ich an zu weinen, als ich aufgelegt hatte.

Fünf Tage später verließ ich Paris. Lanzmann stand auf dem Bürgersteig und winkte, während ich den Gang einlegte. Etwas war geschehen, etwas hatte, davon war ich überzeugt, begonnen. Ich hatte meinen Körper wiedergefunden. Da mich der Abschied aufgewühlt hatte, fuhr ich kreuz und quer durch die Vororte, bis ich in die Nationale 7 einbog, und war froh, dieses lange Kilometerband vor mir zu haben, um meinen Erinnerungen und meinen Phantasien nachzuhängen.

Als ich am übernächsten Morgen Domodossola verließ, wo ich übernachtet hatte, träumte ich noch immer mit offenen Augen. Ich hatte zwei junge Engländerinnen mitgenommen, die per Autostop von Calais nach Venedig unterwegs waren und ein Flugbillett München–London für die Rückreise in der Tasche hatten. Am Lago Maggiore regnete es, ich kam ins Schleudern und fuhr gegen einen Meilenstein, aber sie zuckten nicht mit der Wimper. Italiener bogen meinen Kotflügel zurecht und beschwichtigten meine Eigenliebe mit der Bemerkung, daß auf dieser holprigen Straße die Unfälle nicht zu zählen seien. Der Schock aber, statt mich aufzuwecken, verwirrte meine fünf Sinne vollends. Ich setzte die Engländerinnen an einer Kreuzung ab, fuhr nach Mailand hinein, suchte nach einer Garage und merkte plötzlich, daß meine rechte Tür klapperte. Als ich sie zuzumachen versuchte, geriet ich aufs Trottoir. «Du verlierst den Kopf», sagte ich zu mir und hielt an. Da entdeckte ich erst, daß meine Handtasche mit meinen Papieren und einer Menge Geld nicht mehr neben mir lag. Ich parkte den Wagen und lief im Laufschritt zurück. Ein Radfahrer kam mir entgegen, mit vorwurfsvoller Miene meine Tasche in der ausgestreckten Hand schwenkend.

Nachdem ich das Auto schließlich einem Mechaniker anvertraut hatte, wurde ich ruhiger und ging ins Café ‹Scala›, um Sartre abzuholen. Aber ich war immer noch sehr aufgeregt, als ich mich am Nachmittag ans Steuer setzte. Ob ihm diese neue Art zu reisen gefallen würde? Ich befürchtete, ihn durch meine allzu große Ungeschicklichkeit zu verärgern; aber er ertrug meine linkischen Manöver in der Stadt mit viel Geduld und ließ sich auf der Landstraße durch nichts aus der Ruhe bringen, außer durch die Flegelei gewisser Italiener, die mich überholten, ohne schneller zu sein als ich. «Überholen Sie sie, vorwärts!» Da gab der Italiener Gas oder fuhr im Zickzack, um seinen Vorsprung zu wahren, aber Sartre ließ mir so lange keine Ruhe, bis ich ihn überholt hatte. Wenn ich alle seine Ratschläge befolgt hätte, wären wir hundertmal gestorben. Aber dieser Eifer war mir lieber als die Aufforderung, vorsichtiger zu sein.

Von Cremona bis Tarent, von Bari bis Erice entdeckten wir Italien von neuem: Mantua und die Fresken Mantegnas, die Malereien in Ferrara und Ravenna, Urbino und seine Uccellos, Ascoli, die Kirchen Apuliens, die Troglodyten in Matera, die Trulli des Alberobello, die barocken Herrlichkeiten von Lecce und von Noto auf Sizilien. Wir kamen endlich

einmal nach Agrigent. Wir sahen Segesta und Syrakus wieder und durchquerten die Abruzzen. Ich fuhr mit der Seilbahn auf den Gran Sasso
hinauf und besichtigte das düstere Haus, in dem Mussolini gefangenge-
halten worden war. Da wir mit dem Wagen fuhren, waren wir an keinen
Fahrplan mehr gebunden und konnten leicht überallhin gelangen. Sartre
bemerkte aber, daß etwas dabei verlorenginge, und ich stimmte ihm zu:
es war die Überraschung, plötzlich mitten im Zentrum einer Stadt zu
sein. Wenn man mit der Bahn oder mit dem Flugzeug ankommt,
scheint einem die Stadt eine Welt für sich zu sein. Fährt man mit dem
Auto, ist sie eine Etappe, ein Knotenpunkt, und nicht ein Universum.
Ihre Straßen sind die Verlängerung der Landstraßen und führen wieder
zu anderen Landstraßen. Ihre Originalität verblaßt, weil die Farbe ihrer
Mauern, die Art ihrer Plätze und Fassaden sich bereits in den benachbarten Ortschaften ankündigen. Es gibt einen Vorteil: Wenn die Stadt
weniger überraschend wirkt, versteht man sie aber besser. Neapel hat
uns seinen wahren Sinn erschlossen, nachdem wir das Elend des Südens
kennengelernt hatten. Die Landschaft wurde uns auf neue Art vertraut;
wenn wir in den Dörfern anhielten, mischten wir uns unter die *braccianti*,
die stundenlang in den Cafés saßen, ohne etwas zu verzehren und ohne
etwas zu erhoffen. Oft machten uns Männer am Straßenrand schüchterne
Zeichen. Wir hielten an und nahmen sie mit. Die meisten waren arbeitslos. Sie fragten, ob wir ihnen in Frankreich Arbeit verschaffen könnten.

Im übrigen bescherte uns das Auto auch einige Überraschungen. Es
war am 15. August. Wir waren frühmorgens in Rom aufgebrochen, um
nach Foggia zu fahren, waren den ganzen Tag unter glühendem Himmel
unterwegs gewesen und ständig durch Straßenarbeiten und Sperren aufgehalten worden. Es war Nacht geworden, und das weiße Licht der italienischen Scheinwerfer blendete mich so, daß wir in Lucera ausstiegen,
um etwas zu trinken. Ich parkte das Auto an der Stadtmauer, und als
wir durch das Stadttor gingen, waren wir in einer Art lichtdurchtränktem
Saal, wo Menschen unter freiem Himmel tanzten, alle Plätze waren hell-
erleuchtet, und jedes Haus hatte seine Kapelle und seinen Tanzboden.

In diesem Sommer zeigte das Thermometer in ganz Italien fast ununterbrochen 40 Grad. Sartre schrieb die Fortsetzung von *Les Communistes et la paix.* Er wollte arbeiten, ich spazierengehen. Es gelang uns,
wenn auch nicht ohne Schwierigkeiten, diese beiden Manien miteinander
zu vereinen. Wir besichtigten, wanderten, marschierten, legten bis in den
Nachmittag hinein etliche Kilometer zurück und trotzten, zu Fuß und
im Auto, den heißesten Stunden. Wenn wir dann müde und zerschlagen
in unsere Zimmer kamen — wo man im allgemeinen halb erstickte —,
begannen wir, statt uns auszuruhen, mit dem Schreiben. Mehr als einmal
habe ich meine Feder weggelegt, um das violett angelaufene Gesicht in
kaltem Wasser zu baden.

Auf dem Rückweg blieb ich ein paar Tage in Mailand bei meiner

Schwester. Dort las ich Paveses Tagebuch und nahm es mit nach Paris, um Auszüge daraus in den *Temps Modernes* zu veröffentlichen.

Während dieses Urlaubs war Lanzmann nach Israel gereist. Wir hatten miteinander korrespondiert. Er kehrte zwei Wochen später als ich nach Paris zurück, und unsere Körper fanden einander mit Freuden wieder. Wir begannen unsere Zukunft aufzubauen, indem wir einander unsere Vergangenheit schilderten. Um sich zu definieren, sagte er zuerst: Ich bin Jude. Ich kannte das Schwergewicht dieser Worte, aber keiner meiner jüdischen Freunde hatte mir ihren Sinn restlos verständlich machen können. Ihre Situation als Juden hatten sie – wenigstens in ihren Beziehungen zu mir – mit Stillschweigen übergangen. Lanzmann nahm sie für sich in Anspruch. Sie beherrschte sein ganzes Leben.

Als Kind war er anfangs voller Stolz gewesen: «Wir sind überall», hatte sein Vater zu ihm gesagt und ihm die Weltkarte gezeigt. Als er mit dreizehn Jahren mit dem Antisemitismus in Berührung kam, bebte die Erde, und alles drohte zusammenzubrechen. Wenn er offen sagte: «Ja, ich bin Jude –» war keine Verständigung mehr möglich, und der Gesprächspartner verwandelte sich in ein blindes, taubes, böses Tier. Er suchte die Schuld an dieser Metamorphose bei sich. Gleichzeitig fühlte er sich – als Jude auf einen abstrakten Begriff reduziert – aus seinem ureigenen Sein vertrieben. Das ging so weit, daß er nicht mehr wußte, ob es nicht weniger verlogen wäre, nein statt ja zu antworten. Gerade in dem Alter, in dem sich der Mensch der Gemeinschaft anzupassen versucht, wurde ihm klargemacht, daß er nicht dazu gehöre, daß er ein anderer sei, und dieses Ausgeschlossensein hat ihn für immer gezeichnet. Er fand den Stolz wieder, dank seinem Vater, der von Anfang an zu den Widerstandskämpfern gehörte. Er selber organisierte im Lyzeum von Clermont-Ferrand ein Netz geheimer Gruppen und kämpfte vom Oktober 1943 an im Maquis. Seine Erfahrung lehrte ihn, die Juden nicht als gedemütigte, resignierte und beleidigte Menschen anzusehen, sondern als Kämpfer. Die sechs Millionen Männer, Frauen und Kinder, die ausgerottet worden waren, gehörten einem großen Volk an, das nicht durch ein hartes Schicksal dem Martyrium geweiht, sondern nur das Opfer einer willkürlichen Barbarei geworden ist. Wenn er in der Nacht an die Metzeleien dachte, weinte er vor Zorn, und aus Haß gegen die Henker und ihre Komplicen nahm er die Ausnahmestellung, die man ihm aufgezwungen hatte, für sich in Anspruch: Er wollte Jude sein. Die Namen Marx, Freud, Einstein erfüllten ihn mit Stolz. Er strahlte jedesmal, wenn er entdeckte, daß ein berühmter Mann Jude war. Noch heute wird er wütend, wenn man den großen sowjetischen Physiker Landau lobt, ohne zu erwähnen, daß er Jude ist.

Obwohl er unter ihnen zahlreiche Freunde hatte, wollte sein Groll gegen die Gois nie erlöschen. «Unaufhörlich hätte ich Lust, zu töten», sagte er zu mir. Ich spürte die gewaltsame, gewalttätige Spannung in

274

seinem Innern, die seine Muskeln verkrampfte und jeden Augenblick mit einer Explosion zu enden drohte. Manchmal wachte er morgens aus wilden Träumen auf und schrie mich an: «Ihr seid alle Kapos!» Er wehrte sich mit Clownerien, Überspitzungen, Extravaganzen gegen unsere Welt. Als zwanzigjähriger Internatsschüler lieh er sich eine Soutane und ging in die Häuser der Reichen, um Geld zu erbetteln. Indessen war diese Art, Aufsehen zu erregen, nur ein Hilfsmittel. Er sehnte sich noch immer nach seiner Kindheit, als er Jude, aber alle Menschen seine Brüder gewesen waren. Da hatte man ihn zerstückelt und die Welt dem Chaos ausgeliefert; er versuchte, sich zu sammeln und die Ordnung wiederzufinden. Mit zwanzig Jahren glaubte er an die Universalität der Kultur und bemühte sich voller Enthusiasmus, ein kultivierter Mensch zu werden: Er hatte aber den Eindruck, daß ihm das nie ganz gelang. Er hatte seine Hoffnung auf die Wahrheit gesetzt, die versöhnend wirkt: Die Leidenschaften und Interessen der Menschen aber wirkten dem entgegen, und die Kluft blieb bestehen. Er konnte weder durch Erkenntnis noch durch vernünftige Überlegung diese Einsamkeit überwinden. Abgesondert und entrechtet, wurde ihm die zufällige Besonderheit seiner Lage schmerzlich bewußt. Dabei war ihm klar, daß er ihr durch keinerlei innere Winkelzüge entrinnen könne; denn nur, wenn er sich auf eine objektive Notwendigkeit stützte, hatte er eine Chance, aus diesem Dilemma zu entkommen. Der Marxismus war ihm genauso selbstverständlich wie sein eigenes Dasein, da er ihm die Begreiflichkeit menschlicher Konflikte offenbarte und ihn seiner Subjektivität entriß. Ideologisch mit den Kommunisten einverstanden, seine Träume in ihren Zielen wiedererkennend, schenkte er ihnen sein volles Vertrauen mit einem Optimismus, über den ich mich zuweilen ärgerte, der aber im Grunde die Kehrseite eines tiefen Pessimismus war: Er brauchte diese Hoffnung auf den nächsten Tag, um die Zerrissenheit zu kompensieren, an der er litt. Ich wunderte mich über seinen Manichäismus, da er einen scharfen und sogar listenreichen Verstand besaß. Oft wurde er sich dieser Schwarzweißmalerei bewußt, konnte aber nicht verhindern, daß er immer wieder in sie zurückfiel. Da man ihn enterbt und enteignet hatte, war es ihm unerträglich, sich auch nur das geringste wegnehmen zu lassen: In seinen Gegnern mußte er das absolute ‹Böse› sehen. Das Lager des ‹Guten› mußte ohne Makel sein, um das verlorene Paradies wiederaufzustehen zu lassen. «Warum trittst du nicht in die KP ein?» fragte ich ihn. Diese Aussicht machte ihn kopfscheu. Zwischen der Sympathie, mochte sie sogar vorbehaltlos sein, und dem Engagement lag ein Abstand, den er nicht überbrücken konnte, weil ihm nichts und er sich vor allem selber nicht genügend real erschien. In der Kindheit hatte man ihm mit der Verpflichtung, entweder auf seine jüdische Prägung oder auf seine Individualität zu verzichten, sein Ich gestohlen: Deshalb glaubte er einen Betrug zu begehen, wenn er ‹ich› sagte.

In Ermanglung eigener Maßstäbe übernahm er leichthin die Ansichten anderer Leute, die er schätzte, war aber auch eigensinnig und beharrlich. Er selber hatte seinen Gefühlen und Wünschen, den gewaltsamen Ausschweifungen seiner Phantasie nichts entgegenzusetzen: Er machte sich auch nicht die Mühe, sie zu beherrschen. Gleichgültig gegenüber allen Ratschlägen und Anstandsregeln, trieb er seine melancholischen Anwandlungen bis zu Weinkrämpfen und seinen Abscheu bis zum Erbrechen. Die meisten meiner Freunde, Sartre und ich waren Puritaner. Wir hatten unsere Reaktionen unter Kontrolle und zeigten unsere Gefühle nur selten. Lanzmanns Spontaneität war mir fremd. Trotzdem fühlte ich mich gerade durch seine Exzesse mit ihm verwandt. Ebenso wie er ging auch ich mit Begeisterung an meine Pläne und mit manischem Starrsinn an ihre Verwirklichung heran. Ich konnte heftig weinen, und ich bedauerte es geradezu, daß ich nicht mehr wie früher so schön in Wut geraten konnte.

Jude und ältester Sohn, war Lanzmann durch die Verantwortung, die man ihm schon in seiner Kindheit aufgebürdet hatte, frühzeitig herangereift. Manchmal hatte man sogar den Eindruck, daß er auf seinen Schultern die Bürde urväterlicher Erfahrungen mit sich herumschleppe. Wenn ich mich mit ihm unterhielt, hatte ich nie das Gefühl, daß er jünger war als ich. Trotzdem war uns der Altersunterschied von siebzehn Jahren bewußt. Er schreckte uns aber nicht. Was mich betraf, so brauchte ich eine gewisse Distanz, um mein Herz zu binden, da es nicht in Frage gekommen wäre, die enge Beziehung zwischen mir und Sartre in Frage zu stellen. Algren gehörte einem anderen Kontinent, Lanzmann einer anderen Generation an: Auch das war für mich eine Art Landflucht, die unser Verhältnis im Gleichgewicht hielt. Sein Alter verurteilte mich dazu, in seinem Leben nur ein flüchtiger Augenblick zu sein. In meinen Augen war das eine Entschuldigung dafür, daß ich ihm nicht mein ganzes Leben schenkte. Er verlangte es übrigens nicht von mir. Er nahm mich als Ganzes mit meiner Vergangenheit und meiner Gegenwart. Trotzdem stellte sich das Einverständnis nicht von selbst ein. Im Dezember verbrachten wir einige Tage in Holland. An den Ufern der zugefrorenen Kanäle, in den Wirtsstuben, wo wir hinter zugezogenen Gardinen Advocaat tranken, sprachen wir uns aus. Der Urlaub, den ich jedes Jahr zusammen mit Sartre verbrachte, stellte uns vor ein Problem: da ich nicht darauf verzichten wollte, eine zweimonatige Trennung aber für uns beide schmerzlich sein würde. Wir kamen überein, daß Lanzmann jeden Sommer zehn Tage mit mir und Sartre verbringen sollte. Im Verlauf unserer Gespräche verschwanden auch andere Besorgnisse und unsere letzten Zweifel. Wir beschlossen, nach der Rückkehr nach Paris zusammen zu ziehen. Ich hatte meine Einsamkeit geliebt, bereute aber den neuen Schritt keineswegs.

Unser Leben nahm geordnete Formen an. Vormittags arbeiteten wir

Seite an Seite. Er hatte aus Israel Notizen mitgebracht, die er für eine Reportage verwenden wollte. Diese Reise hatte auf ihn einen tiefen Eindruck gemacht: Die Juden waren in Israel keine Verfemten, sondern die Machthaber. Mit Stolz, aber auch mit Unbehagen hatte er entdeckt, daß es jüdische Handels- und Kriegsschiffe gibt, jüdische Städte, Felder, Bäume, reiche Juden und arme Juden. Sein Staunen hatte ihn veranlaßt, sich selber unter die Lupe zu nehmen. Als er dieses Erlebnis Sartre schilderte, empfahl ihm dieser, in seinem Buch gleichzeitig von Israel und seiner eigenen Entwicklung zu sprechen. Diesen Gedanken fand Lanzmann verlockend: Eigentlich aber war es keine sehr glückliche Idee. Mit fünfundzwanzig Jahren hatte er noch nicht den erforderlichen Abstand, um sich selber in Frage zu stellen. Er fing vielversprechend an, bekam aber dann innere Hemmungen und mußte aufhören.

Die Gegenwart Lanzmanns ließ mich mein Alter vergessen. Vor allem nahm er mir meine Angst. Zwei- oder dreimal hatte er mich tief erschüttert gesehen und war dermaßen erschrocken, daß ich mir fest gelobte, diesen Anwandlungen nie mehr nachzugeben: Ich fand es empörend, ihn schon jetzt mit dem Grauen des Verfalls in Berührung zu bringen. Außerdem belebte er mein Interesse an den Dingen aufs neue. Meine Wißbegier hatte nämlich sehr nachgelassen. Ich lebte auf einer Erde mit beschränkten Hilfsmitteln, die von furchtbaren und simplen Plagen heimgesucht wurde, und meine eigene Begrenztheit – die meiner Situation, meines Schicksals, meines Werkes – setzte auch meinen Sehnsüchten engere Grenzen. Die Zeit lag weit zurück, in der ich von allem alles erwartet hatte. Ich informierte mich über die Neuigkeiten: Bücher, Filme, Malerei, Theater, aber es lag mir weit mehr daran, meine früheren Erfahrungen zu überprüfen, zu vertiefen und zu ergänzen. Für Lanzmann waren es wirkliche Neuigkeiten, und er zeigte sie mir in einem unvoreingenommenen Licht. Ihm verdankte ich es, wenn mir tausenderlei Sachen wieder zuteil wurden: Freude, Staunen, Besorgnis, Lachen und die Frische der Welt. Nach zwei Jahren, in deren Verlauf der allgemeine Niedergang für mich mit dem Zusammenbruch einer Liebe und den ersten Vorahnungen des Abstiegs Hand in Hand gegangen waren, gab ich mich rückhaltlos einem neuen Glück hin. Der Krieg verblaßte immer mehr. Ich kehrte in die Heiterkeit meines Privatlebens zurück.

Ich traf Sartre ebensooft wie früher, aber wir änderten unsere Gewohnheiten. Vor einigen Monaten war ich durch ein ungewohntes trommelndes Geräusch aus dem Schlaf geschreckt worden. Ich machte Licht. Von der Zimmerdecke fielen Wassertropfen auf das Leder eines Fauteuils. Ich beklagte mich bei der Concierge, die den Verwalter benachrichtigte, der mit der Besitzerin sprach. Und es regnete weiter bei mir ins Zimmer, in dem langsam alles zu verschimmeln begann. Als Lanzmann bei mir wohnte, waren Möbel und Fußboden mit Büchern und Zeitschriften überschwemmt. Man konnte in diesem Raum noch arbeiten und schlafen, sich aber dort aufzuhalten, war alles andere als gemütlich. Von nun an ging ich mit Sartre zum Essen, Plaudern und Trinken in die ‹Palette› am boulevard Montmartre und zuweilen in den ‹Falstaff›, der uns an unsere Jugend erinnerte. Oft ging ich auch mit Lanzmann oder Olga ins ‹Bar-Restaurant de la Bûcherie› an der anderen Seite des Platzes. Dorthin verlegte ich die meisten meiner Verabredungen. In dem Lokal verkehrten Linksintellektuelle. Durch das große Glasfenster sah man Notre-Dame und grünes Gebüsch. Ein Grammophon spielte gedämpft die *Brandenburgischen Konzerte*. Sartre gefiel es wie mir am besten in dem kleinen Kreis, den ich in der rue de la Bûcherie in der Silvesternacht zusammentrommelte: Olga und Bost, Wanda, Michelle, Lanzmann. Zwischen uns herrschte ein so tiefes Einverständnis, daß ein Lächeln soviel wert war wie eine Diskussion: so wurde die Unterhaltung zum amüsantesten aller Gesellschaftsspiele. Wenn dieses wechselseitige, stillschweigende Einverständnis fehlt, ist es eine oft sinnlose Anstrengung. Ich hatte den Geschmack an flüchtigen Begegnungen verloren. Als mir Monique Lange vorschlug, einen Abend mit Faulkner zu verbringen, lehnte ich ab. An dem Abend, als Sartre und Michelle mit Picasso und Chaplin, den ich in den USA kennengelernt hatte, essen gingen, sah ich mir lieber zusammen mit Lanzmann *Rampenlicht* an.

Der Frühling brachte mir eine Genugtuung: *Le deuxième Sexe* kam in Amerika heraus und hatte einen Erfolg, der von keiner Gemeinheit getrübt war. Ich hing an diesem Buch und stellte jedesmal, wenn es im Ausland erschien, mit Befriedigung fest, daß an dem Skandal in Frankreich nicht ich, sondern meine Leser schuld gewesen waren.

Gegen Ende März fuhr ich mit Lanzmann nach Saint-Tropez. Er zeigte mir die Schlupfwinkel aus seiner Kampfzeit. Die Wege im Margeride-Massiv waren noch wegen der hohen Schneeverwehungen gesperrt. Sartre hatte sich im ‹Aïoli› eingemietet. Michelle wohnte mit ihren Kindern in einem kleinen Ort in der Nachbarschaft. Mit Sartre auf der Terrasse des ‹Sennequier› plaudernd, trafen wir in diesem Jahr auch Merleau-Ponty und Brasseur an, der ein Haus in Gassin hatte. Er bat Sartre, für ihn *Kean* von Dumas zu bearbeiten, und Sartre, der Melodramen liebt, sagte nicht nein. Abends brannte ein Holzfeuer im Speisesaal des ‹Aïoli›. Sehr bald sollte dieses hübsche Hotel schmählich verkommen und Mme Clo, so würdig mit ihren weißen Haaren, ihrem hochgeschlossenen Pullover und ihrem diskreten Make-up, der Mittäterschaft an einem Raubüberfall bezichtigt werden. Nur mit Mühe konnte ich sie 1954 in der hageren alten Frau wiedererkennen, deren Foto die Zeitungen brachten. Ich zeigte Lanzmann die Maures, Estérel, die Côte, die Corniches. Unterwegs sprachen wir über meinen Roman, den ich ihm zum Lesen gegeben hatte. Er hatte einen scharfen und ins Detail zielenden kritischen Verstand. Seine Ratschläge waren gut und seine Einwände aufschlußreich. Zuerst ärgerte ich mich darüber, dann erkannte ich die

Fehler, die seine Einwände hervorgerufen hatten. Ich gab mir mit diesem Buch sehr viel Mühe. Nach der Rückkehr aus Norwegen hatte ich es völlig umgekrempelt. Als Sartre es im Herbst 1952 wiederlas, war er noch immer nicht zufrieden: Da mich die Konventionen des Romans störten, hätte ich mich ihnen nur widerwillig gefügt – dieses sei zu kurz, jenes zu lang, zu ungleich –, die Dialoge klängen nicht echt, ich wollte ungewöhnliche Charaktere mit ihren Überzeugungen und ihren Zweifeln zeigen, die unablässig durch andere und durch sich selber in Frage gestellt werden – ich schwankte zwischen Scharfblick und Naivität, zwischen Voreingenommenheit und Aufrichtigkeit –, und statt Menschen zu schildern, würde ich so tun, als wollte ich Ideen erörtern. Vielleicht war es wirklich unmöglich, Schriftsteller als Helden zu wählen. Oder die Aufgabe ging über meine Kräfte. «Ich werde alles wegwerfen», sagte ich entschlossen. Da erwiderte Sartre: «Arbeiten Sie doch weiter!» Seine Besorgnis aber wog schwerer als seine Aufmunterung. Eigentlich waren es Bost und Lanzmann, die mich dazu überredeten, die Arbeit fortzusetzen. Da sie den Roman zum erstenmal lasen, waren sie für die wertvollen Elemente empfänglicher als für die Mängel. Ich machte mich also ans Werk. Ich wurde aber oft ungeduldig, wenn mich die Leute in diesem letzten arbeitsreichen Jahr in höflich erstauntem Ton fragten: «Schreiben Sie nicht mehr?» – «Warum schreibt sie nicht mehr? Sie hat schon lange nichts mehr publiziert.» Und mir gab es vor Neid einen Stich ins Herz, wenn, frisch im funkelnagelneuen Umschlag, der neue Roman eines begabten Schriftstellers erschien, dessen Feder flinker war als die meine.

Sartre hatte im November in den *Temps Modernes* den zweiten Teil seines Essays *Les Communistes et la paix* veröffentlicht, in dem er die Grenzen und die Gründe für seine Übereinstimmung mit der Partei präzisierte. Nach seiner Rückkehr aus Wien schilderte er uns ausführlich den Kongreß der Friedenskämpfer. Eine ganze Nacht lang hatte er mit den Russen Wodka getrunken. Mit 20 Prozent waren die Kommunisten nicht gerade gut vertreten gewesen. Viele Delegierte waren ohne Zustimmung ihrer Regierungen erschienen. Um Japan oder Indochina verlassen zu können, hatten manche lange, heimliche Märsche hinter sich bringen müssen. Andere – besonders die Ägypter – riskierten Gefängnisstrafen, sobald sie in ihre Heimat zurückkehrten. Frankreich war außer durch Kommunisten und Progressisten nur spärlich vertreten. Die intellektuelle Linke, die Sartre gern mitgeschleppt hätte, war nicht erschienen. Zusammen mit Lanzmann besuchte ich die Versammlung im Vélodrome d'Hiver, in der die Delegation von ihren Erfahrungen berichtete. Es war ein pikanter Anblick, Sartre und Duclos nebeneinander sitzen und sich zulächeln zu sehen. Meiner Meinung nach wunderten sich auch die Kommunisten. Das Mitglied des Politbüros, das beauftragt war, Sartre vorzustellen, zögerte unmerklich: «Wir freuen uns, daß wir in unserer Mitte Jean-Paul ...» Er zuckte zusammen: Es sah aus, als würde er ‹David› sagen. Es ging aber alles gut, und Sartre trat ans Mikrophon. Ich war immer sehr aufgeregt, wenn er öffentlich sprach, zweifellos wegen der Distanz, die diese aufmerksam lauschende Menge zwischen uns erzeugte. Seine Formulierungen kamen mühelos nacheinander, aber jedesmal hatte ich den Eindruck, als ob ein Wunder geschehen sei. Man fand es amüsant, wie er sich über die Linken lustig machte, denen Wien einen gehörigen Schreck eingejagt hatte. Er attackierte Martinet und Stéphane, der vor mir saß. Ich konnte beobachten, wie er die Hiebe einsteckte, da er sich von Zeit zu Zeit mit einem matten Lächeln umdrehte.

Die meisten Mitarbeiter der *Temps Modernes* billigten Sartres politische Haltung. Er selbst hat erzählt (*Merleau-Ponty vivant*), wie sich seine Beziehungen zu Merleau-Ponty dadurch veränderten. Viele Leute sagten sich mehr oder weniger demonstrativ von ihm los, teils weil sie nicht mit ihm einverstanden waren, teils weil sie ihn kompromittierend fanden. In Freiburg, wo er einen Vortrag hielt, wurde er recht kühl empfangen. «Ich habe mich täuschen lassen – aber das passiert mir nicht noch einmal!» sagte die Frau des Leiters des Institut Français beim Verlassen des Saales. Von den zwölfhundert anwesenden Studenten verstanden kaum fünfzig genug Französisch, um ihm folgen zu können. «Wir haben die Gedanken begriffen», sagte einer von ihnen, «aber nicht die Beispiele.» Sartre schien ihnen dem Marxismus allzu nahezustehen. Er besuchte Heidegger in seinem Adlerhorst, der nur davon sprach, wie verletzend das Stück sei, das Gabriel Marcel über ihn geschrieben hatte. (*La Dimension Florestan*, eine peinliche Satire auf den Heideggerschen Existentialismus, wurde erst ein Jahr später im Rundfunk gesendet, war aber bereits vorgelesen worden.) Da von nichts anderem die Rede war, ging Sartre nach einer halben Stunde weg. Mir erzählte er später, daß Heidegger dem Mystizismus anheimfalle. Mit runden Augen fügte er hinzu: «Und dabei plagen sich vierzigtausend Studenten und Professoren den ganzen lieben langen Tag mit Heidegger ab, stellen Sie sich das vor!»

Er hatte sich endlich entschlossen, den größten Teil des Buches, das der Verteidigung Henri Martins gewidmet war, selber zu redigieren. Freunde waren beunruhigt: Hatte er nichts Besseres zu tun? Auch ich hatte an die archaischen Zeiten vor dem Krieg gedacht. Die Literatur war mir nicht mehr heilig, und ich wuße, wenn Sartre diesen Weg wählte, dann nur deshalb, weil er es für notwendig hielt. «Er sollte seinen Roman beenden. Es wäre wirklich an der Zeit, daß er seine Morallehre schreibt. Warum schweigt er? Warum hat er dann überhaupt gesprochen?» Es gibt nichts Müßigeres als die Ratschläge und kritischen Einwände, mit denen man mich so oft seinetwegen überhäuft hat! Man kann von außen her niemals die Bedingungen richtig einschätzen, unter denen ein Werk entsteht: Der Betroffene weiß besser als jeder andere, was ihm zuträglich ist. Sartre hatte in diesem Augenblick eben das Bedürfnis, vieles beiseite zu schieben, um anderes zu gewinnen. «Ich hatte alles gelesen: alles mußte neu gelesen werden. Ich hatte nur einen Ariadnefaden, aber das genügte: die unerschöpfliche und schwierige Erfahrung des Klassenkampfes. Ich las wieder. Ich hatte einige harte Knochen im Hirn, ich knackte sie, nicht ohne Mühe.» (*Merleau-Ponty vivant*) Er las Marx, Lenin, Rosa Luxemburg und viele andere noch einmal, um sich auf *Les Communistes et la paix* vorzubereiten. Zuerst aber antwortete er auf die Kritik, die Lefort in den *Temps Modernes* an ihm geübt hatte.

Lanzmann begrüßte die neue Position Sartres, da ihm die Politik wichtiger war als die Literatur. Daß er nicht in die KP eintrat, beruhte ausschließlich, wie ich erwähnt habe, auf subjektiven Gründen. Nachdem er die Rohfassung von *Les Mandarins* gelesen hatte, überredete er mich, genauer zu erklären, warum sich Henri und Dubreuilh von den Kommunisten distanzierten, was mir bis dahin selbstverständlich erschienen war. Ich mißbilligte Sartres Handlungsweise keineswegs, aber er hatte mich nicht dazu überreden können, ihm zu folgen, weil ich seine Entwicklung vom Ausgangspunkt her sah: Ich befürchtete, daß er sich durch die Annäherung an die KP allzusehr von seiner persönlichen Wirklichkeit trennen würde. Lanzmann war entgegengesetzter Ansicht. Er betrachtete jeden Schritt Sartres auf dem Wege zur KP als einen Fortschritt. Da ich gleich von Anfang an und gewissermaßen natürlicherweise in ihre Perspektive mit einbezogen war, zwang er mich, Rechenschaft abzulegen, während ich es bisher gewöhnt gewesen war, Rechenschaft zu fordern. Tag für Tag mußte ich meine spontansten Reaktionen, das heißt meine ältesten Vorurteile, verteidigen. Nach und nach wurde mein Widerstand schwächer; ich liquidierte meinen idealistischen Moralismus und machte mir schließlich auch Sartres Gesichtspunkte zu eigen.

Mit den Kommunisten zusammen zu arbeiten, ohne auf das eigene Urteil zu verzichten, war trotz einer gewissen Auflockerung der französischen KP nicht leichter als 1946. Sartre fühlte sich von den internen Schwierigkeiten der Partei, der Beseitigung Martys und Tillions, nicht betroffen. Aber er war weder mit dem Prager Prozeß noch mit dem Antisemitismus, der sich in der UdSSR breitmachte, noch mit den Artikeln, die Hervé im *Ce Soir* gegen den Zionismus in Israel schrieb, noch mit der Verhaftung der ‹Meuchelmörder in weißen Kitteln› einverstanden. Jüdische Kommunisten suchten ihn auf und verlangten von ihm eine Stellungnahme. Mauriac forderte ihn im *Figaro* auf, die Haltung Stalins gegenüber den Juden zu verurteilen, und er antwortete im *Observateur,* daß er es zu gegebener Zeit tun werde. Es wäre ihm nichts anderes übriggeblieben, als sich mit seinen neuen Freunden zu entzweien, wenn sich nicht der Verlauf der Ereignisse plötzlich geändert hätte. Eines Tages war Sartre mit Aragon zum Mittagessen verabredet. Mit anderthalb Stunden Verspätung traf dieser bei ihm zu Hause ein, unrasiert, aufgewühlt: Stalin war tot. Malenkow ließ sofort die angeklagten Ärzte frei und ordnete in Berlin gewisse Maßnahmen an, die einer Entspannung dienen sollten. Wochenlang verlor man sich in unserem Kreis, wie überall auf der Welt, in Hypothesen, Kommentaren, Prognosen. Sartre fühlte sich seltsam erleichtert. Die ersehnte Annäherung hatte endlich Aussicht, Wirklichkeit zu werden. Der in den *Temps Modernes* veröffentlichte Artikel Péjus über die Affäre Slansky wurde von der KP nicht angegriffen. (Einen großen Teil der Dokumente hatte der tschechische Botschafter geliefert.)

In Indochina ging der Krieg weiter. In Nordafrika gärte es. Nach zwei Jahren friedlicher Bemühungen und enttäuschter Hoffnungen glaubte Burgiba, daß Tunesien nur noch mit Gewalt befreit werden könne. Seine Verhaftung (zusammen mit Burgiba waren hundertfünfzig Mitglieder des Néo-Destour festgenommen worden) löste einen Generalstreik und Aufstände aus. Die Säuberungsaktion in Cap Bon, 20 000 Verhaftungen, Terror und Folter stellten die Ordnung wieder her. Im Dezember 1952 fand in Casablanca, ausgelöst durch die Ermordung Fehrat Hacheds (eines leitenden Funktionärs der tunesischen Gewerkschaftsbewegung, der von der «Roten Hand» umgebracht worden war), ein Proteststreik statt. Ein provozierter Aufstand und vier bis fünf Todesopfer unter den Europäern gaben M. Boniface das Recht, die aufblühende marokkanische Gewerkschaftsbewegung niederzuknüppeln: Er ließ fünfhundert Arbeiter niedermetzeln. Die Néo-Destour und die Istiqlal waren bürgerliche Parteien, verkörperten aber trotzdem die Unabhängigkeitsbestrebungen Tunesiens und Marokkos, und Sartre unterstützte sie mit den geringen Mitteln, die ihm zur Verfügung standen: Zusammenkünfte, Versammlungen, die Zeitschrift.

Eine Zerstreuung hatte für mich ihren ganzen Reiz beibehalten: das Reisen. Ich hatte noch nicht alles gesehen, was ich sehen wollte, und viele Gegenden hätte ich gern noch einmal besucht. Lanzmann seinerseits kannte Frankreich und die übrige Welt fast gar nicht. Den größten Teil unserer Mußestunden verbrachten wir mit längeren und kürzeren Spazierfahrten.

Ich glaube, ich werde nie aufhören, die Bäume, die Steine, den Himmel, die Farben und die murmelnden Stimmen der Landschaften zu lieben. Wie in meiner Jugend konnte ich mich für einen Sonnenuntergang über dem Sand der Loire, für einen roten Fels, für einen blühenden Apfelbaum, für eine Wiese begeistern. Ich liebte die grauen und roten Straßen unter den endlosen Platanenreihen und den Goldregen der Akazienblätter zu Beginn des Herbstes, ich liebte – freilich nicht, um dort zu leben, aber um sie zu besuchen und mich an sie zu erinnern – die Provinzstädtchen, das lebhafte Markttreiben auf den Hauptplätzen in

Nemours oder Avallon, die stillen Gassen mit den niedrigen Häusern, eine Kletterrose an den Steinblöcken einer Fassade, das leise Rauschen des Flieders über einer Mauer. Der Duft des gemähten Heus, die Ackererde, das Heidekraut, das Glucksen der Springbrunnen erinnerte mich an die Kindheit. Wenn wir wenig Zeit hatten, begnügten wir uns damit, zum Abendessen in die nähere Umgebung von Paris zu fahren, froh, im Grünen zu atmen, die strahlenden Lichter der Autobahn zu sehen und auf der Rückfahrt den Atem der Stadt zu spüren. Am Fuß eines Hügels tranken wir kühlen Wein, über unseren Köpfen zogen blinzelnd rote und grüne Sterne dahin, die in eine funkelnde, mit roten Lichtmasten gespickte Ebene hinabstürzten und deren Surren mich genauso betörte wie früher der Pfiff eines vorbeifahrenden Eisenbahnzuges. Noch ein paar Jahre durfte ich mich an den vergoldeten Dachziegeln der burgundischen Häuser erfreuen, an dem Granit der bretonischen Kirchen, an den Steinmauern der Bauernhöfe in der Touraine, an versteckten Wegen, an einem Wasserlauf, der grüner ist als das Gras, an den kleinen Gaststätten, wo wir haltmachten, um eine Forelle oder ein Frikassee zu essen, an den nächtlichen Autokolonnen auf den Champs-Élysées. Ein leises Unbehagen wollte immer wieder die Köstlichkeit dieser Feste, dieser Landschaften stören, aber im Augenblick war ich nicht gezwungen, diesem Einfluß nachzugeben, und so ließ ich mich von der schillernden Oberfläche betören.

Im Juni gingen wir auf unsere erste große Reise. Lanzmann war krank, der Arzt hatte ihm Bergluft verordnet, und so fuhren wir nach Genf. Aber es regnete. Überall in der Schweiz regnete es. Wir irrten an den italienischen Seen entlang und kamen schließlich nach Venedig, wo Michelle und Sartre sich aufhielten. Von einem Tag auf den anderen wartete man auf den Ausgang der Affäre Rosenberg. Die Rosenbergs waren schon vor zwei Jahren zum Tode verurteilt worden, und seit zwei Jahren kämpften die Anwälte um ihr Leben. Der Oberste Gerichtshof hatte gerade jeden weiteren Aufschub endgültig abgelehnt. Aber ganz Europa, sogar der Papst forderte so nachdrücklich die Begnadigung, daß Eisenhower allem Anschein nach gezwungen sein würde, nachzugeben.

Eines Vormittags, nachdem wir mehrere Stunden am Lido verbracht hatten, kehrten Lanzmann und ich mit einem Vaporetto zur Piazza Roma zurück, um dort Sartre und Michelle zu treffen und mit ihnen zum Mittagessen nach Vicenza zu fahren. Auf der ersten Seite einer Zeitung hatten wir eine riesige Schlagzeile gelesen: «I Rosenberg sono stati assassinati». Sartre und Michelle kamen wenige Minuten später. Sartre machte ein finsteres Gesicht. «Man hat gar keine Lust mehr, sich das Theater in Vicenza anzuschauen», sagte er und fügte in gereiztem Ton hinzu: «Ich muß schon sagen, mir ist die Lust vergangen.» Lanzmann rief in der Redaktion der Libération an, die sich bereit erklärte, einen Artikel von

Sartre zu bringen. Daraufhin schloß er sich in sein Zimmer ein und schrieb den ganzen Tag. Abends auf dem Markusplatz las er uns den Artikel vor. Niemand war recht damit zufrieden, auch er nicht. In der Nacht begann er noch einmal von vorn: «Die Rosenbergs sind tot, und das Leben geht weiter. Das wolltet ihr doch, nicht wahr?» Am nächsten Morgen gab er diesen Titel und den Artikel telefonisch nach Paris durch.

Das Leben ging weiter: Was blieb zu tun? Während Lanzmann und ich nach Triest unterwegs waren, sprachen wir über die Rosenbergs. Aber auch wir betrachteten den Himmel, das Meer, diese Welt, der sie nicht mehr angehörten.

«Wenn Sie nach Jugoslawien wollen», sagte uns der Hotelportier in Triest, «kann ich Dinare für Sie beschaffen.» Nach Jugoslawien reisen? Das Einfachste von der Welt. Binnen vierundzwanzig Stunden hatte uns die Agentur Putnik mit Visen, Karten und Ratschlägen versorgt. Nachdem wir zwei Ersatzreifen, einen Reserve-Benzinkanister, Zündkerzen, Öl, Bretter und diverse Werkzeuge verstaut hatten, ließen wir unseren Tank füllen. «Im Auto nach Jugoslawien? Da werden Sie etwas erleben!» sagte der Tankwart. Als wir die Grenze überschritten, waren wir sehr aufgeregt: Fast ein Eiserner Vorhang! Und wir kamen auch tatsächlich in eine andere Welt. Kein Wagen befand sich auf der Straße, die am Meer entlangläuft. Die Chaussee war so rissig, daß man sehr bald querfeldein fahren mußte, und auch dann war es ausgeschlossen, schneller als vierzig Kilometer in der Stunde voranzukommen. Es wurde Nacht, und wir waren halbverhungert, bis wir ein Hotel in Otočac gefunden hatten. «Zu essen können Sie bekommen», sagte man zu uns, «aber wegen des Zimmers müssen Sie auf den Portier warten.» Der Portier spielte eine ebenso wichtige Rolle wie bei Kafka. Ein Zimmer? Der Portier hat den Schlüssel. Benzin? Nur er kann die Pumpe in Gang setzen oder die Werkstatt aufschließen. Wo steckt er? Er ist nie da. Endlich stöbert man ihn auf. Er hat keinen Schlüssel. Er geht ihn holen. Er wird wiederkommen. Aber wann? An diesem Abend saßen wir geduldig in einem verräucherten Speisesaal, stopften Bouletten in uns hinein und tranken Zwetschgenschnaps. Da sagte der Kellner zu uns: «Eine Französin möchte mit Ihnen sprechen.» Eine alte, zahnlose Lehrerin setzte sich an unseren Tisch. Sie kannte einen Fürsten, mit dem sie uns brennend gern bekannt machen wollte und der uns vieles über die barbarische Enteignungspolitik Titos berichten würde. Sie hatte selbst Mühe, sich durchzuschlagen, weil ihr Mann im Gefängnis saß. Er hatte als Oberst auf seiten der Deutschen gekämpft, und sie war, wie sie hinzufügte, in mausgrauer Uniform in Paris gewesen. Wir machten einen Rundgang durch die in Nacht und Stille getauchte Stadt, die uns wie ein Phantasiegebilde vorkam, so erstaunt waren wir immer noch darüber, daß wir uns hier befanden.

Der italienische Tankwart hatte gut lachen. Der Fremdenverkehr war kaum wieder in Gang gekommen. Es gab nur wenige Hotels, wenige Restaurants, aber sehr gutes Essen. Benzin war nur mit Mühe aufzutreiben, die kleinste Reparatur wurde zu einem Problem. In den Garagen fehlte es an allem. Die Mechaniker schlugen aufs Geratewohl mit dem Hammer zu. Aber wir lachten nicht. Dieses Land, das vor 1939 eines der ärmsten Länder Europas gewesen war, war durch den Krieg verwüstet worden. Die Ursachen dieser Kargheit waren der Widerstand gegen den Faschismus und – außerdem – der Entschluß, die alten Privilegien nicht wiederherzustellen. Zum erstenmal in meinem Leben sah ich nicht den Überfluß neben der Armut. Die Menschen waren weder arrogant noch unterwürfig, sondern alle gleichermaßen auf ihre Würde bedacht. Und uns Fremden gegenüber von einer rückhaltlosen Herzlichkeit. Man erwies uns Gefälligkeiten mit der gleichen Ungezwungenheit, mit der man sie von uns verlangte.

Was wir zu sehen bekamen, gefiel uns. Rund um die Pliwitzer Seen, unter üppigem Laubwerk, an rauschenden Wasserfällen, verkauften Kinder Walderdbeeren in kleinen, aus Birkenrinde geflochtenen Körbchen. Am Straßenrand standen schöne, blonde Bauernmädchen und blickten uns nach. Wieder wurde mir die Freude zuteil, von einem Berghang aus plötzlich das Mittelmeer zu entdecken und die Olivenbäume von einer Terrasse zur anderen in das unendliche Blau des Wassers hinabsteigen zu sehen. Die steile, zerklüftete, mit Vorgebirgen und funkelnden Inselchen geschmückte Küste erinnerte mich in ihrer Schönheit an Griechenland. Wir besichtigten Šibenik und das Schloß in Split. In den Kirchen knieten alte Frauen vor den Ikonen und murmelten Gebete. Plötzlich befanden wir uns im Orient: Mostar, seine Kuppeln und spitzen Minarette. Aber das Thermometer zeigte mehr als 40 Grad; Lanzmann bekam Fieber, und ich erinnerte mich mit schlechtem Gewissen an die Vorschriften des Arztes. Wir beschlossen, schnell nach Belgrad und von dort in die Schweiz zurückzukehren. Vorher verbrachten wir noch einen Tag in Sarajewo. Die breiten Avenuen, das mit schweren Möbeln eingerichtete Hotel gehörten zu Mitteleuropa, die anmutigen und halbverfallenen Moscheen zum Orient, und der ärmliche Markt mit seinem Sammelsurium gestiefelter Bauern, in schwarze Tücher gehüllter Weiber, reich verzierter Trachten rief in mir jenes Wort aus der Vorkriegszeit ins Gedächtnis zurück: Balkan.

Wir suchten auf der Karte den kürzesten Weg nach Belgrad, der über die Save führt. Wenn wir durch Dörfer kamen und an Wegkreuzungen anhielten, fragten wir etliche Male: «Beograd?» Die Antwort war gewöhnlich ein Wortschwall, in dem häufig das Wort *autoput* vorkam und der von Gesten begleitet war, die uns anscheinend aufforderten, umzukehren. Während Lanzmann den Kaninchen auswich, die von überallher im Scheinwerferlicht auftauchten, fragte er mich: «Glaubst du, daß das der richtige Weg ist?» Ich zeigte ihm die Karte. Mitten in der Nacht erreichten wir das Ufer einer weiten finstern Wasserfläche: keine Brücke. Wir mußten 200 Kilometer weit zurückfahren, um wieder auf die Autostraße zu kommen. Ich löste den erschöpften Lanzmann am Steuer ab und überfuhr einen Hasen. «Nimm ihn doch mit», sagte Lanzmann. «Wir werden ihn verschenken.» Der Hase war groß und fett und blutete kaum.

Früh am Morgen kamen wir in Belgrad an und legten uns schlafen. Später besichtigten wir die Stadt mit ihrem massigen, von großen Bauerndörfern umgebenen Kern. Die Geschäfte, die Restaurants, die Straßen, die Menschen, alles machte einen ärmlichen Eindruck. In der Altstadt verließen wir das Auto mit dem festen Entschluß, den Hasen loszuwerden, den ich an den Ohren gepackt hatte. Wir wagten nicht, ihn jemandem anzubieten, und konnten ihn doch nicht wegwerfen. Schließlich blieben wir vor einem jungen Paar stehen, das einen Kinderwagen vor sich herschob. Ich überreichte ihnen den Hasen mit dem Wort: «*Autoput!*» Lachend bedankten sie sich.

Am nächsten Abend rollten wir wieder auf der öden Autostraße entlang, auf der uns nur Heuwagen begegneten. Ein Unwetter von großer Heftigkeit hielt uns in Brod, einem großen Hüttenzentrum, fest. Im Hotel fand ein Ball statt, auf dem Arbeiter und Arbeiterinnen tanzten. Der Geschäftsführer machte uns auf ihre ausgelassene Stimmung aufmerksam und brachte dann in erbittertem Ton die Beschwerden seines Landes gegen die Sowjetunion vor. Lanzmann konnte Deutsch, das viele Jugoslawen auch beherrschten: Alle, mit denen wir ins Gespräch kamen, verabscheuten damals die UdSSR fast ebensosehr wie Deutschland. Ich erinnere mich unter anderem an einen Aufenthalt in einem Dorf, in dem wir zwei Luftschläuche reparieren ließen. Einige Erdarbeiter luden uns zu einem Glas Wein in einem mit Papiergirlanden und Fahnen geschmückten Schuppen ein. Sie berichteten aus der Zeit der Widerstandsbewegung, und Lanzmann erzählte von seinen Erlebnissen im Maquis. Selbst in ihren Augen war einer der schönsten Ruhmestitel Titos sein Bruch mit Stalin.

Nach einigen Stunden Aufenthalt in Zagreb und in Ljubljana verließen wir Jugoslawien nicht ohne Bedauern. Die Armut war grenzenlos, es gab nicht genug Brücken und Straßen. Wir waren über einen Viadukt gefahren, den gleichzeitig die Fußgänger, die Wagen und die Eisenbahn benutzten. Aber hinter dieser Not hatte ich etwas Rührendes gespürt, das ich nirgendwo sonst angetroffen hatte: Es war die schlichte und unmittelbare Beziehung der Menschen zueinander, die Gemeinschaft der Interessen und Hoffnungen – Brüderlichkeit. Unmittelbar nach der Grenze schien uns Italien ein reiches Land zu sein. Gewaltige Tankautos, Tankstellen, ein dichtes Straßen- und Schienennetz, Brücken, volle Schaufenster: Das alles erschien mir jetzt als eine große Vergünstigung.

Und zugleich mit dem Wohlstand begegneten uns wieder die Rangordnung, der Abstand, die Schranken.

Schließlich tauchte die Schweiz mit ihrem Schnee und ihren Gletschern auf. Wir hatten sämtliche mit dem Auto zu bewältigenden Pässe und Gipfel passiert. Nach der hindernisreichen Fahrt durch Jugoslawien verschmähten wir die allzu glatten Autostraßen. Mehr als einmal haben wir bei nächtlicher Fahrt über steile und vereiste Straßen in der Angst ein köstliches Gefühl des Abenteuers gefunden. Wir haben 3000 Meter hoch am Fuße der Jungfrau geschlafen und die Sonne über dem Eiger aufgehen sehen. Außerdem sind wir viel gewandert: Ich konnte noch mitmachen. Oft marschierten wir sieben bis acht Stunden hintereinander in Sandalen über den Firn. Lanzmann war zum erstenmal im Gebirge. In Zermatt lernte er die Liste der Opfer auswendig, die das Matterhorn gefordert hatte. Nachdem wir einige Tage in Mailand bei meiner Schwester zugebracht hatten, machten wir eine Spazierfahrt durch das Aosta-Tal. Am Rand einer Wiese sahen wir eine Tafel mit der Aufschrift: «Nehmt Rücksicht auf die Natur und das Eigentum.» Als wir nach Paris kamen, wunderten wir uns darüber, daß sich in unserer Erinnerung die Ölbäume Dalmatiens und das Blau der Gletscher kunterbunt vermischt hatten.

Fast unmittelbar darauf verließ ich zusammen mit Sartre abermals Paris. Wir wohnten einen Monat lang in einem Hotel in Amsterdam, an den Kanälen. Wir machten Ausflüge, gingen in die Museen, besichtigten die Stadt und ganz Holland. In Frankreich war ein ungewöhnlich heftiger Streik ausgebrochen, der alle öffentlichen Einrichtungen, unter anderem auch den Post- und Telegrafenverkehr, lahmlegte. Er war durch die gegen die Postbeamten gerichteten Dekrete Laniels ausgelöst worden und hatte sich dann auf die Eisenbahnen und zahlreiche Industriezweige ausgedehnt. 3 Millionen Arbeiter waren in Streik getreten. Um miteinander zu korrespondieren, brachten Lanzmann und ich unsere Briefe zum Flughafen und gaben sie irgendwelchen Reisenden mit. Einmal versuchte er das Herz einer Telefonistin durch den Hinweis auf die Glut seiner Gefühle zu erweichen. «Die Liebe ist keine dringliche Sache», erwiderte sie trocken.

Wir verließen Amsterdam, um uns zwischen Wald und Heide die van Goghs im Museum Müller-Kroller anzusehen. Dann fuhren wir den Rhein und die Mosel hinauf. Auf den Terrassen der Weinstuben tranken wir duftenden Wein aus dicken, traubenfarbenen Gläsern. Sartre zeigte mir auf einer Anhöhe oberhalb Triers die Überreste des Stalag, in dem er gefangen gewesen war. Der Anblick machte großen Eindruck auf mich. Aber der Stacheldraht und die wenigen Baracken, die stehengeblieben waren, sagten mir viel weniger als Sartres Schilderungen. Wir durchquerten das Elsaß, fuhren bis nach Basel hinunter, wo ich mir wieder einmal die Holbeins und die Klees ansah.

Ich erwartete Lanzmann, der sich dort verabredungsgemäß für einige Tage mit uns treffen wollte, voller Ungeduld. Da erhielt ich ein Telegramm: Er hatte in der Gegend von Cahors einen Autounfall gehabt und lag im Krankenhaus. Ich hatte Angst um ihn. Zusammen mit Sartre fuhr ich nach Cahors, wo Lanzmann verletzt und zerschlagen lag. Es war weniger ernst, als man befürchtet hatte. Er konnte bald wieder aufstehen, und so machten wir zu dritt eine Tour durch die Départements Lot und Limousin. Wir besuchten die Grotten von Lascaux und kamen bis Toulouse, wobei wir Albi, Cordes und den Wald von Grésigne wiedersahen. Zum Schluß meines Urlaubs mit Sartre machten wir eine Fahrt durch die Bretagne: Sie kam uns sehr schön vor im Herbst mit seinen Stürmen. Aber ich machte mir Sorgen: Wenn ich auch anfangs befürchtet hatte, daß sich Lanzmann nicht an meine Beziehungen zu Sartre gewöhnen würde, so nahm er im Augenblick einen so wichtigen Platz in meinem Leben ein, daß ich mich fragte, ob nicht mein Einvernehmen mit Sartre gefährdet sei. Sartre und ich führten keineswegs mehr das gleiche Leben. Die Politik, seine Schriftstellerei, seine Arbeit hatten ihn noch nie dermaßen in Anspruch genommen. Er war völlig überarbeitet. Ich machte mir die wiedergefundene Jugend zunutze und lebte dem Augenblick. Natürlich waren wir nach wie vor gute Freunde: Aber würden sich nicht unsere bisher so fest miteinander verschmolzenen Lebenswege zu guter Letzt trennen? Allmählich beruhigte ich mich wieder. Das Gleichgewicht, das ich dank Lanzmann, Sartre und meiner eigenen Wachsamkeit hergestellt hatte, war dauerhaft und hielt stand.

Das Jahr 1953 endete gut. Die Absetzung des Sultans war zwar ein Sieg des Kolonialismus, aber unserer Ansicht nach ein halber Sieg. In Korea war es endlich zum Waffenstillstand gekommen. Ho Tschi-minh öffnete in einem der schwedischen Zeitung *Expressen* bewilligten Interview den Weg zu Verhandlungen. Der Aufstand in Ost-Berlin am 17. Juni, in dessen Verlauf die Polizei auf Arbeiter geschossen hatte, der Sturz Rakosis und die Abschaffung der Konzentrationslager durch Nagy hatten die Kommunisten gezwungen, gewisse Tatsachen zuzugeben, die sie bisher geleugnet hatten: einige begannen sich Gedanken zu machen, andere ‹bissen die Zähne zusammen›. Die Entwicklung in der UdSSR bereitete den mit der Partei Sympathisierenden eine ungemischte Befriedigung. Die Lager verschwanden samt Beria. Der Lebensstandard in Rußland würde steigen, und dieses Wachstum würde eine politische und geistige Demokratisierung begünstigen, weil von nun an die Leichtindustrie nicht mehr zugunsten der Schwerindustrie vernachlässigt werden sollte. Entsprechend dem Titel des letzten Werkes von Ehrenburg setzte auch tatsächlich ein ‹Tauwetter› ein. Als Malenkow bekanntgab, daß die UdSSR die Wasserstoffbombe besitze, schien die Möglichkeit eines Weltkrieges für lange Zeit beseitigt zu sein. Ein ‹Gleichgewicht des Schreckens› ist trotz allem besser als ein Schrecken ohne Gleichgewicht. In diesem Zusammenhang verlor der Sieg Adenauers, der die Schaffung der Europa-Armee zur Folge haben würde, ein wenig an Gewicht.

Sartre hatte in wenigen Wochen und mit großem Vergnügen die Bearbeitung von *Kean* fertiggestellt, um die Brasseur ihn gebeten hatte. Ausnahmsweise verliefen die Proben ohne dramatische Zwischenfälle. Ich sah mir *Warten auf Godot* an. Obwohl ich Stücken mißtraue, die mit Hilfe von Symbolen den Zustand der Menschheit im allgemeinen darstellen wollen, bewunderte ich an Beckett, daß es ihm gelungen war, uns zu fesseln, indem er ganz einfach die unermüdliche Geduld schilderte, die unsere Gattung und jeden von uns allen Gewalten zum Trotz auf der Erde festhält. Ich wurde zu einer der Figuren des Stückes, und der Verfasser war mein Schicksalsgefährte. Während wir warteten – worauf? –, redete er, und ich hörte zu. Durch meine Anwesenheit und seine Stimme wurde eine zwecklose und notwendige Hoffnung am Leben erhalten.

Hemingways *Der alte Mann und das Meer* war in französischer Übersetzung erschienen, und die gesamte Kritik beweihräucherte ihn. Das Buch gefiel weder mir noch meinen Freunden. Obwohl Hemingway es verstand, eine Geschichte zu erzählen, hatte er diese Geschichte mit Symbolen überladen. Er identifizierte sich mit dem Fischer, der auf seinen Schultern in der allzu einfachen Gestalt eines Fisches das Kreuz Christi trägt: Dieser senile Narzißmus irritierte mich. In bezug auf Salomons Buch *Der Fragebogen* war ich durchaus nicht derselben Meinung wie Lanzmann. Deutschland war zum wohlhabendsten Land Europas geworden. Antonina Vallentin, die dort gewesen war, berichtete mir von ihren Erfahrungen mit dem deutschen Neonazismus. Trotz aller «Fragebogen» waren die ehemaligen Nazis und Geschäftsleute, die Hitler unterstützt hatten, wieder obenauf. Ich verstand, daß man die Selbstrechtfertigung Salomons unwillig aufnahm. Ich merkte, wieviel Unaufrichtigkeit in seinem Verfahren steckte und daß sie sich sogar im Spiel bemerkbar machte. Aber der Schwung seiner Schilderungen rief in mir das alte Verlangen wach, von meinen eigenen Erinnerungen zu berichten.

Eigentlich würde ich sehr bald wieder vor der Frage stehen: Was schreiben? Ich hatte endlich – und das trug in diesem Herbst nicht wenig zu meiner guten Laune bei – meinen Roman beendet. Der Titel machte mir noch Kopfzerbrechen. «Die Überlebenden» hatte ich verworfen. Das Leben war ja schließlich nicht im Jahre 1944 stehengeblieben. Ich hätte gar zu gern den Titel «Die Verdächtigen» gewählt, wenn nicht Darbon ihn schon vor einigen Jahren benutzt hätte, denn das Hauptthema des Romans war ja die Zweideutigkeit der Situation, in der sich der Schriftsteller befindet. Sartre schlug «Die Medizinmänner» vor, da wir uns gern mit den Lügenhälsen, Zauberern und Poeten verglichen, die in gewissen afrikanischen Gesellschaftssystemen gleichzeitig geehrt, gefürchtet und verachtet sind. Aber es klang zu esoterisch. «Warum nicht *Les Mandarins?*» schlug Lanzmann vor.

Der Winter ließ sich sehr streng an. Der Abbé Pierre leitete seine große Barmherzigkeits-Offensive ein, die Bourgeois-Damen waren gern bereit, sich von einem Teil ihrer Garderobe zu trennen, alle Welt kam sich herzensgut und großmütig vor, und die Silvesterfeiern verliefen in sehr animierter Stimmung. Unser kleiner Kreis versammelte sich bei Michelle. Das Manuskript von *Les Mandarins* lag bei Gallimard, Lanzmann hatte im Januar vierzehn Tage Urlaub, und ich träumte von der Sonne. Vorläufig war in Marokko alles ruhig. Lanzmann hätte das Land gern kennengelernt, ich hatte Lust, es wiederzusehen. Wir buchten Flugplätze. Am Vorabend unserer Abreise verkündeten die Schlagzeilen der Zeitungen: «Ausnahmezustand in Marokko». Das war der Anfang der durch die Absetzung des Sultans entfesselten Terror- und Gegenterrorwelle. Wir änderten unsere Pläne, und am übernächsten Morgen nahmen wir mit dem Wagen die Fähre nach Algier, das regnerisch, voller Bettler, voller Arbeitsloser und voller Verzweiflung war. Hinter der düsteren Fassade war die aufrührerische Stimmung zu spüren, die durch politisch aktive Elemente mit zäher Geduld geschürt und organisiert wurde; aber davon ahnten wir nichts. Wir fuhren sofort zur Wüste. Vor dem Hotel in Gardhaïa standen Lastautos mit Aufschriften, welche die Ziele dieser Expedition verkündeten: «Elektrische Kochherde verkaufen und auf einer Strecke von 30 000 Kilometer die Parasitologie des Schwarzen Erdteils studieren.» Eine Amerikanerin, die sich anschickte, die Sahara zu durchqueren, polierte ihren Willis Overland. «Warum fahren wir nicht auch nach El Goléa?» fragte mich Lanzmann. Die Leute im Hotel versicherten ihm, daß die Aronde bereits unterwegs in ihre Bestandteile zerfallen würde. Da schlug ich ihm vor, erst einmal nach Guerrera zu fahren. Rot und prächtig thronte die Stadt über dem Sand. Auf dem Marktplatz marschierte ein Mann mit einem Hammel auf dem Rücken vor einem Kreis aufmerksamer Zuschauer raschen Schrittes auf und ab und stieß laute Rufe aus: Es handelte sich um eine Versteigerung. Wir sahen uns die Menschen und Straßen an und gingen in der Oase spazieren. Aber die Hin- und Rückfahrt war eine Geduldsprobe! Man rollte auf einer gewellten, von tiefen Wasserrinnen durchfurchten Straße dahin und mußte unvermittelt von 80 auf 5 Stundenkilometer heruntergehen. Auf der Rückfahrt wurden wir von der Nacht überrascht. Unter einem Gewitterhimmel von furcherregender Schönheit blieben wir im Sand stecken. Obwohl wir Bretter und eine Schippe mithatten und Lanzmann uns freischaufelte, verzichtete er auf El Goléa.

In Ouargla fand ich die aprikosenfarbenen Sanddünen und die wie gebrannte Mandeln gefärbten Felsen wieder, die mich acht Jahre früher bezaubert hatten. Touggourt mißfiel uns. Wir übernachteten dort und fuhren schnell weiter, trotz eines Sandsturms und der guten Ratschläge, mit denen man uns überhäufte. Die Sicht betrug kaum zehn Meter, und nach fünf Minuten hatten wir uns in dem öden Land verirrt. Mit vereinten Kräften fanden wir die Straße wieder und schalteten unsere Scheinwerfer ein: Da hielt ein Auto. Es war ein mohammedanischer Würdenträger mit seinem Chauffeur. «Folgen Sie uns.» Ihr Citroën preschte mit 90 Stundenkilometern durch die dichte weiße Finsternis. Lanzmann pflügte hinterdrein, den Blick auf die Stoßstange des anderen Wagens geheftet. Als sie in einem Dorf haltmachten, fuhren wir im gleichen Tempo weiter. Sowie Lanzmann die Geschwindigkeit verminderte, fing das Auto an zu zittern, und seine sämtlichen Bestandteile begannen zu klappern. Wir waren überzeugt, daß wir uns, sowie ein Hindernis auftauchte, den Hals brechen würden. Schließlich waren wir dem Sturm entkommen, aber er hatte auf der Chaussee hohe Dünen aufgehäuft. Nach vier Kilometern saßen wir wieder fest. Bahnarbeiter, die an einem Schmalspurgleis arbeiteten, kamen uns zu Hilfe. Dann wieder eine Panne. Draisinen mit Arbeitern schaukelten mit einer Geschwindigkeit von knapp zehn Stundenkilometern vorbei. Sie halfen uns wieder aus der Patsche. Schließlich blieben wir achtzig Kilometer vor El Oued endgültig stecken. Der Abend dämmerte, es wurde sehr kalt, in der Nacht würden wir es kaum aushalten können. Wir segneten unseren Glücksstern, als wir einen Dodge erblickten. Darin waren der Stationsvorsteher, seine Frau und zwei mohammedanische Fahrer. Gerettet. Und gleich darauf eine neue Panne. Um dem Dilemma ein Ende zu machen, übersiedelten wir mit unserem Gepäck in den Dodge. Wir sperrten den Wagen ab, wollten aber nicht zulassen, daß einer der Chauffeure ihn nachts bewachte.

Am nächsten Morgen holten die Chauffeure das Auto. Der Bahnhofsvorsteher, der Angst hatte, daß man seinen Zug stillegen würde, wenn er nicht benutzt wurde, wollte, daß wir am nächsten Tag damit unseren Wagen nach Biskra brächten. «Er wird kaputtgehen», prophezeite Salem, ein junger Mann mit entschlossener Miene, der anbot, ihn für viertausend Francs quer über die Dünen nach Nefta zu bringen. Ich hatte sie früher einmal im Lastauto durchquert, aber würde eine Aronde es schaffen? Man versicherte uns, daß dies unmöglich sei. Als wir ratlos zwischen den trichterförmigen Gärten spazierengingen, trafen wir Salem. Er steuerte einen Jeep voller Kinder und holperte von einer Düne zur anderen. «Schön, wenn Sie es sich nicht anders überlegt haben, wollen wir es versuchen!» entschieden wir. Abends verabschiedeten wir uns von dem entsetzten Bahnhofsvorsteher. Seine Frau, die erst vor kurzem aus Algerien gekommen war, war noch völlig geblendet: ein großes Haus, ein riesiger Garten, beliebig viele Dienstboten – davon hatte sie nie auch nur zu träumen gewagt. «Wenn ich meinen Eltern schreibe, daß ich täglich zu meinem Vergnügen zweihundert Kilometer im Auto fahre, werden sie es nicht glauben!» Es waren brave Leute, aber sie wollten nicht, daß Lanzmann den beiden Chauffeuren ein Trinkgeld gab, da sie zum Bahnhofspersonal gehörten. Lanzmann tat es hinter ihrem Rücken. Aber sie erfuhren doch davon und ärgerten sich.

Am nächsten Morgen sah ganz El Oued zu, als wir aufbrachen. Salem hatte die Luft aus den Reifen gelassen. Unter einem Kreuzfeuer skeptischer Blicke ließ er den Motor an. «Mit dem da kommst du nicht durch!» Wir waren recht ängstlich. Falls es schiefging, mußten wir acht Tage auf den nächsten Zug warten. Schon nach knapp fünf Kilometern blieb das Auto stecken. Bauern halfen uns weiter, aber beim nächstenmal (sagte ich mir bestürzt) würde kein Mensch mehr in der Nähe sein. Außerdem flog die Aronde nur so über den Sand dahin. Von Zeit zu Zeit, wenn wir oben auf einer Düne angelangt waren, drehte Salem das Auto mit Hilfe des Rückwärtsgangs, um sie in einem anderen Winkel in Angriff zu nehmen: Und es glückte. Drei Stunden später tranken wir in einem mohammedanischen Kaffeehaus in Nefta auf seine Gesundheit, und die Gäste, die gekommen waren, warfen ihm bewundernde Blicke zu. Er war lebhaft und ebenso intelligent wie geschickt. Sicherlich hat er sich gleich in den ersten Tagen der ALN angeschlossen: Was wird wohl aus ihm geworden sein?

Ihm verdankten wir es vor allem, daß wir freundlich aufgenommen wurden, denn als wir ein wenig später von einem Spaziergang durch die Oase zurückkehrten, musterten uns die wenigen hinter ihren Körben verschanzten Händler mit böser Miene. Das Hotel war geschlossen. In einem *bistro*, das geöffnet zu sein schien, wollte man uns nicht einmal ein Glas Wasser servieren. Wir besuchten Tataouine, Médenine, Djerba, aber wir spürten, daß sich zwischen uns und dem Land eine Mauer der Feindseligkeit befand. In der Nähe von Gabès hörte ich zum erstenmal ein Wort, das mir sehr bald vertraut werden sollte. Ich fragte einen Offizier, ob man sich nach Matmata wagen dürfe, da ich Angst vor dem Sand hätte. Er lächelte überlegen. «Fürchten Sie sich vor den Fellaghas? Seien Sie beruhigt. Wo wir sind, werden sie sich nicht hintrauen.» Eines Abends machten wir in der Dämmerung eine Rundfahrt am Cap Bon. Da wir von Tunis aus zurückfliegen wollten, ließen wir das Auto auf ein Schiff verladen. Ein junger tunesischer Hafenarbeiter hatte Sartres Namen auf dem Wagen gelesen. Er rief seine Kollegen herbei. «Das ist das Auto von Jean-Paul Sartre! Wir werden ihn gleich verladen! Richten Sie ihm unseren Dank aus!» Ich hätte es Sartre gegönnt, auf diesen Gesichtern, die Frankreich dem Haß geweiht hatte, das Lächeln der Freundschaft aufleuchten zu sehen.

Ich fing wieder zu schreiben an, wenn auch ohne große Lust. Momentan lag mir nur eines am Herzen, nämlich meine Kindheit und Jugend wieder auferstehen zu lassen. Aber ich traute mich nicht ohne Umweg heran.

An weit zurückliegende Versuche anknüpfend, nahm ich eine längere Novelle in Angriff, die von Zazas Tod handelte. Als ich sie zwei bis drei Monate später Sartre zeigte, rümpfte er die Nase, und ich mußte ihm zustimmen: Die Geschichte wirkte sinnlos und war uninteressant. Eine Zeitlang brachte ich dann damit zu, Bücher zu lesen und die Fahnen von *Les Mandarins* – sehr schlecht – zu korrigieren.

Das Jahr 1954 enttäuschte unsere Hoffnungen. Nachdem die Berliner Konferenz gescheitert war, schickte sich Frankreich an, der EVG beizutreten. Unterstützt von Amerika, das, in Korea besiegt, wenigstens Indochina vor dem Kommunismus retten wollte, wies es die Annäherungsversuche Ho Tschi-minhs zurück. An dem Tage, dem 13. März, als General Navarre mit der Schlacht um Dien-Bien-Phu begann, hatte ich zum erstenmal ein schmerzliches Erlebnis: Ich fühlte mich völlig von den meisten meiner Landsleute abgeschnitten. Die großen Zeitungen und der Rundfunk sprachen von der restlosen Vernichtung der Vietminh-Armee. Nur aus den linken Blättern und der Auslandspresse war zu ersehen, daß das nicht stimmte, was ich und meine Freunde begrüßenswert fanden. Auf der Seite der Vietminh und unter der Bevölkerung hatte der Krieg Hunderttausende von Opfern gefordert, die ich mehr bedauerte als die Verluste, welche die Garnison erlitten hatte: 15 000 Legionäre waren gefallen, von denen mindestens ein Drittel ehemalige SS-Leute waren. Der Heroismus der Selbstmord-Einheiten war bemerkenswerter als die Heldentaten der Geneviève de Galard und des Colonel de Castries, die von der Propaganda schamlos ausgeschlachtet wurden. Bidault benutzte ihren Mut als Argument und weigerte sich, über einen Waffenstillstand zu verhandeln, der die Evakuierung der Verwundeten ermöglicht hätte. Als Dien-Bien-Phu fiel, wußte ich, daß der Vietminh damit praktisch seine Unabhängigkeit erkämpft hatte. Und das freute mich. Seit Jahren war ich gegen das offizielle Frankreich eingestellt, aber noch nie hatte ich mich über eine seiner Niederlagen gefreut: Das war schändlicher, als einen Sieg schlecht zu machen. Die Leute, mit denen ich zusammenkam, glaubten, daß ein schweres Unglück ihr beziehungsweise mein Vaterland getroffen habe. Wenn sie meine Befriedigung geahnt hätten, hätte ich in ihren Augen ein Dutzend Kugeln auf den Pelz verdient.

Die Ultras und die Armee besaßen die Frechheit, die Leiden, die Todesqualen und die Opfer von Dien-Bien-Phu den Zivilisten und besonders den Linken in die Schuhe zu schieben. Daß Laniel und Pleven ihre Koffer packen mußten, geschah ihnen recht. Sie hatten wenigstens ein paar Tritte in den Hintern erhalten, die sie nicht so leicht vergessen würden. Schließlich und endlich aber waren es nicht die Minister gewesen, die sich dazu entschlossen hatten, das Expeditionskorps in einem ‹Nachttopf› zugrunde gehen zu lassen. Die Armee, die in der Folge ihren Groll selbstgefällig mit der Erinnerung an diese ‹Demütigung› nährte, trug die alleinige Schuld. Was die Linke betraf, so hatte sie nicht nur den Frieden gewollt, sondern ihre Presse und ihre politischen Repräsentanten hatten außerdem noch die gefährliche Extravaganz des Navarre-Plans angeprangert. Ein Mörder befand sich in der Regierung: Bidault. Aber sein Verbrechen bestand nicht darin, das Militär verraten zu haben: Er war so weit gegangen, einen Weltkrieg zu riskieren, um ihm den Rücken zu stärken. Es war nicht abzusehen, zu welchen Extremen uns die Wahnvorstellungen einer Armee treiben würden, die sich weigerte, ihre Mißerfolge zuzugeben, und voller Rachedurst nach Frankreich zurückkehrte. Aber während das Parlament Laniel und Bidault in die Wüste schickte, sich dem Abtransport des Kontingents widersetzte und Mendès-France beauftragte, Verhandlungen aufzunehmen, während ein großer Teil der Bevölkerung mit alldem einverstanden war, begann sich der häßliche Chauvinismus der Besiegten aus Indochina breitzumachen und die öffentliche Meinung zu vergiften. Die Ulanova sollte in Paris tanzen. Die Herren Fallschirmjäger glaubten, Dien-Bien-Phu rächen zu können, indem sie ihr Auftreten durch Drohungen verhinderten, die die Behörden einschüchterten.

Im März hatten die Amerikaner auf Bikini eine Bombe gezündet, deren Wirkungen alle Erwartungen übertrafen. (Sie forderte zahlreiche Opfer unter den japanischen Fischern und den Verbrauchern, die ihre Fische kauften.) Oppenheimer, der an ihrer Herstellung beteiligt gewesen war, wurde trotzdem antiamerikanischer Umtriebe bezichtigt. Die Hexenjagd nahm kein Ende: Sie bekam dem amerikanischen Imperialismus ausgezeichnet. Die von ihm Unterdrückten und alle, die sich zu wehren versuchten, wurden unverzüglich niedergetrampelt. Um die Aufmerksamkeit der Weltöffentlichkeit zu decken, feuerten Puertorikaner mehrere Schüsse in einer Kongreßsitzung ab: vergebens. In Guatemala hatte Arbenz versucht, das Joch der United Fruit abzuschütteln. Söldner, ‹Befreiungsarmee› getauft, kamen an Land und verjagten ihn.

Im Februar forderte Elsa Triolet Sartre auf, an einem Treffen zwischen Schriftstellern aus dem Osten und dem Westen teilzunehmen, das in Knokke als eine Art Tafelrunde vorbereitet wurde. Er sagte zu, und wir – Michelle, Lanzmann und ich – begleiteten ihn im Auto. Tagsüber gingen wir spazieren und sahen uns Bilder an, abends erzählte er uns von dem Verlauf der Tagung. Die bürgerlichen Intellektuellen, darunter auch Mauriac, hatten Elsa Triolets Einladung abgelehnt. Die kleine Gruppe der Kommunisten und Sympathisierenden, die sie zusammengetrommelt hatte, verfaßte einen Aufruf zu einer größeren Zusammenkunft: da es galt, niemanden vor den Kopf zu stoßen, wurde jedes Wort auf die Goldwaage gelegt. Anwesend waren Carlo Levi, durchfroren, auf dem Kopf eine Pelzmütze, Fedin, Anna Seghers, Brecht, der sehr charmant war, aber alle Welt verblüffte, als er nach Fertigstellung des Wortlautes mit naiver Miene forderte, einen Protest gegen die amerikanischen Atomversuche hinzuzufügen. Fedin und Sartre waren klug genug, diesen Vorschlag mit Stillschweigen zu übergehen. Die belgische Königin, eine alte Fortschrittlerin, empfing in Brüssel die Teilnehmer dieses kleinen Kongresses. Die russischen Schriftsteller luden Sartre für Mai nach Moskau ein.

Das ganze Jahr hindurch hatte er übermäßig hart gearbeitet. Er litt an zu hohem Blutdruck. Der Arzt hatte ihm einen Landaufenthalt, eine lange Ruhepause verordnet: Er begnügte sich aber damit, Medikamente zu schlucken. In den Nächten vor seiner Abreise schlief er kaum noch, weil er sein Vorwort zu Cartier-Bressons Album *China gestern und heute* fertigstellen mußte. Er sollte in Berlin Station machen und an einer Tagung der Friedensbewegung teilnehmen. Den Text seiner Ansprache wollte er im Flugzeug entwerfen. Er nahm sich ganz entschieden zuviel vor, und ich machte mir Sorgen um ihn, weil er erschöpft aussah. Seine ersten Briefe beruhigten mich ein wenig. In Berlin hatte er über die universelle Expansion der Geschichte und ihr Paradoxon gesprochen. Der eine Aspekt war die Erfindung neuer Waffen, die ausreichen würden, den Erdball zu vernichten – der andere der Eingriff kolonialer oder halbkolonialer Länder in das Weltgeschehen, die im Kampf um ihre Unabhängigkeit Volkskriege entfesselten, gegen die die Atombomben nichts ausrichten können.

Im Augenblick behauptete Sartre, sich von seinen Anstrengungen zu erholen. Von seinem Hotel, dem ‹National›, sah er den mit Fahnen geschmückten Roten Platz. Man feierte den Jahrestag des Anschlusses der Ukraine an Rußland. Er wohnte dem Aufmarsch bei. «Ich habe mit meinen Augen eine Million Menschen gesehen», schrieb er mir. Er wunderte sich über die Flegelei einiger ausländischer Diplomaten, die auf ihrer Tribüne lachten: «In Frankreich hätte man diese Ungezogenheit am Vierzehnten Juli auf den Champs-Élysées nicht geduldet.» Er besuchte die Universitäten, sprach mit Studenten und Professoren und hörte zu, wie in einer Fabrik Arbeiter und Techniker über die Werke Simonows diskutierten. Er ging viel spazieren. Sein Dolmetscher hatte ihm, für den Fall, daß er allein ausgehen wolle, was sehr oft geschah, fünfhundert Rubel gegeben. Als er von Simonow auf dessen *datscha* eingeladen war, hatte man ihn einer harten Feuerprobe unterzogen: ein vierstündiges Bankett, zwanzig Trinksprüche mit Wodka; außerdem füllte man unaufhörlich sein Glas mit *vin rosé* aus Armenien oder mit Rotwein aus Georgien. «Ich habe ihn beim Essen beobachtet», sagte später einer der Tischgenossen, «und festgestellt, daß dieser Mann anständig sein muß, weil er aufrichtig ißt und trinkt.» Sartre hatte sich vorgenommen, sich bis zum Ende dieses Lobes würdig zu erweisen. «Ich habe den Gebrauch meines Kopfes nicht verloren, aber teilweise den meiner Beine», berichtete er mir. Dann brachte man ihn zum Zug nach Leningrad, wo er am nächsten Morgen ankam. Die Kais der Newa und die Paläste machten großen Eindruck auf ihn, aber man ließ ihm keine Zeit. Vier Stunden ging es mit dem Auto durch die Stadt, zur Besichtigung der Denkmäler, eine Stunde Pause und dann ein vierstündiger Besuch im Kulturpalast. Am nächsten Tag ein ähnliches Programm und abends Ballett. Er kehrte nach Moskau zurück, flog nach Usbekistan. Anschließend sollte er Ehrenburg nach Stockholm zu einer Tagung der Friedensbewegung begleiten und am 21. Juni wieder in Paris sein.

Im Juni stellte meine Schwester am rechten Ufer ihre neuesten Bilder aus. Eifrig bestrebt, ihre handwerklichen Kenntnisse zu vertiefen, legte sie ihrer Spontaneität allzu harte Zügel an, aber einige ihrer Werke waren bereits recht interessant. Bei der Eröffnung traf ich Françoise Sagan in Begleitung von Jacqueline Audry. Ich mochte ihren Roman nicht. Später sollte ich ihm *Ein gewisses Lächeln* und *In einem Monat – in einem Jahr* vorziehen. Trotzdem hatte sie eine angenehme Art, ihren Ruf als Wunderkind vergessen zu lassen.

Es war ein schöner Sommer. Ich zog zusammen mit Lanzmann in ein kleines Hotel am Stausee des Settons. Wir hatten eine ganze Bibliothek mitgeschleppt, verbrachten aber die meisten Stunden damit, über Berg und Tal zu wandern, Abteien, Kirchen, Schlösser zu besichtigen. Blühender Ginster färbte die Hügel gelb. Als ich nach Paris zurückkam, fand ich in meinem Briefkasten unten an der Treppe einen Brief von Bost. «Kommen Sie umgehend zu mir.» Ich dachte sofort, daß Sartre etwas passiert wäre ... Tatsächlich hatte Ehrenburg im Laufe des Vormittags von Stockholm aus Astier angerufen und ihn gebeten, Sartres Freunde zu benachrichtigen. Sartre lag in einem Moskauer Krankenhaus. Astier hatte sich mit Cau in Verbindung gesetzt, der Bost verständigte. Ich hatte Angst – genau wie an jenem Tag im Jahre 1940, als mir der Brief einer Unbekannten Sartres neue Adresse mitgeteilt hatte. Krankenrevier. Auch Bost machte einen niedergeschmetterten Eindruck. Bost wußte nicht, was Sartre eigentlich fehlte. Ich wollte mit Cau sprechen. Er war in der Sorbonne auf irgendeiner Tagung. Wir gingen hin. Astier habe, sagte mir Cau, von einer kritischen Erhöhung des Blutdrucks gesprochen, die aber nicht schlimm sei. Das genügte mir nicht. Da Sartre an zu hohem Blutdruck litt, lag die Frage nahe, ob er nicht einen Schlaganfall gehabt hatte. Ich beschloß, zusammen mit Bost, Olga und Lanzmann, in die sowjetische Botschaft zu gehen und den Kulturattaché zu bitten, mit Moskau zu telefonieren. Im Foyer trafen wir einige Beamte, denen ich meine Bitte vortrug. Sie sahen uns erstaunt an. «Telefonieren Sie doch selbst ... Sie brauchen nur den Hörer abzunehmen und Moskau zu verlangen.» Das Bild des Eisernen Vorhangs hatte sich uns so fest eingeprägt, daß wir es kaum glauben wollten. Von der rue de la Bûcherie aus verlangte ich Moskau, das Krankenhaus, Sartre. Verblüfft hörte ich nach drei Minuten seine Stimme. «Wie geht es Ihnen?» fragte ich besorgt. «Ausgezeichnet», erwiderte er in munterem Ton. «Es kann Ihnen doch aber nicht gut gehen, da Sie im Krankenhaus liegen.» – «Woher wissen Sie das?» Da er sich offenbar nicht zurechtfand, erklärte ich ihm den Zusammenhang. Er gab zu, daß der Blutdruck eine kritische Höhe erreicht habe, daß aber die Krise vorbei sei und er nach Paris zurückkehren werde. Ich legte auf, fand aber keine Ruhe. Es war eine andere Situation als im Jahre 1940. Damals war Sartre von äußeren Gefahren bedroht gewesen. Plötzlich wurde mir klar, daß er, wie alle Menschen, den Tod in sich trug. Diese Tatsache war mir nie wirklich bewußt geworden. Um ihr zu begegnen, hatte ich meine eigene Vernichtung geltend gemacht, die mich zwar erschreckte, aber zugleich auch beruhigte. In diesem Augenblick jedoch war ich ausgeschaltet. Es bedeutete wenig, ob ich mich an dem Tage, an dem er verschwinden würde, noch auf Erden befand oder nicht: Dieser Tag würde kommen. In zwanzig Jahren oder morgen drohte mir das gleiche: Er wird sterben. Ein schwarzer Schleier vor den Augen. Die Krise ging vorüber; aber es war etwas Unabänderliches geschehen. Der Tod hatte mich gestreift. Er war kein metaphysisches Ärgernis mehr, sondern eine Frage unserer Arterien, er war nicht mehr eine nächtliche Hülle, sondern eine greifbare Wirklichkeit, die mein Leben durchtränkte, meine Begierden, die Gerüche, die Lichter, die Erinnerungen, die Pläne färbte: alles.

Sartre kehrte zurück. Abgesehen von den häßlichen Prunkbauten, hatte ihm das meiste gefallen. Vor allem hatte er die neuen Beziehungen, die in der UdSSR zwischen den Menschen und zwischen den Menschen und Dingen entstanden waren, sehr interessant gefunden: Die Beziehungen zwischen einem Autor und seinen Lesern, zwischen den Arbeitern und dem Betrieb waren anders. Arbeit, Muße, Lektüre, Reisen, Freundschaft: alles hatte dort einen anderen Sinn als bei uns. Er hatte den Eindruck, daß die Sowjetgesellschaft zu einem großen Teil die Vereinsamung besiegt hatte, die unsere Gesellschaft zerstört. Die Unbequemlichkeiten, die das kollektive Leben in der UdSSR mit sich brachte, erschienen ihm weniger beklagenswert als die individualistische Isolierung.

Die Reise war anstrengend gewesen. Von früh bis spät Zusammenkünfte, Gespräche, Besuche, Fahrten, Bankette. In Moskau hatte ihn das über mehrere Tage verteilte Programm ein wenig zur Ruhe kommen lassen; in anderen Städten waren die lokalen Organisationen unbarmherzig gewesen. In Samarkand sollte er achtundvierzig Stunden bleiben. «Einen Tag für die offiziellen Pflichten, einen Tag für mich!» forderte er. Diese Laune erregte Anstoß: Was schön ist, ist schön, auch wenn man es zusammen mit vierzig anderen betrachtet. Man führte es auf seinen bürgerlichen Individualismus zurück, versprach aber schließlich, seinem Wunsch zu entsprechen. Im letzten Augenblick beschränkte der Schriftstellerverband in Taschkent den Ausflug auf einen einzigen Tag: Da hieß es denn, Betriebe besichtigen, Kinderbücher inspizieren. «Trotzdem wird man Sie allein lassen», versprach der Dolmetscher. Ein Archäologe und einige Würdenträger begleiteten Sartre durch die Stadt: das Auto hielt vor den Palästen und den Moscheen, den prunkvollen Überresten von Tamerlans Macht. Alle stiegen aus, und der Archäologe hielt seinen Vortrag. Dann streckte der Dolmetscher den Arm aus und jagte alle davon: «Und jetzt will Jean-Paul Sartre allein sein.» Sie zogen sich zurück, und Sartre wartete ungeduldig darauf, wieder mit ihnen zusammen sein zu dürfen.

Am beschwerlichsten waren die übrigens sehr vergnüglichen Stunden der Entspannung: der Feste und Trinkgelage. Die Großtaten, die Sartre auf Simonows *datscha* vollbracht hatte, mußte er nachher noch oft wiederholen. Am Abend seiner Abreise von Taschkent hatte ein Ingenieur, robust wie drei Wandschränke, mit ihm um die Wette Wodka getrunken. Auf dem Flughafen, wohin er ihn begleitet hatte, brach der Ingenieur zusammen, zur tiefen Befriedigung Sartres, dem es gelang, seinen Sitz zu erreichen, worauf er sofort in einen bleiernen Schlaf versank. Beim Erwachen war er so zerschlagen, daß er seinen Dolmetscher bat, ihm in Moskau einen Ruhetag zu erwirken. Kaum hatte er das Flugzeug verlassen, als er in der Halle einen Lautsprecher rufen hörte: «Jean-Paul Sartre...» Es war Simonow, der ihn telefonisch zum Mittagessen einlud. Wenn er des Russischen mächtig gewesen wäre, hätte er gebeten, das Essen auf den nächsten Tag zu verschieben, und Simonow wäre ohne weiteres damit einverstanden gewesen: Aber keiner der ‹Adjutanten› (in dem Sinne, in dem Kafka dieses Wort in *Das Schloß* gebraucht) – neben dem Dolmetscher begleitete ihn auch ein Mitglied des Schriftstellerverbandes auf seinen Reisen – wollte es auf sich nehmen, Simonow einen solchen Vorschlag zu unterbreiten. Das Essen fand am selben Tag statt. Es wurde reichlich begossen, und zuletzt reichte Simonow Sartre ein mit Wein gefülltes Trinkhorn von imposanten Ausmaßen: «Ob voll oder leer, Sie nehmen es mit!» und legte es ihm in die Hände. Man konnte es nicht wegstellen, ohne es geleert zu haben. Sartre biß in den sauren Apfel. Als er nach Tisch allein am Ufer der Moskwa spazierenging, schlug sein Herz heftig gegen die Rippen. Die ganze Nacht und am nächsten Morgen hielt das Herzklopfen an, so daß er sich außerstande fühlte, vereinbarungsgemäß mit einer Gruppe Philosophen zusammenzutreffen. «Aber was haben Sie denn?» fragte der Dolmetscher. Er fühlte ihm den Puls und stürzte zur Tür hinaus, um einen Arzt zu holen, der Sartre sofort ins Krankenhaus schickte. Man behandelte ihn, er schlief, ruhte sich aus und fühlte sich geheilt. De facto war er keineswegs geheilt. Als ich einige enge Freunde einlud, mußte er sich sichtlich anstrengen, um seine Erlebnisse zu schildern. Er gab der *Libération* ein Interview: Er sprach zögernd, und als man ihm vorschlug, den Text durchzusehen, verschwand er. In Italien, wo er mit Michelle hingefahren war, um sich auszuruhen, begann er an einer Autobiographie zu schreiben. Wie er mir schrieb, gelang es ihm nicht, zwei Gedanken miteinander zu verbinden.

Aber er schlief wenigstens viel und traf mit Menschen zusammen, die ihn interessierten. Von den italienischen Kommunisten wurde er äußerst freundschaftlich empfangen. Als er unter freiem Himmel an der Piazza Trastevere mit Togliatti zu Abend aß, zeigte der Restaurantmusiker Togliatti stolz seine Mitgliedskarte der KPI und sang ihm zu Ehren alte römische Lieder. Eine Menschenmenge lief zusammen, die immer zudringlicher wurde. Da begannen einige Amerikaner zu pfeifen. Die Italiener murrten. Um es nicht zum Handgemenge kommen zu lassen, war es besser, zu verschwinden.

Unterdessen fuhr ich mit Lanzmann nach Spanien. Seit Jahren reisten Franco-Gegner ohne Bedenken dorthin: so schluckte ich meine Bedenken auch hinunter. Abgesehen von Tossa, das ein häßlicher Touristenort geworden war, hatte sich anscheinend wenig geändert. Das Elend war eher noch schlimmer geworden. In gewissen Vierteln Barcelonas und fast überall in Tarragona waren die Straßen reine Kloaken, mit halbverhungerten Kindern, Bettlern, Invaliden, armseligen Prostituierten bevölkert. In der Hauptstadt merkte man, daß Franco etwas gegen das Elend tat. Die verfallenen Bezirke, die ich 1945 gesehen hatte, waren abgerissen worden. Wo aber waren die Bewohner geblieben? Die Häuser, die dort errichtet worden waren, beherbergten wohlbestallte Beamte.

Aber wir hatten uns ja schließlich über die Lage im Lande informiert. Wenn wir trotzdem hingefahren waren, dann aus dem einfachen Grund, weil es dort vieles gab, was uns lockte: die Vergangenheit, die Sonne, das Volk. Ich ging wieder in den Prado. Im Augenblick gefielen mir Goya und auch Velázquez besser als El Greco. In Ávila, im Escorial, in den Zigarrenfabriken von Toledo, in Sevilla, in Granada fand ich alte Freunde wieder.

Obwohl Lanzmann und ich stets bemüht waren, zu verstehen und zu lernen, liebten wir auch den flüchtigen Genuß äußerlicher Eindrücke: ein rotes Schloß auf einer Anhöhe am Ufer eines Sees – der Blick von einem Hügel in ein Tal, das sich endlos in Nebelschleier verliert – Sonnenlicht, das plötzlich aus einem Gewölk hervorbricht und die Felder Altkastiliens in seinen schrägen Strahlen badet – das Meer in der Ferne. Und Lanzmann übernahm meine alte Manie, sorgfältig jede Einzelheit der Landschaft, durch die wir kamen, zu registrieren – korallfarbene Berge, staubige Hochplateaus, von der untergehenden Sonne in Flammen gehüllte Stoppelfelder und die steile, zerrissene Küste, deren Pracht und Schrecken Dalí so gut gezeichnet hat. Die Hitze schreckte uns nicht: Ein glühender Wind fegte über die Steppen Andalusiens, als wir bei 40 Grad seine Troglodytendörfer besuchten. Wir ruhten uns auf dem Strand oder in einsamen Buchten aus, badeten ausgiebig im Meer und in der Sonne. Abends sahen wir in den Dörfern die hellgekleideten jungen Mädchen lachend vorbeipromenieren.

In Lérida wurde ein Fest gefeiert. Andalusisch kostümierte kleine

Mädchen – lange Rüschenröcke, Fächer und Mantillas –, Lippen, Wangen und Wimpern geschminkt, tanzten zwischen den Schießbuden, den Lotterieständen, den Manegen und Cafés unter freiem Himmel. Knallkörper explodierten an allen Straßenecken. Lanzmann erlebte seine erste Corrida. Sie war schlecht, aber er fand sie trotzdem sehr aufregend. Dann fuhren wir nach dem Norden, den ich nicht kannte. Ich besichtigte die Kirchenfenster von León, das Museum von Valladolid, die kleinen baskischen Häfen, Guernica und zuletzt San Sebastián. Von dort aus kehrten wir direkt nach Paris zurück.

Es fiel schwer, mir über die Gefühle klarzuwerden, die mir das spanische Volk damals einflößte. Die Niederlage ist eine Schande. Man kann sie nicht überleben, ohne mit dem, was einem verhaßt ist, zu paktieren. Mich störte die Geduld, die durch keine Hoffnung mehr erhellt wurde. Wenn wir im Auto vorbeifuhren, hätten die Straßenarbeiter uns nicht zulächeln dürfen. Sie und diese Bauern, die nie den Finger hoben, um uns anzuhalten, wußten doch, daß die Reichen nicht ihre Freunde sind. Sie waren verblüfft, wenn wir sie aufforderten, einzusteigen. Eine alte Frau glaubte sogar, daß sie entführt werden sollte. Eines Abends nahmen wir einen uralten Mann mit, der einen schweren Sack schleppte. «Wo wollen Sie hin?» – «In die Hauptstadt natürlich!» erwiderte er mit nobler Herablassung. Er meinte das siebzig Kilometer entfernte Badajoz. «Das ist aber weit.» – «Natürlich – ich hätte die ganze Nacht marschieren müssen.» In Sevilla, in den Kneipen von Alameda hätten die kleinen Prostituierten uns mit feindseliger Miene betrachten müssen, aber nein! Eine von ihnen setzte sich an unseren Tisch und flehte mich an: «Nehmen Sie mich mit nach Paris, ich kann gut waschen und flicken, ich bin fleißig, ich werde für Sie sorgen ...»

Ein Gespräch klärte mich auf. Als wir in Granada im Hotel ‹Alhambra› zu Abend aßen, ärgerte sich Lanzmann über den Oberkellner, der ihm nicht erlaubte, seine Jacke auszuziehen, und äußerte sich abfällig über die Militärs und Pfaffen, die dieses Land beherrschten. Da fing der andere an zu lachen: Auch er liebe sie nicht. Während des Bürgerkrieges hatte er in dem Hotel in Valencia gearbeitet, wo Malraux und Ehrenburg gewohnt hatten. Er erzählte einiges aus seinem Leben, aber dann wurde seine Stimme härter: «Ihr habt uns zum Kampf ermuntert. Nachher habt ihr uns fallenlassen. Wer hat die Zeche bezahlt? Wir. Eine Million Tote, auf den Straßen, auf den Plätzen, überall. Wir werden es nicht wieder tun, nie wieder, um keinen Preis.» Diese ruhigen Menschen hatten ihr Leben tatsächlich für ein Abenteuer aufs Spiel gesetzt. Sie waren die Söhne, die Brüder derjenigen, die ihr Leben verloren hatten. England und Frankreich waren an ihrer Resignation genauso schuld wie Deutschland und Italien. Da blieb nichts anderes übrig, als zu warten, bis eine neue, weniger mit Erinnerungen belastete Generation die Hoffnung wiederfindet und den Kampf von neuem aufnimmt.

Als ich nach Paris zurückkehrte, hatte Mendès-France inzwischen das Abkommen mit Vietnam unterzeichnet, war nach Tunis gereist und hatte dort mit den führenden Kreisen Tunesiens verhandelt. Er hatte die Kammer aufgefordert, gegen die EVG zu stimmen. Obwohl er die Unterstützung durch die Stimmen der Kommunisten abgelehnt hatte, entsprach seine Politik den Wünschen der Linksparteien.

Als ich Ende August mit Sartre im Auto losfuhr, ging es ihm noch immer schlecht. Am ersten Abend, in Straßburg, blieb er lange in seinem Zimmer auf einem Stuhl sitzen, die Hände auf den Knien, mit gebeugtem Rücken und starrem Blick. Während des Abendessens erklärte er: «Die Literatur ist Scheiße», und schimpfte unaufhörlich vor sich hin. Die Müdigkeit verwandelte ihn in einen Jammerlappen. Das Schreiben kostete ihn so viel Mühe, daß es ihm keinen Spaß mehr machte. Wir reisten durchs Elsaß, den Schwarzwald, Bayern. Was für Ruinen! Ulm war ein Trümmerhaufen, Nürnberg völlig zerstört. *An allen Fenstern flattern die Hakenkreuzfahnen* ... Das geschickt restaurierte Rothenburg versetzte uns um zwanzig Jahre zurück: 1934 waren wir auf seinen Wällen spazierengegangen, hatten die drohende Katastrophe nicht wahrhaben wollen, deren ungeheuerliches Ausmaß wir nicht (weder ich noch Sartre mit seiner Schwarzseherei) voraussehen konnten. In den bunt bemalten Straßen von Oberammergau hätte man meinen können, es sei nichts geschehen. In München feierten wir ein Wiedersehen mit den riesigen Bierlokalen und der bayrischen Fröhlichkeit. In Berlin hatte 1948 die Not der Einwohner meinen Groll zum Verstummen gebracht. Aber das protzig lärmende München, in dem die Kriegsgewinnler lustig paradierten, begann ich zu hassen. Nur eine spaßige Szene ist mir im Gedächtnis geblieben: Eines Vormittags wateten mitten in dem fast völlig ausgetrockneten Flußbett der Isar zwei Herren in Zylinder und Frack durchs Wasser. Mit ihrer schwarzen Sonntagskleidung, ihren verstörten Mienen, ihren planlosen Versuchen, ans Ufer zu gelangen, verkörperten sie das ungereimte Wunder Deutschlands.

In Salzburg, in einem Hotel der Altstadt, das seine ganze Anmut widerspiegelte, fing Sartre an zu arbeiten. Er hatte sich wieder gefunden. Wir besichtigten die Gegend mit ihren Bergen und Seen und fuhren eine Woche später nach Wien. Auf Grund eines Vertrages, den Nagel ohne Sartres Zustimmung unterzeichnet hatte, wurde eine Aufführung von *Les Mains sales* vorbereitet. Die Friedensbewegung hatte ihn darauf aufmerksam gemacht. Er protestierte und erläuterte seine Gründe auf einer Pressekonferenz. Endlich sah ich im Museum die Brueghels, die Donau, den Ring, den Prater und die alten Kaffeehäuser, von denen man mir soviel erzählt hatte. Die Abende verbrachten wir in mittelalterlichen Kellern des Stadtzentrums oder in vorstädtischen Wirtshäusern am Fuß der mit Weingärten bedeckten Hügel.

Ich hatte Lust, Prag wiederzusehen. Sartre erhielt mühelos die Einreisevisen. Der Gedanke, den wirklichen Eisernen Vorhang zu passieren, reizte meine Neugier. Dabei handelte es sich nicht nur um eine Metapher. Die schmale grasbewachsene Straße, die uns zu einem einsamen Grenzposten führte, endete vor einem von dichten und drohenden Stacheldrahtverhauen flankierten Gitter. Hoch oben auf einem Wachturm marschierte ein Posten lässig auf und ab. Ich hupte. Er reagierte nicht. Ich hupte abermals. Da kam aus dem Wachhäuschen ein Soldat und prüfte durchs Gitter hindurch unsere Pässe. Dann machte er dem Wachposten ein Zeichen, der in den Taschen kramte und ihm einen Schlüssel zuwarf. Er sperrte das Gitter auf, als handle es sich um das Tor eines privaten Parks.

Es war ein Sonntag. Keine Autos, aber zahlreiche Ausflügler, die auf den Straßenböschungen, auf den Wiesen und unter den Tannen kampierten. Ich fuhr gemächlich durch die Felder und Dörfer und wunderte mich darüber, daß ich von Anfang an eine selbstverständliche Sympathie zu einer Volksdemokratie verspürte. In Prag fragte Sartre auf deutsch einen Passanten nach der Adresse des Hotels, von dem wir wußten, daß es Fremden vorbehalten war. Er rief den Dichter Nezval an, der erleichtert aufatmete, als Sartre ihn bat, sich nicht stören zu lassen: Seine Frau stand dicht vor der Entbindung. Wir hatten uns beim Portier Geld geborgt und machten einen Spaziergang durch die Stadt, wobei wir gerührt die Straßen, Brücken, Denkmäler, aber auch die Cafés und Restaurants wiedererkannten, obwohl alles nicht mehr wie früher war. (Vor dieser Weinstube hatten wir über die Achsel eines Vordermannes hinweg den Namen Dollfuß und ein Wort gelesen, das mit M begann.) Wir sahen Leuchtreklamen, gepflegte Auslagen, eine lebhafte Menschenmenge und viele Gäste in den Cafés, die den Wiener Kaffeehäusern ziemlich ähnlich waren. Lange sind wir durch die Straßen und unsere Erinnerungen gewandert.

Am nächsten Tag zeigte uns der dicke Dichter Nezval – der Paris so liebte und stundenlang, auf dem Kopf eine Baskenmütze, auf der Terrasse des ‹Bonaparte› zu sitzen pflegte – die ‹Kleinseite›, die Kirchen, den jüdischen Friedhof, das Museum und die uralten Weinstuben. Mehrere seiner Freunde hatten sich uns angeschlossen. Als wir an einem gewaltigen Stalin-Denkmal vorbeikamen, sagte eine junge Frau, jedem Kommentar zuvorkommend: «Uns gefällt es ganz und gar nicht.» Wir sahen eine mittelmäßige Opernvorstellung und mehrere Marionettenfilme in einer privaten Vorführung: Der netteste davon ermahnte die Fahrer zur Nüchternheit. Ganz reizend war der kleine beschwipste Motorradfahrer, der die Autos und die Züge überholte und sich das Kreuz brach bei dem Versuch, es einem Flugzeug gleichzutun. Wir wurden mit Geschenken überhäuft: Kunstbücher, Platten, Spitzen und Kristallglas. Ein einziger, aber tiefer Schatten fiel auf diesen Besuch: Als wir eine Bibliothek besuchten, blieb einer der Verwaltungsbeamten einen Augenblick lang mit uns allein. Unvermittelt murmelte er: «Im Augenblick geschehen hier furchtbare Dinge.»

Auf der Rückfahrt passierten wir ohne viel Geschichten eine banale Zollgrenze, aber auf der österreichischen Seite wollte ein junger russischer Soldat uns nicht durchlassen, weil wir versäumt hatten, uns die Erlaubnis zur Durchfahrt durch die Sowjetzone zu besorgen. Während er mit seinem Vorgesetzten telefonierte, unterhielt sich ein österreichischer Soldat mit Sartre. «Paris kenne ich gut», sagte er liebenswürdig, «ich bin 1943 dort gewesen.»

In Wien gesellte sich Lanzmann zu uns. Noch nie hatte ich erlebt, was es heißt, auf einem Flugplatz einen lieben Menschen zu erwarten. Es ist alles sehr eindrucksvoll – der leere Himmel, die Stille und dann plötzlich Motorenlärm, der winzige Vogel, der größer wird, sich nähert, einen Bogen beschreibt, sich entfernt und dann auf einen zustürzt. Wir reisten weiter nach Italien. Ich schlug vor, über den Großglockner zu fahren, aber Sartre protestierte entrüstet: Die historische Route führe über den Brenner. Unterwegs erinnerte er mit pompösen Worten an den Ritt Maximilians, wie er aus dem düsteren Deutschland zur römischen Sonne und der Kaiserkrone hinabstieg. In Verona und in Florenz ruhten wir uns von Mitteleuropa aus.

Sartre nahm in Mailand den Zug, und ich blieb eine Weile bei meiner Schwester. Zusammen mit Lanzmann kehrte ich über Genua und die Mittelmeerküste nach Frankreich zurück. Ein Teil der tschechischen Geschenke war mir in Florenz gestohlen worden, als ich sie über Nacht im Auto hatte liegen lassen. Es waren nur die Bücher und die Schallplatten übriggeblieben, die von den Zollbeamten in Mentone mit scheelen Blicken betrachtet wurden: Was aus Prag kam, war verdächtig. Ich erklärte ihnen, daß es sich um Kunstwerke und Volkslieder handle. «Beweisen Sie es!» antwortete man. Ich zeigte ihnen die Fotos, mit denen eines der Bücher illustriert war: «Sie sehen doch – es sind Landschaften.» – «Landschaften gibt es hier auch», sagte einer der Zollbeamten und zeigte mit weit ausholender Gebärde auf die Küste und das Meer. Bücher und Schallplatten wurden konfisziert.

Vom 1. Oktober an wartete ich von einem Tag zum anderen auf das Erscheinen von *Les Mandarins*. Seit *Le deuxième Sexe* war ich erfahrener geworden: Ich hörte schon vorher die Klatschmäuler meine Ohren beleidigen. Ich hatte mich selber so sehr in diesem Buch preisgegeben, daß mir die Wangen glühten bei dem Gedanken, gleichgültige oder feindselig gesinnte Menschen würden es zu Gesicht bekommen.

Auf der Heimfahrt von Nizza nach Paris kehrten Lanzmann und ich gegen Mitternacht in einem Hotel in Grenoble ein. Auf dem Empfangstisch lag ein Exemplar der *Paris-Presse*. Ich schlug es auf und stieß auf einen Artikel von Kléber Haedens, der *Les Mandarins* gewidmet war. Zu meiner großen Überraschung – da wir die Welt keineswegs aus dem gleichen Gesichtswinkel sahen – äußerte er sich anerkennend. Als ich am nächsten Tag mit Sartre telefonierte, erzählte er mir, daß auch in den *Lettres françaises* eine sehr freundliche Besprechung erschienen war: Sollte ich diesmal von allen Seiten mit Wohlwollen bedacht werden? Im großen und ganzen ja. Entgegen meinen Erwartungen fanden gerade die bürgerlichen Kritiker, daß der Roman eine ausgesprochen antikommunistische Tendenz habe, während die Kommunisten in ihm mit Recht ein Sympathiebekenntnis erblickten. Was die nichtkommunistische Linke betraf, so hatte ich ja versucht, ihr Anliegen zu vertreten. Nur einige Sozialisten und die äußerste Rechte griffen mich wütend an. Innerhalb eines Monats waren vierzigtausend Exemplare verkauft.

«Man spricht vom Prix Goncourt», sagte Jean Cau zu mir, was mich schockierte, denn ich war über das Alter bereits hinaus. «Es wäre falsch, wenn Sie ablehnten», sagten alle meine Freunde zu mir. Wenn ich den Preis erhielte, würde ich das große Publikum erreichen. Und Geld verdienen. Ich hatte insofern kein dringendes Bedürfnis nach Geld, als ich von Sartres Einkünften profitierte, aber ich hätte ganz gern etwas zu der gemeinsamen Kasse beigetragen. Außerdem regnete es bei mir immer stärker ins Zimmer. Der Prix Goncourt würde es mir ermöglichen, eine Wohnung zu kaufen. Also war alles klar: Wenn man ihn mir anbieten würde, würde ich ihn annehmen.

Nach allem, was auf den vorausgehenden Diskussionen durchsickerte, hatte ich, wie man mir sagte, gute Aussichten, ihn zu bekommen. Da ich nicht die wehrlose Beute der Journalisten werden wollte, übersiedelte ich mit Lanzmann am Vorabend der entscheidenden Beratungen in ein Zimmer, das mir Suzanne Blum besorgt hatte. Ich wartete neben dem Radio auf die Entscheidung und war ziemlich aufgeregt, weil man mich zu Plänen ermuntert hatte, auf die ich nicht ohne Mißvergnügen verzichtet haben würde. Gegen Mittag wußte ich, daß der Preis mir gehörte. Wir feierten *en famille* bei Michelle. Sartre machte mir ein dem Anlaß entsprechendes Geschenk: ein soeben erschienenes Buch von Billy über die Brüder Goncourt. Abends lud ich Olga, Bost, Scipion und Rolland zum Essen ein. Ich hatte dem Preisgericht und Gaston Gallimard mitgeteilt, daß ich für den Fall meiner Wahl weder an der place Gaillon noch in der rue Sébastien-Bottin erscheinen würde. Mit fünfunddreißig Jahren hätte ich in meiner Naivität Spaß daran gehabt, mich zur Schau zu stellen. Jetzt stieß es mich ab. Ich war weder eitel noch gleichgültig genug, um mich gelassen den Neugierigen zu stellen. Die auf der Treppe versammelten Journalisten belagerten vergebens eine Tür, hinter der eine Katze miaute, die in Wirklichkeit den Bosts gehörte. Zwei oder drei Tage später postierten sich die Fotografen vor das ‹Café des Amis›, um mich abzufangen. Ich schlich mich durch die tierärztliche Klinik davon, deren Ausgang in eine andere Gasse führte. Ich gab ein einziges Interview, nämlich der *Humanité-Dimanche*. Mir lag daran, zu betonen, daß mein Roman nicht kommunistenfeindlich sei und daß ich mir die Kommunisten nicht zu Feinden gemacht hatte.

«Wenn Sie den Preis annehmen, hätten Sie auch das Spiel mitmachen müssen», sagten die Leute. Ich begreife nicht, inwiefern die Entscheidung des Preisgerichts Verpflichtungen gegenüber dem Fernsehen, dem Rundfunk, der Presse auferlegt oder warum ich mich hätte verpflichtet fühlen sollen, in die Kameras hineinzulächeln, müßige Fragen zu beantworten, den Inhalt meiner Schubladen vor der Öffentlichkeit auszubreiten. «Das gehört eben zum Beruf der Journalisten.» Das ist mir durchaus klar. Ich habe nichts gegen sie, und viele von ihnen gehören zu meinem engeren Freundeskreis. Ich mag nur die Zeitungen nicht. Außerdem, ob in guter oder böser Absicht, entstellt die Reklame alles, dessen sie sich bemächtigt. Meiner Meinung nach verbieten dem Schriftsteller die Beziehungen, die er zur Wahrheit unterhält, sich dieser Behandlung zu fügen. Es ist schon schlimm genug, daß man sie ihm gewaltsam aufzwingt.

Der Preis brachte mir eine enorme Korrespondenz ein. Es gibt viele Leser, die das mit dem Prix Goncourt belohnte Buch automatisch kaufen und denen ich nichts Erfreuliches zu bieten hatte: Sie schrieben mir zornige, bestürzte, entrüstete, moralisierende, beleidigende Briefe. Ich wähle diese Perle aus Argentinien, und das nimmt ihr ein wenig von ihrem Glanz: «Warum müssen in so einem Werk die Liebesszenen beinahe im Stil des *Tagebuchs einer Kammerzofe* oder der *Prinzessin von Cleve* geschildert werden?» Leute, mit denen ich vor längerer oder kürzerer Zeit in Verbindung gestanden hatte, beglückwünschten mich wie zu einer Promotion. Das wunderte mich, aber es freute mich, aus den Tiefen der Zeit gewisse Gespenster auftauchen zu sehen: Schüler, Studienkameraden und einen Englischlehrer. Rouen, Marseille, die Sorbonne und sogar die Kindheit: Plötzlich war meine Vergangenheit lebendig geworden. Auch viele Unbekannte – aus Frankreich, aus Polen, aus Deutschland, aus Italien – haben mir geschrieben. Die portugiesische Gesandtschaft gab ihrem Mißfallen Ausdruck, aber die Studenten aus Lissabon und Coimbra bedankten sich bei mir. Junge Madagassen schickten mir eine Holzstatuette, weil sie sich gefreut hatten, daß ich die Unterdrückungsmaßnahmen aus dem Jahre 1947 erwähnt hatte. Ich glaube allzu entschieden an den Tod, als daß es mich bekümmert, was hinterher kommt. In dem Augenblick, da sich der Traum meiner zwanzig Jahre erfüllte – durch Bücher Liebe zu erringen –, konnte mir nichts meine Freude verderben. Diesen Wunsch haben zweifellos viele Schriftsteller. («Ich schreibe, damit man mich liebt», hat Genet geschrieben, und Leiris hat in einem Interview dieses Wort in bezug auf sich selbst gebraucht.)

Ärger bereitete mir nur die durch die Rezensenten verbreitete Legende, ich hätte eine Chronik verfaßt. Meine Erfindungen verwandelten sich

305

dadurch in Indiskretionen oder sogar in Denunziationen. Romane sind wie Träume oft von Vorahnungen erfüllt, weil sie mit vielerlei Möglichkeiten jonglieren: Zwei Jahre, nachdem ich begonnen hatte, die Wandlungen und den Bruch einer Freundschaft zu schildern, trennten sich Sartre und Camus. Mehrere Frauen wollten in Paules Schicksal das eigene wiedererkennen. Diese Zufälle haben im Grunde meine Fabel sozusagen beglaubigt. Man fragte mich, ob Camus oder ob Sartre die falsche Zeugenaussage gemacht habe, deren ich Henri bezichtige. Wann ich mich denn einer psychoanalytischen Behandlung unterzogen hätte. In gewisser Hinsicht machte es mir Spaß, daß meine Schilderungen so überzeugend wirkten, aber ich bedauerte, daß man mir Taktlosigkeiten in die Schuhe schob. Eine Nebenfigur, Sézenac, gab zu einem Mißverständnis Anlaß, das mir sehr unangenehm war. Manche Züge erinnerten an Francis Vintenon, von dem ich erzählt habe und dessen gewaltsamer, bizarrer Tod einem ehemaligen Kollaborateur zur Last gelegt wurde. In *Les Mandarins* wird Sézenac auf eine ähnliche Weise durch einen Genossen liquidiert, weil ich aus ihm einen Doppelagenten gemacht habe, der überführt wurde, Juden denunziert zu haben. Eine Freundin Vintenons bat mich um eine Zusammenkunft, da sie sich einbildete, daß ich geheime Informationen besäße, und hielt einen ihrer Freunde für den imaginären Mörder. Sie verließ mich, ohne daß es mir gelungen war, ihr diesen Irrtum auszureden. Ich befürchte, daß mein Buch auch noch viele andere Verwechslungen ausgelöst hat, so sehr versteiften sich die Leute darauf, es für ein getreues Abbild der Wirklichkeit zu halten.

Bomben, Attentate. Die marokkanischen Nationalisten würden den Kampf nicht eher einstellen, als bis der Sultan wieder zurückgekehrt war. Als der Aufstand im algerischen Atlasmassiv ausbrach, glaubte ich, daß der Kolonialismus, zumindest in Nordafrika, nicht mehr lange leben würde. Mendès-France schickte Verstärkung nach Algerien. Sein Nachfolger, Edgar Faure, weigerte sich, zu verhandeln. Die algerische Polizei begann mit den Verhaftungen und Folterungen. (Im Januar 1955 verurteilte Mauriac in der Spalte *Bloc-Notes*, die seit April 1954 im *Express* erschien, unter dem Titel «Die Frage» die Anwendung von Foltermethoden in Algerien.) Soustelle, der Generalgouverneur geworden war, bekehrte sich zur ‹Integration›. Die Armee gelobte feierlich, Algerien nie aufzugeben. Die Poujadisten-Bewegung, die vor achtzehn Monaten das Licht der Welt erblickt hatte, erlebte einen kometenhaften Aufstieg. Aber der indochinesische Präzedenzfall und die Entwicklung in der Welt im allgemeinen hatten mich überzeugt, daß die große Erhebung nicht mehr aufzuhalten sei. Die Bandung-Konferenz bestärkte mich in dieser Überzeugung. Sie kündigte die unmittelbar bevorstehende Entkolonisierung des gesamten Planeten an.

Ich sah, wie sich die Physiognomie meiner Straße veränderte. Nordafrikaner in Lederjacken und von gepflegtem Äußeren kamen oft in das «Café des Amis». Der Alkoholausschank wurde verboten. Durch die Fensterscheiben sah man die Gäste vor ihren Milchgläsern sitzen. Nachts gab es keine Schlägereien mehr. Diese Disziplin hatten die Aktivisten der FLN durchgesetzt, die einen großen Einfluß auf das in Frankreich ansässige algerische Proletariat ausübten. Der Einfluß des MNA war stark zurückgegangen. Für Algerien war diese Zersplitterung schädlich, wie Francis und Colette Jeanson in *L'Algérie hors la loi* bestätigten. Die französische Linke schwankte zwischen FLN und MNA. Ihre Haltung ließ im übrigen eine klare Linie vermissen. Sie wünschten eine «liberale» Lösung des Konflikts: das war ein vieldeutiges Wort. Im Einverständnis mit Jeanson forderte Sartre in den *Temps Modernes* die Unabhängigkeit für das algerische Volk, das ihrer Meinung nach durch die FLN vertreten wurde.

Die Ereignisse in Nordafrika und der Sturz von Mendès-France verstärkten die Gegensätze zwischen den Franzosen, die eine Änderung herbeiführen wollten, und denen, die am Status quo interessiert waren. Im Lager der ersteren kam es zu gewissen Umgruppierungen. Der *Express* und Mendès-France gründeten *La Gauche nouvelle,* die auch durch Malraux und Mauriac unterstützt wurde. Mendès-France hatte am 31. Dezember im Parlament die Pariser Verträge ratifizieren lassen, die die deutsche Wehrmacht wieder zum Leben erweckten. Er wehrte sich gegen den Vorwurf, Algerien «preisgeben» zu wollen. Seine Partei wollte den Kapitalismus und den Kolonialismus aus einer technokratischen Perspektive heraus reformieren. Eigentlich handelte es sich um eine etwas aufgefrischte Rechte. Die *Nouvelle Gauche,* deren Programm ein Jahr zuvor Bourdet lanciert hatte, trug diesen Namen mit größerem Recht.

Es erschien uns notwendig, innerhalb der «Linken» zwischen unseren wahren Bundesgenossen und unseren Gegnern zu unterscheiden. Die Mitarbeiter der *Temps Modernes* nahmen sich vor, den Sinn dieses oft mißbrauchten Etiketts deutlich zu machen. Lanzmann leitete mit einem Artikel über den «Mann der Linken» einen Frontalangriff ein. Andere führten Untersuchungen durch oder beleuchteten einzelne Gesichtspunkte. Ich packte die Frage umgekehrt an und versuchte, die Ideen zu definieren, zu denen die Rechte sich jetzt bekannte. Es hatte mir Vergnügen gemacht, die die Frau umgebenden Mythen zu zerstören. Auch in diesem Fall handelte es sich darum, die Wahrheit herauszuschälen – Verteidigung der Privilegien durch die Privilegierten, die ihre Roheit hinter nebelhaften Systemen und Begriffen verstecken. Obwohl ich schon viel gelesen, viele Albernheiten geschluckt hatte, förderte ich immer neue zutage. Obwohl ich mich langweilte, war ich gut gelaunt, weil dieser blaue Dunst das ideologische Debakel der Privilegierten verriet. Die Theorien, welche die Volkswirtschaftler sich für ihren Gebrauch zurechtschliffen, waren spitzfindiger als die ihrer Väter. Aber sie wußten nicht mehr, welche Ethik oder welches Ideal ihren Kampf rechtfertigte. Ihre Gedanken sind, sagte ich mir, nur Gegen-Gedanken. Die Zukunft sollte mir recht geben. Die ‹freie Welt› hat durch Kennedy und Franco, Salan und Malraux keine andere Selbstrechtfertigung oder Richtschnur ins Feld führen können, als dem Kommunismus Schach zu bieten. Sie ist außerstande, ein positives Gegenspiel zu liefern. Es ist ein kläglicher Anblick, wie die Regierung der USA verzweifelt nach Propagandathemen sucht: Sie kann die Welt nicht darüber hinwegtäuschen, daß die einzigen Interessen, die Amerika verteidigt, amerikanische Interessen sind. Selbst das Wort Kultur ist unbrauchbar geworden, da die Gefahr besteht, daß die russischen Gelehrten es trotz Spender und Denis de Rougemont für sich in Anspruch nehmen könnten. Freilich bleiben immer noch einige Thierry Maulniers übrig, die gegen die Zukunft abgegriffene Phrasen ins Gefecht führen: Diese Bremsversuche haben noch nie eine Entwicklung aufhalten können.

Im Juni revidierte Merleau-Ponty, den die politische Haltung Sartres ärgerte, in *Les Aventures de la dialectique* seine Gedankengänge auf eine geradezu phantastische Weise. Da er damals mit *La Gauche nouvelle* liiert war, brachte er ihr zuliebe Sartres ‹Ultrabolschewismus› in Mißkredit. Damit machte er der äußersten Rechten viel Freude. Jacques Laurent suchte sich mit tödlicher Sicherheit eine der unglücklichsten Wendungen Merleau-Pontys aus – wobei er Bedürfnis und Freiheit miteinander verwechselte – und erklärte, daß er mit diesen wenigen Worten den Sartrismus liquidiert habe. Sartres Ideen waren schon so oft mißverstanden worden, daß es mich nicht mehr aufregte, wenn man sie noch mehr entstellte: wie oft hatte man vergessen, daß in *L'Être et le Néant* der Mensch nicht ein abstrakter Gesichtspunkt, sondern eine verkörperte Präsenz ist, wie oft hatte man die Beziehung zum Mitmenschen auf die bloße Rücksichtnahme beschränkt! Gurvitch hatte vor kurzem in einem seiner Vorträge behauptet, der Mitmensch sei bei Sartre ein «Störenfried». Ich wollte die Wahrheit wiederherstellen. Da Sartre auf zahlreichen Gebieten die dialektische Methode anwandte, ließ er die Tür zu einer allgemeinen Theorie der dialektischen Vernunft offen. Seine Philosophie sei keine Philosophie des Subjekts, usw. Ich widerlegte Wort für Wort mit den Formulierungen Sartres die Behauptungen Merleau-Pontys.

Es wurde gesagt, daß Sartre hätte antworten müssen. Nichts verpflichtete ihn dazu. Dagegen war jeder seiner Gefolgsleute berechtigt, eine Philosophie zu verteidigen, die er zu der seinen gemacht hatte. Man hat mir auch den heftigen Ton meiner Entgegnung vorgeworfen: Aber Merleau-Pontys Angriff war von äußerster Schärfe gewesen. Er selber nahm es mir nicht – oder wenigstens nicht für lange Zeit – übel: Er hatte Verständnis für geistige Wutausbrüche. Übrigens waren unsere Diskussionen trotz unserer freundschaftlichen Gefühle oft recht lebhaft. Ich ereiferte mich, und er lächelte.

Manche haben mir gesagt, daß ich im allgemeinen in meinen Essays zu scharf sei: Ein gemäßigterer Ton würde eher überzeugen. Das glaube ich nicht. Wenn man Luftballons zum Platzen bringen will, darf man sie nicht streicheln, sondern muß sie mit den Nägeln bearbeiten. Wenn ich die Wahrheit auf meiner Seite zu haben glaube, halte ich es für unnütz, an das gute Herz zu appellieren. In meinen Romanen bin ich bestrebt, die Nuancen und den Doppelsinn herauszuarbeiten. Aber der Zweck eines solchen Werkes ist ja auch ein anderer. Man kann die Existenz – andere haben es bereits gesagt, und ich habe es wiederholt – nicht auf Ideen reduzieren, und sie läßt sich auch nicht in Worte fassen. Man kann sie nur auf dem Umweg über ein imaginäres Objekt herauf-beschwören, und dazu muß man die jähen Wendungen, die Widersprüche einfangen. In meinen Essays spiegeln sich meine praktischen Entschei-dungen und meine festen Überzeugungen wider – in meinen Romanen das Erstaunen, in das mich, im Großen wie im Kleinen, unser Mensch-sein versetzt. Es handelt sich hier um zwei verschiedene Erfahrungs-weisen, die man nicht auf die gleiche Weise vermitteln kann. Die eine wie die andere ist für mich gleich wichtig und gültig. Ich erkenne mich in *Le deuxième Sexe* wie in *Les Mandarins* wieder. Wenn ich mich auf zwei verschiedene Arten ausgedrückt habe, dann war mir eben diese Verschiedenheit unentbehrlich.

Im Herbst fuhr ich mit Lanzmann nach Marseille. Trotz der Zerstörung und der häßlichen Neubauten gefiel es mir noch immer, und es gefiel auch ihm. Es war herrlich, jeden Morgen beim Aufwachen die Flottille im Vieux Port zu sehen und abends zu erleben, wie die glatten Gewässer sich golden färbten. Wir arbeiteten an unseren Artikeln, gingen spazie-ren, plauderten und lasen fleißig die Zeitungen. Eines Morgens teilte uns eine Schlagzeile auf der ersten Seite mit, daß Malenkow zurückgetreten sei und Bulganin ihn an der Spitze der Sowjetregierung abgelöst habe. Bulganins rechte Hand sei Chruschtschow. Wieder erhielt die Schwer-industrie vor der Leichtindustrie den Vorrang. In Ungarn ging die Macht abermals von Nagy auf Rakosi über. Aber man kehrte nicht zum Stalinismus zurück. Es war bereits die Rede von der Koexistenz. Im Juni statteten Bulganin und Chruschtschow Tito einen Besuch ab.

Das hinderte die berufsmäßigen Antikommunisten in Frankreich nicht daran, ihre nutzbringende Tätigkeit fortzusetzen. Sartre ließ sich durch sie zu einer Posse anregen: *Nekrassov* [*Nekrassow*]. Sie war noch nicht fertig, als Jean Meyer mit der Inszenierung begann, mit Vitold in der Rolle Valéras, des falschen Nekrassow. Der Schluß bereitete Sartre Schwierigkeiten, weil er aus seinem Helden weder einen französischen Lump machen, noch ihn bekehren wollte. Nach etlichen Proben hatte er den Text zu einem neuen Bild fertiggestellt, in dem er mit burleskem Lyrismus die große Angst der Bürger schilderte. Während der Club der künftigen Opfer bei Mme Bounoumi ein düsteres Fest feiert, marschieren Streikende an den Fenstern vorbei, und die nebelhafte Katastrophenstimmung der Gäste verwandelt sich in entsetzliche Angst. Simone Berriau wurde blaß. «Man wird die Sitze demolieren.» Meyer protestierte entsetzt: «Das wird viel zu lang!» Der von der Polizei gesuchte Valéra sollte aus dem Fenster springen und mitten unter die Streikenden geraten, die ihm nachher die Augen öffnen. Nach reiflicher Überlegung fand Sartre diesen billigen Optimismus unangebracht: Er strich den Aufstand, was die Szene mit einem Schlag versüßlichte. Und verkürzte. Aber das Stück dauerte immer noch länger, als empfehlenswert war. Man opferte den Prolog. Meyer inszenierte *Nekrassov* ohne Phantasie und ohne Witz. Sartre hat sich später den Vorwurf gemacht, daß er die Handlung statt um Valéra nicht um die Zeitung hatte kreisen lassen. Trotzdem war es, von ausgezeichneten Darstellern getragen, eine sehr amüsante Komödie. Die Ängste, Delirien, Schrullen, Schlagwörter, Phantastereien der Antikommunisten – unter denen sich auch der seinerzeit von Malraux angekündigte ‹Pulverkoffer› befand – hatte er außerordentlich gut wiedergegeben. Am Abend der Generalprobe blieben die Kritiker und die vornehme Welt feindselig. Trotzdem mußten sie unwillkürlich lachen. Nachher erklärten sie, daß sie gegähnt hätten. Die Presse verzieh Sartre jedoch nicht, daß er es gewagt hatte, sie zu verspotten. Man forderte seinen Kopf. Françoise Giroud verschaffte sich eine Einladung zur Kostümprobe und kam der Rezensentin des *Express* zuvor, die daraufhin ihre Stellung aufgab. Sie verdonnerte das Stück in Grund und Boden. Alle oder fast alle folgten ihrem Beispiel. Ein Theaterstück darf die Kritik herausfordern, wenn ihm die Gunst des Parketts sicher ist. Das ist der Fall bei den Stücken von Anouilh: Sie gefallen den Reichen. *Nekrassov* aber richtete sich gegen das Publikum, das die Einnahmen sichert. Wer ins Theater ging, amüsierte sich zwar, fühlte sich aber verpflichtet, den Freunden und Bekannten zu erzählen, man habe sich gelangweilt. Die Bourgeoisie kann unter dem Vorwand der Kultur viele Beschimpfungen verdauen: aber dieser Bissen blieb ihr im Hals stecken. *Nekrassov* wurde nur sechzigmal gespielt.

Die Artikel, die ich in diesem Jahr schrieb, kosteten viel Zeit, weil sie eine umfangreiche Lektüre erforderten. Trotzdem gönnte ich mir ein wenig Muße. Zusammen mit Lanzmann fuhr ich spazieren, ich ging mit ihm aus und besuchte Freunde. Ich lernte seinen Bruder Jacques kennen, als er aus Amerika zurückgekehrt war. Stockend berichtete er von drolligen Abenteuern, in denen sich Traum und Wirklichkeit vermischten. Sein erstes Buch, *La Glace est rompue*, schilderte Island auf eine extravagante und präzise Weise. Es tat uns leid, daß der Gesandte sich durch die Bruchstücke gekränkt fühlte, die in den *Temps Modernes* veröffentlicht worden waren. Lanzmann hatte auch eine Schwester, Evelyne Rey, die dem Ensemble des Centre de l'Ouest angehörte. Sie spielte meistens in der Provinz, aber als das Centre in Paris *Drei Schwestern* herausbrachte, sah ich sie zum erstenmal. Kurz darauf übernahm sie am Théâtre de l'Athénée die Rolle der Estelle in *Huis clos*. Mit ihren zweiundzwanzig Jahren war sie ärmlich, unerfahren, rothaarig und dick, schminkte sich wie ein Vamp und trug schwarze Samtroben. In Paris änderte sich ihr Geschmack sehr schnell. Ich sah aus ihr eine zarte, jugendliche und elegante Blondine werden. Und was bei Schauspielerinnen selten vorkommt, sie hatte Sinn für Humor. Und sie war so hübsch, daß man sich über ihre Intelligenz wunderte. Wir gingen oft mit ihr aus. Ich hatte sie sehr gern.

Mit Lanzmann ging ich auch ins Kino. *Das Salz der Erde* war eine schlicht erzählte, packende Geschichte. Mir gefielen die Variationen Buñuels über *Robinson Crusoe* und Fellinis Meisterwerk *Die Müßiggänger*. Sartre hatte seinerzeit in mir die Vorliebe für Wildwestfilme geweckt, die mir geblieben war. An der Spitze stand für mich der von Huston gedrehte Film *Der Schatz der Sierra Madre*, nach einem Roman Travens, dieses mysteriösen Verfassers von Bestsellern, der in Mexiko lebte und dessen Identität niemand kannte. Aber auch Cooper in *Der Zug wird dreimal pfeifen*, Marilyn Monroe in *Fluß ohne Wiederkehr* und die Schlägereien in *Mein großer Freund Shane* fand ich atemberaubend. In diesem Jahr sah ich in *Wenn Frauen hassen* Joan Crawford wieder, die im Glanz ihrer fünfzig Jahre schöner denn je war. Meistens verhunzten aber die Amerikaner neuerdings dieses Genre, indem sie die Filme mit einer politischen ‹Botschaft› versahen, die natürlich immer dieselbe war. Eine der Hauptpersonen, Mann, Frau oder Kind, verabscheut aus einer Art Neurose heraus die Gewalt. Anderthalb, manchmal zwei Stunden lang vermag auch die Schlechtigkeit seiner Widersacher nicht, den Helden zu bekehren: Dann tötet er plötzlich, in letzter Minute – um seinen Freund, seine Braut, seinen Vater zu retten. Damit soll erreicht werden, daß der Zuschauer die Überzeugung mit nach Hause nimmt, daß der Präventivkrieg unvermeidlich sei.

Ich sah mir *Porgy and Bess* an, das von einem amerikanischen Ensemble hinreißend dargeboten wurde, und auch Millers *Hexenjagd*, die Rouleau sehr gut inszeniert hatte. *Ping-Pong*, in dem Bekannte mitwirkten – Evelyne, Chauffard –, schien mir das beste Stück Adamovs zu sein. Ich weiß nicht mehr, warum ich mir 1954 *Mutter Courage und ihre Kinder* entgehen ließ, das das französische Publikum mit Brecht bekannt machte. Erst im Juni 1955 bekam ich einen Begriff von ihm, als das Berliner Ensemble im Théâtre Sarah-Bernhardt *Der kaukasische Kreidekreis* spielte. (*Die Dreigroschenoper*, die ich 1930 in einer französischen Aufführung gesehen hatte, war nicht sehr aufschlußreich gewesen.)

Außer den Büchern, die mich über meine Zeit informierten, gefielen mir nur wenige. Paveses *Der schöne Sommer* hatte alles, was man von einem Roman erwartet: die Neuschöpfung einer Welt, welche die meine mit einschloß und ihr angehört, die mich meiner Sphäre entrückt und mich aufklärt und die sich mir wie ein persönliches Erlebnis für immer einprägt. In Leiris *Fourbis* fand ich das wieder, was mir an *Bifur* so gefallen hatte: die Wortspiralen, die sich zusammenrollen und sich dann ins Unendliche entfalten, Abgründe der Vergangenheit und des Herzens erforschend und trotzdem im hellen Tageslicht funkelnd, von Gleichnis zu Gleichnis auf ein Geheimnis verweisend, das in dem Augenblick, da es sich ankündigt, verschwindet, da die Jagd in dem Wirbel ihrer tausend Spiegel keinen anderen Zweck verfolgt als sich selbst.

Ende des Frühjahrs erschien Violette Leducs *Ravages:* ein verkrampfter und ungestümer Roman, dessen Verfasserin dem Publikum ihre Erfahrungen hinwirft, ohne es irgendwie miteinzubeziehen. Deshalb hat das Buch nicht nur schockiert, sondern auch mißfallen. Zuallererst hatte es den Lektoren des Verlages Gallimard mißfallen. Der erste Teil schilderte offen – wenn auch ohne Obszönitäten – die Liebe zweier Internatsschülerinnen: Die Lektoren verlangten, daß dieser Teil gestrichen würde. Gewisse Szenen, die an Kühnheit viele andere, die gedruckt worden sind, keineswegs übertrafen, hielten sie für unzumutbar; weil hier das erotische Objekt nicht der Mann, sondern die Frau war, fühlten sie sich beleidigt. Der auf solche Weise verstümmelte Roman verlor an Relief, ohne an Anmut zu gewinnen, was Violette Leduc absichtlich vermieden hatte. Sie glaubte trotzdem, daß der Start nicht schlecht sei. Wir gingen in der Sonne durch die Alleen um das Schloß Bagatelle, zwischen Tulpen- und Hyazinthenbeeten, spazieren, und die vom Verlag angegebenen Absatzziffern schienen einen Erfolg zu versprechen. Die Ziffern waren aber trügerisch; viele Kritiker bewunderten das Buch und sagten es auch: Aber es wurde nicht gekauft. «Ich bin eine Wüste, die ein Selbstgespräch führt», schrieb mir Violette Leduc eines Tages. Im allgemeinen verfehlt die Literatur, die das Öde, das Unfruchtbare schildern will, ihren Zweck: Der Leser wandelt gemächlich durch eine exotische Landschaft. Hier lag die Wüste nackt, steinig und stachlig im Glanz der Worte. Das war Violette Leducs Erfolg – und ihr Fiasko, das sie in tiefen Depressionen versinken ließ.

Ich hätte mich gern in der Sowjetunion umgeschaut, noch lieber aber wollte ich China kennenlernen. Ich hatte Beldens Reportage und sämtliche der nicht sehr zahlreichen Bücher gelesen, die in französischer Sprache über die chinesische Revolution erschienen waren. Die Fotos Cartier-Bressons hatten unsere Phantasie entzündet. Alle Reisenden, die aus Peking kamen, waren von bewunderndem Staunen erfüllt. Als Sartre mir sagte, daß wir eingeladen seien, wagte ich es nicht zu glauben. Im

Juni, als ich die außerordentlich gute Vorstellung der Peking-Oper besuchte, zweifelte ich noch immer.

Inzwischen machte ich eine bescheidenere Reise, die aber in meinen Augen wichtig war. In Helsinki fand der Kongreß der Friedensbewegung statt. Meine politische Entwicklung hatte den Wunsch in mir geweckt, daran teilzunehmen. Ich begleitete Sartre. Wir blieben einige Stunden in Stockholm, dann schwebten wir über ein Meer von so kaltem Grün, daß es wie erstarrt wirkte: schmelzendes Eis. Ich sah ein Gewimmel verlassener Inseln, die noch einsamer wirkten, wenn sich auf ihrem höchsten Punkt ein Haus befand. Die Inseln wurden immer zahlreicher, und ich wußte nicht mehr, ob ich mich über einem mit Land übersäten Gewässer oder über einem von Wasser durchlöcherten Landstrich befand. Schließlich siegte das Festland: Kiefern, Seen, so geheimnisvoll wie Lagunen. Diese unzugänglichen, verschleierten, abgeschlossenen und voneinander getrennten Welten eroberte und einte mein Blick; er verlieh diesem Winkel des Planeten ein Antlitz, das nur für mich existierte und trotzdem real war. Ich erlebte wieder die Verwirrung meiner Kindheit, die Zeit, da meine Augen die Welt neu erschufen, und diese archaische Melancholie: Im nächsten Augenblick wird das alles für niemanden mehr vorhanden sein.

Ich empfand in Helsinki das gleiche, was Sartre in Wien gespürt hatte. In dem riesigen, mit Spruchbändern und Fahnen geschmückten Saal waren sämtliche oder fast alle Länder vertreten. Die Mitglieder des Büros saßen auf der Bühne, die übrigen Kongreßteilnehmer vor den mit Kopfhörern versehenen Pulten, wenn sie nicht in den Gängen umherspazierten und tuschelten. Vielerlei Trachten: Hindus, Araber, Priester, Popen. Es war rührend, daß die gleiche Hoffnung diese Menschen oft unter großen Risiken und Gefahren aus allen Winkeln der Erde hierhergeführt hatte. Ich unterhielt mich mit amerikanischen Studenten, die heimlich nach Helsinki gereist waren, obwohl man gedroht hatte, ihnen die Pässe abzunehmen. Sartre machte mich mit Maria Rosa Oliver bekannt, einer gelähmten, schönen Argentinierin, die in ihrem Rollstuhl von einem Ende der Welt bis ans andere reiste: um nach Finnland zu kommen, hatte sie den Weg über Chile nehmen müssen. Ich lernte den kubanischen Dichter Nicolás Guillén und den brasilianischen Schriftsteller Jorge Amado kennen, dessen Romane mir gut gefielen. Ich sah die blauen Augen der Anna Seghers wieder. Während eines Essens verwikkelte Lukács Sartre in eine Diskussion über den Freiheitsbegriff, die höflicheren Charakter trug als der einige Jahre zurückliegende Briefwechsel, die aber trotzdem zu nichts führte: Sartre hörte brav zu, als Lukács ihm erläuterte, daß der Mensch durch seine Zeit bedingt sei. Er war noch nicht fertig, als die Nachmittagssitzung begann. Ich aß mit Surkow und Fedin, trank georgischen Wein am Rande einer dämmrigen Nacht, hörte die Bäume unter dem blassen Himmel rauschen und erinnerte mich an die etwas traurige Neugier, mit der wir vier Jahre früher am Nordkap den russischen Stacheldraht und die mit dem roten Stern geschmückten Soldaten betrachtet hatten. Für uns gab es keinen Eisernen Vorhang, kein Reiseverbot, kein Exil mehr. Die sozialistische Welt war ein Teil unseres Universums geworden.

Mehrere Male traf ich mit Ehrenburg zusammen. Ich erinnerte mich an ihn, wie er vor dem Krieg, untersetzt und unrasiert, auf der Terrasse des ‹Dôme› gesessen hatte. Heute war seine Kleidung kühn und salopp und erinnerte an das frühere Montparnasse: hellgrüner Tweedanzug, orangefarbenes Hemd, Leinenkrawatte. Aber er war magerer geworden. Das Gesicht unter den weißen und gepflegten Haaren schien länger geworden zu sein. Seine Stimme klang voll, sein Französisch fehlerfrei. Was mich bei ihm störte, war seine Selbstsicherheit: Er war sich sehr wohl bewußt, Kulturbotschafter des Landes zu sein, das die Zukunft der Welt bestimmen würde. Als braver Kommunist zweifelte er nicht daran, die Wahrheit auf seiner Seite zu haben. Kein Wunder, daß Ehrenburg ex cathedra sprach. Die dogmatische Art wurde aber durch seinen flüchtigen und zugleich ausgeprägten Charme gemildert. In einem fast großväterlich freundschaftlichen Ton warf er Sartre gewisse Einzelheiten eines Interviews vor, das Sartre nach seinem Besuch in der UdSSR der *Libération* gegeben hatte. Er bat ihn dringend, falls er sich zu Wort meldete, die USA nicht allzu heftig anzugreifen. Die Stunde der Verständigung sei gekommen: Er habe, so sagte er, die Absicht gehabt, in einer Zeitschrift Auszüge aus *L'Amérique au jour le jour* zu veröffentlichen. Im Augenblick aber halte er dies nicht für opportun. Er sprach mit mir über *Les Mandarins*. In Moskau hätten alle Intellektuellen, die Französisch können, das Buch gelesen und günstig beurteilt, obwohl sie die Liebesgeschichte überflüssig fänden. «Trotzdem», fügte er hinzu, «ist im Augenblick nicht daran zu denken, daß Ihre Bücher übersetzt werden.» Dafür nannte er mir zwei Gründe: Erstens die traditionelle Prüderie in der russischen Literatur, zweitens die Diskussionen über die Zwangsarbeitslager, die vor einigen Jahren niemanden irritiert hätten. Man hätte darüber gelächelt und gedacht: «Sogar die Sympathisierenden gehen dem Antikommunismus ins Garn!» Jetzt aber wußte jedermann davon. Die Rückkehr der Deportierten warf sogar ziemlich schwierige Probleme auf. Deshalb würde die Öffentlichkeit empfindlich reagieren, wenn man den Finger auf diese Wunde legte. Er erzählte merkwürdige Anekdoten über Stalin, darunter folgende: Stalin unterhält sich sehr ungezwungen mit Schriftstellern: «Es gibt zwei Möglichkeiten für einen großen Schriftsteller: Man kann gewaltige und tragische Fresken malen wie Shakespeare – oder mit Präzision und Tiefe die kleinen Details des Lebens schildern wie Tschechov.» Er machte eine Pause und fügte dann hinzu: «Wenn ich schreiben würde, wäre ich Tschechov.» Ehrenburg gab sich die größte Mühe, die sowjetische Literatur ‹aufzutauen›. In seiner

Zeitschrift versuchte er, noch mehr Kontakte mit dem Westen herzustellen. Er trat als Beschützer der nicht-offiziellen Malerei auf. Mit Hilfe seiner hohen Intelligenz und eines Geschmacks, den die ‹Avantgarde›, wie man sie früher einmal nannte, geformt hatte, bemühte er sich, diesen Liberalismus mit der sowjetischen Orthodoxie zu vereinen. Dieses Vorhaben war nicht immer ungefährlich gewesen.

Ich ging allein oder zusammen mit Sartre in der Stadt spazieren, die zwar häßlich war, aber von einem grünen, mit Klippen und Schären gespickten Meer umbraust wird. In dem mit Birken und Fichten bepflanzten Park vor den Toren aßen wir eines Abends an kleinen Tischen in einem großen Glaspavillon, und mir machte es Spaß, mit den verschiedensten Leuten zu plaudern. Vercors und seine Frau erzählten von Peking, von den Markthallen und dem Kaiserpalast, und ich sagte mir: «Nur noch drei Monate!» Wir nahmen Catherine Varlin Guillén, die nach beendeter Mahlzeit erschien und halb verhungert war, und Dominique Desanti mit zu einem Spaziergang durch die Alleen. Um elf Uhr nachts war es noch hell, es war ein Festtag, unter den Zweigen der Fichten trafen wir Gruppen junger Finnen, die singend einen ihrer Helden feierten, und sahen Freudenfeuer lodern. Als wir nach Helsinki zurückkehrten, träumte Catherine Guillén von *hot dogs,* aber keine Kneipe, kein Geschäft, kein Würstchenstand war offen: überall Totenstille. Auch die Hotelbar war geschlossen. Wir wollten eine Flasche kaufen, um sie in meinem Zimmer zu trinken. «Es ist zwei Minuten nach Mitternacht», sagte ein Angestellter streng. Wir mußten uns mit purem Wasser begnügen, und die Guillén wetterte gegen den nordischen Puritanismus. An einem anderen Abend, als Sartre etwas anderes zu tun hatte, ging ich hinauf in die Hotelbar, die in der fünfzehnten Etage lag. Lange saß ich bei einem Glas Whisky und betrachtete die Sonne, die am Rande des Horizonts hing, die Küste und die Klippen, die von aufrührerischen Wellen gepeitscht wurden, deren Schaum sich nach und nach mit der Nacht vermischte. Das war schön und machte mich glücklich. Was Ehrenburg mir über *Les Mandarins* berichtet hatte, hatte mir Freude gemacht. Die amerikanischen Studenten prophezeiten mir einen großen Erfolg in den USA. Ich hatte Glück: Die Entspannung kam diesem Buch zugute, das früher, als ich es schrieb, durch den Kalten Krieg zum Scheitern verurteilt gewesen wäre. Nachdem ich jahrelang gegen den Strom geschwommen war, fühlte ich mich von neuem durch die Geschichte bestätigt und verspürte den Drang, mich noch stärker einzuschalten. Das Beispiel der Männer und Frauen, mit denen ich zusammen war, wirkte stimulierend auf mich. Drei Jahre lang hatte ich vieles meinem Privatleben untergeordnet. Ich bedauerte es nicht. Aber nun war das alte Verlangen in mir wieder zum Leben erwacht: einer Sache zu dienen.

Die Kongreßsitzungen waren uninteressant. Die Redner lösten einander ab: Schließlich waren sie nicht um die halbe Welt gereist, um den

Mund zu halten. Die eigentliche Arbeit wurde in den Ausschüssen geleistet. So wollte sich zum Beispiel die algerische Delegation mit der französischen unterhalten. Boumendjel führte den Vorsitz. Die Algerier schilderten uns die Lage in ihrem Land. Sie machten uns darauf aufmerksam, daß der Aufstand seit einigen Tagen in eine neue Phase eingetreten war. Er hatte sich auf das ganze Land ausgedehnt. Die 120 000 französischen Soldaten, die sich auf algerischem Gebiet befanden, würden außerstande sein, ihn einzudämmen. Wir selber, sagten sie, können ihn kaum beherrschen: Morgen werden wir ihn überhaupt nicht mehr beherrschen können. Sie beschworen die Franzosen, sofort den Teufelskreis von Unterdrückung und Rebellion zu sprengen: «Verhandelt mit uns!» Vallont und Capitant lächelten. «Das Problem ist aber wirtschaftlicher Natur. Wenn wir die notwendigen Reformen durchführen, werden eure politischen Forderungen keine Berechtigung mehr haben.» Die Algerier schüttelten den Kopf. «Die Reformen werden wir selber durchführen. Unser Volk will seine Freiheit.» Sie fanden Unterstützung in den Reihen der Franzosen. Sartre mischte sich nicht ein, da er zuwenig von dem Problem verstand, aber er wußte, daß sich im Rahmen des Kolonialismus keine brauchbare wirtschaftliche Reform durchführen läßt.

Als wir nach Paris zurückkehrten, war der Circulus vitiosus noch immer nicht gesprengt. Ein Abgeordneter des MRP, Abbé Gau, verurteilte im Parlament die von der Polizei in Algerien angewandten, der Gestapo würdigen Methoden. Man hörte ihm zerstreut zu, und kurz darauf wurde der Ausnahmezustand erklärt. (Im Februar war der Generalinspekteur der Verwaltung mit einer Untersuchung beauftragt worden. Seinen Bericht vom 2. März 1955 lernte ich erst viel später kennen, als er in *Témoignages et Documents* veröffentlicht wurde. Er schilderte die verschiedenen bei der Polizei üblichen Foltermethoden und fügte hinzu, daß er sie für notwendig halte. «Man muß den Mut haben, zu diesem heiklen Problem Stellung zu nehmen. Entweder beschränkt man sich auf die heuchlerische Haltung, die bisher dominierte und die darin besteht, daß man nicht wissen will, was die Polizeibeamten machen, oder man nimmt die verlogen entrüstete Haltung dessen ein, der so tut, als sei er hinters Licht geführt worden ... Keine der beiden Positionen läßt sich aufrechterhalten, die erste nicht, weil der Schleier gefallen und die öffentliche Meinung alarmiert worden ist, die zweite nicht, weil Algerien, vor allem unter den heutigen Umständen, eine besonders schlagkräftige Polizei braucht. Es gibt nur eine Möglichkeit, um der Polizei ihr Selbstvertrauen und ihren Elan zurückzugeben: Gewisse Prozeduren anerkennen und decken.» Soustelle machte sich zwar diese Schlußfolgerungen nicht offiziell zu eigen, bekannte sich aber zu einer der Formulierungen, die alle anderen mit einschloß: «Die Suche nach verantwortlichen Einzelpersonen ist außerordentlich schwierig. Darüber

316

hinaus halte ich sie für unzweckmäßig.») Marschall Juin bildete einen Ausschuß, der entschlossen war, um jeden Preis eine Loslösung Algeriens von Frankreich zu verhindern. An allen Ecken und Enden begann das Kolonialsystem einzustürzen: Triumphale Rückkehr Burgibas nach Tunis, Ermordung Lemaigre-Dubreuilhs in Marokko, Revolten in Kamerun. Diese Tatsachen wurden aber nicht von den Leuten zur Kenntnis genommen, die ein Interesse daran hatten, sie zu ignorieren.

Ich fuhr zusammen mit Lanzmann wieder nach Spanien. Wir wollten uns Stierkämpfe ansehen. In einer Zeit, in der Worte so billig sind, liebe ich diese Feuerproben, bei denen der Mensch seine gesunden Glieder einsetzt. Allerdings unter der Voraussetzung, daß er es aus freien Stücken tut. In unserer Gesellschaft haben die Ausgebeuteten keinen freien Willen, und auf tausenderlei Art wirkt sich das niederträchtige System des Kapitalismus auf den Boxring genauso aus wie auf die Arena. Unter diesem Vorbehalt – und das ist wichtig – halte ich die im Namen der Moral gegen das Boxen oder den Stierkampf gerichteten Angriffe für unbegründet. Die bürgerlichen Moralisten sind makellose oder beinahe makellose Geister. Sie ignorieren die Bedürfnisse, die Ermattungssymptome, die Kraftquellen, die Grenzen, die Kraft, die Gebrechlichkeit ihres Körpers. Sie akzeptieren ihn nur in der Gestalt der Sexualität und des Todes: Diese Worte fließen sofort aus ihrer Feder, wenn sie einen Vorgang schildern, wo der Körper sich mit allen Fasern, ohne mechanische Hilfe, in seinem rohen Kern geltend macht. Wenn sie von Barbarei und Sadismus reden, dann ist es die Identifizierung eines Menschen mit seinem Körper, die sie skandalös finden. Der Masse, die den Vorgang als natürlich empfindet, weil er ihren ureigensten Erlebnissen entspricht, unterschieben sie ‹niedrige› und ‹trübe› Instinkte. Sie vergessen, daß sich traditionelle Feste nicht aus individuellen Perversionen erklären lassen. Was den Tod betrifft, so ist er in einer Arena weniger zu Hause als auf einer Autorennbahn. Die Liebhaber der Corrida ärgern mich für gewöhnlich genausosehr wie ihre Gegner, weil sie die gleichen Mythen übernehmen und sie in Ehren halten, statt sich zu entrüsten. Diese Mythen existierten nicht in den Bauerngemeinden, in denen die Tauromachie entstanden ist; sie wurden erst hochgezüchtet, nachdem der Landadel sich des Stierkampfs bemächtigt hatte, um an ihm zu profitieren. Wenn man diese Mythen trotz aller Ausschmückungen, trotz des Zeremoniells, trotz einer umfangreichen Literatur beiseite läßt, dann erhält die Corrida wieder ihren ursprünglichen Sinn: Ein intelligentes Tier bemüht sich, ein stärkeres, aber keiner Überlegung fähiges Tier zu besiegen. Gerade weil ich vom Menschen eine materialistische Auffassung habe, interessiert mich dieser Zweikampf. Er wird nur deshalb durch alle möglichen Betrügereien in Mißkredit gebracht, weil er wie der Boxkampf zu einer finanziellen Spekulation geworden ist, bei der die Profitsucht dominiert. Manchmal aber wird durch die Kühnheit und die Aufrichtigkeit eines Torero seine Makellosigkeit wiederhergestellt.

Wir begannen mit Barcelona, wo wir Chamaco sahen, der noch ein *novillero* war, aber von den Katalanen vergöttert wurde. Dann fuhren wir nach Pamplona. Dort war eine *feria* im Gange, die durchaus nichts mit den Schilderungen Hemingways gemein hatte. Die Plätze und die Cafés waren voller Menschen, die gruppen-, scharen- oder sippenweise sangen und schwerfällig tanzten und sich freuten, unter Menschen zu sein. Drei Nachmittage verbrachten wir in der Arena. Mir gefiel Girón, der in diesem Jahr das goldene Ohr eroberte.

Verführt durch den Kiefernwald und die Einsamkeit der riesigen Strandpartien, machten wir an der Westküste in La Toja Station. In dieser Gegend lächelt Spanien nicht. Wenn wir auf den Kais des kleinen benachbarten Hafenstädtchens spazierengingen, verhärteten sich die Gesichter der Fischer, die sich über ihre Netze beugten. In den Städten und Dörfern Asturiens, in der Umgebung der Bergwerke, trafen uns vorwurfsvolle Blicke. Kinder bewarfen das Auto mit Steinen. Diese Zornesausbrüche waren uns lieber als die dumpfe Resignation, aber es war uns nicht angenehm, ihnen als Zielscheibe zu dienen. Je weiter das Jahr voranschritt, desto widerlicher wurden uns die Mystifikationen. Viel zuviel Feuerwerk sollte überall Fröhlichkeit vortäuschen, viel zu viele Pfaffen stellten in den hungernden Weilern die Fata Morgana des Jenseits zur Schau: Es wimmelte von Geistlichen mit ihren seltsamen Hüten – ein Klerus, der nur mit Waffengewalt den Haß hatte unterdrücken können. Als wir nach Oviedo kamen, zog eine Prozession mit Psalmgesang und näselnden Litaneien durch die Straßen: Waisenkinder, schwarzgekleidete Frauen, eine trübsinnige Jugend in langen Gewändern: kein Hoffnungsstrahl erleuchtete diese durch pedantische Andachtsübungen verdummten Gesichter. Santiago de Compostela jagte uns trotz der Kathedrale und des glanzvollen Namens in die Flucht: In den Straßen roch es nach Weihwasser und Schacher. Wir fuhren durch Eichenwälder, deren Früchte den Menschen als Nahrung dienten, und wollten das Hurdes-Tal besichtigen, das vor dem Krieg durch Buñuels Film bekannt geworden war. Eine endlose Sackgasse führte uns dorthin, die so steil war, daß einem die Wand, an der sie sich entlang schlängelte, unbezwingbar vorkommt. Über einer Art Tor steht geschrieben: «Sie betreten jetzt Las Hurdes.» Und wir hatten das Gefühl, in eine Welt zu geraten, die auf alle Zeiten von der großen Welt abgeschnitten war. Ich wußte, daß man im Gebirge in einer Entfernung von wenigen Kilometern vor kurzem ein luxuriöses Kloster gebaut hatte: Dort hatte die öffentliche Fürsorge haltgemacht. Die Häuser waren Ställe, in denen Ziegen, Hühner und das Menschenvieh bunt durcheinander hausten. Auf den Gesichtern der Kinder, der Erwachsenen, der kropfigen Kretins

318

malte sich die gleiche tierische Verzweiflung. Bisher hatten wir nur die Talsohle gesehen, durch die ein Flüßchen fließt, so daß der Boden einige Gewächse hervorbringt. Auf das felsige Hochplateau aber müssen die Menschen das Wasser und sogar das Erdreich auf dem Rücken hinaufschleppen. Auf dem Rückweg brach die Nacht herein. Kein Licht, kein Laut. Hier und dort war eine Tür auf, hinter der die stumme Dunkelheit herrschte, wenn sich Tier und Mensch zusammendrängen. Auch uns erstarben die Laute im Mund. (Der Skandal war allzu offenkundig. Seit einigen Jahren hat man oberflächliche Abhilfe geschaffen. Die Straße ist an zwei Seiten offen, man hat elektrische Leitungen gelegt und einige Schulen errichtet.)

Salamanca war schön: die Plätze, die Arkaden, die Steine, der Marmor von einer in Spanien ungewöhnlichen Schönheit. Ohne anzuhalten, fuhren wir quer durch die stürmische Mancha, wo die Windmühlen des Don Quijote stehen, nach Valencia. Die *feria* hatte bereits begonnen und gefiel uns viel besser als die in Pamplona. Keine Folklore: der Betrieb einer ganz und gar modernen Stadt. Am ersten Vormittag gingen wir zum *apartado* und nachher zu sämtlichen Kämpfen. In der Zwischenzeit gingen wir an den Ufern des Albufera spazieren, sahen weiße Schleier zwischen die Orangenbäume der Huerta gleiten. Während dieser drei Tage gab es in Valencia kein Wasser. Man trank Bier, Wein und badete im Meerwasser, das uns die Haut austrocknete. Lanzmann kaufte mir ein wunderbares rot-gelbes Plakat, auf dem Litri einen Stier reizt, das ich in meiner Wohnung aufgehängt habe.

Nachdem wir Andalusien wiedergesehen hatten, kamen wir nach Huelva. Dort feierte Litri zum x-tenmal seine Rückkehr in die Arena, die von der Presse lärmend angekündigt worden war. Er stammte aus dieser Gegend, und am Tag der Corrida versammelte sich vor seiner Tür eine Menschenmenge, die hingebungsvoll auf sein Erscheinen wartete. Ich kann mich sehr gut an die ländlichen Arenen erinnern, an die kalkweißen Mauern am Fuße einer Anhöhe von afrikanischer Färbung. Zwischen den fahlroten Felsen und den Eukalyptusbäumen standen die Menschen und schauten zu. Es passierte nichts Aufregendes. Der blonde und dickliche Ortega ähnelte einem Opernmatador. Bienvenida ging kein Risiko ein und überanstrengte sich nicht allzusehr, und Litri, mit rosigen Wangen wie eine von Zurbarán gemalte Jungfrau, verdiente den Beifall nicht, den er entfesselte. Als ein neuer Stier in die Arena gestürzt kam, sprang plötzlich ein junger Bursche mit einem roten Tuch über die Balustrade. Er vollführte einige kühne Manöver vor dem noch unbefangenen, aber kampfbereiten Stier, und ich glaubte bereits zwei spitze Hörner in seinem Bauch landen zu sehen. Kein Torero und kein Mitglied der Quadrilla rührte sich. Schließlich beugte sich ein Gendarm über die Brüstung, gab dem Burschen eins über den Schädel und schleppte ihn dann aus der Arena heraus.

Ein großer Eukalyptuswald, ein mit Pinien bepflanztes Hochplateau, kahle Gebirgszüge: Madrid. Diesmal gefiel es uns, vielleicht weil wir die Stadt zusammen mit Madrilenen erlebten. Eines Abends, als wir unter dem Kopf eines berühmten Stiers an einer Theke Manzanilla tranken, fand uns einer der Anwesenden trotz seines schlechten Französisch und unseres schlechten Spanisch sympathisch. Er ging seinen Bruder wecken, der fließend Französisch sprach. In einer uralten Taverne mit bemalten Wänden aßen wir zusammen Krabben in Öl mit Knoblauch, die kochend heiß in Steingutschalen serviert werden. Bis zum Morgengrauen plauderten und tranken wir bei Gitarrenklängen in den kleinen Kneipen in der Nähe der Puerta del Sol. Hie und da begann ein Mann oder eine Frau mit plötzlicher Eingebung zu singen oder zu tanzen. Unsere Freunde waren gutsituierte Kleinbürger. Sie liebten das Regime nicht. «Niemand liebt es», behaupteten sie. Aber sie beschäftigten sich wenig mit Politik. Der eine von ihnen glaubte inbrünstig an Gott. «Sonst», sagte er zu uns, «würde ich mich sofort umbringen.» Wir durften nie zahlen. «Wir sind hier zu Hause.» Am darauffolgenden Sonntag gingen sie und ihre Frauen zusammen mit uns in eine schlechte Corrida nach Escorial.

Von meiner Reise nach China habe ich bereits berichtet (siehe *La Longue Marche*). Sie unterschied sich von allen anderen Reisen. Es war weder eine Wanderung noch ein Abenteuer noch ein Erlebnis, sondern eine an Ort und Stelle ohne Umschweife durchgeführte Studie. Das Land war mir völlig fremd. Selbst in Yukatan und in Guatemala war mir manches durch den Zusammenhang mit den spanischen Traditionen einigermaßen erklärlich gewesen, was hier nicht der Fall war. Die Schriftsteller, mit denen ich zusammentraf, lernte ich an Ort und Stelle notdürftig durch englische Übersetzungen kennen; bis dahin aber hatten sie für mich nicht existiert; Sartres Name und der meine waren ihnen – wenn man von zwei bis drei in der französischen Literatur bewanderten Spezialisten absah – überhaupt nicht bekannt. Die Zeitungen schrieben, Sartre habe soeben eine «Lebensbeschreibung Nekrasovs» veröffentlicht (des großen russischen Dichters aus dem 19. Jahrhundert), und unsere Gesprächspartner zeigten gewöhnlich ein höfliches Interesse für dieses Werk. Dann sprachen sie über Gastronomie. Diese gegenseitige Unkenntnis störte unsere Gespräche noch mehr als die politischen Rücksichtnahmen. Andererseits ist die chinesische Kultur – das war mir längst klargeworden – ihrem Wesen nach eine Kultur der Beamten und Höflinge: daher interessierte sie mich wenig. Mir gefiel die Oper, die rituelle Anmut der Gebärden, die tragische Gewalt der Musik, das Gezwitscher der Stimmen. An Peking liebte ich die grauen Huntungs unter dem wunderbaren Herbsthimmel und die klaren Nächte. Zuweilen war ich überwältigt – im Theater, an einer Straßenecke – und vergaß mich selbst.

Für gewöhnlich aber hatte ich eine Welt vor mir, die ich zu begreifen versuchte und zu der ich keinen Zutritt fand.

Sie war nicht leicht zu enträtseln. Zum erstenmal kam ich mit dem Fernen Osten in Berührung, zum erstenmal begriff ich den Sinn des Ausdrucks: unterentwickeltes Land. Ich sah, was es bedeutet, wenn 600 Millionen Menschen in vielfach abgewandelter Armut leben. Zum erstenmal wurde ich Zeuge bei dieser schweren Arbeit: den Sozialismus aufzubauen. Die neuen Eindrücke häuften sich, sie überdeckten einander und verwirrten mich. Die Not der Massen war nur aus den Anstrengungen zu ersehen, die gemacht wurden, um sie zu überwinden. Die Maßnahmen der Regierung mußten streng sein, wenn das Elend beseitigt werden sollte. Die Menschen, in deren Mitte ich mich bewegte, ihre Freuden, ihre Leiden waren durch den Schleier des Exotismus verhüllt. Trotzdem trat nach geduldiger Suche, nach zahlreichen Begegnungen, eifriger Lektüre und ebenso eifrigem Zuhören eine Tatsache aus dem Halbdunkel hervor: das gewaltige Ausmaß der binnen weniger Jahre errungenen Siege über die Übel, die früher einmal die Chinesen geplagt hatten – über den Schmutz, das Ungeziefer, die Kindersterblichkeit, die Epidemien, die chronische Unterernährung, den Hunger. Die Leute waren anständig gekleidet, gut untergebracht und hatten zu essen. Eine weitere Wahrheit drängte sich auf: die ungeduldige Energie, mit der dieses Volk die Zukunft aufbaute. Auch andere Punkte wurden klarer. Obwohl die Erfahrungen unvollständig waren, die ich sammeln konnte, begann ich zu überlegen, ob es nicht vielleicht doch interessant wäre, von ihnen zu berichten.

Auf der Hinfahrt blieb ich nur einen Tag in Moskau, an dem ich ungestört die Eindrücke auf mich wirken lassen konnte. Unter Sartres Führung wanderte ich von früh bis abends durch die Straßen, bis auf den Türmen des Kreml die rubinroten Sterne aufleuchteten. Auf der Rückfahrt blieben wir eine Woche in Moskau. Nachdem ich drei Monate lang die chinesische Armut vor den Augen gehabt hatte, blendete mich diese Stadt wie früher einmal New York, als ich aus der europäischen Nachkriegsnot kam. Die Nacht brach herein, als Simonow uns vom Flughafen abholte. Die bei Tag so häßliche Universität sprühte tausend Funken. Wir aßen mit Simonow und seiner Frau – einer bekannten Schauspielerin, die alle Leute anstarrten – in der ‹Sowjetskaja›, deren Speisesaal sich abends in ein Cabaret verwandelte. Welche Freude, vertraute Speisen und berauschende Getränke wiederzufinden! Es gab ein Orchester und Attraktionen. Mit glühenden Wangen tanzten junge Menschen in enger Umarmung: das konfuzianische Phlegma war weit entfernt. In der Stadt wurde fieberhaft gebaut – aber nicht mit Hilfe von Maurerkellen und kleinen Körbchen voll Lehm: Lastautos, Walzen, Kräne, Bulldozers – nichts fehlte. Die alten: *isbahs*, die noch existierten, waren mit Fernsehantennen gespickt.

Olga P., unsere Dolmetscherin, führte uns ohne Programm, ganz nach unserem Belieben und ihren Vorschlägen, kreuz und quer durch die Stadt. Sie zeigte uns das Kloster Zagorsk außerhalb Moskaus. Die sehr schönen Kirchen waren mit murmelnden alten Frauen gefüllt. In den Unterrichtsräumen blätterten bärtige und schmutzige Seminaristen in ihren Lehrbüchern. Die Popen, denen man draußen in den Alleen begegnete, hatten sich anscheinend nicht viel gründlicher gewaschen. Sowie eine der Betschwestern einen erblickte, stürzte sie sich auf seine Hand und küßte sie gierig. Der Archimandrit aber, der uns zum Essen einlud, war eine prachtvolle Erscheinung: violettes Gewand, langes, schönfrisiertes Haar, langer, gepflegter Vollbart. «Sie müssen schon entschuldigen, daß es heute nicht viel zu essen gibt», sagte er, während ein Mönchlein unsere Teller mit Kaviar füllte. An den Wänden hingen riesige Fotos von Lenin und Marx. Der Archimandrit erklärte uns, welche Dienste die Revolution der Religion erwiesen habe: Heute wisse das Volk, daß man nicht aus materiellem Interesse, sondern aus Berufung Pope wird. Olga P., eine Jüdin, erstickte fast vor Wut. «Ich übersetze ...» sagte sie mit harter Stimme und wiederholte tonlos die Worte des Priesters. «Ich weiß», sagte sie beim Weggehen (sich selber die Lehre einprägend), «daß man die Menschen erziehen, aber nicht brüskieren soll. Man muß ihren Glauben respektieren. Trotzdem sind diese Leute Schwindler.»

Wir trafen Carlo Levi. Er fand die altmodischen Elemente im Stadtbild hinreißend: die Rüschengardinen, die gepreßten Lampenschirme, den Plüsch, die Quasten, die Fransen, die Lüster. «Das ist meine Kindheit», sagte er. «Das ist Turin im Jahre 1910.» Wir beobachteten, wie die Passanten einem Betrunkenen, der an einer Hauswand lehnte, barmherzig halfen, sich aufrecht zu halten: Wer auf dem Pflaster einschläft, wird abtransportiert, bis zwölf Uhr mittags eingesperrt und kommt zu spät zur Arbeit.

Wir besuchten einige Theatervorstellungen: *Nachtasyl* in der klassischen Tradition Stanislawskijs inszeniert, eine Komödie Simonows, in der seine Frau auftrat, und, im Satirischen Theater, Majakowskis *Die Wanze*. Olga P. hatte uns den Inhalt ausführlich erzählt und übersetzte an Ort und Stelle größere Abschnitte. Dem Text kamen eine flotte, ungezwungene, von Einfällen wimmelnde Inszenierung und ein großartiger Schauspieler zugute, der den Brechtschen Stil der ‹Verfremdung› verwandte. (Nachher habe ich erfahren, daß Brecht einige Tage später diese Aufführung gesehen und den Stil, in dem der Schauspieler den Prissipkin darstellte, ohne sich mit ihm zu identifizieren, sehr gut fand.) Als ich in der Pause meinen Blick über das Publikum schweifen ließ, entdeckte ich Elsa Triolets hübsche Nase, aber es waren nicht ihre Augen, und sie hatte rotes Haar: Es war Elsas Schwester, die frühere Freundin Majakowskijs. Sie wechselte einige Worte mit Sartre: «Man hat behauptet», sagte sie mit Trompetenstimme, «daß es ein antikommunistisches

Stück sei, was aber nicht zutrifft, denn es richtet sich nur gegen eine bestimmte Hygiene.» Zum Schluß trat Prissipkin an die Rampe und fragte das Publikum: «Warum sitzt ihr nicht auch im Käfig?» Mit diesem plötzlichen Sprung aus dem Imaginären in die Realität verpaßte er allen eine kalte Dusche. Olga P. warf dem Stück seinen erbaulichen Charakter vor. Uns war der Sinn von *Die Wanze* klar: Man kann die bürgerliche Gesellschaft, ihre Schandflecke, ihre Exzesse unmöglich akzeptieren, aber wenn man durch sie geformt worden ist, kann man sich auch nicht der ‹Hygiene› unterziehen, die in der UdSSR in den Anfängen des sozialistischen Aufbaus gefordert wurde. Der Selbstmord des Autors schien die Richtigkeit dieser Deutung zu bestätigen, die übrigens auch die des Theaterleiters und seines Ensembles war. Wie man mir berichtet hat, wurde das Stück später auf einer anderen Moskauer Bühne aufgeführt, die allen Doppelsinn ausmerzte und eine Moralpredigt daraus machte. (Weder die Übersetzung, die in den *Temps Modernes* erschien, noch die von Barsacq im Théâtre de l'Atelier inszenierte Bearbeitung hatten auch nur den geringsten Erfolg. Ich nehme an, daß *Die Wanze* – aus dem Zusammenhang gerissen – dem französischen Publikum unverständlich war.)

Ich begriff, warum Sartre ein Jahr zuvor im Krankenhaus gelandet war. Die russischen Schriftsteller erfreuten sich einer erschreckenden Gesundheit, und es war schwierig, sich ihrer herrischen Gastfreundschaft zu entziehen. In Moskau fand ein Kongreß von Kritikern statt, die aus allen Teilen des Landes gekommen waren. Simonow forderte Sartre auf, an einer Nachmittagssitzung teilzunehmen; vorher sollten wir zusammen mit ihm und einigen georgischen Freunden essen gehen. «Gut, aber ich werde nichts trinken», sagte Sartre. Das wurde akzeptiert. Trotzdem standen auf dem Restauranttisch vier verschiedene Sorten Wodka und zehn Flaschen Wein. «Sie sollen den Wodka nur kosten», sagte Simonow und füllte unerbittlich viermal unsere Gläser. Nachher mußten wir Wein trinken zu einem barbarischen und üppigen Schaschlik: ein riesiges, am Spieß gebratenes und bluttriefendes Hammelstück. Simonow und die drei anderen Tischgenossen erzählten lachend, daß sie die ganze Nacht gefeiert und mit den Moskauern um die Wette getrunken hatten. Simonow hatte nicht geschlafen und schon um fünf Uhr morgens zu arbeiten begonnen. Sie leerten sämtliche Flaschen, ohne daß ihnen etwas anzumerken war. Olga P., die sich nach Kräften gewehrt hatte, war trotzdem, als wir in die Sitzung kamen, zu müde, um zu dolmetschen. Mir glühte der Kopf, und ich bewunderte Sartre, daß er es fertigbrachte, vernünftig über die Rolle der Kritik zu sprechen. Man debattierte darüber, welchen Spielraum man in einem Bauernroman den Traktoren und den Menschen einzuräumen habe. Ich fand die Diskussion langwierig, aber auch nicht viel langwieriger, als es bei dergleichen Palavern üblich ist. Ich kann mir nicht vorstellen, daß im Westen wie im Osten ein Schriftsteller jemals durch Diskussionen mit anderen Schriftstellern etwas hinzugelernt hat.

Ich mußte zwei Artikel schreiben, Interviews geben, im Rundfunk sprechen. Den letzten Tag verbrachte ich im Bett, da ich mich zweifellos erkältet hatte: Im Grunde war ich völlig erschöpft. Ich las Alexej Tolstojs *Der Leidensweg*, meine Einsamkeit und die Stille genießend.

# 7

Als ich aus China zurückkehrte, hatte ich wieder volles Vertrauen in die geschichtliche Entwicklung. Auch im Maghreb würden die Ausgebeuteten zuletzt und vielleicht sehr bald den Sieg davontragen. Am 20. August hatten die Marokkaner in Oued-Zem ihre Brüder gerächt, die durch die Ultras, die Polizei und die Glaoui niedergemetzelt worden waren. Am selben Tag hatten Mitglieder der ALN im östlichen Constantine 70 Europäer umgebracht. (35 davon in El Halia. Die Vergeltungsmaßnahmen forderten 12 000 Opfer, Männer, Frauen und Kinder.) Die Regierung hatte Truppen nach Nordafrika geschickt – 60 000 Mann nach Algerien –, wobei es zu Unruhen gekommen war. Am 11. September hatten in der Gare de Lyon die Soldaten unter dem Ruf «Marokko den Marokkanern!» den Zug angehalten. Als der *Express* die Jugend zum Gehorsam ermahnte, wurde er mit Protestbriefen überschüttet. Als *Les Temps Modernes* der Jugend abriet, zu Kreuze zu kriechen, waren wir uns mit einem großen Teil der Bevölkerung einig. In Rouen, in Courbevoie und in zahlreichen anderen Kasernen weigerten sich die durch kommunistische Arbeiter unterstützten Soldaten, auszurücken, und gaben nur nach, wenn Gewalt angewendet wurde.

Um diesen Widerstand zu stärken und die öffentliche Meinung gegen den Krieg zu mobilisieren, versuchte die Linkspresse die wahren Hintergründe zu beleuchten. Sie wies nach, daß die ALN keine Räuberbande, sondern eine disziplinierte und politisierte Volksarmee war. Sie verurteilte die Plünderungen, Brandstiftungen und Foltern. Im November brachten die *Temps Modernes* zwei Artikel, die den Mythos von der Integration zerstörten. Intellektuelle gründeten ein Informationszentrum, das *Témoignages et Documents* veröffentlichte. Ein neugebildeter Ausschuß der Intellektuellen wandte sich gegen die Fortführung des Krieges in Nordafrika.

Im November kehrte der Sultan nach Marokko zurück. Tunesien erhielt die «Unabhängigkeit im Rahmen der gegenseitigen Abhängigkeit», wie Edgar Faure es formulierte. Die Probleme Algeriens, einer Kolonie, in der viele Franzosen lebten, waren komplizierter als die der beiden Protektorate, aber nach unserer Ansicht würde Frankreich gezwungen sein, ihm einen ähnlichen Status zu bewilligen. Nach den Wahlen am 2. Januar glaubten wir – trotz des unerwarteten Erfolges der Poujadisten –, daß der Augenblick gekommen sei. Die republikanische Front, die über die Stimmenmehrheit verfügte, hatte sich verpflichtet, diesen Krieg schnellstens zu beenden, den Mollet «grausam und dumm» nannte. Bei seiner Amtsübernahme am 31. Januar sprach er von der «Sonderstellung Algeriens». Auf dem Sozialistenkongreß erklärte Rosenfeld: «Man muß die Existenz der algerischen Nation anerkennen.»

Die Reaktion der Armee und der *pieds noirs* (der französischen Siedler) – der leidenschaftliche Abschied von Soustelle, die Tomaten vom 6. Februar, die Wohlfahrtsausschüsse – überraschten uns nicht. Das Nachgeben Mollets, der Catroux durch Lacoste ersetzte, fanden wir weniger selbstverständlich. Gewählt, um Frieden zu schließen, setzte er den Krieg in verstärktem Maße fort. Verblüfft sahen wir zu, wie die Republikanische Front ihn unterstützte und wie die Kommunisten am 12. März für die Sondervollmachten stimmten. Die Propaganda, die diese Kehrtwendung rechtfertigte, hätte keinen Hund hinter dem Ofen hervorlocken dürfen. Die algerische Bevölkerung liebe Frankreich. Der Aufstand sei die Folge einer «islamischen Verschwörung», deren Fäden Nasser und die Arabische Liga in den Fingern hielten. Dieser Geschichtsauffassung, die von den Romanen Mickey Spillanes, den Groschenheften und Serien, Abteilung Spionage, genährt wurde, wußte Soustelle den Beifall der französischen Abgeordneten zu verschaffen. Sie wurde von der Presse verbreitet, die Leser weideten sich an ihr und fühlten sich geschmeichelt, daß man sie in diese nicht sonderlich mysteriösen Geheimnisse eingeweiht hatte. Durch ihr Stillschweigen und ihre Lügen verschleierten die Zeitungen den wahren Charakter der Unterdrückungsmaßnahmen. Man wußte, daß für die ALN kein Völkerrecht galt, weil die sogenannte Befriedungsaktion kein Krieg war. Man vermied es, nach dem Los der Gefangenen zu fragen. Nur die *Humanité* berichtete im April von den 400 Mohammedanern aus Constantine, die eines Nachmittags durch die Vertreter der Ordnungsmacht bewußtlos geschlagen, abgeschlachtet und in die Schluchten geworfen worden waren. Nur der *Observateur* und die *Humanité* brachten die Wahrheit über die Tragödie von Rivet. (Am 8. Mai war dort ein Gendarm getötet worden. Als Vergeltungsmaßnahme wurden zwei Mohammedaner hingerichtet. Am 10. kam – als Gegenrepressalie – ein europäischer Bäcker an die Reihe. Dabei kam es zu einer blutigen Schießerei, und man holte Militär heran. Das Mohammedanerviertel wurde umstellt, man verlud sämtliche Männer – etwa 40 – auf Lastautos und schlachtete sie ab. Außerdem holte man auch junge Männer aus den benachbarten *mechtas* und brachte sie um. Dann legte man Feuer. Fast alle Bewohner verbrannten bei lebendigem Leib, bis auf einige wenige, denen es gelang zu flüchten und die das Militär anflehten, ihnen das nackte Leben zu schenken. In den Zeitungen wurde ihr Foto veröffentlicht: «Die Bevölkerung mehrerer *douars* schließt sich Frankreich an.» Rivet wurde zu einer Festung, die ermordeten Bauern waren mit einemmal Fellaghas, und aus diesem Oradour machte man einen Sieg unserer Armee.) Als am 6. April der Offiziersaspirant Maillot zur ALN überlief, überhäufte man ihn mit Beschimpfungen, ohne die Gründe zu untersuchen. Von den Lebensbedingungen der Nordafrikaner in Paris, den Barackenvierteln in Nanterre sprach niemand außer zwei oder drei linken Journalisten.

Die Regierung ging daran, ihnen das Maul zu stopfen. Sie ließ Bourdet verhaften, Mandouze mit Arbeitsverbot belegen, eine Haussuchung bei Marrou vornehmen, weil er am 5. April in *Le Monde* gegen die kollektiven Vergeltungsmaßnahmen, gegen die Konzentrationslager, gegen die Folter protestiert hatte: Er erinnerte an Gurs, an Buchenwald, an die Gestapo. Die *Humanité* wurde mehrmals beschlagnahmt und André Stil gerichtlich belangt. Man versuchte die Linke mit der nebulosen ‹Fluchtaffäre› zu kompromittieren. Die Rechte machte Bourdet, Stéphane, Astier und die Manöver Van Chis für den Verlust Indochinas verantwortlich: Man dürfe es nicht ein zweites Mal zulassen, daß die Verräter dem Vaterland einen Dolchstoß in den Rücken versetzen. Aber bevor das Land, das für den Frieden gestimmt hatte, sich mit dem Krieg abfand, kam es zu einigen heftigen Reaktionen. An mehreren Orten wurde gegen den Abtransport der einberufenen Rekruten demonstriert. Überall fanden Versammlungen, Aufmärsche, Streiks, Protestaktionen statt. Petitionen wurden in Umlauf gesetzt, Delegationen bestürmten die Parlamentsmitglieder. Die Kommunisten organisierten oder unterstützten die Kundgebungen, aber nachdem Moskau Mollet und Pineau im Juni einen so überaus liebenswürdigen Empfang bereitet hatte, dämpften sie ihren Eifer. Sartre wünschte, daß die Friedensbewegung den Algerien-Krieg verurteile. Da erklärte ihm ein wichtiger sowjetischer Delegierter, der sich auf der Durchreise in Paris befand, daß ein solcher Beschluß inopportun sei. Er wollte einen Antrag zur Abstimmung bringen, dem zufolge die Bewegung sich nur gegen Angriffskriege wende: Aber die Franzosen waren nicht die Angreifer. Unserer Meinung nach hielt die UdSSR sich deshalb zurück, weil sie befürchtete, der Maghreb könnte unter amerikanischen Einfluß geraten. Außerdem befürchtete die KP, den Kontakt mit den Massen zu verlieren, wenn sie weniger nationalistisch auftrat als die übrigen Parteien. Offiziell stand sie in Opposition zur Regierung. Aber sie forderte die Soldaten nicht mehr auf, den Gehorsam zu verweigern, sie bekämpfte auch nicht die Rassenvorurteile der französischen Arbeiter, in deren Augen die 400 000 in Frankreich ansässigen Nordafrikaner Eindringlinge waren, die ihnen ihre Arbeitsplätze wegnahmen und außerdem noch eine Stufe unter dem Proletariat standen.

Der Wahlkampf war mit Zweideutigkeiten und Übertreibungen geführt worden. Die Republikanische Front versprach den Frieden, wies aber gleichzeitig jeden Gedanken an eine ‹Freigabe› zurück und wich dem Wort Unabhängigkeit aus, das so unpopulär war, daß selbst wir in den *Temps Modernes* es vermieden, obwohl es uns widerstrebte und wir es für verhängnisvoll hielten, das Kind beim falschen Namen zu nennen. Wäre es Mollet, wenn er nicht kapituliert hätte, gelungen, Verhandlungen einzuleiten? Sicher ist nur, daß Ende Juni bereits jeder Widerstand gegen den Krieg eingeschlafen war. Ohne daran zu denken, was es kosten würde, überzeugt, daß der ‹Verlust Algeriens› zu seiner Verarmung führen müsse, den Mund von Schlagworten gebläht – französisches Imperium, französische Départements, Preisgabe, Tapferkeit, Größe, Ehre, Würde –, versank das ganze Land – Arbeiter und Unternehmer, Bauern und Bürger, Zivilisten und Soldaten – in Chauvinismus und Rassenhaß. Daß Poujade jede Bedeutung einbüßte, lag nur daran, daß in Frankreich alle Welt poujadistisch geworden war. Die Jugend, die man in die Djebels schickte, tröstete sich, indem sie auf Kosten der Araber – der *bicots* – das Spiel der Mannhaftigkeit trieb. (Im März befanden sich 190 000 Mann auf algerischem Boden – am 1. Juni 373 000. Bald darauf war die halbe Million erreicht.) Damals, und in den folgenden Jahren, konnte man das Phänomen, das Sartre die Wiederkehr nennt (*Critique de la raison dialectique*), in seinem düsteren Glanz studieren. Jeder fand im aktiven oder passiven Verhalten des anderen die Gründe für seine eigene Haltung, die, ohne weitere Begründung, den anderen als Grund diente. Als Mollet zwei Gefangene hinrichten ließ, den einen am 20. Juni, den anderen am 5. Juli, löste dieses Ereignis in Algerien einen Generalstreik der Moslems aus, aber in Frankreich rührte sich kein Mensch.

Anfangs hatten wir einige Personen und einige Fraktionen für schuldig gehalten: nach und nach mußten wir feststellen, daß alle unsere Landsleute mitschuldig waren und daß wir in unserem eigenen Land wie die Verbannten lebten. Wir waren nur wenige, die nicht in den Chorus mit einstimmten. Man beschuldigte uns, die Nation zu demoralisieren. Man behandelte uns als Defaitisten – «Diese Leute da sind Defaitisten», sagte mein Vater, als er an der ‹Rotonde› vorbeikam –, als die «Fellaghas von Paris», als Franzosenfeinde. Warum aber hätten wir, Sartre und ich – um nur von uns beiden zu sprechen –, Frankreich hassen sollen? Kindheit, Jugend, Sprache, Kultur, Interessen – alles verknüpfte uns mit diesem Land. Wir waren in unserer Heimat nicht unbekannt, nicht verhungert und in keiner Weise schikaniert worden. Wenn wir mit der Politik und den Regungen Frankreichs einig gewesen wären, hätten wir uns über dieses Bündnis gefreut. Unsere qualvolle und ohnmächtige

Isolierung war nichts Beneidenswertes. Sie wurde uns aufgezwungen, weil wir gewisse Anschauungen verteidigten.

Die ALN umfaßte gegenwärtig 30 000 Mann, die nicht nur mit Jagdflinten, sondern mit Militärgewehren und automatischen Waffen ausgerüstet waren. Wie Lacoste selber zugeben mußte, beherrschten sie ein Drittel Algeriens. Das war nur möglich, wenn die Bevölkerung zu ihnen hielt. Ferhat Abbas hatte sich der FLN angeschlossen. Die Masse und die Führung wurden immer radikaler, und aus dem Kampf erwuchs die Einheit. Algerien würde gewinnen. Wir betrachteten – genauso wie früher einmal Mollet – die Verlängerung der Feindseligkeiten als «dumm und grausam», weil sie Hunderttausende von Algeriern zum Tode und zu bitteren Leiden verurteilte. In Frankreich wurden Tausende junger Menschen geopfert, die öffentliche Meinung wurde systematisch irregeführt, die Bürgerrechte wurden mit Füßen getreten, und die Korrumpierung der Ideologien förderte den Fäulnisprozeß eines Volkes, das dermaßen mit Lügen gemästet wurde, daß es sogar den Sinn für die Wahrheit verlor, sich selber entfremdet, entpolitisiert, passiv, reif für jede Art von Verzicht und für die erstbeste Diktatur.

Wir sahen nicht ein, warum wir uns über die Kampfmethoden der FLN entrüsten sollten. «Mit Chorknaben kann man nicht Krieg führen», wiederholten die Wortführer der Fallschirmjäger immer wieder. Aber wenn in Frankreich algerische Aktivisten Verräter liquidierten, schrie man Zeter und Mordio. Während der Franzose mordend, vergewaltigend, folternd seine Männlichkeit unter Beweis stellte, kam bei den algerischen Terroristen die ererbte ‹islamitische Barbarei› zutage. In Wirklichkeit blieb der ALN keine Wahl. Sie mußte mit den Waffen des Gegners kämpfen. Trotzdem fand sich sogar unter unseren Gesinnungsfreunden, die ihre Ziele für gerechtfertigt hielten, nur eine Handvoll, welche die symmetrische Formel Terrorismus – Unterdrückung ablehnten. Aus Vorsicht, aber auch mit tugendhafter Aufrichtigkeit erklärten die meisten, wenn sie Foltermethoden und Plünderungen verurteilten: «Uns ist aber bekannt, daß auch die andere Seite furchtbare Exzesse begeht.» Was für Exzesse? Diese Bezeichnung traf für die Praktiken beider Seiten nicht zu. Nie hatte Camus hohlere Phrasen geäußert, als wenn er Mitleid mit der Zivilbevölkerung forderte. Es handelte sich um einen Konflikt zwischen zwei zivilen Gruppen. Die Feinde der Kolonisierten waren in erster Linie die Siedler und nur nebenbei die Soldaten, die die Siedler verteidigten. Die Armee konnte nicht siegen, ohne die Bevölkerungsschichten auszurotten, auf die sich die ALN stützte: Gerade diese Notwendigkeit verurteilte ihre Aktion, statt sie zu rechtfertigen. Die Abschlachtung eines notleidenden Volkes durch eine reiche Nation, und wenn sie auch, wie ein junger Fallschirmjäger behauptete, ohne Haß vollzogen wurde, dreht einem den Magen um. (Perrault: *Les Parachutistes*. Wieso ist eine Greueltat weniger greulich, wenn sie ohne Haß verübt wird? Ich finde sie um so greulicher.) Unsere Auffassungen zeugten nur von gesundem Menschenverstand. Trotzdem isolierten sie uns von der übrigen Bevölkerung, und selbst innerhalb des linken Flügels standen wir allein.

Hervés *La Révolution et les fétiches* war nach dem Tode Stalins der erste Versuch eines französischen kommunistischen Intellektuellen, die offizielle Parteiideologie einer Kritik zu unterziehen. Leider war dieses Werkchen dünn und konfus. Bevor Hervé aus der Partei ausgeschlossen wurde, griffen ihn die Orthodoxen, besonders Guy Besse, heftig an. In den *Temps Modernes* gab Sartre beiden unrecht. Er betonte, wie wichtig für ihn die Gedanken von Marx gewesen waren: «Die Menschen meines Alters wissen es; das große Problem ihres Lebens war – noch nachdrücklicher als das Erlebnis der beiden Weltkriege – die ständige Konfrontation mit der Arbeiterklasse und ihrer Ideologie, die ihnen ein einwandfreies Bild der Welt und ihrer selbst lieferte. Für uns war der Marxismus nicht nur eine Philosophie, sondern das Klima unserer Ideen, das Milieu, aus dem sie ihre Nahrung bezogen, die wahre Bewegung des objektiven Geistes, wie Hegel es nennt.» Aber er klagte darüber, daß der Marxismus keine Fortschritte gemacht habe. Naville, der sich einbildete, ihn weiterentwickelt zu haben, griff Sartre im *Observateur* an, und Sartre antwortete. Die Kommunisten akzeptierten Sartres Artikel, ohne darauf besonders zu reagieren. Wenn auch ein Leitartikel in den *Temps Modernes* ihnen zum Vorwurf machte, für die Sondervollmachten gestimmt zu haben, blieben wir doch ihre Bundesgenossen.

Als der Februar kam, glaubten wir, daß sich das Gesicht der kommunistischen Welt von Grund auf verändern würde. Chruschtschow versicherte auf dem XX. Parteitag, daß der Krieg nicht unvermeidlich sei, sondern daß ein friedlicher Verfall des Imperialismus und ein Sieg der Arbeiterklasse ohne bewaffneten Kampf im Bereich des Möglichen liege. Er sprach von dem Recht jedes einzelnen Landes, den Weg zum Sozialismus selber zu bestimmen. Aber als seine Rede vom 25. Februar auf Umwegen bekanntwurde, war das Erstaunen größer als die Hoffnung. Die Brutalität dieser Anklage, ihre Plötzlichkeit, ihre anekdotischen Züge wirkten verwirrend. Es genügte nicht, Stalin zu denunzieren. Man hätte das System analysieren müssen, das seine Tyrannei und seine ‹blutigen Verbrechen› ermöglicht hatte. Peinliche Fragen blieben unbeantwortet: Bestand nicht die Gefahr, daß die Polizeidiktatur unter einer neuen Clique fröhliche Auferstehung feierte? Die Leute, die heute den ‹Personenkult› anprangerten, waren Stalins Mitarbeiter gewesen. Warum hatten sie den Mund nicht aufgemacht? Inwiefern waren sie mitschuldig? Und wieweit durfte man ihnen Vertrauen schenken?

Niemand, weder in der UdSSR noch anderswo, hat bisher die Stalinsche Periode auf befriedigende Weise zu erklären gewußt. Die Gründe und der Sinn des Berichts traten dagegen sehr schnell zutage. Es handelte sich um ein vorausberechnetes Manöver. Chruschtschow wollte deutlich machen, daß die Veränderungen, die sich in den letzten drei Jahren vollzogen hatten, nicht eine Häufung von Zufällen gewesen waren, sondern eine Art Revolution, eine zusammenhängende und unwiderrufliche Umwälzung darstellten. Er hatte eine konkrete Handlung einer abstrakten Manifestation vorgezogen. Mit der Verurteilung Stalins hatte er die Kluft zwischen der Vergangenheit und der Gegenwart vertieft. Von nun an würden die stalinistischen Bürokraten mit ihren Gewohnheiten brechen und sich den neuen Anschauungen beugen müssen, wenn sie nicht unzweideutig als oppositionelle Gruppe dastehen wollten.

Die Rehabilitierung Rajks am 29. März machte deutlich, daß die Entstalinisierung in den Volksdemokratien begonnen hatte. Man durfte hoffen, daß sie sich auch auf die Bruderparteien erstrecken würde: Aber die KPF sträubte sich. Die *Humanité* druckte Ende März einen gegen Stalin gerichteten Artikel aus der *Prawda* ab, aber in ihren Kommentaren zum XX. Parteitag bemühten sich Thorez, Stil, Courtade, Billoux und Wurmser, den Fisch zu ertränken. Man begnügte sich mit vagen Anspielungen auf den «Chruschtschow zugeschriebenen Bericht», und auf dem 14. Kongreß, der in Le Havre tagte, wurde er mit keinem Wort erwähnt. In der Partei fand keine Demokratisierung statt.

Inzwischen wurde – genauso wie nach 1953 in Ostdeutschland – die Entstalinisierung in Ungarn und in Polen zu einer Revolte gegen die stalinistische Führung. Der Petöfi-Kreis in Budapest, dessen Zusammenkünfte das Regime gefördert hatte, sagte ihm plötzlich den Kampf an: Am 19. Juni sprach dort Frau Rajk. Am 27. Juni versammelten sich mehrere Tausend Intellektueller, um Hunderte von Journalisten zu rehabilitieren, die als ‹Bürgerliche› verurteilt worden waren. Tibor Déry und Tibor Meray griffen die Regierung an. Man forderte Presse- und Informationsfreiheit. Man rief: «Nieder mit dem Regime! Es lebe Imre Nagy!»

Am Tag vorher waren in Posen Tausende von Metallarbeitern in den Streik getreten. Ihre Losungen waren: «Wir wollen Brot haben! Nieder mit den Bonzen!» Sie protestierten in erster Linie gegen die unzulängliche Versorgung mit Lebensmitteln und in zweiter Linie gegen ein Regime, das ihre Freiheiten drosselte, ohne ihnen einen anständigen Lebensstandard zu gewährleisten. Die Polizei schoß. Laut offiziellen Angaben wurden 48 Arbeiter getötet. Die KPF schob die Revolte ausländischen ‹Provokateuren› in die Schuhe. Courtade machte die «polnische *chouannerie*» für die konterrevolutionären Umtriebe verantwortlich. Aber wenige Tage später erkannten die polnische Regierung und die Regierungspresse die Forderungen der Arbeiter als begründet an.

Von dem Geld des Prix Goncourt hatte ich mir ein Atelier gekauft. Es hatte mir Spaß gemacht, es zusammen mit Lanzmann zu möblieren, und nach meiner Rückkehr aus China zogen wir ein. Den großen Parterreraum mit dem hohen Plafond liebte ich sehr, er war hell, bunt und mit Reiseerinnerungen geschmückt. Durch das Fenster sieht man eine mit Efeu bedeckte Mauer und dahinter den weiten Himmel. Vom ersten Stockwerk aus, zu dem eine Innentreppe hinaufführt, blickt man auf den Friedhof von Montparnasse, auf die niedrigen Dächer der Grabkapellen, auf die menschenleeren Alleen. Hier und dort leuchtet das Rot eines Blumenstraußes zwischen den Steinen. Vielleicht lag es an der Nachbarschaft, ganz sicher aber an meiner Vorliebe für das Definitive: Als ich mich zum erstenmal in meiner neuen Behausung schlafen legte, dachte ich: «Das wird mein Sterbebett sein.» Ab und zu denke ich wieder daran. Zweifellos werde ich in diesem Atelier meine Tage beschließen, denn wenn ich auch woanders sterben sollte, werden meine Verwandten hier nach meinem Tod aufräumen müssen: die Papiere sortieren, dieses und jenes wegwerfen, die paar Sachen verkaufen, die mir gehörten. Diese Umgebung wird noch eine Zeitlang nach meinem Tod fortbestehen. Wenn ich es betrachte, passiert es mir oft, daß sich mein Herz verkrampft, als hätte ich von dem unwiederbringlichen Verlust einer lieben Freundin erfahren.

Aber wenn ich mich aus dem Fenster des ersten Stockwerkes lehne, denke ich nicht mehr an die Zukunft und gebe mich dem Augenblick hin. Oft schaue ich mir den Sonnenuntergang an und warte, bis die Nacht hereinbricht. Unter dem Laub der rue Froidevaux flammt das Rotlicht der Zigarre eines *café-tabac* und der Verkehrsampeln einer Kreuzung auf, während der Eiffelturm seine Strahlen über Paris fegen läßt. Im Winter, in den frühen Morgenstunden, wenn es noch ganz finster ist, werden die hochgelegenen Fenster zuerst gelb, orangefarben und dann dunkelrot. Im Sommer aber, gegen fünf Uhr morgens, nehme ich mir meistens zwischen zwei Schlummerstunden die Zeit, den erwachenden Tag zu genießen, wenn sich am blaugrauen Himmel schon die drückende Hitze ankündigt. Die Bäume, die sich über den Grabsteinen ausbreiten, der Efeu, der sich an der Mauer hochrankt, strömen einen herben und dumpfen Geruch aus, der sich mit dem Duft der auf einem benachbarten Platz blühenden Linden und mit dem Gesang der Vögel vermischt. Ich bin zehn Jahre alt, und es ist der Tag von Meyrignac. Ich bin dreißig Jahre alt und werde jetzt zu Fuß über Land wandern. Das ist vorbei: aber dieser Geruch hat mir wenigstens das flüsternde Echo der Vergangenheit als auch eine verworrene Hoffnung beschert.

Nach meiner Rückkehr reifte in mir der Entschluß, über China zu schreiben. Ich wußte, und ich weiß, daß die wohlgenährten Europäer nicht eine Sekunde lang aus ihrer Haut können. Trotzdem war ich über die Unwissenheit entsetzt, die sie – unabsichtlich oder absichtlich – zur

332

Schau trugen. Die durch die Entwicklung in der UdSSR ein wenig des-
orientierten Antikommunisten ereiferten sich jetzt gegen China. Sie bedauerten die Chinesen, die gezwungen seien, sich in gleichförmiges Blau
zu kleiden (das trifft im übrigen nur auf Nordchina zu, wo diese Monotonie auf eine alte Tradition zurückgeht), und vergaßen zu erwähnen,
daß vorher drei Viertel der Bevölkerung nackt herumgelaufen war.
Diese starke Voreingenommenheit reizte mich. Außerdem erinnerte ich
mich an das Versprechen, das ich mir in Helsinki gegeben hatte: Wenn
ich die aus Hongkong importierte Propaganda widerlegte, würde ich
mich nützlich machen. Die Schwierigkeit der Aufgabe schreckte mich
keineswegs. Beträchtliche Anstrengungen würden nötig sein. Um meine
Informationen zu vervollständigen, ging ich in die Bibliotheken und
Informationszentren, studierte Untersuchungen, Artikel, Bücher, Berichte, Statistiken, die dem gestrigen und heutigen China gewidmet waren, ohne die Anklagen der Gegner zu ignorieren. Ich erkundigte mich
bei Sinologen, die mir behilflich waren. Diese Jagd nach dem Material
kostete viel Zeit – und ich brauchte noch einmal viel Zeit, um meine
eigenen Kenntnisse einzuordnen und eine Synthese herzustellen. Selten
habe ich so beharrlich gearbeitet wie in diesem Jahr. Es kam vor, daß
ich vier Stunden hintereinander – vormittags bei mir zu Hause, nachmittags bei Sartre – am Schreibtisch saß, ohne aufzublicken. Manchmal
war er beunruhigt, wenn er sah, daß ich ganz rot im Gesicht wurde:
Das Blut stieg mir zu Kopf, und ich mußte mich für ein paar Minuten
auf seinen Diwan legen.

Als das Buch – *La Longue Marche* – erschien, gingen natürlich die
Antikommunisten auf mich los. Nachdem die Übersetzung in den USA
erschienen war, gab es ein lautes Geschrei. Die Amerikaner, die einmütig – und man weiß, wie gierig – den von Allen Dulles angerichteten
Salat geschluckt hatten, hielten das Werk für äußerst naiv. Inzwischen
haben innerhalb von sechs Jahren Fachleute wie René Dumont, Josué de
Castro und Tibor Mende, die keine Kommunisten sind, bestätigt, was
ich behauptet habe. China ist das einzige große unterentwickelte Land,
das den Hunger besiegt hat. Wenn man es mit Indien oder Brasilien
vergleicht, erscheint dieser Sieg als ein Wunder.

Ich selbst habe aus diesen Studien bedeutenden Nutzen gezogen. Indem ich meine Zivilisation mit einer anderen, ganz fremden verglich,
entdeckte ich, wie spärlich die Züge sind, die ich als gemeinsamen Besitz
betrachten konnte. Simple Wörter, wie Bauer, Feld, Dorf, Stadt, Familie,
haben in Europa nicht denselben Sinn wie in China. Dadurch erneuerte
sich das Bild meiner eigenen Umgebung. Ich las damals gerade die
*Tristes tropiques* von Lévi-Strauss, ein Buch, das meiner Meinung nach
unter vielen anderen Vorzügen auch das Verdienst hatte, mir von neuem
das Antlitz der Erde zu zeigen. Das geschieht nicht durch den Umfang
seiner Forschungen, sondern durch die Perspektive, mit der er alles be-

trachtet: Es ist die Perspektive, die ich zu übernehmen versuchte, um Peking und die übrigen Orte zu schildern, die ich kennengelernt hatte. Ganz allgemein gesehen, hat diese Reise meine alten Gesichtspunkte zunichte gemacht. Bisher hatte ich trotz aller Lektüre und einiger oberflächlicher Urteile über Mexiko und Afrika den Wohlstand Europas und der USA als Norm betrachtet, während die Dritte Welt nur ganz nebelhaft am fernen Horizont existierte. In meinen Augen brachten die chinesischen Massen das Gleichgewicht auf unserem Planeten ins Wanken. Die Not des Fernen Ostens, Indiens und Afrikas wurde zum wahren Kern der Welt, und unser abendländischer Komfort zu einem engbegrenzten Privileg.

*La Longue Marche* konnte kein so lebendiges Buch sein wie *L'Amérique au jour le jour,* und einzelne Abschnitte sind bereits veraltet. Aber ich bereue die Mühe nicht, die ich mir damit gemacht habe. Beim Schreiben habe ich mir Skizzen und Schlüssel angefertigt, die mir geholfen haben, die Probleme anderer unterentwickelter Länder zu verstehen.

Auch Sartre arbeitete fleißig. Vor zwei Jahren war der dritte Teil seiner Abhandlung *Les Communistes et la paix* erschienen. Diese Arbeit hatte er eigentlich nicht mehr zu Ende führen wollen, da die Umstände, die zu ihrer Entstehung geführt hatten, weit zurücklagen und seine Beziehungen zu den Kommunisten sich seit 1952 verändert hatten. Seine Lektüre und seine Überlegungen orientierten sich jetzt an einer neuen Perspektive. Zur Dialektik bekehrt, bemühte er sich, vom Existentialismus auszugehen und beides miteinander zu verschmelzen. Andererseits hatte Garaudy ihm vorgeschlagen, mit Hilfe einer bestimmten Arbeit die marxistische und die existentialistische Methode einander gegenüberzustellen, um zu sehen, welche von den beiden wirksamer sei. So hatten sie sich entschlossen, Flaubert und sein Werk jeder auf seine Weise zu erläutern. Sartre schrieb eine lange, sorgfältig durchdachte Studie, die aber formal so schlecht war, daß er sie nicht veröffentlichen wollte. Er arbeitete auch an seiner Selbstbiographie und suchte in seiner Kindheit nach den Gründen, die ihn zum Schreiben veranlaßt hatten. Schließlich verfaßte er außerdem ein Drehbuch nach Millers Theaterstück *Hexenjagd,* das Rouleau verfilmen sollte.

In diesem Jahr hatte ich wenig freie Zeit. Trotzdem machte ich ab und zu Ferien. Im Januar verbrachte ich zusammen mit Lanzmann einige Zeit im Hotel am Kleinen Scheidegg. Am ersten Vormittag konnte er sich kaum auf den Skiern halten. Ich war seit sechs Jahren nicht mehr auf den Skiern gewesen. Als ich wieder das leise Knirschen des Schnees hörte, glaubte ich einen Sieg über die Zeit errungen zu haben. Wir nahmen Unterricht und machten Fortschritte, er schnell, ich langsam. Aber ich zitterte vor Vergnügen, wenn mir frühmorgens mit den Strahlen der aufgehenden Sonne die Kälte ins Gesicht schlug. Wir stiegen nach Grindelwald hinunter. Ein Sessellift beförderte uns über die mit schwarzen und weißen Fichten gespickten Abgründe auf den First hinauf. Trotz der schweren Wachstuchpelerinen, die uns der Angestellte um die Schultern gelegt hatte, klapperten wir bei minus 20 Grad mit den Zähnen. Oben fanden wir die Sonne und ein überwältigendes Panorama: Eiger, Jungfrau. Wir machten sehr bald lange Ausflüge und kehrten unterwegs auf den Terrassen der Chalet-Restaurants ein, die nach feuchtem Holz, Skiwachs und Orangenschalen rochen. Abends, wenn die kleinen Züge der Zahnradbahn nicht mehr verkehrten, hüllten Stille und Einsamkeit unser Hotel ein. Wir legten uns aufs Bett und lasen. Alejo Carpentiers *Das Reich von dieser Welt,* das von dem Aufstand auf Haiti handelt, ist ein glänzender Roman, aber weniger inhaltsreich als die historische Erzählung «Jacobins noirs» von James. In *Die Flucht nach Manoa* ließ mich Carpentier (obwohl er allzu bereitwillig dem Mythos vom primitiven Leben und dem Mythos vom Charakter der Frau verfällt) die schönste Reise, die ich je in einem Buch gemacht habe, durch den jungfräulichen Urwald unternehmen.

Im Frühling fuhren wir mit dem Auto nach London, das wir beide trotz der Nüchternheit seiner Abende liebten. Wir flogen nach Mailand, wo meine Schwester ihre neuesten Bilder ausstellte. Eine Viertelstunde lang kreiste der Pilot im strahlenden Morgenlicht über dem Matterhorn und dem Monte Rosa, und es schien uns geradezu ungerecht, daß wir mühelos diese großartige Landschaft betrachten durften, für die die Alpinisten ihre Haut zu Markte tragen. Wir machten eine Rundtour durch die Bretagne: La Pointe du Raz, der Golf von Morbihan, Quiberon. Unterwegs hielt uns ein Mann an. Im Auto begann er stotternd und verzweifelt zu erzählen. Er war gerade aus dem Gefängnis entlassen worden, in das er wegen Landstreicherei eingeliefert worden war. Er suchte Arbeit, bekam aber keine, weil er im Gefängnis gewesen war, in das man ihn von neuem wegen Landstreicherei einliefern würde. Wir fuhren an zwei Polizisten vorbei. «Wenn ich zu Fuß gewesen wäre, hätten sie mich mitgenommen», sagte er. Er erzählte aus seinem Leben. Als Kind armer Eltern hatte er weder Lesen noch Schreiben gelernt. Er hatte keinen Beruf. Er zeigte auf die Leitungsmasten am Straßenrand. «Eines Tages werde ich dort hinaufklettern und den Draht anfassen – dann werden sie sich schon mit mir beschäftigen müssen.» Man liest oft in den Zeitungen, daß ein Landstreicher auf einen Leitungsmast hinaufgeklettert ist und sich mit Hilfe der elektrischen Leitung das Leben genommen hat. An diesem Tage begriff ich, was so ein Selbstmord bedeutet: eine so grenzenlose Verlassenheit, daß man sich in einen Kadaver verwandeln muß, um als Mensch zu gelten. Die Möglichkeiten eines Vagabunden sind begrenzt: Die Leitungsmasten sind sein Horizont und beherrschen seine Gedanken.

Ich aß zusammen mit meinem amerikanischen Verleger bei Ellen und

Richard Wright. Er war mit der Übersetzung von *Les Mandarins* zufrieden, entschuldigte sich aber, daß er hier und dort einige Zeilen habe streichen müssen. «Bei uns», sagte er, «darf man in einem Buch von sexuellen Dingen sprechen, nicht aber von Perversionen.» Das Buch hatte in den USA großen Erfolg.

Ich besuchte die Ausstellung, die einen Rückblick auf das Gesamtwerk Nicolas de Staëls vermittelte. Er hatte sich ein Jahr vorher aus persönlichen Gründen das Leben genommen, aber auch, wie es scheint, weil man das Risiko nie mit einem Pinselstrich abschaffen kann. Er hatte sich in die meisten Sackgassen der heutigen Malerei verirrt. Im Palais des Sports sah ich den russischen Zirkus und den Clown Popow. Der sozialistische Humanismus verpflichtet ihn, seine Artgenossen zu respektieren, und es ist für einen Clown schwer – obwohl es Chaplin geglückt ist –, die Leute zum Lachen zu bringen, ohne sie lächerlich zu machen. Ich wohnte der Generalprobe von *Soledad* bei und fand, daß meine Freundinnen Colette Audry und Evelyne sehr begabt seien, die eine als Verfasserin, die andere als Schauspielerin. Das Bochumer Theater gastierte im Théâtre Sarah-Bernhardt mit *Der Teufel und der liebe Gott*. Messemer spielte den zweiten Teil viel besser als Brasseur, den ersten weniger gut. Aber mittelmäßige Darsteller, eine expressionistische Inszenierung und übermäßige Striche verdarben die Vorstellung. Trotzdem reagierte die Presse positiver als nach der Generalprobe im Théâtre Antoine. Meiner Ansicht nach spiegelt sich in den Kritiken der Snobismus eines Parketts wider, das kein Deutsch verstand und um so bereitwilliger in Begeisterung geriet, als es sich der Mühe enthoben sah, der Handlung zu folgen.

Ich nahm an einer Privatvorführung des Films *Nacht und Nebel* teil. Beim Weggehen machte mir Jaeger, den ich früher im ‹Flore› flüchtig kennengelernt hatte und der eine Filmfirma leitete, den Vorschlag, einen von Mènegos in China gedrehten Dokumentarfilm mit Kommentaren zu versehen. Der Film war uneinheitlich, und obwohl er hier und da Geschmacklosigkeiten und Fälschungen enthielt, war die Bildfolge doch erstaunlich: Sie handelte vom Bau einer Eisenbahn durch das Gebirge oberhalb des Jantsekiang. Das stückweise Herbeischaffen eines Bulldozers auf Kähnen und die unglaublich archaischen Arbeitsmethoden wurden gezeigt, die ich mehrmals selber zu sehen bekommen hatte. Ich erklärte mich bereit, einen Begleittext zu schreiben. Mehrmals ging ich ins Atelier, ließ mir den Film vorführen und stellte fest, daß die Aufgabe nicht leicht war. Die Formulierungen und Wendungen müssen sich dem Rhythmus der Bilder anpassen, ohne mit ihnen gleichzulaufen und ohne sich von ihnen zu entfernen. Mènegos und Jaeger, denen daran lag, an das breite Publikum heranzukommen, untersagten mir jede politische Anspielung. Sie waren so weit gegangen, alle Bilder herauszuschneiden, auf denen Mao Tse-tungs Porträt zu sehen war. Infolgedessen mußte ich die Pausen mit jener falschen Poesie ausfüllen, in denen die Mehrzahl der Kommentatoren schwelgt. Noch dazu schilderten die Bilder die Härten und Gefahren der Arbeit, und es war meine Aufgabe, den Heroismus zu preisen. Ich begeistere mich nicht gern auf Kommando. Meine literarischen und moralischen Bedenken verleiteten mich zu einer zweifellos übertriebenen Trockenheit. Regisseur und Produzent änderten meinen Text und schmückten ihn aus: Schließlich hatte ich keine Lust mehr, hinzugehen und mir das anzuhören.

Ende Juni erschien *Der Fall* von Camus. Ich nahm ihm die Artikel übel, die er im *Express* geschrieben hatte. Er war 1945 einer der ersten gewesen, die gegen die Behandlung der Algerier protestiert hatten. Jetzt hatte *pied noir* über den Humanisten gesiegt. Trotzdem war ich betroffen, als ich erfuhr, wie nahe ihm gewisse Angriffe gegen *Der Mensch in der Revolte* gegangen waren. Ich wußte auch, daß er in seinem Privatleben traurige Stunden hatte durchmachen müssen. Sein Selbstvertrauen war erschüttert, er hatte sich mit schweren Zweifeln herumgequält. Ich war sehr gespannt, als ich sein Buch aufschlug. Auf den ersten Seiten fand ich ihn so wieder, wie ich ihn 1943 gekannt hatte: Es war seine Stimme, es waren seine Gedanken, es war sein Charme, ein treffendes und nicht übertriebenes Porträt, dessen Strenge gerade durch die Exzesse gemildert wurde. Camus war dabei, seinen alten Plan zu verwirklichen: den Abstand zwischen seinem wahren Kern und der Fassade zu überbrücken. Ich fand die Schlichtheit herzzerreißend, mit der er sich bloßstellte, da er für gewöhnlich so steif und gezwungen war. Die Aufrichtigkeit nahm ein jähes Ende, als er anfing, seine Mißerfolge mit den konventionellsten Anekdoten zu entschuldigen. Der Büßer verwandelte sich in einen Richter. Indem er seine Beichte allzu deutlich in den Dienst seiner Ressentiments stellte, nahm er ihr die Überzeugungskraft.


Eines Morgens trafen wir uns vor der «Coupole», Michelle, Sartre, Lanzmann und ich. Die Reise sollte nach Griechenland gehen. Mit ungläubigem Staunen betrachtete ich die am Bordstein geparkten, blankpolierten Autos, die nach etwa zehn Tagen staubbedeckt ihren Einzug in Athen halten sollten. Wir blieben zwei Tage in Venedig, um zu bummeln, dann brachen wir nach Belgrad auf, wo wir mit jugoslawischen Intellektuellen zusammentrafen. Ein alter Herr unter ihnen erkundigte sich mit ängstlicher Miene nach Aragon. Er kam aus dem Gefängnis, in das ihn die Anhänglichkeit an den Stalinismus gebracht hatte, und er wagte kaum die Namen seiner französischen Genossen auszusprechen. Sozialismus und Literatur, Kunst und Engagement: Man diskutierte über die klassischen Probleme. Aber die Schriftsteller in Belgrad hatten noch ein anderes, spezifischeres Problem. Die meisten von ihnen waren früher einmal durch den Surrealismus beeinflußt und sogar geprägt worden und fragten sich nun, wie man ihn mit der Volkskultur verschmelzen könnte. «Nachdem bei uns der Sozialismus verwirklicht ist», erklärte ein Romanschriftsteller kurzerhand, «kann jeder schreiben, wie es ihm beliebt.» Die anderen protestierten. Man verheimlichte uns nicht, daß sich das Land in großen Schwierigkeiten befand. Die Kollektivierung war gescheitert, weil die Bauern nicht vor Mordtaten zurückgeschreckt waren, um sie zu verhindern.

Als wir Belgrad verließen, machten das Elend der Vorstädte und später die Trostlosigkeit der Dörfer längs der staubigen und tief ausgefahrenen Straße einen nachhaltigen Eindruck auf uns. Wir machten in Skopje halt, einem Balkandorf, düster, schmutzig, bevölkert von melancholischen Bauern und Frauen in schwarzen Kopftüchern, die sie vors Gesicht schlugen. Auch dort waren die Schriftsteller ratlos. Der in der Hauptstadt grassierende Surrealismus irritierte sie. Als Mazedonier wollten sie für die Bewohner ihrer Provinz schreiben. Ihre noch karge Sprache mußten sie bereichern, nuancieren, zurechtbiegen, damit sie ihnen gestattete, das auszudrücken, was sie sagen wollten: Ihnen ging es um die Probleme ihrer Zeit, ihres Landes. Weder Eluard noch Breton waren ihnen dabei eine große Hilfe! Kann man aber einen anderen Ausgangspunkt wählen? Diese simple Frage schien in ihren Augen an Blasphemie zu grenzen. Wir setzten unseren Weg fort. An der Grenze sahen wir zu unserer Überraschung, daß die Zollbeamten die Reisenden, die aus Griechenland kamen, zwangen, ihre Autoreifen und ihre Füße in großen Bottichen zu waschen.

In Griechenland merkten wir sofort, daß man uns mit scheelen Augen betrachtete: Deshalb beeilten wir uns überall, wo wir hinkamen, mitzuteilen, daß wir Franzosen seien. Ein Jahr früher, im Juli 1955, waren in Nikosia Bomben explodiert: Zypern verlangte den Anschluß an Griechenland. Das ganze Jahr hindurch hatten Attentate und Vergeltungsmaßnahmen die Insel mit Blut befleckt. Im Juni waren Terroristen gehenkt worden. Die Engländer wußten von der Feindseligkeit der Griechen. Auf der ganzen Reise sind wir keinem einzigen begegnet.

Dann kam Saloniki mit seinen grasgrünen Gärten, seinen glasierten Ziegeln, seinen Basiliken. Dort trennten wir uns von Sartre und Michelle. Auf schwierigen Wegen, die an den Ausläufern des Olymp entlangführen, fuhren wir nach Athen. Die Akropolis, Delphi, Olympia, Mykene, Epidauros, Mistra, Delos: bis auf Santorin habe ich alles wiedergesehen. Außerdem lernte ich neue Gegenden kennen: Kap Sunion, die Ufer der Insel Egripos, die zyklopische Pracht von Thyrintos, die fieberverseuchte Einöde von Morea, wo angeblich heute noch die Väter ihre auf Abwege geratenen Töchter mit dem Beil köpfen. Ich ging in Malvasia spazieren: Diese Stadt mit dem schönen Namen liegt glühendheiß und fast menschenleer zwischen ihren halbverfallenen Wällen, deren Wucht den Korsaren zu trotzen scheint. Kein Wölkchen am Himmel, und auch auf meinem Herzen kein Schatten. In Athen gingen wir manchmal am Abend ins ‹Chez Lapin› einen Whisky trinken. Die Terrasse über der kleinen Bucht, in der die Jachten ankern, stößt wie ein Schiffsbug ins Meer vor. Die zahllosen funkelnden Lichter der Stadt und das Flackern der Sterne ließen mich genau wie früher mich selbst und meine Umgebung vergessen. In Delphi liebte ich das Café unter freiem Himmel oberhalb der Olivenhaine, wo abends die Einheimischen tanzten; wo sich ein dreijähriges Mädelchen mit ekstatisch verzerrtem Gesicht und der Miene einer Wahnsinnigen im Takt drehte. Am Horizont ahnte man das Meer. Die Gegend machte einen furchtbar armen Eindruck. Frauen klopften Straßensteine, Bäuerinnen kamen aus den Häusern, um zu betteln. Trotzdem sah man abends in den Dörfern bunte Kleider und hörte fröhliches Gelächter.

Da ich in Paris nicht viel Zeit zum Lesen habe, nehme ich in den Urlaub immer einen Koffer voll Bücher mit. Im Schatten des Hotelzimmers oder am Strand im Sand liegend, vertiefte ich mich diesen Sommer in Bénichous *Morales du grand siècle*, Goldmanns *Le Dieu caché*, Desantis Studie über Spinoza, lauter Essays, die den Marxismus erweitern, indem sie die Beziehungen eines Werkes zu der Gesellschaft, aus der es hervorgegangen ist, mit äußerster Sorgfalt untersuchen. Nur zu gern hätte ich mein gesamtes Kulturerbe in diesem Sinne revidiert.

Wir fuhren mit dem Schiff nach Brindisi und trafen uns in Rom mit Sartre. Nachdem wir einige Tage gemeinsam in Neapel, Amalfi und Paestum verbracht hatten, kehrte Lanzmann mit der Bahn nach Paris zurück.

Sartre und ich hatten das Reisen allmählich satt. Von allen Ländern gefiel uns Italien am besten, von allen seinen Städten Rom. Dort faßten wir festen Fuß. Seit jener Zeit – außer 1960, als wir in Brasilien waren – haben wir dort jeden Sommer verlebt und kurze Ausflüge nach Venedig, Neapel und Capri gemacht. Auch wenn die Ziegel im Feuer des *ferragosto* glühen und der Asphalt in den veröderten Avenuen schmilzt, in denen einsam und zwecklos ein weißbehelmter Polizist steht, fühlen wir uns dort wohl. Diese große, von Menschen wimmelnde Stadt erinnert noch heute an das von Romulus gegründete Dorf. «Man sollte die Städte auf dem Lande bauen, dort ist die Luft gesünder», hat ein Humorist gesagt. In Rom war ich auf dem Lande. Keine Fabriken, kein Rauch. Dabei ist es niemals provinziell, aber man findet in den Straßen und auf den Plätzen oft die Schlichtheit und Stille des Dorfes. Der Name ‹Volk› im wahrsten Sinne des Wortes, der jede innere Zerrissenheit verwischt, gebührt den Menschen, die sich am Abend in Trastevere oder auf dem Campo di Fiori, am Rande des früheren Gettos, auf den Terrassen der Weinhändler vor den Karaffen mit Frascati an den Tisch setzen. Kinder spielen. Die Kleinsten, durch die kühle Luft der Straße beruhigt, schlummern auf den Knien der Mutter, Stimmen steigen ungestüm in die von einer fast zarten Heiterkeit erfüllte Luft empor. Man hört das Knattern der Vespas, aber auch das Zirpen einer Grille. Ich habe bestimmt eine gewisse Vorliebe für wuchtige Städte, die einen von allen Seiten her einschnüren und wo sogar die Bäume wie ein Produkt von Menschenhand aussehen: Aber wie angenehm ist es, ohne auf das bewegte Treiben der großen Welt verzichten zu müssen, unter einem unbefleckten Himmel, zwischen Mauern, die noch die ursprüngliche Erdfarbe behalten haben, reine Luft atmen zu dürfen! Rom bietet noch etwas Selteneres: Man genießt dort gleichzeitig den Trubel des heutigen Tages und den Frieden der Jahrhunderte. Es gibt viele Todesarten: in Staub zu zerfallen wie Byzanz, sich zu mumifizieren wie Venedig, oder halb und halb: Museumsstücke in der Asche: Rom dauert fort, seine Vergangenheit lebt. Das Theater des Marcellus ist bewohnt, die Piazza Navona ist ein Stadion, das Forum ein Garten. Zwischen Grabmälern und Pinien führt noch heute die Via Appia nach Pompeji. Außerdem entdeckt man ständig neue Schönheiten. Die Überbleibsel aus den Tiefen der Vergangenheit wirken in der Frische des Augenblicks wie neu, was mir immer köstlich ist. Klassisch und barock, von heiterem Überschwang, vereint Rom Zärtlichkeit und Strenge. Keine Ziererei, kein Schmachten, aber auch keine Nüchternheit oder Härte. Und welche Zwanglosigkeit! Die Plätze sind unregelmäßig, die Häuser verschroben gebaut. Ein römischer Campanile steht neben einem Glockenturm, der die Form einer Hochzeitstorte hat, und aus diesen Launen erwächst eine seltsame Harmonie. Selbst die monumentalsten Esplanaden, leicht gewölbt, vorsichtig erweitert, wirken in keiner Weise pompös. Die Fassaden der Gebäude sind durch ein Gesims oder durch die Kante einer Wand gelockert, und die Starre ist gelöst, ohne das Gleichgewicht zu stören. Zuweilen drängt sich einem die strenge Symmetrie eines Musters auf, aber diese Strenge wird durch die Geschmeidigkeit der Linien, durch den Ocker, das Brandrot und die Patina des Bewurfs gemildert. Die klösterliche Blässe des Travertin vibriert im Sonnenlicht. Zwischen Marmorzehen sprießen Gräser. Rom ... Künstliches und Echtes verschmelzen miteinander. Weiß und flach fesselt ein Stich aus dem 18. Jahrhundert den Blick, wird lebendig, ist eine Kirche, eine Treppe, ein Obelisk. Überall sehe ich Theaterkulissen, die auf wunderbare Weise meine Augen täuschen. Aber sie lügen ja nicht: Diese Balustraden, diese Muschelgrotten, die Terrassen und die Säulen gibt es wirklich. Eines Abends sahen wir aus dieser komplizierten Perspektive, wie im Innern eines Souvenir-Federhalters, das Phantom einer Straße, in der winzige Menschenphantome umherspazierten: Es war eine Straße ganz in der Nähe. Rom ... An jeder Biegung, an jeder Kreuzung, bei jedem Schritt faszinierte mich ein Detail: Welches soll ich wählen? Zwischen grünen Wipfeln in der Tiefe eines Hofes eine düstere Uhr mit zwei horizontalen Waagebalken, spitz und drohend wie eine

Geschichte von Poe. In der Nähe des Corso die steinerne Tonne, aus der die Verliebten trinken. Die rührenden Delphine, die sich auf dem Platz des Pantheons an die Tritonen mit ihren vom Wasser geblähten Backen schmiegen: Und alle die kleinen Häuser mit Hof und Garten, die sich auf den Dächern der großen Häuser befinden. Rom ... Seine Muscheln, seine Schnecken, seine Hörner, seine Brunnen. Abends verwandelt das Licht das Wasser der Fontänen in Diamantensträuße, während die Steine unter dem Geriesel marmorierter Reflexe hindurchscheinen. Auf dem Samt des nächtlichen Himmels zeichnen die Dächer, die in den Farben des Sonnenuntergangs glühen, funkelnde Sternrabatten. Auf dem Kapitol atmet man einen Pinien- und Zypressenduft, der in mir den Wunsch weckt, unsterblich zu sein. Rom ... Ein Ort, wo das, was man als schön bezeichnet, zum Alltäglichsten wird.

Morgens tranken wir unseren Kaffee auf dem Platz des Pantheon zwischen den Schiebern mit ihren Filzhüten. Es geht dort zu wie auf einem Jahrmarkt. Kleine Schmuggler bewachen den Vorrat an amerikanischen Zigaretten, den sie vor dem Hotel ‹Senato› unter den Kotflügeln der Autos versteckt haben. Nachdem wir ausführlich die Nachrichten aus der Presse kommentiert hatten, gingen wir arbeiten. Gegen zwei Uhr machten wir eine Spazierfahrt über die sieben Hügel oder in die Umgebung. In jenem Jahr waren meine Nachmittage oft recht ungemütlich. Mein Zimmer in einem Hotel an der Piazza Montecitorio ging auf einen kleinen Hof, dessen Wände von Maurern, auf dem Kopf die herkömmlichen Mützen aus Zeitungspapier, neu beworfen wurden. Mein Fenster war mit einem Gerüst versperrt. Ich arbeitete in fliegender Hast, um mein China-Buch zu beenden, und zuweilen erstickte mich die *afa* fast. Abends ließ die Hitze nach. Wir aßen oft an der Piazza Navona oder an der Piazza di S. Ignazio und überlegten uns, wo wir nachher noch etwas trinken wollten. Die Piazza del Popolo gefiel uns sehr, aber im ‹Rosatti›, dem römischen ‹Flore›, trifft man Journalisten, die ein Interview haben wollen, und alle möglichen anderen aufdringlichen Menschen. Manchmal saßen wir in einer kleinen Bar am Fuße des Kapitols, und mir schien es immer, als würde im nächsten Augenblick der Bronzereiter in der Mitte des wie zu einem Ball beleuchteten Platzes seinem Pferd die Sporen geben und über die Treppe heruntergaloppieren. Unser Lieblingsaufenthalt war – und ist – die Piazza di S. Eustachio, gegenüber der mit einem Hirschkopf geschmückten Kirche. Bis spät in die Nacht hinein fahren Autos vor, bescheidene Wagen, Luxuswagen, setzen Familien, Paare, Gruppen ab, die an der Theke den angeblich besten Kaffee Roms trinken. Die Frauen bleiben oft im Auto sitzen, lassen die Männer debattieren und lachen. Ein unglücklicher alter Mann bietet den Gästen Piß-Püppchen an, in die er alle zehn Minuten mit trister Pedanterie frisches Wasser einfüllt und die ihm niemand abkauft. Dort und auch in vielen anderen Lokalen, wo wir das Leben der römischen Nachtschwärmer beobachten konnten, saßen wir gewöhnlich lange, um zu trinken und zu plaudern. Sartre, der weniger Vertrauen zur Zukunft hatte als früher und die Vergangenheit schärfer beurteilte, wurde oft melancholisch. Er beklagte – wie einstmals Camus, nur aus anderen Gründen –, daß es für einen Schriftsteller unmöglich sei, die Wahrheit wiederzugeben. Wenn man die Wahrheit sagt, so ist das besser als nichts, aber sie wird durch tausend Rücksichten entstellt, verstümmelt, verwässert. In unseren Gesprächen bemühten wir uns, der Wahrheit in ihrer verschiedenartigen Gestalt auf den Grund zu gehen. Vorbehaltlos geben wir uns dem Vergnügen des Zanks, der Überspitzung, des Sakrilegs hin. Es ist eine Stellungnahme und auch eine Entspannung, ein Spiel und eine Reinigung.

Ein Komitee linker Schriftsteller lud uns zu einem Abendessen in die Via Marguta ein. Der Vorsitzende, Rèpaci, mit schneeweißem Haar, rosigen Wangen, klarem Blick, vertraute mir an, daß er sich selber über die Schnelligkeit seiner Feder wundere: Er sei fähig, in einer Woche zwei Romane fertigzustellen. Sartre saß neben einer achtzigjährigen Romanschriftstellerin, Signora Sybille, die noch sehr schön war und vor fünfzig Jahren viel Aufsehen erregt hatte. Sie konnte sich auch noch jung fühlen, so eifrig und elegant machten ihr die Italiener, deren Flegelei anders geartet ist als die der Franzosen, den Hof. Selbst ein Bankett ist bei ihnen nicht völlig phantasielos, und so langweilte ich mich nicht. Ich amüsierte mich ebenso köstlich bei einem Essen mit Alba de Céspedes. Ihre Freundin Paula Massini und sie vereinten mit der köstlichen Bosheit der Italienerinnen eine sehr weibliche Spottsucht. Voller Eifer enthüllten sie uns die Kehrseite des römischen Literaturbetriebes. Auch Visconti war mit dabei, intelligent und lebhaft, ein geistreicher Causeur. Ferner ein junger Mann, der sich an ihn und an Sartre wandte und unbeschwert fragte: «Meine Herren, da Sie die Filmwelt kennen, können Sie mir sicher erklären, warum die Regisseure immer so blöde sind.»

Ab und zu trafen wir Carlo Levi, Moravia, den kommunistischen Maler Guttuso und Alicata. Einer der Vorteile Roms bestand darin, daß seit unserer ersten Nachkriegsreise 1946 die Einheitsfront der Linken unversehrt geblieben war. Was Sartre versucht hatte, in Frankreich zu erreichen, fand er hier vor. Fast alle Intellektuellen sympathisierten mit den Kommunisten, die ihrerseits der humanistischen Tradition treu geblieben waren. In Italien äußerte sich das Verhältnis zur KP (das sich in Frankreich so streng und dogmatisch gebärdet) durch offenherzige und hitzige Gespräche. Sartre war für dieses freundschaftliche Klima sehr empfänglich. Ferner gab es in diesem Land keinen Antikommunismus, und man hatte das Glück, keine Kolonien zu besitzen. Die Leute, denen man begegnete, waren – anders als bei uns – keine Komplicen der Mörder und Folterknechte.

Dank der liberalen Haltung der KPI und ihrer glücklichen Situation gibt es in Italien eine gut redigierte linke Presse, die einen riesigen Leser-kreis erfaßt. Ihre Lektüre machte uns Vergnügen. Aufmerksam studierten wir die Lokalnachrichten, da sich in ihnen das Leben in Italien wider-spiegelt. Tagelang berichteten die Zeitungen von der Tragikomödie von Terrazzano. Zwei in der düsteren Irrenanstalt von Aversat bei Neapel internierte Brüder hatten wegen guter Führung Urlaub erhalten. Ohne weitere Schwierigkeiten verschafften sie sich Maschinenpistolen und Sprengstoff und besetzten die Schule in Terrazzano. Als Lösegeld für das Leben der 90 Schüler und 3 Lehrerinnen, die sie gefesselt hatten, verlangten sie zweihundert Millionen Lire, ferner ein Radio, ein Fern-sehgerät und Lebensmittel. Man gehorchte ihnen aufs Wort. Ein Last-auto brachte das Geld. Aber sie kamen nicht heraus, weil sie Angst hat-ten, daß man ihnen eine Falle stelle. Sechs Stunden lang bedrohten sie die Menge und die Kinder, während die Polizei, die Honoratioren und ein Pfarrer bemüht waren, ihnen gut zuzureden. Sie erschossen einen jungen Arbeiter, der durch ein Fenster einzudringen versuchte. Schließ-lich gelang es der Polizei mit Hilfe einer Lehrerin, die sich befreien konnte, sie festzunehmen.

In der *Unità* und im *Paese Sera* verfolgten wir den Prozeß gegen die Rebellen von Posen, der im September begann. Entgegen der sonst üb-lichen Gewohnheit hatte ihn die Polizei nicht ‹vorbereitet›. Die Ange-klagten hatten Verteidiger zu ihrer Verfügung, die sie verteidigten, und die Entlastungszeugen konnten ihre Aussagen machen. Das Publikum applaudierte den Anwälten, wenn sie die Machthaber anklagten. Ihre Plädoyers wurden von Kundgebungen und Revolten unterstützt. Die Be-völkerung forderte die Rückkehr Gomulkas, der 1948 von den Stalinisten eingesperrt und inzwischen rehabilitiert worden war. Die Regierung machte große Zugeständnisse; die Angeklagten wurden mit Nachsicht behandelt. Im Oktober verlangten die Massen die Autonomie Polens und vor allem den Abmarsch der von Rokossowski befehligten So-wjettruppen. Außerdem forderten sie das Mitbestimmungsrecht der Ar-beiter in den Betrieben, die Verlangsamung einer hastig und schlecht durchgeführten Kollektivierung, die Demokratisierung des Landes. Am 19. Oktober wurde die 8. Vollversammlung eröffnet. Gomulka, ins Zen-tralkomitee gewählt, forderte sogleich den Ausschluß der prosowjeti-schen Funktionäre und die Abberufung Rokossowskis.

Dann folgte ein Theatercoup: Chruschtschow, Molotow, Schukow, Mikojan und Kaganowitsch landeten in Warschau. Sie wollten die Ab-setzung Rokossowskis verhindern. Russische Panzer näherten sich War-schau. Gomulka mobilisierte die polnischen Soldaten und bewaffnete die Arbeiter. Es gab Zusammenstöße, Ansätze zu Aufständen. Plötzlich rei-ste Chruschtschow mit seiner Eskorte ab. Was war eigentlich geschehen? Nachdem Gomulka zum Ersten Sekretär der Partei ernannt worden war, begann in Polen die Entstalinisierung.

343

In Ungarn war Rakosi zurückgetreten. Am 6. Oktober folgte eine gewaltige Menschenmenge dem Leichenzug Rajks. Am 14. wurde Nagy wieder in die Partei aufgenommen. Die Studenten beschlossen, am 23. den polnischen Sieg durch eine Kundgebung zu feiern.

Wir waren zu Tode erschrocken, als wir am 24. in einem Kiosk an der Piazza Colonna den *France-Soir* kauften und die fette Schlagzeile lasen: Revolution in Ungarn. Sowjettruppen und Flugzeuge greifen die Aufständischen an. Tatsächlich aber hat die Luftwaffe nicht eingegriffen. Trotzdem waren die Ereignisse, von denen der *Paese Sera* berichtete, in höchstem Grade niederschmetternd: 300 000 Menschen waren in Budapest aufmarschiert, hatten die Rückkehr Nagys, eine von der UdSSR unabhängige Politik und gelegentlich sogar den Austritt aus dem Warschauer Pakt gefordert. Die AVO hatte auf die Menge geschossen. Auch die schleunigst nach Budapest beorderten russischen Panzer hatten das Feuer eröffnet. Es hatte mindestens 350 Tote gegeben und Tausende von Verwundeten. Als am nächsten Morgen Nagy die Macht übernahm, waren Russen und Aufständische in Kämpfe verwickelt, und die Menge lynchte Mitglieder der AVO.

An diesem Abend aßen wir mit Guttuso und seiner Frau in der ‹Fontanella›. Er führte uns in das Lokal ‹Chez Georges› in der Nähe der Via Veneto, wo ein Gitarrist alte römische Lieder spielte. Nervös sprachen wir abermals die Ereignisse durch, ohne sie zu begreifen. Die Entstalinisierung hatte wie in Posen angesichts eines unpopulären und sogar verhaßten Regimes und übermäßig harter Lebensbedingungen zu einer nationalistischen und revisionistischen Explosion geführt. Genau wie in Posen hatte die Polizei geschossen. Warum aber hatten die russischen Panzer so heftig eingegriffen, waren die auf dem XX. Parteitag gegebenen Versprechungen gebrochen und das Prinzip der Nichteinmischung verletzt worden? Warum hatte die UdSSR ein Verbrechen begangen, das sie vor der Welt als ein imperialistisches Land erscheinen ließ, das andere Länder unterdrückt? Guttuso war außer sich, konnte sich aber nicht vorstellen, wie er die zahllosen Fäden zerreißen sollte, die ihn mit seiner Partei verknüpften. Er bekämpfte seine Bestürzung mit flammenden Worten und unzähligen Gläsern Whisky, die ihm die Tränen in die Augen trieben. Sartre, der sich durch seine Bemühungen um eine Verständigung mit den Kommunisten fast ebensosehr engagiert hatte wie Guttuso, folgte seinem Beispiel. Wir dachten außerdem an die französische Linke, die es mehr denn je nötig gehabt hätte, die Reihen zu schließen, nachdem man gerade von der idiotischen Festnahme Ben Bellas erfahren hatte, und die durch diese nicht zu rechtfertigende Tragödie noch schlimmer entzweit werden würde. Dann tauchte Anna Magnani auf und brachte uns auf andere Gedanken. Sie setzte sich an unseren Tisch und sang mit gedämpfter Stimme, von dem Gitarristen begleitet, einige Chansons. Danach widmeten wir uns wieder unseren Sorgen. Zuweilen überkam mich die Lust, Dos Passos nachzuäffen: «Sartre leerte sein Whiskyglas und erklärte aufgeregt, die UdSSR sei die einzige Chance des Sozialismus gewesen und habe diese Chance verraten. Man könne weder die Intervention gutheißen, noch auch die UdSSR verurteilen, sagte Guttuso. Er bestellte einen neuen Drink, und Tränen traten ihm in die Augen.» Dieser Humor aber vertrug sich nicht mit der Aufrichtigkeit einer Beklemmung, die, wie wir wußten, in diesem Augenblick Millionen Menschen überfallen hatte.

Der *Paese Sera* und die *Unità* kommentierten die Vorgänge sehr unparteiisch. Als die *Unità* in Turin einen Tag lang die russische Intervention verteidigte (von einer Lokalausgabe zur anderen gab es Varianten), drangen Arbeiter in die Redaktionsräume ein und protestierten. Die Ehrlichkeit der italienischen Kommunisten tröstete uns ein wenig. Alles schien genau wie in Polen auf eine Verständigung zuzusteuern. Nagy verkündete eine Amnestie. Überall im ganzen Land entstanden Arbeiterräte und Revolutionsausschüsse. Er versprach und erzielte den Abmarsch der in Budapest stationierten russischen Truppen. Als ich mich in Mailand von Sartre trennte, um eine Weile bei meiner Schwester zu bleiben, waren wir etwas besserer Stimmung. Aber die Entlassung des Kardinals Mindszenty und seine Rundfunkansprache, die Forderungen der Aufständischen, die Konzessionen Nagys beunruhigten uns aufs neue. Nagy kündigte die Wiederzulassung der alten Parteien und freie Wahlen an. Obwohl Mikojan und Suslow ihn aufsuchten, trat er aus dem Warschauer Pakt aus und forderte die Neutralität Ungarns. Die Jagd auf die AVO ging weiter, Mitglieder der ‹inneren Emigration› traten an die Öffentlichkeit. Jetzt war der Sozialismus gefährdet. Die russischen Tanks umzingelten Budapest. Am 3. November traten Anne Kethly und Mitglieder diverser Parteien in die Regierung ein, in der sich nur mehr drei Kommunisten befanden: Nagy, Kádár, Maléter.

Am nächsten Tag kam Lanzmann per Flugzeug, um mich abzuholen, und wir verließen Mailand. Wir übernachteten in Susa. Es nieselte. Wir kauften Zeitungen und lasen sie in einem tristen Café, in dem man vor Kälte zitterte. Moskau beschuldigte Nagy, den «Weg des Faschismus» gegangen zu sein. Die Russen hatten Budapest angegriffen und die Fabriken in Csepel bombardiert. Den ganzen Abend kauten wir voller Sorge die Nachrichten immer wieder durch. Was in Ägypten geschah, war ebenfalls beunruhigend. Nach der Nationalisierung des Suezkanals war im Sommer in England und in Frankreich eine heftige Propaganda gegen Nasser entfesselt worden. Am 30. Oktober hatten ihm Mollet und Eden ein Ultimatum gestellt. Mollet hatte die israelische Armee auf ihn gehetzt, die, durch französische Flugzeuge unterstützt, die Schlacht am Sinai gewann. Trotz der Proteste aus aller Welt rechnete man mit einer französisch-englischen Landung in Ägypten.

Am nächsten Morgen verließen wir Italien über den Col du Mont

Genèvre. Zwischen dem tiefblauen Himmel und der roten Erde glitzerte der Schnee, daß es eine Freude war. Budapest und Kairo waren weit weg. Wir sprachen zwar über die Ereignisse, aber nur die Pracht der sonnbeglänzten Berge schien mir wirklich. Später kehrten wir in einem Gasthaus ein und bestellten ein Mittagessen. Der Wirt lachte im Kreis seiner Gäste und klatschte sich auf die Schenkel. «Endlich hat man sie erwischt! Unter freiem Himmel wie die Schmetterlinge!» Mit einemmal begriff ich, daß ich mich in Frankreich befand. Ich war kopfüber mitten im Sumpf gelandet. Durch den Befehl, das marokkanische Flugzeug zur Landung zu zwingen, hatten Max Lejeune und Lacoste absichtlich die Aussicht auf Verhandlungen sabotiert. Auf internationalem Niveau hatte Frankreich den Weg der Vereinsamung und Schande gewählt, den es nicht mehr verlassen sollte. Und damit war gar nichts gewonnen, denn in Algerien wurden die verhafteten Führer durch neue ersetzt. In Tunis kam es zu antifranzösischen Revolten, in Meknès wurden Europäer niedergemetzelt. Aber der Gastwirt und seine Gäste und Tausende anderer fanden diesen echt französischen Scherz äußerst lustig. «Wie die Schmetterlinge!» wiederholten sie. Ihre Heiterkeit zerstörte die friedliche Pracht des Herbstes. Nun war ich wieder mitten im Krieg, mitten in den Auseinandersetzungen, mitten in unseren Zwistigkeiten, die die Welt entzweiten.

Als ich in Paris ankam, war man offiziell entrüstet über die neue ‹nationale Demütigung›, die man hatte hinnehmen müssen. Am 5. November waren die französischen und englischen Fallschirmjäger in Ägypten gelandet, am 6. unter dem Druck der UNO, der USA, Chruschtschows und der englischen Labour Party wieder abgeflogen. Am ärgerlichsten aber waren meine Landsleute über die durch die Blockade des Kanals entstandene Benzinrationierung.

Bei seiner Rückkehr nach Frankreich hatte Sartre zu seinem Mißvergnügen die kommunistische Presse in all ihrem Glanz wiedergefunden. In bezug auf Ungarn sprach die *Libération* von einem «faschistischen Putsch». André Stil bezeichnete die Arbeiter Budapests als den «Abschaum der entrechteten Klassen», und Yves Moreau sprach von «Versaillern». In einem Interview, das Sartre dem *Express* gab, verurteilte er rundheraus den sowjetischen Angriff. Er erzählte, er sähe sich gezwungen, «bedauerlicherweise, aber gänzlich» mit seinen sowjetischen Freunden und noch entschiedener mit den verantwortlichen Führern der französischen KP zu brechen. Und das, obwohl er sich so lange Zeit hindurch viel Mühe gegeben hatte, um zu einer Einigung zu gelangen und sie aufrechtzuerhalten! Trotzdem zögerte er keine Sekunde. Die russische Intervention mußte im Namen des Sozialismus verurteilt werden, den zu verteidigen sie vorgab. Zusammen mit ihm und anderen Schriftstellern unterzeichnete ich einen Protest gegen die russische Intervention in Ungarn, der im *Observateur* erschien. Obwohl der Aufstand nach mehrtägigem Kampf erstickt worden war, protestierten die ungarischen Arbeiter mit einem lang andauernden Streik gegen die «Rückkehr zur Ordnung». Die Lügen der *Humanité*, welche die gelynchten AVO-Funktionäre als Arbeiter hinstellte, die Faschisten zum Opfer gefallen seien, fanden wir empörend. Andererseits bewunderten wir den generösen Internationalismus unserer Chauvinisten: Weil russische Panzer auf ungarische Arbeiter geschossen hatten, wollten sie die KPF verbieten lassen. Schneeweiße Freunde der Gerechtigkeit, von algerischem Blut triefend, äußerten erhabene Phrasen über das Selbstbestimmungsrecht der Völker. Um der Sache Nachdruck zu verleihen, setzten sie das Hauptbüro der KPF in Brand und stürmten das Gebäude der *Humanité*. Budapest: welch ein unverhoffter Glücksfall für die Rechte. Die Entwicklung in der UdSSR, der polnische Oktober hatten ihre Waffen abgestumpft. Nun schenkte man ihr eine neue, und sie wußte sich ihrer sehr wohl zu bedienen. Als man Malraux fragt, ob er es nicht bedauere, *la condition humaine* verraten zu haben, antwortete er: Budapest. In diesem Jahr wiederholte sich unaufhörlich, endlos, schriftlich und mündlich dieser Dialog: «Und Suez?» – «Und Budapest?» – Wer nicht laut genug seine Stimme gegen die russischen Tanks erhoben hatte, war nicht berechtigt, den Überfall auf Ägypten zu verurteilen. Die Thierry Maulniers waren recht ungehalten darüber, daß Sartre seine Stimme erhoben hatte. Mit einem säuerlichen Lächeln beglückwünschten sie ihn zu seiner Geschicklichkeit.

Je besser wir über die auf so vielfältige Art verschleierten und interpretierten Ereignisse informiert waren, desto weniger wollte uns ihr Sinn klarwerden. Die ungarischen Arbeiter waren bestimmt keine ‹Versailler›. Aber die Rechte hatte zweifellos mit einer Konterrevolution gerechnet, als Radio Freies Europa die Aufständischen ermutigte. Hatte diese Möglichkeit wirklich existiert? Wenn das zutraf, wie sollten wir dann, solange wir den Sozialismus, selbst in seiner entstellten unreinen Form, für die einzige Chance der Menschheit hielten, den sowjetischen Gegenschlag beurteilen?

Unter anderem verbrachten wir einen langen Abend diskutierend mit Fetjö. Anwesend waren seine Frau, Sartre, Martinet, Lanzmann, der polnische Botschafter und ein polnischer Journalist von der *Tribuna Ludu*, der an dem Aufstand teilgenommen hatte. Fetjö hatte bereits über dieses Thema ein Buch und eine unglaubliche Anzahl von Artikeln geschrieben. Seine Frau erzählte uns, er sei so erschöpft, daß sie ihm stärkende Spritzen verabreichen müsse. Der polnische Journalist war der Meinung, daß der Aufstand anfangs die allgemeine Unzufriedenheit des Volkes repräsentiert habe; auch glaubte er keineswegs, daß Emigranten, Pfeilkreuzler, Faschisten dabei eine wichtige Rolle gespielt hatten. Aber er war der Ansicht, daß der zwischen dem 23. und dem 31. erfolgte Rechtsrutsch den Bürgerkrieg ausgelöst hätte, wenn nicht die

347

zweite Intervention erfolgt wäre. Nach dem Anschluß Ungarns an den Westblock wären in den Satellitenstaaten Strömungen so ernster Natur aufgetreten, daß sie einen Weltkrieg entfesselt hätten. Fetjö gab trotz seiner antisowjetischen Einstellung zu, daß vor allem im Osten des Landes die Reaktion sich die Revolution zunutze gemacht hatte. Es drohte tatsächlich ein Bürgerkrieg, und der Sieg des Sozialismus war durchaus nicht sicher. Sollte man also, betonte der Pole, seine Niederlage riskieren? Sartre erwiderte – es war der Gedanke, den er später in *Le Fantôme de Staline* entwickelte –: indem man die Kraftprobe ablehnte, habe man eine bestimmte politische Perspektive gewählt, nämlich die der Blöcke und des Kalten Krieges, das heißt eine stalinistische Perspektive. Ungarn, sämtliche kommunistischen Parteien, die UdSSR selbst würden den von den Russen gefaßten Entschluß teuer bezahlen müssen. Freie Wahlen wären besser gewesen als diese Vergewaltigung eines Volkes.

Die kommunistische Presse hielt hartnäckig an ihren Lügen fest. André Stils «Lächelndes Budapest» blieb vielen im Halse stecken. Einige Intellektuelle der Partei gaben mehr oder weniger behutsam ihrer Mißbilligung Ausdruck. Rolland wurde ausgeschlossen, Claude Roy, Morgan, Vailland wurden verwarnt. Im Büro des CNE, dem Sartre angehörte, kam es zu einem heftigen Wortwechsel zwischen Aragon und Louis de Villefosse, der zusammen mit mehreren anderen Sympathisierenden das Komitee verließ. Vercors und Sartre zogen es vor, zu bleiben, fanden aber, daß der Text, den Aragon schließlich zur Unterzeichnung vorlegte, sehr dürftig sei. Aus Angst vor der allgemeinen Feindseligkeit stellte das CNE seine jährliche Versteigerung ein. Das Intellektuellenkomitee wurde durch heftige Auseinandersetzungen erschüttert. Einige seiner Mitglieder, besonders die ehemaligen Kommunisten, wollten eine Resolution durchsetzen, in der die Sowjetunion radikal verurteilt wurde. Dadurch wären die Kommunisten aus dem Komitee hinausgedrängt worden. Andere meinten, daß das Hauptziel der Franzosen nach wie vor der Friede in Algerien sei und daß man sich nicht entzweien dürfe: Diesen Standpunkt, den Lanzmann verteidigte, nahmen alle meine Freunde ein.

Nagy, der in die jugoslawische Botschaft geflüchtet war, wurde von der Polizei gekidnapt. Neue Verhaftungen wurden bekannt. Den Brief, den die Sowjetschriftsteller an die französischen Schriftsteller richteten, um ihre Stellungnahme zu beklagen und die Haltung der Sowjetunion zu verteidigen, beantworteten die Unterzeichner unseres Protestes mit einer neuen ausführlichen Erklärung, die genauso präzise war wie die erste und außerdem eine Tür offen ließ: «Wir sind bereit, mit Ihnen in einem von Ihnen zu wählenden Lande zusammenzutreffen, um diese Untersuchung fortzusetzen.» Sartre, Claude Roy, Vercors intervenierten im CNE zugunsten der zum Tode verurteilten ungarischen Journalisten. Diesmal war Aragon mit ihnen einverstanden.

*Les Temps Modernes* brachte im Januar eine Sondernummer über Ungarn, die fast ausschließlich zwischen dem XX. Parteitag und den Oktoberereignissen fertiggestellt worden war. In *Le Fantôme de Staline* erläuterte Sartre seine Position: «Die wirkliche Politik impliziert ihre eigene moralische Wertung», auf die er sich stützte, wenn er die Beziehungen der UdSSR zu den Satellitenländern und die russischen Interventionen kritisierte. Trotzdem erneuerte er sein Bekenntnis zum Sozialismus, wie ihn die UdSSR trotz der Fehler ihrer Führer verkörpert. Budapest war für ihn ein schwerer Schlag gewesen. Schließlich und endlich aber hatte er diesen Anlaß zum Prüfstein des Verhaltens gemacht, auf das er sich festgelegt hatte: die UdSSR wählen und sich nur auf sich selber verlassen, wenn es darum ging, den eigenen Standpunkt zu wahren.

Er geriet nicht wieder in die frühere Vereinsamung, er wurde nicht wieder zu einem Volksfeind. Da Budapest zeitlich nach dem XX. Parteitag und dem polnischen Oktober lag, waren die kommunistischen Intellektuellen gezwungen, sich allerlei Fragen zu stellen. Viele bissen die Zähne zusammen und rührten sich nicht. Viele aber waren im Innersten getroffen. «Meine Reportage über Ungarn!» sagte mir eine Sympathisierende. «Wie konnte ich nur alles in so rosigen Farben schildern? Freilich war das unter Nagy ...» Manche Funktionäre machten sich heftige Vorwürfe, daß sie Rajk und Slansky als schuldig angesehen hatten. Andere, wie Hélène Parmelin, weigerten sich zwar, das «geistige Striptease» mitzumachen, wie sie es nannten – eine Übung, die den Antikommunisten erlaubte, mit gutem Gewissen zu jubeln –, erweckten aber ihren kritischen Sinn zu neuem Leben. Es bildeten sich einige Gruppen, die zwar entschlossen waren, in der Partei zu bleiben, die aber nicht mehr alles hinnehmen wollten. *La Tribune des discussions*, 1956 von Pariser Arbeiterfunktionären gegründet, die mit der Bewilligung der Sondervollmachten nicht einverstanden waren, lockte eine Anzahl mißvergnügter Intellektueller an. Andere wieder gründeten im Dezember *L'Étincelle*, die im April mit *La Tribune* fusionierte. Für sie ging es nicht darum, den Marxismus von außen her zu revidieren, sondern ihn zu ändern, da sie sich, weit entfernt davon, die sozialistischen Widersprüche überwunden zu haben, tief in sie verstrickt sahen. Sartre hatte nie aufgehört, einen lebendigen Marxismus zu fordern. Er führte zahlreiche Gespräche mit der kommunistischen Opposition, aber auch mit polnischen Intellektuellen. Das polnisch-sowjetische Abkommen wurde in Moskau auf der leninistischen Grundlage der Gleichberechtigung unterzeichnet. Man entfernte die Stalinisten, rehabilitierte zahlreiche Funktionäre, ermunterte die Gewerkschaften, die Interessen der Arbeiter wahrzunehmen. Der Schriftstellerkongreß verwarf den sogenannten sozialistischen Realismus. Gomulka versuchte, der Freiheit Raum zu lassen, ohne den Sozialismus zu schwächen. Die Selbständigkeit Sartres

349

gegenüber der KPF machte aus ihm in den Augen der polnischen Schriftsteller einen durchaus geeigneten Gesprächspartner. Im November wurde er in die polnische Botschaft eingeladen. Dort trafen wir unter anderem Jan Kott und Lissowski, der Sartre um einen Artikel für eine Zeitschrift ersuchte, für die er arbeitete. Sartres Theaterstücke wurden in Warschau gespielt. *Les Temps Modernes* ihrerseits widmete Polen eine Nummer, an der polnische Autoren mitarbeiteten.

Aber auch die Brücken zu den orthodoxen Kommunisten, sogar zur Sowjetunion, wurden nicht völlig abgebrochen. Sartre hatte mit den «Freunden der Sowjetunion» (France-U.R.S.S.), nicht aber mit dem CNE und auch nicht mit der Friedensbewegung gebrochen. Er erfuhr, daß *La Putain respectueuse* nach wie vor in Moskau gespielt wurde. Sie wurde auch in der Tschechoslowakei und ein wenig später in Ungarn aufgeführt. Im Frühling des Jahres 1957 traf er zweimal mit Ehrenburg zusammen. Ohne daß der eine oder andere seinen Standpunkt geändert hätte, führten sie ein herzliches Gespräch. Sehr geschickt und getreu dem Geist des XX. Parteitages hatten die Russen beschlossen, die Sympathisierenden nicht vor den Kopf zu stoßen, die sich geweigert hatten, Budapest zu schlucken. Vercors, einer der Unterzeichner des Protestes, wurde 1957 von ihnen empfangen. Daß man die UdSSR wegen bestimmter Dinge angreifen durfte, ohne als Verräter zu gelten, war eine wichtige Neuigkeit. Diese Mäßigung erlaubte uns, eine gewisse Zusammenarbeit mit der KP in einer Frage aufrechtzuerhalten, die uns in der brennendsten Weise berührte: Algerien.

# 8

Weder aus freiem Willen noch aus einer Laune heraus ließ ich es zu, daß der algerische Krieg mein Denken, meinen Schlaf, meine Stimmung beherrschte. Niemand war geneigter als ich, den Rat von Camus – trotz allem das eigene Glück zu verteidigen – zu befolgen. Ich hatte Indochina, Madagaskar, Cap Bon, Casablanca erlebt und meinen Seelenfrieden immer wiedergefunden. Nach der Festnahme Ben Bellas und dem Überfall auf Ägypten war es aus damit: Die Regierung würde am Krieg festhalten. Algerien würde natürlich seine Freiheit erhalten, aber erst nach langen Kämpfen. In diesem Augenblick, da kein Ende abzusehen war, enthüllte die Befriedungsaktion ihr wahres Antlitz. Heimkehrer erzählten, was sie erlebt hatten, es gab Informationen in Hülle und Fülle: Gespräche, Briefe, die an mich oder Freunde gerichtet waren, Reportagen ausländischer Journalisten, durch kleine Gruppen in Umlauf gesetzte mehr oder weniger geheime Berichte. Man wußte nicht alles, aber viel zuviel. Mein Verhältnis zu meinem Land, zu der Welt, zu mir selber geriet aus den Fugen.

Da ich eine Intellektuelle bin, lege ich Gewicht auf Worte und auf die Wahrheit, aber tagtäglich mußte ich den endlosen Ansturm der Lügen über mich ergehen lassen, die aus sämtlichen Mäulern flossen. Generale und Colonels erklärten, daß sie einen edelmütigen und sogar revolutionären Krieg führten. Das war ein Phänomen, das einer Jahrmarktsbude würdig gewesen wäre: eine denkende Armee! Die *pieds noirs* forderten zwar die Integration, aber der bloße Gedanke an die Einheitsschule verschlug ihnen den Atem. Sie behaupteten, daß die Bevölkerung, abgesehen von etlichen Drahtziehern, den Siedlern zugetan sei. Dennoch machten sie bei der ‹Rattenjagd›, die auf die Beerdigung Frogiers folgte, keinerlei Unterschied zwischen den braven Moslems, ihren Moslems und den anderen: Sie lynchten alle, die ihnen in die Hände fielen. Die Presse war zu einer Fälscherwerkstatt geworden. Man überging die durch Fechoz und Castille verursachten Hekatomben mit Stillschweigen (die Plastikbombe, die Fechoz im Juli in der Kasbah deponierte, forderte 53 Tote und zahllose Verwundete – Castille brachte dort am 6. August eine zweite, kaum weniger mörderische zur Explosion), machte aber ein großes Geschrei wegen der Attentate, welche die Schlacht um Algier eröffneten. Die *paras* umzingelten die Kasbah, um dem Terrorismus ein Ende zu machen: Man sagte uns aber nicht, mit welchen Mitteln. Die Zeitungen fürchteten nicht nur die Beschlagnahme und die Gerichtsverfahren, sondern vor allem die Reaktion ihrer Leser: Sie schrieben, was die Leser hören wollten.

Unter der Voraussetzung, daß man den Krieg beschönigte, war das Land durchaus damit einverstanden. Ich regte mich nicht mehr auf, wenn die Ultras auf den Champs-Élysées demonstrierten. Sie forderten, daß man «bis zum Ende» weiterkämpfen und die Linken an den Galgen befördern solle, und zertrümmerten im Vorbeimarsch die Fensterscheiben der Agence de Tourisme, über der die Redaktionsräume des *Express* lagen: Das waren eben die Ultras. Niederschmetternd fand ich, daß dem Chauvinismus die überwiegende Mehrheit der Franzosen anheimgefallen war und die Tiefe des Rassenhasses offenbart hatte. Bost und Jacques Lanzmann – der in mein Zimmer in der rue de la Bûcherie gezogen war – erzählten mir, wie die Polizei die in dem dortigen Viertel ansässigen Algerier behandelte. Täglich fänden Haussuchungen, Leibesvisitationen und Razzien statt. Man verprügelte sie und warf die Karren der Gemüsehändler um. Niemand protestierte – im Gegenteil. Leute, denen noch nie ein Nordafrikaner auch nur das geringste angetan hatte, begrüßten es, daß man sie ‹schützte›. Ich wurde noch trauriger, als ich erfuhr, mit welcher Gelassenheit sich die frisch einberufenen jungen Soldaten den Pazifizierungsmethoden fügten.

Ich hatte so wenig Lust, mich selber zu quälen, daß ich, als Lanzmann mir das «Dossier Müller» gab, es am liebsten weggelegt hätte. Heute, in diesem düsteren Dezembermonat des Jahres 1961, leide ich, wie vermutlich viele meinesgleichen, an einer Art Starrkrampf der Phantasie, wenn ich die Aussage Boudots im Prozeß Lindon lese: «Eines Abends sah ich leichenblasse Männer an meinen Tisch kommen, die soeben vier Menschen lebend begraben hatten, vier Fellaghas im Alter zwischen zwanzig und fünfundsechzig Jahren. Der Älteste starb als letzter. Er hatte solche Angst, erzählte man mir ... daß sein Körperschweiß in die Luft verdampfte. Sie starben nacheinander, sobald der Bulldozer sie mit Erde überschüttete.» Dann folgte die Aussage Leulliettes: «Diese Gefangenen waren morgens an den Füßen aufgehängt worden, und am Abend hingen sie noch immer dort. Ihre Gesichter waren ganz schwarz, aber sie lebten noch. Ich möchte außerdem über die Verwendung des elektrischen Stroms berichten. In dem Augenblick, wo der Unterleib erreicht ist, wird am meisten geschrien. Man führt das Kabel auch in den Mund ein.» Nachdem ich das gelesen habe, nehme ich einen anderen Artikel vor. Man gewöhnt sich an alles: Das ist vielleicht der Grund dafür, daß das Volk demoralisiert wird.

Aber im Jahre 1957 fing es an, mir auf die Nerven zu gehen: zerbrochene Knochen, verbrannte Gesichter und Geschlechtsteile, die Schreie und Krämpfe. Müller hatte, als er noch in Algerien diente, offen von seinen Erlebnissen berichtet, und dieser Mut hatte ihm eine französische Kugel eingebracht: Aus diesem Grund mußte man das Dossier lesen. Aber ich mußte mich zwingen. Ich hatte mich mit vielen anderen gleichartigen Berichten abgequält. Auf jedes Manuskript, das wir in den *Temps Modernes* abdruckten, kamen zehn eingesandte. Manche wurden auch im *Esprit* veröffentlicht. Ganze Bataillone plünderten, sengten, vergewaltigten und massakrierten. Die Folter wurde zu einem normalen und wichtigen Bestandteil eines Verhörs. Es handelte sich nicht um Zufälle oder Exzesse, sondern um ein System: In diesem Krieg, da ein ganzes Volk sich gegen uns erhob, war jeder einzelne verdächtig. Diese Scheußlichkeiten würden erst nach dem Waffenstillstand aufhören.

Meine Landsleute wollten nichts davon wissen. Die Wahrheit begann im Frühjahr 1957 durchzusickern. Wäre sie mit dem gleichen Eifer aufgenommen worden wie die Enthüllungen über die sowjetischen Zwangsarbeitslager, dann wäre alles ans Tageslicht gekommen. Die Verschwörung des Schweigens konnte nur glücken, weil alle Welt daran beteiligt war. Die, die etwas sagten, hörte man nicht, weil man ein lautes Geschrei erhob, um sie zu übertönen, und wenn trotzdem irgendwelche Gerüchte durchsickerten, beeilte man sich, sie zu vergessen. Das Buch Pierre-Henri Simons, *Sur la torture,* das der Öffentlichkeit das «Dossier Müller» zugänglich machte, wurde lang und breit in *Le Monde* und im *Express* kommentiert, die keine unbekannten Blätter sind. Die gesamte Linkspresse schrieb über die Sammelschrift *Les Rappelés témoignent,* der Sartre in den *Temps Modernes* einen Artikel widmete: *Vous êtes formidables.* Die Verfasser der Berichte in dieser Sammelschrift waren zumeist Seminaristen und Priester und sicherlich weder im Dienst Moskaus noch Nassers. Übrigens bezichtigte man sie keineswegs der Lüge: Man hielt sich nur die Ohren zu. Servant-Schreiber, der vor einigen Monaten als Leutnant nach Algerien einberufen worden war, war ebenfalls weder von der Arabischen Liga noch von der UdSSR gekauft. Sein Bericht, der zuerst im *Express* und dann als Buch erschien, erregte um so größeres Aufsehen, als ein Untersuchungsverfahren gegen ihn eingeleitet wurde. Obwohl er die Siedler in Algerien und die militärischen Traditionen respektierte und das Märchen von den ‹Schwarzen Kommandos› bereitwillig schluckte, berichtete er von Verbrechen, welche die Öffentlichkeit hätten aufmerksam machen müssen: daß Araber zum Vergnügen niedergemacht, Gefangene brutal liquidiert und Dörfer in Brand gesteckt wurden, Massenhinrichtungen stattfanden, usw. Die öffentliche Meinung blieb jedoch ungerührt.

Die mit Bazookas bewaffneten Meuchelmörder blieben ungeschoren. Yveton, der eine Bombe in eine leere Fabrik gelegt und jede nur erdenkliche Vorsorge getroffen hatte, um kein Menschenleben zu gefährden, wurde guillotiniert. Warum hatte sich dieser Franzose mit dem algerischen Volk solidarisch erklärt? Warum unterstützten Professoren, Anwälte, Priester in Algier die FLN? Es hieß einfach, daß es Verräter seien, und damit war die Frage erledigt. Die Öffentlichkeit wurde von dem ‹Selbstmord› Larbi Ben Mihidis unterrichtet, den man mit gefesselten Händen und Beinen an einer Gitterstange seines Fensters hängend gefunden hatte. Nach dem ‹Selbstmord› Boumendjels, der mehrere Wochen lang von den Fallschirmjägern festgehalten und gefoltert worden war und den sie nachher von einer Terrasse hinuntergestürzt hatten, stellte Capitant, Professor der Rechte an der Pariser Fakultät, aus Protest seine Vorlesungen ein: Seine Geste machte großen Eindruck. Am 29. März erregte der General de La Bollardière großes Aufsehen. Er verlangte, seines Kommandos enthoben zu werden, weil er die Methoden der französischen Armee mißbilligte. Der Fall der Djamila Bouhired wurde in ganz Frankreich und auch im Ausland bekannt. Die Kampagne, die die Linke gegen die Foltermethoden führte, blieb der Öffentlichkeit nicht verborgen, da sie der Regierung dermaßen unbequem war, daß sie, um sich zu decken, einen ‹Garantieausschuß› ins Leben rief.

Man hatte mich, zusammen mit einigen anderen, als Franzosenfeindin bezeichnet: Ich wurde es. Meine Landsleute wurden mir unerträglich. Wenn ich mit Sartre oder Lanzmann in ein Restaurant essen ging, verkrochen wir uns in eine Ecke, in der uns trotz allem das Stimmengewirr erreichte. Zwischen boshaften Bemerkungen über Margaret, Coccinelle, Brigitte Bardot, die Sagan, Gracia von Monaco fiel plötzlich ein Wort, das in uns den Wunsch wach werden ließ, auf und davon zu gehen. Ich ging mit Lanzmann ins ‹Trois Baudets›, wo Vian auftrat. In einem der Sketchs entfalteten die Darsteller Tageszeitungen: Rebellenverbände kampfunfähig gemacht – eine *mechta* erobert ... Ich entdeckte die Namen: Rivet und Oradour und fand das Lachen des Publikums abscheulich. Ein andermal gingen wir ins Olympia, um die Gréco zu hören. Auf der Bühne erzählte ein *pied noir* Anekdoten über die Moslems. Meine Hände wurden feucht vor Scham. Im Kino mußte man die Tagesschau mitnehmen, in der von der Schönheit der französischen Aufbauarbeiten in Algerien die Rede war. Wir gingen nicht mehr aus. Es wurde zu einer schweren Prüfung, an der Theke einen Kaffee zu trinken, eine Bäckerei zu betreten. Man mußte sich anhören: «An allem sind nur die Amerikaner schuld, weil sie unser Petroleum haben wollen.» Oder: «Worauf wartet man denn noch, um ordentlich zuzuschlagen und Schluß zu machen?» Wenn auf den Terrassen die Gäste *L'Aurore* und *Paris-Presse* entfalteten, wußte ich, was in ihren Köpfen vorging: dasselbe wie auf dem Papier. Ich konnte mich nicht mehr zu ihnen setzen. Ich hatte die

Menschen so gern gemocht: jetzt waren mir sogar die Straßen feindlich. Ich fühlte mich genauso verstoßen wie in der ersten Zeit der Besetzung.

Eigentlich war es noch schlimmer, weil ich wohl oder übel zur Komplicin jener Leute wurde, deren Nähe ich nicht mehr ertragen konnte. Das verzieh ich ihnen am wenigsten. Oder man hätte mir von Kindheit auf die Erziehung eines SS-Mannes, eines *para* angedeihen lassen müssen, statt mir ein christliches, demokratisches, humanistisches Gewissen einzuimpfen: ein Gewissen. Ich brauchte meine Selbstachtung, um weiterleben zu können, aber ich sah mich mit den Augen der zwanzigmal vergewaltigten Frauen, der Männer mit den zerbrochenen Knochen, der wahnsinnigen Kinder: eine Französin.

Meine Schwester und ihr Mann hatten sich in Paris niedergelassen. Als Sozialist verteidigte er die Politik Mollets: «Immerhin hat man dem Terrorismus in Algier ein Ende gemacht», sagte er zu mir. Ich wußte – da meine unvollständigen Informationen immerhin ausreichen, um mir die Ruhe zu rauben –, was dieser Scheinfriede gekostet hatte. «Die Folterungen sind doch Ausnahmefälle», sagte er ebenfalls. Das machte mich wütend. Ich versuchte zwar, mich zu beherrschen; aber wenn ich dann wegging, merkte ich an dem schnellen Herzklopfen, an dem schweren Druck im Nacken, an dem Ohrensausen, daß mein Blutdruck gestiegen war.

Ich hätte mich gern von meiner Mitschuld an diesem Krieg befreit, aber wie? Wenn ich in Versammlungen sprechen, Artikel schreiben würde, hätte ich dasselbe gesagt wie Sartre, nur schlechter. Es wäre mir lächerlich erschienen, ihn wie ein Schatten zu der stummen Kundgebung zu begleiten, an der er zusammen mit Maurice teilnahm. Heute (im Winter 1961) würde ich, so leicht ich auch wiegen mochte, nichts anderes tun wollen, als mich mit meinem vollen Gewicht in die Waagschale werfen. Damals wollte ich, bevor ich's versuchte, sicher sein, daß die Mühe nicht umsonst sein würde.

Francis Jeanson kannten wir sehr gut. Er war 1946 zu Sartre gekommen, um ihm das Manuskript seiner Abhandlung *Le Problème moral et la pensée de Sartre* zu überreichen. Als er während des Krieges die spanische Grenze überschritten hatte, um sich den Truppen des Freien Frankreich anzuschließen, hatte man ihn verhaftet und in ein Lager gesteckt. Obwohl er nach wenigen Wochen freigelassen wurde, hatte die Haft seine Gesundheit untergraben, und so konnte er in Algerien nur in einem Büro Dienst tun. Er freundete sich mit den Moslems an. Nach der Befreiung war er öfters nach Algerien zurückgekehrt und hatte die Vorgänge aus nächster Nähe verfolgt. Deshalb war es ihm möglich gewesen, *L'Algérie hors la loi* zu schreiben. Als Mitarbeiter der *Temps Modernes* war er vier Jahre lang der verantwortliche Leiter gewesen. 1955 hatte er im Verlag Éditions du Seuil *Sartre par lui-même* veröffentlicht. Nur wenigen waren Sartres Gedankengänge so vertraut wie ihm. Nach

Budapest hatte er Sartre eine seiner Meinung nach allzu unnachgiebige Stellungnahme vorgeworfen, und seither hatten sich unsere Beziehungen abgekühlt. Durch dritte Personen erfuhren wir von dem Kampf, den er an der Seite der FLN führte. Weder Lanzmann noch Sartre, noch ich waren bereit, seinem Beispiel zu folgen. In Algerien gab es nur eine Alternative: Faschismus oder FLN. Wir glaubten noch, daß es in Frankreich anders sei. Unserer Ansicht nach hatte die Linke kein Recht, den Algeriern eine Lehre zu erteilen, und *El Moudjahid* hatte gut daran getan, sie in ihre Schranken zu verweisen. Aber wir hielten es noch für möglich, mit legalen Mitteln für die Unabhängigkeit Algeriens tätig zu sein. Da wir Jeanson kannten, wußten wir, daß er sich nicht ohne reifliche Überlegung zu einem so gewagten Engagement entschlossen haben würde. Zweifellos hatte er seine guten Gründe gehabt. Trotzdem wurde ich nervös. Ich hatte mit zwei Personen gesprochen, die mit ihm zusammenarbeiteten (übrigens hörte diese Zusammenarbeit bald auf), und war über ihre Leichtfertigkeit und ihr Gewäsch entsetzt gewesen. Ich fragte mich, ob nicht die unterirdische Tätigkeit eine Methode sei, Komplexe abzureagieren. War hier nicht bei denen, die sich dafür entschieden, der Wunsch dominierend, sich aus der französischen Gemeinschaft loszulösen, vielleicht verknüpft mit einem Ressentiment oder einem Unbehagen? (Jeanson hatte diese Zweifel zu zerstreuen gewußt: «Als wir uns zu dem Schritt entschlossen, den man uns vorwirft, waren wir nicht arbeitslos, wir liebten unseren jeweiligen Beruf, wir waren nicht zur Mittelmäßigkeit verurteilt. Und wir konnten auch nicht leugnen, daß Frankreich wohl das einzige Land war, in dem wir die Möglichkeit hatten, uns restlos zu Hause zu fühlen, dort zu leben und je nach unseren verschiedenen Fähigkeiten tätig zu sein.») Gegen die beunruhigende Frage, die mir durch ihren Entschluß gestellt wurde, wehrte ich mich mit psychologischen Argumenten, die ich eigentlich verabscheue, ohne mich zu fragen, ob mein Mißtrauen nicht von subjektiven Motiven diktiert sei. Ich hatte nicht begriffen, daß Jeanson, wenn er die FLN unterstützte, damit keineswegs seine Zugehörigkeit zu Frankreich ableugnete. Auch wenn ich seinen Schritt besser einzuschätzen gewußt hätte, wäre die Tatsache nicht aus der Welt zu schaffen gewesen, daß man sich in den Augen der gesamten Bevölkerung zu den Verrätern gesellte – eine Tatsache, mit der ich mich aus Schüchternheit oder des Erbes wegen nicht abfinden konnte.

Nachdem ich meine Abhandlung über China beendet hatte, begann ich im Oktober 1956 mit der Schilderung meiner Kindheit. Das war ein alter Plan. Ich habe in Romanen und in Novellen mehrmals versucht, von Zaza zu sprechen. Meinen Wunsch, mich selber darzustellen, hatte ich in *Les Mandarins* Henri zugeschrieben. Die zwei oder drei Interviews, die ich gegeben hatte, enttäuschten mich sehr. Ich hätte die Fragen und Antworten gern selber formuliert. In den Aufzeichnungen, die ich nicht veröffentlicht habe, findet sich dazu folgende Erklärung: «Ich habe im Grunde immer geglaubt, daß mein Leben bis ins kleinste Detail auf dem Band eines gigantischen Magnetophons festgehalten worden sei und daß ich eines Tages meine gesamte Vergangenheit abgespult sehen würde. Jetzt bin ich fast fünfzig Jahre alt. Es ist zu spät, um zu schwindeln: Bald wird alles zusammenstürzen. Mein Leben kann nur noch mit großen Zügen auf dem Papier und mit meiner Feder festgehalten werden: Ich werde also ein Buch daraus machen. Mit fünfzehn Jahren wünschte ich mir, daß die Leute eines Tages meine Biographie mit gerührter Neugier lesen würden. Diese Hoffnung war es, die in mir den Wunsch weckte, eine ‹bekannte Autorin› zu werden. Seither habe ich mich oft mit dem Gedanken getragen, über mich selber zu schreiben. Die Begeisterung, mit der ich früher einmal diesem Traum nachgehangen habe, ist mir heute ziemlich fremd. Aber in meinem Herzen ist der Wunsch lebendig geblieben, ihn zu verwirklichen ...

... Die ersten zwanzig Jahre meines Lebens habe ich in einem großen Dorf zugebracht, das sich vom Löwen von Belfort bis zur rue Jacob, vom boulevard Saint-Germain bis zum boulevard Raspail erstreckte: Dort wohne ich noch heute. Von meinem Arbeitstisch aus sehe ich eine Schülerinnenschar über die place Saint-Germain-des-Prés wandern: Eine von ihnen bin ich. Sie kommt nach Hause, wenn die ersten Laternen zu brennen beginnen. Sie wird sich vor ein weißes Blatt Papier hinsetzen und Buchstaben kritzeln, so wie ich Buchstaben auf dieses weiße Blatt Papier kritzle. Dazwischen liegen Kriege und Reisen, Todesfälle und Gesichter: Nichts hat sich geändert. Im Spiegel würde ich ein anderes Bild sehen: Aber es gibt keinen Spiegel, es hat nie einen gegeben. Manchmal weiß ich nicht so recht, ob ich ein Kind bin, das erwachsen spielt, oder eine gealterte Frau, die in ihren Erinnerungen schwelgt.

Nein, ich weiß es. Ich bin es selbst. Das kleine Mädchen, dessen Zukunft zu meiner Vergangenheit wurde, existiert nicht mehr. Manchmal glaube ich, daß ich die Kleine in mir trage, daß es möglich wäre, sie meinem Gedächtnis zu entreißen, ihre zerknitterten Wimpern zu glätten, sie unversehrt neben mich hinzusetzen. Das ist falsch. Sie ist verschwunden, ohne daß auch nur eine winzige Spur an ihren Weg erinnerte. Wie sollte man sie aus dem Nichts hervorholen?»

Achtzehn Monate lang, mit Höhen und Tiefen, unter großen Schwierigkeiten und Freuden, widmete ich mich dieser Auferweckung von den Toten: es war ein Schöpfungsakt, weil er an die Phantasie und die Überlegung genauso große Ansprüche stellte wie an das Gedächtnis.

Sartre beschäftigte sich unterdessen auf Anraten Lissowskis mit der Beziehung zwischen Existentialismus und Marxismus. Er schrieb einen Essay, aus dem ein wenig später die Schrift *Questions de méthode* [*Mar-*

*xismus und Existentialismus*] wurde; mit neuerwachtem Elan machte er sich an die Arbeit, der er den Titel *Critique de la raison dialectique* gab. Er hatte seit Jahren darüber nachgedacht, aber seine Gedanken waren ihm noch nicht reif genug erschienen. Es bedurfte eines äußeren Anstoßes, um ihm über die Schwelle zu helfen. Außerdem hatte ihn ein Verleger um eine Abhandlung über einen Maler für eine Kunstbuchserie gebeten. Sartre hatte seit je Tintoretto geliebt. Schon vor dem Kriege und vor allem seit dem Jahre 1946 hatte er sich für Tintorettos Auffassung von Raum und Zeit interessiert. Er entschloß sich daher, ihm eine Studie zu widmen.

Da mich meine Memoiren nicht so sehr wie meine Abhandlung über China beanspruchten, hatte ich mehr Zeit zum Lesen. Ich lieh mir bei Freunden Werke aus, in denen Amerikaner ihre Gesellschaftsordnung analysierten und deren Schlußfolgerungen in der gleichen Richtung lagen: *Die einsame Masse* von Riesman, die Essays von Wright Mills, *The Organization Man* von Whyte und *The Exurbanist* von Spectorsky. Sie schilderten die Ursachen und die Folgen jenes Konformismus, der mich 1947 enttäuscht und der mit der Zeit nur noch deutlicher hervorgetreten war. Amerika, das im wesentlichen zu einer Verbrauchergesellschaft geworden war, hatte die innere Gleichschaltung der Puritaner mit einer äußerlichen Gleichschaltung vertauscht, die dem Einzelnen nicht das eigene Urteil, sondern das Verhalten des Anderen zur Richtschnur macht. In diesen Büchern wurde gezeigt, auf welch verblüffende Weise die Moral, der Unterricht, der Lebensstil, die Wissenschaften, die Gefühle dadurch verwandelt worden waren. Dieses Volk, das früher einmal vom Individualismus besessen gewesen war und noch heute voller Verachtung auf die Chinesen als ein ‹Ameisenvolk› herabsieht, war zu einer Hammelherde geworden. Da diese Menschen bei sich selber und bei den Mitmenschen jede Originalität verdammten, jede Kritik von sich wiesen, den Wert am Erfolge maßen, ließen sie der Freiheit keinen anderen Weg als den der anarchischen Revolte: Nur daher läßt sich die Verkommenheit der Jugend mit ihrer Rauschgiftsucht und ihren stupiden Gewalttaten erklären. Es gab in Amerika allerdings noch Menschen, die ihre Augen benutzten, um zu sehen: Das bewiesen gerade diese und andere Bücher und auch einzelne Filme. Einige literarische Zeitschriften, einige fast inoffizielle politische Blätter wagten gegen die öffentliche Meinung anzugehen. Aber die meisten linksgerichteten Zeitungen waren verschwunden. Die *Nation*, die *New Republic* hatten nur in ganz geringem Maße einen gewissen Unabhängigkeitssinn bewahrt. Der *New Yorker* war genauso anspruchslos wie die *Partisan Review*.

Meine Aversion gegen Amerika hatte seit dem Korea-Krieg nicht nachgelassen. Die Rassentrennung wurde von seiten der Regierung mit verhältnismäßig großer Energie bekämpft, obwohl ein großer Teil der Bevölkerung sie ablehnte und sie durch die Industrialisierung des Südens dem Untergang geweiht war. Trotzdem war es in den letzten Jahren zu erschütternden Skandalen gekommen: die Hinrichtung McGhees; der Lynchmord an dem vierzehnjährigen Emmet Till, der ohne Beweis beschuldigt worden war, eine Weiße vergewaltigt zu haben, und dessen Mörder freigesprochen wurden; die Gewalttaten, die in Alabama gegen die farbigen Studenten verübt wurden; und abgesehen von diesen Exzessen wußte ich, was die Rassentrennung nach wie vor bedeutete. Was den antikommunistischen Fanatismus der Amerikaner betraf, war er nie ausgeprägter gewesen. Säuberungen, Prozesse, Inquisitionsverhöre: Die Grundsätze der Demokratie wurden mit den Füßen getreten. Algren wurde der Paß weggenommen, weil er dem Rosenberg-Komitee angehört hatte. Außerhalb ihrer Grenzen unterstützten die USA mit ihren Dollars gegen den Wunsch der Völker Männer, die sich an sie verkauft hatten und ihnen übrigens sehr oft, da sie nur auf den eigenen Vorteil bedacht waren, schlechte Dienste leisteten. Wenn sich Stimmen gegen diese Politik erhoben, wurden sie erstickt: Ich wenigstens habe keine gehört.

Was war also aus den Schriftstellern geworden, die noch lebten und die ich gern gelesen hatte? Und was dachte ich jetzt von ihnen? Als ich mit Lanzmann darüber diskutierte und sie mit anderen Augen las, revidierte ich so manches meiner Urteile. Die frühen Romane von Wright, Steinbeck, Dos Passos und Faulkner behielten für mich ihren Wert verschiedenen Grades, den sie immer für mich gehabt hatten. Aber in politischer Hinsicht waren wir mit dem ganz und gar antikommunistischen Wright nicht einverstanden, er schien das Interesse an der Literatur zu verlieren, Steinbeck war in Patriotismus und Albernheit versunken. Die Begabung von Dos Passos war in Frage gestellt, seit er sich zu den westlichen Wertungen bekannt hatte: Statt eine Welt mit brodelnden Tiefen zu schildern, die sich bemüht, ihren Zerfall mit Gesten und Phrasen zu bemänteln, beschreibt er nur noch die verkalkte Oberfläche. Unter dem Deckmantel einer Soldatengeschichte schildert Faulkner in der Fabel den Leidensweg Christi: wie abgedroschen! *Griff in den Staub* sollte zeigen, daß der Rassenhaß im Süden andererseits oft Reichtümer und Feinheiten aufwiegt, die den in einem simplen Rationalismus befangenen Söhnen des Nordens verborgen bleiben. Faulkner hatte 1956 in einem Interview erklärt, daß man es den Südstaatlern überlassen müsse, das Negerproblem auf ihre Weise zu lösen. Er erklärte sich mit den Weißen solidarisch, auch wenn es nötig werden sollte, auf die Straße zu gehen und auf Schwarze zu schießen. Was Hemingway betraf, so bewunderte ich nach wie vor einige seiner Novellen. Aber von *In einem andern Land* und *Fiesta* war ich enttäuscht, als ich sie wiederlas. Er hatte in der Entwicklung der Romantechnik große Fortschritte gemacht, aber da der Reiz der Neuheit verschwunden war, traten die Kniffe und die Klischees stärker hervor. Vor allem entdeckte ich, daß mir seine Lebensauffassung gar nicht sympathisch war. Sein Individualismus setzt entschieden ein Einverständnis mit dem kapitalistischen Unrecht voraus, da es sich um den Individualismus eines Dilettanten handelt, der reich genug ist, kostspielige Jagd- und Angelexpeditionen zu finanzieren, und der gegenüber den Führern, den Kellnern, den Einheimischen ein naives väterliches Wohlwollen an den Tag legt. Lanzmann machte mich darauf aufmerksam, daß *Fiesta* voller Rassenvorurteile stecke. Wenn der einzige Lump ein Jude, der einzige Jude ein Lump ist, wird ein begrifflicher Zusammenhang, wenn nicht gar eine allgemeingültige Relation zwischen den beiden Charakteren hergestellt. Übrigens setzt das Einverständnis, das Hemingway an jedem Wendepunkt seiner Erzählungen für gegeben hält, voraus, daß wir das Gefühl haben, genauso wie er arischer Herkunft, männlichen Geschlechts, reich an Geld und Zeit zu sein, und daß wir unseren Körper nie anders als unter dem Aspekt der Sexualität und des Todes auf die Probe gestellt haben. Ein großer Herr wendet sich an große Herren. Die Einfachheit des Stils kann täuschen, aber es ist kein Zufall, daß die Rechtskreise ihn über den Klee gelobt haben, denn er hat die Welt der Privilegierten geschildert und verherrlicht.

Die Jungen kannte ich wenig. Carson McCullers hatte mir sehr gefallen. Ich war ihr einmal in Paris begegnet, als sie, durch den Alkohol verwüstet, aufgedunsen und fast gelähmt war. Sie schien nichts mehr zu schreiben. Außerdem hatte ich bei den Wrights Truman Capote kennengelernt, der, angetan mit einer hellblauen Samthose, auf einem Diwan lag. Er war begabt, wußte aber mit seiner Begabung nicht viel anzufangen. Man hatte mir Salingers *Der Fänger im Roggen* warm empfohlen. Trotzdem hielt ich das Buch nur für vielversprechend. Leider entging mir das poetische Element, da ich die Sprache nicht gut genug beherrschte, um es schätzen zu können, und gegen Übersetzungen mißtrauisch bin. Ich hegte den USA gegenüber den gleichen Widerwillen, mit dem Frankreich mich erfüllte. Ich bewahrte eine lebhafte Erinnerung an die Landschaften, die Städte, die weiten Flächen, die Menschenmassen, die Gerüche. Ich liebte die schnelle und sprudelnde Sprache, die so ungezwungen, so munter, so sehr geeignet ist, das Leben in seiner Wärme zu erfassen. Voller Anhänglichkeit dachte ich an meine amerikanischen Freunde, ihre Herzlichkeit, die Freimütigkeit ihres Lachens, ihr bissiger Humor hatten mir gefallen. Aber ich wußte, wenn ich nach New York oder nach Chicago zurückkehrte, würde dort die Luft, die ich atmete, genauso vergiftet sein wie in Paris.

Die schönste Zeit in diesem Jahr waren die vierzehn Tage, die ich zusammen mit Lanzmann in Davos verbrachte. Dort freute ich mich wieder an der Sonne und dem Schnee, und es war mir eine große Erleichterung, kein Französisch zu hören. Zu Anfang des Sommers verließ ich dieses Land von neuem mit größtem Vergnügen, in dem eine sozialistische Regierung verbot, den 14. Juli zu feiern. Mit Lanzmann fuhr ich nach

Süditalien. Die Straßen waren besser als 1952, die Hotels komfortabler. Die Städte waren größer geworden, viele hatten sich zu ihrem Vorteil verändert. Auf dem Land aber schien die gleiche Armut zu herrschen wie immer. Rund um den Golf von Tarent hatte man eine scheinbare Agrarreform durchgeführt. Inmitten eines sumpfigen Geländes, das man unter die Bauern aufgeteilt hatte, standen kleine, nach Heiligen benannte Häuschen. Es fehlte an Wasser und Viehfutter, denn der Boden brachte nichts hervor. Auf den Dorfplätzen begegnete man den *braccianti*, und das Leben in der Provinz hatte sich nicht verändert, seit Fellini in *Die Müßiggänger* es geschildert hatte. Eines Vormittags, gegen 11 Uhr, als wir in einer öden Straße Cantazaros vor einer Kneipe Grappa tranken, erlebten wir eine Szene, die aus dem Film Fellinis zu stammen schien. Junge Burschen liefen hinter einem Topolino her, und obwohl sie ihn packten, schüttelten und das Auspuffrohr mit einem Papierbausch verstopften, fuhr er weiter, die Pfropfen sprangen heraus – begleitet von einem Gelächter, das an ein Gähnen erinnerte. Der Topolino machte kehrt, und alles fing von vorn an. Wir bekamen es schneller satt als die anderen.

Wir fuhren nach Sizilien. Eines Abends tauchte es in der Dämmerung vor uns auf. An einer Biegung der mit Lichtern gespickten, von Dunst umgebenen Straße hielten wir an. Hinter uns hatte ein anderes Auto angehalten. «Betrachten Sie die Aussicht?» fragte der Fahrer. «Das tue ich auch, sooft ich hier vorbeikomme.» Es war ein Gendarm. Mit einer weitausholenden Gebärde deutete er auf die Landschaft und erklärte pathetisch: «Das ist die zweitschönste Aussicht der Welt.» – «So?» erwiderte ich. «Und welche ist die schönste?» Er zögerte. «Das weiß ich nicht.» Ich sah Sizilien wieder, begrüßte Ragusa, ein wenig verdrossen und wohlhabend, die barocke Pracht von sehr hübschen modernen Häusern umgeben. Wir verließen fast fluchtartig die Liparischen Inseln, wo es von französischen Touristen wimmelte und das Wasser schwarz war von Petroleumrückständen. Nach einem Aufenthalt am Kap Palinuro, von dem mir vor Jahren Darina Silone erzählt hatte, kehrten wir nach Rom zurück. Wir hatten einen jugoslawischen Flüchtling mitgenommen, der uns bei der Ausfahrt aus Eboli angehalten hatte. Er hatte die Erlaubnis bekommen, für ein paar Tage das italienische Lager zu verlassen (in dem seine Landsleute saßen, die über kein geregeltes Einkommen verfügten), um Arbeit zu suchen, hatte aber keinen Groschen in der Tasche und riskierte eine Strafe, wenn er zu spät ins Lager zurückkehrte: Wieder eines jener fast unentwirrbaren Verhältnisse, denen ich unterwegs oft zufällig begegnet bin.

Zusammen mit Sartre blieb ich einen Monat in Rom. Unsere kommunistischen Freunde hielten sich zurück, und so trafen wir wenig Leute, aber mir gefiel es im ‹Hôtel d'Angleterre› in der Nähe des Spanischen Platzes, und die Arbeit machte gute Fortschritte. Sartre wollte sich nach der Arbeit an der *Critique de la raison dialectique* ausruhen. Er war in Venedig gewesen, um sich die Tintorettos wieder anzuschauen, und fing jetzt an zu schreiben. Er schrieb auch an einer Einleitung zu *Le Traître* von Gorz. (Zehn Jahre nach unserer Begegnung in Genf hatte Gorz, der nach Paris gezogen war, Sartre ein philosophisches Werk überreicht, das zwar intelligent, aber allzu unmittelbar durch *L'Être et le Néant* inspiriert war. Später hatte er einen ausgezeichneten Essay über sich selber geschrieben.)

Da ich gern für zwei bis drei Wochen der Stadtluft von Rom entfliehen wollte, schlug Sartre vor, nach Capri zu übersiedeln. Die römische Presse berichtete zwar, daß in Neapel eine aus Asien eingeschleppte Grippe grassiere, aber Capri ist nicht Neapel, und die Epidemie würde zweifellos auch nach dem Norden wandern. Also reisten wir ab. In Capri lasen wir dann in den neapolitanischen Zeitungen, daß Rom von der asiatischen Grippe heimgesucht sei. Jede Stadt bauschte nach Belieben das Unglück auf, das die andere betroffen hatte.

Ich hatte befürchtet, daß Capri von Touristen und Snobs überschwemmt sei. Aber sie stürzen sich – wie in Venedig, in Florenz und überall – zur gleichen Stunde auf dieselben Lokalitäten: so konnte man ihnen mühelos ausweichen. Wir wohnten in einem anspruchslosen Hotel mitten im Zentrum, in einer Gegend, in die kein Auto vordringen konnte. Einsamkeit und Stille. Wir gingen an der Küste spazieren und besichtigten die Faraglione, an denen Sartre ebensoviel Gefallen fand wie an Giacomettis Skulpturen. Oberhalb der Stadt kamen wir an einer schreiend rotgestrichenen Villa vorbei, einem Geschenk Malapartes an die Schriftsteller der Volksrepublik China, die dadurch in große Verlegenheit geraten waren. Manchmal kletterten wir bis zum Palast des Tiberius hinauf. Oft gingen wir nur bis zu einer einsamen Taverne, wo wir zu Mittag ein Stück Kuchen oder ein belegtes Brot mit einem Glas Weißwein verzehrten und dabei dem Spiel der Sonnenstrahlen auf den Felsen und auf dem Wasser zusahen. Als Sartre *Le Dernier Touriste* schrieb, hatte er über alles Erkundigungen eingezogen. Er kannte auch zahlreiche Anekdoten und Klatschgeschichten über das Leben auf Capri. Ich überredete ihn, den Sessellift von Anacapri auf den Monte Solario zu benutzen. Obwohl er für den Reiz dieser glorreichen Himmelfahrt weniger empfänglich war als ich, freute er sich doch, mit einem einzigen Blick die Insel und ihre bizarren Konturen umfassen zu können.

Morgens zum Frühstück und jeden Abend nach dem Essen setzten wir uns auf eine *salotto*-Terrasse, die noch nicht von den *Führungen* heimgesucht wurde. Nach Mitternacht blieb nur ein spärlich gesätes Publikum am Fuß der edlen Treppe zurück, die aus der Ferne aussah wie eine Theaterkulisse. Einzeln, paarweise oder in kleinen Gruppen wanderten Leute hinauf und hinunter, blieben stehen, setzten sich auf eine Stufe oder verschwanden im Dunkel des Hintergrundes. (Heute wird dieses

362

Bild von einem hellerleuchteten Ladengeschäft zerstört.) Sie schienen eine geheimnisvolle und wunderschöne Komödie zu spielen. Ihre Gesten, ihre Haltung, die Farben ihrer Kleidung, unter denen wir das gleiche Rosa entdeckten wie auf den Gemälden Tintorettos, waren von der Notwendigkeit diktiert. Blitzartig erwachte wieder eine seit langem verlorene Illusion: Unser Leben hatte die Fülle und den Ernst der Geschichten, die man sich erzählt. Sartre sprach über sein Buch. Er arbeitete ohne Hast, achtete auf jede Formulierung. Hin und wieder sprach ich in der samtenen Stille der Nacht genußvoll einige Sätze vor mich hin. Auf Capri waren in diesem Sommer die Steine so schön wie Statuen, und manchmal funkelten die Worte.

Da meine Schwester nicht mehr in Mailand wohnte, blieben wir nur einen Tag lang dort. Lanzmann gesellte sich zu uns. Über den Col de Tende fuhren wir nach Nizza und von dort weiter nach Aix, wo wir übernachten wollten. Als wir durch die sternklare Nacht fuhren, entdeckten wir am Himmel den kupfernen Schein eines Meteors: Es war der Sputnik. Am nächsten Tag bestätigten die Zeitungen, daß er zu dieser Stunde in dieser Gegend vorbeigekommen war. Unsere freundschaftlichen Gefühle begleiteten den kleinen ephemeren Gefährten, und wir betrachteten mit neuen Augen den alten Mond, den die Menschen vielleicht schon zu unseren Lebzeiten besuchen würden. Entgegen allen Voraussagen hatte die UdSSR den ersten Satelliten gestartet. Das freute uns sehr. Die Gegner des Sozialismus hatten behauptet, daß dies wegen der industriellen und technischen Rückständigkeit Rußlands nicht möglich sei: Was für ein Dementi! Amerika sprach von einem «wissenschaftlichen Pearl Harbor». Diese Leistung gab den Russen ein militärisches Übergewicht, das wir voll Freude begrüßten. Wenn das Land, das am wenigsten Interesse daran hat, einen Krieg zu entfesseln, die größten Chancen besitzt, ihn zu gewinnen, kann das nur dem Frieden zugute kommen. Die ‹Parteifeinde› waren kaltgestellt worden. Der Geist des XX. Parteitages setzte sich durch. Unsere Hoffnung auf eine gütliche Koexistenz nahm zu, als Moskau im April die Kernwaffenversuche einstellte.

In ganz Südamerika mehrten sich die Revolten gegen den amerikanischen Imperialismus. Man redete viel über die kubanischen Rebellen, als sie zwei Tage vor dem großen Autorennen in Havanna aus der Hotelhalle den berühmten Rennfahrer Fangio entführten und ihn nach dem Rennen wieder freiließen. Ihr Anführer, Castro, ein Rechtsanwalt, den Batista nach Mexiko ins Exil getrieben hatte, zwar zusammen mit einigen Kameraden mit dem Schiff zurückgekehrt. Man beschrieb ihn als eine Art bärtigen Robin Hood. In der kleinen Armee, die ihm ins Maquis folgte, gab es Frauen, ein Umstand, der den französischen Spießbürgern ein anzügliches Lachen entlockte. Er schien einen gewissen Rückhalt in der Bevölkerung zu haben, besonders unter den Studenten und den Intellektuellen. Aber es fiel schwer, ihm Glauben zu schenken, wenn er verkündete, er würde Batista binnen kurzem durch Streiks, Revolten und offenen Kampf stürzen.

Die französische Linke erholte sich nur langsam von dem schweren Schlag, den Budapest ihr versetzt hatte. Die strengen Strafen, die über die Aufständischen verhängt worden waren – Tibor Déry zum Beispiel wurde zu neun Jahren Gefängnis verurteilt –, empörten die Nichtkommunisten, während die KP sich auch weiterhin mit Kádár solidarisch erklärte. *L'Étincelle* mußte das Erscheinen einstellen. Vercors, der ein großer Freund der Partei gewesen war, erklärte in einem kleinen Büchlein – *P. P. C.* –, daß er es satt habe, die Rolle des Ehrenpokals zu spielen, und deshalb von der Bühne abtrete. Schwerwiegender als diese Meinungsverschiedenheiten unter den Intellektuellen war die politische Trägheit des Proletariats. Ende Oktober, nachdem der Streik der Gas- und Elektrizitätsarbeiter erfolgreich beendet war, begannen die CGT und die CFTC mit neuen Arbeitskämpfen. In Saint-Nazaire ging es so heftig zu, daß ein Arbeiter getötet und der Journalist Gatti verwundet wurde. Die Arbeiter der Renault-Werke traten in Streik, ebenso die Lehrer und die Beamten. Aber gerade die Tatsache, daß man mit diesen Aktionen während einer Regierungskrise begann, deutete darauf hin, daß sie unpolitisch waren. Weder die Parteien noch die Gewerkschaften leisteten entschlossen Widerstand gegen den Algerien-Krieg. Die Rechte blieb aber nicht untätig. Es war von Verschwörungen die Rede. *L'Express* gründete Bezirksausschüsse zum Kampf gegen die faschistische Gefahr.

Die ‹letzte Viertelstunde› Lacostes dauerte schon über ein Jahr, und die Pazifizierungsmethoden änderten sich nicht. Ein Mitarbeiter des *Express*, Daniel, kündigte Freunden den Inhalt einer Nummer der *Temps Modernes* an und rundete die Zusammenfassung mit den Worten ab: «Und dann, wie gewöhnlich, die übliche Ration an Foltern.» Natürlich, es war monoton: Badewanne, Galgen, Verbrennungen, Notzucht, Trichter, Pfähle, ausgerissene Nägel, zerbrochene Knochen. Es war immer wieder dasselbe. Aber wir sahen keinen Grund, eine neue Platte aufzulegen, wenn die Armee und die Polizei bei der alten blieben.

Am 1. Juni war ein Student namens Audin in Algerien verhaftet worden: Seitdem hatte man nichts mehr von ihm gehört. Der Lehrkörper des Lycée Jules-Ferry forderte eine Untersuchung: vergebens. Anfang Dezember machte an seiner Stelle ein Freund in der Sorbonne die mündliche Prüfung in Mathematik. Es war eine Trauerfeier, an der zahlreiche Professoren und Schriftsteller teilnahmen.

Sogar die Leser des *Figaro* wurden durch Martin-Chauffier über die willkürlichen Verhaftungen, das spurlose Verschwinden und die schweren Folterungen informiert. (Er hatte im Namen des Internationalen

Komitees für den Kampf gegen des Konzentrationslagersystem eine Untersuchung durchgeführt.) In *Le Monde* erschien nach wochenlanger Verzögerung der Bericht des Garantieausschusses. Der Berichterstatter fing mit folgender Erklärung an: «Handlungen, die zu anderer Zeit und unter normalen Umständen übertrieben erscheinen könnten, sind in Algerien völlig legal.» Also brauchte man sie nicht anzuprangern. Man beschränkte sich darauf, die Fakten mitzuteilen, die trotz dieser außergewöhnlichen Legalität schändlich wirkten. Sie waren zahlreich und schwerwiegend genug, um einen Skandal zu entfesseln. Man machte *Le Monde* Vorwürfe, daß sie diesen Artikel veröffentlicht habe. Bei den Tatsachen selbst hielt sich die öffentliche Meinung nicht lange auf.

Am 10. Dezember begann der Prozeß gegen Ben Saddok. Er hatte einige Monate vorher beim Verlassen des Stadions in Colombes Ali Chehkal, den früheren stellvertretenden Vorsitzenden des algerischen Parlaments und wichtigsten moslemitischen Kollaborateur, ermordet. Sein Verteidiger, Pierre Stibbe, hatte Linksintellektuelle, unter ihnen Sartre, als Entlastungszeugen benannt. Sartre war sehr aufgeregt, als wir uns in den Justizpalast begaben. Bei Vorträgen und Versammlungen wiegen die Worte nicht so schwer. An diesem Tag aber stand der Kopf eines Menschen auf dem Spiel. Wenn es ihm gelang, mit dem Leben davonzukommen, würde eine Amnestie ihn nach einigen Jahren wieder zu einem freien Menschen machen. Die Alternative Tod oder Leben trat hier viel krasser zutage als bei gewöhnlichen Gerichtsverfahren. Daher die Beklemmung der Zeugen: Jeder mußte glauben, daß seine Aussage den Spruch der Geschworenen entscheidend beeinflussen könnte.

Bevor die Verhandlung begann, wurde Sartre zusammen mit den anderen Zeugen eingeschlossen. Ich setzte mich mitten unter das zahlreiche Publikum neben einige junge Rechtsanwälte. Am Fuße des Tribunals repräsentierte Mme Chehkal, in Trauerschleier gehüllt, die Zivilkläger. Ich betrachtete den jungen Mann mit dem offenen Gesicht, der auf der Anklagebank saß. Er hatte eine Tat begangen, die man während der Résistance als heldenmütig bezeichnet hatte. Die Franzosen aber würden ihn dafür büßen lassen, vielleicht mit dem Leben.

Seine Kameraden sprachen von seinen Qualitäten als Mensch, als Arbeiter, als Freund. Seine alten Eltern weinten. Nachher erklärten Professoren, Schriftsteller, ein Priester, ein General, Journalisten seine Handlungsweise mit der Situation, in der sich seine algerischen Brüder befanden: Und sie schilderten diese Lage. «Sehr schön!» sagten in affektiertem Ton zwei junge Advokaten, die neben mir saßen. «Im Grunde macht man uns den Prozeß. Man erklärt uns, daß wir alles, was in Algerien passiert, redlich verdient haben.» Die Staatsanwaltschaft hatte Soustelle vorgeladen. Er erschien, die Augen mit schwarzem Schildpatt umrahmt, in einem Großindustriellenmantel. Hastig und ohne jemanden anzuschauen, hielt er eine Lobrede auf den Verstorbenen. Nachher trat, von ihren Eltern gestützt, ein junges Mädchen mit Beinprothesen vor: Sie war bei dem Attentat im Casino de la Corniche verletzt worden. (Inzwischen hatte man das Casino in eine Folterkammer umgewandelt.) Sie begann schrill und abgehackt zu rufen: «Genug Greuel! Ihr habt keine Ahnung, was wir durchmachen! Genug Blut! Genug! Genug!» Der peinliche Eindruck, den sie hinterließ, richtete sich weniger gegen Saddok als gegen die Vertreter der Anklage, die dieses Melodram inszeniert hatten. Der alte gebrechliche, zitternde Émile Kahn mit seinem schneeweißen Haar verlangte im Namen der Liga für Menschenrechte, deren Vorsitzender er war, daß man Saddok mildernde Umstände zubillige. Ein Pastor las einen Brief seines nach Algerien einberufenen Sohnes vor. Der junge Mann berichtete, daß er mitangesehen hatte, wie eine Abteilung der Territorialtruppen – das heißt der *pieds noirs* – einen alten Araber folterte. Mit Hilfe einiger Kameraden und unter Androhung von Waffengewalt habe er ihnen die Beute wieder entrissen. Dieser Bericht – Hinrichtungen, Prügel, Foltern – wurde mit tödlichem Schweigen aufgenommen. Kein Seufzer des Erstaunens oder Abscheus. Alle Welt wußte Bescheid. Wieder einmal krampfte sich mir das Herz zusammen. Alle wußten Bescheid und kümmerten sich nicht darum oder waren sogar einverstanden.

Sartre war einer der letzten Zeugen. Seine Erregung war ihm nicht anzumerken – abgesehen davon, daß er, als er mit teilnahmsvoller Ehrerbietung von dem Toten sprach, ihn ‹Ali Chacal› nannte. Er verglich seine Haltung mit der Ben Saddoks und erklärte, daß die Jugend nicht die Geduld der älteren Generation aufbringen könne, weil sie nur das blutdürstige Antlitz von Frankreich kenne. Er betonte ferner, daß es sich hier um einen politischen Mord handle, der nicht mit einem terroristischen Attentat auf eine Stufe gestellt werden dürfe. Er gab sich große Mühe, das Gericht nicht durch seine Ausdrucksweise zu schockieren, und die Mitglieder des Gerichtshofes schienen über seine Mäßigung erleichtert zu sein.

Danach sagten Massignon und nach ihm Germaine Tillion aus: Frankreich, stellte sie fest, habe die Jugend zum Haß erzogen. Ein Lehrer hatte seinen Schülern, zehnjährigen Moslems, folgendes Aufsatzthema gestellt: «Was würdest du machen, wenn du unsichtbar wärst?» Sie las einige der Aufsätze vor. Mehr oder weniger offen erklärten alle: «Ich würde alle Franzosen umbringen.»

Ich verließ den Saal. In den Gängen wetterte General Tubert gegen die Algerienfranzosen. Sämtliche Zeugen lobten die unparteiische Haltung des Gerichtsvorsitzenden, der sie nicht unterbrochen hatte. Das Fernbleiben von Camus wurde sehr getadelt. Seine Stimme hätte um so schwerer gewogen, als man ihm gerade den Nobelpreis verliehen hatte. Stibbe hatte ihn nur gebeten, laut zu wiederholen, was er vor kurzem in einem Essay gegen die Todesstrafe geschrieben hatte. Er hatte sich geweigert, vor den Schranken des Gerichts zu erscheinen oder auch nur eine Botschaft an das Tribunal zu richten. Als sie um ein mildes Urteil baten, hatten ihn mehrere Zeugen zitiert, manchmal nicht ohne Bosheit.

Ich aß mit Sartre und Lanzmann in der ‹Palette›. Würde Saddok mit dem Leben davonkommen oder nicht? Wir machten uns Sorgen. Um die Spannung zu mildern, die ihm schon den ganzen Tag lang zu schaffen machte, trank Sartre Whisky, obwohl er seit einiger Zeit den Alkohol schlecht vertrug. Seine Erregung nahm zu. Nach einer Weile wurde er mürrisch und wütend. «Wenn man bedenkt, daß ich ein Loblied auf Chehkal gesungen habe! Und daß ich gegen den Terrorismus aufgetreten bin. Als ob ich den Terrorismus verurteilte! Nur um den Poujadisten auf der Geschworenenbank nach dem Munde zu reden! Stellt euch das vor...!» Der Unwille, der Zorn trieben ihm Tränen in die Augen. «Das alles den Poujadisten zuliebe!» wiederholte er. Ich erschrak über die Heftigkeit seiner Gefühle. Sie war nicht nur durch den Abscheu vor den Konzessionen bedingt, zu denen er sich herbeigelassen hatte. Seine Nerven waren schon seit Wochen und Monaten aufs äußerste gespannt.

Als wir am nächsten Morgen die Zeitungen lasen, wurden wir sehr ärgerlich. Sie gaben die Zeugenaussagen wieder und führten, ohne es zu wollen, ein ausgezeichnetes Plädoyer gegen den Krieg: Die Öffentlichkeit sah sich auf ganz unverhoffte Weise informiert. Aber sie nahmen heftig gegen Saddok Partei. «Was ist der Mörder Chehkals doch für ein hübscher Junge!» lautete eine der Überschriften. Die Presse beschuldigte die Zeugen, Frankreich beschmutzt zu haben, und es schien, als könne nur das Messer der Guillotine die Ehre des Vaterlandes retten. Wir befürchteten, daß sich die Geschworenen durch diese Artikel beeinflussen lassen würden.

Als wir abends das Urteil hörten, atmeten wir auf. Lebenslängliche Haft: Aber nach Kriegsschluß würden die Gefängnisse ihre Tore öffnen. Vor allem freuten wir uns für Saddok. Aber auch der Gedanke war uns ein Trost, daß es in Frankreich noch immer Leute gab, die es fertigbrachten, angesichts eines Algeriers nach ihrem Gewissen zu urteilen.

In Algerien hatte dieser Begriff keine Gültigkeit mehr. Man griff die Sündenböcke aufs Geratewohl heraus: als sechs Moslems unter der Folter den Mord an Frogier gestanden, suchte man sich einen aus, und obwohl keinerlei Beweise gegen ihn vorlagen, weigerte sich Coty, ihn zu begnadigen.

Ende Januar 1958 bat mich Mme Bruguier um ein Leumundszeugnis zugunsten Jacqueline Guerroudjs, die eine meiner besten Schülerinnen in Rouen gewesen war. Als Lehrerin in Algerien hatte sie einen mohammedanischen Kollegen geheiratet und genauso wie er einer Bezirksgruppe der ALN angehört. Sie hatte Yveton die Bombe überbracht, die er in den Räumen der EGA deponiert hatte. Beide wurden zusammen mit einem Mitangeklagten namens Taleb im Dezember 1957 zum Tode verurteilt.

Die Linke setzte sich für sie ein, und ich schloß mich dieser Kampagne an. Wir setzten die Begnadigung durch. Taleb aber, dem man nur nachweisen konnte, daß er Sprengstoff zurechtgemacht hatte und der jede Beteiligung an diesem Attentat ableugnete, wurde geköpft.

Das Bombardement von Sakiet war einem großen Teil der französischen Rechtskreise peinlich. Nach der Aussage eines Caporals gab es alle Tage Oradours. (1957 berichtete ein Rekrut, daß im August 1956 ein Caporal der 2e B. E. P. zu ihm gesagt habe: «Wenn eines Tages ein neuer Nürnberger Gerichtshof tagt, wird man uns alle verurteilen. Oradours gibt es alle Tage.») Aber ein tunesisches Dorf zu bombardieren, das war ein Schnitzer. Um diesen Fehler zu beschönigen, berichtete die Wochenschau von den in Tunesien stationierten Soldaten der ALN. Dabei kam es zu einem neuen Schnitzer: Uniformiert und diszipliniert sahen diese Soldaten nicht aus wie eine Verbrecherbande, sondern wie eine Armee.

Es hieß, daß der fromme und gewissenhafte Massu es sich nicht habe nehmen lassen, die Elektroden auszuprobieren, und nachher erklärt habe: «Sehr unangenehm, aber für einen mutigen Menschen erträglich.» Es war gerade ein Buch erschienen, das die unerträglichen Tatsachen der Folterungen zur Sprache brachte: *La Question* von Alleg. Sartre besprach es in einem Artikel, *Une Victoire,* im *Express,* der dann der Zensur zum Opfer fiel. Trotzdem wurde das Buch in Zehntausenden von Exemplaren verkauft und in sämtliche Weltsprachen übersetzt.

Die Folterungen waren bereits zu einer so feststehenden Tatsache geworden, daß sogar die Kirche nicht umhin konnte, sich über ihre Rechtmäßigkeit zu äußern. Viele Geistliche lehnten sie ab in Wort und Tat, aber es gab auch Feldprediger, die das Elitekorps ermunterten. Was die Bischöfe betraf, so waren sie größtenteils sehr nachsichtig. Keiner wagte es, seiner Mißbilligung allzu deutlich Ausdruck zu verleihen. Unter der Laienschaft herrschte ein zustimmendes Schweigen! Am meisten empörte mich das Verhalten von Camus. Jetzt konnte er nicht mehr wie damals während des Indochina-Krieges behaupten, daß er das Spiel der Kommunisten nicht mitmachen wolle. Also klagte er darüber, daß man in Paris das Problem nicht begreife. Als er nach Stockholm fuhr, um den Nobelpreis in Empfang zu nehmen, zeigte er noch deutlicher sein wahres Gesicht: er rühmte die Freiheit der französischen Presse. In derselben Woche waren *L'Express, L'Observateur* und *France-Nouvelle* beschlagnahmt worden. Vor einem vielköpfigen Publikum erklärte er: «Ich liebe die Gerechtigkeit, aber ich würde meine Mutter gegen die Gerechtigkeit verteidigen...» Das hieß sich auf die Seite der *pieds noirs* stellen. Die Hinterlist bestand darin, daß er gleichzeitig so tat, als wolle er dem Konflikt fernbleiben und über den Gegensätzen schweben. Auf diese Weise wurde er zum Helfer aller jener Leute, die diesen Krieg und seine Methoden mit dem bürgerlichen Humanismus zu vereinbaren suchten. Denn der Senator Rogier hatte ein Jahr früher, ohne mit der Wimper zu zucken, geäußert: «In unserem Land ... hat man das Bedürfnis, alle Handlungen mit dem Ideal der Universalität und der Menschlichkeit in Einklang zu bringen.» Tatsächlich aber brachten es meine Landsleute fertig, dieses Ideal hochzuhalten und es gleichzeitig mit Füßen zu treten. Jeden Abend beweinte im Théâtre Montparnasse ein zartfühlendes Publikum die Leiden der Anne Frank. Von den Kindern aber, die auf sogenannter französischer Erde litten, starben und wahnsinnig wurden, wollte man nichts wissen. Wer es gewagt hätte, sich ihrer zu erbarmen, wäre beschuldigt worden, die Nation zu demoralisieren.

Diese Heuchelei, diese Gleichgültigkeit, dieses Land, meine eigene Haut wurden mir unerträglich. Diese Menschen in den Straßen wurden, ob sie zustimmten oder sich taub stellten, zu Henkern des algerischen Volkes: Sie waren alle schuldig. Auch ich. «Ich bin Französin.» Diese Worte brannten mir in der Kehle wie das Eingeständnis einer Schande. In den Augen von Millionen Männern und Frauen, Greisen und Kindern war ich die Schwester der Folterknechte, der Brandstifter, der Plünderer, der Mörder, der Aushungerer. Sie haßten mich zu Recht, weil ich imstande war, zu schlafen, zu schreiben, einen Spaziergang oder ein Buch zu genießen: Die einzigen Augenblicke, deren ich mich nicht schämte, waren die, da ich lieber blind gewesen wäre, als zu lesen, was man liest, lieber taub, als zu hören, was man uns erzählt, lieber tot, als zu wissen, was man weiß. Ich schien an einer jener Krankheiten zu leiden, deren schlimmstes Symptom darin besteht, daß man keine Schmerzen spürt.

Manchmal errichteten die Fallschirmjäger nachmittags auf dem Platz vor der Kirche Saint-Germain-des-Prés eine Art Bude. Ich vermied es geflissentlich, näher hinzugehen, und weiß infolgedessen nicht, was sie dort trieben: auf jeden Fall machten sie Propaganda. Von meinem Tisch aus hörte ich sie Militärmärsche spielen. Sie diskutierten, sammelten Geld, und ich glaube, sie zeigten auch ausgewählte Fotos von ihren Feldzügen. Ich spürte das gleiche Würgen in der Kehle, die machtlose und zornige Ohnmacht, die mich überfallen hatte, wenn ich einen SS-Mann sah. Die französischen Uniformen waren mir heute genauso unsympathisch wie früher einmal die Hakenkreuze. Ich betrachtete diese jungen Burschen in ihren gefleckten Kampfanzügen, wie sie lächelten und herumstolzierten, mit braungebrannten Gesichtern und sauberen Händen: diese Hände ... Leute traten hinzu, interessiert, neugierig, freundlich. Ich wohnte tatsächlich in einer besetzten Stadt und verabscheute die Besetzung noch mehr als die aus dem Jahre 1940, wegen der zahlreichen Fäden, die mich mit ihr verknüpften.

Sartre wehrte sich, indem er wie besessen an seiner *Critique de la raison dialectique* arbeitete. Er legte nicht, wie gewöhnlich, Pausen ein, machte keine Striche, zerriß nicht diese oder jene Seite, fing nicht von vorne an, sondern reihte stundenlang hintereinander Blatt an Blatt, ohne das Ganze noch einmal durchzulesen, als enteilten ihm die Gedanken, die seine Feder auch nicht im Galopp einzuholen vermochte. Ich merkte, daß er, um diesen Schwung aufrechtzuerhalten, Corydramtabletten schluckte. Er verbrauchte täglich eine Röhre. Gegen Abend war er erschöpft, seine Aufmerksamkeit erschlafft, seine Bewegungen wurden unsicher, und er verwechselte oft ein Wort mit einem anderen. Unsere Abende verbrachten wir bei mir. Wenn er einen Whisky getrunken hatte, stieg ihm der Alkohol zu Kopf. «Jetzt ist es genug!» sagte ich zu ihm. Es war aber nicht genug. Widerstrebend reichte ich ihm ein zweites Glas. Er verlangte ein drittes. Zwei Jahre früher hatte er viel mehr vertragen. Heute aber verlor er sehr bald das Gleichgewicht, und ich wiederholte: «Jetzt ist es genug.» Einige Male zerschlug ich in meiner Wut ein Glas auf dem Fliesenboden meiner Küche. Aber es war mir zu anstrengend, mit ihm zu streiten. Außerdem wußte ich, daß er die Entspannung, das heißt ein bißchen Selbstvernichtung, brauchte. Meistens protestierte ich erst beim vierten Glas. Wenn er beim Weggehen schwankte, machte ich mir Vorwürfe. Und mich quälten die Sorgen fast genauso wie im Juni 1954.

Ich hoffte, daß mich der Schnee ein wenig aufheitern würde. Aber ich war von den zwei Wochen, die ich in Courchevel verbrachte, enttäuscht. Als ich vor zwei Jahren die Skier wieder angeschnallt hatte, schien ich gleichsam jünger geworden zu sein. Jetzt machte sich aber mein Alter dadurch bemerkbar, daß ich keine Fortschritte mehr erzielte. Lanzmann begleitete mich selten auf die Pisten. Er schrieb einen Artikel über den Pfarrer von Uruffe für die *Temps Modernes*. Das war eine erstaunliche Geschichte, die Geschichte dieses Priesters, der die Frau ermordete, die er geschwängert hatte, und ihr den Bauch aufschlitzte, um den Fetus zu taufen, Sturm läutete, sein Verbrechen bekannte und seine Pfarrkinder aufforderte, ihn zu erschlagen. Der Prozeß war noch erstaunlicher. Seinen Sinn deutete Lanzmann boshaft und streng: Das Kirchenrecht fordere, daß man es gleichzeitig ablehne, den Mann zu verstehen und ihn zu bestrafen. Der Geistliche kam mit dem Leben davon, während die Mörder aus Saint-Cloud, die auch Nachsicht verdient hätten – zwei geistig zurückgebliebene junge Burschen, die ihre Kindheit in Waisenhäusern verlebt hatten –, zum Tode verurteilt worden waren. (Der eine wurde begnadigt.) Die Hotelgäste fanden es durchaus natürlich, daß sie hingerichtet würden. Ich konnte es während der Mahlzeit nicht vermeiden, ihre Gespräche mit anzuhören. Das war es vor allem, was mir den Aufenthalt vergällte: Wir waren in Frankreich geblieben. Die Bourgeoisie, der ich in Frankreich aus dem Wege ging, hatte ich hier auf dem Hals. Das Ehepaar, das sich darüber beklagte, daß man im Kongo nicht mehr berechtigt sei, die Neger zu prügeln, stammte zwar aus Belgien – aber die Franzosen hatten volles Verständnis für ihren Kummer. Als ich im April Lust bekam, für ein paar Tage mit Lanzmann zu verreisen, fuhren wir nach England, an die Südküste, nach Cornwall. Die einzige Schicht in Frankreich, mit der ich Mitleid hatte, war die Jugend. So sagte ich zu, als mich linksgerichtete Studenten ersuchten, an der Sorbonne einen Vortrag über den Roman zu halten. Ich lebte so zurückgezogen, daß ich mich, als ich die Aula betrat, über den Empfang wunderte, den man mir bereitete und aus dem hervorging, daß ich nicht unbekannt war. Der freundschaftliche Beifall erwärmte mein Herz: Ich hatte es nötig.

# 9

Die Bombardierung Sakiets hatte England und Amerika bewogen, zu intervenieren; man sprach von einem diplomatischen Dien-Bien-Phu. Es war auch bereits von der Rückkehr de Gaulles die Rede. Die Polizei war kaum mehr imstande, die Republik zu schützen. Nachdem in Paris eine Anzahl Polizeibeamter durch Algerier umgebracht worden war – in den meisten Fällen nicht zufällig, sondern infolge einzelner Repressalien –, veranstaltete am 13. März die Polizei eine Massenkundgebung vor dem Parlamentsgebäude. Von der Organisation Dides beeinflußt, sympathisierte sie mit dem Faschismus. Als nach dem Sturz Gaillards, der am 15. April von Soustelle und Bidault abgeschossen worden war, die Linke ihre Ausschuß- und Versammlungstätigkeit verdoppelte, wurde den ‹Patrioten›, die hingingen, um den Rednern die Zähne einzuschlagen, Schutz zugesichert. Es schien unmöglich, irgendeine ministerielle Kombination aufrechtzuerhalten, und der Name de Gaulle fiel immer häufiger. Am 6. Mai wurde zwar noch Pflimlin genannt, aber er hätte die Stimmen der Unabhängigen gebraucht, die sich nicht entscheiden konnten.

Die FLN hatte das MNA zum größten Teil aufgesogen und eklatante Fortschritte erzielt. (Am 18. April trafen fünf algerische Fußballspieler aus der französischen Mannschaft, zehn algerische Unteroffiziere aus Saint-Maixent und der Großmufti Lakdam in Tunis ein.) Sie verlangte, daß man gegenüber der ALN die Bestimmungen des Völkerrechts anwandte. Als die französische Regierung zwei algerische Soldaten hinrichten ließ, wurden drei französische Gefangene erschossen. Man entschloß sich in Algier, am 13. Mai gegen diese Repressalien zu protestieren.

Als Pouillon, Redaktionssekretär des Parlaments, uns abends anrief, war Lanzmann gerade bei mir: Die Kundgebung auf dem Forum hatte sich in einen Aufstand verwandelt; die Masse, mit Lagaillarde an der Spitze, hatte das Gebäude des Generalgouvernements gestürmt. Massu hatte den Vorsitz in einem Wohlfahrtsausschuß übernommen. Kurz, um französisch zu bleiben, löste sich Algerien mit Hilfe der Armee von

Frankreich. Weitere Telefonanrufe folgten: Befreundete Journalisten unterrichteten uns über die neuesten Nachrichten. Abermals war es Pouillon, der uns mitteilte, daß die Kammer fest geblieben sei. Sie hatte mit 280 gegen 120 Stimmen die Amtseinsetzung Pflimlins beschlossen. Die Kommunisten hatten sich aus Prinzip der Stimme enthalten. Beruhigt schlief ich ein. Am nächsten Tag lief das Gerücht um, daß die Herren Colonels blaß geworden seien, als sie von dem Abstimmungsergebnis erfuhren. Einer von ihnen habe gesagt: «So eine Schweinerei...» Pflimlin ließ sämtliche Verbindungen zwischen Algerien und Frankreich unterbrechen. Dieser Blockade würden die Aufständischen keine acht Tage standhalten können. Am 14. Mai war niemand in meiner Umgebung sonderlich besorgt. Lanzmann war zusammen mit einer Delegation extrem linksgerichteter Journalisten nach Nordkorea eingeladen worden. In der Nacht hatte er sich noch gefragt, ob diese Reise nicht ins Wasser fallen werde. Jetzt machte er sich deswegen keine Sorgen mehr.

Am darauffolgenden Tag erfuhr man, daß Salan frühmorgens auf dem Forum ausgerufen hatte: «Es lebe de Gaulle!» Und de Gaulle hatte in einem Kommuniqué erklärt: «Ich bin bereit, die Macht in der Republik zu übernehmen.» Pflimlin stellte die Verbindung mit Algerien wieder her und unternahm keine weiteren Schritte. Am nächsten Tag schilderten die Zeitungen die in Algier und im ganzen Land unter dem Namen der Verbrüderung organisierte Maskerade.

An dem Abend, als ich im Théâtre Sarah-Bernhardt Brechts Stück *Das Verhör des Lukullus* sah, einen finsteren Angriff auf den Krieg und die Generale, applaudierte das Publikum ununterbrochen: Aber es waren lauter Linksintellektuelle, die seit langem in ihrem eigenen Lande isoliert waren. Die Kommunisten heuchelten Optimismus. Lanzmann vertrat Sartre im antifaschistischen Komitee. In jeder Sitzung erklärte Raymond Guyot: «Wir können wirklich zufrieden sein. Überall entstehen Komitees ... Die Lage ist ausgezeichnet.» Trotzdem scheiterte der am 19. von den Gewerkschaften ausgerufene Generalstreik. Am selben Tag hielt de Gaulle eine Pressekonferenz ab. Lanzmann berichtete über ihren Verlauf, als wir mit den Bosts in der rue de la Bûcherie zu Abend aßen. Er hatte unter den Versammelten alle alten Köpfe der RPF wiedererkannt. Obwohl de Gaulle für seine Amtsübernahme ein besonderes Verfahren forderte, hatte er angekündigt, daß er auf legalem Wege durch das Volk an die Spitze berufen werden wolle. Die Damen der guten Gesellschaft lauschten verzückt. Mauriac strahlte. Bourdet fragte de Gaulle, ob er nicht befürchte, das Spiel der Aufrührer zu unterstützen. Darauf erwiderte de Gaulle ungefähr: «Eure Welt ist nicht die meine.» Lanzmann zweifelte nicht daran, daß ihm der Streich gelingen werde. Die bürgerliche Demokratie würde lieber zugunsten eines Diktators abtreten, als eine Volksfront wiederherzustellen. Bost wollte es nicht glauben: Sie wetteten um eine Flasche Whisky.

Amerikaner, die in Orly zwischenlandeten, weigerten sich, das Flugzeug zu verlassen, weil sie glaubten, daß Paris in Flammen stehe und in den Straßen Blut fließe. Wir lachten darüber – aber es war ein unfrohes Lachen. Alles ging in völliger Grabesstille vor sich. Das Land ließ sich überzeugen, daß es nur eine Alternative gebe: de Gaulle oder die Fallschirmjäger. Die Armee war gaullistisch, die Polizei faschistisch. Moch hatte vorgeschlagen, die Miliz zu mobilisieren, aber in dem Augenblick, in dem die *paras* sich anschickten, auf Paris zu marschieren, kannten die Rechte und die Sozialisten nur eine Sorge: einen ‹Prager Handstreich› zu verhüten. Der Appell, den de Gaulle am 19. an Mollet richtete, schockierte durch seine Grobheit sogar den Interessierten. Nachher entschloß er sich, ihn zu beantworten. Was die Untätigkeit des Proletariats betraf, so hätte man sie ohne weiteres für stillschweigende Zustimmung halten können. Ohne de Gaulle hätte es zweifellos ein jähes Erwachen gegeben. Aber seine Regierungszeit in den Jahren von 1945 bis 1947 war nicht schlimmer gewesen als die, die nachfolgten. Er hatte sein Prestige als Befreier beibehalten, und da er nicht käuflich war, galt er als ehrlich. Algerien hatte ihm seinen Triumph zu verdanken.

Was uns am 13. Mai unmöglich erschienen war, hielten wir am 23. für unvermeidlich. Die *pieds noirs* und die Armee hatten gesiegt. Alles würde ohne Komplikationen verlaufen. Das war so offensichtlich, daß die Delegation, der Lanzmann angehörte, beschloß, die Reise nicht aufzuschieben. Er wäre gern geblieben, konnte aber den anderen gegenüber nicht unsolidarisch sein. Ich verbrachte mit ihm zwei Tage in einem Hotel bei Honfleur, das wir liebten. Er deutete auf die blühenden Obstgärten und sagte verzweifelt: «Sogar das Gras wird nicht mehr die gleiche Farbe haben.»

Uns bedrückte es sehr, daß wir plötzlich das Antlitz zu sehen bekamen, das Frankreich sich nach und nach zugelegt hatte: entpolitisiert, kraftlos, bereit, sich den Männern zu unterwerfen, die den Krieg bis zum äußersten fortsetzen wollten.

Am Morgen des 24. Mai fuhr ich Lanzmann nach Orly. Am Nachmittag kam die Nachricht von dem Aufstand in Korsika. Für mich wie für viele andere waren das aufreibende Tage. Ich arbeitete nicht mehr. Im März hatte ich Gallimard die *Mémoires d'une jeune fille rangée* übergeben. Ich zögerte noch mit der Fortsetzung. Aber die Muße und die allgemeine Unruhe veranlaßten mich genauso wie im September 1940, mich wieder meinem Tagebuch zuzuwenden. Teils geschah es auch aus dem Wunsch, es Lanzmann später zu zeigen, mit dem zu korrespondieren fast unmöglich war. Auch diesmal zitiere ich wörtlich.

*26. Mai*

Merkwürdige Tage. Jede Stunde hört man Nachrichten im Radio und kauft sämtliche Zeitungen in sämtlichen Ausgaben. Gestern, am Pfingstsonntag, hatten 800 000 Pariser die Stadt verlassen, die Straßen waren leer. Es war drückend, aber nicht heiß, der Himmel war grau. Von Sartres Fenster aus sah man rote Feuerwehrwagen mit ihren langen Leitern über den boulevard Saint-Germain fahren. Zahlreiche Streifenwagen der Polizei waren unterwegs. Der neue Algerienausschuß (Massu, Sid-Cara, Soustelle) hat am Samstag erklärt: «De Gaulle oder der Tod ...» Sie haben Arrighi nach Korsika geschickt, behaupten aber gleichzeitig, daß sie alle Beziehungen zu Korsika abgebrochen hätten.

Lanzmann ist gestern nach Korea abgeflogen. Telegramm aus Moskau, wo er drei Tage lang bleibt.

Abends in der ‹Palette› mit Sartre über mein Buch gesprochen. Er erinnerte mich daran, wie glücklich man in Rouen in der Anonymität der Jugendzeit gewesen war. (Ich sah wieder die ‹Brasserie Paul› vor mir, in der ich meine Schulhefte korrigierte.) Man sollte diese Zeit nicht verraten, indem man sie beschreibt ...

Heute ist es eisig kalt. Der Wind fegt durch den Efeu an der Friedhofsmauer, dringt durch alle Fensterritzen ins Zimmer herein. Die Arbeit, die ich in Angriff genommen habe, wird drei bis vier Jahre beanspruchen, das ist ein wenig erschreckend. Ich werde zuerst einmal mit großem Elan eine Menge Material sammeln müssen.

Auch an diesem Tage, am Pfingstmontag – Paris menschenleer, die Zeitungen zensiert, die Auslandspresse verboten –, herrscht eine schale Katastrophenstimmung. Es hat geregnet, und nachher ist ein heftiges Gewitter niedergegangen. Mittags habe ich mit Nazim Hikmet in der ‹Palette› gegessen. Siebzehn Jahre im Gefängnis und jetzt gezwungen, wegen des Herzens täglich zwölf Stunden im Bett zu bleiben. Sehr charmant. Er erzählte, daß ein Jahr nach seiner Haftentlassung zwei Attentate auf ihn verübt worden seien mit Autos in den engen Gassen Istanbuls. Nachher hatte man ihn zum Militärdienst an die russische Grenze schicken wollen: Er war fünfzig Jahre alt. Der Militärarzt sagte zu ihm: «Eine halbe Stunde in der Sonne stehen, und Sie sind ein toter Mann. Aber ich muß Ihnen ein Gesundheitszeugnis ausstellen.» Da flüchtete er in einer stürmischen Nacht mit einem winzigen Motorboot über den Bosporus. Bei gutem Wetter war die Meerenge viel zu gut bewacht. Er wollte nach Bulgarien, aber das war wegen des Wellenganges nicht möglich. Er stieß auf einen rumänischen Frachter, begann ihn zu umkreisen und rief seinen Namen aus. Man begrüßte ihn und winkte ihm mit dem Taschentuch zu – ohne jedoch anzuhalten. Trotz des stürmischen Wetters fuhr er hinterher und umkreiste das Schiff immer wieder. Nach zwei Stunden machte es halt, ohne ihn jedoch an Bord zu holen. Sein Motor ging nicht mehr, und er glaubte, daß alles aus sei. Schließlich holte man ihn an Bord. Man hatte vorher mit Bukarest telefonieren müssen, um Weisungen zu erbitten. Vor Kälte erstarrt, halb tot, kam er in die Offizierskajüte. Dort hing ein riesiges Foto von ihm mit der Aufschrift: «Rettet Nazim Hikmet!» Wie er hinzufügte, war das Pikanteste daran, daß er sich bereits seit einem Jahr auf freiem Fuß befand.

Lanzmann ruft aus Moskau an. Bei uns ist es 7 Uhr, dort 9 Uhr, und die Nacht senkt sich auf Moskau herab. Alles war so nahe und doch so fern. Junge Burschen haben sich ihm vor dem Hoteleingang genähert und gemurmelt: *«Business?»* Im Tausch für seine Kleider wollten sie ihm Mädchen verschaffen. Er ist beunruhigt über den Gang der Ereignisse, die er nur durch den Korrespondenten der *Humanité* kennt.

Es fällt einem schwer zu arbeiten. Man wartet und weiß nicht, worauf.

Abend mit Sartre und Bost. Man ergeht sich in Spekulationen über die Ereignisse.

*Dienstag, 27. Mai*

Mittagessen mit Sartre in der ‹Coupole›. Die CGT hatte zum Streik aufgerufen, und obwohl sich die FO und die CFTC nicht angeschlossen haben, wartete man auf irgend etwas. Nichts. Die Busse und die Züge der Métro verkehren. Aus dem Radio höre ich im Taxi den Schluß der Erklärung de Gaulles. Ja, es ist «fünf Minuten vor zwölf», wie Duverger schrieb. Der Chauffeur: «Na schön! Er liegt ihnen im Magen, seitdem sie auf alles pfeifen und sich nichts daraus machen, uns unser Geld aus der Tasche zu ziehen, sich nicht um die armen Teufel scheren, die in Algerien umkommen.» Er ist wütend auf die ‹Kommis›, weil sie für die Sondervollmachten und für eine Huldigung an die Armee gestimmt haben. Auch ihnen ist die übrige Welt egal. «Das sieht man schon daran, wie sie ihren Streik aufgezogen haben!» Zweifellos ein Linker, aber bereit, aus Zorn, de Gaulle zu akzeptieren. Was für ein Taschenspielerkunststück! Alles vollzieht sich still und sanft, und nachher wird die Schraube angezogen. Ein gottergebenes Land, das einen gründlich anwidert. Was für eine fade Niederlage! Man hat den Eindruck, ‹historische› Tage zu erleben, aber nicht auf die zugespitzte, harte Art wie im Juni 1940, sondern Tage des Betrugs, des Sumpfes wie die, von denen Guillemin berichtet. Man watet in dem ungeordneten Stoff des Buches, das Guillemin schreiben wird.

In dieser Nacht fielen schreckliche, schwarze Gegenstände, krumm wie Weinreben, vom Himmel. Einer fiel neben mir auf den Boden, es war eine riesige Pythonschlange, und ich bekam solche Angst, daß ich nicht weglaufen konnte. Eine Art Polizeiauto fuhr vorbei, und ich stieg schnell ein. Man machte Jagd auf die Schlangen, die schon seit Stunden auf das ganze Land hinabfielen – es war ein eigenartiges Land voller Urwald und zerfahrener Wege. Aber das einzig Fesselnde waren die großen, apokalyptischen Gestalten über meinem Kopf, die sich auf die Erde herabfallen ließen.

Den ganzen Tag telefonische Anrufe wie in der Nacht zum 13. Mai. Und mein junger Marseiller Freund schreibt mir fast jeden Morgen. Man hat das Bedürfnis, sich auszusprechen, auch wenn man sich nichts zu sagen hat.

Péju ruft an (um 6 Uhr) und erzählt, daß Pflimlin mit verstörter Miene von Coty gekommen sei und daß de Gaulle Colombey verlassen habe, dann hängt er ab. Nirgendwo wird gestreikt, abgesehen von den Bergarbeitern im Norden. De Gaulle hat in der letzten Nacht erklärt, daß, wenn man ihm nicht binnen achtundvierzig Stunden die Macht übertrüge, er sie an sich reißen würde. Die Armee hält zu ihm. Als man in Toulouse den Militärkommandanten ersuchte, für Ordnung zu sorgen (anläßlich der für diesen Abend vorgesehenen Kundgebung), hat er diese Bitte rundweg abgeschlagen.

Sartre arbeitet an seiner Abhandlung, und ich versuche, mich für die Vergangenheit zu interessieren. Auf der Fahrt nach Honfleur hat Lanzmann zu mir gesagt: «Sogar das Gras wird nicht mehr die gleiche Farbe haben.» Wenn ich die place Saint-Germain betrachte, denke ich bei mir: «Es wird nicht mehr die gleiche Stadt sein.»

Radiosendung um 7 Uhr 30: Vielleicht noch ein Hoffnungsschimmer.

*Mittwoch, den 28.*

Gestern abend waren wir bei den Leiris und haben dort Radio gehört. Radio Luxemburg war nicht zu kriegen, wir mußten mit dem französischen Sender vorliebnehmen. Nachtsitzung des Parlaments: Pflimlin läßt über das Verfassungsgesetz abstimmen. Das erinnerte uns an die Zeit, als wir bei den Leiris am Radio gesessen hatten – als die Deutschen nach Belgien zurückgekehrt waren.

Heute früh strahlendes Wetter. Ich mache das Radio an, um Nachrichten zu hören. Pflimlin hat eine Mehrheit von 400 Stimmen gegenüber etwas mehr als 100 erzielt, aber da die Unabhängigen aus der Regierung ausgetreten sind, tritt er zurück, ohne ein Vakuum zu hinterlassen, denn Coty hat schon für diesen Abend die Bildung einer neuen Regierung angekündigt. Am Nachmittag soll eine große Kundgebung stattfinden. Wir werden hingehen.

*Freitag, 30. Mai*

Ich bin nicht imstande, etwas anderes zu schreiben als diese Tagebuchaufzeichnungen, und auch sie niederzuschreiben, macht mir wenig Freude, aber man muß sich die Zeit vertreiben. Am Mittwoch habe ich zusammen mit Claude Roy in der ‹Palette› zu Mittag gegessen. Er hat um die Wiederaufnahme in die KP ersucht und wird zweifellos aufgenommen werden. Er zitiert einen Ausspruch de Gaulles über Malraux, der in Paris zirkuliert: «Er hat mir vorgeworfen, daß ich bis ans Ufer des Rubikon vorgedrungen sei, um dort zu angeln, und jetzt, da ich ihn überschreite, angelt er in der Lagune.» Malraux war tatsächlich während der ganzen Zeit in Venedig gewesen, wo er Vorträge über Malerei hielt, aber er ist vorgestern abend zurückgekehrt, weil er, laut Florence, damit rechnet, Informations- oder Kulturminister zu werden.

Wir fuhren – am Mittwoch – um 16 Uhr 45 mit einem Taxi zur Métrostation Neuilly-Diderot. Auf dem linken Trottoir befand sich eine große Menschenmenge: offensichtlich Kommunisten mit Transparenten: *«Vive la République!»* Wir warten vor dem Bahnhof auf den Ausschuß des 6. Arrondissements; aber auch das CNE hat sich dort verabredet. Der Rachen der Métro spuckte einen Haufen bekannter Leute aus: Pontalis, Chapsal, Chauffard, die Adamovs, die Pozners, Anne Philipe, Tzara, Gégé mit seiner Familie, meine Schwester. Alle sind erstaunt, eine so riesige Menschenmenge vorzufinden, jeder hat mit einem Fiasko gerechnet. Die place de la Nation ist schwarz von Menschen. Wir marschieren zuerst hinter der Fahne der Beaux-Arts, befinden uns plötzlich hinter der Liga für Menschenrechte und geraten schließlich unter fremde Menschen. Alte Republikaner jubeln, weil sie sich um fünfzig Jahre zurückversetzt fühlen. Sie recken sich hoch, um über die Köpfe hinweg zu erspähen, wie lang der Zug ist, und ihre Mienen erhellen sich. Leute steigen mitten in der Straße auf die Geländerpfosten, klettern auf die Schultern ihrer Kameraden und winken voller Enthusiasmus: Der Vorbeimarsch nimmt nach beiden Richtungen hin kein Ende. Längs der Bürgersteige applaudieren Zuschauer und stimmen in unsere Rufe mit ein. Eigentlich gehören sie zu den Demonstranten. Eine fröhliche, aber beherrschte Menschenmenge, die die Befehle gehorsam befolgt. Man ruft nicht mehr: *«Vive la République!»*, sondern vor allem: «Halt dem Faschismus!» Sehr oft auch: «An den Galgen mit Massu! An den Galgen mit Soustelle!» Hin und wieder auch: «Nieder mit de Gaulle!» – aber nur zaghaft. Die Parolen «De Gaulle ins Museum» und «Die *paras* in die Fabriken!» haben großen Erfolg. (Ist diese Zurückhaltung auf gute Ratschläge zurückzuführen oder auf den Respekt vor de Gaulle, von dem gestern S. L. sprach? Wenn jemand ruft: «De Gaulle an den Galgen!» wird ihm auf jeden Fall gleich der Mund gestopft.) Man singt die *Marseillaise* und *Le Chant du départ*. Sartre singt aus vollem Halse mit. Zwei hübsche große Burschen, von zwei *pin-up girls* flankiert, hören nicht auf zu grölen. In den Fenstern Neugierige. Viele zeigen uns ihre Sympathie. Kinder klatschen in die Hände. Oberhalb des ‹Berceau Doré› grüßen uns drei uralte Damen mit weißen Perücken, auf verschossene goldgestickte Kissen gelehnt, mit königlichen Gebärden. Die Verkehrsampeln wechseln von Rot auf Grün, obwohl der Verkehr stillgelegt ist. Ab und zu bleibt der Zug stecken. Man bleibt stehen, dann marschiert man wieder weiter. Vor dem Polizeirevier stehen die Beamten, regungslos, mit starren Gesichtern. Die Menge wendet sich zu ihnen und ruft herausfordernd: «An den Galgen mit Massu!» Ein leidenschaftlicher, einmütiger, ergreifender Aufmarsch! Unter den Demonstranten befinden sich auch ehemalige Deportierte in ihren gestreiften Anzügen, Kranke und Gelähmte in ihren Rollstühlen. Die Ankunft auf der place de la République ist enttäuschend. Nichts ist vorbereitet. Einige Leute stehen auf den Sockeln und schwenken Fahnen, aber da kein Befehl kommt, verläuft sich die Menge. Einige Rufe werden laut: «Zur Concorde!» – aber niemand gehorcht. Man wäre im übrigen auch nicht durchgekommen. Weit und breit kaum ein Polizist zu sehen: Aber die beiden Zugänge werden von Wagen der CRS bewacht. Die Menge ist keineswegs kampflustig. Erstaunlich ist nur der Schwung, der alle mitgerissen hat; sogar die unpolitischsten Leute aus dem *village* sind erschienen. Trotzdem fällt einigen von uns auf, daß alle viel zu gut gelaunt sind, daß sie sich damit begnügen, zu schreien und zu singen, aber keineswegs entschlossen sind, zu handeln. Und am Tag zuvor ist der Streik gescheitert. Am nächsten Tag werden FO und CFTC einander gratulieren, daß sie ‹unabhängig von der CGT› demonstriert haben. Ein Generalstreik wird jedoch sicher nicht stattfinden. Bost, Olga und die Apteckmans gingen in die erste Etage des Hotel ‹Moderne›, wo die amerikanischen Journalisten mit Hilfe von Whisky ihrer Tätigkeit nachgingen. Sie erzählten, daß der Anblick von oben atemberaubend gewesen sei. Aber zehn Meter von der Straße, im Speisesaal zu ebener Erde, löffelten Engländerinnen in langen Abendkleidern gleichgültig ihre Suppe. Anscheinend ist Mendès-France auf der place de la Nation begeistert empfangen worden, aber als sich die Gruppen zerstreuten, haben sich die Faschisten auf ihn gestürzt. Sie hatten kein Glück.

Tief bewegt, einen Hoffnungsschimmer im Herzen, sitzen wir wieder bei Sartre. Plötzlich kommen schlechte Nachrichten. Die Fallschirmjäger seien an Land gegangen (diese Gerüchte kursierten vier Tage lang) – weder die Armee noch die CRS unterstütze die Regierung – de Gaulle habe Colombey verlassen, und Coty werde ihn im Laufe der Nacht zu sich bitten. Sartre war verabredet, und da ich das Alleinsein nicht ertragen konnte, stöberte ich in einem Restaurant in der rue Stanislas die Bosts und die Apteckmans auf. Wir setzten uns in die Autos, die wir in der rue du Faubourg-Saint-Honoré geparkt hatten, und drehten eine Runde um den erleuchteten Élysée-Palast. Es war nahezu Mitternacht. Die Menschen, die sich in großen Scharen im Laufe des Abends eingefunden hatten, begannen sich zu verlaufen. Man hörte immer wieder: «Massu nach Paris! Die *paras* nach Paris!» Es war eine Handvoll distinguierter Vierziger. (Ich habe vergessen zu erwähnen, daß die Börsenkurse munter stiegen und der Wert des Napoléon um 70 Francs gesunken war.) Die Polizisten baten sie höflich, weiterzugehen. Regimenter des CRS umstellten mit ihren schwarzen Wagen und mit gezückten Waffen das Gelände. Wären sie Republikaner gewesen, dann hätte man sich geborgen gefühlt. Unter den gegebenen Umständen aber jagten sie einem eher Furcht ein. Sie ließen alle passieren, jeden Fußgänger, jedes Auto. Barbara Apteckman machte ihnen Komplimente, und sie revanchierten sich mit liebenswürdigen Anzüglichkeiten. Sie fragte sie: «Worauf wartet ihr?» – «Auf de Gaulle. Aber wir warten schon zwei Stunden, und er ist noch immer nicht gekommen.» Andere sagten: «Wir sind aus Bordeaux, wir haben es satt, hier herumzustehen.» Und andere: «Wir rechnen mit Zusammenstößen.» Endloses Defilee eleganter Autos, die im Schritt fahren, weil die Straßen verstopft sind. «Wo wollen Sie hin?» – «De Gaulle sehen.» Ein Taxi, das ‹Chez Maxim› gehört, altmodisch, mit einem äußerst schicken, grauhaarigen Chauffeur und dem Wappen des ‹Maxim› am Schlag: Drin ein Herr im Frack und eine stolze, mit Schmuck behangene Dame im roten Abendkleid. Man fühlte sich ins Kino versetzt: ein kleines typisches und unerwartetes Detail aus einem zehn Jahre später gedrehten Film. Ein Wagen hat den Hof des Élysée verlassen. Es sieht so aus, als sei alles vorüber und de Gaulle gar nicht gekommen. Wir fuhren am Parlamentsgebäude vorbei und tranken ein Glas in der ‹Bûcherie›. Dort wimmelte es von Menschen, die nachmittags demonstriert hatten, und alle wunderten sich darüber, daß es so viele gewesen waren. Niemand aber wußte, was sich in diesem Augenblick abspielte, und Bosts Radio war kaputt. Ich rief Péju an. Von den Fallschirmjägern sei keine Rede mehr, und die Sozialisten wehrten sich tapfer gegen de Gaulle. Er sei sogar noch in derselben Nacht nach Colombey zurückgekehrt. Apteckman teilte meine Ansicht: Daß die Sozialisten uns verraten werden. Der nächste Morgen (gestern, Donnerstag) war von einer seltsamen Trostlosigkeit. Wunderschönes Wetter, ich ging weg, um die Zeitungen zu lesen, auf den Plätzen sangen die Vögel, die Kastanien verloren ihre Blüten. Ich setzte mich auf die Terrasse des Cafés an der Ecke der avenue d'Orléans. Im *Figaro* wurde die Kundgebung schlechtgemacht. Die *Humanité* sprach von 500 000 Demonstranten. Ich war enttäuscht, weil ich geglaubt hatte, daß es wirklich 500 000 gewesen wären. Der sich freiwillig ertränkende *L'Express* mit einem kläglichen Mauriac. Als ich nach Hause ging, war ich zu nichts fähig und außerstande, etwas Ernsthaftes zu lesen oder zu schreiben. Die Angst schnürte mir die Kehle zu. Auf den Gehsteigen quollen die Mülleimer über, weil die Müllabfuhr streikte.

Und im Laufe des Tages wurde der Verrat in Szene gesetzt. Man las den Brief, in dem Auriol de Gaulle aufforderte, sich von Algier loszusagen, und neunundsechzig Sozialisten erklärten, wenn er dieser Aufforderung Folge leiste, würden sie für ihn stimmen, «um den Bürgerkrieg zu verhüten». Wir aßen bei den Pouillons. Dort hörten wir die Botschaft Cotys an die beiden Kammern: Er drohte, zurückzutreten, wenn man de Gaulle nicht ans Ruder ließe. Abends kehrte de Gaulle zurück. Er rief die Führer ‹nationaler› Gruppen ins Palais de l'Élysée. Nachts fuhr er wieder nach Colombey. Dort wird er noch einen Tag lang handeln und feilschen. Alles wird nach einem gut konzipierten und perfekt durchgeführten Drehbuch ablaufen.

Bei Tisch plauderte Pouillon höchst amüsant über die parlamentarischen Sitten und Riten. Schweigsam wie immer, fragt Lévi-Strauss plötzlich mit erstaunter Miene: «Aber warum verachtet de Gaulle die Menschen?» Das ist bezaubernd, weil er immer so tut, als interessierten ihn die Fauna und die Flora eines Landes mehr als seine Bewohner. In Wirklichkeit aber ist er Humanist, und nichts ist ihm verhaßter als der Begriff der ‹Größe›.

Um 5 Uhr bei Sartre. Zeitungen, Radio, Ärger. Er bringt es aber fertig, trotzdem zu arbeiten.

Den Abend mit Olga verbracht. Sie hat Bost gebeten, in die ‹Coupole› nachzukommen. Ein junger linksgerichteter Journalist, der sie begleitet, will nicht glauben, daß de Gaulle an einem Komplott beteiligt sei. Er ergeht sich in Spekulationen über seinen ‹Charakter›, was mir ungeheuer auf die Nerven geht. In einem Zustand heftiger Gereiztheit gehe ich nach Hause.

*Samstag, 31. Mai*

Ich bin ruhiger geworden, ohne recht zu wissen, warum. Vielleicht weil Sartre auf das Corydram verzichtet hat, mehr schläft und sich ausruht. Und weil das ansteckend ist. Vor allem aber ist das Spiel zu Ende, die Partie verloren, und – wie Tristan Bernard vor seiner Verhaftung sagte: Jetzt hört man auf, sich zu fürchten, jetzt fängt man an, zu hoffen. De Gaulle wird bestimmt heute abend sein Amt übernehmen. Das heißt, daß die SFIO Alarm schlagen wird. Der durch die Eltern der Schüler unterstützte Lehrerstreik ist gestern an den Volks- und Fachschulen ein Erfolg, an den Mittelschulen ein halber Erfolg gewesen. Es gibt ernst zu nehmende oppositionelle Kräfte. Auf die eine oder andere Weise werden sie ein Wort mitzureden haben.

Am Donnerstagabend war es in Saint-Germain-des-Prés zu Zwischenfällen gekommen. Evelyne war dabeigewesen. Schöne Autos mit schönen Herren fuhren in die Richtung der Champs-Élysées. Es kam zu einer Verkehrsstockung. Sie fingen an zu hupen: *«Algérie française».* Die Cafés leerten sich, sämtliche Bewohner des *village* kamen gelaufen, und da vor der Kirche Pflastersteine lagen, hob man sie auf und schleuderte sie gegen die Autos. Evelyne folgte dieser Kolonne im Wagen Roberts. Rund um den Élysée-Palast kokettierten schmuckbehangene Damen in Abendkleidern und langen Lederhandschuhen mit den behelmten CRS-Leuten.

Auch in unserem Kreis gibt es Leute, die schwach werden. Z sagte neulich: «De Gaulle ist immerhin besser als Massu.» Und heute erklärt mir X, daß es einen Bürgerkrieg gäbe, wenn die Sozialisten nicht für de Gaulle stimmten. Er hofft, daß de Gaulle mit Mendès-France regieren und die Wirtschaft revolutionieren wird. Als seine Frau mit mir allein war, sagte sie: «Sie verstehen, uns liegt daran, daß Jean [ihr Mann] nicht gezwungen sein wird, seine Position aufzugeben.»

381

Sartre hat mit Cocteau zu Mittag gegessen, der mit dem von der Académie an de Gaulle gerichteten Appell nicht einverstanden war.

Pressekonferenz im ‹Lutétia› über die Folterungen. Mauriac bekennt sich zu de Gaulle und erhält nur schwachen Beifall. Viel Publikum. Eigentlich wenig Journalisten, aber 500 Intellektuelle.

Momentan lese ich viel mehr als ich schreibe. In der *Critique* ein interessanter Artikel über mathematische Forschungsmethoden. Wenn eine Rechenmaschine das ‹Optimum› in einem Falle wie: «Kürzester Weg zum Besuch von zwanzig amerikanischen Städten» errechnen soll, braucht sie dazu 250 000 Jahre. Der Mensch schlägt ‹Abkürzungen› ein. Jeder hat es mit anderen zu tun, die ihre Entscheidung ebenfalls mit Hilfe von Verkürzung treffen. Alles vollzieht sich auf einer Ebene, auf der das Optimum nicht existiert.

Lanzmann trifft heute in Korea ein. Sonderbarer Gedanke.

Als ich gestern gegen 3 Uhr aus der rue Blomet nach Hause kam, sah ich auf dem boulevard Pasteur Gruppen junger Leute herumstehen. «Die Polizei hat sie weggejagt, aber sie kommen wieder», sagte mir der Taxichauffeur. Es waren Rechte, die die Wiederaufnahme des Unterrichts im Buffon erzwingen wollten. Der Chauffeur: «Einen Streik mache ich nicht mehr mit, denn ich habe begriffen, daß es sich nicht lohnt, wenn man nicht arbeitet, und die anderen arbeiten… Was passieren wird? Es wird nicht schlimmer sein als das, was vorher war.» (Diese Überlegung bekommt man überall zu hören: Was auch kommen mag, es kann nicht schlimmer werden.) In bezug auf de Gaulle fügte er aber hinzu: «Er ist sowieso an allem schuld. Er hätte 1945 die Juden wegjagen müssen.» Als ich laut auflache, sagt er zuletzt: «Ich verstehe nichts davon, ganz und gar nichts. Man versteht ja doch nichts. Und ich habe einen Sohn in Algerien.»

Die Nachrichten berichten davon, daß gestern abend wieder Kundgebungen auf den Champs-Élysées stattgefunden hätten mit Hupkonzert und Rufen: *«Vive de Gaulle!»* Gegendemonstrationen: «Halt dem Faschismus!» Schlägereien. Mehrere Schwerverletzte. Die Kommunisten haben die Oberhand behalten.

Heute vormittag habe ich die Wochenzeitschriften und bei Werth sämtliche Ausschnitte über de Gaulle gelesen. Die Kampagne der nach Colombey adressierten Postkarten ist unmöglich. Von einer ‹großen Persönlichkeit› kann nicht die Rede sein.

Mittagessen und ein ruhiger Tag mit Sartre. Weil ich noch immer nicht arbeiten kann, versuche ich *Le Maroc à l'épreuve* von Lacouture zu lesen. Das Radio hat die Amtsübernahme durch de Gaulle für den morgigen Tag angekündigt. Die Sozialisten sind sich nicht einig (77 für, 74 dagegen; in der Kammer ungefähr 40 für, 50 gegen; Guy Mollet wird vielleicht zurücktreten). Jeder wird für sich stimmen. De Gaulle hat von einigen seiner Forderungen Abstand genommen. Er wird sich persönlich der Kammer vorstellen und hat eingewilligt, sich fotografieren zu lassen.

Provisorische Ministerliste mit vielen rechtsgerichteten Mitgliedern, aber ohne einen Vertreter aus Algier. Trotz der gestrigen Riesenkundgebung wird man in Algier beunruhigt sein.

Beim Weggehen treffe ich Evelyne, Jacques, Lestienne, Bénichou. Sie wollen auf die Champs-Élysées, man rechnet mit großen Demonstrationen. Die kleinen Faschisten wagen sich bereits mit ihren Zeitungen und ihren Abzeichen bis nach Saint-Germain. Überall Polizei. Es wird Blut fließen.

Evelyne sorgt dafür, daß das Komitee des 6. Arrondissements ununterbrochen tagt, und balgt sich jeden Abend. Ich würde brennend gern wieder jung sein und zusammen mit dieser Schar in echt jugendlichem Elan auf die Champs-Élysées ziehen. Vielleicht hätte ich es sogar getan, wenn ich nicht mit Violette Leduc verabredet gewesen wäre. Ich gehe nach Haus. Es ist 8 Uhr abends. Wieder die Beklemmung. Auf jeden Fall werde ich sie mit nach Saint-Germain nehmen, ich kann diesen Abend nicht abseits in einem Winkel verbringen – den letzten Abend der Republik. Die Komitees planen Kundgebungen für morgen, aber das alles ist noch unbestimmt und gleichfalls niederdrückend.

Frage Nummer eins: Was wird de Gaulle in Algerien machen?

Seltsamer Abend. V. L. erscheint und wirft sich in meine Arme. «Die kleine Chantal ist tot!» Außerdem erfahre ich gleich alles, was sich in ihrem Haus ereignet hat: Sie erzählt von dem Einsiedler im dritten Stock, dem sie Milchreis gebracht hat, der sie in Unterhosen empfing, sich dann anzog und einen Schlips umband und auf der Treppe ‹politische› Reden hielt, bis die Hausmeisterin ihn nach Villejuif, ins Irrenhaus, schaffen ließ. Sie erzählt von der fünfzehnjährigen Chantal mit dem üppigem Haar und drei Löchern im Herzen, die sechsundzwanzig Stunden lang auf dem Operationstisch gelegen hat und heute früh, völlig ausgeblutet, gestorben ist. Sie erzählt mir lauter düstere Geschichten, die mich nichts angehen und mich daran hindern, über das nachzudenken, was mich bewegt. Wir aßen in der ‹Bûcherie›, wo ich Claude Roy sah, und gingen nach Saint-Germain, um noch etwas zu trinken. Überall Menschen, auf der Terrasse der ‹Deux Magots› gab es keinen freien Platz. Wir setzten uns auf die Terrasse des ‹Royal›. Zwei Stunden lang saßen wir dort, ohne ein Wort zu reden, und sahen uns um. Wir betrachteten die extravaganten Kleider, die endlose Parade der Gesichter und vor allem die Autos, die vorbeifuhren und wiederkamen, vollgestopft mit arroganten Damen und vergnügten Herren. Ab und zu war ein Polizeiauto und ein kleiner Streifenwagen dazwischen. Fast nichts Auffallendes – wenn sich nicht gegen halb eins dieser enorme Autostrom herangewälzt hätte, der an eine Rückkehr vom Weekend oder den Stoßverkehr eines Wochentages erinnerte. Neben V. L., auf meinem Stuhl festgenagelt, fühlte ich eine völlige Leere in mir, erfüllt von dieser schönen Nacht ohne Himmel (die Lichter fraßen ihn auf), in der alles in allem nichts

geschah, weil bereits alles vorbei war, in der jedoch mit den blankpolierten Autos, den triumphierenden Damen und Herren etwas Häß-
liches offenbar geworden war.

*Sonntag, 1. Juni*

Ich habe schlecht geschlafen und wundere mich über den bürgerlichen
Klassizismus meiner Träume: man ertränkt eine nackte Frau, halb Sessel,
halb Statue, es ist die Republik. Heute nachmittag findet die Amtsübernahme statt. Eine junge Frau hat mich angerufen und mich für 3 Uhr 45
zu der Sitzung meines Komitees im 14. Arrondissement eingeladen.

Telegramm Lanzmanns, der in Pjöngjang eingetroffen ist.

*Montag, 2. Juni*

Gestern blieb mir keine Sekunde, um zu berichten, was sich abgespielt
hat. Anruf des Komitees. V. ist am Apparat, und als ich sage: «Ich bin
es», klingt seine Stimme noch immer argwöhnisch: «Simone Beauvoir
selbst?» – «Aber ja...» – «Persönlich?» – «Natürlich...» – Sartre meint,
dieses Mißtrauen sei typisch für die Kommunisten. V. teilt mir den Beschluß des Komitees mit: Am Denkmal der Republik Blumen niederzu-
legen. Ich frage, ob ich mich dem Komitee des 14. Arrondissements anschließen soll. Und Sartre? V. zögert. Er weiß nicht recht, was er sagen
soll, und bittet mich, im Büro vorbeizuschauen, allenfalls aber auch mit
dem 14. zu marschieren, außerdem ersucht er mich, die Parole weiter-
zugeben, weil man ihnen kein Kommunique gestattet hat und sie keine
Flugblätter verbreiten konnten. Das Ganze scheint mir recht schlecht
organisiert.

Ich bin mit Rolland in den ‹Deux Magots› verabredet, weil er ein
Bruchstück aus meinen Memoiren im *Observateur* veröffentlichen will.
Er hat eine Order von den Kommunisten erhalten: Mit einem Auto zur
Métrostation Sèvres-Babylone zu fahren, um Verkehrsstockungen zu
verursachen (?). Ich gehe zu Sartre hinauf. Vom Fenster aus sehe ich
Bost mit Evelyne plaudern. Sie trägt einen geblümten Rock, einen rosa
Pullover und ein rosa Tuch um den Kopf und sieht entzückend aus.
Tag für Tag fegt sie das Büro des 6. Arrondissements. Am Vormittag
hat sie zusammen mit Reggiani die Polizeikommissariate abgeklappert,
um ein junges Mädchen frei zu bekommen, das verhaftet worden war,
weil es Flugblätter verteilte. Sie haben sie nicht gefunden. Sie schlägt
vor, daß wir uns dem Ausschuß des 6. Arrondissements anschließen, der
sich um 3 Uhr 30 an der Station Sèvres/Croix-Rouge versammelt.

Um 3 Uhr 25 fahren wir hin, kommen an Adamov und anderen
Theaterleuten vorbei. Wir steigen in das Auto ein, in dem bereits Olga
und Evelyne sitzen. In der rue Jacob kaufe ich blaue und weiße Schwert-
lilien und rote Gladiolen. Wenn man uns vor zwanzig Jahren prophezeit
hätte, daß wir eines Tages Blumensträuße in den Farben der Trikolore

am Sockel des Denkmals der Republik niederlegen würden! An der Kreuzung Sèvres/Croix-Rouge stehen zahlreiche Demonstranten mit Fahnen und Transparenten, teils verstreut, teils eine feste Gruppe bildend. Da fährt ein Auto vorbei und hupt: *«Al-gé-rie-fran-çai-se».* Als die Leute sich vor den Kühler stellen, fährt der Fahrer im Zickzack und lacht über die Pfuirufe und Pfiffe. Als der Ruf: «Nieder mit de Gaulle!» erschallt, erwidern die Gäste auf der Terrasse des ‹Lutétia›: «Hoch de Gaulle!» Diskussion: Desanti und einige andere plädieren dafür, zur place de la République zu marschieren. Die Kommunisten aber haben eine andere Order ausgegeben: Also setzt sich der Zug mit Sprechchören über den boulevard Raspail in Bewegung. Nach Verlassen des Antifaschistischen Komitees steigen wir wieder ins Auto. Ich bin froh, daß wir nicht mitgegangen sind, weil ich den Eindruck habe, daß es zu Ausschreitungen kommen wird (was denn auch geschehen ist – es ging sogar recht blutig zu). Das Auto und die Blumen lassen wir auf dem boulevard Voltaire zurück. Ein Viertel vor vier, wenig Menschen, aber überall Polizei, eine richtige Armee: Bereitschaftspolizei im Stahlhelm, zu Fuß, mit vollbesetzten Wagen. Da das Denkmal umstellt ist, ist es unmöglich, heranzukommen. Es ist sehr heiß, sehr schwül. Wir fahren rund um den Platz. Zahlreiche Menschen, aber verstreut und ratlos. Die Frauen halten Blumensträuße in den Händen. (Viele Sträuße waren an diesem Vormittag in den Straßen zu sehen gewesen, aber aus einem anderen Grund: Es war der Muttertag.) In der Nähe eines Métroeingangs bekommt eine Frau einen hysterischen Anfall und fängt zu schreien an. Wir setzen uns auf eine Terrasse. Die Apteckmans kommen vorbei und setzen sich zu uns. Viele Gäste harren wie wir der kommenden Dinge. Die alte Dame neben uns hat ebenfalls einen Blumenstrauß. Apteckman geht nachschauen, ob sich etwas tut, und kehrt im Laufschritt zurück: Der Weg zum Denkmal ist frei. Bost rennt, um unsere Blumen zu holen, aber da er nicht rechtzeitig zurückkehrt, schließen wir uns ohne ihn den Demonstranten an, die unter der Aufsicht der Stadtpolizei den Platz in kleinen Gruppen überqueren. Ein junges Mädchen gibt jedem von uns aus seinem Margeritenstrauß eine Blume. Man legt die Blumen hin und bleibt auf dem Trottoir stehen. Viele Menschen beginnen hinzuströmen. Hinter uns lauter Blumenstände, die eigens aufgestellt worden sind, oder zumindest hat sich ihre übliche Anzahl vervielfacht. Die Menge singt die *Marseillaise* und ruft: «Die Polizei ist auf unserer Seite!» Burschen in Lederjacken kaufen hastig eine Pfingstrose oder eine Hortensie und überqueren würdevoll den Platz. Ein prächtiger alter Mann – langer gelber Bart, Kneifer, auf den Lippen ein ekstatisches Lächeln – sieht aus wie ein frommer Beter, der soeben das heilige Abendmahl genossen hat. Immer wieder wird gerufen: «Republikanische Polizei! De Gaulle ins Museum!» Plötzlich fängt alles zu laufen an. In dem Durcheinander fällt eine kranke Frau zu Boden, Leute bleiben stehen, um ihr aufzuhelfen.

Evelyne hatte sich hinter dem Gitter eines Kinos verschanzen wollen, aber man hat sie weggejagt. Die Concierges verschließen die Haustore (wie bei der Befreiung von Paris). Wir biegen in eine Nebenstraße ein, kehren zum Boulevard zurück und suchen das Auto, das Bost hatte wegfahren müssen (daher die Verspätung), um für die Wagen des CRS Platz zu machen. Es ist ungefähr halb fünf. Wir fahren über den Platz, der jetzt leer ist. (Ich glaube, es war zehn Minuten später, als Georges Arnaud durch einen Knüppelhieb der Arm gebrochen wurde – als Blut zu fließen begann.) Es geht das Gerücht, daß in Belleville Demonstrationen stattfänden, und so fahren wir zu den Buttes-Chaumont hinauf. Wie grün ist es dort und wie heiter, wie hübsch sind die Straßen mit dem Blick auf die bläulichen Fernen von Paris! Es ist ein friedlicher Sonntag, Leute sitzen auf den Bänken, um die frische Luft zu genießen. Kinder spielen, Firmlinge spazieren vorbei. In der avenue Ménilmontant begegnen wir wieder einem Demonstrationszug. Wir steigen aus und schließen uns an. Es sind Kommunisten des Bezirks, sie wandern in den Straßen auf und ab, in denen ich früher einmal ‹Sozialarbeit› geleistet habe, und rufen den Leuten in den Fenstern zu: «Alle Republikaner halten zu uns!» So wie am Mittwoch singt Sartre auch jetzt aus vollem Hals die *Marseillaise*. Nicht als Mitglied einer Delegation, auch nicht als der Schriftsteller J.-P. Sartre, sondern als anonymer Bürger. Und er hat alle Scheu verloren. Es gefällt ihm in der Menge, ihm, dem es so schwerfällt, mit der Elite auszukommen, und der sich zwischen ihnen nicht wohl fühlt. Wir kehren in die Avenue zurück. Vor einem Café, dessen Terrasse voller Nordafrikaner ist, rufen die Demonstranten: «Friede in Algerien!» Die Algerier lächeln kaum. Eine Frau murmelt: «Es sind nicht viele, die demonstrieren.» – «Sie haben recht», sagt ihre Nachbarin teilnahmsvoll. «Sie riskieren zu viel, gewöhnlich müssen sie alles ausbaden.» Die Leute beginnen Steine von der Straße aufzuheben, in der Ausbesserungsarbeiten im Gange sind. Aber ein anderer Zug, der mit Fahnen und Transparenten voranmarschiert, hält sie davon ab. Palaver. Die verantwortlichen Ordner fordern die Menge auf, sich zu zerstreuen. Kommen sie von der place de la République? Als wir den Platz noch einmal mit dem Auto überqueren, herrscht Ruhe, aber jetzt stehen an den Straßenecken neben den Polizisten auch behelmte Sanitäter des Roten Kreuzes.

Im Zimmer von Mme Mancy hören wir uns die neuesten Nachrichten an. An verschiedenen Stellen ist es zu Zusammenstößen gekommen. An den Bahnhofsausgängen und den Endstationen der Métro verhinderten die CRS-Leute, daß die Demonstranten, die aus der Umgebung kamen, in die Stadt gelangten (es waren zum größten Teil Mitglieder der Kommunistischen Partei). Trotzdem hatten kleinere Kundgebungen auf der place de la Trinité und der place de la Bastille stattgefunden. Mendès-France und Mitterand sind sehr mutig gewesen, als sie sagten: «Wir lassen uns nicht erpressen.» Über die Hälfte der Sozialisten, 50 von 90, werden gegen de Gaulle stimmen. Um halb acht beginnt die Auszählung.

Evelyne ruft an. Jacques ist am Samstagabend auf den Champs-Élysées verhaftet und ins Centre Beaujon eingeliefert worden. Er ist die ganze Nacht hindurch auf den Gängen und den Höfen herumgeirrt, den Tag über hat er nichts gegessen, weil er in den Hungerstreik getreten war. Seine Mithäftlinge waren Faschisten, und so bewarfen sie sich mit Steinen. Dann ließ man sie in kleinen Gruppen laufen. Jacques war um 9 Uhr abends entlassen worden. (Evelyne hat einen hübschen Ausspruch von Lestienne zitiert, in dem er sich über Palle beklagt. «Palle ist Gaullist, er versucht, mir den Gaullismus schmackhaft zu machen, was widerlich ist, weil er sehr gut weiß, daß ich im Grunde rechts stehe und daß es sehr leicht ist, mich zu beeinflussen!»)

Abend mit Sartre in der ‹Palette› und dann bei mir. Ungewisse Hoffnung auf eine Selbstbesinnung der Linken und heftige Neugier in bezug auf Algerien. Die Unterredung von Malraux mit de Gaulle am Samstag hat drei Stunden gedauert. Er wird zweifellos Informationsminister werden.

Privat: Sartre hat am Samstag mit Huston und Suzanne Flon gesprochen. Es ist abgemacht, daß er den Freud-Film schreiben wird.

Gegen 11 Uhr bricht das Gewitter los, das den ganzen Tag über gedroht hat. Blitze umzucken einen Hubschrauber mit rötlichen Lichtern, den Hubschrauber der Polizei, der am Mittwoch, während des Aufmarsches, Paris überflogen hat und es auch heute überwacht. Der Eiffelturm wird ebenfalls hell erleuchtet. Man nennt das sein ‹Leuchtgewand›. Mir ist er dunkel lieber mit seinen schönen Rubinen auf dem Haupt. Starker Regen, ein schwerer Sturm sind Begeisterungskundgebungen nicht förderlich, und es haben auch keine stattgefunden. Die Amtsübernahme in dieser Nacht ging so nüchtern vonstatten wie die irgendeines beliebigen Ministerpräsidenten. Aber der Kopf droht mir zu zerspringen. Keine Angst mehr, aber ein so hoher Blutdruck, daß ich Sarpagan nehme.

Heute vormittag habe ich *La Ligne de force* von Herbart gelesen. Das Buch enthält äußerst boshafte, aber lustige Bemerkungen über Gide und eine hübsche Anekdote über Aragon.

Ich gebe Rolland ein paar Seiten aus meinen Memoiren. Mittagessen mit einer amerikanischen Studentin, J., die mich mit abwegigen Gedankengängen über den Gaullismus anödet. Sie schildert mir ihre Kindheit: Sie hatte einen abscheulichen weißen Fleck im Auge, eine jüdische Mutter, die infantil, herrschsüchtig und ewig aufgeregt war, überall Komplexe. Mit neunzehn Jahren erhielt sie durch eine Operation ihr normales Aussehen. Sie behauptet, Sartre und meine Bücher hätten sie gelehrt, daß man durch die Vergangenheit gezeichnet, aber nicht bestimmt sei. Von diesem Augenblick an sei sie gerettet gewesen. Sie will mir die achtzehn Manuskriptbände ihres Tagebuchs schenken. Sie wird von dem Gedanken an die Atombombe verfolgt und kann nicht verstehen, warum Frankreich sich sowenig darum kümmert. Sie hat an Oppenheimer geschrieben. Sie zeigte mir eine Broschüre über die vier Amerikaner, die sich mit einem Schiff in den Stillen Ozean zu der Stelle begaben, wo der nächste Atombombenversuch stattfinden sollte, und die dann im Gefängnis gelandet sind. Sie träumt von einem Schiff, auf dem sich Angehörige aller Länder befinden: Dann hätten die USA kein Recht, sie einzusperren. Oder sie wird sich als Märtyrerin opfern, um die Wirkungen der Explosionen auszuprobieren. Diese idealistische Naivität im Weltmaßstab ist typisch amerikanisch (Gary Davis). Aber sie ist keineswegs dumm. Im Gegenteil. Vielleicht wird sie darüber hinwegkommen, sobald sie einen Beruf hat und mit beiden Beinen auf der Erde steht.

Den ganzen Tag bei Sartre, um Zeitungen zu lesen, Notizen zu machen. Er hat mit S.-S. und Giroud zu Mittag gegessen. Vor zehn Tagen hat der *Express* eine Umfrage veranstaltet, in der sich alle entschieden gegen de Gaulle ausgesprochen haben, bis auf F. (aus Verzweiflung) und, wohlgemerkt, Jean Daniel.

Kein Vertreter Algeriens im Kabinett und keine Begeisterungsausbrüche in Algier. Die Herrschaften haben große Angst, daß man sie zum Narren gehalten habe. Beuve-Méry hat restlos kapituliert. Die letzte Nummer des *Express* war besser als die vorherige. Der Hartnäckigste und Verläßlichste ist Bourdet. Seine Antwort an Sirius (Beuve-Méry) in *Le Monde* war sehr gut. *Le Monde* ist übrigens gespalten, da einige der Mitarbeiter an ihren Ansichten festhalten. *France-Soir* beginnt sich umzustellen. Ab heute wird man Auszüge aus den Memoiren de Gaulles bringen.

Gestern abend waren wir mit Sartre einer Meinung: «Der Intellektuelle kann mit dem Regime einverstanden sein, aber er darf niemals – außer in unterentwickelten Ländern, wo Kader fehlen – die Funktion eines Technikers übernehmen, wie Malraux das getan hat. Er muß, auch wenn er die Regierung unterstützt, auf der Seite des Widerspruchs, der Kritik bleiben, er soll mit anderen Worten denkendes, aber nicht ausführendes Organ sein. Ist das erst klar, dann stürmen immer noch tausend Fragen auf ihn ein, aber seine Rolle verschmilzt nicht mit der der Führung. Diese Teilung der Aufgaben ist allem anderen vorzuziehen.»

*Dienstag, 3. Juni*

Der Spannung folgt die Niedergeschlagenheit auf dem Fuß. Ich habe so wenig Lust, die Nase hinauszustecken, daß ich heute bis halb eins geschlafen habe. Es ist noch immer bewölkt und kalt. Gestern abend war ich mit Sartre und Bost zusammen. Als ich sie im ‹Falstaff› erwarte, höre ich, wie am Nachbartisch ein junger Herr, Typ höherer Beamter (vielleicht ein kleiner Gauner. Als er 1963 Sartre wieder im ‹Falstaff› traf, prophezeite er ihm: «Jetzt wird es hart auf hart gehen»), mit einer sehr häßlichen Frau plaudert. «Immerhin hat Mendès-France de Gaulle Beifall gezollt ... Nein, X wünscht keine Volksfront, also wird er sich überzeugen lassen ... Versuchen Sie, Ihre Gruppe zu beeinflussen ... So ein Pech, es scheint, daß Lazareff im Grunde seines Herzens Antigaullist ist ...» Als Sartre erscheint, murmeln sie: «Das ist Sartre» – und gehen kurz darauf weg. Als wir mit dem Essen beginnen, wird Sartre ans Telefon gerufen: «Monsieur Sartre, ich möchte Ihnen mitteilen, daß der General die Absicht hat, mit Algerien Frieden zu schließen, daß er Sie nicht verhaften lassen wird und daß wir die Haltung bedauern, die Sie im *Express* eingenommen haben.» Das ist sehr höflich: Er will *überzeugen*.

Ich finde es nicht amüsant, diese Geschichten niederzuschreiben. Aber ich bin zu niedergedrückt, um schreiben zu können. Nächste Woche werden wir nach Italien aufbrechen. Das verschärft noch den provisorischen, zufälligen Charakter dieser Periode. Es fällt mir schwer, mich für meine Vergangenheit zu interessieren. Ich weiß nicht recht, was ich tun soll.

Ein sehr guter Artikel in der *Saturday Review* mit meinem Foto auf dem Umschlag. Die *Times* und die *New York Times* sind dagegen gar nicht zufrieden. Es irritiert sie, daß ich Gutes über China zu sagen habe, obwohl ich keine Kommunistin bin.

Die Kundgebungen von Mittwoch und Sonntag als ‹detotalisierte Totalität› zu schildern, wäre ein echtes literarisches Problem. Sartre ist es in *Le Sursis [Der Aufschub]* in einem gewissen Grade gelungen. Das erscheint mir interessanter als die Sackgasse der sogenannten ‹Nicht-Literatur›.

Sartre hat Pontalis vor kurzem erzählt, daß, wenn er ein Thema für ein Theaterstück sucht, in seinem Kopf eine große Leere entsteht und daß er im nächsten Augenblick die Worte hört: «Die vier Reiter der Apokalypse». Das ist der Titel eines Romans von Blasco Ibañez, den er in seiner Jugend gelesen hat. Auch ihm fällt es sehr schwer, wieder an die Arbeit zu gehen. Er nimmt wieder Corydram. «Ich bin nicht traurig», sagt er zu mir, «aber ich schlafe. Es ist eine Grabesstille.»

*Mittwoch, 4. Juni*
Ich weiß nicht, warum ich gestern abend dermaßen gereizt war. Es irritiert mich zweifellos, daß alle Zeitungen, alle Leute sich fragen, was ‹er› sagen wird, und sehen zu müssen, wie sie sein Schweigen deuten. Und dann seine altgewordene Stimme, seine rätselhafte Großtuerei vor dem Hintergrund des Geschreis in Algier. Und wenn man bedenkt, daß sie jetzt wieder anfangen werden, das Orakel zu entziffern, weil sie ihm um jeden Preis eine Hoffnung abringen wollen, obwohl das Spiel unerbittlich zu Ende ist: die Jahre des Krieges, des Gemetzels, der Foltern.

Gestern früh war ich beim Zahnarzt. L., Kommunist und Jude, ist gleichfalls tief betroffen. Er sagt, daß die Kommunisten von einem unerträglichen Optimismus seien, überzeugt, daß alles gewonnen sei, weil die Hälfte der Sozialisten mit ihnen gestimmt habe. Unter seinen Patienten gibt es einige, die sagen: «Was wollen Sie denn, de Gaulle wird Sie nicht in ein Konzentrationslager stecken.» – «Das weiß ich.» – «Warum regen *Sie* sich dann darüber auf?» Mittagessen mit Bianca, die noch immer sehr von ihren Komitees in Anspruch genommen ist. Sie erzählt, daß man in den Straßen Fallschirmjäger in Zivil angetroffen habe. (Das stimmt mit der Notiz überein, die erst im *Express* von der Zensur gestrichen worden ist und die heute doch bestätigt wird: Lagaillarde sei mit sechs Freunden auf einem Flugplatz gelandet, um mit den in der Nähe von Paris kasernierten Fallschirmjägern Kontakt aufzunehmen. Man hat sie trotzdem höflich nach Algerien zurückgeschickt.) Sie erzählt auch, daß man in Passy und Neuilly begonnen habe, eine Art ‹Stadtmiliz› zu organisieren, mit Häuserblockvertrauensleuten, usw., genau wie während der Besetzung.

Den Nachmittag habe ich bei Sartre verbracht und mich vergebens damit abgemüht, an mein Buch zu denken. Auch ich habe mich gefragt: «Was wird de Gaulle sagen?» Jetzt weiß ich es. Er begrüßt die ‹Erneuerung› und die ‹Verbrüderung› und führt Algerien als Beispiel an, das er auf ganz Frankreich ausgedehnt sehen möchte. Soustelle weicht nicht von seiner Seite. Auf dem Forum huldigt er dann Algier, der Armee und erklärt, ohne das Wort ‹Integration› auszusprechen, daß die Moslems «zur Gänze Franzosen» werden müßten. Er spricht von der «Einheitsschule». Algier ist enttäuscht, weil er ihnen noch nicht faschistisch genug ist. Und eine echte Integration würde ihnen gewaltig gegen den Strich gehen. Trotz unseres Mißtrauens sind wir darüber erstaunt, daß er sich gegenüber Algier so radikal engagiert hat und seine Politik weiterverfolgt. Nun ist wenigstens alles klar. In der ‹Palette› reden wir den ganzen Abend von nichts anderem. Ich mache mir Vorwürfe, weil ich nicht aktiver gewesen bin. Sartre sagt mir, was ich mir selber oft sage: Es falle mir schwer, dasselbe zu tun wie er. Unsere Namen werden dadurch eng miteinander verbunden. Wie dem auch sei, nach der Rückkehr aus Italien werde ich versuchen, mich stärker zu engagieren. Die Situation wäre mir nicht so unerträglich, wenn ich energischer gekämpft hätte. Als ich verärgert und in gewissem Sinne gedemütigt und wütend nach Hause komme, finde ich einen völlig irrsinnigen Brief vor, den Y mir anläßlich von *Le Traître* von Gorz und Sartres Artikel im *Express* geschrieben hat: entfesselter Antisemitismus. Da packte mich eine unbeschreibliche Wut, an der ich über eine Stunde lang zu ersticken drohte und die ich nur mit Hilfe eines Schlafmittels überwinden konnte.

Ich habe schlecht geschlafen und bin schon mit überreizten Nerven aufgewacht. Ein Brief des Ministère de la Défense nationale, unterzeichnet von einer Mme de …, bittet mich um Artikel für die beiliegende Zeitschrift *Bellone*, die sich an die ‹Soldatenfrauen› wendet. Will man uns obendrein auch noch Avancen machen? Ich kaufe mir die Zeitungen und lese sie im Café an der Ecke der avenue d'Orléans. Der *Observateur* ist wie immer sehr gut, der *Express* bringt gute Notizen und maue Artikel. Beide verhalten sich abwartend. Sie warten darauf, daß de Gaulle in Algerien wirklich verhandelt. Sie schreiben, man müsse gegen ihn Front machen, «auch wenn ...» Heute ist alles klar, und ich nehme an, daß Bourdet nach dem alten Ausspruch Mauriacs «angenehm enttäuscht» ist. Abbas, Tunis, Rabat antworten kategorisch, daß das, was de Gaulle anbietet, unannehmbar ist. Nur dieser verrückte Amrouche in *Le Monde* entbietet einen militärischen Gruß: «Ich habe Vertrauen zu Ihrem Wort, Herr General.» An anderer Stelle erfährt man, daß es in Frankreich über 350 Wohlfahrtsausschüsse gibt. Von de Gaulle ermuntert, werden die Herrschaften ordentlich zuschlagen. Sartre meint, daß wir momentan nichts zu befürchten hätten. Also ruhen wir uns aus. Nach der Rückkehr werden wir an die Arbeit gehen.

Mittagessen mit Reggiani und seiner Frau. Sartre erzählt ihnen den Inhalt des Stücks, das er gern im Oktober aufgeführt sehen möchte. Was später wird, ist ja völlig ungewiß.

Ich habe mir ein Kleid gekauft, um mich abzulenken, aber es hat nur fünf Minuten gedauert und mich nicht abgelenkt. Bitterer Nachgeschmack der Niederlage.

Ich begreife selber nicht, warum ich so niedergeschlagen bin. Der Faschismus steht vor den Toren und dann das Gefängnis oder das Exil. Sartre wird es übel ergehen. Aber nicht die Furcht quält mich, darüber bin ich hinaus. Was ich physisch nicht ertrage, ist die Mitschuld, die man mir unter Trommelwirbel aufzwingt, die Mitschuld an dem Treiben der Brandstifter, Folterknechte und Metzger. Es geht um mein Vaterland, das ich geliebt habe, und selbst wenn man von Chauvinismus oder übertriebenem Patriotismus nichts hält, ist es schwer erträglich, sich gegen das eigene Land zu stellen. Sogar die Wiesen, der Himmel über Paris und der Eiffelturm sind nicht mehr dieselben.

Heute früh, während ich an der Ecke Zeitungen las, begannen zwei Straßenhändler aus Nordafrika, die Kirschen verkauften, mit einer Schlägerei. Und wie sie sich geprügelt haben! Trotzdem gab es Passanten in Lederjacken – sicherlich keine Bourgeois –, die hinzustürzten, um sie zu trennen. Das war nicht leicht, weil der eine sich mit den Zähnen durch das karierte Hemd hindurch in die Schulter des anderen verbissen hatte. Dann erschien lächelnd und den Knüppel schwingend ein Polizist. Aber es ist alles schon vorbei, er hat eine Gelegenheit verpaßt, draufloszudreschen.

*Donnerstag, 5. Juni*
Am heutigen Morgen hat sich, ohne ersichtlichen Grund, meine Verkrampfung gelockert. Eine Karte aus Irkutsk. L. findet Sibirien zauberhaft. Wie gut ich mich an die kleinen Flugplätze mit den bauschigen

Gardinen erinnere. Ich habe mich in das Auto gesetzt und bin der Kontrolle halber nach Fontainebleau und wieder zurück gefahren. Ich bin marschbereit, der Wagen ebenfalls. Ich möchte so schnell wie möglich aufbrechen.

Joan hat bei der Concierge die achtzehn Bände ihres Tagebuchs hinterlegt. Trotz des Wortschwalls interessant, weil sie sich ohne Vorbehalte ausliefert. Im allgemeinen faszinieren mich Tagebücher, und dieses Tagebuch ist recht ungewöhnlich. Man versinkt tatsächlich in einem anderen Leben, in ein anderes Bezugssystem, und in gewissem Sinne ist das der allerschärfste Zwiespalt: weil sie beim Lesen das absolute Subjekt ist – und nicht ich.

De Gaulle setzt, sichtlich unzufrieden, seine Rundreise durch Algerien fort. In Oran hat man gerufen: «Soustelle! Soustelle!» – und er hat gesagt: «Hören Sie bitte damit auf!» Offenbar liebt er diesen Faschismus nicht, der ihn zu überflügeln droht und dem er trotzdem Schützenhilfe leistet. Aber genug der Kommentare, der Prophetien und Deutungsversuche! Ich möchte nur noch feststellen, daß die Presse nicht gerade übereifrig ist, daß dieses *come back* von keiner Seite mit Begeisterung begrüßt wird.

*Sonnabend, 7. Juni*

Ich habe fast vierzehn Tage nicht gearbeitet, obwohl ich am 25. Mai so ungeduldig war. Aber die Angst fördert die Arbeitslust nicht gerade, besonders wenn man erfinden und wagen soll. Heute früh kam ein Brief von Joan. Sie hat de Gaulle gehört und fand ihn widerlich. Das ist eine rein gefühlsmäßige Reaktion, die aber viele Leute teilen: Sein Stil ist faschistisch, militaristisch, prahlerisch und enthüllt vieles. Interessanter Brief von A. B. (der in Algerien stationiert ist). Er erzählt von der Angst der Moslems in den kleinen *bleds*. Sie weichen ihm aus, weil sie sich nicht kompromittieren wollen. Die falsche Verbrüderung wurde unter furchtbarem Druck erzwungen. Unterdessen gingen die Verhaftungen und Metzeleien pausenlos weiter.

Ich erledige meine Post. Grauer, lustloser Vormittag.

*Sonntag, 8. Juni*

Ich habe aufgehört, dreimal täglich Nachrichten zu hören und sämtliche Ausgaben von allen Zeitungen zu lesen. Momentan entwickelt sich alles sehr langsam. Am Freitagabend hat de Gaulle in Mostaganem endlich die Worte *Algérie française* ausgesprochen, aber die ‹linken Gaullisten› betonen, daß er es vermieden habe, von ‹Integration› zu sprechen. Für einen Menschen mit ‹Charakter› hat er sich seltsam gefügig erwiesen. Schließlich hat man – von anderen Dingen ganz zu schweigen – in Algier die beiden Minister, die ihn begleiteten, sozusagen hinter Schloß und Riegel gesetzt, und statt zu fordern, daß sie an den darauffolgenden

Tagen sämtlichen Feierlichkeiten beiwohnten, hat er die Ohrfeigen eingesteckt. Er hat ein biegsames Rückgrat.

Ich vertiefe und verstricke mich immer mehr in das außerordentliche Tagebuch Joans. Es geht mir nahe, weil sie meine Bücher auf so lebendige Weise gelesen hat, weil ihre Kritik oft zutreffend ist und weil sie mich mit soviel Eifer und Intelligenz verteidigt. Selbst hier komme ich mir noch blasiert vor. Ich glaube, vor zehn Jahren hätte es mich noch beeindruckt. Jetzt bereitet mir es ein gewisses, aber zweifelhaftes Vergnügen: Es gilt, andere Bücher zu schreiben, bessere, es gilt, sich neue Verdienste zu erwerben, wirklich zu verdienen, daß man für seinen Nächsten lebt. Und ich schwanke zwischen zwei Projekten, ohne mich entscheiden zu können.

*Dienstag, 10. Juni*

Malraux hat zu S. S. gesagt (und Sartre hat es sofort erfahren): «Wir haben zuverlässige Nachrichten über die Verbrüderung; sie ist eine Tatsache.» Wenn sich die Mythenbildung zu einem politischen System entwickelt, dann wird es ernst. Er hat einen Vortrag über die ‹Großzügigkeit› Frankreichs gehalten, gegen den sogar Clavel im *Combat* protestiert hat. Bost sitzt im Kontrollausschuß der Filmleute und ärgert sich über die Zaghaftigkeit der Mitglieder. Zehn von den fünfzehn sind Kommunisten. Sartre meint, es sei lediglich ein Auf-der-Stelle-Treten, die Komitees könnten vor der Volksabstimmung nichts Ernsthaftes unternehmen.

Am Sonntag Abendessen mit der sehr netten Suzanne Flon und Huston. Er hat trotz seines dicken Gerstenkorns den verführerischen Charme der Amerikaner. Es wird fast nur von Freud gesprochen, der bis zu seiner Verheiratung mit siebenundzwanzig Jahren unberührt und nachher ein restlos treuer Ehemann war. Die Idee zu diesem Film war Huston gekommen, nachdem er einen Dokumentarstreifen über die durch den Krieg verursachten Neurosen gedreht hatte. Der Film war schließlich so antimilitaristisch geworden, daß er von der Zensur verboten wurde.

*Mittwoch, 11. Juni*

Da ich gestern abend frei war, verabredete ich mich mit Joan. Der Gedanke bedrückte mich ein wenig, daß sie fünf Jahre lang bestrebt gewesen war, mich kennenzulernen, daß sie soviel Hartnäckigkeit und Geschicklichkeit aufgebracht hatte, bis es ihr glückte, und daß nichts weiter dabei herauskam als drei banale Gespräche. Nachdem ich nun fast das ganze Tagebuch gelesen hatte, wollte ich mich mit ihr über sie unterhalten. Wie unglücklich war sie gewesen! Was für eine schöne ‹kleine Hölle› hat sie sich mit jener echt amerikanischen Mischung aus Freizügigkeit und Tabus zurechtgemacht, vor dem Hintergrund ihrer grausamen Häßlichkeit und ihrer verkrampften Beziehungen zu einer hübschen, berühmten Mutter, die wahnsinnig wurde, weil ihr Mann, ein ruhiger und liebevoller Mensch, sie verlassen hatte, um ans andere Ende der Welt zu reisen. In ihrem Schatten verbrachte Joan, einen Fleck im Auge, mit schiefen Zähnen, von Tics und Menschenscheu gequält, eine einsame und vergällte Kindheit. Mit sechzehn Jahren hatte sie eine Idylle mit Bodenheim, einem berühmten Dichter aus den zwanziger Jahren, der bereits hoffnungslos alkoholisiert, arbeitsunfähig und halb irrsinnig war. Er betätschelte sie auf offener Straße. Die Mutter, die von einer Polizistin unterrichtet worden war, schrieb an Bodenheim einen Brief, in dem sie sich als Berufsboxer ausgab und ihm drohte, ihn zu verprügeln. Da erklärte er Joan, daß er mit ihr brechen müsse, weil er an Hämorrhoiden leide und einen Leistenbruch habe und weil er bereits so viele Affären mit Minderjährigen gehabt habe, daß er bei einem neuen Fall eine Gefängnisstrafe, zumindest einen Skandal riskiere und daß sein Verleger dann seine Bücher nicht mehr auflegen würde. Fünf Jahre später ist er gestorben, mit einer recht schönen Frau im Bett überrascht, deren eifersüchtiger Mann ihm einen Messerstich ins Herz versetzte, die Frau erwürgte und seine Tage in einem Irrenhaus beschloß. An der Beerdigung Bodenheims nahm ganz Greenwich teil, dem Sarg der Frau folgte keine Menschenseele. Joans weitere Geschichte war eine ganze Reihe mehr oder weniger schmutziger Abenteuer und unglücklicher Liebschaften. Da sie – von heftigem Temperament und stets aufgeregt – mit Kommunisten und Trotzkisten liiert war, begegnete man ihr mit Mißtrauen, obwohl sie eine glänzende Schülerin war. Schließlich reiste sie nach Paris. So kam es, daß sie meinen Vortrag besuchte und mir einen Brief schrieb. Wir aßen im ‹Falstaff›. Eine halbverrückte Blumenverkäuferin sang und drehte und wendete sich auf dem Parkett unter lautem Gelächter der Gäste. Ich riet Joan, nach Amerika zurückzukehren, kein Tagebuch mehr zu führen, an anderes zu denken als an die eigene Person, zu lesen, statt zu denken. Ich riet ihr zu schreiben, da sie mir begabt zu sein schien. In dem Tagebuch tut sich etwas, und sogar etwas sehr Wesentliches. Sie traut sich aber nicht. Sie möchte in einer Fabrik arbeiten, um «in der Nähe des Proletariats zu sein». Aber ich glaube, daß die Literatur für sie das einzige Mittel ist, um der Einsamkeit zu entrinnen. Sie trägt ein schwarzes Samtkleid mit einem recht hübschen blauen Schmuckstück und hat sich die Haare in die Stirn frisieren lassen. «Ich bin nicht *ugly*, nur *plain*», sagt sie zu mir. Im August wird sie nach Amerika zurückkehren. Es würde mich überraschen, wenn sie den Entschluß faßte, zu schreiben.

Den Vormittag bei Gallimard. Anderthalb Stunden lang in den ‹Deux Magots› mit Jacques Lanzmann geplaudert. Er erzählte mir von seiner Reise nach Mexiko, Kuba, Haiti, Santo Domingo. Er behauptet, in Santiago de Cuba mit eigenen Augen Männer gesehen zu haben, die man an den Hoden aufgehängt hatte, und einen Tiger, dem man Leichen zum

Fraße vorwarf. Aber er ist ein Dichter. Er erzählte, daß Batistas Presse täglich die Fotos der Gefangenen veröffentlichte, die gefoltert und getötet wurden: über hundert pro Tag. Claude Julien, der als Mitglied der Résistance gefoltert worden war, konnte es kaum ertragen. Sie hatten Mittel und Wege gefunden, um ins Maquis zu gelangen, und wollten eine Reportage über Castro und die Rebellenarmee machen. Eine Stunde vor dem Aufbruch ins Maquis wurden sie verhaftet. Sie kamen auf die Idee, zu dem General (der seine Feinde am liebsten eigenhändig kastrierte) zu sagen: «Wir haben in Algerien Probleme, die den Ihren ähneln. Deshalb sind wir gekommen, um zu sehen, wie Sie sie lösen.» Julien durfte dank seiner Papiere nach Havanna zurückkehren, während man Jacques in ein Flugzeug nach Haiti setzte.

Gestern abend hat der Wohlfahrtsausschuß von Algier eine aufrührerische Erklärung abgegeben. War Salan damit einverstanden oder nicht? Trotzdem entschließt sich de Gaulle nach einigem Zögern, zu sagen, daß er nicht einverstanden sei.

Bei Sartre korrigiere ich Fahnen, mache mir Notizen. Er freut sich genauso wie ich, nach Venedig zu fahren. Ich kann nicht arbeiten, solange ich dort nicht seßhaft geworden bin. Vor drei Wochen war der Elan da, aber er hat sich glatt in Nichts aufgelöst.

Jules Moch (*En retard d'une guerre*) unterscheidet zwischen der Epoche der individuellen, handwerklichen Vernichtung im kleinen und der Epoche der Massenvernichtung. Warum berührt mich (Sartre stimmt darin mit mir überein) die atomare Gefahr so wenig? Vielleicht, weil ich sie mir ganz und gar nicht vorzustellen vermag. Man kann nur phantasieren, und das ist sinnlos. Vor allem dann, wenn die algerischen Probleme so real und dringend sind und uns unmittelbar angehen.

*Freitag, 13. Juni*
Liebenswürdiger Brief einer zwanzigjährigen Studentin. Momentan verführt mich alles zum Narzißmus: Joans Tagebuch, ein Berg freundschaftlicher Briefe, Gennaris Buch über mich, meine eigenen Erinnerungen, die ich den ganzen Tag lang lese, weil ich dabei bin, meine Memoiren zu korrigieren. Das läßt den Entschluß in mir reifen, diese Autobiographie fortzusetzen: Es gibt sicherlich Menschen, die sich dafür interessieren. Sartre sagt mir noch einmal, daß ich auf jeden Fall so viel geleistet hätte, daß der Versuch gerechtfertigt sei. Ich werde mich also in Italien an die Arbeit machen. Bewegte Tage, wie sie einer Abreise immer vorausgehen. Besorgungen, Post, riesige Stöße Korrekturfahnen. Ich habe mir bei V. Leduc Monique Nathans *Virginia Woolf* geliehen. Nachdem ich ihr Tagebuch gelesen habe, wollte ich noch einmal die ungewöhnlichen Züge dieser Frau betrachten: was für ein einsames Antlitz!

Malraux mit seinem ‹psychologischen Schock›: Er ist völlig übergeschnappt.

Plötzlich eine ganz andere Perspektive: Urlaub. Am Sonnabend bin ich um halb sieben aufgewacht. Da mich nichts daran hinderte, sofort aufzubrechen, fuhr ich los. Welche Verjüngungskur, wieder wie zur Zeit der Fußwanderungen in die Einsamkeit, in die Freiheit unterzutauchen. Der Morgen war herrlich. Die Straße ins Morvan ist mir wohlbekannt. Sie ist für mich mit Erinnerungen gepflastert ... Auch Annecy ist eine Erinnerung, eine noch ältere. Noch nach zwanzig Jahren sind mir die Kanäle, die Arkaden, die kleinen Restaurants am Ufer vertraut. Ich esse in der Altstadt, trinke am See einen Whisky und lese *Der Nächste ins Paradies* von Hlasko. Es macht mir Spaß, früh aufzubrechen, bevor der Vorhang sich hebt. Zauberhafte, noch menschenleere Straße am Seeufer. Allmählich bevölkern sich die Dörfer, legen ihren Sonntagsstaat an. Auf dem Kleinen St. Bernhard liegt Schnee, und es findet sogar ein Wettbewerb im Slalom für Skiläufer statt. Die Gebirgslandschaft erfüllt mich mit einer gewissen Wehmut, weil das alles ein für allemal vorbei ist: die langen zehn- bis zwölfstündigen Wanderungen in zwei- bis dreitausend Meter Höhe und sogar noch höher, die Übernachtungen im Zelt oder im Heuschuppen, all das, was ich so sehr geliebt habe. Ich esse in Saint-Vincent zu Mittag. «Wie sieht es denn in Frankreich aus?» fragt mich die Wirtin. «Das hängt davon ab, auf wessen Seite man steht, es hängt davon ab, ob man die Generale liebt oder nicht», sage ich zu ihr. Um die Sonne zu genießen, mache ich auf einer Wiese inmitten der herrlichen Umgebung halt, zur Rechten in der Ferne ein verfallenes Schloß, links von mir ein zweites. Im tiefen Gras lese ich den Hlasko zu Ende: viel Wodka, wenig Liebe, weil die Liebenden keinen Unterschlupf finden, eine stimmungsmäßige Bosheit, die von der Unzufriedenheit mit der Welt und der eigenen Person herrührt. Gut erzählt, aber auch nicht mehr. Ich fahre noch durch mehrere kleine Orte, deren Straßen mit gelben Sandsteinen gepflastert sind und in der Sonntagsfreude schwelgen, dann kommt die Autostrada und bald darauf die Piazza della Scala.

Es ist sechs Uhr, ich weiß nicht, was ich anfangen soll, das ist ein wenig verwirrend und doch angenehm. Ich trinke zwei Gin-Fizz in der Hotelbar: Sie sind noch immer genausogut wie früher. Wie luxuriös schien mir 1946 diese Bar! Es war wirklich eine neue Jugend, aufregender als die alte. In der Erinnerung an jene Tage spaziere ich durch ein lauwarmes, müßiges, fast menschenleeres Mailand: der Sonntag, der sich seinem Ende zuneigt ... Alle Italienerinnen tragen Hemdkleider, die, ob elegant oder von der Stange, meiner Meinung nach betrüblich aussehen. Überall neue Wolkenkratzer und neue Gebäude, in Italien ändert sich alles sehr rasch. Auch die Autostrada hat sich seit dem vorigen Jahr durch die riesige Brücke, die zur Stadt führt, verändert.

Sartre ist morgens um halb neun angekommen. Wir haben im ‹Café della Scala› die Zeitungen gelesen. Wunderbares Italien! Sofort ist man mittendrin. Eine Kunsttragödie ist groß und breit aufgemacht: Ein Geistesgestörter, der sich als ‹anachronistischen Maler› bezeichnet, hat gestern in Brera Raffaels *Hochzeit der Jungfrau Maria* mit Hammerschlägen attackiert. Ein Aufseher konnte zwar das Schlimmste verhüten, aber die Freveltat hat Spuren hinterlassen, worüber allem Anschein nach die ganze Welt bestürzt ist.

Die Zeitungen beschäftigen sich nur wenig mit Frankreich, aber beim Friseur habe ich in einer Nummer von *Oggi* einen sehr amüsanten Artikel gefunden: Die zehn Gebote des Gaullisten. Er zieht eine Parallele zwischen den jetzigen Ereignissen und jenen, die sich 1922 in Italien abgespielt haben. Nun seien wir Franzosen an der Reihe, uns mit dem Faschismus auseinanderzusetzen, und das findet man erheiternd. Die Linke lacht zwar, ist aber beunruhigt. Eine Rechtsdiktatur in Frankreich ist auch für Italien eine ernste Gefahr.

Vormittags sind wir durch Mailand geschlendert und haben dann mit den Mondadoris im ‹Restaurante della Scala› zu Mittag gegessen. Er hat sich in den zwölf Jahren nicht verändert, sieht immer noch aus wie ein stolzer Korsar. Sie ist erblondet, hat noch immer ihr Lächeln, ihr Naturell, ihren Charme. Er schreibt zum erstenmal Gedichte, politisch engagierte Gedichte, er steht links. Dann kommt die Rede auf Hemingway. M. erzählt, daß er in Cortina wie üblich getrunken habe, aber seine Leber, sein Herz und der Gedanke, daß das Trinken ihn umbringen würde, quälten ihn neuerdings. Als er eines Tages nach dem Essen einen Schluckauf bekam, ließ er erschrocken einen Arzt kommen. «Mit dem Aufzug fahren», sagte der Arzt. Sechsmal hintereinander ist H. hinauf- und hinuntergefahren, an der einen Seite auf den Arzt, an der anderen auf Mondadori gestützt. Der Schluckauf verschwand. Er rückte seinen grünen Augenschirm zurecht und legte sich schlafen.

Wir sehen uns die Ausstellung altlombardischer Kunst an. Nichts Schönes bis auf ein großes Altarbild. Sartre ist gereizt. «Das ist Soldatenkunst! So wird gemalt, wenn die Militärs an der Macht sind!» Da sagt Mondadori zu uns mit einem etwas boshaften Mitgefühl: «Zwanzig Jahre lang haben wir weder Kunst noch Literatur gehabt ...»

In der Abenddämmerung haben wir erleichtert, und von den französischen Albträumen befreit, auf dem Domplatz gegessen. Sartre sagte, daß ihm seit langem nicht so friedlich zumute gewesen sei.

*Dienstag, den 17. – Venedig*

Trotzdem träume ich immer noch schlecht. Morgens beeile ich mich, aufzuwachen.

Kurz vor 10 Uhr brechen wir auf. Blaugrauer Himmel, sonniges und dunstiges Wetter: Norditalien. Mittagessen in Padua. Wir trinken Kaffee in einem Café, das in dem Ruf steht, das geräumigste Café der Welt zu sein. Ich habe eine Zeitung gekauft. Auf der ersten Seite: Nagy erschossen, ebenso Maléter und zwei andere. «Man darf keine Zeitungen mehr kaufen!» sagt Sartre, dessen Seelenfrieden wieder zerstört ist.

Venedig. Zum zehnten-, zum zwölftenmal? Liebenswürdig vertraut. «Kanal wegen Ausbesserungsarbeiten gesperrt.» Umleitung über unbekannte Kanäle, die so eng sind, daß man kaum durchkommt. Hübsche Zimmer im ‹Cavaletto›. Sartre bestellt drei Portionen Tee und schickt sich an, zu arbeiten. Festy hat mir Korrekturbogen nachgeschickt. Ich gehe auf den Markusplatz, aber dort ist die Musik zu laut. Ich setze mich auf den Kai und korrigiere vierzig Seiten. Dann kehre ich ins Hotel zurück. Der Himmel ist blaß, kaum rosig angehaucht, gedämpfter Lärm kommt vom Gondelhafen und den Kais her. Morgen muß ich mich an die Arbeit machen, sonst fange ich an zu verkümmern.

*Mittwoch, 18. Juni*

Schlagzeilen auf der ersten Seite der italienischen Zeitungen: *«Le mani sporche».* Es wird von nichts anderem als von der Hinrichtung Nagys und Maléters gesprochen. Warum? Wir diskutieren endlos, ohne zu einem Ergebnis zu kommen. Für Frankreich ist es verhängnisvoll. Die Kommunisten werden noch isolierter sein, die Linke demoralisiert, der Gaullismus gestärkt. Den Gegendemonstrationen, die heute stattfinden sollen, wird die nötige Begeisterung fehlen. Und dabei wollte Sartre für einige Tage die Politik vergessen!

Langer Brief Lanzmanns. In Sibirien hat es ihm gut gefallen. Die Koreaner haben ihn mit Gengseng betrunken gemacht. Die Amtseinsetzung de Gaulles hat er in Pjöngjang von dem Sender auf Okinawa erfahren.

*Freitag, 20. Juni*

Mir gefällt mein Zimmer mit dem Spiel der Lichter und Schatten an der Decke und dem *batti-becco* der Gondolieri. Aber bisher habe ich kaum gearbeitet, habe nur gelesen, war müde. Heute früh habe ich mich entschlossen, an die Arbeit zu gehen. Ich muß mir vornehmen, jeden Tag zehn Seiten zu entwerfen. Nach dem Urlaub werde ich dann genügend Material haben, ein schönes Paket Skizzen, mit dem sich dann etwas anfangen läßt. Ich muß so viele Erinnerungen zusammentragen, daß mir das als die einzig mögliche Methode erscheint. Ich habe *L'Invitée* von Anfang bis Ende wieder durchgelesen und mir notiert, was ich von dem Buch halte. Ich finde dort fast wortwörtlich Formulierungen, die ich in meinen *Mémoires d'une jeune fille rangée* benutzt habe, und andere, die in *Les Mandarins* wiederkehren. Das ist im Grunde nicht entmutigend: Denn man schreibt eben immer nur seine eigenen Bücher.

Wiedersehen mit San Rocco, seiner Kirche und der Akademie. Ich stelle Vergleiche an mit dem, was Sartre mir im vergangenen Jahr über Tintoretto gesagt hat.

Am 18. Juni scheint sich fast nichts ereignet zu haben, abgesehen von einigen faschistischen Schlägereien in Ajaccio, Pau, Marseille.

*Sonnabend, 21. Juni*

Briefe. Darunter der einer Römerin. Sie ist verheiratet, hat zwei erwachsene Kinder, hat aktiv gegen den Faschismus gekämpft und war Mitglied der KP. Von der Hinrichtung Nagys tief betroffen, beklagt sie sich über ihr Leben: Nichts zu tun haben, auf nichts einwirken zu können. Wie oft erklären die Briefschreiberinnen: «Es ist schrecklich, eine Frau zu sein!» Als ich *Le deuxième Sexe* schrieb, habe ich wirklich nicht fehlgegriffen, es war sogar noch wichtiger, als ich angenommen hatte. Auszüge aus den Briefen, die ich seit dem Erscheinen des Buches erhalten habe, würden ein herzzerreißendes Dokument ergeben.

Gestern haben wir im Museo Correr einen Antonello von Messina gesehen, der nicht sehr schön ist, aber deutlich beweist, was Sartre mir erklärt hat: Durch ihn hat sich der Übergang von Vivarini zu Giorgiones *Gewitter* und, noch präziser, von Bellinis erster Stilperiode zur zweiten vollzogen. Unser Geschmack hat sich in den zwanzig Jahren nicht sehr geändert: Immer wieder packt mich das gleiche bewundernde Erstaunen vor den Gemälden Cosimo Turas, die wir seinerzeit zu unserer großen Überraschung entdeckt hatten.

Unser Leben bekommt einen bestimmten Rhythmus. Um halb zehn aufstehen, dann ein langes Frühstück mit Zeitungslektüre am Markusplatz. Arbeit bis halb drei. Nachdem wir eine Kleinigkeit gegessen haben: Spaziergang oder Museum. Arbeit von 5 bis 9. Scotch in ‹Harry's Bar›. Letzter Scotch um Mitternacht auf dem Platz, nachdem endlich die Musikanten, die Touristen und die Tauben verschwunden sind und er trotz der Terrassenstühle jene tragische Schönheit zurückgewonnen hat, die Tintoretto ihm in der *Entführung des heiligen Markus* verliehen hat.

Gestern nachmittag habe ich einen ungeheuren Stoß Fahnen korrigiert, die Festy mir zugeschickt hatte. Zum erstenmal macht es mir Spaß, ein Buch wieder durchzulesen, das ich geschrieben habe. Wenn ich mich nicht täusche, so müßte es bei jungen Mädchen Erfolg haben, die kein Verhältnis zur Familie und zur Religion finden und die sich nicht getrauen, etwas zu sagen. Außerdem glaube ich, den nötigen Elan für mein neues Buch gefunden zu haben.

Pariser Zeitungen. Mauriac ist dabei, in seinen *Bloc-Notes* Guy Mollet zu loben! Briefe aus Paris. Die Versammlung im 6. Arrondissement am 17. Juni, in der Reggiani Sartres Text verlas, ist ein Erfolg gewesen. Von den ersten Sätzen an, und besonders am Schluß, ist Sartre mit viel Beifall bedacht worden. (Es waren ungefähr 700 Personen im Haus der Sociétés Savantes versammelt.) Henri Lefebvre ist für ein Jahr aus der Partei ausgeschlossen worden, weil er dem ‹Club der Linken› beigetreten war.

Wie hübsch ist nachts auf dem Markusplatz das runde Fenster unter den Giebeln, das als einziges in den riesigen Fassaden noch erleuchtet ist und in dem sich die Silhouette eines Mannes abzeichnet. Er schaut sich um. Man hat den Eindruck, daß er sich von dem Anblick des Platzes und der Nacht nicht losreißen könnte. Plötzlich erlischt das Licht so unerwartet, daß Sartre und ich gleichzeitig ausrufen: «Genau wie eine Sternschnuppe!»

*Sonntag, 22. Juni*

Wie mir scheint, bin ich wieder für zwei Jahre beschäftigt. In gewissem Sinn gibt mir das ein Gefühl der Sicherheit. In mir steckt noch immer jene brave Schülerin, die unruhig wird, wenn ich ein bis zwei Wochen lang nichts getan habe. Eine Reise ist eine Tätigkeit, die mir keine Gewissensbisse verursacht. In Paris aber hatte ich mich treiben lassen und mir Vorwürfe gemacht. Trotzdem war die Zeit nicht ganz verloren gewesen. Abgesehen vom Tagebuch und den korrigierten Fahnen, hatte ich Material für mein Buch gesammelt, meine alten Romane und alten Briefe wieder durchgelesen und Erinnerungen notiert. Ich glaube, daß ich jetzt wirklich meine zehn Seiten täglich zusammenstöpseln werde. Eigentlich ist mir dieses Skizzieren zuwider, aber es fällt mir schwer, auch nur eine Seite zu schreiben, bevor nicht der Grundriß entworfen ist. So habe ich es bei meinem Amerikabuch gehalten, nicht aber bei *Mémoires d'une jeune fille rangée*, das stückweise entstanden ist.

*Dienstag, 24. Juni*

Am Sonntagnachmittag gingen wir in der Nähe des Arsenals spazieren. Auf dem Fundamenta Nuova hatte sich eine vielköpfige Menge versammelt, es waren aber keine Touristen, sondern Italiener, die erschienen waren, um der Regatta zuzuschauen. Barken, Kähne und Gondeln voller Menschen versammelten sich um die hohen Pfosten mit den grünbemalten Köpfen. Überall auf dem grünen Wasser – das genauso grün ist wie die Bäume – reihenweise die Gondeln und Gondolieri in schimmerndem Weiß, über die Bootshaken gebeugt, mit prallen Hintern wie auf den Bildern von Carpaccio. Einige rostbraune oder violette Segel. In der Ferne zwei bis drei Jachten. Wir entfernen uns vor Beginn der Regatta. Was für ein Friede in den Gassen: Provinz. Nach und nach – wie die Autos auf der Landstraße, wenn man sich einer Stadt nähert – werden die Fußgänger zahlreicher, plötzlich sind es dichte Scharen, Führungen mit Bauern in Tirolerhüten, verwegenen Gestalten, die aus ihren Bergen herabgestiegen sind (einer mit einem großen roten Bart), und dicke Deutsche in durchsichtigen Kleidern, Strohhüte auf dem Kopf: dann der Markusplatz, die Tauben, die Fotografen, die große Stadt.

Nach dem Abendessen im ‹Fenice›, wo der Wirt es sich nicht nehmen läßt, uns die Küchen zu zeigen, gehen wir in ‹Harry's Bar›, um etwas zu trinken. Als wir weggehen, wird Sartre von zwei Italienern äußerst höflich angesprochen. Sie laden uns zu einem Glas ins ‹Ciro› ein. «Nach links: mit Sartre immer nach links», sagen sie und deuten in die Richtung. Der eine ist sehr klein und Bildhauer, der andere, ungefähr vierzig Jahre alt, ist ein komischer Kerl, sehr lebhaft und gleichzeitig ein wenig scheu, bezeichnet sich als Wissenschaftler. Er interessiert sich für Mikroben und leitet ein Laboratorium. «Mein Metier besteht darin, die Menschen pissen zu lassen.» Sein Name wäre ‹Charmant›. Er hat Le Mur [Die Mauer] gelesen und will nichts anderes von Sartre lesen, weil ihm das Buch so gut gefallen hat. Wie viele Italiener spielt er gern mit Worten. Er benutzt eine hübsche Wendung, die ich nicht kannte: Far casino (Krach schlagen, Radau machen, randalieren). Er bietet uns venezianischen Weißwein an und plaudert dabei auf charmante Weise über Venedig, das so provinziell wirkt und doch eine große, arbeitsame Bevölkerung beherbergt. «Niemand arbeitet so viel wie die Venezianer», behauptet er, «von denen übrigens 300 000 in Mailand leben!» Wir beenden den Abend im dancing der ‹Taverne Martini›, die so gut wie leer ist, weil es schon zwei Uhr früh ist.

Wir hatten uns für den nächsten Abend um elf in ‹Harry's Bar› verabredet. Als wir hinkamen, sagten wir uns: «Es wird langweilig werden. Erstens wurde gestern viel getrunken, außerdem werden sie andere Leute mitgebracht haben.» Wir täuschten uns nicht, aber es kam anders, als wir gedacht hatten.

Charmant aß mit einem schwarzhaarigen Mann an einem runden Tisch. Er kam uns entgegen und sagte: «Das ist ein Amerikaner, der soeben aus New York eingetroffen ist, ein sehr langweiliger Herr.» Es war ein Italiener, der in Amerika Geschäfte machte, der aber seiner Herkunft nach Genuese war, und die Genuesen, sagte C., seien keine Italiener. Da der Amerikaner kein Wort französisch spricht, kommt das Gespräch nicht recht in Gang. Es erscheint eine blonde, dickliche Italienerin, die aber sehr schöne, blasse Augen hat, stark hergerichtet ist und mehr oder weniger eng mit dem Amerikaner liiert zu sein scheint. Auch sie versteht kein Französisch. Man zieht sie auf, weil ein Einbrecher mit einer Barke neben dem Haus angelegt hat, durchs Fenster gekrochen ist und ihr den Büstenhalter und das Höschen gestohlen hat. «Ihr Handwerkszeug», sagt C., der etwas vom Weiberhaß des Päderasten hat (offensichtlich hat er einen Hang zur Päderastie). Er ist besserer Laune und schlägt uns vor, ein Glas in einem neuen, sehr schönen Hotel am Canale della Giudecca zu trinken, in dem sein Freund gewöhnlich absteigt. Schön. Wir fahren mit dem Privatboot des Hotels. Es ist zauberhaft, in einer schönen, einmal ausnahmsweise sternhellen Nacht den Kanal entlangzufahren. Am Himmel eine orangefarbene Mondsichel, die so aussieht, als hätte man sie eigens für die Touristen dort hingehängt. In der Ferne die gelben Lichter des Lido und der Dogenpalast, der immer weiter entschwindet. Das Hotel hat einen Garten, der in die Lagune hinausreicht, was wirklich sehr hübsch ist. Aber wir irren ratlos durch die weiten Hallen. Der Barmixer hat, wie der Portier uns mitteilt, die Gardinen zugezogen. Der Amerikaner geht nach oben, um sich ein Zimmer auszusuchen, und wir setzen uns hin, um auf ihn zu warten. Als der Bildhauer anruft, bricht man wieder auf, und beim Weggehen sagen wir uns (Sartre und ich), man könnte sich in eine Novelle Paveses versetzt fühlen: immer diese enthusiastischen und sinnlosen Projekte, die ganz plötzlich scheitern. Der Bildhauer erwartet uns in Gesellschaft seiner Freunde. Wir gehen auf den Campo della Fenice, dort gibt es im Grünen ein nettes Café. C. bestellt sonderbare Getränke, venezianische Spezialität, eine Mischung aus Pfefferminz und Grappa, die der venezianische Arbeiter, wie C. behauptet, morgens um 5 Uhr zu sich nimmt, und Pernod mit Whisky. Ich halte mich an den reinen Grappa. Der arme Sartre ist einem jungen Mann mit funkelnden Augen in die Hände gefallen, der sich für den Film interessiert. Er hat am Drehbuch von *Die Freundinnen* mitgearbeitet. Er sagt zu mir: «Hier sind Sie berühmt, in Venedig bewundert man *Les Mandarins*.» Und C. fragt mich: «*Les Mandarins* ist von Ihnen?» Übrigens hat er das Buch nicht gelesen. «Ja, wenn man sich's recht überlegt, könnte man Ihnen zutrauen, daß Sie schreiben», sagte er verdutzt. Plötzlich ist alles mondän geworden, und der Reiz ist verflogen. Wir verabschieden uns und gehen in unsere Taverne am kleinen Löwenplatz neben dem Markusplatz. Der große Platz ist leer.

Eine rothaarige Frau schluchzt und schreit. Ihre eine Hand ist verbunden, sie zankt sich mit zwei gutgekleideten Männern, die zweifellos Kriminalbeamte sind. Sie liegt auf dem Pflaster unter den Arkaden. Plötzlich hört sie zu weinen auf, stürzt sich auf die beiden Männer und protestiert mit heftigen Gebärden. Sämtliche Huren des Viertels tauchen aus dem Schatten auf, um zu sehen, was da vor sich geht. Schließlich entfernt sich die Rothaarige schimpfend. Wir setzen uns an unseren Tisch mit den Whiskies. Da kommt aus einem benachbarten Café ein Mann gelaufen – recht gut gekleidet, mittleren Alters, ein Italiener –, der von einem Kellner verfolgt wird, der auf ihn einschlägt. Plötzlich dreht sich der Gast um, packt einen Stuhl und hebt ihn in die Höhe. Der Kellner wirft ihn zu Boden. Die Zuschauer rufen: «Nein!» und eilen hin, um die beiden zu trennen. Das ist sympathisch. In Frankreich hätte sich keiner gerührt, dort hätte man ruhig ein wenig Blut fließen lassen. Man führt den Kellner in sein Café zurück. Der Gast entfernt sich. Nach zwei Minuten ist er wieder da, von zwei mit Säbeln bewaffneten Wachleuten flankiert. Wir stellen uns zu den Gaffern vors Café (es sind lauter Italiener, weil es spät geworden ist). Der Kellner wird wütend und fordert uns auf, weiterzugehen, und sagt auf französisch: «Ein gebildeter Mensch steht hier nicht herum!» – «Wollen Sie behaupten, daß ich ungebildet bin?» sagt Sartre. Die Diskussion wird lebhafter, aber der ärgerliche

Wirt holt den Kellner ins Lokal, und eine dicke schwarzhaarige Hure ruft auf italienisch: «Er ist Franzose, und du hast ihn beleidigt. Das gehört sich nicht!» Wir kehren an unseren Tisch zurück. Der besiegte Italiener kommt mit arroganter Miene, aber äußerst mißvergnügt, um einen Kaffee an der Theke unserer Taverne zu trinken. Dann entfernt er sich. Zwei dementsprechend gekleidete *Clochards* mit schönen weißen Haaren helfen dem Kellner des Nachbarcafés Stühle und Tische wegzuräumen, während sie sich seinen Bericht anhören. Er gibt ihnen ein paar Geldstücke, die sie unter sich teilen, und dann schlendern sie gemächlich in die Nacht davon. Als wir aufbrechen, werden wir plötzlich von drei bis vier Kellnern umringt, unter denen sich der Held dieses Dramas befand. Er will sich mit Sartre unterhalten, aber sein Ton ist aggressiv, und es sieht aus, als würde der Streit, statt beigelegt zu werden, von neuem aufflammen. Um seinen Kollegen zu verteidigen, sagt einer der Kellner: «Dieser Gast belästigt uns Abend für Abend.» Daraufhin betont unser Held: «Ich habe nicht Sie angegriffen, ich habe alle Anwesenden gemeint, ganz generell.» – «Es waren Italiener, und Sie haben französisch gesprochen», erwidert Sartre lächelnd. Da lachen alle, und der Kellner streckt artig die Hand aus. «Gut. Dann bitte ich um Entschuldigung.» In dieser ganzen Geschichte ist ein Stil, der für Italien recht charakteristisch ist.

Heute regnet es, Venedig zerfließt im Nebel, die Denkmäler lösen sich auf. Einige Gondolieri tragen schwarze Umhänge.

De Gaulle verhandelt weiterhin über Mollets Reise nach Algier. Er will sicher sein, daß man ihn nicht zwingen wird, ihn in der Garderobe abzugeben. Unter dem Druck Algiers ist ein Rundfunkreporter entlassen und das gesamte Personal umgruppiert worden: Delannoy geht, Nocher kehrt zurück. Es wird immer deutlicher, daß Algier regiert.

*Mittwoch, 25. Juni*

Der *Corriere della Sera* macht sich über die Pressekonferenz von Malraux lustig. Fotografen, Fernsehen, großes Tamtam. Malraux sprach im Ton eines mystischen Predigers, was die 400 Journalisten erstaunte. Die Informationen seien spärlich, schreibt der italienische Berichterstatter, aber man habe viel über den «psychologischen und choreographischen Stil des Regimes» erfahren. Malraux möchte aus Algerien ein Tennessee Valley machen und die drei französischen Nobelpreisträger zur Inspektion der Gefängnisse hinüberschicken. Wie Sartre sagt: «Von der Feigheit geht man über zum Symbol.»

*Donnerstag, den 26.*

Lanzmann schreibt voller Bewunderung und übermüdet. Die Koreaner seien außerordentlich sympathisch, aber der offizielle Optimismus sei noch unerträglicher als bei den Chinesen.

Gegen den *Observateur* und den *Express* sind gerichtliche Verfahren eingeleitet worden: Jetzt weiß man wenigstens, was es mit der Pressefreiheit auf sich hat. Wenn man die französische Presse mit den italienischen Zeitungen vergleicht, merkt man, daß sie sich selber zensiert, sie ist kastriert. Selbstverständlich beziehen sich die beanstandeten Artikel auf Algerien. Unter anderem handelt es sich um ein Interview mit einem Führer der FLN. Indessen schäumen sie in Algier vor Wut. Sie haben sich über die Pressekonferenz von Malraux geärgert.

*Montag, 30. Juni*

Wir haben uns wieder den Torcello und die Carpaccios in der Kirche San Giorgio angesehen, wir sind auf den Campanile hinaufgestiegen, und die Glocken dröhnten uns mit voller Wucht in die Ohren. Wir haben die Biennale besucht: eine sehr schlechte Auswahl von Bildern von Braque, eine sehr schöne mit Sachen von Wols. Interessante Skulpturen von Pevsner. Und wir haben reizende Abende verbracht. Um unliebsames Aufsehen zu vermeiden, sind wir von ‹Harry's Bar› ins ‹Ciro› übergewechselt, wo ein deutscher Pianist hübsche alte Melodien spielt. Ich amüsiere mich über zwei junge Amerikaner, die stundenlang nebeneinander sitzen, ohne den Mund aufzumachen, aber mit ewig strahlendem Blick, ein Lächeln auf den Lippen, als ob sie vergessen hätten, daß sie auf der Erde leben, Amerikaner sind und daß auch die übrige Welt noch existiert. Ein dicker, bleicher Belgier hat sich daran gemacht, Sartre zu porträtieren, ohne ihn zu erkennen: jämmerlich. Er ist aus Brüssel in Gesellschaft eines homosexuellen Grafen eingetroffen, der eine Beute der bei Päderasten so häufigen Liebesqualen geworden ist: schwarzumrandete Augen, leerer Blick, der in weite Fernen gerichtet ist, und wenn der andere etwas zu ihm sagt, fällt es ihm schwer, seine Gedanken zu sammeln.

Heute abend, dem letzten Abend, waren wir in ‹Harry's Bar›, um uns von Charmant und dem Bildhauer zu verabschieden. Sie tranken Weißwein mit einem reichen schwedischen Reeder und seiner Frau. Ich bin gerührt, weil er *Les Mandarins* gekauft und eine ganze Nacht gebraucht hat, um 137 Seiten zu lesen. Er erzählt mir begeistert, daß er das Buch noch besser finde als *Vom Winde verweht*. Er sagt: «Ich bin natürlich ein Snob. Aber was bleibt mir schon anderes übrig?» Er zeigt auf die Schwedin. «Sie mag *Les Mandarins* nicht.» Die Dame, ganz ungeniert: «In dem Buch ist zuviel von Politik die Rede. Das kann ich nicht leiden. Außerdem», fügt sie gnädig hinzu, «stehe ich rechts. Ich habe einen Mann, einen legitimen Liebhaber und viel Geld – also stehe ich rechts.» Dann fragt sie den Reeder ein wenig beunruhigt: «Nicht wahr, ich habe viel Geld?» Er schüttelt den Kopf, und sie lacht: «Nein? Dann bin ich ruiniert.» Dann attackiert sie C.: «Du bist ein Miststück.» Und er, mit Schwung: «Ja, aber sehr menschlich.»

Abreise. Vorher frühstücken wir auf dem Rialto am Canale Grande und lesen Zeitung. De Gaulle ist in Begleitung Mollets an die algerische Front abgereist. Die Affäre des Professors in Perpignan, der einen Schüler getötet hat, scheint aufgeklärt zu sein. In Perpignan wimmelt es von ‹Afrikanern›, radikalen Faschisten, die aus Marokko und aus Tunesien gekommen sind und eine Art Wohlfahrtsausschuß gegründet haben – gegen die Professoren, die im Mai gestreikt haben, und ganz allgemein gegen alle linksgerichteten Lehrer. Da die Amiels links standen, machte man ihnen systematisch das Leben zur Hölle, während des Unterrichts mit Randalieren und zu Hause mit Knallfröschen im Briefkasten. Außerdem hatte man sie ernsthaft mit dem Tode bedroht. Einige Tage vor der Tat hatte er, als Schüler vor der Haustür randalierten, in die Luft geschossen. Diesmal ging es unter den Fenstern noch wüster zu als sonst: da drückte er ab. Und nun prügeln sich auf dem Hof des Lyzeums die Professoren untereinander, Faschisten gegen Antifaschisten. Bianca hat mir von der Spannung erzählt, die selbst in Paris an den besten Lyzeen wie Pasteur, Janson usw. zwischen Schülern und Lehrern herrscht.

Ankunft in Ferrara. Um 6 Uhr waren wir in Ravenna. Hübscher Anblick in der Abenddämmerung, aber es gibt nichts Lauteres als diese italienischen Kleinstädte mit ihren Motorrädern und Vespas. Vor sechs Jahren war ich zum letztenmal hier, habe zum erstenmal ein Auto gesteuert und hatte gerade Lanzmann kennengelernt.

Wie schön ist Spoleto mit seinen Geländern und Treppen und den kleinen Pflastersteinen auf den Straßen. Große Laternen hängen an schwarzen Fassaden, und der Schatten ist so tief, daß die Spinnen sich in eine Scheune versetzt glauben und riesige Netze zwischen die Telegrafendrähte spinnen. Das Hotel geht auf einen kleinen, unregelmäßig gepflasterten Platz, der von Grün umgeben ist; in der Mitte plätschert ein kleiner Springbrunnen, und der Platz ähnelt einem Privatgarten. Der Duft der blühenden Linden vermischt sich mit einem vagen Schusterwerkstatt- und Weihrauchgeruch. Ringsumher sind die dürren Hügel, die blauen Fernen Italiens zu sehen.

Die Mosaiken in Ravenna habe ich mir nicht noch einmal angesehen, weil ich keine Lust dazu hatte und mich mit keiner Mission mehr betraut fühlte: Auf Reisen mache ich nur, was mir gefällt. Gern sah ich Urbino wieder, dort aßen wir zu Mittag und tranken Kaffee unter den Arkaden. Der Kellner fragte Sartre: «Sind Sie Franzose? Sind Sie Schriftsteller? Sind Sie Jean-Paul Sartre?» Er behauptete, ihn nach den Zeitungsfotos erkannt zu haben. Eine Minute später rückten jedoch drei junge italienische Lehrer an und baten Sartre um Autogramme: Sie waren es gewesen, die ihn identifiziert hatten.

In Spoleto gibt es *La tortura (La Question)* von Alleg zu kaufen. An den Hauswänden Plakate: *de Gaulle, il dittatore – Mollet, il traditore – Pflimlin, il codardo*. Und der Kommentar: «Da sieht man, wohin der Antikommunismus führt: zum Faschismus ... Hütet euch vor dem Papst!»

Herrlicher Himmel und das Vergnügen, Italien wiederzusehen: Venedig ist eben nicht Italien.

Abends gehe ich mit Sartre in den Straßen spazieren, die nach Eibisch duften. Die großen Laternen brennen.

*Freitag, 4. Juli*

Gestern haben wir uns die Straßen, den Dom und die prächtige Brücke mit den hohen Bögen angesehen, die über ein enges und nicht sehr tiefes Tal führt: Wozu diese Brücke? Vor dem Hotel stellen Kellner Tische auf, befestigen Lampions und streichen das Geländer violett. Irgendein Fest steht bevor. Wir brechen nach Rom auf: In zwanzig Kilometern Entfernung sieht man die Peterskirche und den Monte Mario.

Da es geregnet hat, habe ich nicht viel von dem Nachmittag gehabt, sosehr ich mich gefreut habe, an der Piazza della Rotonda im Hotel ‹Senato› zu wohnen. Wenn ich nachmittags eine Stunde schlafe, überfällt mich kurz vor dem Erwachen die Angst: Wir werden also siebzig Jahre alt werden und sterben, das ist wahr, das ist sicher, das ist kein Albtraum! Als ob das wache Dasein ein allzu strahlender Traum wäre, aus dem der Tod weggewischt worden ist, und ich im Schlaf dem Kern der Wahrheit näher käme.

Heute ist es schön, sehr schön, der Himmel ist tiefblau, und ich freue mich wieder über die Aussicht, längere Zeit in Rom zu bleiben, ich habe Lust, zu schreiben. Und ich schreibe. Langer Brief Lanzmanns. Er kann sich zwischen seiner Zuneigung zu den Koreanern und den lästigen Beschwerden einer Delegationsreise nicht entscheiden.

De Gaulle kehrt aus Algerien zurück. Er hat den Wohlfahrtsausschuß nicht empfangen. In Algier ist man wütend. Aber die Zweideutigkeit, der Symbolismus und die Silbenstecherei gehen weiter. In *Le Littéraire* ein Artikel Mauriacs, in dem er de Gaulle lobt und mit galliger Bitterkeit von dem machthungrigen Malraux spricht, dem man ein «Ministerium zum Knabbern» gegeben hat.

Sartre, der sich in Rom äußerst wohl fühlt, beginnt mit großem Schwung die Arbeit an seinem Stück. Ich habe noch nichts gelesen. Simone Berriau scheint in Paris unruhig zu werden.

Momentan ist es so: Wenn ich Lust habe, zu schreiben, beschäftige ich mich mit meinem Buch. Habe ich keine Lust, dann langweilt mich auch dieses Tagebuch. Ich glaube kaum, daß ich viel Zeit darauf verwenden werde.

*Dienstag, 8. Juli*

Die Zeitungen haben fette Überschriften: «Soustelle löst Malraux ab». Die Sozialisten kommen allmählich zu sich. Mollet rührt sich noch immer nicht.

Im Augenblick habe ich diesem Tagebuch wirklich nichts anzuvertrauen. Rom ist ohne Touristen, es ist nicht allzu heiß, blau, ideal. Der gleiche Rhythmus wie im vergangenen Jahr. Gegen 10 Uhr ausgiebiges Frühstück auf dem stets mit Schiebern in weichen Hüten gefüllten Platz. Arbeit bis 2 oder 3 Uhr. Dann essen wir ein Sandwich auf einer Terrasse und gehen spazieren. Um 5 Uhr wird weitergearbeitet. Bei ‹Pancracio› essen wir Spaghetti *à la carbonara* mit Barolo. Dann trinken wir etwas zuviel Whisky auf der Piazza Santi Apostoli oder auf der Piazza del Popolo. Und das alles ist so vertraut, so angenehm, daß Worte völlig unnötig sind.

*Freitag, 11. Juli*

Vielleicht weiß ich auch aus anderen Gründen nichts zu berichten. Rom ist ein Segen, und meine Arbeit interessiert mich, obwohl sie anstrengend ist, und Sartres Arbeit ist schwierig, fesselt ihn aber. Nur: Frankreich ... Als wir in der Via Francesco Crispi den letzten Whisky trinken und die Animierdamen aus dem benachbarten Tanzlokal betrachten (die arme Kleine, eines Abends in Rosa, ganz weiblich, und am nächsten Tag in Jeans und von Sartres Schuhen fasziniert), haben wir einander gestanden, daß wir nicht gerade sehr glücklich sind. Man tut so, als lebte man friedlich dahin, aber die Tage hinterlassen einen bitteren Geschmack.

Gestern war ein schönes Gewitter über Rom. Abends war die noch regenfeuchte Via Veneto fast menschenleer. Ich bin nicht so furchtbar von Fellini begeistert, aber es ist unmöglich, die Via Veneto nicht durch die Brille von *Die Nächte der Cabiria* zu sehen.

In *Le Monde* äußert sich Florence freundschaftlich über die Auszüge aus meinen *Mémoires d'une jeune fille rangée*, die die *Temps Modernes* veröffentlicht haben.

Ich würde mich freuen, wenn das Buch gefiele. Es würde mir helfen, weiterzuschreiben.

Die Sozialisten haben de Gaulle aufgefordert, die Algerienausschüsse zu verbieten. Das ist, wie der *Corriere della Sera* schreibt, sehr bezeichnend und ohne jede Bedeutung. Der *Express*, der *Observateur* protestieren verzweifelt gegen Halbheiten und das kaum noch heimliche, stille und verhängnisvolle Wachstum all dessen, was wir verabscheuen.

*Sonntag, 13. Juli*

«Vor der Erfindung des Fensterglases war es unmöglich, außerhalb der Regionen genial zu sein, wo der Ölbaum wächst.» Das ist ein Aphorismus, den ich entzückend finde. Ich habe leidenschaftlich gern die Sauvys gelesen, und jetzt lese ich die Fourastiés, die mir viel Spaß machen. Er ärgert mich aber mit seiner technokratischen Seite von Mme-Express. Erschreckendes technokratisches Zukunftsbild der Menschheit. Die Kehrseite dieses Optimismus ist der *organization man*. Die Tertiärstädte, in denen Le Corbusier, Francastel, Fourastié usw. die Menschen ansiedeln wollen, sind eigentlich nichts weiter als die *suburbs*, die amerikanischen Villenvororte: Mir läuft es kalt über den Rücken. Raum, Licht, Luft und Ordnung sind ja ganz schön – aber was verstehen sie unter ‹Harmonie›? Braucht der Mensch (welcher Mensch?) nicht in seiner Umgebung ebensoviel Aggressivität wie Ruhe, hat er nicht ein Bedürfnis nach Widerstand, nach dem Unvorhergesehenen und das Bedürfnis, durch seine Umgebung zu spüren, daß die Welt nicht ein einziger großer Gemüsegarten ist? Muß man wirklich zwischen Dreckbuden und Luxusparzellen wählen?

Was für ein schöner Tag! Wir haben im ‹Tor del Carbone› neben der Via Appia zu Mittag gegessen. Zypressen, Pinien und Ziegel unter einem blassen Himmel und diese Straße, die kein Ende nimmt, weil selbst vom Auto aus das Auge sie so mißt, wie sie früher war, damals, als man sich auf ihr zu Pferd oder zu Fuß bis ins ferne Pompeji begab: Schnurgerade zwischen kerzengeraden Zypressen suggeriert sie uns eine flache, unbegrenzte Erde. Ich liebe sie heute mit fast der gleichen Inbrunst wie zu der Zeit, als ich fünfundzwanzig Jahre alt war.

Heute abend wird man in Paris tanzen, mit dem allerschönsten Feuerwerk, mit den großartigsten Orchestern, die man seit Jahren gesehen hat. Es war lächerlich, daß voriges Jahr eine sozialistische Regierung die Tanzfeiern am 14. Juli untersagte, aber die ‹nationale Erneuerung›, die man morgen feiert, ist widerlich. Ich habe den 14. Juli so sehr geliebt. Wird denn gar nichts geschehen? Ich bin froh, daß ich nicht in Paris bin. Ich hätte die ganzen Nächte hindurch mit den Zähnen geknirscht.

Wie angenehm ist es hier! Das Fenster meines Badezimmers umrahmt genau das meines Gegenübers in der engen Gasse, das wiederum den Bildschirm eines Fernsehgerätes umrahmt. Er sitzt allein auf einem Stuhl, und ich sehe manchmal, was er sich anschaut. Heute abend meditiert eine einsame Frau in einem getupften Kleid vor weißem Hintergrund. Dann sagt sie etwas, und man hört Beifall. Es ist eine Sendung des *lascia-raddopia* [Quiz], über das jeden Tag in den Zeitungen aufgeregte Berichte erscheinen. In Italien ist es geradezu ein Nationalsport geworden.

Das Gewitter hat die Atmosphäre entspannt, und auch ich spüre in mir eine unerklärliche Spannung. Es tut mir leid um den 14. Juli in Paris. Soeben war ich auf der Piazza Navona, der dunkelblaue Himmel römischer Nächte hing über den dunkelroten Häusern mit den erleuchteten Rundfenstern und den vielen Menschen, die auf und ab spazieren, und es war die Vollendung des Augenblicks. Heute abend zerfleischt mir das Leben von neuem mein Herz.

Von nun an wird der 14. Juli auch im Irak Nationalfeiertag sein: Revolution in Bagdad! Der Bagdadpakt ist zerschlagen, der Irak wird sich der Arabischen Republik anschließen. Nasser schwebt im siebenten Himmel, die Aufständischen in Beirut ebenfalls, ich nehme an, daß auch die FLN jubelt.

Unterdessen fand die Parade auf den Champs-Élysées statt. De Gaulle ist zu dem Vorbeimarsch nicht erschienen, weil er auf der Tribüne nur den dritten Platz hätte beanspruchen dürfen: Immer dieses überspitzte Gefühl der ‹Größe›! Malraux hat auf dem Platz vor dem Hôtel de Ville gesprochen, aber das ‹Volk von Paris› bestand aus abkommandierten moslemitischen und französischen Frontkämpfern. Die einzige interessante Episode: Einige junge algerische Soldaten, die gewaltsam als Symbol der Verbrüderung nach Paris befördert worden waren, zogen, als sie an der Tribüne vorbeimarschierten, statt Coty zu grüßen, grünweiße Spruchbänder unter den Hemden hervor, die sie trotzig schwenkten. Im Laufe der Nacht wurden elf Personen von Algeriern umgebracht, darunter sechs moslemitische Kollaborateure.

Wieder ein langer Brief Lanzmanns. Er schreibt, daß es kaum Koreaner gibt, die nicht verwitwet oder verwaist sind. Viele weinen, wenn sie ihre Geschichte erzählen. Die Amerikaner haben aus purem Vergnügen Dörfer und Städte zerstört, und sie sind deswegen verhaßt. In allen Theaterstücken, in allen Filmen spielen sie die Rollen der Bösewichte, mit Pappnasen, unter Pfuirufen, die nicht mehr konventionell sind. Er hat den Aufmarsch gesehen, der strammer und militärischer war als der des 1. Oktober in China (wie Gatti behauptet, der beide Aufmärsche erlebt hat). Sie sind noch durch den Krieg gehärtet. Wie Lanzmann schreibt, ist das Eigenartige in diesem Land der Hintergrund des Krieges.

Sartre war gestern abend verabredet. Ich bin ins Kino gegangen und habe mir einen schlechten amerikanischen Film über die Schattenseiten des Journalismus angesehen. Es wurden Ausschnitte aus dem Film *Wege zum Ruhm* gezeigt, der gut zu sein scheint, aber ich habe nicht den Mut gehabt, ihn anzuschauen. Die Gegenwart ist grauenhaft genug, als daß ich mich noch von den Erschießungen und militärischen Schweinereien aus dem Ersten Weltkrieg sollte anwidern lassen. Georges Bataille hat so schön gesagt: «Ich quäle mich nur zu der von mir gewählten Stunde.»

Beim Frühstück haben wir die Merleau-Pontys getroffen, die, munter wie immer, nach Neapel unterwegs sind. Eine sehr schüchterne kleine Italienerin pflanzte sich vor unserem Tisch auf und überhäufte mich mit Liebenswürdigkeiten. Das läßt man sich immer gern gefallen. (In welchem Maße? Das ist einer der Punkte, die ich in meinem nächsten Buch erläutern muß.)

Wenn ich jenem berühmten Literaten ähnelte, von dem Fourastié spricht und der nicht arbeiten kann, wenn er zwei Kinder Rollschuh laufen hört, wäre ich übel dran. Dieser Platz ist der lauteste in ganz Rom: Vespas, Motorräder, Autos, die brutal mit quietschenden Reifen bremsen, lautes Hupen (obwohl es verboten ist), Gerassel und Geschrei. Aber mich stört es nicht. Die Römerinnen sind durch die Hemdkleider entstellt, die abends in der Via Veneto noch aggressiver wirken als frühmorgens bei den Hausfrauen des Viertels. Entfesselter päderastischer Sadismus in der Haute Couture.

Ich lese das Buch von Jones über Freud. Die merkwürdige Dosis Gewissen und Leichtsinn, Naivität und Scharfsinn bei diesem Abenteurer ist erstaunlich. Sein Kokain hat einen Menschen völlig zur Strecke gebracht (von anderen ganz zu schweigen), und die Geschichte mit Fließ ist schrecklich. Er hatte Schuldgefühle, war aber an vielem schuld. Großartige Geschichte über Breuer. Er behandelt Anna O. (oder, wie Camille sagen würde, «sie behandelt sich auf seine Art», denn sie ist es, die den Begriff der *Katharsis* erfunden hat). Er verliebt sich in sie, ohne es sich einzugestehen; aber seine Frau hat es gemerkt. Da beschließt er, die Kur abzubrechen, und teilt es Anna mit, die übrigens fast schon geheilt ist. Am Abend nach dem Bruch ruft sie ihn zu sich, weil es ihr wieder sehr schlecht geht: Hysterisch geworden, mimt sie eine Niederkunft. Breuer begriff, was los war, nahm seinen Hut, flüchtete mit seiner Frau nach Venedig und machte ihr ein Kind – eine Tochter, die sich sechzig Jahre später in New York das Leben genommen hat. Anna wurde die erste Sozialfürsorgerin Europas. Während der Pogrome um die Jahrhundertwende hat sie zahlreiche jüdische Kinder gerettet.

*Mittwoch, 16. Juli*

Am 25. Mai bin ich mit Lust und Liebe an mein Buch herangegangen. Jetzt macht mir die Arbeit Mühe, und gewisse Zweifel stellen sich ein. Vielleicht ist es zu heiß: 36 Grad. Und ich habe in einem Zug vierhundert Seiten zusammengeschmiert; das verdirbt einem die Freude. Diesem Material, das ich aus meinem Kopf hervorquäle und noch einen Monat lang anhäufen werde, muß ich nachher in Paris ein wenig Interesse, ein wenig Begeisterung abgewinnen. Ich habe keine Ahnung, was das Buch für einen Ton, für einen Plan haben wird.

Die Amerikaner hätten den Libanon überfallen, schreibt der *Paese Sera*. Sie seien im Libanon gelandet, heißt es im *Messagero*. Nuancen.

Man hat junge Moslems, die FLN-Fahnen bei sich trugen, festgenommen. Vier Mann sollen es gewesen sein. Laut *Le Monde* haben sie gerufen: «Nieder mit dem französischen Algerien!» Die Franzosen haben Bellounis umgebracht, weil er vierhundert seiner Leute umgelegt hätte. Die Italiener behaupten, die Franzosen hätten Bellounis *und* die vierhundert Mann umgebracht. (Bellounis hatte im Namen der MNA mit Frankreich Kontakt aufgenommen und eine Volksbefreiungsarmee gegen die ALN organisiert.)

Jones läßt sich nicht sehr deutlich über die besondere Neurose aus, an der Freud krankte, erzählt auch nicht, wie Freud sie losgeworden ist. Vielleicht wagt er es nicht, weil die Tochter noch lebt, denn gewisse Fragen werden überhaupt nicht gestellt: zum Beispiel die Beziehungen zu seiner Frau. Sie seien ausgezeichnet gewesen, ist leicht gesagt. Hingen aber Freuds Depressionen, seine Migränen unmittelbar mit seinem Familienleben zusammen oder nicht? Schließlich war er ein sehr lebendiger Mensch: davon zeugt seine leidenschaftliche Reiselust. Monogam, schön. Aber warum denn? Jones weicht dieser Frage aus. Dagegen schildert er ausführlich und sehr gut Freuds Arbeit, die sich von der eines Philosophen und gleichzeitig auch der eines Wissenschaftlers grundlegend unterschied. Der erschütterndste Augenblick ist der, als er seinen Irrtum in bezug auf die Hysterie entdeckt: Er hatte angenommen, daß alle seine Patientinnen von ihrem Vater ‹verführt› worden seien, und hat diese These seinen Kollegen unterbreitet, die sie scharf ablehnten. Nun kam er darauf, daß es doch nicht so viele blutschänderische Väter geben könne, daß sein Vater es nicht gewesen sein konnte, obwohl zwei seiner Schwestern an hysterischen Störungen litten. Da begriff er, daß seine Patientinnen sich das alles ausgedacht hatten. Was für ein Fiasko! Was für ein Schock! Er wagte es fast nicht, seine Tätigkeit fortzusetzen; und lange Zeit verdiente er keinen Groschen. Dabei schrieb er an Fließ, daß er eher den Eindruck eines Sieges als einer Niederlage habe: Diese einmütige Ablehnung erschien ihm äußerst bedeutungsvoll und eröffnete neue Wege. Tatsächlich war das der Ausgangspunkt für die Entdeckung der infantilen Sexualität. «Ich bin kein Wissenschaftler, sondern ein Abenteurer, ein Konquistador», sagte er manchmal mit Bedauern. Es ist faszinierend, wenn man diese Begriffe, die inzwischen so scholastisch, so mechanisch geworden sind (zum Beispiel die Übertragung), aus der lebendigen Erfahrung hervorwachsen sieht. Als sich ihm zum erstenmal eine Patientin an den Hals warf, erinnerte er sich an Breuers Erlebnis und witterte eine Übertragung. In einem Brief befindet sich eine hinreißende Beschreibung der Piazza Colonna und der Italiener. Er wohnte im Hotel ‹Milano›. Auf den Fotos wird sein Gesicht mit den Jahren immer ausdrucksvoller und auch immer verschlossener und vor allem trauriger.

Joan kämpft gegen den Hang zur Idolatrie an, indem sie bei ihren Helden Schwächen zu entdecken sucht; das Gegenteil wäre besser: Wenn man in einem Helden zuerst den Menschen sieht, bewundert man ihn wegen der Schwächen, die er überwunden hat.

Ich habe mein Tagebuch noch einmal durchgelesen, und es hat mich amüsiert. Ich sollte es fortsetzen, aber mehr Sorgfalt darauf verwenden. Immer wieder wird das, was sich von selber versteht, mit Stillschweigen übergangen: So zum Beispiel unsere Reaktion auf die Hinrichtung Nagys.

Warum gibt es Dinge, die ich sagen, andere, die ich begraben will?

Weil sie für die Literatur zu kostbar (vielleicht zu heilig) sind. Als ob nur der Tod und das Vergessen gewissen Realitäten gleichzusetzen sei!

Wenn ich bloß schreiben könnte, nachdem ich etwas getrunken habe, oder mich das Schreiben ein wenig animierte! Hier muß ein Zusammenhang bestehen.

Regen, römischer Regen. Es ist hübsch, das Rollen des Donners und das laute Geplätscher um Mitternacht durch die Jalousie hindurch zu hören. Die Gewitter passen zu dieser Stadt. Ich habe die Jalousien geöffnet: Sturzfluten kommen vom Himmel, von der Kuppel des Pantheons, von den Dächern, aus den Traufen. Zwischen den plötzlich so riesigen Säulen des Pantheons sind drei schwarze, winzige, regungslose Gestalten mit den weißen Flecken der Hemdbrüste zu sehen. Jetzt gehen sie mit gemessenen Schritten über die schwarz-weißen Fliesen, während ringsumher die Regengüsse und Blitze toben. Wunderschön. Die Straße wird zu einem Gießbach, ein Fetzen Papier gerät in die Wasserwirbel, wird hin und her getrieben und bleibt an einer Mauer kleben. Wenn es blitzt, fallen funkelnde Straßketten aufs Pflaster herab. Plötzlich macht sich ein betäubender Erdgeruch in diesem Steinhaufen breit. Die Autos wirbeln wie Schiffe das Wasser hinter sich auf. Plötzlich sind aber die Autos verschwunden, und draußen erlischt die elektrische Beleuchtung. Leute versuchen, ein Restaurant zu verlassen. Der Kellner hat einen Regenschirm aufgespannt, und ein Taxi hält mit Getöse. Und nach wie vor diese einsamen, merkwürdig stillen Männer, die ganz klein sind und sich kaum rühren, schwarz-weiß auf den schwarz-weißen Steinplatten.

Das Unwetter läßt nach. Ein Schild flammt wieder auf: ‹Pizzeria›. Ein letztes Donnergrollen. Ein rosa und blau gekleideter Mann läuft vorbei. Es ist ein Uhr morgens.

*Freitag, 17. Juli*

Wenn ich ein neues Buch beginne, habe ich jedesmal diesen Eindruck: daß es ein titanisches, undurchführbares Unternehmen sei. Ich habe vergessen, wie die Arbeit vor sich geht, wie man von den ungestalten Entwürfen zur Niederschrift voranschreitet. Mir kommt es so vor, als hätte ich's verlernt, als würde ich es nicht mehr schaffen. Und dann ist die Entstehung des Buches mehr oder weniger nur noch eine Zeitfrage.

*Sonntag, 17. August – Paris*

Ich habe entschieden einen ausgeprägten Charakter. Obwohl der Urlaub mir gut gefallen hat, habe ich mich gefreut, nach Paris zurückzukehren. Ich sitze vor meinem Schreibtisch, das Zimmer ist voller Andenken an den Fernen Osten, die Lanzmann kunterbunt auf dem seiner Überzüge beraubten Sessel ausgebreitet hat. Zum erstenmal seit sechs Jahren bin ich – wegen seiner Korea-Reise – nicht mit ihm in die Ferien gefahren. Aber ich werde alt. Die Freude an den Fahrten über Land hat merklich nachgelassen, dafür hat die Arbeitslust zugenommen, ich beginne jene Dringlichkeit zu spüren, die Sartre so klar bewußt ist. Wie heiß war es in Italien! Die Arme klebten an der Tischplatte, die Wörter blieben in den Gehirnzellen stecken und gelangten nicht bis in die Füllfeder. Hier ist es kühl, fast zu kühl, und vor mir liegen mindestens elf Monate ununterbrochener Arbeit. Das scheint lang, wirkt aber momentan ermunternd. Und Lanzmann hat mir gesagt, daß ihm die veröffentlichten Bruchstücke aus meinen *Mémoires d'une jeune fille rangée* sehr gut gefallen haben. Auch das ist ein Ansporn.

Die Hitze war daran schuld, daß ich einen Monat lang kein Tagebuch geführt habe: Man muß schnell schreiben, mit Freude in der Hand, die übers Papier eilt. Ich konnte mich zur Arbeit zwingen – ich habe etwa sechzig Seiten redigiert, und das ist für meine Verhältnisse recht viel –, aber für etwas anderes reichte der Elan nicht mehr aus. Gleich am ersten Morgen in Paris habe ich mich wieder darüber hergemacht.

Vielleicht war auch nichts Besonderes über Capri zu sagen. Dieses Jahr hatten wir entzückende Zimmer im ‹Hotel della Pineta›, das ich im vorigen Jahr aufgestöbert hatte, als mir die Küchendünste des ‹Palma› in die Nase stiegen. Es gab einen großen, mit Fliesen ausgelegten Raum, der kühl zu sein schien, obwohl er es nicht war, eine breite Terrasse mit Deckstühlen, Korbsesseln, Tischen. Man sah das Meer, die Kiefern, den Monte Solario, und eine Woche lang erlebten wir die herrlichsten Mondnächte. Ich liebte den Hahnenschrei am frühen Morgen. Die Insel duftete angenehm nach Buschwerk, aber an manchen Stellen herrschte der allzu süßliche Geruch zerquetschter Erdbeeren. Frühstück mit Sartre im ‹Salotto›, Zeitung lesen, Arbeit von halb zwölf bis ungefähr drei, Spaziergang in der großen Hitze, kurzer Aufenthalt, um etwas zu essen. An der Mitromania ein köstlicher Kuchen, der mich an meine Kinderzeit erinnerte, und was für eine schöne Aussicht! Abermals Arbeit bis neun Uhr, und lange Abende: Wir tranken Whisky und beobachteten die Menschen auf der Piazza. Leider war das Häßliche der Küste durch die über dem ‹Salotto› befestigten Laternen noch betont.

Haben wir in diesem Jahr die Schwächen Capris so stark empfunden, weil wir weniger vergnügt waren? Die Situation in Frankreich fanden wir unerträglich, und dabei hing sie uns zum Hals heraus, so daß wir nicht einmal mehr Lust hatten, darüber zu reden. Außerdem hat Sartre im vorigen Jahr mit großer Freude an seinem Essay über Tintoretto gearbeitet, während sein Stück nur langsam vorankam. Er ist momentan nicht in der Verfassung, ‹Dichtung› zu produzieren. Er macht es nur, weil er Verpflichtungen eingegangen ist.

Wir haben die Clouzots getroffen und zweimal mit Moravia gegessen. Er war sehr amüsant, entspannend, freundschaftlich. Statt sich in Gemeinplätzen zu ergehen, sprach er von sich, von Italien, und zwar sehr gut. In bezug auf seinen Unfall gestand er mit einer entwaffnenden

Unbefangenheit: «Ich habe immerzu Unfälle, ich fahre sehr schlecht, weil ich zu nervös bin und schnell fahren will. Einmal war zwischen Rom und Spoleto kein Mensch auf der Straße, da bin ich ununterbrochen hundertvierzig gefahren; aber sonst ...» In Rom hatte er den Rückwärtsgang mit dem ersten verwechselt und zwei Bäuerinnen gegen eine Hauswand gedrängt. Zwei Tage früher wäre er beinahe mit dem riesigen und kostspieligen Cadillac einer Fürstin in ein Lastauto hineingefahren. Er hatte dabei so stark gebremst, daß der Wagen «innerhalb der Räder» Feuer fing. Er gab zu, daß Carlo Levi vorsichtiger ist. «Aber um einen Parkplatz zu verlassen, muß er den Wächter rufen. Er kann nicht rückwärts fahren, und er fährt nie schneller als vierzig Stundenkilometer.» (Einige Zeit später in Rom sagte Carlo Levi zu Sartre: «Moravia? Aber er baut ja viel mehr Unfälle, als er zugibt. Jeden Tag. Ganz kleine, nicht wahr? Die gar nicht erst in die Zeitung kommen. Was bei ihm nicht funktioniert, ist der psychomotorische Kontakt, die Verbindung zwischen Kopf und Arm. Er weiß nie, wie es kommt, daß er den Rückwärtsgang einlegt, wenn er im ersten Gang fahren will.») Wenn man Moravia dazu bringen kann, sich über seine Kollegen zu äußern, ist er sehr komisch. Er behauptet, sämtliche Schriftsteller, die aus der Provinz kommen, hätten nur ein Thema: ihren Landstrich und rein lokale Begebenheiten, danach seien sie ausgepumpt – während er ganz Rom sein eigen nenne (das heißt Italien und die Menschen). Wie schnell er arbeitet! Er schreibt täglich frühmorgens nie länger als zwei bis drei Stunden, und dabei produziert er zwei Novellen im Monat und alle zwei bis drei Jahre einen Roman! Wir sprechen mit ihm über seine ersten Bücher. Er erzählt uns einiges aus seinem Leben, brockenweise, sehr nett. Von seinem neunten bis zu seinem sechzehnten Lebensjahr litt er an einer Knochenkrankheit, obwohl er fast nichts gelernt hat, hat er mit zwanzig Jahren *Die Gleichgültigen* geschrieben. Das Buch hatte in Italien einen Erfolg, größer als irgendein Buch vorher und größer als alle späteren Bücher. Sechs Jahre lang fühlte er sich leer und schrieb keine Zeile. Dann kam *Gefährliches Spiel*, ein Roman, den die Kritik – unter dem Faschismus – mit keinem Wort erwähnte: dekadente Literatur. Und da eines sich aus dem anderen ergibt, untersagte man ihm zuerst, die Artikel, die er für Zeitungen schrieb, mit seinem Namen zu zeichnen, und dann, überhaupt zu schreiben. Da er von Haus aus nicht arm war, ging er auf Reisen, um dem Faschismus zu entrinnen: China, Frankreich, Amerika. Mehrere Jahre hat er mit seiner Frau Elsa Morante auf Capri verbracht. Er spricht von ihr mit viel Hochachtung, hält ihre Bücher für die besten zeitgenössischen italienischen Romane, macht aber ein bestürztes Gesicht, als ich sage, daß ich sie gern kennenlernen würde. Er ärgert sich darüber, daß sie sich nur mit Päderasten umgibt. Er behauptet, in Rom hätten achtzig Prozent aller Männer mit Männern geschlafen. Er sagt das mit einem Anflug von Neid, weil ihnen die Abenteuer so leichtfallen und weil sie einen so großen Appetit haben. Er zitiert einen Ausspruch, den P., ein Freund der Morante, getan hat: «Wie viele Menschen gibt es auf der Erde?» – «Über zwei Milliarden.» – «Das sind also über eine Milliarde Menschen, mit denen ich nicht schlafen werde!» Wie alle Italiener erzählt er mit viel Charme Anekdoten über die Kirche. Da der Papst den Ehrgeiz hat, ein Heiliger zu werden, ein kanonisierter Heiliger, beten die Kardinäle für ihn: «Möge der Herr unserem Heiligen Vater die Augen öffnen – oder schließen.»

Freude am Schreiben aus Freude am Schreiben: Mir war ganz gleich, was ich schrieb. Wenn wir ins Hotel zurückkehrten, trafen wir zu jeder beliebigen Stunde einen kleinen, blassen fünfzehnjährigen Jungen an, von dem sich ein weiblicher Gast eines Tages den Büstenhalter hatte zuhaken lassen. Immer war er da, morgens, nachts. Eines Tages fragte ich ihn: «Gehen Sie nie schlafen?» – «Ab und zu», erwiderte er ohne Bitterkeit und Ironie, in einem absoluten *matter of fact*-Ton. Am nächsten Tag fragte ich ihn: «Wie lange haben Sie heute nacht geschlafen?» – «Vier Stunden.» – «Und tagsüber?» – «Eine Stunde.» – «Das ist nicht viel.» – «So ist das Leben nun einmal, gnädige Frau.» Er muß zufrieden sein, daß er zu essen hat und anständig gekleidet ist: Er gehört zu den Privilegierten. Vielleicht noch trauriger ist das Los des Jungen im gestreiften Trikot, der im ‹Capranica› bedient. Als wir am dritten Abend hinkamen, sagte er stotternd zu Sartre: «Fabrik? Mich arbeiten ...» Er hätte gern in Frankreich in einer Fabrik gearbeitet. Sein Beruf gefiel ihm nicht. «Heute abend nicht hübsch das Bedienen», sagte er einmal betrübt. Nie fand er es hübsch. Aber einmal erhellte sich seine Miene. «Oh, heute abend ist die Rechnung sehr hübsch!»

Stippvisite Lanzmanns: Mit ihm haben sechshundert Millionen Chinesen, die Koreaner nicht mitgerechnet, die kleine Insel Capri überfallen. Ich begleitete ihn nach Neapel, der Zivilflugplatz wurde von einer Heerschar amerikanischer Soldaten bewacht, weil er mit amerikanischen, für den Libanon bestimmten Jagdflugzeugen vollgestellt war. Dann Rückfahrt mit Sartre über die neue Straße Neapel–Rom, die am Meer entlangläuft. Die Kiefern und das etruskische Grün auf der Domitiana erweckten in uns plötzlich den Eindruck, ins Altertum entrückt zu sein. Abend in Rom mit Merleau-Ponty, den wir auf dem Pantheonplatz getroffen haben. Dann Pisa. Pisanos Skulpturen im Museum: die kopflose Tänzerin und die Frau, die sich hinter ihrem Gewand versteckt. Man könnte meinen, der Marmor sei in einen Vulkan eingetaucht worden, das Thema ist tragisch und die Bewegung erstaunlich.

Mit Sartre bis Pisa, wo er auf Michelle wartet. Die Straße Pisa–Genua ist eine Hölle. Und der Morgen des 15. August auf der *cammionale* bis Turin ebenfalls. Dann wurde das Fahren zu einem Vergnügen, vor allem gestern, als ich in fünfeinhalb Stunden die Strecke Bourg–Paris hinter mich brachte.

Ein Zeichen des Alters: Die Angst vor jedem Abschied, vor jeder Trennung. Und das Traurige an allen Erinnerungen ist, daß ich spüre, daß sie zum Tod verurteilt sind.

*Mittwoch, 24. August*

Arbeit. Zwei Nachmittage lang habe ich mich in der Bibliothèque Nationale in die alten Jahrgänge der *Nouvelle Revue Française* und der früheren *Marianne* vertieft: Es ist erstaunlich, sich vor den Ereignissen wiederzufinden, die jetzt schon der Vergangenheit angehören. Der Wunsch, über das Altwerden zu schreiben, wird in mir immer stärker. Neid auf die Jugend, die uns so weit voraus ist und das zum Teil uns zu verdanken hat. Wie schlecht wurden wir doch ernährt! Wie rudimentär war alles, was man uns in der Philosophie, in der Nationalökonomie usw. beigebracht hat. Der (unberechtigte) Eindruck, die Menschheit habe durch mich Zeit verloren ... Und es ist schwer, seinem Leben, seiner Arbeit eine Dimension der Zukunft zu erhalten, wenn man sich bereits von allen jenen beerdigt fühlt, die hinterher kommen werden.

In der vorgestrigen Nacht hat die FLN in Frankreich eine Reihe aufsehenerregender Attentate durchgeführt: in Marseille in Brand gesteckte Benzinlager, in Paris ermordete Polizisten. Dakar und Guinea haben de Gaulle ausgepfiffen. Ich lese Duverger und Sternbergs *Der Konflikt des Jahrhunderts,* ein Buch, das mich amüsiert wie ein Kriminalroman. Erster schöner Tag nach dem Regen und der Kälte. Warm, golden, ein bißchen herbstlich und prächtig.

Das Antifaschistische Komitee ist dabei, für den 4. September eine große Gegenkundgebung zu organisieren: Wie wird das ausgehen? Lanzmann, der eifrig dafür tätig ist, erzählt mir, daß die vorbereitende Kampagne gut geführt sei. Er hat in Paris und in der Provinz auf zahlreichen Versammlungen gesprochen.

*Montag, 1. September*

Telefonischer Anruf Sartres. Er hat Servan-Schreiber in Rom getroffen. Er wird drei Artikel für den *Express* schreiben, am 11., 18. und 25.

*Donnerstag, 4. September*

Dieser Vormittag hat einen etwas unheimlichen Beigeschmack. Sartre noch in Italien, Lanzmann noch nicht aus Montargis zurück, wo er gestern abend gesprochen hat. Paris erscheint mir leer. Die Arbeiter hämmern heftig gegen die Wand, ab acht Uhr kann man nicht mehr schlafen, und das Arbeiten fällt schwer. Außerdem bin ich viel zu nervös. Blauer, durchsichtiger Himmel mit gelben Wolken über vergilbendem Laub. Es ist Herbst geworden zwischen den Gräbern des Friedhofs Montparnasse. Mit einer gewissen Beklemmung sehe ich dem heutigen Nachmittag entgegen. Ich habe keine Angst (obwohl zuweilen auch ein wenig Angst beigemischt ist), aber ich fürchte ein Fiasko. Ich habe Angst, eine Stunde lang diese abscheuliche Zeremonie ertragen zu müssen. Man läßt Pétain auferstehen. Man wird hundert ausgewählte Arbeiter mit der Ehren-legion dekorieren, und Malraux hat angekündigt, daß de Gaulle die Herausforderung der Linken angenommen habe und es wagen werde, auf der place de la République zu sprechen. Vorgestern war ich mit Lanzmann dort. Man hat alles so arrangiert, daß die Zuschauer von den Tribünen, auf denen geladene Gäste, Polizeibeamte und ehemalige Frontkämpfer sitzen werden, kilometerweit entfernt sind. Wir werden noch nicht einmal zu hören sein. Gestern abend gab die Präfektur durch den Rundfunk bekannt, daß es verboten sei, Transparente mitzuführen. Im Komitee hat man uns gelbe Zettel gegeben, auf denen NEIN steht. Sowie de Gaulle erscheint, sollen wir sie hervorholen. Übrigens sind die Anordnungen von Komitee zu Komitee verschieden. Evelynes Leute wer-den sich nicht um 4 Uhr, sondern erst um 5 Uhr einfinden und sofort die Spruchbänder entfalten. Das ist idiotisch. Man überläßt alles dem Zufall. Auf jeden Fall glaube ich, daß man angesichts der vielen Kriminal-beamten, die sich unter die Menge mischen werden (sogar *Paris-Presse* gibt es lächelnd zu), kaum Gelegenheit haben wird, gegen diese Paraden, diese Maskeraden, bei denen sich mir vor Ekel der Magen umdreht, wirk-sam aufzutreten.

Vor zwei Tagen hat mich eine kleine junge Frau angerufen, um mit mir ‹Kontakt› aufzunehmen. Ich ging also gestern abend ins Komitee meiner Sektion. Es war kläglich und erschütternd. Da ich den Fehler begangen hatte, schon um 9 Uhr zu erscheinen, war noch kein Mensch da. Die Concierge gab mir zwar schimpfend einen Schlüssel, aber ich zog es vor, auf einer Bank zu warten. Nach einer halben Stunde erschien eine junge Frau und führte mich durch einen Hof in ein großes, leeres Atelier. Allmählich kamen auch andere Frauen. Es waren nicht mehr als acht, und nicht ein einziges männliches Wesen dabei. Sinnlose Diskussionen. Trotzdem bewundere ich ihre Opferbereitschaft. Sie würden nicht vor Mitternacht ins Bett kommen, und trotzdem erboten sich drei von ihnen, zwischen 6 und 7 Uhr morgens Plakate zu kleben und Flugblätter zu verteilen. Und dabei haben sie Kinder oder einen Beruf. Schöner, milder Abend, viele Menschen in den Straßen, viel Neonlicht.

Die Nordafrikaner dürfen nachts nicht mehr ausgehen. In Athis-Mons hat die Polizei auf Italiener geschossen, die für Nordafrikaner Partei ergriffen hatten.

*9. September*

Ich irrte mich, als ich am Morgen des 4. September mit einem glatten Fiasko rechnete. Auf der place Saint-Germain-des-Prés treffe ich gegen 1 Uhr zufällig Genet, wir fallen einander um den Hals und essen zu-sammen auf einer Terrasse. Er erzählt begeistert von Griechenland, von

417

Homer und spricht ausgezeichnet über Rembrandt. Auszüge aus seinem «Rembrandt» sind im *Express* erschienen, aber zerstückelt, und er behauptet, es sei viel besser so. Auch er schafft den Menschen nach seinem Bilde, wenn er sagt, er sei vom Hochmut zur Güte übergegangen, weil er keine Trennungswand zwischen sich und der Welt dulden wolle: Das ist im übrigen ein schöner Gedanke. Er äußert sich freundlich über die Bruchstücke meiner *Mémoires d'une jeune fille rangée*, die er gelesen hat: «Das verleiht Ihnen eine dritte Dimension.» Er verteidigt leidenschaftlich den Terrorismus der FLN, aber es gelingt mir nicht, ihn auf die place de la République mitzuschleppen.

Bost hat sich entschlossen, sein Croix de Guerre zu tragen, und Lanzmann steckt sich seine Widerstandsmedaille an. Ich treffe ihn kurz vor 4 Uhr an der Absperrung, die in der rue Turbigo die geladenen Gäste vom Publikum trennt und wo die Polizei die Eintrittskarten kontrolliert. Als wir die Absperrungen und die Kontrollen sahen, dachten wir sofort: «Das ist eine Mausefalle ...» und kehrten zum Lycée Turgot zurück, wo ich mich einzufinden hatte. Kein Mensch war da. Am Bordstein Autos voller CRS-Leute, an denen häßliche und stark hergerichtete Frauen vorbeigingen und keck ihre Eintrittskarte schwenkten: Sie fühlten sich entschieden auserwählt.

Mir wurde klar, daß man die Straße abgesperrt hatte, damit die anderen nicht bis zum Lyzeum vordringen konnten, und ich trat den Rückzug aus dieser Sackgasse an. Schon nach dreihundert Metern tauchte die erste Polizeisperre auf. L. war nach Saint-Maur gefahren, um die Funktionäre des Widerstandskomitees zu treffen (das sämtliche Ausschüsse der Sektion koordiniert), ich wartete an der Métrostation Réaumur auf das Komitee des 6. Arrondissements, das sich, wie Evelyne mir gesagt hatte, dort versammeln sollte. Bald kamen auch Evelyne, die Adamovs und andere. Jetzt strömten die Menschen in Gruppen und Scharen herbei. Wir schöpften neue Hoffnung. Wir gruppierten uns vor der Métrostation Arts-et-Métiers, ganz in der Nähe der ersten Polizeisperre. Als jemand, der vorbei wollte, sie beschimpft hat, ohrfeigen sie ihn, worauf die Menge tobt und sie mit NEIN-Zetteln überschüttet. Der Mut einzelner Demonstranten verschlägt mir den Atem. Einer sagt in nachlässigem Ton: «Sie werden angreifen, denn sie ziehen die Handschuhe an.» Wir weichen ein wenig zurück, um in die Nebenstraßen flüchten zu können. Immer mehr Leute erscheinen, massenhaft Leute, aber alle zucken zurück, sowie sie diese umfangreichen Absperrungsmaßnahmen sehen. Adamov sagt ärgerlich: «Versuchen wir es woanders!» Ich wäre dafür gewesen, zu bleiben, nicht auseinanderzulaufen, um möglichst zahlreich gegenüber den Tribünen zu demonstrieren. Ich glaube, ich hatte recht, nur hätte man uns zusammengehauen. Adamovs Ungeduld war äußerst heilsam. Wir begannen rund um den Platz zu laufen und suchten vergebens nach einem Durchschlupf. Es ging das Ge-

rückt, einzelne Gruppen wären zur place de la Nation gezogen. Ich aber
überredete meine Leute, umzukehren, um bei Arts-et-Métiers genau gegenüber den Tribünen zu demonstrieren. Wir begegneten anderen Gruppen, die Gott weiß wohin wollten, nur wußten sie es nicht. Einer sagte
zum anderen: «Dort ist alles abgesperrt.» – «Dort auch!» – Schließlich
landeten wir in der rue de Bretagne. Unter lebhaftem Beifall brachten
die Demonstranten Spruchbänder, Klebezettel, Plakate, kleine Ballons
mit der Aufschrift NEIN zum Vorschein. Im Gänsemarschrhythmus der
Studenten ruft man: «Nieder mit de Gaulle!», und Adamov sagt irritiert: «Die Leute sind viel zu vergnügt, das ist unmöglich.» Trauben-
weise steigen unmittelbar über den Tribünen die Ballons zum Himmel
empor, und die NEIN schweben durch die Luft. Wir sind Scipion und
Lanzmanns Vater begegnet, die aus der rue Turbigo kamen. Die Leute,
die man in ziemlich großer Zahl dort hineingelassen hatte, saßen wie
die Ratten in der Falle. Als Berthoin das Wort ergriff, begannen sie so
laut zu demonstrieren, daß man nicht verstand, was er sagte. Dann ging
die Polizei von vorn und von hinten auf sie los, es gab kein Entrinnen,
und die Menge wurde erbarmungslos niedergeknüppelt. Während Scipion Bericht erstattete, wurde Adamov durstig, und wir gingen alle zusammen in ein *bistro*. Plötzlich geht es draußen los: Die Polizei greift
an. (Sie hatte schon einmal angegriffen, und wir waren in ein Haustor
geflüchtet; die Concierge hatte alle eingelassen und gesagt: «Wenn sie
angerückt kommen, macht ihr das Tor zu.») Blutende Frauen kamen ins
*bistro*, die eine ruhig, die andere laut schreiend, die man dann auf eine
Bank im Hinterzimmer legt. Eine Blondine hatte blutverschmiertes
Haar. Blutüberströmte Männer liefen die Straße entlang. Als Evelyne
drei Mitleidstränen vergießt, sagt jemand streng zu ihr: «Werden Sie
uns nicht ohnmächtig!» Wir verließen das *bistro* und fuhren fort zu demonstrieren. In der rue de Bretagne war Markttag, die Händler schienen auf unserer Seite zu stehen. Die Menge war sehr sympathisch: hart,
stolz, heiter. Es war die lebendigste Kundgebung, an der ich je teilgenommen habe: Sie war weder so sittsam wie der große Trauerzug zur
place de la République, noch so unschlüssig wie die Demonstration am
Sonntag der Amtsübernahme, sondern ernst und für manche gefährlich.
V.s Frau war bei ihrer Ankunft um 5 Uhr bleich, um 5 Uhr 15 grün, und
um 5 Uhr 30 übergab sie sich. Ihr Mann lehnte ihren Kopf an eine Hauswand und tröstete sie. Ein Freund sagte: «Sie ist krank.» Ein anderer
berichtigte ihn: «Sie hat Angst!» Verständnisvoll fügte der Mann hinzu: «So geht es ihr jedesmal.» Ich habe gefragt, warum sie nicht zu Hause
geblieben sei. «Dann hat sie ein schlechtes Gewissen, das ist viel schlimmer als die Angst.» Man bringt sie in ein Café in der rue des Archives.

Gegen halb acht wurde beschlossen, sich zurückzuziehen. Lanzmanns
Vater brachte uns mit seinem Auto wieder zur Kreuzung Arts-et-Métiers. Der Boden war mit NEIN-Zetteln übersät. In der rue Beaubourg

hatte man das Pflaster aufgerissen. Auf den Boulevards standen die Menschen in Gruppen beisammen und diskutierten. Wir gingen zu Bost, der zusammen mit Serge demonstriert hatte. Wir aßen alle bei Marie-Claire zu Abend, berichteten einander die Erlebnisse des Tages und zerfetzten den Artikel von Germaine Tillion, den Bost, Lanzmann und ich für eine Schweinerei hielten.

Die Presse am nächsten Tag war schändlich. Trotzdem: Die «paar hundert Demonstranten» im *Figaro* – das war ein bißchen stark. Die Präfektur nannte eine Gesamtziffer von 150 000, darunter 6000 geladene Gäste, 4000 Gaffer, Ausländer und auch verkleidete Gaullisten: Also mußten es auf unserer Seite 140 000 gewesen sein. (Als ich Sartre am Telefon diese Zahl mitteilte, war er enttäuscht; in Rom sprachen die Zeitungen von 250 000 Demonstranten.) In der rue Beaubourg waren Schüsse gefallen: Vier Verwundete. Die *Humanité* und die *Libération* bringen Schilderungen, die sich genau mit dem Bericht decken, den Lanzmann für die Zeitschrift des Widerstandskomitees angefertigt hat: Leider liest außer den Gesinnungsgenossen niemand diese Artikel. Trotzdem entdeckt man hinter den Schwindeleien des *France-Soir* einen Schimmer der Wahrheit. *Le Monde* veröffentlicht Zuschriften, und der Ton der *Paris-Presse* ist keineswegs triumphierend. Die Herrschaften geben zu, daß zwischen de Gaulle und dem Publikum ein gewisser ‹Kontakt› gefehlt habe. Bei Marie-Claire haben wir uns seine Rede angehört. Sie war nicht direkt, sondern eine halbe Stunde später gesendet worden, damit man in der Zwischenzeit die Nein-Rufe ausmerzen konnte. Stimme und Rede eines nicht gerade rüstigen Greises. Die Perle des Tages, in zahlreichen Zeitungen zitiert: Sechs schwedische Journalisten waren ordentlich verprügelt, aufs Revier gebracht und noch einmal geschlagen worden. Ihre Proteste hatten schließlich die Botschaft erreicht. Man entließ sie mit den Worten: «Entschuldigen Sie, daß wir Sie für Holländer gehalten haben.» Als ein anderer Journalist sagt: «Ich bin Amerikaner!», schlägt ihm ein Polizist das Auge blau und sagt: *«Go home!»*

M. war mit eingeladen gewesen; aber sogar von den geladenen Gästen haben nicht alle applaudiert, und die Nein-Rufe waren deutlich zu hören. Ausländische Diplomaten wurden Augenzeugen der Prügeleien am anderen Ende der Straße. Während de Gaulles Rede wandten die Anwesenden unaufhörlich die Köpfe in Richtung der Menschenmenge, und von Zeit zu Zeit verbreitete sich das Gerücht: «Sie haben die Absperrungen durchbrochen.» Das löste bei allen Herren die gleiche Reflexbewegung aus: Sie schnallten den Gürtel ab, um ihn als Waffe zu benutzen. In der Wochenschau, im Rundfunk, im Fernsehen ist alles verfälscht. Trotzdem verzichtet de Gaulle auf seine große Propagandatournee. Er wird – ab 28. September – nur einige größere Städte besuchen und sich außerdem auf den Kontakt mit den ‹Behörden› beschränken.

Ein bezeichnendes Detail – was die Propaganda betrifft: Als ich wieder einmal bei mir zu Hause einen Pfändungsbescheid vorfinde, schreibe ich dem Gerichtsvollzieher, «daß er den Tag festsetzen möge». Er antwortet: «Wenn Sie im Laufe des November zahlen, werde ich nicht pfänden.» Dann erfahre ich, daß die Rechnungsbeamten den ‹vertraulichen› Wink erhalten haben, die Steuern nicht mit brutaler Strenge einzutreiben und keine Pfändungen vorzunehmen. Es geht darum, den Steuerzahlern Honig ums Maul zu schmieren.

*Sonntag, 14. September*

Ein prachtvoller Herbst. Gestern um halb neun Uhr morgens hatte ich den Eindruck, mich in Peking zu befinden: der gleiche zartgoldene Himmel – und ich wartete auf ein Auto, das mich zu einer langweiligen Zusammenkunft abholen sollte. Es handelte sich um eine Konferenz protestantischer Lehrer in Bièvre. Ich hatte zugesagt, für die bevorstehende Volksabstimmung Nein-Stimmen zu sammeln. Die alte windschiefe Burg in einem großen Park mit weidenden Schafherden ist sehr hübsch. Die Zuhörer machen einen sympathischen Eindruck. Zahlreiche Pastoren waren anwesend, darunter auch Mathiot, der zu sechs Monaten Haft verurteilt worden war, weil er einem Angehörigen der FLN zur Flucht in die Schweiz verholfen hatte. Ich sprach über das Engagement der Intellektuellen. Es wurde ein wenig diskutiert, alle schienen meiner Meinung zu sein. Aber auf der Rückfahrt im Auto wurde ich enttäuscht. Die weißhaarige Frau dachte genauso wie ich, aber die beiden anderen, zwei Ärztinnen, hatten Angst vor den Fallschirmjägern und den Kommunisten und erklärten, de Gaulle sei doch schließlich und endlich de Gaulle. Die Linke habe nur Mendès-France, und Mendès-France sei eine so abstoßende Erscheinung! Diese Menschen, die sich mit eigenen Händen erwürgen, sind keine Faschisten, aber sie haben eine schreckliche Angst vor dem Kommunismus!

Abends ging Lanzmann mit mir in die ‹Vanne Rouge› essen. Nach der Rückkehr nach Paris war ich gleichzeitig so schläfrig und so nervös, daß ich nicht einmal ins ‹Dôme› ging, um noch etwas zu trinken, sondern mich sofort ins Bett begab. Noch heute früh fühlte ich die Spannung in mir. Wird es wieder so anfangen wie im Mai? Ich habe große Angst. Ich fürchte, daß ich bis zum 28. so verkrampft sein werde. Und nachher? An den Oktober will ich lieber gar nicht denken.

Ich habe wieder Lust, Tagebuch zu führen, teilweise deshalb, weil mir bei diesem Spannungszustand jede andere Arbeit schwerfällt. Die Zusammenkunft des Comité de Liaison im 14. Arrondissement am Freitagabend war recht erfreulich. Ich ging zu Fuß in die rue du Château. Es war so nett und poetisch, durch die rue Froidevaux am Hotel ‹Mistral› und den ‹Trois Mousquetaires› vorbei zu wandern. Ich habe mich in der letzten Zeit dermaßen in meine Vergangenheit vertieft, daß sie im

Augenblick zu einer Dimension meines Lebens geworden ist. Der kleine Saal, offenbar ein Bezirksbüro der CGT, war voll besetzt. Jusquin bat mich, am Vorstandstisch Platz zu nehmen. Ich saß neben Francotte, dem Senator und früheren kommunistischen Stadtrat; er ist der Prototyp des alten, geriebenen Linkspolitikers. Er sagte zu mir: «Aha – *Les Mandarins*! Sehr gut ...» Und in scherzhaftem Ton: «Nun stehen wir wieder vor der gleichen Situation, vor dem gleichen Problem: Mit uns oder gegen uns ...» Worauf ich ihm geantwortet habe: «Und es gibt nur eine Lösung: Man ist *gezwungen*, mit euch zu arbeiten.» Dann sagte er in seiner unnachahmlichen Art: «Was wollen Sie, manchmal irrt man sich eben, begeht Fehler: Wem passiert es nicht? Aber im großen und ganzen haben wir die Wahrheit auf unserer Seite.» Jusquin gibt einen recht guten Überblick über die Lage, aber du lieber Gott – warum dieser Optimismus? Warum behaupten: «Den Nein-Stimmen ist der Sieg gesichert» – während das Problem darin besteht, zu wissen, ob es ein wenig mehr Nein-Stimmen geben wird als die der Kommunisten? Man hat mich um Artikel für die kleine Bezirkszeitung gebeten, und ich habe auch versprochen, mich mit den Studenten der Cité Universitaire zu treffen. Dann wurde mir ein Zettel zugesteckt, auf dem zu lesen stand: «So eine Freude, Sie wiederzusehen, usw.» Es war F. d'Eaubonne, die ich seit langem nicht mehr gesehen hatte. Ich ging mit ihr in die ‹Trois Mousquetaires›, wo ich einen Bissen zu mir nahm. Sie hat für *Travail et Culture* gearbeitet, ist aber wegen politischer Meinungsverschiedenheiten ausgeschieden. Sie schreibt noch in der *Europe* und ist Lektorin bei Julliard.

Sartre kehrt morgen zurück. Er hat mir am Telefon gesagt, daß er recht müde sei. Man merkt es dem Artikel an, den er geschickt hat – ich habe ihn zusammen mit S.-S. gekürzt. Er ist nicht sonderlich inspiriert. Aber er mußte geschrieben werden.

Ausgezeichnete Rede von Mendès-France. Lanzmann war dort und seltsamerweise auch Genet. Es sieht so aus, als ob Mauriac sich getroffen fühlte, aber das hat ihn nicht daran gehindert, in seinen *Bloc-Notes* mit senilem Starrsinn zu wiederholen: «Trotzdem: de Gaulle bleibt de Gaulle ...» Er wirft sich vor – in aller Aufrichtigkeit, wie ich in seinem Namen befürchte –, daß er sein Leben lang die bedauerliche Isolierung gesucht habe, die der Schlafwagen gewährt.

*16. September*

Gestern habe ich Sartre im Regen von der Gare de Lyon abgeholt, und wir haben den ganzen Tag geplaudert. Er ist sehr müde. Ich bleibe weiterhin ‹aktiv›: Ich redigiere Plakattexte, Ansprachen, Artikel. Lanzmann wird völlig von der Wahlkampagne aufgefressen. In Montargis hat er vor 250 Lehrern über die «Vergewaltigung des Gewissens» gesprochen. Z., ein Kommunist, sagte nachher zu ihm: «Diesen Ausdruck hätten Sie wegen der anwesenden Frauen nicht gebrauchen dürfen.»

Bis heute früh herrschte rund um mich her ein toller Wirbel. Sartre bekam am Sonntag einen Leberanfall, als er seinen neuen Artikel für den *Express* beginnen sollte. Am Sonntagnachmittag war er so ausgepumpt, fiebrig, verstört, daß es mir zweifelhaft schien, ob er es schaffen werde. Und weil es ihn geärgert hatte, daß der erste Artikel nicht so gut gewesen war, irritierte ihn der Gedanke, daß der zweite nicht besser würde. Er hatte achtundvierzig Stunden hintereinander, ohne zu schlafen und fast ohne Pause, gearbeitet. In der Nacht vom Sonntag auf den Montag hat er ein wenig geschlafen, aber als ich ihn am Montagabend um 11 Uhr verließ, machte er sich, obwohl er völlig erschöpft war, wieder an die Arbeit und stand bis am Dienstagvormittag um 11 Uhr nicht vom Schreibtisch auf. Gestern nachmittag wirkte er taub und blind, und ich fragte mich, ob er es fertigbringen würde, sich in der Versammlung aufrecht zu halten. Aber er scheint sehr gut gesprochen zu haben und ging erst um halb eins zu Bett. Am Montagabend aber hatte ich Lanzmann bei der Arbeit an seinem China-Artikel angetroffen. Er brauchte die ganze Nacht und den ganzen nächsten Tag dazu, ihn fertigzustellen. Er ist ausgezeichnet. Ich habe dagegen den Montagabend damit verbracht, Sartres Artikel zusammenzustreichen – eine undankbare und, wenn sie dringend ist, recht anstrengende Arbeit. Schließlich kam das Exemplar des *Express* bei Sartre an. Der Artikel ist wirklich gut, und die Kürzungen machen sich nicht allzusehr bemerkbar.

Ich weiß nicht, ob es an der Aufregung oder an der Arbeit liegt, aber mein erhöhter Blutdruck geht nicht zurück. Ich spüre ihn im Nacken, in den Augen, in den Ohren, in den Schläfen, und das erschwert mir die Arbeit. Ich habe die versprochenen Artikel geschrieben. Idiotisch, wieviel Zeit auch die kleinste Glosse kostet. Trotzdem habe ich wieder begonnen, mein Buch vom ersten Kapitel an durchzusehen. Gestern früh klingelte ein Trappist an meiner Tür: Pierre Mabille. Er brachte mir einige Hefte Zazas, um mir bei der Materialsammlung zu meinen Memoiren behilflich zu sein. Nichts Interessantes. Ihre Briefe sagen alles.

Frühstück mit Badiou, der an der École Normale studiert. Er erzählt von der Sozialistischen Partei und berichtet, wie die Fallschirmjäger am 14. Juli Toulouse besetzten: Sie rempelten die Fußgänger an, weigerten sich, in den Cafés ihre Zeche zu bezahlen, und zwangen die Mädchen, mit ihnen zu tanzen. Die Offiziere schrien ins Mikrophon: «Los, Jungs, holt sie zum Tanz, ihr seid mehr wert als diese zivilen Zuhälter!» Aber das führte nicht zu antigaullistischen Demonstrationen, im Gegenteil, die Leute dachten: Davor wird uns de Gaulle bewahren. Badiou erzählt, sein Vater sei am 27. Mai ernstlich gefährdet gewesen, als die zahlreichen Ex-Tunesier und Ex-Marokkaner in Toulouse einen nationalistischen Putsch planten. Natürlich unterhielten wir uns auch über Algerien. Und über die Volksabstimmung. Er ist äußerst pessimistisch.

Alle Welt wartet auf den Sonntag: 60 Prozent? 70 Prozent? Wir wetten auf eine Ziffer zwischen 65 und 68 Prozent – eher 68. Danach wird die Wahlkampagne beginnen, die sich recht übel anläßt.

Die Foltern gehen, auch in Frankreich, frisch und munter weiter. Jeden Tag kommt es zu Schießereien zwischen Polizei und Nordafrikanern.

*Sonnabend, 27. September*

Es hat mir wohlgetan, aus meinem Schneckenhaus hervorzukriechen. Ich habe es voriges Jahr oft bedauert, daß ich ein allzu zurückgezogenes Leben führte. Der gestrige Abend hat mir gut gefallen. Nicht etwa, daß er mir eine ähnliche Befriedigung gewährt hätte wie mein Vortrag an der Sorbonne vor 600 Personen, die eigens meinetwegen erschienen waren und mir einen so warmen Empfang bereitet hatten. Da auch ich eine ‹echte Demokratin› bin, liebe ich diese Art Kontakt am meisten: wenn man kollektive Sympathie genießt.

In einem *bistro* in der rue d'Alésia legte ich mir vier einleitende Worte zurecht und ging dann in die Schule. Etwa 2400 Menschen, die Hälfte im Saal, in dem eine erstickende Hitze herrscht, die andere Hälfte fröstelnd auf dem Hof. «Die schönste Versammlung des ganzen Wahlkampfes», sagte Stibbe. Jusquin behauptete frommen Sinnes, daß nur ein Drittel Kommunisten anwesend wären, aber auch wenn man das Verhältnis umkehrte – ein Drittel Nichtkommunisten Seite an Seite mit den Kommunisten –, war es nicht gar so schlecht. Vor der Tribüne einige alte Herren – einer mit Vollbart, andere glatzköpfig, alle sehr aufgeregt. Nur einige hundert Meter weiter – in der *mairie* des 14. Arrondissements – fand eine Versammlung der UFD statt, und man hatte unsere Versammlung nicht angekündigt. Im Grunde macht sich niemand etwas daraus, aber man mußte auf die Empfindlichkeit anderer Rücksicht nehmen, usw. Schließlich wurde beschlossen, Delegationen auszutauschen. Mein Mitvorsitzender ergreift das Wort, ich füge einige Bemerkungen hinzu, dann kommen die Redner an die Reihe: Madaule, Gisèle Halimi, die sehr überzeugend wirkt; sie spricht ruhig, im Gesprächston, aber leidenschaftlich, mit ganz kleinen Gesten und einem lächelnden Eifer. Am Vorabend hatte sie in Marseille gesprochen, den Tag hat sie im Zug verbracht, morgen wird sie den Präsidenten der Republik aufsuchen, um ihm ein Gnadengesuch zu unterbreiten, sie hat Kinder und einen Beruf, es muß ihre Nerven und ihr Herz belasten: wieder eine jener überaus aktiven jungen Frauen, vor denen ich große Achtung habe. Wir finden Gefallen aneinander und tauschen Adressen aus. Nachher kommt ein charmanter Auftritt Yves Roberts, an der Seite Danièle Delormes, die in einem Schneiderkostüm neuester Mode so frisch wirkt wie eine Blume. Man sollte das ‹Theatervolk› mehr ausnutzen. Die Leute lachen herzlich. Überraschendes Eingreifen eines Anwalts, der bis vorgestern

424

linker Gaullist war, geschniegelt, gepflegt, Genre ‹Mann der Zukunft›, grundlegend anders als die übrigen Anwesenden. Er jongliert mit Ausdrücken, die niemand versteht. Er erzählt, daß am Donnerstag in der Salle Pleyel entfesselter Beifall die Stimme Soustelles übertönt habe. Als die Leute riefen: «Tod den Kommunisten!», wurden sie von Soustelle noch ermuntert. Als einer schreit: «Wir werden sie umbringen!», hagelt es wie im Kasperletheater Zwischenrufe: «Ja! Nein! Bravo!» – es muß bezaubernd gewesen sein. Der Anwalt schließt mit großer rhetorischer Geste: «Ich habe den Saal dort gesehen – und ich sehe diesen Saal: Meine Wahl ist getroffen.» Er erntet viel Beifall, jeder fühlt sich persönlich auserwählt. Nachher: Astier, ein klassischer Kommunist, der (wie sie es immer machen) ein langes Memorandum verliest, ohne ein Wort zu überspringen oder den Tonfall zu ändern; Stibbe, der sehr präzise die Verfassung kommentiert. Alle Redner haben geschwitzt. Als er mir die Hand gab, war sie eiskalt. Eine komische Episode. Ein Delegierter der UFD aus der benachbarten Versammlung unterstreicht nachdrücklich die Meinungsverschiedenheiten zwischen der UFD und den hier Anwesenden, aber er freut sich über «diese parallelen Existenzen, die sich vereinen werden, um nein zu sagen». Während der Mitvorsitzende um Geldspenden bittet, wird bekanntgegeben, daß sich Bourdet im Saal befinde. Ovation. «Auf das Podium!» Aber er weigert sich. Er kommt aus der UFD-Versammlung, an der, wie es scheint, nur 93 Personen teilgenommen haben. Mir gefielen die Köpfe der Leute und ihre Reaktionen. Eine ganz arme Frau, fast eine Bettlerin, hatte zwei kleine Kinder mitgebracht: ein braunhäutiges Mädchen mit einem Modigliani-Kopf unter dem schwarzen, rundgeschnittenen Haar und einen kleinen zehnjährigen Jungen, der lachte, applaudierte und einen lebhaften Eindruck machte.

Beim Weggehen spreche ich noch mit einigen Studenten, sehr netten Leuten, und einem Blinden mit seiner Frau: Er hat *Les Mandarins* in Blindenschrift gelesen, er ist Leiter einer Braille-Bibliothek, hat eine von der Académie preisgekrönte Anthologie verfaßt und möchte, daß ich das Patronat über seine Zeitschrift blinder Dichter übernehme. Er hat bereits Fernand Gregh und Duhamel gebeten! Ich winde mich da heraus. In der ‹Grande Brasserie› treffe ich C. Chonez, F. d'Eaubonne, Renée Saurel. An einem benachbarten Tisch: H. Parmelin, O. Wormser, Pignon, an einem anderen die UFD-Leute: Stibbe, Bourdet, die Halimi. Man schickt Abordnungen von Tisch zu Tisch. Es ging sehr lustig zu, und ich blieb bis halb zwei Uhr früh. Alle Welt äußert sich höchst lobend über Sartres Artikel.

Heute abend nimmt das erste Kapitel Gestalt an. Ich halte es nicht für unmöglich, daß das Buch in zwei Jahren fertig ist.

Am Dienstag liefert Gallimard die Bücher aus. Ich erinnere mich an die Beklemmung, die mich nach dem Erscheinen von *Les Mandarins* bei dem Gedanken an alle die Blicke überfiel, die über Seiten wandern, in die ich so viel Eigenes hineingelegt habe. Diesmal ist es anders, ich habe mehr Abstand. Die Kritiker und Leser stören mich nicht mehr. Aber mir ist unbehaglich zumute – fast sind es Gewissensbisse –, wenn ich an die vielen denke, über die ich geschrieben habe und die wütend sein werden.

Der Herbst ist schön, warm, bunt, schattig und sonnig. Aber fast überall in Frankreich beginnen die Leute übereinander herzufallen.

Noch ein letztes Gespräch mit einem Taxichauffeur. Er konstatiert, daß Paris an diesem Samstag wegen der Abstimmung voller Menschen ist. «Und für was wird man sich entscheiden?» frage ich. «Aber, liebes Frauchen, das versteht sich doch von selbst: für die Ehrlichkeit … Er ist ehrlich, dieser Mann. Sonst hätten ihn doch die Parteien beschimpft … Nein, ich sehe in ihm keinen Diktator. Warum eigentlich? Nachher werden wir Abgeordnete wählen, man wird mitreden können … Auf jeden Fall muß es anders werden, es kann nicht schlimmer sein, als es vorher war … Man muß Vertrauen haben.»

*Sonntag, den 28.*
Volksabstimmung.

*Montag, 29. September*
Schön, jetzt haben wir den Geschmack der Niederlage kennengelernt, und er war ziemlich bitter. Es war ein recht schöner Tag, hell und leicht, lächelnd gingen die Menschen zu den Urnen, die Wahllokale wirkten beinahe leer, trotz der ungeheuren Wahlbeteiligung, weil zweifellos alles gut organisiert war. Ich gab morgens meine Stimme ab, aß bei meiner Schwester zu Mittag, begleitete Sartre in die rue Mabillon. Der Wahlleiter sagte lächelnd zu ihm: «Heute früh waren die Fotografen hier und wollten wissen, wann Sie kommen.» Wir gingen gemächlich spazieren und setzten uns auf eine Terrasse in der Nähe des Saint-Michel. Wir hatten das Gefühl, demobilisiert, arbeitslos zu sein. Wir waren nicht sehr neugierig: zwischen 62 Prozent und 68 Prozent, alles klar und deutlich, wie es die Regierung, die Kommunisten und der gesunde Menschenverstand verlangten. Wir hatten Boubal getroffen, der voller Überzeugung sagte: «Die Besetzung, das war eine schöne Zeit!» Er beklagte sich darüber, daß im ‹Flore› nur noch Schwule verkehrten. Nachher haben wir gearbeitet und in der ‹Palette› zu Abend gegessen.

Sartre ist noch immer etwas müde. Ich habe ihm das Versprechen abgenommen, zum Arzt zu gehen. Lanzmann erschien um Mitternacht, schon in Katastrophenstimmung, die er aber nicht allzu offen zu zeigen wagte, weil Sartre ihm oft seinen Pessimismus vorwirft. Die bereits bekannten Ergebnisse waren alarmierend: über 80 Prozent Ja-Stimmen. Sartre legte sich schlafen. Wir gingen zum *France-Soir*. Dort herrschte ein toller Betrieb. Es lagen bereits die Resultate aus der gesamten Provinz mit Ausnahme Marseilles vor, die über 80 Prozent Ja-Stimmen ergaben. Niedergeschlagen gingen wir nach Haus, und nun begann, genauso wie am 13. Mai, der Reigen der telefonischen Anrufe. Zuerst Péju, der über eine Menge genauer Ziffern verfügte, die alle niederschmetternd waren. Lanzmann hat mit T. in der *Humanité* gesprochen und ihn gefragt: «Aber wie ist es möglich, daß die Kommunisten alles verraten haben?», worauf der andere finster erwiderte: «Lies den Artikel deines Freundes Sartre.» Ich fing an zu weinen. Ich hätte nicht geglaubt, daß es mir so nahegehen würde. Noch heute früh möchte ich am liebsten weinen. Es ist einfach fürchterlich, ein ganzes Land, das eigene Land, gegen sich zu haben und sich bereits im Exil zu befinden. Wir telefonierten mit Lanzmanns Vater. Er erzählte, auf den Champs-Élysées seien sämtliche *cagoulards* versammelt und jubelten. Ihre Freude ist fast ebenso schwer zu ertragen wie die Enttäuschung unserer Gesinnungsgenossen. Es gab einen Augenblick trügerischer Hoffnung: Europe I meldete in den letzten Nachrichten nur 72 Prozent. Das war ein Irrtum. In Paris waren 77 Prozent Ja-Stimmen abgegeben worden. Es gibt viele, ungeheuer viele, die nicht wissen, was sie tun, die genauso denken wie neulich mein Taxichauffeur: Es muß anders werden, man darf die Hoffnung nicht aufgeben ... Aber es ist nicht mehr rückgängig zu machen. Wie viele Jahre werden vergehen, bevor sie merken, daß es eine falsche Hoffnung war? Und dann? Am Telefon hat Lanzmann einen Auskunftsbeamten gefragt, wie er gestimmt habe: Ja. «Das war nicht richtig», sagte Lanzmann. Auch ich fragte, als ich die Leitung für ankommende Gespräche sperren ließ: «Sind Sie mit dem Ergebnis zufrieden?» – «Warum fragen Sie mich?» erwiderte der Mann in beunruhigtem Ton. «Weil ich es wissen möchte.» – «Man hat mich eben gerade schon deswegen ausgeschimpft», sagte er. «Weil Sie mit Ja gestimmt hatten?» – «Ja.» – «Ach – das ist wirklich schade!» Und dann legte ich auf. Er war nicht sicher, richtig gehandelt zu haben: Aber er hatte trotzdem ja gesagt.

Die ganze Nacht hindurch Albträume. Ich bin ganz zerschlagen.

Als ich den *France-Soir* und die *Libération* kaufte und sie auf der place Denfert-Rochereau öffnete, fühlte ich mich an den Krieg erinnert: ich war damals in Tränen ausgebrochen, als ich die Zeitungen aufschlug und las: «Die Deutschen sind in Belgien einmarschiert.» Diesmal war ich vorbereitet, war aber fast genauso verzweifelt. Wie düster war die *Libération*! Anscheinend auch die *Humanité* – aber lange würde es so nicht weitergehen. Ich habe Sartre angerufen. Auf diesen Schlag war er nicht gefaßt gewesen. Ich habe den Tod im Herzen.

Mein Département, La Corrèze, hat am besten gestimmt! Diese arme Gegend mit ihrem Heidekraut und ihren Kastanienbäumen huldigte schon in meiner Kindheit radikalen Ansichten.

Die Abneigung der Leute gegen das Parlament ist groß! Sartre wies in seinem Artikel darauf hin, daß man die Abgeordneten als ‹Faulenzer› betrachtet und glaubt, sie machten der Exekutive nur Schwierigkeiten.

Dazu kommt noch etwas anderes: Der schlechte Nachgeschmack alter Skandale: Panama, Oustric, Stavisky. Keiner davon hat sich in der IV. Republik abgespielt (die Piaster-Affäre steht wieder auf einem anderen Blatt), aber die Menschen glauben daran, daß in der Kammer Freimaurerei, Intrigen, Bestechlichkeit herrschen und sie, die Wähler, übertölpelt würden. Der Kern der Sache liegt darin, daß sie nicht von ihresgleichen regiert werden wollen: weil sie viel zu schlecht über sie denken, weil sie viel zu schlecht über sich selber und ihre nächsten Nachbarn denken. Hinter dem Geld her zu sein und den eigenen Interessen zu dienen, gilt als ‹menschlich›. Aber wenn man genauso menschlich ist wie die anderen, dann ist man nicht fähig, sie zu regieren. Die Menschen fordern also das Nicht-Menschliche, das Übermenschliche, den großen Mann, der ‹ehrlich› ist, weil er ‹darüber steht›.

Verhängnisvolle Niederlage: Es ist nicht die Niederlage einer Partei, einer Anschauung: 80 Prozent der Franzosen haben ihren Glauben an Frankreich und ihre Wünsche für ihr Land verleugnet. Sie haben sich selber verleugnet, es ist ein ungeheurer, kollektiver Selbstmord.

*Mittwoch, 1. Oktober*

Dieser Tag ist durch das Ergebnis der Volksbefragung und Sartres Krankheit verdüstert. Er hat Kopfschmerzen. Er will nicht vor Samstag zum Arzt gehen, was mir nicht recht ist. Ich habe schlecht geträumt und fühle mich den ganzen Tag über unbehaglich.

Abends habe ich mit der zauberhaften Han Suyin gegessen. Ich traf sie im ‹Pont-Royal›, helles Kostüm, groß, schlank, die Gesichtszüge kaum asiatisch, schön für ihre vierzig Jahre. Die Tochter, die einen chinesischen Vater hat, ist ein ausgesprochen asiatischer Typ. Sie versteht kein Wort Französisch und muß sich ordentlich gelangweilt haben. Wir aßen bei ‹Beulemans›. Han Suyin ist ein interessanter Mensch. Schon mit frühen Jahren hat sie sich entschlossen, ihre Situation als Mischling zu akzeptieren: indem sie sich dafür entschied, keine Wahl zu treffen. Sie fühlt sich genauso als Europäerin wie als Asiatin, aber ihr Herz schlägt für Asien. Sie lebt in Singapore und behandelt täglich von 9 Uhr morgens bis 5 Uhr abends Chinesinnen (sie ist Gynäkologin). Dann fährt sie mit dem Auto nach Hause und schreibt. Seit 1952 fährt sie jedes Jahr nach China. Sie bewundert die Führung und die Kader: in ihren Augen sind es Heilige. Sie erzählt mir, daß in Singapore und sogar trotz des Regimes in Kanton noch heute Frauengemeinschaften existierten (ungefähr 30 000 in Kanton), die aus anerkannten Lesbierinnen bestehen. Sie heiraten untereinander und adoptieren Kinder. Sie dürfen die Gemeinschaft verlassen und einen Mann heiraten. Dann schneiden sie sich die Haare ab. Sie haben ihre Göttin, ihre Zeremonien usw. Sie erzählt, daß der chinesische Puritanismus wirklich erdrückend sei und daß die Russen anfangs unliebsames Aufsehen erregt hätten, weil sie mit den Chinesinnen zu flirten versuchten. Ihrer Meinung nach werden es die chinesischen Intellektuellen noch mindestens fünf Jahre lang schwer haben.

Donnerstag, 2. Oktober

Düstere Tage. Den *Express* zu lesen, ist deprimierend: Man nimmt die Niederlage hin und lenkt ab. Der *Observateur* hält sich besser. Sartre hat mit Simone Berriau zu Mittag gegessen. Gott sei Dank ist es ihr gelungen, ihm Angst einzujagen. Er wird so bald als möglich zum Arzt gehen, und ich werde ihn begleiten. Weniger erfreulich: Sie hat von einer Gehirnblutung und einem Herzinfarkt gesprochen. Er sieht erschreckend müde aus. Er verschlingt der Reihe nach Optalidon, Belladenal und Corydram. Er hat Schwindelanfälle, und seine Kopfschmerzen wird er überhaupt nicht mehr los.

Mittagessen mit Gisèle in der ‹Coupole›. Da es sich eben ergibt, schildert sie mir ihr Leben. Das Los der Frauen ist ja noch immer nicht besser geworden ... Sie berichtet über den Prozeß in Philippeville. Kein Hotelier wollte sie und ihre Kollegen aufnehmen, und so mußten sie bei den Anwälten in der Stadt wohnen. Der Kommissar hatte neun Todesurteile beantragt: Das Gericht sprach vierzehn Todesurteile aus, das heißt, daß sämtliche Angeklagte verurteilt wurden (sicherlich lauter Unschuldige, die nach dem Aufstand aufs Geratewohl zusammengeholt worden waren) – mit Ausnahme eines Spitzels. Das Urteil war übrigens aufgehoben worden, und in den nächsten Tagen wird in Algier von neuem verhandelt werden.

Montag, 6. Oktober

Sartre war beim Arzt. Es geht ihm etwas besser, obwohl die Kopfschmerzen nicht aufhören.

Es hat so stark geregnet, daß in den Pariser Avenuen die Bäume noch grün sind. Man möchte nicht glauben, daß es schon Herbst ist.

Die Zukunft hat kein Gesicht. Man kommt sich arbeitslos vor, demobilisiert, aus dem Gleis geworfen.

Dienstag, den 14.

Wirklich scheußliche Tage. So ähnlich war es in dem Flugzeug gewesen, das nach sechs Stunden Flugzeit von Shannon einen Motor verlor: ständige Angst mit kurzen Atempausen und neuerwachender Furcht. Sartre geht es ebenso. Hie und da scheint es ihm besser zu gehen. Dann bringt er wieder, wie gestern, die Wörter durcheinander, das Gehen macht ihm Schwierigkeiten, seine Schrift, seine Orthographie sind ganz wirr, was mich sehr erschreckt. Die linke Herzkammer sei ziemlich geschwächt, sagt der Arzt. Er brauche wirkliche Ruhe, gönnt sie sich aber nicht. Wir tragen den Tod in uns, nicht wie den Kern der Frucht, sondern als den Sinn unseres Lebens. Trotzdem ist er uns fremd, feindselig, beängstigend.

Nichts anderes zählt. Mein Buch, die Kritiken, die Briefe, die Menschen, die mit mir reden, alles, was mir Freude gemacht hätte, ist völlig ausgelöscht. Ich habe nicht einmal mehr den Mut, dieses Tagebuch zu führen.

*Dienstag, den 21.*

Grausige Tage. Besonders der Sonnabend, als ich beim Arzt war. Gestern, Sonntag: ein langer mit Watte gedämpfter Albtraum.

*Dienstag, den 28.*

Dem Albtraum, der Krankheit entronnen. Das Alter muß einen bereits zermürbt haben, um das auszuhalten. Ich glaube, ich werde dieses Tagebuch nicht weiterführen.

Ich habe es aufgegeben. Ich habe die Blätter in einen Umschlag getan und auf den Umschlag geschrieben: Tagebuch einer Niederlage. Und es nicht mehr angerührt.

Was sich in diesen abscheulichen Tagen abgespielt hat, war folgendes: Sartre war mit Mühe und Not einem Anfall entgangen. Seit langem schon hatte er seine Gesundheit den schwersten Belastungen ausgesetzt, dabei war es weniger die Überanstrengung, die er sich zumutete, weil er sich ‹voll einsetzen› wollte, als vielmehr die innere Spannung, die sich seiner bemächtigt hatte. Trotzdem zu denken, ist zwar schön und fruchtbar, aber auf die Dauer zermürbend. Indem er sich den Kopf zermarterte, hatte er auch seine Nerven geschädigt. Die Redigierung von *L'Imaginaire* hatte ihm seinerzeit recht viel Mühe gemacht. Um die *Critique de la raison dialectique* auf die Beine zu stellen, hatte es einer noch athletischeren Kraftleistung bedurft. Vor allem aber hatten ihn die Niederlage der Linken, die Machtübernahme durch de Gaulle und das alles niedergedrückt. In Rom hatte er, ständig Corydram schluckend, hintereinanderweg gearbeitet. Ich kannte das Gerüst der Handlung, und in Pisa hatte er mir, bevor wir uns trennten, den ersten Akt gezeigt. Draußen waren es vierzig Grad, er aber hatte die Klimaanlage in seinem Zimmer so reguliert, daß Eiseskälte herrschte. Zitternd vor Kälte las ich den Text, der das nicht hielt, was er versprach. «Das ist von Sudermann», sagte ich zu ihm. Er gab mir recht. Er fing noch einmal von vorn an, aber er hatte keine Zeit mehr. Wieder einmal war er voreilige Verpflichtungen eingegangen. Die Furcht, ein Werk zu verpfuschen, das ihm sehr am Herzen lag, trug dazu bei, ihn nervös zu machen und aufzuregen. Schließlich hatte er nach seiner Rückkehr einen ernsthaften Leberanfall erlitten. Die achtundzwanzig Stunden ununterbrochener Arbeit, denen noch eine nächtliche Versammlung folgte (ich habe sie in meinem Tagebuch geschildert), gaben ihm den Rest. Von Kopfschmerzen gequält, mit schwerer Zunge, die Schrift und Orthographie ganz wirr, bekam er Schwindelanfälle und Gleichgewichtsstörungen. Als er mit Simone Berriau zu Mittag aß, wollte er sein Glas bedächtig fünf Zentimeter von der Tischplatte entfernt hinstellen. Sie ging sogleich ans Telefon und meldete ihn bei Professor Moreau an. Während ich in einem benachbarten *bistro* wartete, befürchtete ich, daß man ihn auf einer Bahre aus der Ordination des Arztes heraustragen würde. Er kam aber zu Fuß und zeigte mir die Anweisung des Arztes: keine Drogen mehr, weder rauchen noch trinken, viel ruhen. Er gehorchte ein wenig, arbeitete jedoch weiter. Er, der früher so lebhaft und so energisch gewesen war, hatte einen steifen Nacken, starre Glieder, ein verkrampftes und aufgedunsenes Gesicht, unsichere Rede und Gesten. Auch seine Gemütsverfassung hatte sich seltsam gewandelt: Lethargie, von heftigen Wutanfällen unterbrochen. Der Arzt hatte sich über seine geduldige Miene gewundert, als er ihm gleich zu Anfang gesagt hatte: «Ich werde Ihnen Ihre Aggressivität heimzahlen.» Als ich ihn an seinem Schreibtisch sitzen sah, verkrampft, mit irrender Feder über das Papier fahrend, die Augen schlaftrunken, und zu ihm sagte: «Ruhen Sie sich aus!», reagierte er mit einer Heftigkeit, wie ich sie bei ihm noch nie erlebt hatte. Manchmal gab er nach. «Nur fünf Minuten», sagte er. Er legte sich hin und schlief zwei bis drei Stunden. «Heute ist er müde», sagte seine Mutter eines Nachmittags, als ich vor ihm ankam. «Sind Sie müde?» fragte ich ihn daher, als er nach Hause zurückkehrte. «Aber nein», erwiderte er und setzte sich an den Schreibtisch. «Glauben Sie mir, es geht mir sehr gut.» Er lächelte: «Jeder hat seine Destillationen.» – «Was soll das heißen?» – «Aber Sie wissen doch, was ich meine: Herzgestrüpp.» Und er begann, unleserliche Zeichen aufs Papier zu kritzeln. Ich tat so, als arbeitete ich, und war jeden Augenblick darauf gefaßt, ihn zusammenbrechen zu sehen. Da er sich für den nächsten Vormittag mit einer Freundin verabredet hatte, setzte ich es durch, daß er ihr einen Rohrpostbrief schickte, um sich zu entschuldigen. Viermal mußte er ansetzen, um den Brief zu schreiben, und als sie ihn erhielt, brach sie in Tränen aus: die Worte liefen ineinander, waren entstellt und zusammenhanglos. Ich suchte den Arzt auf. «Ich will es Ihnen nicht verheimlichen», sagte er zu mir. «Als ich ihn zur Tür hereinkommen sah, dachte ich mir, daß dieser Mann einen Herzanfall bekommen wird.» Er fügte hinzu: «Er ist ein Gefühlsmensch, der zwar geistig überarbeitet, aber vor allem gefühlsmäßig überanstrengt ist. Er braucht seelische Ruhe. Er soll ein bißchen arbeiten, wenn ihm daran liegt, aber er darf auf keinen Fall einen Wettlauf mit dem Uhrzeiger beginnen, sonst gebe ich ihm keine sechs Monate mehr.» Seelische Ruhe im heutigen Frankreich! Und er wollte sein Stück binnen zwei Monaten zu Ende führen. Ich ging auf der Stelle zu Simone Berriau. Man war damit einverstanden, *Les Séquestrés d'Altona* auf den nächsten Herbst zu verschieben. Ich hatte Sartre nichts davon erzählt. Als ich

ihm einige Stunden später alles beichtete, hörte er mit einem gleichgültigen Lächeln zu. Mir wäre es lieber gewesen, wenn er ärgerlich geworden
wäre. Eine Zeitlang arbeitete er nur noch in ganz kurzen Etappen. Dann
begann er, sich allmählich zu erholen. Das Schmerzlichste für mich war
die Vereinsamung, zu der seine Krankheit mich verurteilte. Ich konnte
seine Sorgen nicht mehr mit ihm teilen. Mich verfolgte die Erinnerung
an jene Tage, besonders an den, da das ‹Herzgestrüpp› sein Geheimnis
zwischen uns aufgerichtet hatte. 1954 war der Tod für mich noch eine
vertraute Erscheinung gewesen, von nun an war ich von ihm besessen.

Diese Besessenheit trägt einen Namen: das Alter. Mitte November
aßen wir mit den Leiris in der ‹Palette›. Seit unserem letzten Zusammensein hatte er eine tödliche Dosis Barbiturate geschluckt und war nur
mit Hilfe einer heiklen Operation und einer langwierigen Behandlung
zu retten gewesen. Sartre und er waren dem Tode entronnen. Wir sprachen über Schlafmittel, Drogen, Beruhigungspillen, die Leiris benutzt
hatte. Ich fragte ihn, wie sie denn eigentlich wirkten. «Na ja, beruhigend», sagte er. Und als ich Näheres wissen wollte: «Man hat den gleichen Ärger wie zuvor, aber man ärgert sich nicht mehr.» Während er
sich mit Sartre über die verschiedenen Beruhigungsmittel und ihre Be-
sonderheiten unterhielt, dachte ich mir: «Da haben wir's. Zwei Greise.»
Einige Zeit später unterhielt ich mich mit einem alten guten Freund,
Herbaud, und sagte, alles in allem hätten wir nichts anderes mehr zu
erwarten als unseren Tod und den unserer Nächsten. Wer wird als erster
gehen? Wer wird übrigbleiben? Das seien jetzt die Fragen, die ich an die
Zukunft stellte. «Aber, aber!» erwiderte er. «Noch sind wir nicht so
weit. Sie sind Ihren Jahren immer vorausgeeilt.» Ich täuschte mich aber
nicht ...

Dann zerriß das letzte Seil, das mich von meinem wirklichen Alter
trennte: Meine Beziehung zu Lanzmann nahm ein Ende. Das war normal, unausweichlich, und bei näherer Überlegung für beide Teile wün-
schenswert. Aber der Augenblick der Besinnung war noch nicht gekommen. Die Macht des zeitlichen Ablaufs hatte mich schon immer irritiert.
In meinen Augen war alles definitiv. Deshalb fällt es mir schwer, mich
von einem Menschen zu trennen. Übrigens fiel es auch ihm schwer, obwohl er die Initiative ergriff. Ich war nicht sicher, daß es uns glücken
würde, die Vergangenheit zu retten, und ich hing zu sehr an ihr, als daß
mir nicht der Gedanke, sie zu verleugnen, hassenswert erschienen wäre.
Mit gramerfülltem Herzen beendete ich dieses beschwerliche Jahr.

# IO

Seit Mai prasselte ein einziger Wortschwall auf Frankreich herab; das klare und deutliche Wort ‹Lüge› war als Bezeichnung noch zu schwach. Es waren *lecta* ohne positive oder negative Beziehungen zur Wirklichkeit, Geräusche, die der menschliche Atem erzeugt. Ihr Sinn wurde von sachkundigen Teams gedeutet. Sie bezeichneten die Wendung «Friede den Tapferen» als großherziges Angebot, das aber für die Algerier Kapitulation bedeutete.

Die Presse kuschte. Die Wahlen waren in Algerien eine Posse, in Frankreich brachten sie der UNR einen Sieg. Zusammen mit den gezwungenermaßen gewählten Moslems bildeten die Gaullisten einen zweihundertsechzig Mann starken Block. Die Kommunisten verloren an Boden. Viele, die bisher links gestanden hatten, entschieden sich für den sogenannten ‹Realismus›. Aufsehen erregte der Fall Serge Mallets, eines Gewerkschafters, der sich Anfang 1958 mit Sartre äußerst intelligent über die neue Unternehmertaktik und die Schwierigkeiten unterhalten hatte, die daraus den Gewerkschaften entstanden: Damals suchte er im Rahmen des Klassenkampfes nach Mitteln und Wegen, um sie zu überwinden. Als er eine ausführliche Studie vorlegte, in der er seine Gedanken schriftlich formuliert hatte, war Sartre über seine Unbeholfenheit entsetzt: aber Mallet lernte sehr schnell, worauf es ankam. Er schrieb für die *Temps Modernes* und andere linke Zeitungen ausgezeichnete Artikel, in denen er den Neokapitalismus analysierte und die heutigen Arbeitsbedingungen auf dem Lande und in den Betrieben schilderte. Ich lernte ihn am Tag des Volksentscheids in der ‹Coupole› kennen, und er hatte eine überraschende Nachricht für mich: Er habe aus sicherer Quelle erfahren, daß sich ein Abgesandter de Gaulles in Tunis befinde, um dort zu verhandeln. Binnen zwei Tagen werde der Frieden geschlossen sein. Einige Wochen später traf ich ihn wieder: Er schilderte die Manöver der jungen Unternehmer, die nur den Zweck verfolgten, die Arbeiterklasse zu entzweien. Er tadelte die Gewerkschaften, die an

433

den veralteten Standpunkten festhielten, und ich merkte, daß er unter dem Vorwand, die proletarische Avantgarde auf die neuen Kniffe des Neokapitalismus aufmerksam zu machen, für die Zusammenarbeit zwischen den Klassen eintrat. Er schloß sich jenem Ökonomismus an, der das Steckenpferd des Regimes war. Die *Temps Modernes* nahmen keinen seiner theoretischen Artikel mehr zur Veröffentlichung an.

Die Ergebnisse der Volksbefragung hatten mich endgültig mit meinem Lande entzweit. Keine Reisen mehr innerhalb Frankreichs. Tavant, Saint-Savin und andere Orte, die ich noch nicht kannte, wollte ich nicht mehr kennenlernen. Die Gegenwart zerstörte mir die Vergangenheit. Seit damals habe ich den stolzen Herbst voller Demütigung, den Zauber des herannahenden Sommers voller Bitterkeit erlebt. Ab und zu geschieht es noch, daß mir die Schönheit einer Landschaft die Kehle zuschnürt, aber es ist wie eine verratene Liebe, wie ein verlogenes Lächeln. Jeden Abend, wenn ich zu Bett gehe, fürchte ich mich vor dem Schlaf, den Albträume bevölkern, und beim Erwachen friert mich.

«Die Zeit der Kämpfe ist vorbei», erklärte de Gaulle in Touggourt. Aber sie waren noch nie so ernst gewesen. Challe hatte zwar militärische Erfolge, weil er die *katibas* zerstörte, aber seine psychologischen Offensiven scheiterten. Es glückte ihm nicht, die Bevölkerung auf seine Seite zu bringen. Im Frühjahr 1959 entdeckten wir eine bis dahin wenig bekannte Seite dieses Ausrottungskrieges: die Lager. Man wußte, daß vom November 1958 an das Unternehmen, das man ‹Umgruppierung› nannte, an Umfang zugenommen hatte. Da die ALN – trotz der offiziellen Propaganda – fest in der Bevölkerung verwurzelt war, galt es, die Wurzeln auszureißen: Die *mechtas* und die *douars* wurden entvölkert, die Felder in Brand gesteckt, die Bauern unter Aufsicht der Armee hinter Stacheldraht gesetzt. Das Verfahren wurde in großem Maßstab durchgeführt. Am 12. März 1959 deutete *Le Monde* flüchtig die Existenz dieser Zentren an. Im April begann der Generalsekretär der Katholischen Hilfe, Mgr. Rodhain, mit einer Untersuchung, deren Schlußfolgerungen er am 11. August in der Zeitschrift *La Croix* veröffentlichte: «Ich habe festgestellt, daß es sich um mehr als eine Million menschlicher Wesen handelt, meistens Frauen und Kinder ... Ein beträchtlicher Teil, besonders unter den Kindern, leidet Hunger. Ich habe es gesehen, und ich kann es bezeugen.» Die Anzahl der Umgruppierten schätzte er auf 1 500 000. (Das ist auch die Ziffer, die Paillat im *Dossier secret de l'Algérie* angibt, er, dem gewöhnlich die Leiden der mohammedanischen Völker nicht sehr nahegehen. «Vom Mai 1958 bis Juli 1960 stieg die Anzahl der Vertriebenen von 460 000 auf 1 513 000. Die Zahl steigt auch weiterhin unaufhörlich.» Überschrift des Abschnitts: «Das große Elend in den Umgruppierungszentren». Alles, was folgt, bestätigt, daß von den Lagern die Rede ist. Und er unterstreicht auch, gestützt auf einen Bericht des Generals Parlange, die «beklagenswerten materiellen

Verhältnisse».) Wie er mit eigenen Augen gesehen hatte, waren manche Lagerinsassen darauf angewiesen, Gras zu essen. Die Tuberkulose wütete. Die Menschen waren so geschwächt, daß Medikamente nichts mehr nützten. Am 15. April wurde ein noch empörenderer Bericht veröffentlicht, der offiziell auf dessen Verlangen an Delouvrier gerichtet war. Aus ihm ging hervor, daß über eine Million umgruppierter Bauern unter «äußerst ungünstigen Bedingungen» lebten. (In dem Bericht heißt es: «Jede Umsiedlung bringt für die Betroffenen eine fühlbare, manchmal totale Zerstörung ihrer Existenzgrundlage mit sich.» Sie verloren mindestens ein Drittel ihrer Einkünfte, da sie ihre Ziegen, Hühner und kargen Äcker im Stich lassen mußten. Im besten Fall erhielten sie ein Stück Land zugewiesen, aber da es nicht viele erwachsene Männer gab – sie waren entweder tot oder eingesperrt oder ins Maquis gegangen –, reichte es nicht für die Bedürfnisse der Frauen, Kinder und Greise, die fast ausnahmslos die große Masse der Umgruppierten bildeten. Eigentlich lebten diese anderthalb Millionen Menschen von einer erbärmlich unzulänglichen Unterstützung. «Die sanitären Zustände sind im allgemeinen unhaltbar... Sobald eine umgesiedelte Gruppe 1000 Personen umfaßt, stirbt fast alle zwei Tage ein Kind.» Die sanitären Zustände, fahren die Berichterstatter fort, seien durch den Lebensstandard bedingt. «In einem der tragischsten Fälle, den wir entdeckt haben, spricht ein ärztlicher Bericht davon, der physiologische Zustand der Bevölkerung sei so schlecht, daß die Medikamente nicht mehr wirken.» Und unter der Rubrik ‹Lebensstandard› wird angeführt: «Gerade auf diesem Gebiet ist die Lage der Umgesiedelten besonders beklagenswert. Die sanitären Zustände sind nur eine Folgeerscheinung ... Daß fast überhaupt kein Vieh mehr übrigbleibt, ist ein für alle Umgruppierungen gemeinsames Charakteristikum: Daraus erklärt sich, daß die Milch, die Eier, das Fleisch so gut wie völlig aus der Nahrung der Umgesiedelten verschwinden ... Die als Unterstützung verteilten Rationen sind recht knapp: In einem der angeführten Fälle beschränkte sie sich auf 11 Kilogramm Gerste pro Monat und Erwachsenen. Das ist wenig, wenn kleine Kinder vorhanden sind. Am schwierigsten ist, daß diese Leistungen völlig unregelmäßig erfolgen ... Diesen Bevölkerungsgruppen müßten um jeden Preis die nötigen Lebensmittel zur Verfügung gestellt werden, wenn man vermeiden will, daß das Experiment mit einer Katastrophe endet.» Die Umsiedlergruppen bestanden fast immer aus 1000 Personen, zuweilen aus 6000.) Im Durchschnitt kamen 550 Kinder auf je 1000 Personen, und jeden zweiten Tag starb eines dieser Kinder. Auch viele Frauen und Greise überlebten diese Behandlung nicht, und man muß damit rechnen, daß die Lager im Laufe von drei Jahren über eine Million Todesopfer gefordert haben. (Das ist auch die Zahl, die die Algerier nennen.)

Delouvrier untersagte die Einrichtung neuer Zentren, aber man hörte nicht auf ihn; die Zahl der Umgruppierten wurde immer größer. Im Juli veröffentlichte Pierre Macaigne im *Figaro* einen Bericht über seinen Besuch im Lager von Bessombourg. «Jämmerlich zusammengepfercht, seit 1957 zu fünfzehn in einem Zelt, hausen diese Schiffbrüchigen dort in einem unbeschreiblichen menschlichen Chaos. In Bessombourg befinden sich 1800 Kinder... Eigentlich werden die Lagerinsassen ausschließlich von Grieß ernährt. Jeder Umgesiedelte erhält pro Woche ungefähr 120 Gramm Grieß... Milch wird zweimal wöchentlich verteilt: ein halber Liter pro Kind... Seit acht Monaten gab es keinerlei Fett, seit einem Jahr keine Erbsen... Seit einem Jahr keine Seife mehr...»

Durch junge Soldaten, durch Journalisten, die in Tunesien mit Algeriern gesprochen hatten, die aus den an der Grenze gelegenen Lagern befreit worden waren, erfuhr ich noch andere Details: die systematisch organisierten Vergewaltigungen – die Männer wurden aus dem Lager entfernt oder in eine Ecke zusammengedrängt, während die Soldaten ihrem Vergnügen nachgingen – Hunde, die aus Spaß auf alte Männer gehetzt wurden – die Folterungen. Diese Berichte hätten schon längst die Aufmerksamkeit der Leute erregen müssen. Mgr. Feltin und Pastor Boegner waren ehrlich entrüstet: Aber man hörte ihnen kaum zu. Die Presse schwieg. Das französische Rote Kreuz, das vor zwei Jahren vom Internationalen Roten Kreuz aufgefordert worden war, sich der Umgruppierten anzunehmen, rührte sich nicht. Dafür rief die Regierung, als auf Madagaskar durch Überschwemmungen 100 000 Menschen in Not gerieten, zu einer Hilfsaktion auf, um zu zeigen, welche Vorteile der Insel aus ihrer Zugehörigkeit zur Communauté erwuchsen, und die Franzosen beeilten sich zu beweisen, daß sie großartig seien. (Am Anfang seines Berichtes bemerkt Mgr. Rodhain: «Auf Madagaskar eine Naturkatastrophe, in Algerien eine menschliche Katastrophe... Dort 100 000 Opfer, hier eine Million Flüchtlinge... Die Öffentlichkeit hat sich für Madagaskar entschieden... Wenn es um die Flüchtlinge in Algerien geht, rührt sich kein Mensch.») Man regt sich eher über eine Naturkatastrophe auf als über Verbrechen, an denen man mitschuldig ist.

Es gab auch noch andere Lager, Internierungslager, Übergangslager, Verteilungslager, in die Menschen durch willkürliche Entscheidungen der Polizei oder der Armee eingeliefert wurden. Dort wurden sie körperlich und seelisch gequält, oft starben sie dabei oder wurden wahnsinnig. Abdallah S. berichtete im *Express*, wie er unter Schlägen und Quälereien gezwungen wurde, der FLN abzuschwören und seine Liebe zu Frankreich mit Worten zu bekennen, die aus dem Herzen kämen. Auch in Frankreich existierten solche Lager. Larzac: gestern noch der Name einer Hochebene, die ich in meiner Jugend zu Fuß und mit dem Fahrrad überquert hatte – heute der einer Hölle. Die Menschen in der Umgebung hatten – trotz aller Vorsichtsmaßnahmen – davon erfahren. Alle Franzosen wußten, daß es in ihrem Land Lager gab, die jenen in Sibirien ähnelten, die man mit lautem Geschrei angeprangert hatte. Aber niemand machte den Mund auf. Camus, der seinerzeit die Gleichgültigkeit des französischen Proletariats gegenüber den russischen Lagern so abstoßend gefunden hatte, erhob nicht den geringsten Einspruch.

Was die Folter betraf, so hatte im März 1958 de Gaulle, der gebeten worden war, sie öffentlich zu verurteilen, aus seinen Höhen herab ein Wörtchen fallen lassen. Sie gehöre zu dem ‹System› und werde mit ihm verschwinden. Am 13. Mai erklärte Malraux: «Es wird nicht mehr gefoltert.» Inzwischen aber waren die Foltern sogar in Frankreich üblich geworden. Um die Priester zu verteidigen, die im Oktober in Lyon beschuldigt wurden, der FLN geholfen zu haben, wies Kardinal Gerlier darauf hin, daß die Moslems auf dem städtischen Polizeikommissariat gefoltert würden. Auf einem Kommissariat in Versailles erhängte sich ein zur Vernehmung eingelieferter Algerier am Fenstergitter. *Témoignage Chrétien* und *Les Temps Modernes* veröffentlichten die Berichte algerischer Studenten, die im Dezember durch die DST auf grausame Weise ‹verhört› worden waren. Als im Februar der Prozeß gegen die Algerier stattfand, die auf Soustelle geschossen hatten, zeigte einer der Angeklagten auf einen Polizeibeamten im Gerichtssaal, den Kommissar Belœil: «Dieser Mann hat mich gefoltert.» Der Kommissar verschwand und wurde nicht als Zeuge vernommen. In Algerien war die Folter eine anerkannte Tatsache. Gisèle Halimi erzählte mir, wenn sie früher erklärt habe, das Geständnis ihres Klienten sei durch Foltern erpreßt worden, hätte der Gerichtsvorsitzende auf den Tisch geklopft und gesagt: «Sie beleidigen die französische Armee!» Jetzt beschränkte er sich auf die Antwort: «Ich glaube aber, daß das Geständnis der Wahrheit entspricht.» – Über ihre Erlebnisse in Algerien bestürzt, schrieben dreißig junge Priester an ihre Bischöfe, und ein Feldprediger verurteilte öffentlich die Folterungen. Aber die Justizreform, die im März das geheime Untersuchungsverfahren einführte, erleichterte Festnahmen und Mißhandlungen. Im Juni berichteten die im Dezember gefolterten Studenten – Bounaza, Khebaïli, Souami, Fancis, Belhadj – in *La Gangrène* von ihren Erlebnissen. Sie klagten M. Wybot an, der persönlich an mehreren Verhören teilgenommen hatte. Das Buch wurde beschlagnahmt und die Angelegenheit vertuscht.

Im März sollte in der Mutualité eine Protestversammlung gegen die Foltern stattfinden. Ich war gerade dabei, meine Ansprache vorzubereiten, als der Kommissar meines Bezirks bei mir erschien, um mir mitzuteilen, daß die Versammlung verboten worden sei. Er war sehr höflich. Dann zeigte er auf das schwarze Band an seinem Rockaufschlag: «Madame, ich habe einen Sohn in Algerien verloren.» – «Wir alle haben ein Interesse daran, daß dieser Krieg beendet wird», erwiderte ich. Da wurde sein Ton drohend: «Ich wünsche mir nur eines: hingehen und einige niederschießen zu dürfen.» Ich wäre nicht gern von ihm verhört worden. Abends fand eine Pressekonferenz statt. Später gelang es, zwei bis drei Versammlungen zu organisieren. Auf dem Friedhof Montparnasse nahm eine zahlreiche Menschenmenge an der Beerdigung Ouled Aoudias teil, den ein Polizist umgebracht hatte – kurz vor Beginn des Prozesses gegen die algerischen Studenten, die er verteidigen sollte, weil sie beschuldigt worden waren, die UGEMA wieder ins Leben gerufen zu haben. Gegen Ende des Schuljahres wurden «ein Dutzend Aktionen für den Frieden in Algerien» organisiert. Diese Kundgebungen verpufften nicht sinnlos, erwiesen sich aber als so unzureichend, daß eine wachsende Zahl junger und älterer Menschen die Illegalität wählten.

Nachdem im Juni 1956 ein Riegel vorgeschoben worden war, hatte die Jugend aufgehört, offen und kollektiv gegen den Krieg zu opponieren. Mehr oder weniger geheime Jugendkomitees protestierten noch, aber nur mit Worten. Im September 1958 erhielt ich die erste anonyme, hektographierte Nummer einer Publikation mit dem Titel *Vérité pour ...*, die zuerst nur ökonomische und politische Analysen brachte, sich aber sehr bald für die Fahnenflucht und die Unterstützung der FLN einsetzte. Sie wurde von Francis Jeanson redigiert, der auf diese Weise eine bestimmte Schwierigkeit zu überwinden suchte: «Die Schwierigkeit, eine Aktion öffentlich breitzutreten, die allen Voraussetzungen nach geheim bleiben müßte.» (*Notre guerre*) In der gleichen Zeit entstand die Bewegung Jeune Résistance.

Meine Freunde und ich hatten viel darüber nachgedacht, ob man die FLN unterstützen sollte. Nachdem wir uns mit Jeanson unterhalten hatten, fanden wir die Gründe überzeugend, mit denen er seine Aktion politisch rechtfertigte. Die französische Linke könne nur noch im Bündnis mit der FLN revolutionäre Positionen zurückgewinnen. Man hatte ihm vorgeworfen: «Ihr schießt von hinten auf französische Soldaten.» Aber dieser Vorwurf erinnerte mich an den Sophismus der Deutschen, die den Widerstandskämpfern vorwarfen, die Heimkehr der Gefangenen zu verhindern. Es waren die Berufsmilitärs und die Regierung, die durch die Verlängerung des Krieges junge Franzosen töteten. Das Leben der Moslems war in meinen Augen genausoviel wert wie das meiner Landsleute: Das ungeheure Mißverhältnis zwischen den französischen Verlusten und der Anzahl hingeschlachteter Gegner ließ diesen Erpressungsversuch mit französischem Blut widerlich erscheinen. (Später hat Jeanson enthüllt, daß es ihm dank seiner Verbindungen zur Fédération de France mehrere Male geglückt sei, durch seinen Einfluß Franzosen das Leben zu retten.) Da es der Linken nicht gelungen war, ihre Ziele auf legale Weise zu erreichen, blieb einem, wenn man an seinen antikolonialistischen Überzeugungen festhalten und sich von jeder Mitschuld an diesem Krieg lossagen wollte, nichts anderes übrig, als sich für die Untergrundbewegung zu entscheiden. Ich bewundere alle, die diesen Weg gegangen sind, aber er setzte ein totales Engagement voraus, und ich hätte gelogen, wenn ich es mir zugetraut hätte. Ich bin kein Mensch der Tat. Mein Daseinszweck ist das Schreiben. Um ihn zu opfern, müßte ich mir einbilden können, anderswo unentbehrlich zu sein. Das war durchaus nicht der Fall. Also begnügte ich mich mit Dienstleistungen, die man von mir verlangte. Einige meiner Freunde taten mehr.

Malraux verbannte Labiche und Feydeau aus der Comédie-Française. Mit hochtrabenden Reden vertuschte er die Machenschaften der Firma Philips, die zum Entsetzen der Griechen auf den Gedanken gekommen war, die Akropolis kommerziell auszubeuten und dort eine Darbietung *Son et lumière* zu inszenieren. «Seit die Nazis den Fuß auf die Akropolis gesetzt haben, ist uns keine ähnliche Demütigung widerfahren», stand am nächsten Tag in einer immerhin konservativen griechischen Zeitung zu lesen. Frankreich sank immer tiefer. Die Universität klagte über fehlende Mittel, und die Regierung schickte sich an, die Privatschulen zu subventionieren. Die antisowjetische Einstellung der Bourgeoisie hielt an. Als die russischen Wissenschaftler den ersten Lunik starteten, kündigten sie an, daß er in einigem Abstand am Mond vorbeifliegen werde: die Presse aber gab zu verstehen, daß es nicht geglückt sei, den Mond zu erreichen. Die Affäre Pasternak war ein Geschenk des Himmels. Es war natürlich dumm und ungeschickt gewesen, daß der russische Schriftstellerverband Pasternak beschimpfte und ausschloß, aber man ließ ihn schließlich in Frieden auf seiner *datscha* leben; die Provokation erfolgte durch die Schwedische Akademie, als sie ihren Preis einem russischen Roman verlieh, der sich vom Kommunismus distanzierte und den sie als konterrevolutionär bezeichnete. Sie zwang damit die Sowjetunion, die bis dahin beide Augen zugedrückt hatte, einzugreifen. Pasternak ist ein großer Dichter, aber es gelang mir nicht, seinen *Doktor Schiwago* durchzulesen, da es dem Autor nicht gelang, mir eine Welt näherzubringen, gegen die er sich selbst taub und blind stellt und die er in einen Dunst einhüllt, in dem er sich selber auflöst. Die Bourgeoisie mußte ihren ganzen Fanatismus aufbieten, um dieses nebulöse Gebilde zu schlucken. Einige Zeit später entwickelte sie eine ebenso unerklärliche Sympathie für Tibet, ein Land, von dem sie überhaupt nichts wußte, das sich aber gegen die chinesische Oberherrschaft aufgelehnt hatte: Der Dalai Lama wurde zur Inkarnation westlicher Werte und Freiheitsideale. Sie haßten China noch mehr als die UdSSR. Lanzmann hatte mir nach seiner Rückkehr viel von dem Experiment mit den Kommunen erzählt. Anscheinend waren die Erfolge je nach der Gegend und den Verhältnissen verschieden, aber es war ein interessanter Versuch, die Industrie zu dezentralisieren und sie eng mit der Landwirtschaft zu verknüpfen. Man warf den Chinesen vor, die Familie zu zerstören und den Einzelnen zu unterdrücken, aber man sah immer nur die Nachteile dieser Maßnahmen.

Mit einer gewissen Befriedigung nahm ich den Tod des Papstes und den von Foster Dulles zur Kenntnis. Die Zypern-Krise wurde zugunsten der Zyprioten gelöst. Der erstaunlichste Revolutionssieg aber war der, den die Rebellen aus der Sierra Maestra auf Kuba davontrugen. Zu Anfang des Winters waren sie aus den Bergen herabgestiegen und nach dem Westen marschiert. Batista ergriff die Flucht, Castros Bruder und seine Truppen zogen in das jubelnde Havanna ein, wo Fidel Castro am 9. Januar begeistert empfangen wurde. In den Kellern und auf dem Land entdeckte man riesige Leichengruben: Über 20 000 Menschen waren gefoltert und ermordet und ganze Dörfer durch Bombardements dem Erdboden gleichgemacht worden. Die Bevölkerung forderte Vergeltung. Um sie zufriedenzustellen und im Zaum zu halten, leitete Castro ein öffentliches Gerichtsverfahren ein, das mit ungefähr 240 Todesurteilen endete. Die französischen Zeitungen stellten diese notwendige Säuberung als ein Verbrechen hin. *Match* veröffentlichte Fotos der Verurteilten, wie sie ihre Frauen und Kinder umarmen, aber natürlich wurden die Leichen ihrer Opfer nicht gezeigt, ihre Zahl wurde nicht genannt oder auch nur erwähnt. Castro war in Washington freundlich aufgenommen worden; als er aber seine Agrarreform einleitete und als man entdeckte, daß dieser Robin Hood ein echter Revolutionär war, entrüsteten sich die Amerikaner – die in Friedenszeiten die der Spionage verdächtigen Rosenbergs auf den elektrischen Stuhl befördert hatten –, daß er die Kriegsverbrecher hatte erschießen lassen. Die gesamte Bevölkerung Kubas stand auf Castros Seite, und als er im Juli seinen Rücktritt erklärte, um einen Konflikt mit dem Präsidenten der Republik, Urrutia, zu vermeiden, versammelten sich eine Million Bauern in Havanna: ihre Hackmesser mit ohrenbetäubendem Lärm aneinanderschlagend, verlangten sie, daß er an der Spitze der Regierung verbleibe und daß Urrutia gehe – was auch geschah. Dorticos trat an Urrutias Stelle.

Wie schon gesagt, hatte ich mich während meines Urlaubs entschlossen, meine Autobiographie fortzusetzen. Trotzdem war ich noch unsicher. Mir kam es unbescheiden vor, so viel von mir zu reden. Sartre machte mir Mut. Ich fragte alle Leute, mit denen ich zusammenkam, ob sie derselben Meinung seien: Sie waren es. In dem Maße, wie das Buch voranschritt, wurde meine Frage hinfällig. Ich verglich meine Erinnerungen mit denen Sartres, Olgas, Bosts. Ich ging in die Bibliothèque Nationale, um mein Leben wieder in den historischen Zusammenhang einzugliedern. Wenn ich die alten Zeitungen las, versank ich für Stunden in eine mit einer unsicheren Zukunft belastete Gegenwart, die zu einer längst überwundenen Vergangenheit geworden war: Es war verwirrend. Manchmal war ich so vertieft, daß die Zeit durcheinandergeriet. Wenn ich den Hof verließ, der sich seit meinen **zwanziger** Jahren nicht verändert hatte, wußte ich nicht mehr, in welchem Jahr ich mich gerade befand. Wenn ich die Abendzeitung durchblätterte, hatte ich das Gefühl, daß die Fortsetzung bereits in Reichweite auf den Regalen liege.

Als Sartre erst einmal außer Gefahr war, bereitete mir der Erfolg von *Mémoires d'une jeune fille rangée* viel Freude, viel mehr als irgendeiner meiner früheren Erfolge. Morgens, wenn ich aufstand, und abends, wenn ich nach Hause kam, um schlafen zu gehen, fanden sich stets Briefe unter meiner Tür, die mich meinen Grübeleien entrissen. Gespenster stiegen aus der Vergangenheit herauf, manche waren ärgerlich, andere wohlwollend. Kameraden, die ich recht schlecht behandelt hatte, lächelten über die Torheiten ihrer Jugend – Freunde, von denen ich mit Sympathie gesprochen hatte, waren empört. Ehemalige Zöglinge des Cours Désir waren mit meiner Darstellung unserer Erziehung einverstanden – andere protestierten. Eine Dame drohte mir mit einem Prozeß. Die Familie Mabille war mir dankbar dafür, daß ich Zaza wieder zum Leben erweckt hatte. Man berichtete mir Einzelheiten über ihren Tod, die mir unbekannt waren, und auch über die Beziehungen ihrer Eltern zu Pradelle, dessen Schweigen ich mir nun weit besser erklären konnte. Es war sehr romantisch – von dem Bericht ausgehend, den ich selber erstattet hatte, die Vergangenheit neu zu entdecken. Als ich Zazas Briefe und Hefte wieder durchlas, versank ich für einige Tage ganz in jener Zeit. Mir war, als wäre sie ein zweites Mal gestorben. Nie mehr werde ich sie in meinen Träumen sehen. Die Geschichte meiner Kindheit und Jugend hatte sich, seit sie veröffentlicht und von vielen gelesen worden war, völlig von mir losgelöst.

Im Oktober versammelte sich der Mitarbeiterstab der *Temps Modernes* zum Mittagessen bei ‹Lipp›, um die Rückkehr Pouillons zu feiern, der sich neuerdings mit Ethnographie beschäftigte und den Sommer in der Nähe des Tschadsees bei den Corbos verbracht hatte. Die Hitze hatte ihm weniger zugesetzt als die Fliegen, die ihn jedesmal, wenn er sich vor seinem Zelt wusch, von Kopf bis Fuß bedeckten. Er ernährte sich munter von dem Hirsekloß, den man jeden Morgen für ihn zurechtknetete. Er hatte keine andere Beschäftigung, als durch Vermittlung eines Dolmetschers mit den Eingeborenen zu plaudern. Ich hatte das Gefühl, daß ich an seiner Stelle vor Langeweile gestorben wäre. «Jeden Morgen», sagte ich zu ihm, «würde ich mich fragen: Was mache ich bis zum Abend?» – «Dann dürfen Sie nie dort hinfahren!» erwiderte er vergnügt. Leider hat er nur wenig in Erfahrung bringen können. Das Leben der Corbos war äußerst einfach. «Sie haben den Gebrauch des Bogens verlernt», erklärte uns Pouillon. «Sie wußten mit ihm umzugehen. Heute können sie es nicht mehr. Das ist schlimmer, als wenn man es noch nicht gelernt hat: Man wird es nie wieder lernen!» Die benachbarten Stämme benutzten Pfeil und Bogen. Aber wozu denn? sagen die Corbos. Daher macht keine moderne Erfindung auf sie Eindruck, weder das Auto noch das Flugzeug: Wozu? Hier und da erlegen sie mit Stein-würfen Vögel, die sie verzehren. Sie besitzen Vieh, das aber auf abge-legenen Weiden grast und nur ein fiktives Vermögen darstellt. Die Frauen verrichten die Feldarbeit. Die Männer waren alle polygam, bis auf einen Kretin, einen Junggesellen, der von Almosen lebte, und einen alten Mann, der besser gestellt war als die anderen und Pouillon gegen-über erklärte: «Ich brauche nicht mehr als eine Frau: Ich bin reich.» Ihre Tradition scheint genauso primitiv zu sein wie ihre Sitten. Um sie zu fördern, braucht es eine Mischung von einem intelligenten Greis und einem neugierigen Kind, und das gibt es sehr selten. Viele solche Stämme sind bereits der Vergessenheit anheimgefallen. Sie leben ohne Religion oder fast ohne Zeremonien. Pouillons Stimme bebte vor Begeisterung: Diese Menschen hatten keine Bedürfnisse, weil sie alle Bedürfnisse ab-leugneten: In der Not entdeckten sie den Überfluß. Wir fürchteten schon, daß er bei den Corbos bleiben würde.

Außerhalb meines engsten Kreises spreche ich mit Leuten am liebsten unter vier Augen. Das erlaubt einem oft, den mondänen Banalitäten zu entgehen. Es tut mir leid, daß mir das bei meinen seltenen Zusammen-künften mit Françoise Sagan nie geglückt ist. Ihr unbeschwerter Humor, ihr Bestreben, sich nichts vormachen zu lassen und selber nicht zu heu-cheln, gefielen mir sehr. Wenn wir auseinandergingen, sagte ich mir, daß es beim nächstenmal besser gehen werde. Das war leider nie der Fall, ohne daß ich herausfand, warum. Da sie eine Vorliebe für Gedanken-sprünge und Anspielungen hat und ihre Sätze nie beendet, kam ich mir pedantisch vor, wenn ich ordentlich formulierte, aber es liegt mir nicht, abgehackt zu sprechen, und so wußte ich zuletzt nichts mehr zu sagen. Sie wirkte auf mich einschüchternd, so wie Kinder, gewisse Erwachsene und alle Leute mich einschüchtern, die sich der Sprache auf andere Weise bedienen als ich. Ich nehme an, daß ich ihnen meinerseits Unbehagen bereite. An einem Sommerabend trafen wir uns auf einer Terrasse am boulevard Montparnasse. Wir wechselten einige Worte, sie war wie ge-wöhnlich reizend und lustig, und ich wäre gern mit ihr allein geblieben. Aber sie erzählte mir sofort, daß uns Freunde im ‹Epi Club› erwarteten: Jacques Chazot, Paola de Saint-Just, Nicole Berger und einige andere. Die Sagan trank, ohne an der Unterhaltung teilzunehmen. Chazot er-zählte Geschichten über Marie-Chantal, und ich stellte voller Staunen fest, daß mir früher einmal nichts normaler erschienen wäre, als die ganze Nacht in einem Lokal bei einem Glas Whisky zu sitzen: So depla-ciert kam ich mir vor! Ich war allerdings von Fremden umgeben, die ebensowenig wie ich wußten, was ich bei ihnen zu suchen hatte.

Ich las ein bißchen. Aragons *Die Karwoche* langweilte mich fast so sehr wie *Doktor Schiwago*. Wenn man erst einmal die These begriffen und die Virtuosität bewundert hat, sehe ich nicht ein, warum man diese kunstvolle Allegorie ganz durchlesen soll. Mir gefällt Aragons unmittelbare und nackte Stimme besser, die man zuweilen in *Roman inachevé* und in *Les Yeux d'Elsa* vernimmt. Es rührt mich, wenn er von der Jugend und ihren Illusionen, ihrem Ehrgeiz spricht, von der Asche des Ruhms, vom Leben, das verrinnt und uns tötet. Mir sind die anderen Bücher von Queneau, von *Le Chiendent* bis *Heiliger Bimbam*, lieber als *Zazie in der Métro*, die das breite Publikum erobert hat. Aber ich habe mich mit großem Eifer in das Dickicht der *Lolita* gestürzt. Nabokov wendet sich mit beunruhigendem Humor gegen die durchsichtigen Vernünfteleien, mit denen die organisierte Welt notgedrungen die Sexualität, das Gefühl, das Individuum umgibt. Trotz der prätentiösen Umständlichkeit des Prologs und des atemlosen Schlusses hat mich die Handlung gefesselt. Rougemont, der dummes Zeug über Europa schreibt, sich aber gar nicht so übel zu sexuellen Problemen äußert, lobt Nabokov, weil er eine neue Figur der fluchbeladenen Liebe erfunden habe. Im Zeitalter der Coccinelle und der *ballets roses* bringt die Liebe allerdings niemandem mehr ewige Verdammnis, während Humbert Humbert mit dem ersten Blick, den er auf Lolita wirft, der Hölle ausgeliefert ist. Mit *La Révocation de l'Édit de Nantes* hatte Klossowski in souveränem Stil einen Roman von barocker und unergründlicher Erotik geschrieben. In erotischen Büchern sind die Personen gewöhnlich auf eine einzige Dimension reduziert. Ihre Ausschweifungen reichen nicht aus, um einen Körper zu beleben, den der Autor von der Welt losgetrennt und folglich seines Blutes beraubt hat. Klossowskis Heldin aber, eine radikalsozialistische und mit Auszeichnungen bedachte Parlamentarierin, ist wirklich lebendig. Wenn sie sich in unterirdischen Gewölben, die der *Mystères de Paris* würdig wären, auspeitschen läßt, glaubt man ihr die masochistische Verzückung. Wer auf den Himmel setzt, wird von ihm nicht besser behandelt als die, die seiner spotten. Die Verzerrungen der Sexualität kennzeichnet vor allem das Unvermögen des heutigen Bürgers, seinen Körper zu akzeptieren, also Mensch zu sein.

Meistens lese ich am Nachmittag, bevor ich an die Arbeit gehe. Abends im Bett sah ich ab und zu in einen der Romane hinein, die mir vom Pressedienst zugeschickt wurden. Gewöhnlich löschte ich nach zehn Minuten das Licht aus. Eines Abends aber las ich weiter. Es war das Buch einer Unbekannten, der Anfang war nicht sehr aufsehenerregend: Ein kleines, braves Mädchen trifft einen aus der Bahn geschleuderten Jungen, sie rettet ihn vor dem Selbstmord, sie lieben einander: Das könnte banal sein, ist es aber nicht. Ihre Liebe, beunruhigend, zweideutig, stellt die Liebe selbst in Frage. Dieses naive Mädchen spricht wie eine erfahrene Frau und in einem Ton, mit einer Stimme, die mich trotz gewisser Ungeschicklichkeiten bis zur letzten Seite gefesselt hat. Es geschieht selten, daß man von einem Buch gepackt wird, auf das einen niemand aufmerksam gemacht hat. Wer war Christiane Rochefort? Ich erfuhr es ein wenig später, als das Urteil des Publikums das meine bestätigte.

In Paris wurde die vollständige Fassung des Eisenstein-Films *Iwan der Schreckliche* aufgeführt. Der erste Teil wirkte ein wenig gekünstelt; der zweite Teil war gelöst, lyrisch, episch, inspiriert und übertraf vielleicht alles, was ich je auf der Leinwand gesehen hatte. Nachdem das Zentralkomitee den Film im September 1946 mißbilligt hatte, schrieb Eisenstein an Stalin, der ihn empfing und sich den Film im Vorführungsraum des Kreml ansah. Ehrenburg hatte uns erzählt, daß Stalin keine Miene verzogen und sich wortlos entfernt habe. Eisenstein erhielt die Erlaubnis, einen dritten Teil zu drehen, den er mit dem zweiten verschmelzen wollte. Aber er war bereits sehr krank und starb zwei Jahre später.

Bost hatte mir von einem Film erzählt, den er in einer privaten Vorführung gesehen hatte und der mit der Routine des französischen Films brach: *Le Beau Serge*. Als er in einem Kino lief, ging ich hin, um ihn anzusehen. Von unbekannten Darstellern gespielt, zeichnet er das Leben in einem Dorf in Mittelfrankreich mit solcher Treue nach, daß mir die Bilder wie Erinnerungen vorkamen. Chabrol schildert das traurige Dasein der Bewohner und ihre Mißgeschicke, ohne seine Überlegenheit herauszukehren. In *Schrei, wenn du kannst* vermißte ich dieses Einfühlungsvermögen und auch die Frische, die Echtheit. Aber auch dort spürt man einen neuen Ton. Truffaut spricht in *Sie küßten und sie schlugen ihn* schlecht von den Erwachsenen, aber sehr gut über die Kindheit. Die Knappheit der Mittel untersagte den Regisseuren der Neuen Welle die kostspieligen Produktionsverfahren der älteren Generation: auf diese Weise wurden sie den alten Plunder los.

Ende Mai nahm mich Lanzmann mit zu einer Probe der Joséphine Baker ins Olympia. Zwischen unfertigen Kulissen tummelten sich Darsteller im Straßenanzug mit Kollegen, die in antiker Vermummung halbnackt umherliefen. Ich amüsierte mich über diese Unordnung, die Aufregung des technischen Personals, die schlechte Laune der Verantwortlichen, die ungewohnten Effekte, die das Zusammentreffen von prunkvollem Machwerk und alltäglicher Banalität zustande bringt. Aber als ich mich an die Joséphine meiner Jugend erinnerte, wiederholte ich mir den Vers Aragons: «Was ist geschehen? Das Leben ...» Sie hat sich mit achtunggebietendem Heroismus gewehrt. Desto unanständiger erschien es mir, sie anzuschauen. In ihrem Gesicht fand ich das Leid, das meine Züge entstellt.

Kurze Zeit später – genau zehn Jahre, nachdem die Ärzte ihm gesagt hatten: «Sie werden nur noch zehn Jahre leben!» – starb Boris Vian während einer privaten Vorführung des Films *J'irai cracher sur vos tombes* an Ärger und einem Herzschlag. Als ich am frühen Nachmittag zu Sartre kam und *Le Monde* aufschlug, entdeckte ich die Nachricht. Zum letztenmal hatte ich ihn in den ‹Trois Baudets› gesehen, wo wir ein Glas zusammen getrunken hatten: Er hatte sich seit unserem ersten

Gespräch kaum verändert. Ich war ihm sehr zugetan. Aber erst einige Tage später, als ich im *Match* das Foto einer mit einem Tuch zugedeckten Bahre sah, kam es mir zu Bewußtsein: Unter diesem Tuch liegt Vian. Und ich begriff: Wenn nichts in mir dagegen rebelliert, dann nur deshalb, weil ich mich bereits mit meinem eigenen Tod vertraut gemacht habe.

Ich verbrachte zusammen mit Sartre einen Monat in Rom. Es ging ihm besser, um nicht zu sagen gut. Sein Stück ging der Vollendung entgegen. Er hatte den ersten Akt umgearbeitet und schrieb jetzt an den nächsten Szenen, was ich äußerst beruhigend fand. Eines Abends gab er mir das Manuskript des letzten Aktes, das ich auf der kleinen Piazza di San Eustachio durchlas: Der Familienrat ist versammelt, um über Franz zu urteilen. Jeder erläutert seinen Standpunkt, was wieder an Sudermann erinnert. Wenn ich von einer Arbeit Sartres enttäuscht bin, versuche ich erst einmal, mir unrecht zu geben, und es ärgert mich, wenn die Arbeit nach und nach recht zu behalten scheint. Als er sich zu mir setzte, war ich sehr schlechter Laune und gestand ihm meine Enttäuschung. Er war nicht sonderlich verärgert. Er hatte zuerst an ein Tête-à-tête zwischen Vater und Sohn gedacht und wußte nicht recht, warum er davon abgekommen war. Er kehrte zu der ursprünglichen Idee zurück, und diesmal erschien mir die Szene als die beste in einem Stück, das ich höher schätzte als alle die anderen, die er bisher geschrieben hatte.

Er übte seinerseits strenge Kritik an der ersten Fassung meines Buches. Ich habe schon erwähnt, daß auch er mich nicht schonte, wenn ihn meine Leistung nicht zufriedengestellt hatte. Er sagte mir, daß ich noch einmal von vorn anfangen müsse, fügte aber hinzu, daß seiner Meinung nach der zweite Teil interessanter sein würde als *Mémoires d'une jeune fille rangée,* und ich setzte meine Arbeit mit neuerwachter Freude fort. In den heißen Stunden lag ich auf dem Bett und las: *Le Vaudou* von Métraux, *Soleil hopi,* diese erstaunliche Autobiographie eines Indianers, der seine doppelte Zugehörigkeit zur amerikanischen Zivilisation und den Traditionen seines Dorfes schildert. In *Das Planetarium* begegnete ich wieder den größenwahnsinnigen Kleinbürgern Nathalie Sarrautes. Und ich entdeckte wieder einmal *Les Confessions* von Rousseau.

Sartre verließ mich in Mailand. Eine Woche später war ich dort mit Lanzmann verabredet. Ich ließ mich in Bellagio nieder, ein wenig ängstlich über dieses Tête-à-tête mit mir selber, weil ich es nicht mehr gewöhnt war. Die Tage schienen mir viel zu kurz zu sein. Ich frühstückte am Seeufer und blätterte die italienischen Zeitungen durch. Ich arbeitete am offenen Fenster, bezaubert von der stillen Wasser- und Hügellandschaft. Am Nachmittag las ich Massins *Mozart,* den ich Sartre entrissen hatte, bevor er die Lektüre beendet hatte. Er fand das Buch ausgezeichnet. Es ist ein so reiches und so leidenschaftliches Buch, daß es mir schwerfiel, es beiseite zu legen, um wieder an die Arbeit zu gehen. Wenn ich abends nach dem Essen auf einer Terrasse meinen Grappa trank, nahm ich es mir voller Freude wieder vor. Dann ging ich im Mondschein spazieren. Danach verbrachte ich zehn Tage zusammen mit Lanzmann in Menton. Er las mein Manuskript und gab mir gute Ratschläge. Unsere Wege trennten sich, aber in der Freundschaft blieb die Vergangenheit unversehrt erhalten. Als ich ihn kennenlernte, war ich noch nicht reif fürs Alter gewesen: Er hatte mich über die Vorzeichen hinweggetäuscht. Jetzt war es bereits zu einem festen Bestandteil meiner selbst geworden. Ich besaß noch die Kraft, es zu verabscheuen, aber nicht mehr die Kraft, darüber zu verzweifeln.

Im Sommer unternahm Malraux eine Propagandareise nach Brasilien. Als man ihm Sartres politischen Standpunkt vorwarf, beschuldigte er Sartre in offiziellen Ansprachen, daß er nie der Widerstandsbewegung angehört und dadurch, daß er während der Besetzung seine Stücke aufführen ließ, mit dem Feind zusammen gearbeitet habe. Daß ein Kulturminister im Ausland einen Schriftsteller aus dem eigenen Lande beschimpft – das hatte es noch nie gegeben. Andererseits behauptete er, während der drei Monate, in denen er den Nachrichtendienst geleitet hatte, seien die Foltern eingestellt worden. Das war gegenüber Monsieur Frey nicht gerade sehr nett.

Im Juli teilte das Rote Kreuz mit, daß eine wachsende Anzahl von Moslems verschwänden, genauso wie Audin ‹verschwunden› war. Vergès und Zavrian ließen sich am 10. August in Aletti nieder, um die Algerierinnen zu empfangen, deren Männer, Söhne und Brüder auf diese Weise verschwunden waren: Sie kamen in Scharen. Die beiden Anwälte wurden zwar ausgewiesen, hatten aber vorher 175 Aussagen sammeln können, die im September und Oktober in den *Temps Modernes* und auch im *Express* erschienen. Da keine Leichen da seien, gäbe es auch keine Beweise, erwiderten die Leute, die ein Interesse daran hatten, alles abzustreiten. *La France Catholique* erklärte rundheraus, man könne nicht behaupten, Audin sei gefoltert und erdrosselt worden, weil er ja nicht da sei, um es zu bezeugen, und die Qualen, die Alleg habe erdulden müssen, könnten ihn nicht allzusehr mitgenommen haben, da er sie ja überlebt hatte. Als im August der Gewerkschafter Aïssat Idir im Krankenhaus an den Folgen seiner Brandwunden starb, wurde eine Untersuchung eingeleitet: Als Internierter im Lager von Bitraria war er im Januar eines Nachts auf einer brennenden Strohmatratze aufgewacht. Trotz nachdrücklicher Proteste, die ausnahmsweise einmal in der Presse, vor allem in *Le Monde,* veröffentlicht wurden, lautete die Schlußfolgerung, daß er das Feuer durch eigene Unachtsamkeit verursacht habe.

Am 16. September brachte de Gaulle das Wort «Selbstbestimmung» aufs Tapet. Im November erklärte er sich bereit, das GPRA als einen «wertvollen Gesprächspartner» zu akzeptieren. Die faschistischen Machenschaften und Umgruppierungen nahmen überhand. Unterdessen setzten in Algerien die Friedensstifter ihren Vernichtungsfeldzug gegen das Land und die Bevölkerung fort. Ein offizielles Kommuniqué der Armee teilte mit, daß von Juni bis September 334 524 Moslems in die Umgruppierungslager eingeliefert worden waren. (In der *Réforme* veröffentlichte am 14. November Pastor Beaumont die Aufzeichnungen seiner Reisen, die er zwischen dem 14. und 29. Oktober unternommen hatte: «In vielen Umgruppierungszentren beträgt die Durchschnittsration, in Kalorien gerechnet, ein Viertel oder ein Drittel des Minimums.» Seit dem März war die Anzahl der Internierten um 30 Prozent gewachsen, und die Lager würden bestimmt nicht vor Beendigung des Krieges abgeschafft werden. Im allgemeinen erhielten die Leute pro Kopf 160 Gramm Getreide, also 700 Kalorien pro Tag, aber in manchen Fällen sank die Getreideration auf 90 Gramm, also 400 Kalorien pro Tag. In einem anderen extremen Fall, auf dem Landgut Michel, waren von tausend Kindern fünfhundert gestorben. Pastor Beaumont hatte mit seinen eigenen Augen in einem ‹normalen› Lager verhungerte oder an Hunger sterbende Kinder gesehen: «Kinder, deren Schien- und Wadenbeine unter der Haut sichtbar waren, die völlig rachitisch waren, fieberkranke Kinder, für die es kein Chinin gab und die vor Schüttelfrost zitternd ohne Decke auf dem Boden lagen.») Im November brachte der *Express* die Aussage eines ehemaligen Deportierten namens Faruggia über das Internierungslager in Berroughaia, das ein richtiges Vernichtungslager war. (Seine Schilderung deckte sich mit der, die *El Moudjahid* im Juli gegeben hatte. 2500 Gefangene waren dort eingesperrt – Leute, die als besonders gefährlich galten, und ‹Intellektuelle›. Sie wurden mißhandelt, gefoltert, erschlagen, ermordet, viele wurden wahnsinnig oder begingen Selbstmord.) Es gab noch mehr Lager der gleichen Art. Das Rote Kreuz führte zwischen dem 15. Oktober und dem 27. November in den Umgruppierungs-, Internierungs- und Unterkunftslagern eine Untersuchung durch und faßte auf ungefähr 300 Seiten 82 Berichte zusammen. Sie waren für Frankreich dermaßen belastend, daß das Rote Kreuz nach Verhandlungen mit der Regierung nur einzelne Auszüge davon freigab, aus denen *Le Monde* gewisse Schlußfolgerungen zog. Der vollständige Text aber ging heimlich von Hand zu Hand. Der *Observateur* erinnerte daran, mit welcher Vorsicht sich das Internationale Rote Kreuz über die nazistischen Konzentrationslager geäußert hatte. Seine Abgesandten hatten die Gaskammern erst gar nicht zu Gesicht bekommen. Die Funktionäre hatten ihnen versichert, daß die den Deportierten zugesandten Pakete getreulich zugestellt würden, usw. Auch hier hatte man wieder offenbar alles getan, um sie hinters Licht zu führen, und sie waren mehr oder weniger darauf eingegangen. Trotzdem, und obwohl ich abgehärtet war, hatte ich Mühe, die Lektüre zu beenden.

Im Dezember veröffentlichten *Témoignage Chrétien* und nachher *Le Monde* den Bericht eines Priesters, eines Reserveoffiziers, über die im August 1958 im ‹Ausbildungszentrum› des Lagers Jeanne d'Arc erteilten Weisungen: «Capitaine L. hat uns fünf Richtlinien gegeben, die ich hier zusammen mit den Einwänden und Antworten wiedergebe: 1. Die Folter muß angemessen sein. 2. Sie darf nicht in Anwesenheit Jugendlicher stattfinden. 3. Es dürfen keine Sadisten anwesend sein. 4. Sie muß von einem Offizier oder einem Verantwortlichen durchgeführt werden. 5. Sie hat vor allem human zu sein, das heißt, sie muß aufhören, sowie der Mann zu reden beginnt, und sie darf vor allem keine Spuren hinterlassen. Die Schlußfolgerung lautete, daß man unter diesen Voraussetzungen berechtigt sei, Wasser und elektrischen Strom anzuwenden.»

Dieser Bericht erregte fast keine Aufmerksamkeit. Die Franzosen schwebten in einer Gleichgültigkeit, die Wissen und Nichtwissen gleichwertig erscheinen ließ, so daß Enthüllungen auf sie keinen Eindruck machten. Das Audin-Komitee wies nach, daß Audin erdrosselt worden war. Die öffentliche Meinung erfuhr kaum etwas davon und wollte auch nichts Näheres wissen.

Nach den Tagen der Straßenkämpfe ließ sich de Gaulle uneingeschränkte Vollmachten geben. Die Atmosphäre wurde von Tag zu Tag unerträglicher. An den Kreuzungen, vor den Kommissariaten standen Posten mit Maschinenpistolen. Wer sich ihnen nachts näherte, um nach dem Weg zu fragen, wurde aufs Korn genommen. In der Silvesternacht wurde in Gennevilliers ein Siebzehnjähriger erschossen, der von einer Feier kam. Als Bost einmal gegen zwei Uhr morgens mit großer Geschwindigkeit im Auto nach Hause fuhr, wurde er von einem Polizeiwagen gejagt. Er mußte halten und seine Papiere vorweisen. Beruf: Journalist. «Ein Intellektueller!» sagte einer der Beamten haßerfüllt. Während er ihn mit der Maschinenpistole in Schach hielt, durchsuchten andere den Gepäckraum. Man konnte keine hundert Meter weit gehen, ohne Zeuge zu sein, wie Nordafrikaner in die Polizeiwagen verladen wurden. Als ich an der Präfektur vorbeikam, sah ich einen blutend auf der Bahre liegen. Eines Sonntags fuhr ich im Auto mit Lanzmann durch die rue de la Chapelle. Dort durchsuchten Polizisten in ihren schußsicheren Westen, Maschinenpistolen in der Hand, einige Männer, die mit hoch erhobenen Armen an der Wand standen: Algerier, sorgfältig rasiert und frisiert, in ihren besten Anzügen. Auch für sie war es ein Sonntag. Hände kramten in ihren Taschen und förderten ihre ärmliche Habe zutage: ein Paket Zigaretten, ein Taschentuch. Da gab ich die Spazierfahrten in Paris auf.

Trotzdem war es sicher, daß Algerien seine Unabhängigkeit erlangen würde: Das hing mit der Entwicklung in Afrika zusammen. Als Guinea am 28. September 1958 die Volksbefragung mit einem mutigen Nein beantwortete, brach Frankreich die Beziehungen ab – nicht aber mit den übrigen Ländern, bei denen es ein Jahr später so aussah, als wollten sie den gleichen Weg beschreiten. Abgesehen von Mali unternahmen sie in Wirklichkeit nichts gegen die koloniale Ausbeutung, und die echten Revolutionäre setzten den Kampf fort. Besonders in Kamerun kam es zu blutigen Aufständen. Belgien begann schleunigst mit der Entkolonisierung, um eine Revolution im Kongo zu verhüten und seine wirtschaftlichen Interessen zu schützen. Den letzten englischen Kolonien hatte man die baldige Selbständigkeit zugesichert. Im Sommer hatten sich die jungen afrikanischen Staaten in Monrovia mit Algerien solidarisch erklärt.

In der großen Welt sah es nicht gar so finster aus wie bei uns. An gewissen Punkten war die Spannung zwischen den Mächteblocks erhalten geblieben – vor allem in dem fanatisch antikommunistischen Westdeutschland, wo sich der Antisemitismus wieder ausbreitete. In der Weihnachtsnacht tauchten an den Synagogen Hakenkreuze auf. Aber die Reise Chruschtschows nach Washington und die angekündigte Reise Eisenhowers nach Moskau waren beispiellose Ereignisse. Lunik 2 und Lunik 3 festigten die Überlegenheit der UdSSR in der Weltraumtechnik: eine Garantie für den Frieden.

So wie man den Passagieren eines verunglückten Flugzeugs den Rat gibt, sofort ein anderes zu benutzen, hatte der alte Mirande Sartre nach dem Durchfall von *Nekrassov* ermahnt: «Schreib sofort ein neues Stück, sonst wirst du nie mehr den Mut dazu aufbringen.» Obwohl Sartre einige Jahre hatte verstreichen lassen, wagte er es doch. *Les Séquestrés d'Altona* gefiel mir so gut, daß meine alten Illusionen zu neuem Leben erwachten: ein gelungenes Werk verwandle und rechtfertige das Leben seines Urhebers. Sartre aber mochte das Stück nie so recht, vielleicht wegen der Umstände, unter denen er es begonnen hatte. Véra Korène inszenierte es im Théâtre de la Renaissance, und nach meiner Rückkehr nach Paris ging ich zu fast allen Proben, manchmal war ich entzückt, oft aber enttäuscht. Reggiani bereitete mir an einem Nachmittag ein ungetrübtes Vergnügen, als er, sich von einem Absatz zum anderen mit unnachsichtiger Strenge korrigierend, den Schlußmonolog sprach, den ich so schön finde. Es war beruhigend, sich sagen zu dürfen, daß sich seine Intonation niemals ändern würde. Die schauspielerischen Leistungen waren nämlich unterschiedlich. Mit den Bühnenbildern und Kostümen war ich auch nicht restlos einverstanden, durch den schwerfälligen Szenenwechsel dauerte die Vorstellung zu lange. Ich half Sartre bei einigen Kürzungen und redete ihm zu, andere, die die Direktion verlangte, abzulehnen. Véra Korène und Simone Berriau, die Partnerinnen waren, prophezeiten eine einzige Katastrophe. Intrigen, Zänkereien, Wutausbrüche – ich war es gewöhnt. Diesmal aber ging es um mehr. Nie war Sartre um den Empfang so besorgt gewesen, den man ihm bereiten würde. Als wir zwischen zwei Arbeitsperioden unter einem mörtelgrauen Himmel den Boulevard entlangspazierten, packte mich die Unruhe. «Auch wenn es ein Durchfall wird, haben Sie Ihr bestes Stück geschrieben», sagte ich zu ihm. Vielleicht: Aber was für eine Katastrophe für die Schauspieler, die sich für die Saison festgelegt hatten! Was ihn betraf, so würde er das Theater aufgeben. Ich dachte auch an seine Feinde, die seit Jahren behaupteten, daß er erledigt sei, und die eilends herbeiströmen würden, um ihn zu begraben. Es kursierten schon die unmöglichsten Gerüchte, weil man, da weder die Darsteller noch die Techniker fertig waren, die erste öffentliche Vorstellung verschieben mußte. Endlich fand sie statt. Ich stand hinten im Parkett und musterte das Publikum. Man erstickte in dem schlecht gelüfteten Saal. Das war nicht dazu angetan, einem an schwierigen Nuancen reichen Text zu folgen. Ich bedauerte sehr, daß Reggiani nicht seine Absicht wahrgemacht hatte, die viel zu schönen Uniformen ein wenig zu zerfransen. Auch andere Unvollkommenheiten sprangen mir plötzlich ins Auge. Aufgewühlter denn je durch die öffentliche Enthüllung eines Werkes, das mich bis ins Mark erschütterte, schweißbedeckt und von Angst gelähmt, lehnte ich mich an einen Pfeiler und glaubte, ohnmächtig zu werden. Nach Schluß der Vorstellung wurde so kräftig applaudiert, daß ich das Spiel gewonnen glaubte. Trotzdem war ich aufgeregt, als einige Abende später der Vorhang vor dem griesgrämigen Premierenpublikum in die Höhe ging. Ich ging mit Sartre auf dem Boulevard spazieren, ein Haus brannte, wir blieben stehen und sahen zu, wie die Feuerwehr den Brand bekämpfte. Danach setzte ich mich bald in die eine, bald in die andere Loge, sah also nur Teile der Vorstellung und stellte wie gewöhnlich fest, daß das Ensemble weniger gut spielte als an den anderen Abenden. In der Pause ergingen sich Véra Korène und ihre Freunde in Wehklagen über die Länge des Stückes: Das hob nicht gerade die Stimmung der Darsteller, die ohnedies vor Lampenfieber schon halbtot waren. Nachdem der Vorhang gefallen war, fanden sich unsere Freunde in den Garderoben, auf den Treppen und in den Wandelgängen ein. Das Stück gefiel ihnen, aber sie beschwerten sich darüber, daß der Dialog schlecht zu hören und daß es im Zuschauerraum zu heiß gewesen sei. Ich war mit meinen Nerven völlig am Ende, als ich in die erste Etage des ‹Falstaff› kam. Sartre hatte die Darsteller und einige enge Freunde zu einem Souper eingeladen. Wir machten uns alle große Sorgen. Sartre hatte sich nicht eben begeistert zu weiteren Strichen bereit erklärt, und ich spürte, daß es ihn innerlich wurmte. Er leerte ein Glas, zwei Gläser. Früher hätte ich nicht daran gedacht, die Gläser zu zählen. Je mehr er trank, desto lustiger wurde er: das war früher einmal so gewesen. Als er sich ein drittes Glas eingoß, wollte ich ihn daran hindern, aber er wehrte es mit einem Lächeln ab. Da überfielen mich die Erinnerungen an den vergangenen Winter – die Destillationen, das Herzgestrüpp, und da der Whisky dazu beitrug, geriet ich in eine derartige Panik, daß ich in Tränen ausbrach. Sofort stellte Sartre sein Glas weg. In der allgemeinen Aufregung wurde der Zwischenfall fast nicht bemerkt.

Sartre strich oder kürzte mehrere Szenen, so daß ungefähr eine halbe Stunde eingespart wurde. Und fast ohne eine Rezension gelesen zu haben, flog er nach Irland, wo Huston ihn erwartete, um mit ihm das Freud-Drehbuch durchzugehen. Gleich nachdem ich aufgewacht war, ging ich am Donnerstag die Tages- und Wochenzeitungen kaufen und sah sie auf einer Terrasse im Sonnenschein durch. Es war ein schöner Oktobermorgen. Fast alle Kritiker waren meiner Meinung: daß *Les Séquestrés d'Altona* Sartres übrige Stücke in den Schatten stellte. Ich schickte ihm sofort ein Telegramm und die Artikel.

Als er zehn Tage später zurückkehrte, war der Erfolg von *Les Séquestrés d'Altona* gesichert. Erleichterten Herzens erzählte er von seinem Aufenthalt in Irland. Huston hatte ihn in einem roten Smoking auf der Schwelle des Hauses empfangen. Es war ein riesiger, noch unvollendeter Bau, angefüllt mit kostbaren Kunstgegenständen und Kuriositäten und von so großen Wiesen umgeben, daß man zu Fuß Stunden gebraucht hätte, um sie zu durchwandern: Frühmorgens tummelte sich Huston dort hoch zu Roß; ab und zu flog er auch aus dem Sattel. Er lud alle möglichen Leute ein und begann mit ihnen eine Konversation, der zu folgen Sartre sich vergebens bemühte. Auf diese Weise war er gezwungen, sich mit einem anglikanischen Bischof, einem Maharadscha und einem hervorragenden Fachmann der Fuchsjagd zu unterhalten, der kein Französisch verstand. Da die Tage alle durch Diskussionen mit Reinhardt und Huston angefüllt waren, hatte er wenig von Irland gesehen; aber seine düstere Anmut hatte ihm gefallen. Er fand das Handwerk des Drehbuchautors recht undankbar.

Auch ich versuchte mich darin zum erstenmal. Cayatte hatte mir vorgeschlagen, zusammen mit ihm einen Film über die Ehescheidung zu schreiben. Ich hatte keine Lust, mich mit Eheproblemen zu beschäftigen, aber ich kannte sie gut. Ich hatte so viele Briefe erhalten, von so vielen Schicksalen erfahren. Der Gedanke, dieses Wissen in einem Drehbuch auszunutzen, erschien mir verlockend. Zweierlei störte mich dabei: Im Film kann man sich nicht die gleichen Freiheiten herausnehmen wie in der Literatur. Es war ausgeschlossen, den Algerien-Krieg zu erwähnen, infolgedessen konnte ich meine Personen nicht in ihren gesellschaftlichen Zusammenhang einordnen. Ihre Abenteuer ohne den richtigen Hintergrund entsprachen in meinen Augen nicht mehr der Wahrheit: Würde es mir gelingen, trotzdem das nötige Interesse aufzubringen? Außerdem wollte Cayatte die zwei Versionen des Konflikts, die der Frau und die des Mannes, trennen. Ich wandte ein, daß das Leben eines Ehepaares zwei Seiten habe, die nicht getrennt werden könnten. Er gab aber nicht nach. Erst als er mein Drehbuch las, merkte er, daß diese Zweiteilung höchst unglücklich war. Also verschmolz ich die beiden Teile miteinander. Es wäre besser gewesen, von neuem zu beginnen, aber ich hatte mich für meine Personen und für die Handlung erwärmt, in die ich sie verstrickt hatte. Meine Phantasie hatte ihre Bewegungsfreiheit verloren, und ich entdeckte sehr bald, daß trotz des guten Willens zwischen Cayatte und mir ein Mißverständnis herrschte. Ich glaube, er hatte sich an mich gewandt, weil man mir eine Vorliebe für ‹Tendenzromane› zuschrieb. Deshalb sagte ich ihm gleich, daß ich für Tendenzliteratur nichts übrig habe. In meinem Drehbuch vermied ich es geflissentlich, etwas beweisen zu wollen, sämtliche Episoden waren zweideutig, ihre wechselseitigen Beziehungen vielfältig und fließend. Hatte Cayatte recht oder unrecht, wenn er es konfus fand? Seiner Meinung nach fehlte auch der ‹Einfall›, der das Publikum überrascht und den Erfolg sichert. Ich hätte es vorgezogen, das Publikum durch einen Tonfall, durch einen Stil zu fesseln, wie es zum Beispiel Bresson mit *Les Dames du Bois de Boulogne* gelungen war, einem Film von überaus intensiver Schlichtheit. Schließlich wußte Cayatte, was er wollte, und es war nicht das, was ich ihm anzubieten hatte. Ich verstand sehr gut, daß er meinen Entwurf ablehnte.

In den paar Wochen, die ich mit dem Drehbuch vergeudete, hatte ich keineswegs versäumt, an meinem Buch zu arbeiten. Angefeuert durch den Beifall und noch mehr durch die Kritik von Sartre, Bost und Lanzmann, wurde ich nicht müde, zu streichen, zu ergänzen, zu korrigieren, zu zerreißen, neu zu beginnen, zu grübeln, Entscheidungen zu treffen. Ich finde diese Zeit herrlich, wenn ich endlich dem schwindelerregenden Tanz der leeren Seiten entronnen bin, ohne daß meine Bewegungsfreiheit bereits durch die vollgeschriebenen Seiten beengt ist. Ich verbrachte auch viele Stunden damit, *Critique de la raison dialectique* mehrmals durchzulesen. Ich bewegte mich tastend durch die dunklen Tunnels, aber am Ausgang wurde ich oft von einer Freude befallen, die mich um zwanzig Jahre verjüngte. *Les Séquestrés d'Altona* und *Critique de la raison dialectique* entschädigten mich für die Misere und die Ängste des vorigen Herbstes. Durch Sartre und auch durch meine eigene Arbeit erhielt das Abenteuer des Schreibens wieder seinen erhebenden Geschmack.

Daß man Stunden, Monate, Jahre damit verbringt, daß man zu Menschen spricht, die man nicht kennt, ist ein seltsames Unterfangen. Zum Glück macht mir der Zufall von Zeit zu Zeit ein kleines Geschenk. In Bayonne kam ich im Sommer 1955 in eine Buchhandlung. «Da ist ein Buch, das mir gefällt», sagte eine junge Frau. «Es ist hart und eigenartig, aber ich liebe es: *Les Mandarins*» – Es macht mir Freude, Leser, die mich mögen, leibhaftig vor mir zu sehen. Es bereitet mir auch ein gewisses

Behagen, Leuten zu begegnen, die mich verabscheuen. Einmal aß ich im Sommer zusammen mit Lanzmann in einem Pyrenäenhotel zu Abend. An einem benachbarten Tisch saßen Spanier und eine mit einem Mann namens Carlo verheiratete Französin. Sie sprach von ihrem Haushalt. «Ich habe einen Chauffeur, das ist bequem: *Das* fährt die Kinder spazieren.» Melancholisch und selbstgefällig analysierte sie die Tiefen ihres Herzens. «Ich liebe alles, war mir nicht ähnlich ist.» Dann erhob sie die Stimme: «Eine Verrückte, ein abnormes Geschöpf, ein schändliches Buch...» Es handelte sich um mich und *Le deuxième Sexe*. Als wir vor ihnen weggingen, gab ich, als wir ins Auto stiegen, einem Kellner eine unterzeichnete Postkarte. «An Madame Carlo, die den guten Geschmack hat, das zu lieben, was ihr nicht ähnlich ist.»

Seit dem Erscheinen von *Le deuxième Sexe* erhalte ich viele Briefe. Es waren viele sinnlose darunter: Autogrammjäger, Snobs, Schwätzer, Neugierige. Ich war nicht böse, wenn man mich beschimpfte. Die Anwürfe eines Antisemiten, der geistreicherweise mit «Merdocu, rumänischer Jude» unterzeichnete, eines *pied noir*, der mich der Koprophagie beschuldigt und meinen Schmaus beschreibt, kann ich nur amüsant finden. Der Brief eines Lieutenants unter der Devise *«Algérie française»*, der mir ein Dutzend Kugeln in den Balg wünscht, bestätigt nur die Meinung, die ich von den Militärs habe. Andere säuerliche, neidische, ärgerliche Briefe helfen mir, die Widerstände zu erkennen, auf die meine Bücher stoßen. Die meisten Briefschreiber drücken mir ihre Sympathie aus, sie vertrauen mir ihre Schwierigkeiten an, sie bitten mich um Rat oder Aufklärung: Sie machen mir Mut und bereichern meine Erfahrung. Während des Algerien-Krieges haben junge Soldaten, die das Bedürfnis empfanden, mit jemandem zu sprechen, mich an ihren Erfahrungen teilnehmen lassen. Oft werde ich gebeten, Manuskripte durchzulesen. Ich sage immer ja.

Unter den Leuten, die sich mit mir treffen wollen, gibt es viele, die einfach zudringlich sind. «Ich möchte mich mit Ihnen unterhalten, um Ihre Gedanken über die Frau kennenzulernen», sagt mir ein junges Mädchen. «Dann lesen Sie doch *Le deuxième Sexe*.» – «Ich habe keine Zeit zum Lesen.» – «Ich habe keine Zeit zum Plaudern.» Gern unterhalte ich mich mit Studenten und Studentinnen. Viele unter ihnen kennen Sartres oder meine Bücher gut und möchten präzise Auskünfte oder diskutieren. Während ich anderen einen Dienst erweise, erhalte ich Gelegenheit, zu erfahren, wie die Jugend denkt, was sie weiß, was sie will, wie sie lebt. Der Umgang mit jungen Mädchen, deren Leben noch nicht festgefahren ist, macht mir Freude und tröstet mich. Da ich mich nach den Briefen auf eine überlastete Hausfrau und Mutter gefaßt gemacht hatte, war ich angenehm überrascht, als ich eine zwanzigjährige blonde Schönheit zur Tür hereinkommen sah. Sie war Kanadierin, französischer Abstammung, und da sie ihrer Familie, ihres Milieus, ihres Landes überdrüssig war, hatte sie sich um ein Stipendium bemüht, das es ihr ermöglichte, in Paris Regie zu lernen. Empfehlungen, ihre reizvolle Erscheinung und ihre Intelligenz halfen ihr, sehr schnell Beziehungen zu Pariser Theaterkreisen anzuknüpfen. Sie besuchte mehrere Kurse und ging zu den Proben – zum Beispiel tagtäglich zu denen von *Tête d'or*. Sie schilderte mir ihre Eindrücke. Nichts entging ihrem kritischen, offenen Blick. Ihre eigene schwierige Situation hinderte sie nicht daran, sich eifrig mit den Problemen zu beschäftigen, die die Welt bewegten. Mir tat es leid, als sie nach Kanada zurückkehrte. Jacqueline O., ein durchaus anderer Typ, hatte es gleichfalls geschafft, einer bedrückenden Umgebung zu entrinnen und ernste, innere Krisen zu überwinden. Ich bewunderte ihren Mut. Mit zwanzig Jahren Lehrerin in der Schweiz, bereitete sie sich auf die Diplomprüfung vor, arbeitete unverdrossen an einigen Novellen, schrieb in Zeitungen, kämpfte für den Sozialismus, für das Frauenwahlrecht und die Emanzipation der Frau. Sie war schwarzhaarig und rundlich. Ihre langen, grün oder violett lackierten Nägel und übergroßen Ohrgehänge bildeten einen pikanten Kontrast zu ihrer gesetzten Haltung. Später sollte sie von Europa Abschied nehmen und als Lehrerin nach Mali gehen, wo es ihr sehr gut gefiel.

Ich empfand auch recht freundschaftliche Gefühle für einen jungen Marseiller, der mir seit Jahren in seinen Briefen seine Freundschaft anbot. Nach einer beschwerlichen Jugendzeit war er Matrose, dann Geschirrwäscher in einem Londoner Restaurant und weiß Gott was noch alles gewesen. «Ich bin ein klassischer Mißanpaßling», sagte er bescheiden, als er das erste Mal zu mir kam. Er hatte verschlossene Züge, denen aber ein unbeholfenes Lächeln einen kindlichen Anstrich verlieh. Er war gegen die Gesellschaft, gegen die Erwachsenen, gegen alles. Während er seinen Lebensunterhalt verdiente, hatte er es fertiggebracht, zu studieren und die Prüfungen zu bestehen. Von seinem ziellosen Anarchismus war er zu einem extremen und sogar gefährlichen Engagement übergewechselt. Er schulmeisterte oft an mir herum. Als *La Longue Marche* erschien, ein Buch, das weniger lebendig ist als *L'Amérique au jour le jour,* fragte er mich besorgt, indem er eine wegwerfende Handbewegung machte: «Werden Sie so weitermachen?»

Vor allem suchten mich junge Frauen auf. Viele Dreißigjährige fühlten sich durch eine Situation beengt – Mann, Kind, Arbeit –, die oft durch ihre Schuld und trotzdem gegen ihren Willen entstanden ist: Gewöhnlich ziehen sie sich mit mehr oder weniger Glück aus der Affäre. Oft versuchen sie zu schreiben. Sie unterhalten sich mit mir über ihre Probleme. Manche machen mir die unglaublichsten Geständnisse. Zwei- oder dreimal traf ich mich mit Mme C., um über ein mittelmäßiges Manuskript mit ihr zu sprechen. Sie war ungefähr dreißig Jahre alt, gut verheiratet und Mutter zweier Kinder. Sie erzählte mir von ihrer Ehe: Da sie frigid war, tröstete sich ihr Mann mit ihrer besten Freundin Denise, und beide liebten die *parties carrés*. Als sie Denise fragte: «Warum? Was

hast du davon?» antwortete diese: «Ein außergewöhnliches Schuldgefühl und nachher die Zärtlichkeit.» Eines Morgens rief Mme C. mich an:
Sie müsse sich sofort mit mir treffen. Am Nachmittag kam sie zu mir
und begann zu erzählen. Begierig, das Schuldgefühl und die Zärtlichkeit
kennenzulernen, war sie mit ihrem Mann und Denise in den Bois de
Boulogne gefahren, zur avenue des Acacias, wo, wie sie mir mitteilte,
die Teilnehmer an diesen Kollektivrendezvous von Auto zu Auto Verabredungen trafen. C. warf ein Auge auf zwei kleine Karren, in denen
nur Männer saßen. «Ihr werdet euch nicht langweilen, meine Kleinen»,
sagte er, als er mit zwei Männern in die Wohnung kam und vier weitere
anschleppte: Mechaniker, Garagenwärter, die sich über diesen unver-
hofften Glücksfall freuten. Es wurde viel getrunken, der Mann hatte
sich mit der Rolle des Zuschauers begnügt. Sowie die Gäste sich entfernt
hatten, näherte er sich Denise und flüsterte ihr verliebte Worte ins Ohr:
Die Zärtlichkeit galt ihr! Verzweiflung, Szene. Denise lief weg. «Du
hast alles verdorben!» schrie C. und warf die Tür hinter sich zu. Sie lief
ihm nach, er stieg in sein Auto, sie in das ihre, und so fuhren sie in
schnellem Tempo los. In der Gegend der Halles hielt er plötzlich an,
und sie fuhr in seinen Wagen hinein. Da sie ihre Papiere vergessen hatte,
wurde sie auf dem Polizeikommissariat festgehalten, bis der Mann die
Papiere geholt hatte. Als sie nach Hause kommen, sehen sie zwei der
nächtlichen Besucher drohend auf sich zukommen: einer der vier anderen
hatte ihnen ihre Brieftaschen gestohlen. Erschöpft hatte sie sich ins Bett
gelegt und über ihre Heimsuchungen nachgedacht. «Und plötzlich»,
sagte sie zu mir, «fühlte ich etwas, das ich noch nie erlebt hatte!»

Was hatte sie nur dazu getrieben, mir alles anzuvertrauen? Auf jeden
Fall erhielt ich auf diese Weise einen Einblick in die Pariser Sitten. Eines
Abends fuhren Olga, Bost, Lanzmann und ich mit dem Auto in die
avenue des Acacias. Langsam rollten die Wagen dahin, überholten einander, warteten aufeinander, man lächelte einander zu. Die gesellschaftliche Hierarchie wurde respektiert. Luxusautos folgten Luxusautos. Die
Kleinwagen blieben unter sich. Wir machten das Spielchen mit und hatten bald einen 403 und eine Aronde hinter uns. Bost gab Gas, und wir
schüttelten sie ab, obwohl uns bewußt war, daß wir gegen alle Regeln
guter Lebensart verstießen. Mme C. habe ich aus den Augen verloren.

Jeder halbwegs bekannte Schriftsteller erhält Briefe von Verrückten.
Da ich mit einer Antwort weder ihnen noch mir einen Dienst erweisen
würde, lasse ich es sein. Manchmal aber wollten sie nicht nachgeben. Als
ich gerade in Rom war, kam eines Morgens ein Telegramm in englischer
Sprache – aus Philadelphia. «Versuche seit vierzehn Tagen vergebens,
Sie zu erreichen. Werde Dienstag mittag anrufen. Gruß. Lucy.» Diese
Person schien mich zu kennen, und sogar recht gut: Wer aber war Lucy?
Die Stimme am Telefon schlug einen vertraulichen Ton an. Da sie eng-
lisch sprach, konnte ich sie auf diese Entfernung hin kaum verstehen.

«Entschuldigen Sie», sagte ich, «aber wann haben wir uns kennengelernt? Ich kann mich nicht an Sie erinnern ...» Daraufhin blieb es lange still. «Sie können sich nicht an mich erinnern!» Es wurde abgehängt. Ich überlegte mir mißvergnügt, daß Lucy in Paris jemanden kennengelernt haben müsse, der sich für mich ausgegeben hatte. Am Nachmittag rief sie wieder an. «Madame de Beauvoir», sagte sie in reserviertem Ton, «am siebzehnten Dezember werde ich in Paris sein, um mit Ihnen über den Existentialismus zu diskutieren.» – «Aber gern!» erwiderte ich und legte auf: Jetzt wußte ich Bescheid. Später erfuhr ich, daß Lucy, um meine Adresse zu bekommen, zuerst meinen amerikanischen Verleger, dann auf seinen Rat Ellen Wright in Paris angerufen hatte. Es kamen Briefe, pro Woche drei oder vier. Lucy besaß ein Antiquitätengeschäft, sie wollte ihr Vermögen flüssig machen, um mit mir zu leben, sie hatte sich einen neuen Mantel gekauft, sie schilderte mir die Freude, die ich empfinden werde, wenn sie an meiner Tür läutet! «Hier liegt ein Mißverständnis vor», schrieb ich ihr mehrere Male. Daraufhin erhielt ich ein Telegramm oder einen in offiziösem Ton gehaltenen Brief: «Würden Sie mir bitte eine Zusammenarbeit bewilligen, um mit mir über *Pour une morale de l'ambiguïté* zu sprechen.» – Unterdessen teilte mir die Post mit, daß Pakete angekommen seien, für die ich Zoll zu zahlen hätte: eine Nefertiti-Büste, ein ‹Verlobungsring› im Werte von 50 000 Francs. Ich ließ sie an den Absender zurückgehen und schrieb abermals: «Kommen Sie nicht.» Lucy wandte sich telefonisch an Ellen Wright: «Soll ich kommen oder nicht?» – «Nein», erwiderte Ellen. Da erhielt ich einen letzten Brief: «Ich habe meinen Laden verkauft, ich bin mittellos, und nun stoßen Sie mich von sich! Sie haben mir eine Lehre erteilt, aber ich bin eine schlechte Schülerin: Ich habe nichts begriffen. Ich kann Ihnen nicht einmal Vorwürfe machen, so gut haben Sie sich herausgewunden.» Einen Monat später erhielt ich ein Paket aus Philadelphia: Darin befand sich, sorgfältig verpackt, die Querleiste eines Stuhls.

Wir hatten uns 1958 den französischen Kommunisten genähert, um gegen den Algerien-Krieg und die faschistische Gefahr anzugehen. Sartre hatte die Friedensbewegung aufgefordert, für die Unabhängigkeit Algeriens genauso zu kämpfen wie für Vietnam. Im April hatte er sich, im Hinblick auf die Gründung antifaschistischer Komitees, in Begleitung Servan-Schreibers im Hotel ‹Moderne› mit Kommunisten getroffen. Von Mai an hatten wir Seite an Seite gekämpft. Durch Vermittlung Guttusos, den wir im Frühling 1958 wiedersahen, hatte Sartre den Kontakt mit italienischen Kommunisten wiederaufgenommen. 1959 hatte ihm Aragon eine Einladung der Orlowa, welche die Lizzie in *La Putain respectueuse* spielte, und ihres Mannes Alexandrow übermittelt. Er hielt es nicht für ratsam, die Einladung anzunehmen, aber als uns die Sowjetbotschaft zum Essen einlud, gingen wir hin. Anwesend waren Maurois und Aragon (die gerade dabei waren, parallel eine Geschichte der USA und der UdSSR zu schreiben). Elsa Triolet, die Claude Gallimards, die Julliards, Dutourd, der es vermied, uns die Hand zu geben, und es uns damit ersparte, ihm die Hand zu reichen. Ich saß links von Winogradow, der übers ganze Gesicht strahlte, weil man in nächster Zeit den Besuch Chruschtschows in Paris erwartete. Mein anderer Tischnachbar war Leonid Leonov. Ich hatte vor zwanzig Jahren *Die Dachse* gelesen. Aber er sprach fast kein Wort Französisch. Das einzige, was er herausbrachte, war: «Die Philosophie ist erledigt ... Einsteins Gleichung macht alle Philosophie überflüssig.» Elsa Triolet saß mir gegenüber, zwischen dem Botschafter und Sartre. Ihr Haar war grau geworden, die Augen waren noch immer sehr blau, sie hatte ein hübsches Lächeln, das mit ihren verbitterten Zügen kontrastierte. Als die Rede auf Erfindungen kam, die es ermöglichen werden, Greise zu verjüngen und das Leben zu verlängern, sagte sie mit Nachdruck: «O nein! Es dauert jetzt schon zu lang. Ich bin endlich am Ende angekommen, da soll man mich nicht zwingen, umzukehren.» Camus hatte 1946 zu mir gesagt, daß wir einen Charakterzug gemeinsam hätten: die Angst vor dem Altwerden. Eines Tages hatte Sartre auf den Beginn von *Le Cheval roux* angespielt, wo die Erzählerin durch einen atomaren Brand so grausam entstellt wird, daß sie ihr Gesicht unter einem Strumpf verbirgt, und Elsa gefragt, woher sie den Mut genommen habe, sich mit diesem fürchterlichen Antlitz vorzustellen. «Aber ich brauche ja nur in den Spiegel zu schauen», erwiderte sie. Damals hatte ich gedacht, daß sie sich irrt. Eine alte Frau ist keine häßliche Frau, sondern eine alte Frau ... Vielleicht in den Augen der anderen, aber wenn sie in den Spiegel schaut, kommt sie sich entstellt vor, sobald sie eine gewisse Schwelle überschritten hat. Jetzt verstand ich sie besser. Nach dem Essen landete ich zusammen mit Maurois in einer Ecke des Salons. Ich hoffte, daß er über Virginia Woolf sprechen würde, die er gekannt hatte, aber das Gespräch kam nicht in Gang.

Im Oktober erzählte mir Lanzmann von einem Buch, das er nur durchgeblättert hatte, das ihm aber sehr gut zu sein schien: *Der Letzte der Gerechten.* Ich war mißtrauisch. Was war noch nach so vielen wahrheitsgetreuen Enthüllungen, nach Poliakovs *Das Dritte Reich und die Juden* von einem Roman zu erwarten? Eines Abends schlug ich das Buch auf und legte es die ganze Nacht nicht mehr aus der Hand. Als der Roman in der Folge berühmt und viel diskutiert wurde, wies ich viele der kritischen Einwände zurück. Trotzdem mußte ich, als ich ihn noch einmal durchlas, gewisse Vorbehalte machen: stilistische Mängel, eine Frömmigkeit, die trotz geschickter Tarnung durchschimmerte. Vielleicht wird auch die Echtheit des Werkes mit allzu großer Spitzfindigkeit bewiesen. Aber so ist es nun einmal in der Literatur. Wie Cocteau sagt: *ein zu Papier gebrachter Aufschrei.*

Lanzmann lernte Schwarz-Bart kennen und lud uns zusammen an einem Sonntagnachmittag ein. Schwarz-Bart war wie ein Prolet gekleidet, aber aus dem Rollkragenpullover ragte ein Intellektuellenkopf hervor. Sein Blick war flackernd, der Mund sensibel und beweglich, er sprach hastig, mit einer zischelnden Stimme, die kaum zu hören war. Obwohl ihm alle weltlichen Werte wie Geld, Ehrungen, Privilegien und Ruhm gleichgültig waren, tat er immerhin nicht so, als berührte ihn das Interesse nicht, das er erweckte. «Da ich im Augenblick nicht arbeite, stören mich die Interviews und alles Drum und Dran nicht: Es gehört zum Handwerk.» Er hatte wie ein Besessener vier Jahre lang an seinem Buch gearbeitet. Er fand es logisch, daß er jetzt alles Erforderliche unternahm, um Leser zu finden. Trotzdem hatte er sich gegen die Zudringlichkeit gewisser Journalisten energisch gewehrt: Er hatte nichts von einem Lamm an sich. Wenn er sich zur Gewaltlosigkeit bekannte, dann geschah das meiner Meinung nach nur, weil sie ihm im Augenblick als die geeignetste Waffe erschien. Das hinderte ihn nicht daran, sich aufrichtig zu ihr zu bekennen. Er glaubte an das Gute in der menschlichen Natur. Er hoffte, daß sich die Gesellschaft mit dem, wie er es nannte, «menschlichen Minimum» begnügen würde, statt hinter dem Fortschritt herzulaufen. Kurz, er neigte mehr zu dem Ideal des Heiligen als dem des Revolutionärs. In diesen Punkten waren Lanzmann und ich nicht seiner Meinung, aber es war schwierig, mit ihm zu diskutieren. Spontan und warmherzig, wirkte er anfangs entspannt und gelockert. Nachher merkte man, daß er sich, indem er seine Gedanken genau den Empfindungen anpaßte, ein fast unbezwingliches Abwehrsystem geschaffen hatte. Er wird seinen Standpunkt keinen Zollbreit ändern, solange er nicht seine Beziehungen zur Welt in ihrer Ganzheit umgestaltet hat. Etwas später stellten wir fest, daß er uns nicht mehr erzählt hatte, als er zu guter Letzt auch der Presse und dem Fernsehen hatte mitteilen müssen. Das war normal, widersprach aber der Illusion vertraulicher Intimität, die er durch seine Ungezwungenheit hervorgerufen hatte. Der Bericht über seine Lehrjahre war auch dann noch erregend, wenn er auf eine etwas offizielle Version reduziert wurde. Schwarz-Bart verfügte über einen flinken Verstand, einen aus Sanftmut und Stolz, aus Schärfe und Geduld, aus Aufrichtigkeit und Zurückhaltung zusammengesetzten Charme. Obwohl ich nur zwei Stunden bleiben wollte, wurden es sechs. Ein wenig später traf ich Schwarz-Bart zusammen mit Lanzmann in der ‹Coupole› wieder. Der Erfolg seines Buches, das die Preisrichter des Prix Fémina und des Prix Goncourt einander streitig machten, hatte weniger bekannte jüdische Schriftsteller verstimmt. Sie brachten Parinaud dazu, der den Goncourt-Lorbeer für einen Schriftsteller aus seinen Kreisen begehrte, einen Artikel zu schreiben, der dank dem Kommentar Bernard Francks im *Observateur* ganz Paris erheiterte. Man beschuldigte Schwarz-Bart einiger gelinder Irrtümer und, was schwerwiegender war, des Plagiats. Tatsächlich geben im ersten Teil seines Romans etwa zehn Zeilen ziemlich genau einen Abschnitt aus einer alten Chronik wieder. Das würde noch nicht einmal ausreichen, um einen Hund hinter dem Ofen hervorzulocken. Dieser Anfang war eine Nachbildung. Um Texte nachzuahmen, muß man sich in sie vertiefen: Bestimmte Wendungen setzen sich dermaßen im Kopf fest, daß man sie schließlich für eigene hält. Ich habe dieselbe Erfahrung gemacht, als ich *Tous les hommes sont mortels* schrieb. Aber ich hatte vorausgesehen, daß Schwarz-Bart leicht verwundbar war, da er sich so sorgfältig abschirmte. Diese Intrige hatte ihn sehr erschüttert. Er saß mir gegenüber, äußerlich ruhig. «Es ist aus», sagte er, «ich habe aufgehört, mir Gedanken darüber zu machen. Ich habe die ganze Nacht hin und her überlegt. Der Preis ist mir egal. Geld habe ich schon genug. Das Schrecklichste ist jedoch, die Ehre zu verlieren. Aber ich werde sie zurückgewinnen. Ich werde für vier Jahre verschwinden und dann mit einem neuen Buch zurückkehren, und man wird sehen, daß ich wirklich ein Schriftsteller bin.» Wir versicherten ihm, daß sich die Preisrichter des Prix Goncourt nicht irreführen lassen würden und daß keiner seiner Leser bezweifeln würde, daß er der Autor seines Buches sei. Er hörte kaum zu. «Ich mache mich lieber auf das Schlimmste gefaßt, das ist so meine Art. Ich versuche klar zu sehen, finde mich damit ab und brauche nichts zu fürchten.»

Nachdem er den Prix Goncourt erhalten hatte, der ihm zum Ärger der Fémina-Damen vorzeitig zuerkannt worden war, lud ich Lanzmann und Schwarz-Bart zu mir ein. Ich war verblüfft, als ich ihn hereinkommen sah, und hätte am liebsten laut aufgelacht. Er hatte sich verkleidet, trug einen langen grünen Regenmantel, einen grünen Hut mit herabhängender Krempe, eine schwarze Brille. «Ich werde verfolgt», sagte er aufgeregt. «Die Leute machen sich in den Cafés an mich heran, verlangen von mir Autogramme, nennen mich Monsieur Schwarz-Bart. Monsieur! Stellen Sie sich das vor!» Er entdeckte mit ehrlichem Entsetzen, daß die Berühmtheit den Menschen verwandelt und von seinen Mitmenschen absondert. Die Verpflichtungen, die sie ihm auferlegte, bedrückten ihn. Allein die Briefe, die ihn erreichten! Beichten, Vertraulichkeiten, Danksagungen, Beschwerden, Bitten. Er hätte, so schien es ihm, jeden der Briefschreiber einzeln aufsuchen müssen, er fühlte sich in den Augen der gesamten jüdischen Gemeinschaft verantwortlich. Es lag ein wenig Selbstgefälligkeit in seiner Bestürzung, und ich hätte ihn gern davon überzeugt, daß er in einigen Monaten wieder still und unbelästigt durch die Straßen gehen könne. Aber man wechselt nicht, ohne Schaden zu nehmen, plötzlich aus der Obskurität ins Ruhmeslicht, aus der Not in den Überfluß. Was sollte er mit den Millionen anfangen, die auf ihn herabschneiten? Einige Leute in seiner Umgebung brauchten Hilfe, aber in bescheidenem Maße, und es waren nur wenige. Er persönlich hatte keine Wünsche. Eine Wohnung kaufen? Lieber nicht. Ein Auto? Er konnte nicht fahren. «Ich habe keine Träume», sagte er und zögerte. «Doch, einen ganz kleinen: ein Moped, um am Sonntag in die Umgebung hinauszufahren.» Mit einem halben Lächeln fügte er hinzu: «Außerdem kann man mit einem Moped leicht wenden, es ist bequem.» Wir schlugen ihm vor, ein Grammophon und Schallplatten zu kaufen. Drei Platten genügten ihm. «Ich könnte mir die *Siebente Symphonie* immer wieder anhören. Ich wüßte nicht, was ich davon hätte, wenn ich mir fünfzig Platten kaufte.» Er hatte eine aufrichtige Antipathie gegen den Luxus und große Bedenken gegenüber dem Geld, weil er den Preis der Waren mit dem Lohn der Arbeiter verglich. Um zu uns zu kommen, hatte er sich ein Taxi genommen: Ein Fabrikarbeiter hätte dafür zwei Stunden arbeiten müssen. Ich verstand ihn, weil mich das Geld, seit ich welches besaß, vor Probleme gestellt hatte, die ich nicht hatte lösen können. Er sprach auch von seinen Plänen: einem Roman über das Negerproblem. Da er sich der Unterdrückung bewußt war, unter der die Frauen zu leiden haben, wollte er eine Farbige zur Heldin machen. Ich fragte mich, ob es ihm gelingen würde, sie so lebendig zu gestalten wie den Ernie. Auf jeden Fall hatte er die Absicht, nach Martinique zu reisen.

Ich sah ihn erst ein Jahr später wieder, als er zurückgekehrt war, um das Manifest der «121» zu unterzeichnen. Er hatte sich weder durch die Bequemlichkeiten des Ruhmes noch durch die des Geldes beeinflussen lassen, obwohl er jetzt damit umzugehen verstand und die Askese in seinen Augen nicht länger das Ideal für die Menschheit und ihn selber war. Seine Freunde auf Martinique hatten ihn zur revolutionären Gewalt bekehrt: Er war ganz und gar einverstanden mit dem ersten Kapitel von *Die Verdammten dieser Erde,* das in den *Temps Modernes* erschienen war und in denen Fanon nachwies, daß den Unterdrückten nur dieser einzige Weg bliebe, um Menschen zu werden. Innerlich freier, offener als früher, schien er mir auch fester auf dem Boden zu stehen. Durch seinen Stellungswechsel bewies er uns, daß er die objektive Wahrheit seinen subjektiven Überzeugungen, das Risiko der Bequemlichkeit der Sicherheit vorzog.

Ich war an einem Januarnachmittag mit Sartre allein, als das Telefon klingelte: «Camus ist bei einem Autounglück ums Leben gekommen.» Als er mit einem Freund aus Südfrankreich zurückkehrte, fuhr der Wagen gegen eine Platane, und Camus war auf der Stelle tot. Mit zusammengeschnürter Kehle und zitternden Lippen legte ich auf. «Ich werde nicht weinen», sagte ich zu mir. «Er hat mir nichts mehr bedeutet.» Ich blieb am Fenster stehen und sah die Nacht auf Saint-Germain-des-Prés herabsinken, unfähig, mich zu beruhigen oder in echten Kummer zu versinken. Auch Sartre war erschüttert, und den ganzen Abend, den wir mit Bost verbrachten, sprachen wir von Camus. Bevor ich schlafen ging, nahm ich Belladenal. Seit Sartres Genesung hatte ich es nicht mehr benutzt; ich hätte einschlafen müssen, machte aber kein Auge zu. So stand ich auf, zog mich notdürftig an und wanderte in die Nacht hinaus. Es war nicht der Fünfzigjährige, dem ich nachtrauerte, nicht der Gerechte ohne Gerechtigkeit, mit seinem scheuen und tief verborgenen Stolz, den seine Zustimmung zu den Verbrechen Frankreichs aus meinem Herzen ausgetilgt hatte, sondern der Gefährte der hoffnungsvollen Jahre, dessen offenes Antlitz so schön lächeln und lachen konnte, der junge, ehrgeizige Schriftsteller, verrückt nach dem Leben, seinen Freuden, seinen Triumphen, nach der Kameradschaft, der Freundschaft, der Liebe, dem Glück. Der Tod ließ ihn wieder auferstehen. Für ihn existierte die Zeit nicht mehr, das Gestern war nicht realer als das Vorgestern. Aus der Nacht tauchte der Camus hervor, den ich geliebt hatte, im gleichen Augenblick zurückgewonnen und schmerzlich verloren. Beim Tod eines Erwachsenen stirbt ein Kind, ein Jüngling, ein junger Mann: Jeder beweint den, der ihm teuer war. Es fiel ein leichter und kalter Regen. Auf der avenue d'Orléans schliefen die *Clochards* in den Nischen der Haustore, zusammengekrümmt und vor Kälte erstarrt. Alles quälte mich: dieses Elend, dieser Jammer, diese Stadt, die Welt und das Leben und der Tod.

Als ich aufwachte, dachte ich bei mir: Diesen Morgen erlebt er nicht mehr ... Es war nicht das erste Mal, daß ich mir das sagte, aber jedes Mal ist es das erste. Ich erinnere mich, daß Cayatte zu mir kam und wir über das Drehbuch sprachen. Aber dieses Gespräch blieb höchst unwirklich. Obwohl er die Welt verlassen hatte, war Camus durch die Gewaltsamkeit des Geschehens, das ihn getroffen hatte, zu ihrem Mittelpunkt geworden, und ich sah alles nur noch mit seinen erloschenen Augen. Ich war dort vorbeigekommen, wo es nichts mehr gibt, und ich betrachtete stumpf und verzweifelt die Dinge, die fortbestehen werden, wenn ich nicht mehr da bin. Den ganzen Tag über balancierte ich am Rande des unmöglichen Erlebnisses: Die Kehrseite meines eigenen Verschwindens zu erfassen.

Ich hatte mir vorgenommen, an diesem Abend noch einmal *Citizen Kane* anzuschauen. Da ich zu früh kam, setzte ich mich in das dem Kino gegenüber gelegene Café an der avenue de l'Opéra. Leute lasen Zeitungen, ohne auf die dicken Schlagzeilen auf der ersten Seite und das Foto zu achten, von dem mein Blick sich nicht losreißen konnte. Ich dachte an die Frau, die Camus liebte, an die Qualen, die es ihr bereiten mußte, wenn ihr an jeder Straßenecke dieses öffentliche Antlitz begegnete, das allen genauso zu gehören schien wie ihr und das doch keinen Mund mehr besaß, um ihr das Gegenteil zu versichern. Mir schien es geradezu raffiniert – wie Fanfaren, die unsere geheime Verzweiflung hinausposaunen. Michel Gallimard war schwer verletzt. 1944 und 1945 hatte er an unseren Festen teilgenommen. Auch er starb. Vian, Camus, Michel: Der Totentanz hatte begonnen und würde bis zu meinem Tode fortdauern, der notgedrungen zu früh oder zu spät kommen mußte.

In diesem Winter widmete ich mich von neuem einem Gebiet, das ich seit langem vernachlässigt hatte: der Musik. Ich hatte mein Grammophon verschenkt und besuchte keine Konzerte mehr. Meine junge kanadische Freundin, die die Veranstaltungen des Domaine musical besuchte, redete mir zu, einmal mitzukommen – ganz in der Nähe von Sartres Wohnung, im Odéon. Sie übernahm es, Karten zu besorgen. Ich hatte Angst, daß ich nichts begreifen würde. Sartre aber war so neugierig, daß er es wagen wollte. Tatsächlich kamen wir uns dann verloren vor. Warum wurde gelacht? Warum applaudiert? Wahl, Merleau-Ponty und Lefèvre-Pontalis, die wir in der Pause trafen, verstanden auch keinen Ton, aber das schien sie nicht zu stören. Sartre ärgerte sich über unsere Rückständigkeit. Ich kaufte mir einen elektrischen Plattenspieler und Schallplatten und vergrößerte jeden Monat meine Sammlung. Sartre half mir, die Serien und Nummern einzuordnen. Webern beschäftigte uns den ganzen Winter hindurch. Seine Musik erschien mir so konzentriert wie eine Skulptur von Giacometti: kein Strich zuviel, keine überflüssige Note. Ich kehrte in die Vergangenheit zurück. Die ganze Musik begann mich zu interessieren. Meine freien Stunden verbrachte ich neben meinem Plattenspieler. In der Woche legte ich mich zwei- bis dreimal abends mit einem Glas Whisky auf meinen Diwan und hörte drei bis vier Stunden lang zu. Das tue ich auch heute noch recht oft. Die Musik bedeutete mir damals mehr als in irgendeiner anderen Periode meines Lebens.

Ich habe mich gefragt, warum. Sicherlich war der Hauptgrund ein materieller: die Erfindung der Langspielplatte, die Qualität der Aufnahmen. Früher waren die Platten schwer aufzubewahren und zu handhaben. Die oft unterbrochene Wiedergabe hinderte einen daran, sich gleichzeitig zu konzentrieren und völlig hinzugeben. Heute fallen die Pausen fast immer mit den natürlichen Zäsuren zusammen und sind dem Rhythmus und der Aufmerksamkeit angepaßt. Es sind so viele Werke aufgenommen worden, daß man die Möglichkeit hat, abwechslungsreiche und reichhaltige Programme zusammenzustellen. Auch die Umstände haben mitgespielt. Da ich fast nie mehr ins Kino oder Theater gehe, bleibe ich viel zu Hause. Natürlich könnte ich lesen, aber wenn der Abend kommt, stehen mir die Worte bis zum Hals. Ich habe die Welt satt, in der ich lebe und die ich dann auch noch in den Büchern wiederfinde. In den Romanen findet sich zwar eine andere Welt, die aber dieser ähnelt und meistens langweiliger ist. Die Musik dagegen führt mich auf ein anderes Gebiet, das von der Notwendigkeit regiert wird und dessen Stoff, der Ton, mir körperlich angenehm ist. Es ist eine Welt der Unschuld – wenigstens bis zum 19. Jahrhundert –, weil der Mensch in ihr keinen Platz hat. Weder bei Lasso noch bei Pergolese existiert der Begriff des Bösen. Das beruhigt. Außerdem habe ich auf musikalischem Gebiet riesige Bildungslücken. Dadurch erlebe ich das, was andere Kunstarten mir heute vorenthalten: den Schock großer Werke, die mir noch gänzlich unbekannt sind. Ich habe Monteverdi, Schultz, Pérotin, Mauchin, Josquin des Prés, Victoria entdeckt. Ich habe die Musiker, die ich bereits liebte, besser kennengelernt. Meine Bücher häufen sich aufs Geratewohl in meiner Bibliothek, sie bedeuten mir nichts. Aber mit Vergnügen betrachte ich die ernsten oder heiteren bunten Umschläge, die unter ihrer blanken Oberfläche Tumult und Harmonien beherbergen. Mit Hilfe der Musik hat sich in diesen letzten Jahren die Kunst zwanglos in mein Leben eingegliedert, durch sie habe ich starke Impulse empfangen, durch sie habe ich die Macht und die Wahrheit, aber auch die Grenzen und die Täuschungsmanöver dessen, was wir Kunst nennen, erlebt.


Wenn ich sonntags mit Sartre auf den Quais hinterm Panthéon spazierenging, in Ménilmontant, jammerten wir darüber, daß das Alter unsere Neugier gedämpft habe. Man hatte uns nämlich große Reisen offeriert. Franqui, Chefredakteur der größten kubanischen Tageszeitung *Revolución*, besuchte mich zusammen mit einigen Freunden, deren einer französisch sprach, auf der Durchreise in Paris. Schwarzhaarig, mit schwarzem Schnurrbart, ausgesprochen spanisch, erklärte er mir geradezu im Befehlston, daß es unsere Pflicht sei, hinzufahren und uns mit eigenen Augen die Entwicklung einer Revolution anzusehen. Obwohl wir große Sympathien für Castro hatten, ließ uns das Anerbieten Franquis, der auch mit Sartre zusammengetroffen war, recht kalt. Als Brasilianer uns einluden, im kommenden Sommer ihr Land zu besuchen, reagierten wir ebenso gleichgültig. «Ich frage mich», sagte Sartre, «ob es nicht eher eine körperliche als eine moralische Müdigkeit ist, die uns hemmt.» Diese Erklärung erschien ihm wahrheitsgemäßer und optimistischer, und aus Furcht, daß er sich überanstrengen könnte, zügelte ich meine Wünsche.
Unsere Apathie hatte auch noch einen anderen Grund: Der Krieg in Algerien nahm uns ganz und gar in Anspruch. Trotzdem existierte auch die übrige Welt noch, und wir durften nicht völlig das Interesse an ihr verlieren. Franqui hatte recht: Das kubanische Experiment ging auch uns an. Eine Reise nach Brasilien würde uns mit den Problemen der unterentwickelten Länder vertraut machen. Amado und andere Vertreter der Linken hofften auf unseren Besuch, weil sie meinten, daß Vorträge und Artikel Sartres ihnen helfen könnten. Diesen Einladungen gegenüber taub zu bleiben, unsere Neugier zu ersticken, uns in das Unglück Frankreichs zu vergraben, war eine Art Abdankung. Sartre entschloß sich als erster, dieser Trägheit ein Ende zu bereiten.
Als wir Mitte Februar losflogen, waren die Beziehungen zwischen Kuba und den USA gespannt. Der amerikanische Botschafter war nach Washington zurückgekehrt. Auch der spanische Botschafter hatte Havanna verlassen, nachdem er völlig betrunken in den Senderaum des Fernsehens eingedrungen war, wo man seiner Meinung nach Franco

beleidigt hatte. Die Bindung zwischen Kuba und der UdSSR wurde enger: Mikojan war von Castro empfangen worden. Es war ein schöner Februarmorgen. Unter mir in der Tiefe leuchteten die klaren Konturen und schlichten Farben einer Landkarte. Die Gironde sah aus wie im Atlas, und ihre erdfarbenen Gewässer erstreckten sich von Bordeaux bis zum grünen Ozean. Die sanft zu dem bereits frühlingshaften Meer abfallenden Pyrenäen waren noch mit Schnee bedeckt. Und gleich darauf kam Madrid, das bis zu diesem Tage so fern gewesen war. Sartre, der seit dreißig Jahren nicht in Madrid gewesen war, fand das Wiedersehen wenig erfreulich. Gegen 3 Uhr nachmittags waren noch sämtliche Läden geschlossen, es regnete, die wenigen Fußgänger kamen ihm schlecht gekleidet und mürrisch vor. «Es macht einem keinen Spaß, sich vorzustellen, was in diesen Köpfen vorgeht», sagte er zu mir, als wir in einem Café an der Gran Vía Manzanilla tranken. Am nächsten Tag sah er sich wieder die Goyas und Velázquez im Prado an. Und dann reisten wir nach Havanna weiter. Im Flugzeug entzifferten wir recht und schlecht die kubanischen Zeitungen. Zum Schlafen kam ich fast gar nicht. Beim Erwachen entdeckte ich ein ganz anderes Meer, Inseln, dann die Küste und eine grüne Ebene, auf der Palmen wuchsen.

Das Durcheinander bei der Ankunft: Die Schläfen schmerzen noch, die Ohren sausen, die Sonne beginnt zu stechen, und plötzlich prasseln Blumensträuße, Komplimente, Fragen auf einen herab («Was halten Sie von der kubanischen Revolution?» fragte ein Journalist Sartre. «Ich bin gekommen, um sie kennenzulernen», antwortete Sartre), und man ist von Gesichtern umgeben, die man noch nie gesehen hat. In einem Auto fahren wir eine breite Straße zwischen Palmen und üppigen Blumen entlang. Im Vorbeifahren erklärt man mir die Örtlichkeiten, die Denkmäler, aber ich höre kaum hin, da ich nichts anderes sehe, als das wilde Meer zu meiner Linken. Ich bin müde, mir ist heiß, ich sehne mich nach einer kalten Dusche, aber da finde ich mich im ersten Stock über einem graugepflasterten Platz gegenüber einer sehr schönen Kirche wieder und bekomme einen Daiquiri serviert, der so köstlich schmeckt, wie Sartre es mir geschildert hat, und noch immer überschütten mich die Stimmen mit Erklärungen und Fragen. Sie vervielfältigen sich, während wir nach einer kurzen Atempause in einem Restaurant zu Mittag essen, das auf luxuriöse Art die Ländlichkeit der *bohíos* imitiert. Einige Tage später werde ich jedem dieser lächelnden Gesichter einen Namen zuordnen, werde ich Sympathien und Aversionen haben; momentan unterscheide ich noch nicht zwischen den vielen Mündern, die mich über die abstrakte Malerei, über Algerien, über die engagierte Literatur in Frankreich, über Amerika, über den Existentialismus ausfragen. Dieses Tohuwabohu würde mir Spaß machen, wenn ich die ungeheure Müdigkeit überwinden könnte, die durch den stundenlangen Flug nur schlimmer geworden ist.

Am nächsten Tag war die Müdigkeit verschwunden. Im Gegensatz zu

Madrid und Paris entfaltete sich hier die Heiterkeit wie ein Wunder unter dem blauen Himmel, in der düsteren Milde der Nacht. In seiner Reportage *Ouragan sur le sucre* hat Sartre ausführlich beschrieben, was die Revolution dem kubanischen Volk gebracht hat. Es war ein erregendes Erlebnis, zuzusehen, wie sechs Millionen Menschen gegen die Unterdrückung, den Hunger, die Mängel, die Arbeitslosigkeit, den Analphabetismus kämpfen, den Mechanismus dieses Kampfes zu begreifen und seine Perspektiven zu entdecken. Die Diskussionen, die Besuche, die Informationssitzungen hatten nur sehr selten einen offiziellen Anstrich. Unsere Führer und unser Dolmetscher Arcocha wurden schnell zu Freunden. Nach einigen Augenblicken steifer Reserviertheit verlief unsere dreitägige Rundfahrt in Gesellschaft Castros in einer zwanglosen Atmosphäre. Wenn wir uns zusammen mit ihm unter die jubelnde Menge mischten, erlebten wir eine Freude, die uns seit langem nicht mehr vergönnt gewesen war. Ich liebe die schlichte und weite Landschaft Kubas: Das zarte Grün der Zuckerrohrfelder gesellt sich zu dem tieferen Grün der Palmen, das die hohen blanksilbrigen Stiele krönt. Ich war erstaunt, als ich Kühe an den Wurzeln dieser Bäume weiden sah, deren Bild für mich mit dem der Wüste verknüpft war. Mir gefielen Santiago mit den schwarzgekleideten Menschenmassen und Trinidad, das noch von seiner kolonialen Vergangenheit zehrt und doch durch die überschwengliche Fülle seiner Blumen so frisch wirkt. Mir gefiel Havanna. Wir wohnten in Le Vedado, das alle verführerischen Reize einer reichen kapitalistischen Stadt aufwies: breite Avenuen, langgestreckte amerikanische Autos, elegante Wolkenkratzer und abends das Feuerwerk der Neonreklamen. Die Fenster meines Zimmers gingen auf einen Park, der sich zum Meer hinuntersenkte. In der Ferne konnte ich das alte Havanna sehen, dessen Landzunge von hohen Wellen umbrandet wird. Morgens tranken wir einen sehr schwarzen, fast bitteren Kaffee. Ich aß zarte und saftige Ananas, verließ dann die Frische der gekühlten Luft, während Sartre ein Vorwort zu Nizans *Aden-Arabie* schrieb, das Maspero neu herausgeben wollte. Ich legte mich mit einem Buch auf den Rasen und atmete die Gerüche des Grases und des Ozeans. Abends, wenn ich aus der mit einer Klimaanlage versehenen Halle kam, schlug mir die Feuchtigkeit der Nachtluft entgegen, ihr Treibhausduft und der Geruch welker Blumen. Sartre kannte das alte Havanna von früher. Er zeigte mir die engen, altmodischen Gassen, die Arkaden, die Plätze, wo die Menschen auf Bänken saßen und nach spanischer Art vor sich hin träumten. Wir aßen dort oft allein oder mit Freunden zu Abend: Wenn ich ein Restaurant betrat, legte sich die kühle Luft wie ein Mantel um meine Schultern. Oft gingen wir ins ‹Ciro›, in dem Hemingway früher verkehrte. Eines Nachts aßen wir – zusammen mit dem Fotografen Korda und seiner Frau, die Mannequin ist und der Miliz angehört – von starken Obst- und Fischgerüchen umgeben in einer Kneipe bei den Hallen eine chinesische Suppe. Jeden Tag brachten die Zeitungen Fotos, auf denen Sartre in Gesellschaft von Guevara, Jimenez und Castro zu sehen war. Nachdem er im Fernsehen gesprochen hatte, erkannte ihn alle Welt. «Sartre – das ist Sartre!» riefen die Taxichauffeure, wenn wir vorbeikamen. Männer und Frauen hielten ihn an. Vorher hatten sie nichts über ihn gewußt und nicht einmal seinen Namen gekannt. Ihre Ergüsse galten dem Mann, den Castro als seinen Freund bezeichnet hatte, und sie ließen uns seine Popularität spüren.

Es war Karneval. Sonntag abends führten Amateurensembles in den festlich geschmückten Straßen ihre Schaustücke vor, die sie das ganze Jahr hindurch eingeübt hatten: Kostüme, Musik, Mimik, Tanz, Akrobatik. Der Geschmack, die Erfindungsgabe und die Virtuosität dieser *comparsas* versetzten uns in Erstaunen. Zwei von Negern getanzte Ballette schilderten auf magische und entfesselte Weise alte Volksbräuche. Das zweite Ballett schien auf den ersten Blick den Frauen vorbehalten zu sein: Aber auch die Männer, geschminkt und in Perücken, trugen bunte Röcke, Unterröcke, Spitzen, Schals ihrer fernen Vorfahren. Wir mischten uns bis zum Morgengrauen mit einer Schar von Freunden unter die fröhlich jubelnde Menge, die noch von ihrem Sieg berauscht war. Im Theater bekamen wir außerdem religiöse Zeremonien der Neger zu sehen, die trotz gewisser katholischer Elemente mit den afrikanischen Bräuchen verwandt sind. Der Direktor hatte mehrere Brüderschaften aufgefordert, einen Abend lang auf der Bühne diese Zeremonien vorzuführen. Es war aber im Grunde keine Vorstellung, da sie einen Augenblick ihres religiösen Lebens durchlebten. Viele Zuschauer wunderten sich darüber, daß sie ein Eintrittsgeld entrichten sollten, um vertraute Riten zu sehen. Manche ärgerten sich darüber, daß man sie übergangen hatte, und kritisierten die Ausführenden: Das kann ich besser, murmelten sie. Nachdem der Vorhang gefallen war, sahen wir in den Kulissen Tänzerinnen, die noch kaum aus der Trance erwacht waren. Dieser Übergang vom rituellen Spiel zum Schauspiel kennzeichnet den Respekt der Kubaner vor ihren afrikanischen Überlieferungen und gleichzeitig ihren Wunsch, sie aus der Verborgenheit ans Licht zu holen.

Als wir am 5. März auf einer Art Ranch in der Umgebung Havannas unter freiem Himmel zu Mittag aßen – mit Oltuski, dem blutjungen Verkehrsminister, und zwei seiner Kollegen –, hörten wir einen gewaltigen Lärm. Der Minister wurde ans Telefon gerufen: Das Schiff «La Coubre» war in die Luft geflogen, einige Schauerleute, lauter Neger, waren getötet worden. An einem nebligen Tag haben wir auf der Tribüne, auf der Castro stand, frierend an den Trauerfeierlichkeiten teilgenommen. Als die Leichenwagen, ein jeder von weinenden Angehörigen begleitet, vorbeizogen, hätte man glauben mögen, die Karnevalswagen und die *comparsas* in makabrer Metamorphose vor sich zu sehen. Danach hielt Castro eine zweistündige Ansprache. Fünfhunderttausend Personen hörten ernst und gespannt zu, überzeugt – unserer Meinung nach mit Recht –, daß die Sabotagetat wenn nicht den USA, so doch Amerikanern in die Schuhe zu schieben sei.

Die Umzüge und Festlichkeiten am Sonntagabend wurden eingestellt. Man startete eine großangelegte Aktion, um Gelder für den Kauf von Waffen zu sammeln. Auf dem Prado, dieser langen, breiten und schattigen Terrasse an der Grenze der Altstadt, verkauften junge Frauen Fruchtsäfte und Näschereien zugunsten der Staatskasse. Stars tanzten und sangen auf den Plätzen und kassierten Geld dafür. Hübsche Mädchen in ihren Karnevalskostümen, von einer Musikkapelle begleitet, sammelten Geld in den Straßen.

«Das sind die Flitterwochen der Revolution», sagte Sartre zu mir. Kein Apparat, keine Bürokratie, sondern ein direkter Kontakt zwischen der Führung und dem Volk und eine Fülle etwas wirrer Hoffnungen. Es würde nicht lange dauern, war aber erquickend. Zum erstenmal in unserem Leben wurden wir Zeugen eines Glücks, das durch Gewaltanwendung errungen worden war. Unsere früheren Erfahrungen, vor allem im Algerien-Krieg, hatten uns die Gewalt nur von ihrer negativen Seite gezeigt: als Gegenwehr gegen den Unterdrücker. Hier strahlten alle vor Freude, die ‹Rebellen›, die Bevölkerung, die sie unterstützt hatte, die Milizsoldaten, die sich vielleicht sehr bald würden schlagen müssen. Das Leben machte mir wieder Freude, was ich schon fast für nicht mehr möglich gehalten hätte. Aber die Nachrichten aus Frankreich machten mir einen Strich durch die Rechnung. Lanzmann schickte uns Briefe voller Zeitungsausschnitte: Die Polizei hatte mehrere Mitglieder der von Francis Jeanson geleiteten Organisation verhaftet. Er selber war entkommen. Die Kommentare der Presse waren ekelhaft. Die Männer seien bestochen, die ‹Pariserinnen›, die der Organisation angehört hatten und deren Foto *Paris-Presse* auf der ersten Seite brachte, durch schöne Männer verführt worden, die die FLN zu ihnen schickte. Geld und Sex. Meine Landsleute waren außerstande, dem menschlichen Verhalten andere Beweggründe zuzubilligen.

Recht unglücklich traten wir die Heimreise an. Bis New York leistete uns Chanderli Gesellschaft, der als Beobachter die GPRA bei der UNO vertrat und den wir in Havanna kennengelernt hatten. Rundlich, jovial, brachte er für seine Kinder mit Strohfransen verzierte Bauernhüte mit und setzte sich selber lachend einen auf.

Ich war noch nie mit Sartre in New York gewesen. Zwischen der Landung um 2 Uhr nachmittags und dem Abflug nach London um 10 Uhr abends blieb nur wenig Zeit. Obendrein teilte uns ein kubanischer Attaché mit, daß er für 4 Uhr im ‹Waldorf› eine Presse-Cocktailparty arrangiert habe. Ich spürte, daß ich noch weit von der weisen Ergebenheit des Alters entfernt war. Sartre erklärte schließlich, daß wir vor 6 Uhr nicht frei seien. Im Taxi, zu Fuß, abermals im Taxi und zu

Fuß durchstreiften wir die Stadt. Es war Sonntag, es war kalt. Nach dem bunten Treiben Havannas, seinem blauen Himmel, seinen leidenschaftlich erregten Menschenmassen schien uns New York griesgrämig und beinahe ärmlich. Die Passanten waren schlecht gekleidet und machten einen gelangweilten Eindruck. Neue Wolkenkratzer waren in die Höhe geschossen, Bauten von kühner Eleganz, aber viele Viertel waren im Stil unserer Mietskasernen umgebaut worden. Der Kontrast, der 1947 zwischen dem amerikanischen Luxus und dem europäischen Elend geherrscht hatte, existierte nicht mehr. Man sah die USA nicht mehr mit den gleichen Augen. Amerika war noch immer das wohlhabendste Land der Welt, aber nicht mehr das Land, das die Zukunft bestimmte. Die Menschen, denen ich begegnete, gehörten nicht zur Avantgarde der Menschheit, sondern zu einer durch Organisation verkalkten Gesellschaft, sie waren durch Lügen vergiftet, durch den Dollarvorhang von der übrigen Welt abgesondert. So wie Paris im Jahre 1945 kam mir jetzt New York wie ein morsches Babylon vor. Sicherlich trug die flüchtige Art unserer Rundfahrt dazu bei, der Stadt ihren Glanz zu rauben. Es fehlte uns die Zeit, um die Vergangenheit wiederzuerwecken, um sich auf ein Abenteuer einzulassen. Als wir das ‹Sherry Netherland› verließen, wo wir von neuem festgestellt hatten, wie ein Martini zu schmecken hat, erkannte ich den Central Park und Manhattan wieder, deren Schönheit der Abend zum Leben erweckte. Aber es war Zeit, ins ‹Waldorf› zu gehen.

Eine Menge Leute waren versammelt: der unfreundliche Sauvage vom *Figaro*, französische und amerikanische Journalisten, auch der alte, nette Waldo Frank und mein Freund Harold Rosenberg, der noch ab und zu Beiträge für die *Temps Modernes* lieferte, und andere, die mit der kubanischen Revolution sympathisierten. Um in den USA ein echter Linker zu sein, muß man viel Charakter, Unabhängigkeit und Aufgeschlossenheit besitzen. Ich brachte diesen einsamen und tapferen Männern und Frauen ungeteilte Sympathie entgegen.

Nach dem Sommer 1951 hatte ich meinen Briefwechsel mit Algren fortgesetzt. Ich erzählte ihm von Paris, von meinem Leben, und er berichtete mir, daß seine zweite Ehe mit A. nicht besser ginge als die erste, daß Amerika in einer Wandlung begriffen sei, daß er sich dort nicht mehr wohl fühle. Allmählich wurde es still zwischen uns. Von Zeit zu Zeit kamen mir Gerüchte zu Ohren, die stets übertrieben waren. Er habe märchenhafte Verträge zerrissen, katastrophale Abmachungen unterschrieben, ein Vermögen am Pokertisch verloren. Er sei an einem Wintermorgen in ein Wasserloch gefallen, aus dem nur noch der Kopf hervorgeschaut habe, und wäre um ein Haar aufrechtstehend erfroren. Er habe sich mit einer literarischen Agentin in einem Bordell in Philadelphia verabredet, das in Brand geriet: Er sei durch ein Fenster geflüchtet, die

Agentin habe sich kurz darauf eine Kugel durch den Kopf gejagt. 1956 erschien in den USA die Übersetzung von *Les Mandarins* zur gleichen Zeit mit seinem neuesten Roman. Als die Journalisten ihn mit Fragen nach mir belästigten, fertigte er sie mit einer Grobheit ab, die mir zu gelten schien. Ich nahm es ihm nicht übel, da ich seine Launen kannte. Aber als Lanzmann mir eines Abends sagte: «Algren wird in Kürze aus Chicago anrufen, er hat ein Gespräch angemeldet», begriff ich, daß er sein Verhalten erklären wollte. Ich war recht beklommen bei dem Gedanken, diese Stimme aus so weiter Ferne zu hören: fünf Jahre, mehr als 6 000 Kilometer. Er rief nicht an. Vielleicht hatte auch er Angst. Eines Tages schrieb ich ihm ein paar Zeilen, und er antwortete. Wir begannen wieder zu korrespondieren, mit großen Pausen. Er hatte sich scheiden lassen, wohnte wieder in Chicago, in einem Apartment: Dort wo das alte Haus ‹Wabansia› gestanden hatte, ragten jetzt riesige Bauten in die Höhe. Er hoffte dunkel, einen Paß zu erhalten und nach Paris zu kommen. «Ja», schrieb ich ihm einmal, «ich würde Sie gern noch einmal wiedersehen, bevor ich sterbe.» Als er diese Worte las, fiel ihm plötzlich ein, daß wir nicht mehr gar so lange zu leben hatten. Im November 1959 teilte er mir in einem Brief mit, daß man ihm endlich die Ausreiseerlaubnis gegeben habe, daß er Anfang März ein Schiff nach London nehmen werde und zehn Tage später in Orly zu landen beabsichtige. Ich antwortete, daß ich nicht vor dem 20. in Paris sein würde, daß er es sich aber in meiner Wohnung bequem machen könne.

Als ich an meiner Tür läutete, war ich aufgeregt und ein wenig beunruhigt. Nichts rührte sich. Dabei hatte ich telegrafiert. Ich klingelte abermals. Algren öffnete. «Sie sind es?» sagte er verdutzt. Bost, der ihn mit Olga vom Flughafen abgeholt hatte und mit dem er viel beisammen gewesen war, hatte ihm versichert, daß vor dem morgigen Tag keine Maschine aus New York zu erwarten sei. Algren trug keine Brille mehr: Er hatte sie durch Kontaktlinsen ersetzt, mit denen er nicht umzugehen verstand, und hatte dann festgestellt, daß er auch ohne sie auskommen könne. Bis auf dieses Detail schien er sich nicht verändert zu haben. Erst als ich alte Fotos wiederfand, merkte ich, daß er älter geworden war. Im ersten Augenblick – ob vierzig, fünfzig oder dreißig – sah ich nur, daß er es war. Er sagte mir später, daß auch er mehrere Tage gebraucht hatte, um zu entdecken, daß die Zeit nicht spurlos an mir vorbeigegangen war. Wir wunderten uns nicht, daß wir einander gleich von Anfang an über alle die Jahre der Trennung und die verwirrenden Sommer von 1950 und 1951 hinweg so nahe waren wie an den schönsten Tagen des Jahres 1949.

Algren kam aus Dublin. Er schilderte mir seinen Aufenthalt im nebligen Irland unter begeisterten Biertrinkern. Brendan Behan, dessen Werke er ungeheuer bewunderte, war durch den Alkohol völlig verkommen und beehrte ihn nur mit einem Grunzen. Er erzählte von Chicago, von alten und neuen Freunden, lauter Rauschgiftsüchtige, Zuhälter, Diebe. Die Arroganz der braven Leute ertrug er weniger denn je. Daß die Gesellschaft immer recht hat und ihre Opfer als Schuldige behandelt werden: das war eine der Wandlungen, die Algren den USA am wenigsten verzieh. Jeden Morgen erwachte sein Zorn aufs neue. «Man hat mich geprellt, man hat mich hintergangen, man hat mich verraten.» Man hatte ihm eine bestimmte Welt versprochen, und er war in eine andere geraten, die allen seinen Anschauungen und seinen Wünschen widersprach. Bis zum Abend konnte er sich nicht beruhigen. «Früher einmal habe ich in Amerika gelebt», sagte er zu mir. «Heute lebe ich in einem von den Amerikanern besetzten Gebiet.»

Trotzdem war er mit diesem Land, in dem er sich – genauso wie ich in dem meinen – wie in der Verbannung fühlte, fest verwachsen. In meiner Wohnung wurde Chicago wieder lebendig. Genau wie drüben trug er Manchestersamthosen, abgetragene Jacken und auf der Straße eine Mütze. Auf einem der Tische hatte er seine elektrische Schreibmaschine und einen Stoß gelben Konzeptpapiers aufgebaut. Möbel und Fußboden waren mit Konservenbüchsen, Geräten, Obst, Büchern und amerikanischen Zeitungen übersät. Ich las jeden Morgen den *New York Herald,* und wir hörten uns die Platten an, die er mitgebracht hatte: Bessie Smith, Charlie Parker, Mahalia Jackson, Big Bill Broonzy. Er mochte keinen Cool Jazz, der ihm nichts sagte. Oft klingelten Amerikaner, die als Touristen nach Paris gekommen waren, an meiner Tür. Er ging mit ihnen spazieren und führte sie in das Musée Grévin. Ich lernte nur seinen Freund Studd kennen, der als freier Mitarbeiter für den Rundfunk in Chicago tätig war. Wir machten ein Interview über Kuba, das mir, nachdem es gesendet worden war, einige begeisterte Briefe einbrachte. Algren freundete sich mit Amerikanern an, die im Hause wohnten. Durch sie lernte er andere kennen, unter ihnen James Jones. Diese Amerikaner bildeten in Paris eine in sich abgeschlossene Kolonie, abgeschnitten von Frankreich, dessen Sprache sie nicht einmal beherrschten, und von den USA, die sie verlassen hatten, politisch indifferent, aber durch ihre Herkunft gekennzeichnet. Trotzdem zog Algren den täglichen Zorn dieser Entwurzlung vor.

Da ich viel zurückgezogener lebte als 1949, konnte ich ihn nicht mit vielen Leuten bekannt machen. Nach Bost traf er Sartre und Michelle wieder. Ich machte ihn mit Lanzmann bekannt, mit Monique Lange, die es gewohnt war, die ausländischen Autoren des Verlages Gallimard durch Paris zu lotsen, und mit ihrem Freund Juan Goytisolo. Unsere Besucher überraschte er gern dadurch, daß er mit Hilfe einer in der Tasche versteckten Batterie im Knoten seiner Fliege eine kleine rote Glühbirne aufleuchten ließ.

Ich machte vor allem in der ersten Zeit mit ihm ausgedehnte Spaziergänge kreuz und quer durch Paris. Wir pilgerten in die rue de la Bûcherie: Ich hatte gar keine Verbindung mehr zu dem alten Haus, von dem es hieß, daß es abgerissen werden solle. Jacques Lanzmann war ausgezogen, ebenso Olga und Bost und auch die Näherin mit ihrem Mann. Betty Stern war tot, die kleine Concierge bei einem Autounglück umgekommen. Aus meiner Vergangenheit war nur noch Nora Stern mit ihren Hunden übriggeblieben. Wir gingen wieder auf den Flohmarkt, in das Musée de l'Homme. Bost fuhr uns im Auto spazieren. Algren hatte sich leider einen Fotoapparat geliehen und benutzt ihn auf die schamloseste Weise. Er fand die rue Saint-Denis mit ihren Huren entzückend: Durchs Autofenster knipste er eine Gruppe, die vor dem Eingang eines Hotels beisammenstand. Es kam rotes Licht, das Auto mußte anhalten, die Frauen begannen ihn zu beschimpfen, und ich fürchtete schon, daß sie ihm ins Gesicht spucken würden. Ich ging wieder häufiger auswärts essen. Algren liebte besonders das ‹Akvavit› in der rue Saint-Benoît wegen der Flaschen mit ihrer Eishülle, aus der ein durchsichtiger Schnaps fließt. Auch das ‹Baobab› gefiel ihm. Dort servierte man ein *poulet grand sorcier* und flambierte Ananasscheiben vor einem Hintergrund afrikanischer Musik. Bei den Halles aßen wir Zwiebelsuppe und in zahllosen *bistros* Beefsteaks, die wir mit Beaujolais hinunterspülten. Einmal aßen wir auch an Bord eines Dampfers und sahen die Quais mit ihren *clochards* und ihren Liebespaaren an uns vorübergleiten.

Da er die amerikanischen Filme satt hatte und kein Französisch konnte, gingen wir nur selten ins Kino. Ich nahm ihn zu Beckers *Das Loch* mit, weil ich sicher war, daß ihn diese wortkarge Geschichte einer Flucht interessieren würde. Reichenbachs *L'Amérique insolite* gefiel ihm besser als mir, vielleicht weil er den Kommentar nicht verstand, der mir die Freude an den Bildern verdarb. Trotz gewisser Unbeholfenheiten fesselte uns beide *Come Back Africa*. Es war ein Film über die Lage in Südafrika. Nach einigen Aufständen, die nach offiziellen Angaben der Negerbevölkerung 54 Tote und 195 Verwundete gekostet hatten, war der Ausnahmezustand verhängt worden.

Ich zerbrach mir den Kopf, was ich ihm noch zeigen könnte, da es mir selber Spaß machte, wie eine Fremde durch die Pariser Nächte zu ziehen. Im Olympia hörten wir uns Amalia Rodriguez an, die so schön aussah in ihrem schwarzen Kleid und durch den verführerischen Reiz ihrer Stimme dem Publikum ein Programm aufdrängte, das aus *flamencos* und *fados* zusammengesetzt war. Im ‹Catalans› tranken wir Sangria, bekamen weitere *flamencos* zu hören und ausgezeichnete Tänzer zu sehen. Da Algren Kirschen in Cognac und alte französische Lieder liebte, gingen wir ins Lapin Agile, obwohl das Publikum wie das Repertoire merklich nachgelassen hatten, und auch ins ‹Abbaye›, wo französische Melodien mit amerikanischer Volksmusik abwechselten. Im ‹Écluse› sah ich nach vielen Jahren Harold wieder, der dort sehr geglückte neue Montagen zeigte. Olga und Bost begleiteten uns in den Crazy Horse

Saloon. Algren fand die Striptease-Nummern in Paris viel raffinierter als in Chicago.

Der denkwürdigste Abend aber war von Monique Lange und Goytisolo zusammengestellt worden. Nach dem Essen im ‹Baobab› schlug Monique vor, im ‹Fiacre› ein Glas zu trinken. Ich lebte ganz entschieden am Rande meines Jahrhunderts, denn ich war ein wenig bestürzt über dieses Gewimmel junger Burschen und sehr viel älterer Herren, die eifrig plauderten und einander liebkosten und ohne Scheu die Hände unter die Angorapullover gleiten ließen. Es war zum Ersticken, und als wir unsere Gläser geleert hatten, strebten wir dem Ausgang zu. Ein Jüngling, den Monique kannte, zeigte auf mich. «Was hat denn die hier zu suchen?» – «Es interessiert sie.» – «Ah! Gehört sie zu uns?» sagte er zufrieden. Algren war noch erstaunter als ich.

Als er im Carrousel, bezaubert durch die ersten Entkleidungsnummern, erfuhr, daß es sich um Angehörige des männlichen Geschlechts handle, war er so verstört, daß er wütend wurde. Im Elle et Lui verlor er vollends den Kopf, da es dort Männer und Frauen in Frauenkleidung, Männer und Frauen in Männerkleidung zu sehen gab. Schließlich wußte er nicht mehr, welchem Geschlecht er sich widmen sollte.

Monique verschaffte Algren eine Einladung nach Formentor, wo sich Verleger und Schriftsteller aus verschiedenen Ländern versammelten, um einen internationalen Preis zu stiften. Ich ließ ihn allein reisen und flog zehn Tage später nach Madrid, wo Goytisolo mich erwartete. Es war Anfang Mai, und das Wetter war sehr schön. Algren hatte sich großartig amüsiert, weil er alle möglichen Leute kennengelernt hatte. Barcelona hatte er in sein Herz geschlossen. Drei Tage lang war er auf die Dächer gestiegen, im Barrio Chino und am Hafen umhergestrolcht. Inzwischen hatte Goytisolo in Madrid mühselig Schritte unternommen, um seinen Bruder Luis freizubekommen, der wegen einer Reise in die Tschechoslowakei seit Wochen eingesperrt und außerdem sehr krank war. In einer alten Taverne mit bemalten Wänden verbrachten wir einen interessanten Abend mit jungen Intellektuellen, die uns von den Mühen und Schwierigkeiten der Opposition erzählten. Sie machten mich darauf aufmerksam, daß Sartres Bücher verboten waren, die Werke von Camus aber in den Schaufenstern der Buchhandlungen lagen.

Da Madrid Algren langweilte, flog ich mit ihm nach Sevilla. Blühende Bäume, grell violett, unterbrachen die Einförmigkeit der Straßen. In Triana, in schäbigen Tanzlokalen, unter den mit Papiergirlanden geschmückten Plafonds hörten wir jeden Abend dem rauhen Schluchzen der *flamencos* zu. In Málaga trafen wir wieder Goytisolo und seinen Freund V., einen Fotografen, der uns mit dem Auto nach Torremolinos fuhr. Goytisolo kannte eine Menge Anekdoten über die Päderasten und die Weltdamen, die diesen Badeort bevölkern. Wir übernachteten in einem kleinen Hafenstädtchen, dessen weißgetünchte und mit blanken

Ziegeln gedeckte Häuser an einem Hügelhang emporkletterten. «Je verfallener es drinnen aussieht, desto sorgfältiger tüncht man die Außenwände», sagte Goytisolo, als wir morgens dort umherspazierten. Man traf tatsächlich in den Gassen nackte Kinder an und bekam das schmutzige Innere der Häuser zu sehen. Hoch oben im Dorf machte Algren einige Aufnahmen. «Ihr findet es malerisch», brummte eine Frau, «aber wenn man den ganzen Tag bergauf und bergab steigen muß ...!» Sämtliche Brunnen lagen am Fuße des Abhangs. Als Algren am folgenden Tag in Almería beschloß, das Viertel der Höhlenbewohner zu fotografieren, begleitete ich ihn nicht. Goytisolo wollte Bekannte wiedersehen, und ich stieg mit V. auf die Alcazaba hinauf, erstaunt darüber, daß ich zweimal bei der Durchreise durch die Stadt diese Gärten und Terrassen mit ihren üppigen Blumen, ihren stachligen, schuppigen, gehörnten Kakteen übersehen hatte. V. fotografierte ebenfalls, aber mit einem Teleobjektiv: die ausgehöhlten Felsen, die armen Leute, die auf den fast senkrechten Fußwegen kamen und gingen. In der Heiterkeit der Morgensonne und der freundlichen Umgebung las ich Celas *Der Bienenkorb,* ein sehr gutes Buch. Dann die wunderbare Straße nach Granada – über rote, ockergelbe, aschfahle und üppige Erde. Drei Tage verbrachte ich mit Algren auf der Alhambra. Spanien stand seinem Herzen weitaus näher als Italien.

Da Algrens Aufenthalt fünf bis sechs Monate dauerte, wollte ich mich nicht so lange von meinem gewohnten Leben loslösen. Ich arbeitete auch weiterhin morgens bei mir zu Hause und nachmittags bei Sartre, mit dem ich wöchentlich mehrere Abende verbrachte. Algren mußte einige Artikel schreiben, es fehlte ihm nicht an Freunden, und er liebte die Einsamkeit: Daher war er mit diesem Arrangement einverstanden.

Einige Tage nach unserer Rückkehr aus Kuba nahmen Sartre und ich an dem Empfang teil, den die Sowjetbotschaft für Chruschtschow veranstaltete. Das war vielleicht ein Vogelhaus! Die gaullistischen Damen trugen mit Bändern, Federn, Spitzen und Blumen überladene Hüte und dekolletierte Roben, deren Flitterverzierungen alles andere als schlicht und dazu möglichst kostspielig waren. Ohne Partei ergreifen zu wollen, muß ich sagen, daß die Frauen aus den fortschrittlichen Kreisen, ohne Hüte, in einfachen Kostümen, eine bessere Figur machten. Was Nina Chruschtschowa betraf, so ließen ihr ruhiges Lächeln und ihr schwarzes Kleid jeden Gedanken an Eleganz als überflüssig erscheinen. Debré hielt eine Ansprache. Man drängte sich hinzu, um Chruschtschow zu sehen. Er ging mitten durch die Schar der Versammelten und drückte zahlreiche Hände. Sartre hatte eine Zusammenkunft von Schriftstellern und Journalisten versäumt, die ihm Gelegenheit gegeben hätte, den Mann gründlicher in Augenschein zu nehmen. Chruschtschow sollte Eisenhower in Paris treffen: Über den Champagnerkelchen flatterten Tauben. (Kurze

Zeit später scheiterte die Gipfelkonferenz an der U-2-Affäre – vielleicht hatte Chruschtschow auch noch andere Gründe, ihr auszuweichen.)

*Critique de la raison dialectique* erschien. Sie wurde zwar von den Rechten, den Kommunisten und den Ethnographen schlecht beurteilt, erhielt aber den Beifall der Philosophen. Auch Nizans Buch *Aden-Arabie*, zu dem Sartre das Vorwort geschrieben hatte, wurde gut aufgenommen. Sartre hatte sich in Havanna oft darüber geärgert, daß er dieses Vorwort schreiben mußte, während ihn so viele andere Dinge beschäftigten, aber die Konfrontation seiner eigenen Jugend mit der der Kubaner heute war ihm von Nutzen gewesen. Das Vorwort sprach vor allem den Zwanzigjährigen aus den Herzen. Daß die Jugend ihn liebte, stellte ich wieder einmal fest, als er an der Sorbonne über das Theater sprach. Er erntete ebensoviel Beifall wie ein berühmter Dirigent, und beim Weggehen wurde er von der Masse der Studenten zu einem Taxi eskortiert. Ihre Sympathie galt nicht nur dem Schriftsteller, sondern auch dem Menschen und seinen politischen Anschauungen. Mit seiner gewohnten Gründlichkeit hatte er eine umfangreiche Arbeit über Kuba angefangen, die bei weitem über die mit dem *France-Soir* verabredete Reportage hinausging. Lanzmann half ihm, Artikel daraus zu exzerpieren. Diese Arbeit beschäftigte Sartre bis zu unserer Abreise nach Brasilien.

Nach meiner Rückkehr aus Spanien gab ich Gallimard mein Buch, das noch keinen Titel hatte und dessen erste Kapitel in den *Temps Modernes* unter dem unverbindlichen Titel *Suite* veröffentlicht worden waren. Da ich weiterschreiben wollte, ging ich in die Bibliothèque Nationale, um meine Erinnerungen an die Jahre 1944 bis 1948 aufzufrischen. Diese Periode hatte ich in *Les Mandarins* geschildert. Ich nahm an, daß man den Sinn eines Erlebnisses besser begreift, wenn man alles ins Imaginäre projiziert. Aber ich bedauerte, daß es im Roman doch unmöglich ist, die Rolle des Zufalls zu schildern: Versucht man dieses Spiel nachzuahmen, endet es gewöhnlich in der Folgerichtigkeit der Ereignisse. In der Autobiographie dagegen tritt das Geschehen in seiner Willkür, seinen Zufällen, seinen zuweilen ungereimten Kombinationen so zutage, wie es der Wirklichkeit entspricht. Diese Treue gibt deutlicher als die geschickteste Transponierung zu verstehen, wie die Dinge auf den Menschen zukommen. Die Gefahr besteht darin, daß der Leser in dieser launischen Fülle kein klares Bild mehr, sondern nur noch einen Wortschwall findet. So wie der Physiker nicht gleichzeitig den Ort eines Atoms und die ihm zugeordnete Wellenlänge bestimmen kann, hat der Schriftsteller keine Möglichkeit, gleichzeitig die Fakten des Lebens mitzuteilen und seinen Sinn deutlich zu machen. Keiner dieser beiden Aspekte der Wirklichkeit ist wahrer als der andere. *Les Mandarins* ersparte es mir also nicht, meine Memoiren fortzusetzen, die sich übrigens über einen größeren Zeitabschnitt erstrecken mußten.

Die Bestrebungen der Ärztin Weil-Hallé, in Frankreich die Anwendung der Verhütungsmittel zu fördern, verfolgte ich schon lange mit großem Interesse; da ich viele vertrauliche Geständnisse erhalten hatte, kannte ich die Tragödien unerwünschter Schwangerschaft und der Abtreibungen. «Für die Frau beginnt die Freiheit beim Bauch», hatte mir eine Briefschreiberin erklärt. Ich war durchaus ihrer Meinung und hatte mich daher über die Haltung der Kommunisten geärgert, als vor vier Jahren Frau Dr. Weil-Hallé, Derogy, Colette Audry und einige andere eine Kampagne zugunsten der Geburtenkontrolle eröffnet hatten und Thorez ihnen Malthusianismus vorgeworfen hatte: daß man das Proletariat schwächen würde, indem man ihm die Kinder raubte. Eine Frauendelegation versuchte mit Jeannette Vermeersch zu diskutieren. Colette Audry hatte sich noch nicht von ihrem Erstaunen erholt, als sie mir die Zusammenkunft schilderte. Um die Schönheit der Empfängnis zu betonen, schlug Jeannette Vermeersch Töne an, die eines Pétain würdig gewesen wären: «Sie wollen der Liebe den Zauber nehmen!» Ein wenig später wurde sie mit einemmal deutlich und fügte hinzu: «Wie Sie wissen, machen es die jungen Arbeiter in den Gängen und Haustoren...» In der Mehrzahl aber sind es verheiratete Frauen, die durch den Mangel an Verhütungsmitteln zum Abort getrieben werden. Mit einem Optimismus, wie ihn heute Louis Armand propagiert, beriefen sich die Kommunisten gegenüber der Geburtenregelung auf den Wohlstand, dessen Frankreich sich erfreuen könnte und der es dem Land ermöglichen würde, 70 Millionen Einwohner zu ernähren: das Elend, in dem die Arbeiterinnen heute leben, existierte nicht für sie. Ich schrieb ein kurzes Vorwort zu dem Buch von Frau Weil-Hallé *Planning familial* und ein zweites für *La Grande Peur d'aimer*. Als dieses Werk erschien, nahm ich an der Pressekonferenz teil, die in den neuen Räumen des Verlages Julliard stattfand. Etwa hundert Personen waren anwesend: Psychoanalytiker, Ärzte, mehr oder weniger sachverständige Kenner des Menschenherzens. In einem weißen Kleid, blond, frisch, jungfräulich erläuterte Mme Weil-Hallé mit melodischer Stimme die Vorzüge des Pessars. Fünfzigjährige erkundigten sich besorgt, ob seine Anwendung nicht der Liebesromantik Abbruch täte. Das Vokabular, dessen man sich bediente, war höchst erbaulich. Man sprach nicht von Geburtenkontrolle, sondern von Mutterglück, nicht von Empfängnisverhütung, sondern von Orthogenese. Bei dem Wort Abtreibung verhüllte man das Antlitz, über die Sexualität wurde gar nicht erst gesprochen.

Gegen Ende April gab Francis Jeanson eine Pressekonferenz in Paris für die Korrespondenten der wichtigsten ausländischen Zeitungen. Georges Arnaud war auch dabei und veröffentlichte einen Bericht in der *Paris-Presse*. Die Zeitung hatte keine Schwierigkeiten, aber am 27. April verhaftete man Arnaud, weil er es unterlassen hatte, einen ‹Verbrecher anzuzeigen›. Capitaine Charbonnier dagegen erhielt das Kreuz der Ehrenlegion, obwohl er in dem Prozeß, den der Audin-Ausschuß in Lille gegen *La Voix du Nord* angestrengt hatte, einen sehr schlechten Eindruck hinterlassen hatte. In Algier bereitete man zugleich mit dem Prozeß gegen Alleg das Verfahren gegen den ‹flüchtigen› Audin vor. Um dieselbe Zeit wurden im 13. Arrondissement moslemitische Hilfstruppen einquartiert: die *harkis*. Auf meinen Spaziergängen mit Algren begegnete ich oft diesen blauuniformierten Männern, die dafür bezahlt wurden, daß sie ihre Brüder verrieten.

Ende Mai rief mich eines Morgens Gisèle Halimi an und bat mich dringend um eine Zusammenkunft. Wir trafen uns auf der sonnigen Terrasse des ‹Oriental› in der avenue d'Orléans. Sie kam gerade aus Algier, wo sie am 18. Mai eine Algerierin verteidigt hatte. Da ihre Aufenthaltsgenehmigung erst ab 16. Juni galt, hatte sie sich darum bemüht, eine Vertagung des Prozesses zu erwirken, der nun auf den 17. Juni festgesetzt worden war. Das junge Mädchen hatte ihr erzählt, daß es gefoltert worden sei. Sie war abgezehrt, bleich und stand sichtlich unter einem traumatischen Schock. Die Brandwunden am Körper waren noch zu sehen, außerdem konnte sie Zeugen benennen. Gisèle Halimi hatte sie ermuntert, Anzeige zu erstatten und eine Untersuchung zu verlangen, die einen neuen Aufschub erforderlich machen würde. Ob ich bereit wäre, einen Artikel zu schreiben und eine solche Untersuchung zu befürworten. Natürlich ... Ich beschränkte mich darauf – oder nahezu –, die Schilderung Djamilas wiederzugeben, und schickte das Manuskript an *Le Monde*. M. Gauthier rief mich an: «Wissen Sie, daß wir sehr schlechte Auskünfte über Djamila Boupacha erhalten haben?» sagte er, als ob ich ihn gebeten hätte, nachzuforschen. «Ein hoher Beamter, der auf dem laufenden ist, hat uns versichert, daß Indizienbeweise gegen sie vorliegen», fügte er hinzu. «Das berechtigt niemanden, ihr eine Flasche, Sie wissen schon wo, hineinzustoßen», erwiderte ich. «Nein, natürlich nicht...» Er ersuchte mich, das Wort Vagina, das Djamila benutzte, durch das Wort Bauch zu ersetzen. «Für den Fall, daß Halbwüchsige den Artikel lesen», sagte er. «Es könnte sein, daß sie von ihren Eltern eine Erklärung verlangen.» – Würden sie nicht eher andere Fragen stellen, fragte ich mich im stillen. Gauthier erwähnte außerdem, Beuve-Méry finde es schockierend, daß ich geschrieben hatte: «Djamala war Jungfrau.» Ich sollte es anders ausdrücken. Ich weigerte mich. Sie setzten die drei Worte in Anführungszeichen.

Von *Le Monde* erhielt ich vierzehn zustimmende und drei wütende Briefe. «Alle Welt weiß, daß die Foltergeschichten zu den gebräuchlichsten Waffen aus dem Arsenal der Verteidiger der FLN gehören; wenn sich aber zufällig auch einige wahre darunter befinden, dann kann man nur sagen, daß es sich hier um eine der Formen immerwährender Gerechtigkeit handelt», schrieb ein nach Paris geflüchteter *pied noir*. Ich erhielt auch andere freundschaftliche Briefe. «Wir gewöhnen uns bestimmt nicht an den Skandal: Aber wir sind nicht informiert!» erklärte einer der Briefschreiber. Eine Frau war tief erschüttert: «Und mein Mann und ich haben geglaubt, daß seit dem Amtsantritt von de Gaulle nicht mehr gefoltert wird.» Wir gründeten ein Komitee zur Verteidigung Djamila Boupachas. An den Präsidenten der Republik wurden Telegramme geschickt, die die Einstellung des Verfahrens forderten. Françoise Sagan unterstützte die Aktion durch einen Artikel im *Express*. In Algier wurde *Le Monde* wegen meines Artikels und auch wegen einer Seite über die Affäre Audin beschlagnahmt. «Das kostet uns jedesmal vierhunderttausend Francs!» sagte Gauthier am Telefon mit vorwurfsvoller Stimme.

Der Kongreß, der am 12. Juni in der Mutualité ‹für den Frieden in Algerien› hätte stattfinden sollen, wurde verboten. Der Prozeß gegen Georges Arnaud fand am 17. Juni statt. Sartre war als Zeuge geladen. Ich ging frühzeitig hin und wartete zusammen mit Péju, Lanzmann, Evelyne und Arnauds Frau lange vor dem Tor der Kaserne in Reuilly. Arnauds Frau erzählte uns, daß er über seinen Aufenthalt im Gefängnis nicht unglücklich sei, weil er Gelegenheit hätte, mit algerischen Häftlingen zu sprechen. Ich setzte mich in eine der ersten Reihen. Der Saal war gesteckt voll, ein echt pariserischer Saal, in dem sich die gesamte linke Intelligenz ein Stelldichein gegeben hatte. Unter anderen war eine der Hauptpersonen der Affäre Lacaze, Dr. Lacour, mit seiner Verlobten, einer sehr hübschen Negerin, die Vergès' Sekretärin war, gekommen. Arnaud sprach sehr gut, ohne jede Effekthascherei und ohne Übertreibungen. Einige Zeugen begnügten sich damit, ihn aus rein beruflichen Gründen zu entlasten. Viele andere, durch die Fragen der Anwälte unterstützt, machten seine Sache zu der ihrigen. Mit Arnaud sollten die Intellektuellen im allgemeinen getroffen werden, und wir mußten lachen, als Maspero sich trotzig vorstellte: «Ich bin ein Intellektueller, und ich bin stolz darauf, ein Intellektueller aus einer alten Intellektuellenfamilie zu sein, die bereits drei Generationen von Intellektuellen aufzuweisen hat.» Da die Hitze in dem überfüllten Raum erdrückend war, ging ich kurz nach Sartres Aussage mit ihm weg. Arnaud wurde verurteilt – das lag in der Natur der Dinge –, aber mit Bewährungsfrist. Noch am selben Abend verließ er das Gefängnis.

Ein Journalist hatte mir während der Verhandlung mitgeteilt, daß der Prozeß gegen Djamila abermals vertagt worden war. Die Behörden in Algier hatten Gisèle Halimi die Einreise verweigert, aber das Gericht hatte nicht gewagt, das junge Mädchen in Abwesenheit ihrer Verteidigerin abzuurteilen, weil die Angelegenheit solches Aufsehen erregt hatte. Jetzt handelte es sich darum, die Folterknechte zur Rechenschaft zu ziehen. Eine an Ort und Stelle durchgeführte Untersuchung würde automatisch mit einer Einstellung des Verfahrens enden. Es galt, die Gerichte in Algier für nicht zuständig zu erklären, ein Schritt, den nur der Justizminister Michelet vom Kassationshof fordern konnte.

Eine Delegation, die sich aus Germaine Tillion und Anise Postel-Vinay (zwei ehemaligen Deportierten), Gisèle Halimi und mir zusammensetzte, begab sich deshalb am 25. Juni zum Justizminister. Die Besprechungen in Melun hatten begonnen, und trotz der Kluft, die de Gaulle von der GPRA trennte, waren die Herren des Regimes der Meinung, der Krieg und seine Greuel gehörten bereits der Vergangenheit an. So erklärte ich mir jedenfalls die Haltung des Justizministers. Nervös und unsicher, machte er sich nicht einmal die Mühe, die Tatsachen abzustreiten, über die wir mit ihm sprachen. «Die Familie Boupacha ist schwer geprüft worden», sagte Germaine Tillion. «Das gilt für alle!» erwiderte er unwirsch und verdrossen, als konstatiere er einen bedauernswerten Umstand, an dem die Regierung nicht schuld gewesen sei. Die an Djamila vorgenommenen Folterungen bezweifelte er erst gar nicht: Er hatte noch ganz andere gesehen! Er zögerte nur mit seiner Entscheidung. «Ich werde M. Patin um Rat fragen. Sprechen Sie doch mit ihm. Ich werde tun, wozu er mir rät: Er ist gewissenhaft», wagte er hinzuzufügen. Als er uns zur Tür begleitete, sagte er zu mir: «Fürchterlich, dieser Krebsschaden, den uns der Nazismus vererbt hat. Er dringt überall ein, er vergiftet alles, es gelingt nicht, ihm Einhalt zu gebieten. Prügel sind normal – keine Polizei ohne Prügel. Aber die Folter! ... Ich versuche ihnen beizubringen, daß es eine Grenze gibt, die man nicht überschreiten darf.» Er zuckte die Achseln, um seine Ohnmacht anzudeuten. «Es ist ein Krebsschaden», wiederholte er. Dann faßte er sich wieder. «Zum Glück wird das alles ein Ende haben!» sagte er zum Schluß mit Nachdruck. Ich war nicht stolz darauf, ihm die Hand schütteln zu müssen.

Am Nachmittag gingen wir, von Postel-Vinay begleitet, in M. Patins Büro. Gisèle Halimi hat diese Unterredung in *Djamila Boupacha* geschildert, aber ich war viel zu erschüttert, um noch einmal darauf zurückzukommen. Glatzköpfig, mit hervorquellenden Augen und unsicherem Blick hinter der Brille, hatte er auf den Lippen das unendlich überlegene Lächeln des Herren, dem man nicht imponieren kann. Er saß seinem Assistenten Damour gegenüber, der keine drei Sätze von sich gab: Er stimmte allem zu, was Patin sagte. Germaine Tillion ging zum Angriff über. Sie hatte aus nächster Nähe zahlreiche Folterungen miterlebt, und nie hatte eine Anzeige zu einer Bestrafung geführt. Deshalb hätte sie sich diesmal gesagt, daß es gut wäre, sich an die Öffentlichkeit zu wenden. Patin rückte mir zu Leibe: Dadurch, daß ich Djamilas Vorwürfe weiterverbreitete, hätte ich mich eines Vergehens schuldig gemacht. «Außerdem haben Sie die Tatsachen nicht genau wiedergegeben», hielt er mir vor. «Es waren Soldaten, die unter der Führung eines Capitaine das Haus durchsucht haben, nicht der Pöbel.» – «Ich habe von *harkis*, Polizeiinspektoren und motorisierten Einheiten gesprochen», erwiderte ich. «Sie haben diese Leute gerade als Pöbel bezeichnet.» Man machte mir beschwichtigende Zeichen, und ich begriff, daß ich gut daran täte, ihn möglichst wenig zu reizen. «Ihre Djamila hat einen schlechten Eindruck auf mich gemacht», sagte er. «Sie hat für Frankreich nichts übrig ...» Und als Gisèle Halimi die Worte des alten Boupacha zitierte, der trotz aller Foltern ein naives Vertrauen zu Frankreich hegte, zuckte er die Achseln. «Ein Feigling und ein Komödiant ...» Er fuhr fort: «Die Offiziere, die Sie anklagen, sind so nette Leute ... Neulich habe ich mit einem kleinen Lieutenant zu Mittag gegessen. Im zivilen Leben ist er Agronom», sagte er geradezu zärtlich, als ob die Agronomie einen Menschen über jeden Verdacht erhaben machte. «Ein Artikel wie der Ihre tut ihnen unrecht», fügte er mit vorwurfsvollem Blick hinzu. Germaine Tillion erinnerte ihn von neuem daran, daß Militärpersonen noch nie öffentlich bestraft worden seien. Trotzdem sei die Anzahl abgeschlachteter moslemitischer Zivilisten unendlich viel größer als die der europäischen Opfer. Er deutete auf einen Stoß Akten. «Ich weiß», sagte er, «ich weiß.» Wie sehr hätte ich gewünscht, daß die Skeptiker diese geradezu konziliante Geste des Vorsitzenden des Garantieausschusses hätten sehen können! Vergewaltigungen, Morde, Folter, alles war dort verzeichnet, er gab es zu. Und er schien zu fragen: Was kann ich dagegen tun? «Sie müssen sich auch darüber im klaren sein, daß Algier eine große Stadt ist. Die Polizei reicht nicht aus, um die Ordnung aufrechtzuerhalten. Da muß das Militär einspringen: Aber das sind lauter Neulinge ... Man bringt die Verdächtigen auf die Wache. Nachts gehen die Offiziere nach Haus. Nun bleiben die Häftlinge mit einem Pack zurück, das oft ein wenig über die Stränge haut ...» Diesmal behandelte er die wehrpflichtigen Soldaten als Pack. Anise Postel-Vinay war empört. «Die Deutschen haben die Häftlinge nie den Soldaten überlassen. Immer war ein Offizier anwesend.» (In Wirklichkeit wurden auch in Algerien die Folterungen stets von einem oder mehreren Offizieren geleitet: Das änderte nichts an der Sache.) Ärgerlich platzte er los: «Begreifen Sie doch! Wenn man dem Militär nicht einen gewissen Spielraum einräumt, wäre es nicht mehr möglich, sich in Algier auf die Straße hinauszuwagen.» – «Mit anderen Worten – Sie rechtfertigen damit die Foltern!» protestierte Gisèle Halimi. Er wurde unruhig: «Legen Sie mir nicht so etwas in den Mund.» Sie erklärte, daß sie es skandalös fände, daß der Verteidiger nicht das Recht haben sollte, seinem Klienten während der Untersuchung beizustehen. «Aber sehen Sie», sagte er mit einem blasierten Lächeln, «wenn man darauf bestünde, einen Anwalt hinzuzuziehen, würde es überhaupt keine Untersuchung geben: Die Verdächtigen würden in aller Stille durch eine Kugel in den Kopf beseitigt werden: Wir schützen sie dagegen.» Ich wagte kaum noch meinen Ohren zu trauen. Patin gab spontan zu, daß seine lieben makellosen Offiziere nicht zögern würden – nicht gezögert hatten –, die Gegner zu ermorden, wenn die Gefahr bestand, daß eine gerechte Justiz sie ihrem Haß entzöge. Man kehrte zu Djamila zurück: «Was hat sie Ihnen denn in bezug auf die Flasche erzählt?» fragte er Gisèle Halimi mit leicht frivoler Miene. Als sie es ihm sagte, schüttelte er den Kopf: «Schau, schau ...» Dann lächelte er maliziös. «Ich hatte befürchtet, daß man sie auf eine Flasche *gesetzt* hat, wie das in Indochina bei den Viets üblich war.» (Wer war denn *man*, wenn nicht die lieben Offiziere mit den sauberen Händen?) «Die Eingeweide werden zerrissen, und das Opfer stirbt. Das ist aber hier nicht der Fall gewesen ...» Daraufhin erhob sich lautes Gemurmel. Er fügte hinzu: «Sie behaupten, daß sie Jungfrau gewesen sei. Aber man hat doch schließlich und endlich Fotos in ihrem Zimmer gefunden und beschlagnahmt, auf denen sie zwischen zwei bewaffneten Soldaten der ALN steht und eine Maschinenpistole in Händen hält.» Na und? Sie hatte stets zugegeben, daß sie für die ALN tätig gewesen sei. Damit, erklärten wir, sei ihre Unberührtheit nicht in Frage gestellt. «Trotzdem gehört sich das nicht für ein junges Mädchen», erwiderte er. Dann beklagte er sich. «Als ich sie im Gefängnis in Algier verhörte, wollte sie nicht mit mir sprechen.» – «Selbstverständlich: schließlich hatte sie gute Gründe, den Franzosen und der Polizei zu mißtrauen.» – «Mir? Hat sie mich für einen Polizeibeamten gehalten? Sehe ich aus wie ein Polizeibeamter?» Wir antworteten höflich: «In den Augen einer verhafteten Algerierin sind Sie nicht besser oder schlechter als jeder andere.» – «Aber das ist ja zum Verzweifeln: Wozu sind wir da?» M. Patins Blick wandert zu seinem Assistenten. «Wozu sind wir da, Monsieur Damour?» – «Als Sie sich wieder mit Djamila trafen, hat sie Ihnen vorgeschlagen, die Internierungslager in El-Biar und Hussein-Dey zu besuchen. Sie sind aber nicht dort gewesen», sagte Gisèle Halimi. «Aber was stellen Sie sich denn vor! Man hätte mich ausgewiesen!» Patins Stimme bebte vor Angst und Entrüstung. «Man hätte mich sogar verhaftet!» Einen Augenblick versank er in Gedanken. «Sie haben ja keine Ahnung! Diese Untersuchungen sind sehr beschwerlich. Und sie kommen mich teuer zu stehen. Nicht wahr, Monsieur Damour? Wir bekommen nicht alle Spesen ersetzt. Wir müssen oft genug in die eigene Tasche greifen.» Damit hatte er einen wunden Punkt berührt. M. Damour wurde lebendig. «Ihre Djamila hat uns fünfundzwanzigtausend Francs gekostet», sagte er vorwurfsvoll. «Nun werden endlich all diese Tragödien ein Ende haben!» erklärte Patin zum Schluß. Er machte dann noch einige Bemerkungen über Djamilas Psyche. «Sie hält sich für eine Jeanne d'Arc.» – «Neunzehnhundertvierzig haben viele von uns Zwanzigjährigen sich für eine Jeanne d'Arc gehalten», sagte Anise Postel-Vinay. «Ja, Madame», erwiderte Patin, «aber sie waren Französinnen.» Als ich abends Sartre und Bost diese Unterredung schilderte, waren sie über soviel Offenherzigkeit genauso erstaunt wie ich. Man muß uns unseren Abscheu angemerkt haben, denn Patin sagte zu Vidal-Naquet: «Das Audin-Komitee ist mir viel sympathischer als das Boupacha-Komitee, mit dem ich mich sehr schlecht verständigen konnte.» Kurze Zeit später schlugen die algerischen Gerichtsbehörden mit vorsichtigen Worten einen Kuhhandel vor: Djamila soll sich von einem psychiatrischen Sachverständigen untersuchen lassen, der sie für geisteskrank und unzurechnungsfähig erklären würde. Sowie man sie freiläßt, wird auch ihre Anzeige unglaubwürdig, und man würde das Verfahren einstellen … Sie lehnte ab. Ende Juli wurde sie nach Fresnes überführt und ein Richter aus Caen mit der Untersuchung betraut.

Die Besprechungen in Melun scheiterten, aber die Jugend wehrte sich gegen die Trägheit, in die 1956 die ältere, durch die weichliche Haltung der Erwachsenen beeinflußte Generation versunken war. Als die UNEF – der französische Studentenbund – die UGEMA anerkannte, sperrte das Unterrichtsministerium die Zuschüsse. In Vincennes, wo zahlreiche, willkürlich internierte Algerier zugrunde gingen, fand eine gewaltlose Kundgebung statt. Das Prinzip lehnten wir ab, aber die Methode war wirksam. Die Zahl der Deserteure wuchs. Eines Nachmittags trafen wir Rose Masson in der rue Jacob, die zwischen Kummer und Stolz hin und her gerissen wurde. Ihr älterer Sohn Diego war in Annemasse verhaftet worden, weil er einberufenen Rekruten beim Überschreiten der Grenze geholfen hatte. Vor dem Untersuchungsrichter übernahm er die gesamte Verantwortung: Als Sohn einer jüdischen Mutter, der als Kind nach den USA emigriert war, hatte er sich geschworen, den Rassenhaß niemals zu unterstützen. Seine Kusine, Laurence Bataille, war gleichfalls festgenommen worden. Man beschuldigte sie, Waffen versteckt und ein wichtiges Mitglied der FLN in ihrem Auto befördert zu haben. Im *Esprit* erläuterte der inhaftierte Jean Le Meur die Gründe, warum ein Christ den Gehorsam verweigern müsse. In einem Roman *Le Déserteur*, unter dem Pseudonym Maurienne erschienen, wurde dargelegt, warum manche Rekruten das Exil diesem Krieg vorzogen. Unter dem Druck der jungen Rebellen ergriffen Blanchot, Nadeau und einige andere die Initiative zu einem Manifest, in dem zahlreiche Intellektuelle das Recht auf Gehorsamsverweigerung anerkannten. Sartre und der gesamte Mitarbeiterstab der *Temps Modernes* unterschrieben ebenfalls. Die Kommunisten hielten uns eine verstümmelte Formulierung Lenins entgegen: Darin stand, daß man den Krieg bekämpft, indem man an ihm teilnimmt. Abgesehen davon, daß das nicht für die Kolonialkriege zutraf, hatten die Kommunisten weder in den Kasernen noch in Algerien eine antimilitaristische Propaganda betrieben. Servan-Schreiber und Thorez verurteilten uns im Namen der ‹Massenaktion›. Momentan aber waren die Massen von der Bühne abgetreten. Es war allerdings nur eine begrenzte Minderheit, die den Weg der Illegalität beschritt. Indem wir sie unterstützten und uns damit selber kompromittierten, hofften wir eine Linke zu mobilisieren, die nach dem Ausspruch von Péju erbärmlich ‹respektabel› geworden war. Außerdem glaubten wir, daß diese Avantgardeaktion eine ernsthafte Nachwirkung haben würde.

Meine Schwester stellte in der Galerie Synthèses ihre neuesten Bilder aus, die ich sehr schön fand. Bei der Vernissage begegnete ich Marie Le Hardouin, die über die Hinrichtung Chessmans bestürzt war, dessen Fall sie in einem Buch behandelte. Da der Algerien-Krieg alle meine Gefühle in Anspruch nahm, waren keine mehr übriggeblieben, aber ich verstand ihre Reaktion. Als ich einige Tage mit Algren in Marseille verbrachte, sprachen wir über die Zukunft seines Landes. In Seoul hatten die Studenten Syngman Rhee verjagt, in Japan heftig gegen Hagerthy demonstriert. Ché Guevara hatte den USA prophezeit: «Ihr werdet den ganzen Planeten verlieren!», und sein Wort schien sich zu bewahrheiten. Algren erhoffte sich weder von Nixon noch von Kennedy eine Änderung der amerikanischen Politik. «Wer immer auch gewinnt», sagte er, «mein einziger Trost wird es sein, daß der andere verloren hat.»

Kurze Zeit darauf machte ich zusammen mit ihm eine Flugreise, da er Istanbul und Griechenland sehen wollte. Der Flug mit der Düsenmaschine, der gewaltige Etappen meiner Vergangenheit in wenige Stunden zusammendrängte, war beängstigend: Ich hatte fast den Eindruck, daß ich tot sei und in Himmelshöhe über mein Leben dahinflöge. Der Genfer See: Zum erstenmal hatte ich ihn 1946 zusammen mit Sartre besucht. Es war verblüffend, Mailand und Turin gleichzeitig zu sehen, die durch 160 Kilometer Autobahn verbunden waren, die ich so oft ungeduldig zurückgelegt hatte. Und schon erblickte ich Genua, die Küstenstraße, die Sartre und ich so oft auf dem Wege von Rom nach Mailand entlanggefahren waren: In Grosseto aßen wir zu Mittag, in der ‹Bucca San Lorenzo› ... Plötzlich weckte ich Algren, der neben mir döste. Wir überflogen Capri. Die Luft war so klar, daß man aus 12 000 Meter Höhe die Umrisse Ischias, Forio und das felsige Vorgebirge, zu dem uns ein Fiaker hingefahren hatte, genau erkennen konnte. Algren zeigte mir Fumarolen, die scheinbar aus einer Erdspalte hervorquollen und in Wirklichkeit der Rauch seiner Zigarette waren, und lachte über meine Leichtgläubigkeit. Dann kamen Amalfi, die Galli-Inseln und die Küste, an die so viele Erinnerungen geknüpft sind, und der Süden Italiens, der zwischen den beiden Meeren lag. Über Korfu brach der Abend herein. Als ich einen Sprung in die Vergangenheit, bis zur Brücke der «Cairo City» tat, tauchten die Küsten Griechenlands auf, die Inseln, der Kanal von Korinth. Während wir unter einem purpurroten und schwefelgelben Himmel auf Istanbul zusteuerten, tat mir das Herz weh, als ich mich erinnerte, wie lebenslustig ich damals und wie neu die Welt für mich gewesen war. Trotzdem war ich in diesem Augenblick glücklich – auch jenseits einer Grenze, die ich nie mehr überschreiten würde.

Das nächtliche Istanbul kam uns öde vor. Frühmorgens ging es lebhafter zu. Busse, Autos, Handkarren, Pferdefuhrwerke, Fahrräder, Lastträger, Passanten. Auf der Eminömü-Brücke herrschte ein so starker Verkehr, daß man sie nur unter Lebensgefahr überqueren konnte. An allen Landungsstegen drängten sich die Boote: Dampfer, Barken, Last-kähne, Zillen. Sirenen heulten, Schornsteine spien Rauch. Auf der Straße: vollbesetzte Taxis, die steckenblieben, anfuhren, abermals mit schrillem Kreischen stehenblieben und dann knallend weiterfuhren. Eisen rasselte. Geschrei, Pfiffe. Eine wüste Kakophonie in unseren von der heftigen Sonne betäubten Köpfen. Sie brannte auf uns herab, und doch war kein Reflex in dem schwärzlichen Gewässer des Goldenen Horns zu sehen, das, mit alten Kähnen und vermodertem Holz übersät, zwischen Lagerschuppen eingepfercht war. Im Herzen des alten Stambul wanderten wir bergan durch tote Straßen zwischen mehr oder weniger verfallenen Holzhäusern und durch andere Gassen, auf die Kramläden oder Werkstätten mündeten. Schuhputzer, die vor ihrem Arbeitszeug hockten, musterten uns mit feindseliger Miene. Ebenso scheel wurden wir in der schäbigen Kneipe mit den Holztischen angesehen, in der wir unseren Kaffee tranken. Waren die Amerikaner oder die Touristen so verhaßt? Es war keine einzige Frau in der Kneipe, keine oder fast keine auf der Straße zu sehen. Nur Männergesichter, und kein lächelndes darunter. Der überdachte, in graues Licht getauchte Basar machte auf mich den Eindruck eines riesigen Trödelladens. Auf den staubigen Märkten war alles häßlich, die Geräte, die Stoffe und die Öldrucke. Eines machte uns neugierig: die große Anzahl der Personenwaagen und die vielen, oft ärmlich gekleideten Leute, die ein Geldstück opferten, um sich zu wiegen. Wo befanden wir uns eigentlich? Diese wimmelnden und nur aus Männern bestehenden Menschenmassen deuteten auf den Orient und den Islam hin. Aber hier fanden sich weder die Farben Afrikas noch das Malerische Chinas. Man hatte das Gefühl, sich in einem zurückgebliebe-nen Land und im düstersten Mittelalter zu befinden. Das Innere der Hagia Sophia und die Blaue Moschee entsprachen meinen Erwartungen. Auch die kleineren, intimeren und lebendigeren Moscheen gefielen mir gut mit ihren Höfen und ihren von Tauben umflatterten Springbrunnen. Aber aus den verschollenen Jahrhunderten ist fast nichts übriggeblieben. Byzanz, Konstantinopel, Istanbul: Die Stadt hielt nicht, was ihre Na-men versprachen – bis auf die Stunde, in der sich ihre Kuppeln und ihre zarten spitzen Minarette auf der Anhöhe im Schimmer der Abenddäm-merung abzeichneten. Dann ließ ihre Schönheit die blutige und prunk-volle Vergangenheit ahnen.

Wir hätten gern die Türken kennengelernt. Einige Wochen zuvor war Menderes durch einen Handstreich der Militärs vertrieben worden. In der Stadt hatte es Unruhen gegeben, an denen auch die Studenten be-teiligt gewesen waren. Wie dachten sie jetzt? Was hatten sie vor? Die Gesellschaftsreisen haben ihre Nachteile, unsere Einsamkeit aber war noch unangenehmer. Verdrossen darüber, daß wir nur Kulissen zu sehen bekamen, reisten wir nach drei Tagen ab.

Im Vergleich zu Istanbul kam uns Athen feminin und fast wollüstig vor. Wir verbrachten eine Woche auf Kreta: herrliche Landschaften, einige aufregende Ruinen, vor allem in Phaistos. Dann kehrten wir nach Paris zurück, und die Stunde der Trennung rückte heran. Während dieser fünf Monate hatte nichts unsere Eintracht getrübt. Der Gedanke, daß unsere Beziehung keine Zukunft hatte, war für mich nicht mehr so unerträglich wie früher. Es würde uns ja auch keine lange Zukunft mehr beschert sein. Sie schien mir nicht mehr verbarrikadiert, sondern eher vollendet, vor der Zerstörung gerettet, als wären wir schon tot gewesen. Die früheren Zeiten flößten mir nicht einmal mehr jene wehmutsvolle Sehnsucht ein, in der noch eine Hoffnung lebt. Algren erzählte mir, daß er nach einem Spaziergang fast automatisch zur rue de la Bûcherie gegangen wäre. «Als ob mein Körper nicht auf die Vergangenheit verzichtet hätte», sagte er mit Bedauern in der Stimme. «War denn die Vergangenheit so viel schöner?» fragte ich ihn. «Mit vierzig Jahren wußte ich nicht, daß ich vierzig Jahre alt war: Da fing alles erst an!» erwiderte er mit Nachdruck. Jetzt erinnerte ich mich. Aber es dauerte eine Weile, bevor ich es begriffen hatte: es war mein Alter, mein vorgerücktes Alter. Durch unser Wiedersehen hatten wir zehn Jahre ausgelöscht, aber die Gelassenheit des Abschieds brachte mir wieder meine eigentliche Situation zu Bewußtsein: Ich war alt geworden.

Unser Besuch in Havanna war ein weiterer Grund für uns, auch Brasilien zu besuchen. Die Zukunft der Insel wurde zu einem großen Teil in Lateinamerika entschieden, wo sich fidelistische Strömungen bemerkbar zu machen begannen. Sartre wollte den Brasilianern von Kuba erzählen. Wir hatten eine siegreiche Revolution gesehen. Um die ‹Dritte Welt› zu begreifen, mußten wir ein unterentwickeltes, halbkoloniales Land kennenlernen, wo die revolutionären Kräfte vorläufig noch, vielleicht auf lange Zeit hinaus, gefesselt waren. Die Brasilianer, die wir kennenlernten, überzeugten Sartre davon, daß er Algerien und der französischen Linken einen wesentlichen Dienst erweisen würde, wenn er bei ihnen die Propaganda von Malraux bekämpfte. Ihr Drängen beschleunigte unseren Entschluß.

Die Reise dauerte nur zwei Monate. Wenn ich sie ausführlich schildere, wird man mir zweifellos vorwerfen, daß ich den Fortgang meiner Erzählung unterbrochen hätte. Brasilien aber ist ein so anziehendes und in Frankreich so wenig bekanntes Land, daß ich es für unverzeihlich hielte, wenn ich meine Leser nicht an dem Erlebnis teilnehmen ließe, das mir vergönnt war. Wer diese Reportage langweilig findet, kann sie ja überspringen.

Bevor wir nach Recife zu einem Kritikerkongreß flogen, wurden wir von Diaz zum Essen eingeladen, einem Maler, der so freundlich gewesen war, sich um unsere Flugscheine und unsere Visen zu kümmern. Seine hübschen Gemälde schmückten eine Wohnung, in der entsprechend der Sitte seines Landes, die mir viel zivilisierter vorkam als die unsere, ein warmes Büfett aufgestellt war: Man hat volle Bewegungsfreiheit und kann den Gesprächspartner wechseln. Es waren hübsche, gutgekleidete Frauen anwesend und Intellektuelle, von denen viele unter Vargas im Gefängnis gesessen hatten: Zu ihnen gehörte auch der Maler Di Cavalcanti, korpulent und vergnügt unter seinem dichten weißen Haarschopf. Wir plauderten mit Freyre, der in seinem Buch *Maîtres et Esclaves* die Sitten und Gebräuche Nordostbrasiliens während der Kolonialperiode geschildert hat. Er schenkte mir ein illustriertes Buch über Ouro Prêto. Es war viel von Brasilia die Rede. Obwohl man die Konzeption Lucio Costas und die Bauten Niemeyers bewunderte, bedauerten die meisten, daß Kubitschek riesige Gelder in diese abstrakte Stadt gesteckt hatte, wo keiner der Anwesenden hätte leben mögen. «Immerhin», sagte Di Cavalcanti, «gibt es jetzt im Präsidentenpalast einen kleinen, aus Muscheln angefertigten Blumenstrauß: Endlich ein bißchen schlechter Geschmack! Endlich ein Lebenszeichen! Das ist ein Anfang.»

Mitte August schwebte ich wieder einmal durch die einsame Weite des Himmels. Zu meinen Füßen entstehen und vergehen Straßen, Strände, Ozeane, Inseln, Berge, Abgründe, die ich mit meinen Augen sah, die aber gar nicht existierten. Weder das Klima noch die Gerüche, noch die vielfältige Monotonie der Wolken ändern sich, und plötzlich, ohne mich bewegt zu haben, war ich woanders. Als es weitergeht, ist mein Herz von einer seltsamen Mattigkeit erfüllt, weil ich so die Erde umfliege, die sich gleichfalls dreht, ihre Lichter zerdehnt und sie allzuschnell auslöscht, während meine Uhr die Stunden nicht mehr zählen kann. Das düstere Band des Tejo, der Flughafen von Lissabon tauchen auf. Eine Stimme aus dem Lautsprecher ruft die Fluggäste nach Elisabethville auf. Neugierig betrachte ich diese Männer und Frauen, die sich zu ihrer Maschine begeben. Welches Schicksal wird sie wohl erwarten? Kurze Zeit darauf lande ich in einem feuchten und schwarzen Land. Dunkelhäutige Menschen in weißen Jacken bewegen sich lautlos zwischen den Tischen. Dakar, Afrika, der riesige Kontinent, im Kongo fließt Blut. Ich sehe Soldaten in Kniehosen, blaue Helme auf dem Kopf: Die UNO hatte sich entschlossen, in Katanga zu intervenieren.

Mit dem erwachenden Morgen tauchten ein grünes Meer, blinde Klippen, eine von weißem Gischt bespülte Küste auf. Recife: Flüsse, Kanäle, Brücken, geradlinige Straßen, Hügel, auf einer Kuppe eine portugiesische Kirche, Palmen. Das wiederholt sich in endloser Reihenfolge. Wir kreisen. Neben uns kreist ein kleines Flugzeug. «Das Fahrgestell ist blokkiert», sagte Sartre auf einmal zu mir. Da dachte ich: Es wird schon werden. In dieser Stunde, unter diesem Himmel, am Tor eines neuen Kontinents, konnte mir kein Unglück widerfahren. Nach einer halben

Stunde kommen die Räder zum Vorschein, und die Maschine setzt auf. Krankenwagen und Feuerwehrautos sind auf dem Flugplatz. Das Militärflugzeug, das neben uns herflog, hätte für den Fall einer Bauchlandung dem Piloten entsprechende Weisungen erteilen sollen.

Sartre war nicht recht auf dem Posten. Eine Gürtelrose machte ihm zu schaffen, die durch ein Übermaß an Arbeit und die langdauernde Mißstimmung ausgelöst worden war. Sogar ich taumelte ein wenig, als mir die frische Luft und der Sonnenschein ins Gesicht schlugen. Zahlreich waren die Hände, die sich uns entgegenstreckten, zahlreich die Blumen, die Journalisten, die Fotografen. Frauen in ärmellosen Kleidern, Männer in weißen Jacken, darunter das Gesicht Jorge Amados. Polizei, Zoll. Genau wie in Havanna lähmte mich die Müdigkeit, während uns ein Auto ins Zentrum der Stadt brachte: zuerst ins Hotel, das an einem Kai lag, dann in ein kühles und luftiges Restaurant. Ich trank meinen ersten *batida*: eine Mischung aus Zuckerrohrbranntwein – *cachaça* – und Zitrone. Dieser für mich neue Geschmack war ein erstes Bindeglied zwischen mir und dem Unbekannten. Ich lernte auch das Aroma der *maracuja* kennen, der Passionsfrucht, deren dunkelroter Saft die Karaffen füllte. Auf allen Tischen standen mit Mehl gefüllte Flaschen: Maniok, mit dem man die Gerichte bestreut. Es war schwer zu erraten, was uns gefallen, was uns mißfallen, wen wir wo und wann wiedertreffen würden: Der Kongreß hatte Leute aus sämtlichen Teilstaaten Brasiliens herbeigelockt. Mit Befriedigung erfuhren wir, daß Amado, der eigens gekommen war, um uns zu empfangen, uns mindestens einen Monat lang als Führer zur Verfügung stehen würde.

Wir besuchten für einige Augenblicke eine Kongreßsitzung, dann entführte uns Amado mit einer ganzen Schar auf die *fazenda* eines Freundes, damit wir uns ausruhen konnten. Sie entsprach den Beschreibungen, die ich in Freyres Buch gelesen hatte. Unterhalb des Hügels, auf dem das Herrenhaus stand, befanden sich die Arbeiterwohnungen, die Mühle, in der das Zuckerrohr zerkleinert wird, und in der Ferne eine Kapelle. Der Herr des Hauses malte, und seine Bilder erfüllten die Räume mit buntem Licht. Der sanft abfallende Garten, seine Bäume, seine Schatten, seine Blumen, die wellige Landschaft der Zuckerrohrfelder, die Palmen und die Bananenbäume machten auf mich den Eindruck eines so üppigen Paradieses, daß ich einen Augenblick lang mit dem abwegigsten aller Träume spielte: in die Haut eines Grundbesitzers zu schlüpfen. Amados Freund und seine Familie waren verreist. Ich bekam einen ersten Vorgeschmack der brasilianischen Gastfreundschaft: Alle fanden es durchaus normal, sich auf die Terrasse zu setzen und sich Getränke servieren zu lassen. Amado füllte mein Glas mit hellgelbem Cajousaft: Er war derselben Meinung wie ich, daß man ein Land zum großen Teil durch die Zunge verstehen lernt. Er bat seine Freunde, uns am nächsten Tag zu dem typischen Gericht des Nordostens, der *fetjuada*, einzuladen: für den *cabocle* eine Suppe aus schwarzen Bohnen, für den bürgerlichen Feinschmecker eine Art würziges *cassoulet*.

Bei Freyre hatte ich gelesen, daß im Nordosten die jungen Mädchen schon mit dreizehn Jahren heiraten, da ihre Schönheit bereits nach dem fünfzehnten Lebensjahr zu welken beginnt. Ein Professor stellte mir seine Tochter vor: sehr hübsch, stark geschminkt, kohlschwarze Augen, eine rote Rose im schwellenden Mieder: vierzehn Jahre. Nie bin ich Halbwüchsigen begegnet: es gab nur Kinder oder Frauen. Allerdings verblühten sie weniger schnell als ihre Großmütter. Mit sechsundzwanzig und vierundzwanzig Jahren waren Lucia und Christina T. noch sehr jugendlich. Trotz der im Nordosten herrschenden patriarchalischen Sitten genossen sie eine gewisse Bewegungsfreiheit. Lucia unterrichtete, Christina leitete seit dem Tode des Vaters in der Umgebung von Recife ein Luxushotel, das der Familie gehörte. Beide schrieben ein wenig für die Zeitungen und reisten viel. Sie waren es auch, die uns mit dem Wagen kreuz und quer durch Recife fuhren.

Wir besuchten Olinda, die erste Stadt, die – dreihundert Jahre früher als Brasilia – nach den Plänen eines Architekten erbaut worden ist. Moritz von Nassau, der zwischen 1630 und 1654 dieses Gebiet im Auftrag der Niederlande verwaltete, ließ sie durch Pieter Post errichten und nachher durch Maler und Bildhauer ausschmücken. Olinda liegt, sechs Kilometer von Recife entfernt, auf einer Anhöhe, und viele der alten Häuser sind unversehrt geblieben. Nach der Vertreibung der Holländer bauten portugiesische Handwerker düstere Barockkirchen. Im feuchten Dunst der Tropen fand ich hier die Treppen, die Portale, die Fassaden wieder, die mich auf der trockenen portugiesischen Erde so fasziniert hatten. Wir fuhren zu einem Strand, der kein Ende zu nehmen schien: Wie sehr gefiel mir vor dem Hintergrund des herrisch brausenden Meeres die Lässigkeit der hohen Kokospalmen! Auf dem Wasser leuchteten grellweiß die dreieckigen Segel der *jangadas*: das waren Flöße, die aus fünf bis sechs durch Holzpflöcke miteinander verbundenen Baumstämmen und einem Mast bestanden. Bei ruhigem Wetter sind sie seetüchtig, aber den Stürmen halten sie schlecht stand: Jedes Jahr kehren zahlreiche Fischer nicht mehr zurück. An einem Kiosk probierten wir Kokosmilch. Man schlürft sie durch einen Strohhalm, der durch ein Loch in der Schale gesteckt wird. Sie schmeckt lau und fade.

Auch Recife nennt schöne Barockkirchen sein eigen, die durch Fenster mit Zierbalkons einen frivolen und charmanten Anstrich erhalten. Die Geschichtenerzähler auf dem Marktplatz sind immer von vielen Menschen umringt. Manche improvisieren in singendem Ton, andere lesen aus plump illustrierten Heften vor. Sie hören aber vor dem Schluß auf: Um ihn zu erfahren, muß man das Büchlein kaufen. Im Zentrum der Stadt befinden sich uralte Plätze, mit düsteren Bäumen bepflanzt, die von Wasserläufen, Geschäften, Straßenhändlern belebt werden, sobald man sie aber verläßt und in die staubigen, geradlinigen Gassen mit den verwitterten Hauswänden und der ungepflasterten Fahrbahn gerät, findet man nur noch Verfall und Trostlosigkeit. «In Recife sitzt unter jeder Palme ein Bettler», hatte Bost erzählt. Das stimmte nicht. In diesem Jahr hatte es geregnet, und bei den Bauern der Umgebung gab es Wurzeln zu essen. Aber in den dürren Sommern fallen die Bettler über die Stadt her. Auf diesem trockenen Gebiet, das so groß ist wie Frankreich, leiden zwanzig Millionen Menschen an chronischen Hungerqualen. Christina zeigte uns an der Stadtgrenze eine Zone, wo in Holzbaracken eine Bevölkerung zusammengepfercht war, die des Notwendigsten entbehrte. Sie erzählte uns von den Bauernverbänden, die, von Juliao, dem sozialistischen Abgeordneten und Anwalt aus Recife, angestachelt, die Bauern zu organisieren und eine Agrarreform zu fördern versuchten: Mehrere ihrer Freunde gehörten ihnen an. «Als ich gerade die Leitung des Hotels übernahm», erzählte Christina, «war ich noch sehr jung und wollte so schlau sein, die Angestellten möglichst viel arbeiten zu lassen und ihnen möglichst wenig zu zahlen. Und dann sah ich, wie sie lebten …» Sie war eine aufrichtige Katholikin und fand die soziale Ungerechtigkeit empörend. Am Sonntagvormittag ging sie in den exklusivsten Club der Stadt segeln und nahm an den Regatten teil, aber sie stritt sich mit den übrigen Mitgliedern und mit den meisten Leuten aus ihren Kreisen. Sie fuhr so schnell wie möglich durch die Wohnviertel von Recife und legte es darauf an, die Fußgänger zu erschrecken. «Man muß sie daran erinnern, daß sie sterblich sind», sagte sie lachend.

Infolge jener kleinen Machenschaften, in denen die Brasilianer Meister sind, hatten wir für uns beide vier Flugscheine zur Verfügung. Also ließ Amado Lucia und Christina davon profitieren. Er hatte seine Jugend in Bahia verbracht, wo uns außerdem ein junger Ethnographieprofessor, Vivaldo, ein Mestize von der Statur eines Fußballspielers, herumführte. Außerdem gesellte sich noch Zélia Amado zu uns. Sie war eine Nacht später gekommen, da sich auf dem Flughafen eine Maschine überschlagen hatte und die ihre nicht hatte landen können. So waren wir eine Gruppe von sieben Personen, die alle Französisch konnten und sich gut miteinander verstanden. Als Beförderungsmittel stand uns eine Art Miniaturbus mit einem Chauffeur zur Verfügung. Sartre ging es besser. Die offiziellen Verpflichtungen bestanden nur aus einem Vortrag und zwei offiziellen Mittagessen. Es wurde eine sehr vergnügte Woche.

Bahia besteht eigentlich aus zwei Städten, die durch Fahrstühle und Drahtseilbahnen miteinander verbunden sind. Der eine Teil liegt längs der Meeresküste, der andere auf der Felsenhöhe. Dort befand sich auch das Hotel, sehr modern, riesenhaft, mit eleganten Konturen. Von meinem Zimmer und der geräumigen Bar aus mit ihren Glaswänden, grünen Pflanzen und Vögeln, in der wir unsere *batidas* tranken, sah man unter einem stets bewegten Himmel die Allerheiligen-Bucht, ihre Riffe, ihre

Strände, die schlanken Kokospalmen, die Barken und ihre trapezförmigen Segel. Kurze Wellen peitschten das Meer. Amado zeigte uns die Geschäftsstraßen der oberen Stadt. Am Universitätstor stand zu lesen: «Die philosophische Fakultät streikt.» Die Studenten und der Rektor hatten sich gestritten. Überall Kirchen. Eine der bekanntesten ist das Werk spanischer Künstler, die keinen Quadratzentimeter glatten Steins übriggelassen haben: Muscheln, Makkaroni, Kringel, Schnecken und Spitzen. Die portugiesischen Fassaden sind zwar nüchtern, aber im Innern siegt die Üppigkeit über den guten Geschmack: Verkleidungen aus zisiliertem Gold, Schnörkel und Hängebögen, Vögel, Palmen, Dämonen, die sich wie der Gendarm im Vexierbild zwischen den Wülsten der Wände und Decken verstecken. Neben den Kommoden aus Palisander oder schwarzem Jakarandaholz, Delfter Fayencen, portugiesischen Azulejos, Porzellan, Goldschmiedearbeiten stehen in den Sakristeien Heilige aus Wachs in natürlicher Größe, die eines Wachsfigurenkabinetts würdig gewesen wären: sie waren ausgemergelt, mit Narben bedeckt, die Züge von Schmerz oder Ekstase verzerrt, und hatten Perücken aus echtem Menschenhaar. Darunter befand sich meist auch der leidende Christus, gegeißelt, mißhandelt, mit Dornen gekrönt, aus dessen Wunden in langen Bändern das Blut fließt. Diese Statuen erinnerten mich an die Fetische von Bobo-Dioulasso.

Die alten Gassen, in denen Amado seine Kindheit verlebt hat, fallen schmal, geradlinig und steil zum Meer hinab. Daneben liegt das Viertel der ‹Lebedamen›. Wir kamen in Basare, die mit kunterbunten Waren vollgestopft waren. Die Wände und Decken waren mit schimmernden Schmetterlingen gespickt, die man aus Zeitschriftenumschlägen zurechtgeschnitten hatte. Nach einer Fahrt über steile Abhänge setzte uns das Auto am Hafen in der Nähe der Markthalle ab. Sie erinnerte mich, besonders was die Hygiene betraf, an Peking. In engen Gängen werden schmutzige Lebensmittel, Pökelfleisch, Lederwaren, Stoffe, Hüte, Bleche verkauft, aber auch eine ungewöhnliche Vielfalt an Volkskunsterzeugnissen, Überbleibsel einer uralten und reichen Kultur. Amado kaufte für uns und für sich Halsbänder, Armbänder aus buntgefärbten Getreidekörnern, Keramiken, Terrakottafigürchen, Puppen mit schwarzen Gesichtern, im traditionellen Kostüm der Bewohner von Bahia, aus Blei gegossene *exu* – eher boshafte als böse Geister, die durch die Gabel an ihren Händen an unsere Teufel erinnern –, Musikinstrumente, eine Unmenge Sächelchen. Er erklärte uns den Sinn der Amulette, der Bilder, der Kräuter, der Trommeln, der Schmuckstücke, die alle mit religiösen Zeremonien verknüpft sind. Die Verkaufsstände befanden sich unter freiem Himmel und erstreckten sich bis zu den Hafenbecken, in denen eine Flottille von *saveiros* schaukelte: Ihre Bordwände stießen aneinander, und ihre Masten ragten dichtgedrängt wie die Stämme eines Gehölzes empor. Straßenhändler verkauften geschälte Zuckerrohrstücke, die man kaut und ausspuckt, nachdem man den Saft herausgesogen hat, Kokosgebäck, Bohnenkuchen, Krüge, Amphoren, hübsche und häßliche Keramiken, ferner Bananen und sonstiges Obst. Der Duft des Palmöls vermischte sich mit einem Salzlakengeruch. Auf den Booten und auf dem Festland bewegte sich eine Menschenmenge, deren Hautfarbe die Skala sämtlicher Nuancen vom Schokoladenbraun bis zum Weiß durchlief. Wir besichtigten einen Friseurladen, wo die Wetten für das *bicho* oder ‹Tierspiel› angenommen wurden, eine Art Lotterie, die neben dem Fußball das Hauptvergnügen der Brasilianer ist. In der ersten Etage des Hauses führt eine Negerin ein recht gewöhnlich aussehendes, aber berühmtes Lokal. An der Wand befand sich ein Bild der Meergöttin Yemanja. In einem Topf ‹Ogun-Klingen›, Kaktusblätter, wie Degenklingen geformt, die in Frankreich weit verbreitet und hier in Brasilien zum Schutz des Hauses streng vorgeschrieben sind. Sartre rührte die zinnoberroten, korallenroten, pistaziengrünen, öltriefenden Ragouts nicht an, von denen ich mit Vorsicht kostete. Die Krabbenomelette aber besiegte meinen Widerstand.

Einige Tage später besichtigten wir einen anderen Markt am Rande der Stadt. «Dorthin werden euch die Brasilianer nicht führen», hatte mir eine Französin gesagt. Amado aber zeigte uns alles. Es hatte geregnet, und wir stapften durch den Straßenkot. Bis auf die recht schönen Töpfereien spiegelten die Verkaufsstände das Elend der Käufer wider: Auch in Bahia wütete der Hunger, vor allem in den Vierteln, die Amado als die ‹Invasionsbezirke› bezeichnete, weil die Bewohner sich wie richtige *squatters* dort ganz einfach eigenmächtig niedergelassen hatten. Eines dieser Wohnviertel lag in einer Lagune: Dort war man sicher, daß kein Mensch dieses Terrain für sich beanspruchen würde. Schwankende Laufbrücken verbanden die auf Pfählen errichteten Baracken mit dem Ufer: Das erinnerte mich an das Wasserviertel in Kanton. Hier aber drohten die Menschen völlig zu verwahrlosen, da es keine Hygiene gab. Über die grünen Hänge verstreut, zwischen den Bananenbäumen mit den gezackten Blättern, lagen noch andere Elendsquartiere. Telegrafendrähte liefen kreuz und quer, Friedhöfe der Papierdrachen, mit denen die Kinder spielten. Die braune, fette Erde strömten einen ländlichen Geruch aus. Es waren fast Dörfer, die die Traditionen und die organischen Bindungen der bäuerlichen Gemeinden beibehalten hatten.

Die Bevölkerung von Bahia, zu siebzig Prozent schwarz – es war früher die Region des Zuckerrohrs und der Sklaverei –, nimmt aber an einem intensiven Gemeinschaftsleben teil. Die afrikanischen Nago-Riten haben sich dort erhalten, wenn auch aus Vorsicht hinter der katholischen Liturgie versteckt, mit der sie sogar – nach Art des haitischen Voodoo – eine synkretische Religion, den *candomblé*, gebildet haben. (Mit diesem Wort werden die Religion in ihrer Gesamtheit, die Gemeinden, in deren Schoß die Tradition fortlebt, und die religiösen Zeremonien bezeichnet.)

Es handelt sich um eine komplizierte Mischung von Glaubensanschauungen und Gebräuchen, die zahlreiche Varianten gestattet, da die Anhänger des *candomblé* nicht in die Hierarchie der Kirche eingegliedert sind. Ich habe Roger Bastides Buch *Les Religions africaines au Brésil*, das gerade erschienen war, gelesen. Es gibt eine höchste Gottheit, Vater des Himmels und der Erde, der von den ‹Orixa› umgeben ist, denen gewisse katholische Heilige entsprechen: Oxala ähnelt Jesus, Yemanja der Jungfrau Maria, Ogun dem heiligen Georg, Xango dem heiligen Hieronymus, Omuh dem heiligen Lazarus, Exu, der mehr dem Hermes der Antike als unseren Dämonen ähnelt, dient als mutwilliger Vermittler zwischen den Menschen und den ‹Verzauberten›. Obwohl diese Verzauberten in Afrika hausen, reicht ihre Macht in die Ferne. Jeder Einzelne gehört einem Orixa, dessen Name ihm die Priester offenbaren, der ihn schützt, solange er ihm Gaben und die vorgeschriebenen Opfer darbringt. Gewisse privilegierte Personen, die sich den recht langwierigen und komplizierten Einweihungsriten unterziehen, sind berufen, als ‹Pferd› ihres Gottes zu dienen: Man läßt den Gott in ihren Körper herabsteigen, unter Zeremonien, die – wie für die Katholiken das Herabsteigen Gottes in die Hostie – den Gipfelpunkt des *candomblé* darstellen.

In Recife hatte man eigens für uns einen Abend veranstaltet, an dem als Indianer verkleidete Neger höchst raffinierte Ballette tanzten. Den *xango* aber bekamen wir nicht zu sehen. (Er ist im Gebiet von Pernambuco das Äquivalent des *candomblé* in Bahia.) In Bahia finden fast täglich religiöse Feste statt, die von der gesamten Intelligenz besucht werden. Da er bereits als junger Mann eingeweiht wurde, ist Amado einer der höchsten Würdenträger des *candomblé*. Vivaldo bekleidet einen bescheideneren Rang, aber er kannte alle die ‹Mütter der Heiligen› und die *babalaó* (Wahrsager, halb Priester, halb Hexenmeister) der Stadt. Er ließ uns an nicht besonders eindrucksvollen, aber unverfälschten Zeremonien teilnehmen. Zweimal entführte uns das Auto nachts über die Steilhänge, auf denen die Vororte Bahias liegen, in abgelegene Häuser, aus denen dumpfer Trommelschlag hervortönte. Jedesmal hieß uns die ‹Heiligenmutter› erst einmal in die Küche, wo eine Frau profane und geheiligte Speisen zubereitete, dann in das Zimmer, in dem der Altar stand, eintreten: Inmitten eines mysteriösen, fetischistischen Wirrwarrs – Bänder in den Farben der Götter, Opfergaben, Steine, Krüge – stehen die Orixa, die durch die üblichen Heiligenfiguren repräsentiert werden: der heilige Georg mit dem Drachen, der heilige Hieronymus, die heiligen Kosmas und Damianus (das mit mannigfaltigen und bedeutsamen Kräften ausgestattete Zwillingspaar), der heilige Lazarus, usw. In einem von Pfählen umgebenen Hof drängten sich Schwarze – vor allem Frauen –, Mitglieder der Brüderschaft und andere, die eingeladen worden waren. Unter ihnen befanden sich auch einige Weiße: ein Maler, der

sich oft durch diese Tänze hat inspirieren lassen, ein Journalist aus Rio
– Rubem Braga –, der Franzose Pierre Verger, der, wie es hieß, zu den
hohen Eingeweihten zählte und die Geheimnisse des *candomblé* so gut
kannte wie kein anderer. Ein Teil der Männer rührte die heiligen Trommeln, und andere spielten auf unbekannten Instrumenten. Die ‹Heiligenmutter› beteiligte sich an dem Tanz der ‹Heiligentöchter›, der Eingeweihten, die ihr Gott bereits im Verlaufe ähnlicher Zeremonien ‹bestiegen› hatte. Unter ihnen befanden sich ganz junge und ganz alte Frauen.
Sie trugen ihre schönsten Kleider, lange Kattunröcke, bestickte Mieder,
Seidenschals, außerdem Schmuck und Amulette. Sie bewegten sich im
Kreis, mit einem rhythmischen, schaukelnden, zuweilen ruckhaften, aber
ruhigen Marschschritt. Die meisten lachten und scherzten. Plötzlich verwandelte sich ein Gesicht. Die Miene wurde verschlossen. Nach einer
längeren oder kürzeren Periode angstvoller Meditation – zuweilen auch
unmittelbar nach der Verwandlung – durchliefen Zuckungen den Körper
der Frau, und sie begann zu wanken. Als ob sie sie stützen wollten,
streckten ihr die Eingeweihten – unter anderen Amado und Vivaldo –
die Handflächen entgegen. Eine der ‹Heiligenmägde› – eine Eingeweihte,
der aber die Gnade der göttlichen Einkehr versagt geblieben war – beruhigte die Besessene durch eine Berührung oder durch eine Umarmung,
nahm ihr das Halstuch ab, zog ihr die Schuhe aus (um ihre Herkunft
aus Afrika zu betonen) und schleppte sie ins Innere des Hauses. Bei
jeder Sitzung verfielen sämtliche Tänzerinnen in Trance, genauso wie
zwei bis drei geladene Gäste, die zusammen mit den anderen weggeführt
wurden. Wenn sie wiederkehrten, waren sie mit prunkvollen liturgischen
Gewändern, die ihren Heiligen entsprachen, bekleidet. In ihren Händen
hielten sie Embleme, unter anderem auch eine Art Peitsche, deren Haar-
schweif sie rotieren ließen. Die Feierlichkeit ihrer Gebärden, der Ernst
ihrer Gesichter gaben zu verstehen, daß Gott in ihnen wohne. Sie setzten
den Tanz fort, jede Einzelne völlig ihrer Ekstase hingegeben, aber den
Bewegungen der Gruppe angepaßt. Sartre hatte mir von der Raserei
des Voodoo erzählt. Hier war die allgemeine Disziplin stärker als der
Hang zu individuellen Manifestationen, die bei manchen Teilnehmerinnen äußerst heftig wurden, ohne sie aber jemals von ihren Gefährtinnen
zu isolieren. Im Verlauf eines der beiden Feste vollendete eine junge
Negerin den Zyklus ihrer Initiation. Weißgekleidet, mit rasiertem Kopf,
lag sie während der gesamten ersten Hälfte des Abends leicht zitternd
auf dem Boden, den Blick auf etwas Unsichtbares geheftet, gleichzeitig
anwesend und anderswo, so wie mein Vater in seiner Agonie. Zuletzt
verfiel sie in Trance, verschwand und kam wieder, durch eine geheimnisvolle Freude verwandelt.

Für mich stellte sich die klassische Frage: «Wie sind diese Trance-
zustände zu erklären?» Nur die ‹Heiligenmutter› hat das Recht, sie zu
simulieren, um das Herabsteigen der Orixa zu beschleunigen, und ich

hatte den Eindruck, daß die eine oder andere tatsächlich von dieser Ermächtigung Gebrauch machte. Sämtliche Beobachter waren sich darüber einig, daß die übrigen Teilnehmerinnen nicht schwindelten, und auch ich würde dafür meine Hand ins Feuer legen: ihre Metamorphose kam für sie genauso überraschend wie für die Zuschauer. Sie sahen auch weder neurotisch noch süchtig aus: Vor allem die Alten waren ironisch und vergnügt und erreichten den Zustand des *candomblé* mit Hilfe ihres alltäglichen gesunden Menschenverstandes. Vivaldo (mit Nachdruck) und Pierre Verger (weniger offenherzig) sprachen von übernatürlichen Einflüssen. Amado und alle anderen gaben ihre Unwissenheit zu. Es steht aber fest, daß diese Zustände nichts Pathologisches an sich haben, sondern kultischer Natur sind. Überall dort, wo Individuen zwischen zwei Zivilisationen hin- und hergerissen werden, finden sich ähnliche Erscheinungen. Die Neger von Bahia, ehemalige Sklaven, heute ausgebeutet, sind gezwungen, sich der abendländischen Welt zu beugen, und leben daher unter einem Druck, der so stark ist, daß sie ihrer selbst verlustig gehen. Um sich zu wehren, genügt es nicht, daß sie ihre Trachten, ihre Überlieferungen, ihren Glauben bewahren: Sie kultivieren Methoden, die ihnen gestatten, durch eine Ekstase die erlogene Persönlichkeit, in die man sie eingesperrt hat, von sich abzuschütteln. In dem Augenblick, da sie sich zu verlieren scheinen, finden sie sich wieder. Sie sind allerdings besessen, aber von ihrer eigenen Wahrheit. Wenn auch der *candomblé* nicht Menschen in Götter verwandelt, so gibt er wenigstens durch Vermittlung imaginärer Geister den zum Vieh herabgewürdigten Menschen ihre Menschenwürde zurück. Der Katholizismus zwingt die Armen vor Gott und seinen Priestern in die Knie. Durch den *candomblé* dagegen erleben sie die Souveränität, auf die eigentlich jeder Mensch ein Anrecht hat. Nicht alle verfallen in Ekstase, nicht einmal alle jene, welche die Initiation dazu disponiert hat. Aber es genügt, daß einige es erleben, um alle aus der Erniedrigung zu befreien. Der Höhepunkt ihres persönlichen Lebens – wenn sich die Krapfenverkäuferin oder die Geschirrwäscherin in Ogun oder Yemanja verwandelt – ist für sie zugleich der Augenblick, da die ‹Heiligentochter› sich aufs engste in die Gemeinschaft einordnet. Nur wenige Gesellschaftsordnungen bieten ihren Mitgliedern eine solche Chance: die Bindung an alle anderen nicht im banalen Alltag, sondern mit Hilfe eines äußerst geheimen und köstlichen Erlebnisses zu realisieren. Das Malerische des *candomblé* hält sich in Grenzen und ist recht monoton. Wenn die fortschrittlichen Intellektuellen ihm soviel Aufmerksamkeit widmen – während sie auf die Umwälzungen warten, die sie anstreben –, dann nur deshalb, weil der *candomblé* bei den Enterbten das Gefühl der eigenen Würde aufrechterhält.

Nachdem wir eines Morgens auf steilen Straßen bergan geklettert waren – zum Glück besaß Zélia ein unfehlbares Amulett gegen Unglücksfälle –, hielten wir vor dem Tor (das ein *exu* bewacht) des ältesten, größten und berühmtesten *candomblé* von Bahia. Dieses Heiligtum, dem die ehrwürdigste ‹Heiligenmutter› vorsteht, bedeutet für Bahia das, was der Montserrat für Spanien bedeutet – nur daß diese Religion nicht den Reichen, sondern den Armen dient. An die Stelle des Marmors tritt der gestampfte Lehm, an die Stelle des Gold- und Silberschmucks die Keramik. Dazu kommen noch einige Trommeln und Orgeln. Der auf einer Anhöhe gelegene Komplex umfaßt mehrere kleine Häuser, in denen die Neophyten während der Einweihungsperiode wohnen und in die bei gewissen Anlässen die Töchter und Mägde der Heiligen zurückkehren. Der große Tanzsaal ist wie unsere Kirchen nach den Vorschriften einer komplizierten Symbolik gebaut. Im Hauptgebäude residiert die ‹Heiligenmutter›: Auf einem Altar sind – in Gestalt der üblichen Gipsfiguren – die Stadtgötter versammelt. Die Gottheiten des flachen Landes haben draußen ihre Kapellen. Sie sind so verteilt, daß sie an die Lage der Tempel auf dem Ursprungskontinent erinnern, denn jeder *candomblé* ist ein Mikrokosmos Afrikas. Nachdem wir einen Blick auf diese Häuschen geworfen hatten, die zum Teil ziemlich weit draußen im Grünen verstreut sind, kehrten wir zur ‹Heiligenmutter› zurück. Vor ihrer Tür pickten lustlos zwei für ein Opfer bestimmte Hühner. Die Amados gehörten diesem *candomblé* an. Sie gingen mit ihr beiseite, um ihre Verpflichtungen zu regeln, die sie stets gewissenhaft erfüllen. Da man ihr unseren Besuch angekündigt hatte, trug sie ihr schönstes Prachtgewand: unendlich viele Röcke, Schals, Halsketten und Schmuck. Sie war lebhaft, redselig und boshaft. Sie beklagte sich über Clouzot, der versucht hatte, in streng gehütete Geheimnisse einzudringen, und hielt eine flammende Lobrede auf Pierre Verger, der ihr aus Afrika verschiedene Gegenstände mitgebracht hatte, durch die ihre Beziehungen zu den Orixa gefestigt worden waren. Sie selber war in Afrika gewesen, und ich glaubte zu begreifen, daß sie – vor die Wahl zwischen beiden Göttern gestellt – sich für den Nago-Kult entschieden hatte. Sie sprach ein paar Worte Nago. Man muß eine afrikanische Sprache wenigstens zum Teil beherrschen, um mit den Heiligen umzugehen. Während eine junge Frau uns in der Küche etwas zum Essen vorsetzte, konsultierte die ‹Heiligenmutter› Muscheln, um zu erfahren, welchen Geistern wir unterstellt seien: Sartre war ein Oxala, ich eine Oxun. Unterwegs hatten wir hin und wieder ein geschlachtetes Huhn am Fuß eines Baumes liegen sehen. Als wir ihr davon erzählten, sagte sie, daß es sich bestimmt um Hexenkünste handle, die sie verurteile. «Ich wirke für das Gute, nie für das Böse», erklärte sie. Es seien die Zauberer, die mit Hilfe des ‹Hundes› – des Teufels – Menschen krank machen, zugrunde richten und umbringen. Die ‹Heiligenmütter› und ‹Heiligenväter›, die *babalaó,* intervenieren zugunsten der Menschen. Wir plauderten recht lange miteinander. Manchmal zeitigt die Vermischung des *candomblé* mit dem Katholizismus recht abgeschmackte Resultate, im großen und ganzen aber verträgt sich der durch das Christentum aufgesogene Bauernfetischismus recht gut mit den Überbleibseln des afrikanischen Fetischismus, und die Bahianer fühlen sich in der San Francisco-Kirche ebenso wohl wie auf ihren *terreiros.*

Vor allem in der Erlöserkirche von Bomfim finden heidnisch-christliche Zeremonien statt, bei denen das Hühnerblut sich mit dem Weihrauch verträgt. Um die Kirche zu besichtigen, unternahmen wir eine lange und schöne Fahrt entlang der vielfach gewundenen Küste. Wir besuchten unterwegs die alte Festung Monteserrate und die Kapelle, deren Vorhof bis ins Meer hinausreicht. Die Kirche befindet sich am oberen Ende eines weiten Platzes. Vor dem Portal werden Rosenkränze und wundertätige Halsbänder verkauft, Kruzifixe und Amulette, Abbildungen des Heiligen Herzens Jesu und der Yemanja, die mit langen, aufgelösten Haaren über die Wellen schreitet. Die Sakristei enthält eine Sammlung erstaunlicher Votivgaben: Gipsgliedmaßen, Krücken, Fotos, Gemälde, Abdrücke von Organen, die Jesus geheilt hat.

In den Straßen Bahias ist nachts noch heute unter den Raufbolden das uralte französische ‹Beinschlagen› üblich. Wenn sie Rasierklingen an den Knöcheln befestigen, wird es mörderisch. Die Unsitte hat einen Tanz angeregt, den ich einmal in einer Art Kneipe in einem ‹Invasionsviertel› und ein zweites Mal mitten in Bahia in einem mit Girlanden, Fahnen und bunten Papierschlangen geschmückten Saal gesehen habe. Der Tänzer schleudert dabei seinen Partner in die Luft und wirft ihn zu Boden und bedroht dann mit dem Fuß sein Gesicht, ohne es zu berühren. Dabei werden eine Vielfalt an Finten und Angriffsmethoden angewandt, und der fingierte Zweikampf wird von Musik begleitet. Ein magerer, kleiner, boshafter alter Neger, Meister und Lehrer, leistete Erstaunliches.

Amados Vater war Kakaopflanzer gewesen. Mit neunzehn Jahren hatte Jorge in seiner ersten Erzählung *Cacau* die Lebensbedingungen seiner Landarbeiter beschrieben. Ein wenig später schilderte er in *Jubiabá* den Mut und die Verbrechen der ersten Eroberer des Urwalds, der *colonels*, die über Leben und Tod ihrer Sklavenherden bestimmten und ihren Streitigkeiten mit Flintenschüssen ein Ende machten. In *Kakao* beschäftigt er sich mit der darauffolgenden Generation der Spekulanten und Ausbeuter, die den Schein der Legalität wahrten. In seinem Buch *Gabriela wie Zimt und Nelken,* das in diesem Jahr einen riesigen Erfolg hatte, schilderte Amado von neuem den Kakaohafen Ilhéus, den er uns auch zeigen wollte.

Wir überflogen eine zauberhafte Landschaft mit grünen Hügeln und von Wasser gesättigten Wäldern. Es regnete abends in Itabuna, aber in der Morgensonne kam es uns nicht weniger düster vor. Um ein Land kennenzulernen, meinte Amado, müsse man erst einmal erforschen, was dort gegessen wird. Er führte uns auf den Markt. Rote Bohnen, Maniok, schlechter Reis, Kürbisse, süße Kartoffeln, Rohzuckertafeln, die wie schwarze Seife aussehen, luftgetrocknetes Rindfleisch: nichts Frisches. Auf den Rücken kleiner Esel mit Gras umwickelte Amphoren, auf dem Erdboden Tauwerk und Schläuche aus Ziegenleder. Obwohl der Markt unter freiem Himmel stattfand, roch es wie auf einem alten Speicher. Die Menschen – indianisch-portugiesische Mischlinge mit sehr wenig oder gar keinem Negerblut – sahen unzufrieden aus. Der Boden ist fruchtbar, gehört aber einer kleinen, privilegierten Schicht. Der Tabak und der Kakao lassen dem Lebensmittelanbau keinen Raum. Amado und einige Honoratioren begleiteten uns auf eine *fazenda,* die sie als ‹Mustergut› bezeichneten. Wir folgten einem wilden Flußlauf durch eine hübsche Landschaft. Das Herrenhaus stand, von einem Garten umgeben, auf einer Anhöhe. Wie die große Mehrzahl seiner Standesgenossen hielt sich auch dieser Grundbesitzer lieber in Rio auf als auf seinen Ländereien. Also wurden wir vom Verwalter empfangen. Mit einem Lächeln auf den Lippen führte er uns zu der Siedlung, in der die Arbeiter wohnten und die eher einem Konglomerat großer Stallungen als einem Dorf ähnelte. Es gab weder Wasser noch Licht, noch Heizung, noch Möbel. Mauern, von einem Viereck gestampfter Lehmerde umgeben. Einige Kisten. Die Räume waren rund um einen Hof angeordnet, in dem nackte Kinder mit aufgeblähten Bäuchen und zerlumpte Frauen hockten. Die dunkelhäutigen und dunkelhaarigen Männer, die ihre Hackmesser in der Hand hielten, musterten uns mit haßerfüllten Blicken. Auf Kuba hatten sie die gleiche Haut- und Haarfarbe und die gleichen Macheten, und aus ihren auf Castro gerichteten Blicken leuchtete die Freude. In einem Korridor hing ein mit Reißnägeln befestigtes lächerliches Reklamebild, auf dem eine elegante Dame zu sehen war, die einen Schlafwagen verläßt. Anderen Wandschmuck habe ich nicht gesehen. Auf den Dächern waren die Kakaokerne in der Sonne zum Trocknen ausgebreitet und strömten einen süßlichen Gärgeruch aus, der sich mit anderen, unaussprechlichen Ausdünstungen vermischte. Über einen sumpfigen Pfad erreichten wir den Wald, in dem die ‹goldenen Früchte› wuchsen. Die Sträucher brauchen den Schatten hohen Laubwerks und eine feuchte, weiche Erde, in der unsere Schuhe steckenblieben. Amado pflückte und öffnete eine der Schoten: der weiße, etwas klebrige Kern schmeckte entfernt nach Schokolade. Auf dem Heimweg fragte ich ihn, warum er von einem ‹Mustergut› gesprochen hatte. «Ich nehme an, daß von Zeit zu Zeit ein Arzt vorbeischaut, daß die Wasserstelle weniger als einen Kilometer entfernt ist und daß es nicht durch die Decke hereinregnet. Auf jeden Fall», fügte er hinzu, «haben diese Menschen den Bauern des Sertaõ eines voraus: sie haben zu essen.»

An einem Flußufer entlang, zwischen lauter Wäldern, durch eine Gegend, in der man, dem Anschein nach, glücklich sein könnte, gelangten wir nach Ilhéus. In den Magazinen häuften sich die Kakaoballen. Arbeiter, zum größten Teil Neger, brachten sie auf die Kähne, die in der stillen, durch eine schmale Einfahrt vom Ozean getrennten Bucht vertäut lagen. Die Farbe des Wassers war von dem gleichen zarten Grün wie die Palmen, sie war nur durch den Abend gedämpft. Die gewerkschaftlich organisierten Schauerleute arbeiten schwer, verdienen aber gut. Man sieht an ihren Muskeln, ihrem gesunden Aussehen, ihren Mündern, die zu lachen und zu singen verstehen, daß sie sich satt essen. Vor der Reede von Ilhéus ist die Brandung so stark, daß große Schiffe nicht anlegen können. Wir sahen zwei weit draußen vor Anker liegen und auf ihre Fracht warten. In *Gabriela wie Zimt und Nelken* hatte Amado einen modernen Hafen für Ilhéus gefordert. Sein Ansehen in Brasilien ist so groß, daß man bereits mit den Arbeiten begonnen hatte. Vom Wind und der Gischt gepeitscht, gingen wir ans Ende der Mole hinaus, die noch im Bau war.

Eine weitere Einkommensquelle dieses Landstrichs ist die Viehzucht. Eines Morgens brachen wir nach Feira de Santana auf, das hundert Kilometer von Bahia entfernt ist: Es war Markttag. Die dichte Menschenmenge schien kein Ende zu nehmen, und die als *cangaceiros* verkleideten Musikanten lärmten mit ihren Gitarren und Kehlen so laut wie nur möglich. Schmalzgebackenes wurde verkauft. Obstkuchen, Kokosgebäck, Naschwerk. Aber diese Illusion frohen Treibens verschwand sehr schnell. Der Markt war fast so ärmlich wie der in Itabuna. Keine Volkskunst, bis auf mittelmäßige Terrakottafiguren. Bahia war sehr weit entfernt. Hier machte sich die Trostlosigkeit des flachen Landes breit, wo leben bedeutet, sich anzustrengen, damit man am Leben bleibt. Es blieb kein Raum für Überflüssiges. Am Stadtrand waren riesige Rinderherden in Umzäunungen untergebracht, in denen die Vaqueros umhergaloppierten und Staub aufwirbelten. Um sich gegen die Kaktusstacheln und die Dornen des Gesträuchs zu schützen, sind sie von ihrem Zweispitz bis zu den Stiefelkappen mit Leder gepanzert. Die Herden gehören ihnen nicht. In ganz geringem Maße sind sie an den Zuchterträgnissen beteiligt, die wegen der Dürre und der häufigen Epidemien nicht sehr groß sind. Auf dem Erdboden lagen Hüte, Schuhe, Hosen, Jacken, Handschuhe, Gürtel, Lederschürzen von einem hübschen Rosarot ausgebreitet, die aber bestialisch stanken.

Wir mußten, denn Amado war systematisch, noch über den Tabak belehrt werden. «Bis Cachoeira ist es eine Stunde», sagte der Professor, bei dem wir zu Mittag aßen. Wir brauchten drei Stunden, um die zerlöcherte Straße zu bewältigen, deren Unebenheiten Sartre auf schmerzhafte Weise an seine Gürtelrose erinnerten. Wir erblickten zwei oder drei alleinstehende und halb verfallene Häuser, die von Tabakpflanzen umgeben waren. Die Stadt mit ihren alten Häusern und Kirchen lag an beiden Seiten eines Flusses. Wir machten einen Spaziergang. Dann kamen wir in eine schlecht beleuchtete Halle, wo abgehetzte Frauen mit ihren nackten Füßen die Tabakblätter zerstampften. Zu dem scharfen Geruch der welken Pflanzen gesellte sich der Gestank der Latrinen, in denen der Unrat unter brennender Sonne verweste, und ich hatte das Gefühl, mich in einer Hölle zu befinden, in der Frauen dazu verdammt sind, in ihren eigenen Exkrementen herumzutrampeln. Nach Arbeitsschluß wuschen sie sich hastig die Füße in einem schlammigen Rinnsal: keine Toiletten, kein Trinkwasser, und dabei war der Fluß nur ein paar Schritte entfernt. Viele Arbeiterinnen trugen geweihte Halsbänder. «Ah», sagte Vivaldo zu einer von ihnen, «Sie sind eine Oxun-Tochter?» und erkundigte sich bei ihr nach den *candomblés* von Cachoeira. Er sagte uns nachher, daß sie anfangs gezögert habe; als sie aber begriff, daß er selber ein Eingeweihter war, hellte sich ihre Miene auf. Nachdem ich die elenden Bedingungen gesehen hatte, unter denen diese Frauen arbeiteten, begriff ich, daß der *candomblé* eine wunderbare Wirkung haben mußte.

Ein letzter Ausflug führte uns eines Morgens zu der Petroleumstadt am anderen Ende der Bucht. Brasilien ist stolz darauf, daß es sein Erdöl nationalisiert hat. 1953 gründete Vargas unter dem Druck einer starken antiamerikanischen Strömung das Staatsmonopol Petróbras. Kein ausländisches Kapital durfte mehr in die Erdölgewinnung investiert werden. Das war ein Schlag gegen die amerikanischen Erdölkonzerne. Ein Jahr später trieb der ‹amerikanische› Clan Vargas zum Selbstmord, aber das Monopol blieb bestehen. Zuweilen beschäftigt Petróbras ausländische Techniker, aber sämtliche Vorkommen gehören der Gesellschaft. Am Ufer des Meeres erstreckt sich eine riesenhafte Raffinerie. Wir betrachteten sie von der Anhöhe aus, auf der die sehr weiträumige Arbeitersiedlung erbaut ist. In Brasilien ist das Proletariat im Vergleich zu den Bauern eine Aristokratie, und die Arbeiter der Petróbras stehen an der Spitze. Wir besichtigten auch einen Bohrturm mitten im Wald, dessen Bohrer bis in eine Tiefe von vier Kilometer vordringt.

Diese Ausflüge zeigten uns die brasilianische Landschaft, die Umrisse ihrer Hügel und die Farbe ihrer Wälder. Gleichzeitig informierten uns unsere Freunde über die politische Lage, aus der wir anfangs nur sehr schwer schlau werden konnten.

Ein Wahlkampf war im vollen Gang. Brasilien schickte sich an, einen neuen Präsidenten zu wählen. Außerdem bildete Rio, das seinen Rang als Hauptstadt an Brasilia hatte abtreten müssen, von nun an den neuen Teilstaat Guanabara, dessen Gouverneur und Abgeordnete es zu bestimmen galt. Drei Männer bewarben sich um das Amt des Präsidenten. Da Adhémar – dem man die Devise zuschrieb: «Ich stehle, aber ich handle» – keine Chancen hatte, entspann sich der Kampf zwischen Janio und Marschall Lott. Janio war der Kandidat der Rechten: Wenn er an die Macht käme, dann würde er die Interessen des Großkapitals fördern. Trotzdem hatte er Kuba und den Algeriern seine Freundschaft bekundet. Christina war entschlossen, für ihn zu stimmen. Sie trug Schuhe, die mit seinem Emblem, einem kleinen Besen, geschmückt waren: weil er versprochen hatte, die Korruption zu beseitigen. Lucia verkündete: «Er wird nur eine neue Garnitur Beutelschneider großziehen.» Christina sagte: «Da er Kuba und Algerien unterstützt, wird er etwas für die Bauern tun.» – «Er ist ein Hysteriker, er verspricht alles mögliche, ohne sein Versprechen zu halten», erwiderte die Schwester. Sie wollte genau wie Amado und die gesamte Linke für Lott stimmen. Lott versicherte, daß er als Nationalist und Antiamerikaner für die wirtschaftliche Unabhängigkeit Brasiliens kämpfen würde, wenn man ihn wählte. Er wurde von den Kommunisten und von Kubitschek unterstützt – dem zwar die Verfassung untersagte, als Kandidat aufzutreten, dessen Ansehen aber sehr groß war. Zu allem Unglück war Lott ein engstirniger Militär und in der Außenpolitik reaktionär. Er hatte sich gegen Kuba ausgesprochen. Seine Anhänger kommentierten seine Dummheit mit ebenso betrüblichen wie lustigen Anekdoten. Durch eine Krankheit verhindert, an einem Manöver teilzunehmen, beschloß er, es in seinem Garten abzuhalten: Zusammen mit seiner Ordonnanz trat er einen vierzig Kilometer langen Rundmarsch um den Garten an. Nach zwanzig Kilometern machten sie halt. Der Soldat war durstig und stellte fest, daß er seine Feldflasche vergessen hatte. Er wollte sie holen, aber Lott hielt ihn zurück. «Sie ist zwanzig Kilometer weit weg», sagte er. Sechs Wochen lang priesen Transparente, Plakate, Schallplatten, Lautsprecher die Verdienste der beiden Kandidaten. Ihnen zu Ehren ließ man Knallfrösche explodieren.

Wir verfolgten den Wahlkampf in den Zeitungen, deren Texten wir dank der Verwandtschaft des Portugiesischen mit dem Spanischen einigermaßen folgen konnten. Ich las die meisten in französischer Sprache geschriebenen oder ins Französische übersetzten Abhandlungen über Brasilien. Französische Übersetzungen gaben mir einen Einblick in die Literatur.

Wir verabschiedeten uns von den Schwestern T. und von Vivaldo, der voller Ungeduld auf die Ankunft eines afrikanischen Professors wartete, der ihm Nago beibringen sollte. Als wir das lachende und feuchte Bahia verließen, mit seinem gelben Lehm, seinen schwarzhäutigen Menschenmassen, seinen Kirchen, in denen die Kruzifixe Fetische sind, seinen Altären, auf denen Gipsheilige die afrikanischen Gottheiten repräsentieren, seinen Märkten, seiner Folklore, seinen Dorfzauberern, wußten wir, daß wir nun in eine andere Welt übersiedelten. Drei Stunden im Flugzeug. Die Erde war mit sägezahnartigen Bergen, den ‹Fingern Gottes›, kahlen Felsnadeln und Zuckerhüten gespickt. Ich sah eine mit zahllosen Inseln übersäte Bucht, die so groß war, daß mein Blick sie nicht erfassen konnte. Durch eine volkreiche und häßliche Straße, überfüllte

Avenuen mit flatternden Wahltransparenten und einen Tunnel gelangten wir zu unserem Hotel in Copacabana.

Copacabanas Schönheit ist so schlicht, daß man auf den Ansichtskarten überhaupt nichts davon entdeckt. Ich brauchte einige Zeit, um es zu begreifen. Als ich mein Fenster in der sechsten Etage öffnete, strömte heißer Duft in mein Zimmer herein, der von frischem Jod- und Salzgeruch gesättigt war, und dazu das Dröhnen der hohen Wellen. Die Kette der Hochhäuser beherrscht über sechs Kilometer die sanfte Rundung des riesigen Strandes, an dem der Ozean verebbt. Zwischen den beiden eine ganz flache Avenue: Die Begegnung zwischen den senkrechten Fassaden und dem flachen Sand wird durch nichts gestört. Die Kargheit der Architektur ist der Nacktheit des Bodens und des Wassers angepaßt. Der einzige Farbfleck in diesem Weiß: rot-gelbe, schwarzgefleckte Papierdrachen, die man mieten kann. Da es Winter war, sah man zwischen Straße und Meer nur wenige regungslose oder sich bewegende Silhouetten. Frühmorgens erscheinen die Dienstboten des Viertels, dann, gegen acht Uhr, die Angestellten und alle, die am Tage arbeiten, dann die Nichtstuer und die Kinder. Man badet wenig, da die Brandung zu stark ist. Es gibt noch andere kleine Buchten und besser geschützte Ufer. Hier geht man nur mit den Füßen ins Wasser, legt sich in die Sonne und spielt Fußball. Es war fast unvorstellbar, daß diese lässige Stille, die gewaltige Pracht des Ozeans und dieser Felsen zu einer vehementen und fiebernden Großstadt gehören. Abends dämpfte ein nach einer Sauna riechender Nebel die Lichter der Gebäude, die Leuchtröhren der Schilder, und nichts auf Erden war schöner als dieses Gefunkel, diese feuchte Frische.

Copacabana hat 300 000 Einwohner, zum größten Teil reiche Leute und Kleinbürger. Es war erfreulich, zwischen den schönen Häusern spazierenzugehen, die oft im Stil Le Corbusiers auf Pfeilern errichtet sind. Das Viertel endet am Fuß einer Felsklippe, auf die einige Wege hinaufführen; meistens aber benutzt man die Tunnels. Ganz Rio besteht aus Hügeln und Kuppen, die seine Straßen verbarrikadieren und von unterirdischen Avenuen durchzogen sind. Alle Hänge sind von einer üppigen grünen Vegetation bedeckt, der Wald dringt bis in die auch vom Meer belagerte Stadt vor. Keine andere Großstadt ist so eng mit der Natur verbunden. Eine Autofahrt durch Rio ist ein ewiges Bergauf und Bergab: Kurven, unerwartete Durchfahrten, schroffe Steigungen mit jähen und prachtvollen Ausblicken auf die Felsenküste mit ihrem Ring weißer Sandstrände. Vom Corcovado aus, auf dem man in siebenhundert Meter Höhe eine dreißig Meter hohe Christusfigur errichtet hat, hat man eine hinreißende Aussicht auf diese städtische und zugleich wilde Landschaft.

Nur die schönen Viertel der Stadt liegen auf der Höhe. Ihre Ausdehnung ist so groß, daß die Chauffeure sie in zwei Zonen eingeteilt haben: Die Taxis aus dem Norden fahren nicht nach dem Süden und umgekehrt.

Obwohl wir einige Male durch die häßlichen Arbeiterbezirke im Norden kamen, haben wir nur den südlichen Teil näher kennengelernt. Die Avenida Getulio Vargas entmutigte uns durch ihre Breite, aber wir gingen oft in der Avenida Rio Branco spazieren. Auf den Bürgersteigen ein Strom von Fußgängern, verstopfte Fahrbahnen, Läden, Kioske, Plakate, Bars, durch deren geöffnete Tür man die funkelnden Espressomaschinen und die mit Ananas-, Orangen-, Cajou- und Maracujasaft gefüllten Flaschen sieht, bunte Fähnchen, Spruchbänder: Das lebhafte Treiben machte zwar einen fröhlichen Eindruck, aber die Menschen sahen mißmutig aus. Die links und rechts für Motorfahrzeuge gesperrten Straßen wimmelten von Passanten. Dann wurden sogar die Fußgänger immer seltener, und die großen Geschäfte wichen ärmlichen Kramläden. Mitten im Zentrum der Stadt fühlten wir uns in ein altmodisches Nest versetzt. Mehr als einmal stiegen wir in den Anhänger einer Straßenbahn ein, deren langsames Tempo und zahlreiche Haltestellen uns Spaß machten. Wir besichtigten die von den jungen brasilianischen Architekten errichteten Bauten: das Museum für Moderne Kunst, die Wohnstadt von Alfonso Reidy, die Miethäuser von Nino Lévi, Niemeyer und Costa (die beiden letzteren sind Schüler Le Corbusiers, mit dem zusammen sie das Unterrichtsministerium gebaut haben. Ihre Arbeiten sind aber eleganter als die seinen). Portugal hat nur geringe Spuren hinterlassen. Mir ist der Name dieses mit Azulejos geschmückten ‹Largo› entfallen: Es ist ein großer Hof mit einem einzigen Zugang, abseits vom Stadtlärm, umgeben von Häusern im Kolonialstil und von Gärten mit gewaltigen Bäumen. Eine der von uns bevorzugten Örtlichkeiten war der Landungssteg, von dem aus kleine Dampfer auf die Inseln der Bucht zusteuern, Prahme und Fährboote Menschen, Autos und Waren nach Niterói befördern, das mit seinen 200 000 Einwohnern und seinen Wolkenkratzern am anderen Ufer wie ein verunglückter Zwilling Rios wirkt. Die Boote sind immer überlastet, und sehr oft melden die Zeitungen, daß dreißig oder fünfzig Passagiere ertrunken seien. Taxis und Straßenbahnen gibt es in Hülle und Fülle. Bei den Straßenhändlern und in den Läden kann man Speisen und Getränke kaufen. In den großen Hallen nebenan riecht es nach frischem Gemüse, nach Ananas, nach Fisch und nach abgehängtem Fleisch. Vom ersten Stock des Restaurants aus hat man einen Blick über die Bucht und ihre Boote, das feste Land und seinen Verkehr. Als wir eines Sonntags einer tristen Avenue folgten, die von einem Kanal durchschnitten wurde, erblickten wir in der Ferne Männer in roten, gelben und vor allem grünen Hemden. (Grün ist die Lieblingsfarbe der Brasilianer.) Sie unterhielten sich lachend mit Frauen, die sich in Trauben aus den Fenstern der weiträumigen, niedrigen Häuser beugten. Durch die offenen Tore sah man schöne Mulattinnen im Badeanzug auf den Treppen sitzen. Keine Heimlichtuerei. Unter freiem Himmel, am hellichten Tag machte es den Eindruck einer Dorfkirmes.

Abends strahlte Rio. Edelsteincolliers, Ordensbänder, Ketten, Gürtel funkelnder Brillanten schmückten die dunkle Haut. Noch besser gefielen mir im graublauen Nebel der Dämmerung die kleinen Gassen mit den geschlossenen Kramläden. Rio hat etwas Müdes und Welkes (die mit schwarzem und weißem Mosaik ausgelegten Trottoirs sind rissig, der Asphalt hat sich geworfen, die Hauswände bröckeln ab, die Chausseen sind schmutzig), das durch die Sonne und die Volksmenge verdeckt wird. Wenn die Armenviertel in der nächtlichen Stille untertauchen, durchgeistern Gespenster und Sehnsüchte die engen Straßen.

Von den drei Millionen Einwohnern Rios leben siebenhunderttausend in den *favellas*. Halbverhungerte Bauern, die oft von weit her kommen, um in der Stadt ihr Glück zu machen, lassen sich auf dem Gelände nieder, das seine Eigentümer aufgegeben haben: meist sind es Sümpfe oder steinige Hügel. Nachdem sie sich aus Brettern, Pappe und Blechresten eine Baracke gebaut haben, ist es den Behörden nicht mehr möglich, sie zu vertreiben. Die *favellas* wuchern an den steilen Hängen mitten in Rio. Ein Fremdenverkehrsfachmann hatte vorgeschlagen, sie zu bemalen, um das Elend zu übertünchen. Das Projekt schlief auf halbem Wege ein, aber einzelne Hütten prunken mit lebhaften Farben. Aus der Ferne gesehen, wirken manche dieser Viertel, auf den Gipfeln thronend, die Stadt und das Meer beherrschend, wie fröhliche Dörfer. Die Brasilianer zeigen die *favellas* nicht gern den Fremden. Aber Thérèse Carneiro, die wir in Paris kennengelernt hatten, zeigte uns eine *favella*, die in Copacabana auf einer mehr als hundert Meter hohen Anhöhe liegt und von viertausend Seelen, meist Negern, bewohnt wird. Mit ihrer Not, ihrem Schmutz, ihren Krankheiten glich sie allen übrigen *favellas*, hatte aber eine Besonderheit aufzuweisen: es wohnte eine Nonne dort, Schwester Renée oder ganz einfach Renée genannt. Tochter eines französischen Konsuls, hatte sie, von der Not der spanischen Bevölkerung beeindruckt, den Schleier genommen und war den Fußtapfen der ‹Arbeiterpriester› gefolgt. Man hatte ihr geraten, nach Rio zu gehen. Mit der Zustimmung des Eigentümers hatte sie ein Stück Boden ‹beschlagnahmt›, und die Einwohner der *favellas* hatten ihr geholfen, dort eine Krankenstube und eine Schule zu bauen. Sie war blond, rosig, fast schön mit ihren hohen Backenknochen und trug den blauen Kittel einer Krankenpflegerin. Sie überraschte uns durch ihre Intelligenz, ihre Kultiviertheit, ihren gesunden Menschenverstand und ihre materialistische Einstellung. «Mit den Leuten hier können wir erst dann über Gott reden, wenn sie Wasser haben ... Zuerst die Kanalisation, dann die Moral ...» Sie verteidigte die Bewohner der *favellas*. «Man wirft ihnen ihre zahlreichen Verbrechen vor. Ich finde, daß sie angesichts der Bedingungen, unter denen sie leben, nur wenige Verbrechen begehen.» Sie deutete auf den Club am Meeresufer, wo die Jeunesse dorée Tennis spielte und in der Sonne faulenzte. «Bei meinem Temperament würde ich hingehen und sie erschlagen. Die Armen aber haben nicht genug zu essen, deshalb können sie nicht aufbegehren.» Auf ihrem Tisch lag ein dickes Buch über den Hanf. Die Männer und Frauen in den *favellas* berauschen sich mit Drogen, die sie in heftige Delirien versetzen. Am Samstagabend werden in mehreren Baracken *macumbas* gefeiert, die sich beträchtlich von den gesitteten *candomblés* in Bahia unterscheiden. Bei diesem, von seinen ländlichen Traditionen abgeschnittenen Lumpenproletariat ist die Besessenheit nicht ein kollektives, sondern ein individuelles Abenteuer. In ihrer Trance gehen die Eingeweihten so weit, daß sie sich Brand- und Stichwunden zufügen, darunter oft sehr ernste Verletzungen. Am Sonntagmorgen werden sie dann von Renée verarztet. Sie ist überzeugt, daß die Leute magische Heilmittel kennen. Sie hatte tiefe Hautrisse gesehen, die eine Stunde später vernarbt waren. «Es steckt schon etwas hinter ihrer Religion», sagte sie, ohne sich weiter Sorgen zu machen. Zweifellos war sie der Meinung, daß die Wege des Herrn unerforschlich seien. Sie verwaltete ihre *favella* nach einer Methode, die ich bereits in China kennengelernt hatte. Sie hatte die Bevölkerung dazu bewogen, für ihr eigenes Wohl tätig zu werden. Die Männer hatten Straßen angelegt und zementiert und eine Art Abflußgräben gezogen. Sie war ihnen behilflich, der Stadt elektrischen Strom zu stehlen. Gleichzeitig bestürmte sie die Stadtverwaltung, Strom auf legalem Wege zu liefern und außerdem für eine Wasserleitung und eine richtige Kanalisation zu sorgen. Sie wurde von einigen Frauen aus der Umgebung unterstützt und war bemüht, Ersatzkräfte heranzubilden. Seite an Seite mit den Negern wohnte dort eine recht wohlhabende weiße Minderheit, und Renée bekämpfte ihre Rassenvorurteile. Sie hatte auch noch andere Probleme. Das Viertel war überfüllt, die Gemeindebehörden und die Vernunft untersagten weiteren Zuzug. Wenn neue Menschen ankamen, wurden sie abgewiesen. «Aber das ist keine Barmherzigkeit», sagte sie. «Man kann den Menschen das Dach über dem Kopf nicht verweigern.» Sie beabsichtigte während ihres vierwöchigen Urlaubs, den ihre Vorgesetzten ihr aufgezwungen hatten, sich mit den Indianern in Amazonas zu beschäftigen. «Man muß doch seine Ferien auf vernünftige Weise verbringen», sagte sie lächelnd. Spontan, direkt, ohne einen Schatten von Selbstgefälligkeit, entwaffnete sie jede Kritik, die man für gewöhnlich gegen die Patronatsdamen und die barmherzigen Schwestern vorbringen kann. Sie betrachtete die Menschen, denen sie diente, nicht mit den Augen der Gesellschaft oder des lieben Gottes, sondern eher die Gesellschaft und den Herrgott mit den Augen dieser Menschen.

Zélia konnte fahren, und Christina, die mit ihrer Mutter nach Rio gekommen war, besaß ein Auto. Sie zeigten uns die Umgebung: die zerklüftete Küste, die die Verlängerung der weißen Sandstrände bildet, und an den Hängen des tausend Meter hohen Tijucas den mächtigen und dicht belaubten Wald, der heute die Stelle der alten Kaffeeplantagen einnimmt. Die Amados fuhren mit uns nach Petrópolis, ins Gebirge. Im Sommer, wenn Rio in Hitze erstickt, mieten sie sich in einem riesigen Hotel ein, das eigentlich als Spielkasino hätte dienen sollen. Das Roulettespiel wurde verboten, und nun liegen die öden Säle in langen Reihen nebeneinander. Wir besichtigten auch die Villa, in der Stefan Zweig Selbstmord begangen hatte. Ein andermal nahmen wir das Boot und fuhren zusammen mit Zélia zur Insel Paquetá, auf der wir eine Fahrt mit der Kutsche machten, die gut zu den schönen, etwas vernachlässigten Häusern paßte. Die Gärten sind verwildert und riechen nach Eukalyptus, dem Duft längst entschwundener Zeiten.

Abends aßen wir auf einer der Terrassen des ‹Atlantica›, betrachteten das Gefunkel der Lichter, lauschten dem Rauschen der Brandung, gaben uns der lauen und feuchten Liebkosung der Luft hin. Wir aßen oft in den *churrascarias* zu Mittag. Vor einem Holzfeuer befindet sich eine Galerie senkrecht in den Boden eingefügter Eisenspieße, an denen ganze Schweine-, Hammel- und Rinderviertel stecken: So braten die Gauchos im Süden ihr Fleisch. Das *churrasco* wurde mit einer Vorrichtung serviert, die den Spieß waagerecht hält. Nirgendwo auf der Welt habe ich so saftiges Fleisch gegessen. Europäer mögen gewöhnlich den Maniok nicht, den man als Zutat reicht. Wenn er gut geröstet ist, finde ich ihn schmackhaft. Die Luft ist vom Geruch des brennenden Holzes erfüllt.

In Brasilien heißt das bescheidenste Hotelrestaurant *boîte* (französisch). In Copacabana gibt es auch viele *boîtes,* die unserer französischen Bezeichnung weit eher entsprechen, also Kneipen sind. Da die Amados nicht gern dorthin gingen, besuchten wir allein diese düsteren Spelunken, die man ‹Die kleinen Höllen› nennt, weil sich vor einem Hintergrund aus Alkohol und Musik mehr oder weniger käufliche Idyllen abspielen. Graham Greene, der zur PEN-Club-Tagung nach Rio gekommen war und die literarischen Diskussionen scheute, hatte dort den größten Teil seiner Zeit verbracht.

Jorge und Zélia waren uns von Anfang an sympathisch gewesen. In Rio wurden wir enge Freunde. Wir hätten nicht gedacht, daß wir in unserem Alter, nachdem wir so viele Bindungen hatten in die Brüche gehen sehen, noch einmal die Freude einer neuen Freundschaft erfahren würden. Zélia, Tochter eines von der Polizei ermordeten Kommunisten und selber Kommunistin, hatte Jorge bei einem Wahlkampf kennengelernt. Er hatte einen heißen Kampf gegen einen Mann geführt, den sie nicht mehr liebte. Seit fünfzehn Jahren waren sie ein glückliches und lebenslustiges Paar. Ihrer italienischen Herkunft verdankt Zélia ein jugendliches Naturell und eine jugendliche Frische. Sie hatte Charakter und Temperament, einen scharfen Blick und eine lebhafte Zunge. Sie war anregend und eine der wenigen Frauen, mit denen ich lachen konnte. Auch bei Jorge hielten sich Zurückhaltung und Leidenschaft das Gleichgewicht. Hinter seiner Bedachtsamkeit spürte man starke, beherrschte

Stürme. Für die «schönen kleinen Dinge des Lebens», wie er sich ausdrückte, war er sehr empfänglich: gutes Essen, schöne Frauen, Gelächter,
Gespräche. Er war gegenüber anderen Menschen aufmerksam und stets
bereit, sie zu verstehen und ihnen zu helfen, hatte aber ausgeprägte
Aversionen und konnte sehr ironisch werden. Fest in brasilianischer Erde
verwurzelt, nahm er eine privilegierte Stellung ein: In dem Augenblick,
da ein Land bemüht ist, seine Zerrissenheit zu überwinden, ehrt es die
Schriftsteller und die Künstler als Helden, die ihm ein Bild der ange-
strebten nationalen Einheit bieten. Wer lesen konnte, kannte *Gabriela
wie Zimt und Nelken,* und in keinem anderen Land habe ich einen so
allgemein beliebten Autor gesehen. Er war in einem ‹Invasionsbezirk›
genauso zu Hause wie bei einem Milliardär und brachte es fertig, uns
heute dem Präsidenten Kubitschek und morgen der ‹Heiligenmutter›
vorzustellen.

Als junger Mensch war er unter Vargas ins Gefängnis gewandert. Als
die KP später verboten wurde, ist er mit Zélia emigriert. Sie hatten
während einer sehr schwierigen Zeit zwei bis drei Jahre in der Tschechoslowakei verbracht. Sie hatten Paris, Italien, Wien, Helsinki, Moskau,
Pakistan, Indien, China und noch andere Winkel dieser Erde, die ich
vergessen habe, kennengelernt. Auf den Kongressen und Reisen waren
sie oft mit dem kubanischen Dichter Nicolás Guillén und dem Chilenen
Neruda beisammen. Um die Langeweile offizieller Besuche zu überbrücken, heckte er allerlei Streiche aus. Als sie in Peking einer Opernvorstellung beiwohnten und er zwischen Guillén und einem Dolmetscher
saß, gab er Guillén eine Version der Oper wieder, die diesen wegen
ihrer Obszönität empörte. Wenige Tage später unterhielten sie sich mit
chinesischen Schriftstellern über das Theater. «Ich verstehe nicht», sagte
Guillén entrüstet, «daß ihr die Tradition so weit respektiert, daß ihr in
den Stücken, die ihr dem Volk vorführt, pornographische Szenen bei-
behaltet.» Die Chinesen waren verdutzt. Amado lachte sich halbtot, und
Guillén begriff plötzlich den Zusammenhang. «Ah – du!» sagte er, ohne
den Mund zu verziehen. Von Wien aus schickte er Telegramme an Neruda: «An den größten Dichter Lateinamerikas» – um Guillén zu ärgern.
Ein andermal aber zeigte er Guillén einen von ihm selbst fabrizierten
Brief, in dem eine Bewunderin sich Neruda offeriert. Neruda las ihnen
den Brief beim Frühstück vor. Dann verdüsterte sich seine Miene. «So
eine dumme Gans! Sie hat vergessen, ihre Telefonnummer anzugeben.»
Zélia und er konnten mit zahllosen Geschichten über zahllose Leute
aufwarten.

Zélia sprach sehr gut Französisch, da sie die Sprachkurse der Alliance
Française besuchte. Jorge sprach weniger korrekt, aber fließend, wie die
meisten Brasilianer, die wir kennenlernten. Alle hatten gewisse ‹Bra-
silianismen› miteinander gemein. Statt Person, Mensch, Kerl sagte Amado: Monsieur. «Dieser Monsieur hat ein Gesicht, auf das ich mich nicht

besinnen kann ... Ich glaube, er ist ein übler Monsieur.» Wenn er uns unsere Verabredungen mitteilte, sagte er: «Heute nachmittag habt ihr drei Kompromisse.» Darin lag eine Finesse, die uns allzu gut gefiel, als daß wir ihn jemals korrigiert hätten.

Zwei Minuten von unserem Hotel bewohnten die Amados ein großes, mit Fliesen ausgelegtes Appartement, das mit Büchern vollgestopft war. Die Regale waren mit Volkskunstgegenständen beladen. Aus allen Winkeln der Erde hatten sie Vasen, Krüge, Spielzeug, Schachteln, Puppen, Statuetten, Terrakottafiguren, Keramik, Musikinstrumente, Masken, Spiegel, Stickereien, Schmuck mitgebracht. Ein pastellfarbener Vogel flog frei im Arbeitszimmer umher. Sie hatten einen Sohn und eine Tochter von ungefähr zwölf und acht Jahren. Der Sohn Juan, den die Schulzeitung gebeten hatte, Sartre zu interviewen, sträubte sich lange und wandte ein: «Er behauptet, daß er der Jugend nichts mehr zu sagen hat.» (Eine Anspielung auf das Vorwort zu *Aden-Arabie*.) Eine französische Freundin wohnte bei ihnen, und Jorges Bruder, ein Journalist, kam oft zu Besuch. Für uns war es ein Heim. Fast jeden Abend tranken wir dort *batidas* mit Maracuja, Cajou, Zitrone, Pfefferminz. Manchmal aßen wir bei ihnen, oder sie begleiteten uns, wenn wir essen gingen. Jorge traf unsere Verabredungen und schützte uns vor zudringlichen Leuten mit einer hartnäckigen Geduld, die manch einen vor den Kopf stieß. Ein abgewiesener Journalist beschuldigte ihn in einem giftigen Artikel, uns wie Gefangene zu behandeln. Die offiziellen Mittagessen mit Universitätsprofessoren, Schriftstellern, Journalisten fanden am Ufer der Bucht statt. Die Umgebung war so schön und das Essen so gut, daß ich mich kaum langweilte.

Als *Ouragan sur le sucre* in der *Ultima Hora* veröffentlicht wurde, beschlossen Rubem Braga und einer seiner Freunde, ein linker Katholik, eine Buchausgabe zu besorgen, und kamen zu uns, um das Nötige zu besprechen. Außerdem sahen wir Di Cavalcanti wieder. Gewundene Straßen führten uns quer durch das Gebiet des Tijucas zu Niemeyer. Er bewohnte hoch oben eine Villa, die er selber gebaut hatte und die eher einer abstrakten Skulptur als einem Haus ähnelte. Die Terrasse war überdacht, das Atelier nach allen Seiten offen. Er bewirtete uns mit Gin-Tonic, und wir plauderten, als ob wir uns schon lange kennen würden. Für einen Architekten war es eine einzigartige Chance, eine Stadt in allen ihren Teilen bauen zu dürfen, und er war Kubitschek dankbar dafür, daß er sie ihm geboten und ihn gegen alle und jeden unterstützt hatte. Aber er war Kommunist – ebenso wie Costa, der den Grundriß der neuen Hauptstadt entworfen hatte –, und er stellte sich Fragen, über die er sich mit uns in Brasilia ausführlich unterhalten wollte.

Abgesehen von Villa-Lobos kannten wir kaum brasilianische Musik. Die ‹Sambaschulen›, in denen für den Karneval geprobt wird, waren noch geschlossen. Amado spielte uns Schallplatten vor. Er lud einen

Komponisten ein, der zur Gitarre sang. Der Verfasser des Theaterstücks *Orfeu negro* veranstaltete uns zuliebe einen Abend. (Er hielt gar nichts von dem Film, den er als eine Fälschung bezeichnete. Sämtliche Brasilianer, die ich gesprochen habe, warfen Marcel Camus vor, daß er ihr Land in einem allzu leichtfertigen und verlogenen Licht geschildert habe.) Bei ihm trafen wir eine aus Burschen und Mädchen bestehende Bossa-Nova-Kapelle: sie spielten Klavier und Gitarre und sangen in einem so diskreten Stil, daß im Vergleich dazu selbst der Cool Jazz in Reinkultur brennend heiß wirkte. Beim Weggehen sagte Sartre zu mir, daß ihn die jungen Mädchen genauso verlegen machten wie Algren die Homosexuellen damals im Carrousel. Als er die hübschen Züge, die üppigen Kurven einer Frau betrachtete, entdeckte er plötzlich, daß er ein dreizehnjähriges Mädchen begaffte.

Wir verbrachten einen Abend bei Josué de Castro, von dem seine Feinde sehr zu Unrecht behaupteten: «Der Hunger ernährt ihn gut.» Er war genauso interessant wie seine Bücher und sehr amüsant. Junge Volkswirtschaftler sprachen mit uns über brasilianische Wirtschaftsprobleme. Dann kam man vom Hundertsten ins Tausendste. Ein Thema, das immer wiederkehrte: die in Brasilien so häufigen Unfälle aller Art. Die Straßenbahnen in Rio sind dermaßen überfüllt, daß ein Stoß genügt, die sich außen festklammernden Fahrgäste abzuschütteln. «Und das ist noch nichts gegen die Vorortzüge», sagte Amado. Oft stürzen Fahrgäste zwischen die Gleise, werden schwer verletzt oder tot geborgen. Castro und Amado, die nicht einmal, sondern dreimal rund um die Welt gereist waren, versicherten, daß sie in den brasilianischen Flugzeugen vor Angst sterben. (Zwei Jahre später, im Sommer 1962, befand sich Castro mit seiner Tochter und einem einige Monate alten Enkelkind in der Maschine, die nach dem Start bei Rio ins Meer gestürzt ist. Das Kind ertrank.) Sie erzählten, daß Niemeyer, der oft von Brasilia nach Rio fahren muß, lieber achtzehn Stunden im Auto sitze als eine Stunde im Flugzeug. Da es wenig Straßen und Eisenbahnlinien gibt, besitzt Brasilien nach den USA das weitverzweigteste Flugnetz der Welt, aber eine sehr unzulängliche Ausrüstung. Das Land – und das ist einer der Gründe für einen verblüffenden Charakterzug der Brasilianer, die Vorliebe für den Bluff – lebt über seine Verhältnisse. Mit einem Fuß steht es schon in der Zukunft: Blühende Industrien, moderne Städte, Erdöl im Überfluß. Aber es tritt ihr mit ärmlichem, aus der Vergangenheit ererbtem Werkzeug entgegen: veraltete Transportmittel zu Wasser und zu Land, schlechte Straßen, unzulängliche Laboratorien, Methoden und Kader. Also kommt man nicht sehr weit. Außerdem grassiert wie in allen von einem fremden Imperialismus abhängigen Ländern – auf Kuba vor Castro, in China vor Mao – die Korruption. Im Verhältnis zu der wehrlosen und in bodenlosem Elend lebenden Bevölkerung nehmen sich die Reichen wie eine Art Mafia aus, die nichts anderes im Kopf hat, als sich die Taschen zu füllen, und zwar möglichst schnell, ohne auf die Bauten, den Transport, die Impfungen, die Nahrungsmittel, die elementarsten Sicherheitsvorkehrungen Rücksicht zu nehmen. Die Brasilianer hatten das Risiko, das im vorigen Jahrhundert mit jedem Unternehmen verknüpft war, mit knapper Not reduziert, als sich ihre Tätigkeit auf allen Ebenen – Menschen, Material, Raum – maßlos erweiterte. (Das Impfstoffdrama in Fortaleza, der riesige Zirkusbrand in Niterói haben in der Folge das, was ich hier sage, tragisch beleuchtet.) Brände in den *favellas*, eingestürzte Baugerüste, mit Bauern beladene Lastautos, die in den Straßengraben kippen, Schiffe, die untergehen – irgend etwas an diesen Katastrophen erinnerte mich – wenn auch nicht in diesem Ausmaß – an Italien. Dort wartet man auch, bis die Arbeiter umgekommen sind, bevor man sich über ihre Arbeitsbedingungen den Kopf zerbricht: Aber man ist immerhin beunruhigt. In Brasilien nicht: Da es genügend Arbeitskräfte gibt, ist ein Menschenleben keinen Pfifferling wert.

Es war bereits sehr spät, als Prestes erschien. Ich hatte das Buch gelesen, das Amado über ihn geschrieben hat. Als Hauptmann schloß er sich 1924 mit seinem Bataillon einer paulistischen Revolution an, die gescheitert ist. Dann irrte er, von der Polizei verfolgt, sechs Jahre mit fünfzehnhundert Mann in Brasilien umher und predigte den Umsturz. Während dieses ersten langen Marsches wurde er zum Kommunismus bekehrt. Als er 1935 versuchte, die Armee gegen Vargas aufzuwiegeln, wurde er zu einer Gefängnisstrafe von sechsundvierzig Jahren und acht Monaten verurteilt. Seiner aus Deutschland stammenden Frau schnitten die ‹Grünhemden› die Brüste ab und lieferten sie den Deutschen aus. Sie starb in einem Konzentrationslager. Er wurde 1945, nachdem Vargas das Land verlassen hatte, freigelassen und übernahm die Leitung der Kommunistischen Partei Brasiliens, die damals die bedeutendste auf dem südamerikanischen Kontinent war. 1947 wurde die Partei durch Dutra aufgelöst, und Prestes flüchtete in die Illegalität. Nachdem er aber 1955 dem nationalistischen Kandidaten Kubitschek die kommunistischen Stimmen zugeführt hatte, brauchte er sich nicht mehr zu verstecken. Die Lage der Kommunisten ist seltsam. Die Partei ist nach wie vor verboten. Aber im Namen der persönlichen Freiheit hat jeder das Recht, Kommunist zu sein und sich mit Gesinnungsgenossen zusammenzutun. Prestes hat keine Ähnlichkeit mehr mit dem jungen und schönen ‹Ritter der Hoffnung› aus der Heldenzeit. Er hat in einem langen dogmatischen Exposé die Bauernverbände angegriffen und Mäßigung gepredigt: Wenn man der Entwicklung ihren Lauf ließe, würde Brasilien von selbst ein sozialistisches Land werden. Er hielt öffentliche Ansprachen zugunsten Lotts, des Regierungskandidaten, der meinen Freunden von Tag zu Tag widerwärtiger wurde. «Ich würde für ihn stimmen, wenn er mich nicht einsperren würde», sagte Amado. Warum schlugen die Kommunisten nicht einen Mann vor, der, ohne es offen zu bekennen, ihren Standpunkt vertrat? Sie waren nicht sehr zahlreich und wagten nicht, ihre Anhänger zu zählen. Der Wahlkampf betraf sowieso nur die Hälfte der Bevölkerung. Die Bauern können weder lesen noch schreiben, und Analphabeten haben kein Wahlrecht. Trotzdem bezeichnen sich die Brasilianer als Demokraten, und das stimmt bis zu einem gewissen Grad. Da sie keinen Dünkel kennen, sind Herr und Diener nach außen hin gleichberechtigt. Als uns der Verwalter der *fazenda* zu einem Glas einlud, wurde unser Chauffeur zusammen mit uns im Salon bewirtet. Die Kluft liegt aber tiefer. Die Plantagenarbeiter werden von den Verwaltern nicht als gleichberechtigt, ja nicht einmal als Menschen behandelt. Die Brasilianer lehnen auch bis zu einem gewissen Grad die Rassenvorurteile ab. Fast alle haben jüdisches Blut, weil die Portugiesen, die nach Südamerika auswanderten, meistens Juden waren; fast alle haben Negerblut. Trotzdem habe ich in bürgerlichen Kreisen einen recht starken Antisemitismus vorgefunden. In den Salons, an den Universitäten (Vivaldo aus Bahia war die einzige Ausnahme, er ist zwar Mischling, hat aber eine sehr helle Hautfarbe), unter unseren Zuhörern habe ich nie ein schokolade- oder milchkaffeebraunes Gesicht entdeckt. Während eines Vortrages in São Paulo machte Sartre eine diesbezügliche Bemerkung. Dann aber mußte er sich korrigieren, weil sich tatsächlich ein Neger im Saal befand, der allerdings technischer Angestellter des Fernsehens war. Zugegebenermaßen hat die Rassentrennung wirtschaftliche Gründe; tatsächlich aber sind die Nachkommen der Sklaven Proletarier geblieben, und in den *favellas* fühlen sich die armen Weißen den Schwarzen überlegen.

Das hindert die Brasilianer nicht daran, an ihren afrikanischen Traditionen festzuhalten. Alle Brasilianer, die ich kennenlernte, standen unter dem Einfluß des Nago-Kultes. Wenn sie auch nicht, wie Vivaldo, von der Existenz der Heiligen überzeugt waren, glaubten sie zumindest an okkulte Kräfte. Als die ‹Heiligenmutter› uns die Namen unserer Schutzpatrone offenbarte, versicherte Amado, daß man zu dem gleichen Resultat käme, wenn man eine andere Priesterin fragen würde. Als Großwürdenträger des *candomblé* befolgte er alle Vorschriften. Als er einmal eine Schüssel Bohnen zurückwies, sagte er zu Sartre: «Mein Heiliger verbietet sie mir. Sie sind ein Oxala. Ihnen ist alles erlaubt, was weiß ist.» Er lächelte, aber er fügte sich ohne Zweifel lieber dem Aberglauben, als daß er das Risiko auf sich genommen hätte, ihn zu verspotten. Sartre fragte die rationalistische und positivistische Großstädterin Zélia. Obwohl sie nicht an das Übernatürliche glaubte, zögerte sie, *nicht* daran zu glauben. Amados Vater litt an Krebs und bildete sich ein, daß ein böser Geist ihn quäle. Da ließ Zélia einen Geisterbeschwörer kommen, das ganze Haus nahm an der Beschwörungszeremonie teil, und die Hausfrau verfiel in Trance. Die Schmerzen des alten Mannes verschwanden. Sooft sie wiederkehrten, verscheuchte sie der Geisterbeschwörer. «Was soll man davon halten?» fragte Zélia. Nach alter Gewohnheit trug sie das geweihte Halsband in den Farben ihres Heiligen. Ein kleiner Vorfall erschien uns bezeichnend. Jemand hatte Sartre ein Amulett geschenkt, das ihm den Schutz Oxalas sicherte. Nach dem Essen in der Wohnung eines Journalisten beglückwünschten die Gäste die Köchin. Zélia deutete auf Sartre und sagte zu ihr: «Er hat den gleichen Heiligen wie Sie.» Da zeigte ihr Sartre sein Amulett. Da die Köchin glaubte, daß er es ihr schenken wolle, nahm sie es mit Dank entgegen. Am nächsten Tag rief ein Journalist Amado an: Ob nicht Sartre seine unüberlegte Handlungsweise bereue und das Geschenk zurückhaben wolle.

Zélia berichtete, daß ein Freund, O., der Abgeordneter werden wollte, sie eines Morgens gebeten habe, ihn und seine Frau vor Tagesanbruch auf den Tijucas hinaufzufahren. Den Vorschriften eines *babaló* gehorchend, stiegen sie aus dem Auto aus, holten einen Korb mit Eiern hervor und warfen etwa ein Dutzend, Stück für Stück, in eine Schlucht. Als sie nachts Almosen austeilen sollten, durchstreiften sie die Stadt auf der Suche nach einem Bettler und weckten schließlich einen Landstreicher, der auf einer Bank lag. O. wurde nicht gewählt. Während unseres Aufenthaltes kandidierte er abermals und organisierte eine *umbanda*-Zeremonie. Amado schlug uns vor, daran teilzunehmen. Zélias Auto folgte dem mit Flugzetteln beklebten Propagandawagen O.s quer durch Rio. «Wählt O.!» tönte es aus dem Lautsprecher. Da rief der kleine Juan Amado ins Mikrophon: «Stimmt für O.! Stimmt für Sartre, für Amado! Stimmt nicht für O.!» Da der Wagen Umwege machte, um hier und dort Wahlhelfer abzuholen, brauchten wir zwei Stunden, um in den nördlichen Sektor der Stadt zu gelangen, und irrten in abgelegenen Vorstädten umher, bevor wir einen Garten fanden, wo die Spruchbänder verkündeten, daß O.s Wahlversammlung am späten Nachmittag stattfinden werde. Dichtes Gesträuch umgab das große Haus, in dem eine ‹Heiligenmutter› ein Dutzend Adoptivkinder aufzog. Sie lagen kreuz und quer in den Betten oder spielten unter den Bäumen. Die Frau, kohlschwarz, sehr dick, prachtvoll gekleidet, ließ uns einen Altar bewundern, der den Altären in Bahia ähnelte, wenn er auch viel reicher geschmückt war. Der riesige Tisch, an dem wir zu Mittag essen sollten, war noch nicht gedeckt. In der Küche und im Garten waren Frauen an den Herden beschäftigt. Wir waren vor Hunger halb umgekommen, als man uns endlich gegen drei Uhr Reis mit Krabben und gebratenes Schweinefleisch servierte. Es war alles sehr schmackhaft, wurde uns aber durch eine pompöse Ansprache O.s ein wenig verdorben. Da wir einen ‹Kompromiß› in Rio hatten, machten wir uns mitten in dem Bankett aus dem Staube. O. wurde wieder nicht gewählt.

Die brasilianische Linke war dafür, enge Wirtschaftsbeziehungen zu den jungen Völkern des schwarzen Afrikas aufzunehmen. Sie kritisierte Kubitscheks Besuch bei Salazar. Die Brasilianer haben die Diktatur kennengelernt und verabscheuen sie. Den Kolonialismus finden sie widerwärtig. Die portugiesischen Emigranten, die wir getroffen haben, bezogen gegenüber Afrika eine faschistische Haltung, obwohl sie in der Heimat Demokraten waren: Sie waren dafür, den Aufstand in Angola niederzuschlagen. Die Brasilianer, die ihre Unabhängigkeit erst vor 140 Jahren erkämpft haben, ergreifen stets für die Völker Partei, die ihre Freiheit fordern. Deshalb fand Sartre bei ihnen ein so lebhaftes Echo, wenn er von Algerien und Kuba sprach, vor allem von Kuba. Die Revolution Castros betraf sie unmittelbar, da auch sie unter der Fuchtel der USA leben und sich mit den Problemen der Agrarreform beschäftigen.

In Recife sprach Sartre über Algerien, ohne die französische Regierung offen anzugreifen – zur großen Erleichterung des französischen Konsuls, eines dicken, freundlichen Mannes. Auch in Bahia blieb er zurückhaltend. Als aber die Universität von Rio – deren Liberalismus sprichwörtlich ist – ihm für eine Pressekonferenz einen Saal zur Verfügung stellte, beschloß er, aufs Ganze zu gehen. Die Fragen, die man ihm in bezug auf de Gaulle und Malraux stellte, beantwortete er in aller Offenheit. Die gesamte Presse berichtete über diesen Dialog, und von nun an veröffentlichten in Rio und in São Paulo Tageszeitungen und Wochenzeitschriften in jeder Nummer Fotos von Sartre und ausführliche Kommentare über seine Tätigkeit. Der Vortrag, den er an der Universität hielt, war ebensogut besucht wie der, den junge Volkswirtschaftler organisierten und der sich mit dem Kolonialsystem beschäftigte: Der letztere fand in ihrem Studentenhaus statt, und der Saal war zu klein, um das Publikum zu fassen, das sich auf den Balkonen und in den Gärten drängte. Die Zuhörer und der Redner schwitzten dermaßen, daß Sartres Hemd – nachdem er sich endlich den Beifallsstürmen entzogen hatte – blau geworden war, weil die Weste abgefärbt hatte. Rubem Braga brachte das Kunststück fertig, *Ouragan sur le sucre* noch vor unserer Abreise erscheinen zu lassen, und Sartre willigte ein, aus Solidarität mit Kuba, das Buch öffentlich zu signieren. Aus demselben Grunde setzte ich mich trotz meiner Bedenken in einen reich geschmückten Saal neben ihn an einen mit frisch gedruckten Bänden beladenen Tisch und signierte Bücher. Einer der Käufer wollte Sartre eine Freude machen und überreichte ihm ein Porträt de Gaulles, das er eigenhändig gemalt und eingerahmt hatte. An der Universität hielt ich – nicht weil ich Lust hatte, sondern weil man mich darum gebeten hatte – einen Vortrag über die Lage der Frau.

Die französische Kolonie begegnete uns mit unzweideutiger Feindseligkeit. Sartre hatte nicht nur – in Vorträgen, Artikeln, Interviews, im Radio und im Fernsehen usw. – seine Ansicht über die Situation in Algerien und de Gaulle dargelegt, sondern auch den Vertreter der GPRA besucht, der mit seiner Frau, einer ehemaligen französischen Lehrerin, in Copacabana wohnte. Er zeigte uns gefälschte Nummern des *El Mou-*

*jahid*, die die Propagandaabteilung der französischen Armee, Abteilung psychologische Kriegführung, hergestellt hatte. Den Dienst, den Sartre ihrer Sache erwies, fanden sie sehr wichtig. (Als Ben Kheddah sich im Herbst 1961 nach Brasilien begab, war er erstaunt darüber, was Sartre für die algerische Sache getan hatte. Er erzählte Lanzmann und Fanon, daß ihn die Behörden bei der Landung hätten abweisen wollen und daß Studenten, die in Scharen zu seinem Empfang erschienen waren, ihn im Triumph vom Flughafen geleiteten. Und sogleich wäre der Name Sartre gefallen.)

Unser Aufenthalt in Rio wurde durch einen Abstecher von einer Woche in das eine Flugstunde entfernte São Paulo unterbrochen. «Würdet ihr nicht eine ruhige Nacht im Schlafwagen vorziehen?» schlug Amado vor, fügte sich dann aber bereitwillig. Bei unserer Ankunft waren zahlreiche Menschen auf dem Flughafen versammelt, vor allem junge Leute, die Plakate trugen: *«Cuba si, Yankee no»*, und Sartre und Castro zujubelten. Die «Sartre-Gesellschaft», die hauptsächlich aus Studenten und jungen Professoren bestand, nahm sich unser an.

Die Stadt ist nicht schön, aber von einer überschäumenden Lebendigkeit. Sie ist eine der Wiegen Brasiliens gewesen. Die Jesuiten ließen sich Mitte des 16. Jahrhunderts in dieser Gegend nieder, und von dort aus zogen die *bandeirantes* los, um das Innere des Landes zu erobern. São Paulo ist außerdem Brasiliens modernste Stadt: breite Verkehrsadern, Viadukte, Hochhäuser, eine betriebsame Menschenmenge, ein dichter Verkehr, eine Fülle kleiner Läden und Luxusgeschäfte. In den Jahren zwischen 1900 und 1960 ist die Bevölkerungszahl von 80 000 auf 3,5 Millionen gestiegen, und man baut immer noch: überall standen halbfertige Häuser. Aber es fiel uns auf, daß die Maurer sehr langsam arbeiteten und daß auf manchen Baustellen überhaupt nicht gearbeitet wurde. Die ungeheure Inflation, in die das Land hineingeschlittert war, hatte eine Wirtschaftskrise nach sich gezogen. Viele Bauvorhaben waren eingestellt worden. Man zeigte uns das italienische Viertel, das keine besonderen Merkmale aufweist, und das japanische, das sehr typisch ist. Dort wohnen fast nur Japaner. Die Geschäfte verkaufen japanische Waren, die Restaurants servieren japanische Spezialitäten auf japanische Art. Es gibt in São Paulo eine sehr vornehme Wohngegend mit blühenden Gärten, Häusern im Kolonialstil, ultramodernen Villen. Aber es gibt auch *favellas*. Es war viel von dem Tagebuch einer Negerin namens Carolina die Rede, die das tägliche Leben in ihrer *favella* wahrheitsgetreu beschrieben hatte. Ein junger Reporter hatte durch Zufall davon erfahren, und das Buch war dabei, ein Bestseller zu werden. (Inzwischen wurde es unter dem Titel *Le Dépotoir* ins Französische übersetzt.) In den volkreichen Straßen fielen uns die zahlreichen Plakate auf, auf denen die Vorzüge des Spiritismus gepriesen oder spiritistische Seancen angekündigt wurden. Ich fuhr an einem Sonntag nach Santos, als im Hafen kein Betrieb war. Die Promenade am Meeresufer mit ihren Palmen, ihren Plätzen, ihren Kiosken, ihren Kinderwagen erinnerte mich an die Schönheit Copacabanas.

Das stärker industrialisierte São Paulo übertrifft an geistiger Betriebsamkeit sogar noch Rio de Janeiro. Pressekonferenzen, Fernsehen, Zusammenkünfte, Diskussionen mit jungen Soziologen und Volkswirtschaftlern, Bücher signieren, mit Schriftstellern zu Mittag essen, ein Museum zusammen mit einer Gruppe von Malern besuchen, die uns zuschauten – welche Prüfung! –, als wir ihre Bilder betrachteten: Wir hatten keine ruhige Minute. Je besser wir die brasilianischen Intellektuellen kennenlernten, desto sympathischer wurden sie uns. Da sie sich darüber klar sind, daß sie einem im Aufstieg begriffenen Lande angehören, von dem die Zukunft ganz Lateinamerikas abhängt, wird ihre Arbeit für sie zu einer Aktion, der sie ihr Leben weihen. Ihre Neugier kannte keine Grenzen. Da sie im allgemeinen sehr kultiviert und von schneller Auffassungsgabe sind, war es ein Gewinn, sich mit ihnen zu unterhalten. Sie interessierten sich sehr für soziale Probleme. Da sie die *favellas* in ihren Städten ständig vor Augen haben, können die Brasilianer das Elend nicht vergessen. Es kränkt ihren Nationalstolz und verstößt gegen ihre demokratischen Überzeugungen. Selbst auf dem rechten Flügel macht man sich Sorgen wegen dieser Zustände und versucht sie zu bekämpfen. (Allerdings geht es der überwiegenden Mehrheit der Privilegierten nur darum, ihre Privilegien zu schützen, und sie sind zu einem großen Teil an dem Elend schuld. Sie stehen ihm aber wenigstens nicht so gleichgültig gegenüber wie in anderen Ländern. Das Rechtsblatt *Estado de São Paulo* veröffentlichte während unseres Aufenthaltes eine eingehende Studie über die *favellas* der Stadt.)

Die fortschrittlichen Kreise der Bourgeoisie und die Intellektuellen sahen sich gezwungen, revolutionäre Positionen zu beziehen. Wir waren etwas verblüfft, daß man überall in Lateinamerika Großgrundbesitzer und steinreiche Industrielle unter den Kommunisten findet. Ihrer Meinung nach kann nur der Sozialismus ihr Land dem Imperialismus der USA entreißen und die Masse ihrer Landsleute vor einer Verkommenheit retten, die auf sie abfärbt. Das sind allerdings Ausnahmen, und die Intellektuellen fallen nicht sehr ins Gewicht. Man darf daraus nicht den irrigen Schluß ziehen, daß die Revolution vor der Tür stehe.

Die *Ultima Hora* arrangierte an einem Vormittag eine Zusammenkunft zwischen Sartre und Gewerkschaftsführern. Nicht alle beantworteten seine Fragen mit den gleichen Worten, aber aus diesem Gespräch schälten sich einige festumrissene Tatsachen heraus, die später durch andere bestätigt wurden. Die brasilianischen Arbeiter sind eben erst aus der Bauernschaft hervorgegangen. Sie oder ihre Väter sind Bauern gewesen. Da ihr Lebensstandard beträchtlich höher ist als der auf dem

Lande, fühlen sie sich privilegiert. Sie haben keineswegs die gleichen Interessen wie die Hungerleider im Nordosten, ja nicht einmal wie die Tagelöhner im Süden. Manche sind sich ihrer Zugehörigkeit zu einer ausgebeuteten Klasse bewußt, alle aber meinen, daß heute eine gewisse Zusammenarbeit mit dem Großkapital unumgänglich sei. Dessen Haltung aber ist zweideutig. Es möchte sich gern die Rohstoffquellen des Landes aneignen, die sich vorläufig noch zu einem großen Teil in den Händen amerikanischer Konzerne befinden, aber zur Entwicklung des Landes ist die finanzielle Unterstützung durch die USA unerläßlich. Es bekämpft den amerikanischen Imperialismus und begünstigt ihn zur gleichen Zeit. In dem Maße, wie das Großkapital darauf abzielt, das Land zu industrialisieren und es wirtschaftlich selbständig zu machen, sehen die Proletarier in seinen Erfolgen die Verheißung des Wohlstandes: Aus diesem Grund haben die Kommunisten zuerst Kubitschek und dann Lott unterstützt. Abgesehen von der Abhängigkeit von den USA erinnert Brasiliens Situation an die Italiens – wobei Norden und Süden vertauscht sind –, ist aber noch tragischer, weil das Land so ausgedehnt und unterentwickelt ist. Die nationale Einheit wirkt sich für den Norden ungünstig aus, da die Großgrundbesitzer dieser Region ihre Gewinne in die Industrien des Südens investieren, was die Entwicklung im Norden nicht gerade fördert. Dem Hunger preisgegeben, stehen die Bauern an der Schwelle der Revolution, aber die Zersplitterung, die Entkräftung, die Unwissenheit lassen kein Klassenbewußtsein entstehen, und außerdem wissen sie nicht, wie sie ihre Mittel einsetzen sollen. Das Proletariat ist klassenbewußt und besitzt die erforderlichen Kampfmittel; aber es befindet sich nicht in einer revolutionären Situation. Was das Kleinbürgertum betrifft, so hatten auf Kuba die Absatzschwierigkeiten seinen Unmut auf Batista entfacht. Hier macht ihm die Industrialisierung gewisse Hoffnungen, und es akzeptiert die bestehende Ordnung. Unsere Gesprächspartner waren der Ansicht, daß der Sozialismus in Brasilien noch lange keine Chancen haben wird.

In einem großen, mit Blumen geschmückten und nach Parfums duftenden Saal sprach ich wieder einmal über die Lage der Frau vor aufgedonnerten Damen, die das Gegenteil von dem dachten, was ich sagte, aber eine junge Rechtsanwältin bedankte sich bei mir im Namen der arbeitenden Frauen. Die Lage der brasilianischen Frau ist schwer zu beschreiben. Sie wechselt je nach der Gegend. Im Nordosten hat ein junges Mädchen – selbst wenn es in der *favella* lebt – keine Heiratschancen, wenn sie keine Jungfrau mehr ist, und wird daher von ihrer Umgebung sorgfältig überwacht. Die großen Industriestädte des Südens sind viel liberaler. In Brasilien gibt es keine Scheidung. Wenn aber ein Mann und eine Frau den Entschluß fassen, zusammen zu leben, obwohl der eine Partner verheiratet ist, dann teilen sie es in der Zeitung mit. Sie gelten selbst in den altväterlichsten Kreisen als rechtmäßiges Ehepaar, und ihre Kinder haben ein Anrecht auf den Namen des Vaters und auf seine Hinterlassenschaft. Das ist sehr schön, hat aber seinen Preis: Wenn die Mutter das Heim verläßt, verliert sie jedes Recht auf ihre Kinder. Und wenn der Mann stirbt, ist nur die erste Frau erbberechtigt. Die Gefährtin, die ohne offiziellen Segen das Leben mit ihm geteilt hat, erhält keinen Cruzeiro.

In einem Theatersaal, der sechshundert Personen faßt, hielt Sartre einen Vortrag über Literatur und einen zweiten über Kolonialpolitik. Als wir hinkamen, waren alle Plätze besetzt, und über vierhundert Personen standen vor den Eingangstüren, die von der Polizei bewacht wurden. Als Sartre zu sprechen begann, hörte man von draußen die ungeduldigen Rufe. Nachdem sie die Absperrung gesprengt hatten, stürzten sie plötzlich in den Saal und setzten sich unter lautem Beifall auf den Boden oder lehnten sich gegen die Wände. Zwei Franzosen meldeten sich zum Wort, um das ‹französische Algerien› zu verteidigen. Man hätte meinen können, Sartre habe sie engagiert, um seine Gegner lächerlich zu machen. Der eine war übrigens ein notorischer Halbnarr. Ein Professor und ein französischer Priester versicherten Sartre ihrer Solidarität.

In Brasilien versucht man, das Universitätswesen zu dezentralisieren. In Araraquara, einer Stadt mit 80 000 Einwohnern, einige Fahrtstunden von São Paulo entfernt, war soeben eine Universität gegründet worden. Professor L., der Reklame für sich machen wollte, erwies sich als so ausdauernd und so geschickt, daß Sartre schließlich einwilligte, vor den Mitgliedern der philosophischen Fakultät über Dialektik und vor Studenten über den Kolonialismus zu sprechen. Wir brachen gegen Abend auf und übernachteten entsprechend den von Amado getroffenen Dispositionen auf der *fazenda* M.s., der die Zeitung *Estado de São Paulo* redigiert. Dieses rechtsgerichtete Organ unterscheidet sich beträchtlich von unserer Rechtspresse. Ich habe bereits erwähnt, daß in seinen Spalten eine Kampagne gegen das Elend in den *favellas* geführt wurde. Vertreter der Linken lieferten ebenfalls Beiträge, und für Sartre und seine Vorträge wurde ziemlich viel Propaganda gemacht. Als ein dem Dirigismus von Vargas feindlich gesonnener ‹Liberaler› hatte M. zusammen mit Amado im Gefängnis gesessen, und zwischen beiden herrschten sehr höfliche Beziehungen. Fotoreporter knipsten uns für die Zeitungen. Bei Tisch sprach M. über das Negerproblem. «Wir sind keineswegs Rassenfanatiker», erklärte er uns, «aber wir haben es nicht verstanden – und das ist unsere Schuld –, die Neger auf unser geistiges und moralisches Niveau emporzuheben. Deshalb verbleiben sie notgedrungen auf der untersten Stufe der gesellschaftlichen Leiter.» Am anderen Ende des Tisches knirschten seine drei erwachsenen Söhne mit den Zähnen. Sie waren zweifellos der gleichen Ansicht, hätten sie aber geschickter formuliert. Der Vater, der trotz seines vorgerückten Alters erstaunlich frisch war, ereiferte sich gegen rauchende Frauen, da seiner Meinung nach der Tabakgenuß die unserem Geschlecht eigenen Neurosen verschlimmere. Seine Frau, deren Nerven durchaus in Ordnung zu sein schienen, führte uns in die großen, altmodischen Zimmer, die man für uns hergerichtet hatte.

Beim Erwachen staunte ich über die Pracht der Bäume, des Grases, der Passionsblumen, der Hibiskussträucher, der gelben, orangefarbenen und violetten Bougainvilleas. Wir besichtigten die Plantage: der Kaffee, den man verbrannt und ins Meer geschüttet hatte, dieser abstrakte Skandal der zwanziger Jahre, nahm hier die Gestalt der dunkelgrünen Pflanzen an, die auf Terrassen wuchsen. Der weißliche Kern ihrer kleinen Früchte schmeckte nach fast gar nichts. Das weite, monotone, aber abwechslungsreiche Hügelland mit den hohen Bäumen am Horizont unter dem hellen Himmel machte einen heiteren Eindruck. Amado aber hatte uns die schwere Erntearbeit geschildert. Die Landarbeiter werden für nur wenige Wochen von dem Plantagenbesitzer untergebracht. Manchmal behält er sie bis zum nächsten Jahr, aber wenn er sich entschließt, sein Personal zu vermindern oder auszuwechseln, so ist das sein gutes Recht, und die Leute müssen sich anderweitig Arbeit suchen. Im Park der M., an der einen Seite des Hofes, auf dem Kaffeebohnen trockneten, beherbergte ein Schulzimmer etwa zwanzig Kinder. Im nächsten Jahr würden die meisten zweifellos Hunderte von Kilometern weit weg sein, und es dürfte ihnen schwerfallen, lesen zu lernen. Die Häuser der Tagelöhner waren anständiger als die Sauställe in Itabuna, aber sehr ärmlich.

In Araraquara aß Sartre schnell einige belegte Brote, und gegen 2 Uhr betrat er die mit Spruchbändern behangene Aula. «*Viva Cuba! Viva Sartre!* Sie haben über die *bohios* gesprochen: Sprechen Sie über die *favellas*!» Die Studenten diskutierten mit Sartre, ob in Brasilien eine ähnliche Revolution möglich wäre wie in Kuba. Sartre erkundigte sich bei ihnen nach den Bauernverbänden und betonte die Notwendigkeit einer Agrarreform. «Man könnte sie für lauter Revolutionäre halten!» sagte ich zu Amado, mit dem ich ein wenig später einen Spaziergang durch den stillen Sonntag machte, während Sartre seine Aufzeichnungen durchsah. «Das gibt sich, sobald sie Ärzte oder Anwälte geworden sind», erwiderte er. «Sie wollen nichts weiter als einen von den USA unabhängigen nationalen Kapitalismus. Das Los der Bauern wird sich nicht ändern.» Als wir uns der Wohnung des Professors L. näherten, sahen wir Autos, Lastkraftwagen, Lieferwagen, Personenautos auftauchen – eine riesige Menschenmenge, die von einem Fußballspiel zurückkehrte. Die Brasilianer sind fanatische Anhänger dieses Sports.

Sartre sprach noch über die Dialektik. Wir brachen spät auf und aßen in einer *churrascaria*. Daher war es bereits ziemlich spät geworden, als wir die Landstraße verließen, um zu der *fazenda* von M. zu fahren, wo wir auch diesmal schlafen sollten. Der Chauffeur verirrte sich im Labyrinth der Feldwege zwischen den Pflanzungen. Schließlich erblickten wir in der Ferne ein mattes Licht. Wir versuchten, darauf zuzuhalten, verloren es aus den Augen, bekamen es wieder zu Gesicht, umkreisten es, ohne es erreichen zu können. Erst um 2 Uhr früh hielt der Wagen an der Freitreppe. Die Lampen brannten, die Türen standen offen. Wir begaben uns auf unsere Zimmer. Das war ein weiteres Beispiel für die brasilianische Gastfreundschaft, die einen der Reize unserer Reise ausmachte. Als ich morgens mein Zimmer verließ, traf ich im Korridor Amado, der den Professor L. nicht leiden konnte. Vergnügt sagte er zu mir: «Den armen Monsieur hat beinahe der Schlag getroffen.» Als L. die Zeitung entfaltete, war sein Blick auf die Schlagzeile gefallen: «Sartre predigt Revolution.» Da hätte er einen Seufzer ausgestoßen und gesagt: «Ich bin ein erledigter Mann!»

Sartre erfreute sich bei der Jugend großer Popularität. In São Paulo hatten wir es zwei- bis dreimal so eingerichtet, daß wir den Abend für uns hatten. Das Dämmerlicht verwischte die harten Konturen der Stadt, die Fußgänger hatten es weniger eilig, ein Neger wanderte singend an uns vorbei. Nach dem Tumult des Tages genossen wir diese verträumte Stille. Oft hielten Autos an, und es wurde gefragt: «Dürfen wir Sie irgendwohin fahren?»

In Rio redeten uns an allen Straßenecken Studenten an. «Was halten Sie von sich selber, Monsieur Sartre?» fragte ein junges Mädchen nach einem Vortrag. «Das weiß ich nicht», erwiderte er lachend, «ich bin mir noch nie begegnet.» – «Oh, da sind Sie aber zu bedauern!» sagte sie mit Nachdruck. Ein Vertreter der französischen Regierung befand sich zur gleichen Zeit in Rio. Zu seinen Ehren fand eine Cocktailparty statt, auf der einer unserer brasilianischen Freunde, der seiner eigenen Schilderung zufolge ziemlich beschwipst gewesen war, ihn aufs Korn nahm. «In meinen Augen repräsentieren nicht Sie Frankreich, sondern Jean-Paul-Sartre.» Der Mann lächelte. Da Brasilien Sartre nun einmal zujubelte, wäre es ungeschickt gewesen, Frankreich dieser Blume zu berauben. «Es sind zwei Aspekte Frankreichs», sagte er. Die brasilianischen Intellektuellen waren Sartre dankbar dafür, daß er den *anderen* Aspekt verkörperte. Rio ernannte uns zu ‹Ehrenbürgern›. Anläßlich eines kleinen Empfanges wurden uns unsere Urkunden überreicht.

Es war nicht leicht, an französische Zeitungen heranzukommen, aber unsere Freunde unterrichteten uns durch Briefe und telefonische Anrufe über die Vorgänge in der Heimat. Der Jeanson-Prozeß sollte am 7. September beginnen. Die Anwälte hätten es gern gesehen, wenn Sartre anwesend gewesen wäre, aber er war in Brasilien allerlei Verpflichtungen eingegangen und wollte die Aktion zugunsten Algeriens nicht abbrechen. Seiner Meinung nach würde ein Brief genauso schwer wiegen wie eine mündliche Aussage. Die Post von Rio nach Paris ist lange Zeit unterwegs und geht häufig noch verloren. Sartre erläuterte Lanzmann und Péju ausführlich auf telefonischem Wege, was er vor Gericht anzuführen gedächte, und beauftragte sie, den Text zu redigieren, der am 22. September verlesen wurde:

«Da ich zu meinem tiefen Bedauern verhindert bin, vor dem Militärgerichtshof zu erscheinen, liegt mir daran, mich etwas ausführlicher zu meinem Telegramm zu äußern. Es genügt nicht, nur seine ‹uneingeschränkte Solidarität› mit dem Angeklagten zu bekräftigen, ich muß nun auch noch meine Gründe nennen. Ich glaube, daß ich Hélène Cuénat nie begegnet bin, aber ich kenne durch Francis Jeanson die Bedingungen sehr gut, unter denen die ‹Hilfsorganisation› arbeitet, der heute der Prozeß gemacht wird. Ich möchte daran erinnern, daß Jeanson lange Zeit hindurch zu meinen Mitarbeitern zählte, und wenn wir auch nicht immer der gleichen Meinung waren, was durchaus normal ist, hat uns auf jeden Fall das Algerien-Problem geeint. Ich habe Tag für Tag seine Bemühungen verfolgt, die auch die der französischen Linken waren – auf legalem Wege eine Lösung dieses Problems zu finden. Und nur weil diese Bemühungen scheiterten und angesichts der offensichtlichen Machtlosigkeit dieser Linken, hat er sich entschlossen, eine Untergrundbewegung zu gründen, um dem algerischen Volk im Kampf um seine Unabhängigkeit konkreten Beistand zu leisten.

Aber es ist unerläßlich, endlich jede Zweideutigkeit zu beseitigen. Die Solidarität mit den algerischen Freiheitskämpfern wurde ihm nicht nur durch edle Grundsätze oder durch den allgemeinen Wunsch diktiert, die Unterdrückung überall dort zu bekämpfen, wo sie sich bemerkbar macht: Sie entsprang einer politischen Analyse der Lage Frankreichs. Die Selbständigkeit Algeriens ist eigentlich schon errungen. Sie wird in einem oder in fünf Jahren, im Einverständnis mit Frankreich oder gegen Frankreich, durch eine Volksabstimmung oder durch die Internationalisierung des Konflikts zur Tatsache werden, und General de Gaulle selber, der durch die Verfechter des französischen Algerien an die Macht gelangte, sieht sich heute gezwungen, zuzugeben: ‹Algerier, Algerien gehört euch!›

Ich wiederhole also noch einmal, daß diese Unabhängigkeit gesichert ist. Nicht gesichert aber ist die Zukunft der Demokratie in Frankreich. Der Algerien-Krieg hat dieses Land verdorben. Die zunehmende Beschneidung der Freiheitsrechte, die Lahmlegung des politischen Lebens, die allgemeine Anwendung der Folter, die permanente Auflehnung der Militärs gegen die zivilen Behörden kennzeichnen eine Entwicklung, die man, ohne zu übertreiben, als faschistisch charakterisieren darf. Angesichts dieser Entwicklung ist die Linke machtlos und wird es bleiben, wenn sie sich nicht entschließt, ihre Bemühungen der einzigen Kraft zuzuordnen, die heute tatsächlich gegen den gemeinsamen Feind der algerischen und der französischen Freiheit kämpft. Und diese Kraft ist die FLN.

Nicht nur Francis Jeanson, sondern auch ich bin zu dieser Schlußfolgerung gelangt. Und ich glaube sagen zu dürfen, daß heute immer mehr Franzosen, besonders aber junge Menschen, den Entschluß fassen, sie in die Tat umzusetzen. Man sieht die Dinge klarer, wenn man, wie ich im Augenblick in Lateinamerika, mit der öffentlichen Meinung des Auslandes in Berührung kommt. Die Menschen, die unsere Rechtspresse des Verrates bezichtigt und gewisse linke Kreise nicht so zu verteidigen wagen, wie sie verteidigt werden müßten, werden im Ausland weitgehend als die Hoffnung des morgigen und die Ehre des heutigen Frankreichs betrachtet. Es vergeht kein Tag, ohne daß man mich nach ihnen fragt, sich erkundigt, was sie machen, was sie denken. Die Zeitungen sind bereit, ihnen ihre Spalten zu öffnen. Die Vertreter der *jeune résistance*, der Bewegung der Kriegsdienstverweigerer, werden zu Kongressen eingeladen. Und die Erklärung über das Recht auf Ungehorsam im Algerien-Krieg, die ich ebenso wie hundertzwanzig andere Universitätslehrer, Schriftsteller, Künstler und Journalisten unterzeichnet habe, wurde als ein Erwachen der französischen Intelligenz begrüßt.

Meiner Meinung nach ist es wichtig, zwei Gesichtspunkte klar zu erfassen, und es sei mir gestattet, sie ein wenig oberflächlich zu formulieren, da es nämlich schwer ist, in einer solchen Aussage den Dingen auf den Grund zu gehen.

Einerseits lassen sich die Franzosen, welche die FLN unterstützen, nicht nur von großmütigen Gefühlen gegenüber einem unterdrückten Volk leiten und dienen auch nicht ausländischen Interessen, sondern arbeiten für sich selber, für ihre Freiheit und für ihre Zukunft. Sie setzen sich für die Wiederherstellung einer echten Demokratie in Frankreich ein. Andererseits sind sie nicht isoliert, sondern erfreuen sich eines immer größeren Zulaufs, einer aktiven oder passiven Sympathie, die unaufhörlich wächst. Sie haben die Vorhut einer Bewegung gebildet, die vielleicht die in erbärmliches Zaudern versunkene Linke aufgerüttelt hat. Sie wird nun besser auf die unvermeidliche, seit Mai 1958 aufgeschobene Kraftprobe mit der Armee vorbereitet sein.

Da ich so weit von Frankreich entfernt bin, fällt es mir schwer, die Fragen zu erraten, die das Militärgericht an mich richten könnte. Ich nehme jedoch an, daß eine dieser Fragen sich auf das Interview beziehen könnte, das ich Francis Jeanson für sein Bulletin *Vérité pour* bewilligt habe, und ich werde sie ohne Umschweife beantworten. Ich erinnere mich weder an das genaue Datum noch an den Wortlaut dieses Gesprächs. Aber Sie werden sie leicht finden können, wenn dieser Text im Dossier enthalten ist.

Dafür aber weiß ich, daß Jeanson mich in seiner Eigenschaft als Gründer der ‹Hilfsorganisation› und ihres Organs, jenes geheimen Bulletins, aufgesucht hat und daß ich ihn in voller Kenntnis dieser Tatsache empfangen habe. Seither habe ich ihn zwei- bis dreimal wiedergesehen. Er hat mir seine Tätigkeit nicht verheimlicht, und ich war restlos einverstanden.

Ich glaube nicht, daß es in diesem Bereich edle und vulgäre Aufgaben gibt, Tätigkeiten, die den Intellektuellen vorbehalten sind, und andere, die ihrer nicht würdig wären. Während der Résistance haben die Professoren der Sorbonne nicht gezögert, Briefe zu befördern und Verbindungen herzustellen. Wenn Jeanson mich ersucht hätte, Koffer zu tragen oder algerische Freiheitskämpfer zu beherbergen und ich es hätte tun können, ohne sie zu gefährden, würde ich es ohne Zögern getan haben.

Ich glaube, diese Dinge müssen ausgesprochen werden, weil der Augenblick herannaht, da ein jeder seine Verantwortung zu übernehmen hat. Gerade diejenigen, die am stärksten in das politische Tagesgeschehen verstrickt sind, zögern noch aus Gott weiß welchem Respekt vor der formalen Legalität, gewisse Grenzen zu überschreiten. Dagegen ist es die Jugend, die, durch die Intellektuellen unterstützt, wie in Korea, in der Türkei, in Japan, damit beginnt, die Mystifikationen, denen wir zum Opfer gefallen sind, zu entlarven. Deshalb ist dieser Prozeß so außerordentlich wichtig. Trotz aller Hindernisse, trotz aller Bedenken sitzen zum erstenmal Algerier und Franzosen, brüderlich vereint durch einen gemeinsamen Kampf, Seite an Seite auf der Bank der Angeklagten.

Vergebens strengt man sich an, sie voneinander zu trennen. Vergeblich ist auch der Versuch, diese Franzosen als Verrückte, als Desperados oder Romantiker hinzustellen. Wir haben allmählich die verlogene Nachsicht und die ‹psychologischen Erklärungen› satt. Es muß klargestellt werden, daß diese Männer und Frauen nicht allein stehen, daß Hunderte bereits an ihre Stelle getreten, daß Tausende dazu bereit sind. Ein widriges Geschick hat sie vorübergehend aus unserer Mitte gerissen, aber ich wage zu behaupten, daß sie als unsere Abgesandten dort auf der Anklagebank sitzen. Im Gegensatz zu der ephemeren Gewalt, die sich anschickt, sie abzuurteilen, repräsentieren sie die Zukunft Frankreichs.»

Die gesamte französische Presse betrachtete diese Zeugenaussage als eine Herausforderung: Es sei Sache der Regierung, diesen Fehdehandschuh aufzunehmen. Battesi, Abgeordneter des Départements Seine-et-Marne, forderte in einer schriftlichen Anfrage ein gerichtliches Verfahren gegen Sartre. «Sartre», schrieb P.-H. Simon, «stellt die Regierung vor die Alternative, ihn entweder zu schonen, das heißt, sich schwach zu zeigen, oder zuzuschlagen, das heißt, sich auf einen Konflikt mit einem bedeutenden Kopf einzulassen.» Andererseits war auf Grund des Manifests der «121» das der *Express* und die *Humanité* mißbilligt hatten, ein Untersuchungsverfahren gegen Unbekannt eingeleitet worden. Am 8. September wurde *Paris-Presse* deutlicher: «Jean-Paul Sartre, Simone Signoret und hundert andere riskieren fünf Jahre Gefängnis.» Die französische Botschaft in Rio setzte das Gerücht in Umlauf, daß Sartre bei seiner Heimkehr mit der Verhaftung rechnen müsse. Die Regierung gab bekannt, daß von nun an die Aufforderung zum Ungehorsam eine Strafe von einem bis zu drei Jahren Gefängnis nach sich ziehen und noch strenger bestraft werden würde, wenn sie durch einen Beamten erfolge. Als wir Rio verließen, waren bereits mehrere Unterzeichner angeklagt worden, darunter Daniel Guérin, Lanzmann, Marguerite Duras, Antelme und Claude Roy. Anläßlich eines Banketts hatte der damalige Informationsminister Terrenoire erklärt: «Sartre ist an die Stelle von Maurras getreten und beginnt, einer verirrten, degenerierten Intelligentsia eine anarchistische und selbstmörderische Diktatur aufzuzwingen.» Ganze Zeitungsseiten wurden Jeansons Organisation, den «121» im allgemeinen und Sartre im besonderen gewidmet. Es hagelte Beleidigungen und Drohungen.

Zusammen mit Amado, seinem Bruder und Zélia landeten wir eines Morgens in Belo Horizonte, der Hauptstadt des Teilstaates Minas Gerais, dessen Bergwerke früher einmal Unmengen von Gold und Diamanten geliefert haben. Niemeyer hatte versprochen, uns aus Brasilia ein kleines Lieferauto mit einem Chauffeur zu schicken: Aber weit und breit war nichts zu sehen. Die Reise fing schlecht an. Schließlich erschien das Vehikel mit einem schnurrbärtigen Mann am Steuer. Wir besichtigten am Ufer eines blauen Sees eine von Niemeyer gebaute Kapelle und in der Stadt ein anderes seiner Werke, ein sehr schönes Gebäude, das aussieht, als bewege es sich, wenn man rundherum geht.

Den Nachmittag verbrachten wir in Sabará, wo früher einmal die Goldsucher gewohnt hatten. Im Goldmuseum, einem alten Haus im Kolonialstil, wo das Gold gewogen und aufbewahrt wurde, erinnern Proben, Klumpen, Werkzeuge, Modelle, Bilder an die Vergangenheit. Mit seinen engen Gassen und seinen Ziegeldächern ähnelt Sabará einem europäischen Marktflecken. In den Kirchen, auf den Holzschnitzereien, an den roten und blauen Wänden stellten wir verwundert fest, daß die auf den Fresken dargestellten Engel, Heiligen und Gott selber Schlitzaugen hatten. Die portugiesischen Maler kamen aus Macao.

Wir hatten bereits weniger bedeutende Werke des Aleijadinho (Der kleine Krüppel: er hieß Antonio Francisco Lisboa und hat von 1739 bis 1814 gelebt) gesehen. Dieser Sklave mit den durch die Lepra verwüsteten Händen war der größte Bildhauer und größte Architekt des kolonialen Brasilien. Wir gingen die Hauptstraße von Congonhas hinauf – eine steile, enge, mit Schutt bestreute, von Siechen und hungernden Kindern wimmelnde Straße – bis zu der Mauerterrasse, auf der eine Kirche steht, die er gebaut hat. Von dem Dutzend aus Speckstein geschnitzten Prophetenstatuen sind einige sehr schön in ihrer beseelten Schlichtheit, und das Ganze ist sehr eindrucksvoll. Vom Vorhof bis hinunter zum Fuß des Hügels sind in Glaskästen mit überlebensgroßen Gipsfiguren die Stationen des Kreuzwegs dargestellt. Ihre grellen Farben, ihr realistischer und theatralischer Stil bewiesen uns, daß der Aleijadinho sehr fruchtbar war, aber nicht immer zwischen Gut und Schlecht zu unterscheiden wußte. In Ouro Prêto spürten wir seine Genialität: Die Konzeption dieser wunderbaren Fassaden, das klug ausgewogene Spiel ihrer Kurven, in denen sich das Licht verfängt, die Vielfalt der Muster stammte von ihm.

Bei Einbruch der Nacht kamen wir in der Hauptstadt des schwarzen Goldes an. Das Hotel, in dem wir übernachteten, war ein Jugendwerk Niemeyers: Er liebte damals die Treppen und hatte in jedes Zimmer eine eingebaut. Frühmorgens entdeckte ich unterhalb meines Balkons mattrote Dächer, gewundene Gassen, Gärten, Terrassen, hier und dort die hellen Flecken gelber oder blauer Fenster und ringsumher mit leuchtendem Grün bedeckte Hügel. Treppen führten zu weit entfernten Kirchen empor. Meine Lungen atmeten eine leichte und sanfte Luft, die nach dem flachen Lande roch. Wir zogen zu Fuß los. Von Kirche zu Kirche, von Platz zu Platz sind wir durch Straßen und über Treppen und über uralte Brücken bergan und bergab gegangen. Man zeigte uns das alte bemalte Haus, in dem Tiradentes verhaftet worden war, der Zahnauszieher, der 1788 gegen die portugiesische Herrschaft konspiriert hat. In Rio steht ein Standbild auf dem Platz, auf dem er gehenkt und geviertelt wurde. Am Hauptplatz von Ouro Prêto steht das Museum, das den ‹Inconfidentes› gewidmet ist, deren Anführer er war. Mit Bedauern verließ ich Ouro Prêto: Ich wäre gern länger dort geblieben.

Am nächsten Morgen, in Belo Horizonte, mußten wir wieder recht lange auf den Chauffeur warten. Unterwegs wurde uns der Grund seines ständigen Zuspätkommens klar: Die Fächer des kleinen Lieferwagens waren mit Uhren und Schmuckgegenständen gefüllt, die er in den Ortschaften, wo wir haltmachten, zu verkaufen gedachte. Er erzählte Amado, daß er den Chauffeurberuf mit dem eines Polizeibeamten vereinte und dadurch einträgliche Kontakte mit einer in Brasilien sehr wichtigen Zunft unterhielt: den Schmugglern. Er konfiszierte ihre Waren oder kaufte sie zu niedrigen Preisen. Für diese Waren mußten die von der Außenwelt abgeschnittenen Bewohner von Brasilia viel Geld bezahlen. Er schilderte – wie Amado vergnügt sagte – seine Machenschaften mit der typisch unschuldsvollen Art der Brasilianer.

Den ganzen Vormittag rollten wir auf einer schnurgeraden Straße durch das *cerrado*: Gestrüpp, stachlige Büsche, triste Bäume ohne ein grünes Blatt und ohne eine Blüte, abgesehen von den riesigen violetten Trauben, die hier und da, aber sehr selten, zwischen dem kahlen Geäst hingen. Stundenlang bekamen wir kein Dorf, kein Haus und nur zwei- oder dreimal eines jener ‹wilden Tiere› zu sehen, von denen La Bruyère sprach: einen barfüßigen, zerlumpten, abgezehrten Bauern. Obwohl der Chauffeur, weil er dort keine guten Geschäfte machen konnte, heftig protestierte, hielten wir zum Mittagessen mitten in der Wüste in der Siedlung, die durch den Bau eines Dammes am Ufer des Rio San Francisco entstanden war. Arbeiter, Ingenieure, Techniker mit ihren Familien, ungefähr fünfzehntausend Personen, wohnten in den auf Geröll hinter Stacheldraht errichteten Baracken. Um Zutritt zu erhalten, mußten wir uns ausweisen. Ein leitender Angestellter zeigte uns die noch unvollendete gewaltige Talsperre, die zur Bewässerung des ganzen Gebietes dienen soll. Nachdem wir in der Baracke, die als Restaurant fungierte, zu Mittag gegessen hatten, setzten wir unsere traurige Fahrt fort. Das Städtchen, in dem wir übernachteten, hatte zwar einen Flughafen, aber keine Elektrizität. Nach dem Essen gingen wir durch finstere Straßen spazieren, die nach dem flachen Land rochen und in denen sich Menschen entlangtasteten, die aus einer Wahlversammlung kamen. In gewissen Abständen leuchtete eine Acetylenlampe oder das Kerzenlicht einer Kneipe. Wir tranken *cachaça*, während unaufhörlich Knallkörper explodierten. Noch einen Tag lang ging es durch das gleiche Dickicht, die gleiche Einsamkeit. Abends kamen wir endlich in Brasilia an.

«Ein Modell in natürlicher Größe», habe ich mir notiert. Zu meinem Bedauern erfuhr ich, daß meine Formulierung mit der Lacerdas übereinstimmte: «Eine Baukunstausstellung in natürlicher Größe.» Diese Unmenschlichkeit ist es, die einem sofort in die Augen springt. Die Hauptverkehrsader, 160 Meter breit und einige 30 Kilometer lang, ist leicht gekrümmt, aber so leicht, daß sie geradlinig erscheint. Alle anderen Straßen laufen mit ihr parallel oder schneiden sie im rechten Winkel. Kleeblattförmige Kreuzungen beseitigen jede Kollisionsgefahr. Man kann sich nur im Auto fortbewegen. Was hätte man denn übrigens für ein Interesse daran, zwischen den sechs bis acht Stockwerke hohen *quadras* und *superquadras* spazierenzugehen, die auf Pfeilern stehen und deren oberflächliche Varianten die elegante Monotonie kaum mildern? Es ist ein den Fußgängern vorbehaltenes Viertel geplant, eine Nachahmung des Gewirrs venezianischer Gäßchen: Man wird mit dem Auto zehn Kilometer weit fahren, um dann zu Fuß zu gehen. Aber *die* Straße, dieser Treffpunkt zwischen Anliegern und Passanten, Geschäften und Wohnungen, Fahrzeugen und Fußgängern – dem launischen und unberechenbaren Spiel des Zufalls preisgegeben –, die Straße, gleich fesselnd in Chicago wie in Rom, in London wie in Peking, in Bahia wie in Rio, zuweilen öde und verträumt, aber noch in der Stille lebendig, *die* Straße gibt es in Brasilia nicht und wird es dort nie geben. Jeder für zehntausend Personen bestimmte Wohnblock besitzt seine Kirche, seine Schule, seine Läden, seine Spielplätze. Als er uns herumführte, fragte sich Niemeyer betrübt: «Kann man eine sozialistische Architektur in einem Land schaffen, das nicht sozialistisch ist?» und beantwortete seine Frage selber: «Offenbar nicht.» In Brasilia ist die soziale Absonderung noch krasser als in jeder anderen Stadt, denn hier gibt es luxuriöse ‹Blocks›,

mittelmäßige und sehr bescheidene. Die Einwohner aber verkehren nicht
miteinander. Die reichen Kinder sitzen nicht neben den armen auf derselben Schulbank. Weder auf dem Markt noch in der Kirche trifft die
Frau des hohen Beamten mit der des Angestellten zusammen. Wie in
den amerikanischen *suburbs* gestatten diese Siedlungsgemeinschaften ihren Mitgliedern nur ein Minimum an privater Intimität. Da jeder genauso
ist wie die anderen, hat er vor niemandem etwas zu verbergen. Brasilia
ähnelt jener Kristallstadt, die Samjatin in *Wir* beschrieben hat: Die Fenster fressen die Fassaden auf, und die Leute haben kein Bedürfnis, die
Gardinen zuzuziehen. Abends erlaubt einem die Breite der Avenuen,
vom obersten bis zum untersten Stockwerk die Familien in ihren beleuchteten Räumen leben zu sehen. Einige Wohnstraßen mit Alleebäumen
und niedrigen Häusern bezeichnet man als das «Fernsehen für den
*catingo*» (das ist der Arbeiter, der vom Lande gekommen ist, um Brasilia aufzubauen). Durch die breiten Fenster im Erdgeschoß schauen die
Arbeiter in ihren roten Hemden zu, wie die Reichen essen, Zeitung lesen
oder vor ihrem Fernsehgerät sitzen. Es scheint Angestellte und Sekre-
tärinnen zu geben, die von Brasilia schwärmen. Die Minister aber sehnen
sich nach Rio zurück, und Kubitschek mußte ihnen drohen, er werde
ihren Rücktritt fordern, wenn sie sich nicht bequemten, in die neue
Hauptstadt überzusiedeln. Kleine Düsenflugzeuge ermöglichen ihnen, in
einer Stunde von der einen Stadt in die andere zu gelangen.

Die von Niemeyer auf dem Dreimächteplatz errichteten Bauten sind
jedoch alle sehr schön: der Regierungspalast, das Gebäude des Obersten
Gerichtshofes, die beiden Wolkenkratzer, in denen die Büros untergebracht sind, die umgestülpten Halbkugeln, welche die Deputiertenkam-
mer und den Senat beherbergen, die Kathedrale in Form einer Dornen-
krone: sie passen zueinander und bilden ein Gegengewicht zu den raffi-
nierten Asymmetrien und offenen Kontrasten, die den Blick überwälti-
gen. Niemeyer machte uns darauf aufmerksam, daß der für die modernen brasilianischen Bauten so wichtige Sonnenschutz die gleiche Rolle
spielt wie früher einmal die Spirale in der Barockkunst: Man wehrt sich
gegen das Licht, indem man die geraden Linien vermeidet. Er erzählte
uns von den Problemen, die er hatte lösen müssen, um gewisse Bravour-
leistungen zu verwirklichen: die waagerechte Linie eines im Leeren hän-
genden Sonnendachs verblüffte alle Besucher. Dank der wohlabgewoge-
nen Extravaganz entrinnt man hier in diesem für Funktionäre geschaffenen Palast – endlich! – dem Funktionalismus.

Mindestens zehn Kilometer weit entfernt befindet sich das Palais der
Morgendämmerung, in dem der Präsident residiert. Daneben steht eine
Kapelle in vollendeter Spiralenform. Das Palais spiegelt sich in einem
Becken, in dem zwei Bronzenymphen sich frisieren. Sie stellen, wie man
sich erzählt, Kubitscheks Töchter dar, die sich die Haare raufen, weil
man sie nach Brasilia verbannt hat. Als wir auf einer Fahrbahn mitten

durchs Dickicht fuhren, sagte der Bürgermeister, der uns an diesem Tage begleitete, in lebhaftem Ton: «Ah, hier haben wir die französische Botschaft!» Ich drehte mich um. Auf einem Schild stand zu lesen: *Ambassade de France*. Weitere Schilder deuteten andere Botschaftsgebäude an.

Der Brasilia-Palast, einen Kilometer vom Präsidentenpalais entfernt, stammt gleichfalls von Niemeyer und ist hübsch, aber erdrückend. Man lebt wie in der Verbannung! Ein Fläschchen Tinte oder einen Lippenstift zu kaufen, wird wegen der Hitze und des Staubes selbst mit dem Auto zu einer mühseligen Expedition. Der Wind und der Boden sträuben sich gegen die Absichten der Baumeister. Überall pfuschen ihnen glühendheiße Staubwirbel ins Handwerk. Auf dem Dreimächteplatz wurde ein Vermögen ausgegeben, um den roten Boden mit Asphalt zu überziehen. Die Menschen haben der Wüste die eigenwilligste aller Metropolen abgerungen. Wenn ihr Starrsinn eines Tages nachläßt, wird die Wüste sie ihnen wieder wegnehmen. Drohend hält sie sie umzingelt. Der künstliche See erfrischt den Blick nicht: Die blaue Wasserfläche scheint nur der irdische Reflex des glühenden Himmels zu sein.

Amado und Niemeyer haben uns mit Kubitschek bekannt gemacht. Wir hatten mit ihm in seinem Büro ein ganz offizielles kurzes Gespräch. Er betrachtet Brasilia als sein persönliches Werk. Auf dem Dreimächteplatz steht ein von Niemeyer gebautes Museum, das der Geschichte der neuen Hauptstadt gewidmet ist. Man könnte es für eine abstrakte Skulptur halten. Es ist ein einfacher, überraschender und sehr schöner Bau. Leider ragt aus einer der Wände, überlebensgroß und grün, Juscelinos Kopf hervor. Darunter sind die durch ihn angeregten maßlosen Lobsprüche eingraviert. Am Sonntag pilgern die Menschen (wo sollten sie sonst hingehen? Rings um Brasilia gibt es absolut *nichts*) zu dem Holzhaus, in dem er sich ab und zu für kurze Zeit aufzuhalten pflegte, als die Bautätigkeit begann. Man trinkt dort eine Tasse Kaffee in dem von Bäumen beschatteten Café und betrachtet das Denkmal, das an seinem Sockel die Inschrift «Dem Gründer» und eine Aufzählung seiner Verdienste trägt.

Wenn man ein Flugbillett, ein Medikament oder irgend etwas anderes braucht, so fährt man zwanzig Kilometer weit in die ‹freie Stadt›, wo die Bautätigkeit keinen Beschränkungen unterliegt. Kaum waren die Pläne für Brasilia fertig, da wurden in aller Hast Holzbaracken errichtet und in Geschäfte, Hotels, Restaurants, Agenturen, Wohnungen umgewandelt. Man glaubt sich in eine Wildwest-Siedlung versetzt, aber an Stelle der Pferdefuhrwerke sausen unter ohrenbetäubendem Lärm Autos, Last- und Lieferwagen über die roten Chausseen. Aus den Geschäften ertönt schrille Musik. Reklameautos schreien Slogans hinaus. Auf den Bürgersteigen herrscht ein unbeschreibliches Gewimmel. Man tritt sich auf die Füße, der Staub färbt die Schuhe rot, dringt einem in die Ohren, irritiert die Nase, reizt die Augen, und die Sonne trifft einen wie mit Keulenhieben: Trotzdem ist man froh, weil man sich wieder in einer menschlichen Welt befindet. Häufig brennt es, da das Holz bei dieser Trockenheit sehr leicht Feuer fängt. Kurz vor unserer Ankunft war ein ganzes Viertel abgebrannt. Keine Opfer, aber Schutthaufen, geschwärzte Möbel, verkrümmte Eisen, zerschlitzte Matratzen. Man vergaß den traurigen Anblick, wenn man auf der Straße die *catingos* lachen und einander auf die Schulter klopfen sah. In Brasilia lachen sie nicht. Am Tage arbeiten sie, und am Abend wandern sie bisweilen mit verdrossener Miene durch diese Welt, die sie aufgebaut haben und die nicht für sie bestimmt ist.

Um sie zu begreifen, mußte ich an die Menschentiere denken, denen wir unterwegs begegnet waren, an die Wohnlöcher in Recife, an alles, was ich über den Nordosten wußte. Ich hatte gerade den Roman *Suor* gelesen, in dem Amado einen früheren Exodus quer durch die *catinga* schildert. Damals brachen die hungrigen Bauern – die *flagellados* – zu Fuß nach dem Süden auf, und nur wenige erreichten lebend ihr Ziel. Jetzt sitzen sie zusammengepfercht auf Lastautos, die man ‹Papageienstangen› nennt und die, überladen, von einem Chauffeur gesteuert, der zuviel *cachaça* getrunken hat, oft im Straßengraben landen. Die Zeitungen sprechen dann diskret von zwanzig oder fünfzig Toten. Mitunter – und das soll auch in Brasilia der Fall gewesen sein – zahlt der Bauunternehmer dem Vermittler für jede Arbeitskraft eine kleine Summe. Sind die Leute erst einmal auf dem Bauplatz, bleibt ihnen nichts anderes übrig, als den Lohn und die Lebensbedingungen zu akzeptieren, die man ihnen aufzwingt. Die Arbeiter Brasilias hausen dichtgedrängt in ‹Satellitenstädten›, riesigen *favellas*, die zwanzig oder dreißig Kilometer von der Arbeitsstätte entfernt sind. Mir fiel auf, daß sie von den Lastwagenchauffeuren, die sie durch die Stadt befördern, mit einer unglaublichen Brutalität behandelt werden. Sie bremsen nicht an den Haltestellen, so daß die *catingos* im Fahren aufspringen müssen und oft hinfallen. Man hat mir erzählt, daß sie sich manchmal verletzen oder sogar dabei umkommen. (Die Satellitenstädte sollten nach Beendigung der Arbeiten in der Hauptstadt abgerissen werden, die Arbeiter zogen es aber vor, statt aufs Land zurückzugehen, ihr Glück in Brasilia zu versuchen, und die Satellitenstädte blieben bestehen.)

Ich habe an zahlreichen Diskussionen über Brasilia teilgenommen. Seit nahezu hundert Jahren trugen sich die führenden Kreise Brasiliens mit dem Gedanken, die Hauptstadt ins Innere des Landes zu verpflanzen, und dieser Plan war immer populär. Brasilia liegt aber nicht im eigentlichen Zentrum des Landes, sondern ist ein vorgeschobener Grenzposten am Rand unermeßlicher, unerforschter Weiten. Und es wird lange dauern, bis die Zivilisation diesen Busch erobert hat. Ein deutscher Agronom, mit dem man über die Urbarmachung dieser Landstriche sprach, hat gesagt: «Das ist alles gut und schön. Aber da müßte man Tausende von

Bulldozern, Lastkraftwagen, Traktoren importieren, und dann viele Tonnen Düngemittel ... Und außerdem Erde ...» Rund um Brasilia gibt es weder Landwirtschaft, noch Industrie, noch irgendwelche Bodenschätze. Es läuft Gefahr, auf lange Zeit hindurch eine abgelegene Vorstadt von São Paulo und Rio de Janeiro zu bleiben. Es gibt nur eine einzige Überlandroute – die wir benutzt haben – und Flugverbindungen. Aber gerade durch seine Existenz, sagte Kubitschek zu uns, würde Brasilia den Ausbau eines Straßennetzes erzwingen, welches das Land einigen wird. Man hat bereits angefangen, durch den jungfräulichen Wald die Chaussee zu bauen, die Belém mit Brasilia verbinden wird. Die Gegner erwidern, daß die Arbeiten bereits an Cruzeiros und Menschenleben einen Preis gekostet hätten, den kein praktischer Vorteil aufwiegt. Allenfalls würde dadurch der Transport der Schmuggelware – amerikanische Autos, Parfum usw. – von Belém nach São Paulo und Rio de Janeiro erleichtert. Tatsächlich aber braucht der Nordosten keine Absatzwege, weil er fast nichts hervorbringt. Es besteht im Gegenteil die Gefahr, daß die armen Handwerker – zum Beispiel die Schuhmacher – durch den Zustrom der Waren zugrunde gerichtet werden. Die Kapitalien, die Brasilia verschlungen hat, hätten dazu verwendet werden müssen, ein lokales Straßennetz zu schaffen, das Land zu bewässern und Industrien einzurichten. Amado gab zu, daß Brasilia ein Mythos ist. Aber, sagte er, Kubitschek habe eben nur deshalb die erforderliche Hilfe, Kredite und Unterstützung erhalten, weil er sich auf einen Mythos stützte. Vernünftigeren, aber weniger faszinierenden Unternehmungen hätte die Nation die Mittel verweigert. Das kann stimmen. Bei mir hatte sich der Eindruck festgesetzt, daß hier ein Monstrum entstanden war, dessen Herz und Lungen künstlich und dank einem erstaunlich kostspieligen Verfahren in Gang gehalten werden. Wenn Brasilia am Leben bleibt, wird sich auf jeden Fall die Spekulation seiner bemächtigen. Die Stadtverwaltung hat bereits damit begonnen, das Baugelände am Ufer des Sees, das nach der Vorstellung Lucio Costas im öffentlichen Besitz verbleiben sollte, an private Käufer zu verhökern. Hier stoßen wir wieder auf einen der für Brasilien so charakteristischen Widersprüche: die Stadt Nummer eins dieses kapitalistischen Landes ist von Architekten erbaut worden, die sich zum Sozialismus bekennen. Sie haben ein großes Werk erstellt und einen schönen Traum geträumt, aber sie verstanden es nicht, zu siegen.

Ich wollte Indianer sehen. Amado sagte uns, daß es in einer Entfernung von etlichen achthundert Kilometern Indianer gäbe, die auf einer riesigen und fast verödeten Flußinsel lebten, auf der Kubitschek eine neue Stadt gegründet hatte, die westlichste Brasiliens. Der Gouverneur der Insel lud uns ein. Amado, der entschieden wenig für Flugzeuge übrig hatte, blieb in Brasilia. Sein Bruder und Zélia kamen mit uns an Bord der kleinen Maschine, die man uns zur Verfügung gestellt hatte und in der sich außer dem Piloten und einem Steward niemand mehr befand. Wir überflogen schillernd dunkelgrüne, noch jungfräuliche Grassteppen. Nach zwei Stunden tauchte der Fluß auf. Mit seinen gigantischen Armen hielt er eine Insel umschlungen, deren Ende nicht zu sehen war. «Die Indianer werden auf dem Flugplatz sein», sagte der Pilot lachend. Er scherzte nicht. Wir sahen sie schon von weitem: fast nackt, Federn im Haar, Pfeil und Bogen in den Händen, das rot und schwarz bemalte Gesicht von strähnigem Haar umrahmt. Als wir ausstiegen, wurden wir gefragt: «Wollen Sie zu ihnen hingehen oder sie herankommen lassen?» Wir gingen hin. Sie begrüßten uns mit Rufen, die nicht sehr überzeugend klangen. Die Frauen in den zerlumpten Alltagsgewändern hielten sich im Hintergrund; sie hatten ihre Kinder auf dem Arm und sahen abgearbeitet aus. Diese Maskerade und die idiotische Rolle, die wir dabei spielten, waren überaus peinlich. Lächelnde Mienen, Händeschütteln. Sie schenkten uns – wie man es ihnen nahegelegt hatte – Waffen, Pfeile, Federkopfreifen, die wir aufsetzen mußten. Dann besuchten wir in sengender Hitze ihr Dorf: vor einer Bambushecke befanden sich riesige Zelte voller Frauen und Kinder, die auf dem Erdboden oder in Hängematten lagen. Unter dem Schutz der Regierung fangen sie Fische, bestellen kleine Ackerstücke, stellen Puppen und Vasen aus Ton her, die in ihrem Auftrag verkauft werden oder die sie den Besuchern schenken – und die dafür der Stiftung eine Geldsumme überweisen. Wir nahmen schwarz und rot dekorierte Schalen und kleine Figuren mit: sitzende oder stehende Frauen, die ihre Kinder wiegen oder arbeiten. Im Zwielicht der Zelte erblickte ich einige arme gerupfte Papageien. Von ihren Rücken stammten die Zierfedern, die man uns verehrt hatte. Nachdem sie die zeremonielle Schminke weggewischt hatten, sahen die meisten Männer recht kräftig und vergnügt aus. Die Frauen kamen uns degeneriert vor, obwohl man uns erzählte, daß sie großen Einfluß auf das Leben der Gemeinschaft hätten. Ihrer natürlichen Umgebung entrissen, ohne assimiliert zu sein wie die Indianer in den «Reservationen» New Mexicos, führen diese Menschen dasselbe künstliche Dasein wie die wilden Tiere im Zoo. Der Pilot hatte vorgeschlagen, uns in einer Entfernung von einer Flugstunde einen weniger zahmen Stamm zu zeigen. Ich hoffte sehr, daß wir nach einem hastigen Mittagessen Gelegenheit haben würden, hinzufliegen.

Ein Jeep beförderte uns ins Zentrum – Kantine, Schlafsaal, Krankenstube –, wo die Funktionäre der Stiftung wohnten. Da gab es einen jungen Arzt, der die Indianer auf den Tod haßte, und zwei bärtige Männer, die sie liebten und deshalb ganz unverhohlen die anderen Weißen haßten. Sie wären vor kurzem um ein Haar von einem Stamm im Matto Grosso abgeschlachtet worden, aber das hatte ihren Gefühlen keinen Abbruch getan. Sie hätten uns Näheres über jenes Dorf mitteilen können, aber da sie die Touristen nicht leiden konnten, die angerückt kommen, um Menschen wie merkwürdige Tiere zu begaffen, kehrten sie uns mit sympathischer Grobheit den Rücken. So blieben wir auf der Veranda sitzen und betrachteten den gefährlichen Matto Grosso am anderen Ufer des gewaltigen Flusses. Endlich ließ sich das Dröhnen eines Flugzeugs vernehmen: der Gouverneur und der Proviant. Der Gouverneur begrüßte uns, leerte eine Flasche Bier, ohne jemandem etwas anzubieten, und legte sich in eine Hängematte. Man begann Tische, Stühle, Kisten mit Geschirr und Lebensmitteln in Jeeps und ein Motorboot zu verladen: Wir sollten in Kubitscheks neuer Stadt essen, die mehrere Kilometer entfernt lag. Wann? Ich hatte Hunger, ich war durstig, mir war heiß, und diese Expedition erschien mir idiotisch. Ein alter Kazike setzte sich mit seiner Pfeife zu uns und hielt uns einen Vortrag auf portugiesisch. Jemand erzählte uns, als er zum Kaziken ernannt wurde, habe einer seiner Vettern ihm diese Ehre streitig gemacht und sich bei Vargas beklagt, der zu Besuch ins Dorf gekommen war. «Der Stärkere gewinnt», sagte der Präsident und forderte sie zu einem Ringkampf auf. Der Vetter siegte. Man habe es Vargas übelgenommen, daß er sich in Angelegenheiten des Stammes eingemischt hatte. Gegen drei Uhr stiegen wir in ein Boot ein. Die Sonne brannte auf meinen Kopf, und sogar der Fluß schien Flammen zu speien. Einer der bärtigen Männer badete mit äußerster Vorsicht neben dem Landungssteg, da das Wasser von kleinen scharfzähnigen Raubfischen bevölkert ist. Er schloß sich unserer Gruppe an. «Wo liegt denn die Stadt?» fragte ich. Da zeigte man mir ein Touristenhotel, das aber noch nicht bewirtschaftet war. Ein schönes Beispiel brasilianischen Bluffs! Die Lage hatte etwas Grandioses: weißer Sandstrand, stahlgrauer Fluß und endlose, mit Buschwerk bewachsene Terrassen unter einem metallenen Himmel. Aber diese ausgedörrte Kargheit! Wir flüchteten zwischen die Pfeiler unter das Haus – die einzige schattige Stelle –, und während Frauen den Tisch deckten, spielte der Arzt Schallplatten von Carlos Gardel. Zélia entriß dem Gouverneur eine Flasche Bier, die wir tranken. Schließlich wurde Reis mit Krabben serviert. Ich war so ausgehungert, daß ich keinen Appetit mehr hatte. Sartre gab sich Mühe, am Gespräch teilzunehmen. «Se-e-ehr interessant», antwortete er auf die Tiraden des Gouverneurs. «Das Hotel wird sicherlich junge Hochzeitsreisende anlocken.» – «Se-e-ehr interessant.» Er stellte sogar Fragen. «Wird man über Flugzeuge verfügen, um sie herzuholen?» Seine übertriebene Anstrengung entlockte Zélia ein so hemmungsloses Gelächter, daß sie vom Tisch aufstehen mußte, und sie tat, als bewundere sie einen Strauch mit flockigen Blüten. Ein weiblicher Tischgast beeilte sich, ihr den Weg zu den Toiletten zu zeigen.

Es war zu spät, um das andere Dorf noch zu besichtigen. Übrigens hätten wir auch dort nicht viel Neues erlebt, weil es gleichfalls von Weißen verwaltet wurde. Die einzigen interessanten Stämme sind unzugänglich und gefährlich, da sich viele kriminelle Elemente in dieser

Gegend versteckt halten, die bewaffnet sind und sich damit amüsieren, ‹Wilde› zu töten. Die Behörden ließen zwar einen dieser Mörder vor den Augen der Indianer hinrichten, aber das genügte nicht, um sie zu beschwichtigen. Sowie sie einen Weißen erblicken, wird er angegriffen.

Als wir mit dem Boot wieder im Zentrum anlangten, war es sechs Uhr. Der Arzt war mit dem Jeep im Hotel geblieben. «Wenn wir nicht sofort aufbrechen, müssen wir hier übernachten», sagte der Pilot. Da der Flughafen von Brasilia nachts nicht beleuchtet ist, darf man dort nach Sonnenuntergang nicht mehr landen. Sartre sprang auf. «Gehen wir!» Obwohl wir mit Töpfereien beladen waren, legten wir den Kilometer bis zum Flugplatz zu Fuß zurück. Als wir eingestiegen waren und die Propeller sich bereits drehten, erschien der Arzt, total betrunken und wild mit den Armen fuchtelnd. Man zog ihn hoch, er ließ sich hinfallen und schlief ein. Erleichtert atmeten wir auf, als wir vier endlich wieder unter uns waren.

Wenige Tage später flogen die Amados nach Rio. Der Abschied fiel mir sehr schwer. Wir wollten nach dem Norden und dann von Manáus aus nach Havanna. Wir waren eingeladen, und die Flugscheine lagen in einem Reisebüro für uns bereit. Wenn das nicht klappen sollte, würden wir nach Recife fahren und dort das Flugzeug nach Paris nehmen. Nachdem wir sechs wundervolle Wochen zusammen verbracht hatten, konnte ich mir schwer vorstellen, daß ich die Freunde jahrelang nicht mehr wiedersehen würde – vielleicht nie.

Der Rektor von Fortaleza, dem wir in Recife begegnet waren, hatte uns eingeladen. Die Frische des Windes so nahe dem Äquator war erstaunlich. Welche Freude, die Meeresbrandung und eine richtige Stadt wiederzufinden! Da waren sie von neuem, die *jangadas* mit den weißen Segeln, ein von starken Gerüchen erfüllter Markt, enge Geschäftsstraßen – Stoffe, Schuhe, pharmazeutische Artikel –, zauberhafte Plätze, Kioske und eine wimmelnde Menschenmenge. Sartre hielt einen Vortrag, in einem Club am Meeresstrand fand ein offizielles Mittagessen und in den Gärten des Rektorats eine Cocktailparty statt; der Studentenchor sang Volkslieder. Aber wir hatten viel freie Zeit zu unserer Verfügung. Abends saßen wir unter dem Laubwerk eines Platzes auf der Terrasse eines Café-Restaurants, wo die Soldaten mit jungen Mädchen ein Glas tranken. Sie angelten sie sich in dem benachbarten Bordellviertel, einem Sektor der übervölkerten *favella*, die bis ans Meer reicht. In den Kneipen mit den weitgeöffneten Türen, in den Alleen lachten und plauderten Männer und Frauen, die, abgesehen von der Käuflichkeit, durch ihre Armut verbunden waren. Eines Abends, bei Sonnenuntergang, durchquerte ich einen anderen Teil der *favella*. Diese Abenddämmerung fasziniert durch ihre Kürze und Schnelligkeit. Kaum daß das Licht des Nachmittags verblaßt ist, da glüht der Himmel schon in allen Farben, und die Nacht ist da. Die auf den Strand gesetzten *jangadas* sahen aus wie große tote Vögel. Männer und Frauen, zu Fuß oder auf Eselsrücken, kauften die von den Fischern gefangenen Fische. Sie wechselten dabei kaum ein Wort, und unter der Milde des sterbenden Tages hatte dieser stumme Handel die Schlichtheit primitiver Tauschsitten. Als ich mich auf den Rückweg machte, leuchteten Kerzenstümpfe in den Baracken der *favella.*

In dem kleinen Café am Platz drehte sich unablässig eine Schallplatte mit einer musikalischen Huldigung für Janio. Er selbst stieg eines Abends mit seinem Gefolge in unserem Hotel ab. In der Nacht herrschte ein toller Lärm. Scharen junger Menschen mit Besen in den Händen tanzten unter lauten Rufen durch die Straßen. Eine Stunde vor seiner Rede war der große Platz voller Menschen, die sich mit Besen bewaffnet hatten. Lautsprecher, Knallfrösche, Rufe und Gelächter. Janios Sieg schien gesichert zu sein, und Sartre hätte ihn gern kennengelernt. Unseren Freunden aber, die, den Tod im Herzen, für Lott stimmten, wäre das peinlich gewesen.

Nachdem wir so viel über ihn gehört hatten, wollten wir ihn sehen – den weißen Wald – die *catinga.* Ein Professor vertraute uns dem Polizeichef an, der französisch sprach und in der Umgebung Land besaß. Er war etwa fünfzig Jahre alt und glatzköpfig, und während wir zur Stadt hinausfuhren, machte er seine dilettantischen Bemerkungen zu Rostands *Cyrano.* Anfangs war die Landschaft von hohen Stechpalmen, den *carnaúba,* beherrscht. Aus ihren Stämmen fertigt man Holzzäune und Wände an, mit ihren Fasern deckt man das Dach, das Mark und die Früchte werden gegessen, vor allem liefern sie das Wachs, das ihre Blätter vor der Dürre schützt, indem es ihre Atmung verhindert, und das exportiert wird, um bei der Herstellung von Filmen, Schallplatten, Kerzen und Streichhölzern Verwendung zu finden. Sie gehören Großgrundbesitzern, die sich, wie man mir erzählt hat, der Bewässerung des Gebietes widersetzen. Sie verschwanden sehr bald, und übrig blieben nur noch verkümmerte Sträucher, holzig und stachlig, mit grauen, tristen Blättern. Und Kakteen in den verschiedenartigsten Formen: Altarkerzen, vielarmige Kandelaber, riesige Artischocken, Tennisschläger, Schnecken, Rosetten, Bärenmützen. In dieser unfruchtbaren Natur gediehen die Sektierer und die *cangaceiros,* die ihre Hoffnung auf Gott oder ihr Vertrauen in die Waffen setzten, um ihre endlose Qual in ein menschliches Dasein zu verwandeln. Aber die Heiligen und Briganten sind ausgestorben. Im Kampf gegen den Hunger verläßt man sich nur noch auf die *açudes,* in denen sich das Regenwasser sammelt. Die meisten aber sind leer. Wir sahen einen, der war so groß wie ein See; Leute, die auf kleinen Eseln oft von weit her kamen, füllten dort ihre Tönnchen. Mit Hilfe dieses Reservoirs hätte man in weitem Umkreis einen Boden bewässern können, der dann sofort fruchtbar wird: Aber es waren keine Kanäle angelegt worden. Volkswirtschaftler behaupten, daß jeder Bewässerungsplan für das ‹Polygon› utopisch sei. Die einzig mögliche Lösung bestehe darin, die Bevölkerung in den Süden zu verpflanzen. Andere sind der Meinung, daß, wenn man Geld investieren würde, dieser Landstrich urbar gemacht werden könnte. Noch andere meinen, die Lebensbedingungen der Bauern würden sofort erträglicher sein, wenn sie den Boden auf eigene Rechnung und ihren eigenen Bedürfnissen entsprechend bewirtschaften dürften. Eine echte Agrarreform aber setzt eine Revolution voraus, die recht unwahrscheinlich ist. (Seit 1960 haben sich die Bauernverbände rasch entwickelt. Die Bauern gehen dazu über, den Boden zu beschlagnahmen, sie beginnen sich zu organisieren.) Zweifellos werden die Kinder des ‹Polygons› noch lange in Ermanglung richtiger Nahrung die Erde aufessen, die sie tötet. Der Polizeibeamte dagegen beklagte sich, daß in Brasilien alles viel zu schnell vorangehe. Man habe die Sklaverei voreilig abgeschafft, und jetzt wolle man voreilig die Bauern aufrütteln und erziehen. Eine Panne unterbrach seine Überlegungen. Wir gingen ein Stück Weg, in der eitlen Hoffnung, im Schatten eines Hauses Zuflucht zu finden. Die Sonne verbrannte einen bei lebendigem Leibe.

Als der Schaden behoben war, überholten wir ein Paar, das einen kleinen, als Franziskanermönch verkleideten Jungen an der Hand führte. Ein Stück weiter ruhte eine Familie im Straßengraben unter einer Plane aus. Das Fest des heiligen Franziskus stand bevor, und an diesem Tage überschwemmte eine riesige Pilgerschar das Städtchen, das unser Ziel war. Während der Festlichkeit entfalten die Taschendiebe eine rege Tätigkeit, und unser Polizeibeamter wollte sich vergewissern, daß der Ordnungsdienst aktionsbereit sei. Wir aßen in einem schattigen Gasthaus. Die Wirtin nahm kein Geld an – ebensowenig wie der Cafétier, bei dem wir auf dem Rückweg ein Glas tranken. Die Gewogenheit des Polizeichefs war wohl einige kleine Geschenke wert.

Auf der Straße wurden geschmacklose Miniaturausgaben des Altars verkauft, der dem heiligen Franziskus geweiht war. In Wirklichkeit war er genauso häßlich wie die Nachbildungen. Aber die Halle mit den Votivgaben war noch eigenartiger als die Sakristei der Erlöserkirche von Bomfim. In der Mitte häuften sich die Holzgegenstände, die jedes Jahr auf einem Scheiterhaufen verbrannt werden: Zauberpuppen, Arme, Beine, Füße, Hände, Köpfe, Geschlechtsteile, Krücken. Der Haufen reichte fast bis an die Decke. Die an den Wänden befestigten Fotos, Zeichnungen, Malereien schilderten die Unglücksfälle, denen der Gläubige entronnen war, oder die Krankheiten, die der heilige Franziskus geheilt hatte: Geschwüre, Wunden, Geschwülste, Wolf, Kropf, Pusteln, Flechten, Lähmungen, Mißbildungen. Die kranken Organe oder Gliedmaßen waren aus Gips oder Wachs nachgebildet: Leber, Nieren und in zahllosen Fällen die Geschlechtsteile. Mit der Zeit waren diese Nachbildungen dermaßen verschimmelt und vermodert, daß man sich seines eigenen Körpers schämte.

Auf dem Rückweg, in der Milde des Abends, kam einem die *catinga* nicht so unbarmherzig vor. Wir fuhren durch ein Dorf, wo Wimpel, Girlanden und Verkaufsbuden ein Fest ankündigten. Wir kamen an klapprigen, mit jungen Menschen beladenen Autos und an Gruppen vorbei, die zu Fuß gingen. Die Burschen trugen leuchtend grüne Hemden, die Mädchen grellbunte Kleider. Sie hielten die Schuhe in der Hand, um sie nicht abzunutzen und die Füße zu schonen.

Sartre wollte nicht nach Amazonas, weil niemand uns eingeladen hatte. Bost aber hatte seinerzeit in den *Temps Modernes* eine Schilderung von Manáus gebracht, die mich neugierig gemacht hatte. Alejo Carpentier und Lévi-Strauss hatten mich noch einmal darauf hingewiesen. «Sie müssen unbedingt nach Amazonas fahren», hatte Christina T. zu mir gesagt. «Dort langweilen sich die Menschen auf andere Weise als hier.» Also landeten wir eines Tages in Belém. Es war für uns neu und angenehm, daß niemand uns erwartete, aber es gab keine Taxis, und in der erstickenden Feuchtigkeit des Flugplatzes kamen wir uns ein wenig verloren vor. Schließlich fanden wir eines, das uns ins Hotel brachte. Die Zimmer waren Schwitzbäder, in der mit einer Klimaanlage versehenen Bar fröstelte man. Sowie man ins Freie kam, wurde man von einer feuchten Hitze eingehüllt, die einem das Atmen schwer machte. Wir hatten nur noch französisches Geld. Das Hotel wollte es ebensowenig nehmen wie die Bank, an die ich mich wandte. Man verwies mich an eine andere, die einzige, die Devisen wechselte: ausschließlich amerikanische Dollar. Was tun? Ich stritt auf englisch mit dem Bankangestellten herum, der schließlich einen Bekannten anrief, einen Kuriositätenhändler, der mit ausgestopften Schlangen, Federnschmuck, indianischen Töpfereien handelte und mir die Francs zum halben Kurs abkaufte. Ich erkundigte mich nach einer Fluggelegenheit nach Manáus: kein Platz frei, erst in drei Tagen. Das kommt einem lang vor, wenn das Klima und die Umstände jede Beschäftigung verhindern. Trotzdem habe ich Belém in guter Erinnerung behalten. Auf den Uferbänken des Amazonas, auf dem Markt, zwischen den dicht zusammengedrängten Verkaufsständen trieben sich Neger herum, ausländische Matrosen, Schmuggler, Abenteurer, alle möglichen Bummler, die auch die Kneipen füllten. Die 350 Kilometer breite Mündung des Flusses umschließt eine Insel, die größer ist als die Schweiz. Jenseits des gewaltigen Stromes sieht man feuchtes Grün. Die alte Portugiesenstadt ist fast unversehrt erhalten geblieben: Kirchen, Häuser im Kolonialstil, Plätze, mit düsteren Bäumen bepflanzt und mit Azulejos geschmückt. Fern von der Stadtmitte, an riesigen Avenuen, die eigentlich brachliegendes Land sind, stehen Strohhütten zwischen üppigen Bananenbäumen. Stolz ragen Palmen in den bewölkten Himmel empor. Gelbliche

Zitronenbäume strömen einen Geruch nach Gewächshaus, welkem Grün und Acker aus. Gegenüber dem Hotel befand sich ein Park. In einem exotisch dekorierten Kiosk aßen wir exotische Eissorten und betrachteten die vorbeifahrenden eingeschmuggelten amerikanischen Luxuswagen, die man in Rio und in São Paulo nur selten zu Gesicht bekam. Es ist bezeichnend für den Ruf, den Belém genießt, daß man aus São Paulo Parfums hinschickt, die dort als heimlich aus Paris importiert verkauft werden. Den ganzen Tag über ermahnten fahrende Lautsprecher die Wähler, für Janio zu stimmen, und in der Nacht explodierten tausend Knallfrösche. Dafür verlief der Wahltag sehr ruhig.

Eines Morgens wurde Sartre in der Hotelbar von einem Journalisten angesprochen. «Ich war der erste, der Ihren Tod gemeldet hatte», sagte er zu ihm. Vor einigen Jahren hatte er in ziemlich angetrunkenem Zustand seiner Zeitung telegrafiert, Sartre sei bei einem Autounglück in der Umgebung von Belém ums Leben gekommen. Ein Pariser Journalist hatte in der rue Bonaparte angerufen und sich bei Sartres Mutter erkundigt, ob er momentan in Brasilien sei. «Aber nein», erwiderte sie. «Er ist hier.» – «Dann ist ja alles in Ordnung. Wir haben nämlich eine Meldung erhalten, daß er drüben einen Autounfall ...» Sie glaubte in Ohnmacht zu fallen und öffnete schnell die Tür seines Arbeitszimmers, um sich zu vergewissern, daß Sartre an seinem Schreibtisch saß. Dieser Einfall hatte seinem Urheber ein gewisses Ansehen verschafft. «Stürzen Sie ja nicht mit dem Flugzeug ab», sagte er zum Schluß, «denn diesmal würde es mir niemand glauben ...»

Ich überflog den Amazonas, das grenzenlose Netz der Zuflüsse, die durch das grenzenlose Waldesgrün strömen. Ich war gleichzeitig hingerissen und ärgerlich, weil ich wußte, daß ich mehr nicht zu sehen bekommen würde. Von Manáus startet jeden Monat ein Flugzeug, um die abgelegenen Niederlassungen zu verproviantieren, bei denen die Indianer sich mit Lebensmitteln versorgen: Aber wir hätten eine Gelegenheit gehabt, ihre Dörfer zu besuchen, und es war auf jeden Fall nicht die Rede davon, länger als drei bis vier Tage in Manáus zu bleiben. Man hatte mir erzählt, daß es ein merkwürdiger Ort sei. Nachdem Manáus Ende des 19. Jahrhunderts dank der Erfindung des Kautschuks und dem brasilianischen Gummibaum eine reiche Hauptstadt geworden war, verarmte sie binnen weniger Monate, als vom Jahre 1913 an die durch den Engländer Wickam herausgeschmuggelten Samenkörner in Ceylon und auf Java unvergleichlich ergiebigere Gummiplantagen hatten entstehen lassen. Da fast sämtliche Einwohner wegzogen, blieb nur ein Kadaver übrig, der zu verwesen begann. Das Entstehen kleiner Industrien brachte die Bevölkerung wieder auf 170 000 Seelen, die zwischen den Spuren erloschenen Glanzes, zwischen dem undurchdringlichen Wald und dem Rio Negro, dem einzigen Zugang, außer dem Flugzeug, verschmachteten.

An den Wänden des Hotels ‹Amazonas›, eines vor wenigen Jahren erbauten, hübschen Anwesens in Prismenform, befinden sich Wandmalereien, auf denen schmale Flüsse unter einem Laubgewölbe und Kähne mit lachenden Touristen, die Jagdflinten in der Hand halten, zu sehen sind. Als diese Bilder in Prospekten reproduziert wurden, lockten sie vor etwa zehn Jahren reiche junge Herren aus São Paulo herbei, die sich auf die Jagd, auf das Angeln, auf die Geheimnisse des Urwalds freuten. Sie fuhren wieder ab, ohne etwas gesehen und ohne einen einzigen Schuß abgefeuert zu haben, und berichteten laut und vernehmlich, daß alles Schwindel sei. Das Hotel war beinahe leer. Im Gegensatz zu Belém fror man hier in den Zimmern und schwitzte in der Bar und im Restaurant. Draußen verwandelte man sich in einen klebrigen Fetzen. Wenn die Sonne um sechs Uhr wie eine Kerze erlosch, stieg aus dem Boden eine neue Hitzewelle empor, die so dicht war wie die Nacht, durch die kein Lichtstrahl dringt: In Manáus gibt es keinen elektrischen Strom (nur das Hotel verfügte über einen eigenen Generator). Der Speichel im Mund vertrocknete, und wir konnten nichts essen. Die ehemaligen Paläste der Reichen – aus Italien importierter Marmor und Skulpturen – sind einem hoffnungslosen Zerfall ausgeliefert. Das Unkraut hat sie zerstört. Nur noch der Hafen lebt, mit seinen Schiffen voller Passagiere und Waren, seinen Schwimmdocks, seinen Häuschen, die ins Wasser hinausragen, und dem schwarz dahingleitenden Fluß.

Auch hier wollte sich keine Bank auf eine so gewagte Spekulation einlassen, französische Francs zu wechseln. Aber ein alter elsässischer Juwelier lieferte uns Cruzeiros zum normalen Kurs und ohne viel Umstände. Sein Freund, der Konsularagent, gleichfalls ein Franzose, der seit fünfzig Jahren in Amazonas lebte und sehr gastfreundlich war, fuhr mit uns im Auto die Chaussee entlang, die einige Kilometer tief in den Urwald eindringt. Der Tijucas war viel reizvoller gewesen. Hier wußte man zwar, daß man von einem Chlorophyllozean umgeben war, aber man sah nur zwei Baumwände. Man hätte Gott weiß wo sein können. Der Ausflug, den wir am nächsten Tag unternahmen, verwirrte uns noch mehr. Amazonas setzt heute alle seine Hoffnungen auf das Erdöl, und das Bundesmonopol Petróbras läßt überall Versuchsbohrungen vornehmen. Auf einem Boot des Konzerns fuhren wir zusammen mit dem Konsul und einem Schweizer Ingenieur den Fluß hinab: Seine goldkäferfarbenen Gewässer sind von denen des weißen Amazonas durch eine so deutliche Linie getrennt, daß man meinen könnte, sie sei mit der Hand in festes Land eingeritzt. Fischer saßen in ihren Kähnen und warfen ihre Netze in das Wasser, in dem es von fleischfressenden Fischen wimmelte. Wir fuhren auf einem Nebenfluß bis zu den schwimmenden Unterkünften, Speise- und Schlafsälen der Erdölarbeiter und Ingenieure, deren Mahlzeit wir teilten. Dann brachte uns ein offenes Lastauto in der sengenden Sonne zu einem Bohrturm. Zu beiden Seiten des Weges und rund um die Lichtung stieß der Blick auf die hermetische Dichte des Waldes. Von den sattgrünen Geheimnissen, die Alejo Carpentier heraufbeschworen hatte, waren wir weit entfernt. Erschöpft kehrte ich nach Hause zurück. Am nächsten Morgen ließ uns der Konsul die geschmackloseste Blüte von Manáus bewundern: das ganz aus Marmor erbaute, mit einer bunten Kuppel gekrönte Theater, auf dessen Brettern die berühmtesten Künstler der Welt getanzt und gesungen hatten. Ich konnte nicht mehr aufrecht stehen. Die Erde fieberte, ich badete in ihrem Schweiß, war selber verschwitzt und fiebrig. Ich legte mich ins Bett. «Wollen wir trotzdem abreisen?» fragte mich Sartre. Aber ja. Zu der unheimlichen Atmosphäre, zu meiner Mattigkeit kam noch das unbehagliche Gefühl, von der Außenwelt abgeschnitten zu sein. Wir hatten keine Flugscheine nach Kuba vorgefunden, und es war uns nicht gelungen, mit Rio zu telefonieren. Vergebens bemühten wir uns, Amado telegrafisch zu erreichen. In Brasilien funktioniert nur das amerikanische Telegrafennetz, das aber nicht bis Manáus reicht. Eine Depesche aus Rio, sagte uns der Konsul, brauche eine Woche, falls sie überhaupt ankommt. In Paris tat sich allerhand. Das Telefonamt hatte mir ein Gespräch angekündigt, auf das ich zwei Stunden lang warten mußte. In weiter Ferne piepste Lanzmann, der mich bat, nicht nach Frankreich zurückzukehren, bevor ich einen Brief erhalten hatte, und der nichts von dem verstand, was ich sagte, und schließlich erlosch seine Stimme mitten in einem Wort. Ich hatte es eilig, nach Recife, nach Paris zu kommen. Als der Konsul uns nachts zum Flughafen begleitete, kommentierte er unaufhörlich den Wahlausgang. Da das Land so riesengroß ist und die Verbindungen so schlecht sind, dauert die Auszählung der Stimmen mehrere Wochen. Aber Janio hatte einen so großen Vorsprung, daß sein Sieg bereits sicher war. Der Gouverneur von Manáus aber hatte für Lott gestimmt. Er gehörte der Linken an und war ein ehrlicher Mann. «Es gibt zweierlei Gouverneure», erklärte der Konsul, «die schlechten, die das ganze Geld einstecken und nichts tun, und die guten, die etwas Geld einstecken und etwas tun.»

Achtzehn Flugstunden. Alle zwei Stunden eine Zwischenlandung. Auf den kleinen Flugplätzen erstickte ich fast. Als wir gegen 8 Uhr abends ankamen, wollte der Zollbeamte unser Gepäck durchsuchen. Wer aus Amazonas kommt, ist des Schmuggels verdächtig. Sartres Zorn und die Intervention Christina T.s, die uns abholte, befreiten uns aus der Klemme. Obwohl ich sehr müde war, begleitete ich die beiden ins Restaurant, weil es im Nordosten unschicklich ist, daß ein Mann abends allein mit einem jungen Mädchen ausgeht. Aus dem gleichen Grund nahm ich am nächsten Morgen an dem Spaziergang teil, den Christina vorgeschlagen hatte. Wir freuten uns, sie wiederzusehen. In ihrer Auflehnung lag ebensoviel Tiefe wie Begeisterung und sehr viel Edelmut: Sie richtete sich nicht so sehr gegen den – für sie peinlichen – Konformismus ihres Milieus, sondern gegen die Ungerechtigkeit. Das Wort Kommunismus erschreckte sie. Zu ihrem jetzigen Standpunkt war sie auf dem Umweg über zahlreiche Vorurteile gelangt: Das verbürgte seine Aufrichtigkeit und Stärke. Außerdem strahlte sie vor Lebenslust, war heiter und humorvoll, freilich vor dem Hintergrund einer gewissen Melancholie, weil sie sich sehr einsam fühlte. Aber mir ging es wirklich schlecht. Ich schleppte mich durch die tristen Märkte trister Dörfer, deren Elend sie uns zeigen wollte. Zwei Monate lang hatte mir Brasilien gefallen. Auch in der Erinnerung gefiel es mir noch. Im Augenblick aber hatte ich die Dürre, den Hunger, all diese Not zum Erbrechen satt.

Die ganze Nacht glühte ich vor Hitze, es war so unerträglich, daß ich am nächsten Morgen die Unvorsichtigkeit beging, einen Arzt kommen zu lassen. Ein Freund des Bruders von Lucia und Christina diagnostizierte zwar Paratyphus, meinte aber, daß die hier übliche Variante in wenigen Tagen zu kurieren sei. Obwohl das Fieber nach einer Penicillinspritze zurückging, ließ er mich in das Krankenhaus für Tropenkrankheiten bringen.

Nie werde ich diese Tage vergessen, die so teuflisch nach der Ewigkeit schmeckten. Ich bekam ein Einzelzimmer mit Bad, und die Krankenschwestern waren sehr nett. Aber ich war gerade noch so kräftig und doch so geschwächt, daß mir diese Isolierung unerträglich war. Die Kranken und das Personal schwatzten bis spät in die Nacht hinein. Jede Viertelstunde schlug eine Uhr. Als man mich am ersten Tag im Morgengrauen weckte, nachdem ich gerade erst eingeschlafen war, bekam ich fast einen hysterischen Anfall. Nachher gewöhnte ich mich an den Lärm. Um 5 Uhr setzte ich mich im Bett auf, und mir stockte das Herz bei dem Gedanken an den langen Tag, den ich totschlagen mußte. Ich hatte Sorgen. Sartre trank abends melancholisch in der Hotelbar ein bis zwei Whiskies und legte sich um zehn Uhr ins Bett. Um einzuschlafen, stopfte er sich mit Gardenal voll. Der brasilianische Apotheker verlangte kein Rezept. «Tabletten oder Spritzen?» Das war alles, was er wissen wollte. (Die Brasilianer greifen mit erstaunlicher Unbekümmertheit zur Spritze – ob es sich nun um Penicillin oder um etwas anderes handelt.) Trotzdem wachte er gelegentlich um zwei Uhr früh auf und langweilte sich dermaßen, daß er sich rasierte. Morgens taumelte er vor Müdigkeit an meinem Bett, und eines Tages, als ich eine Tropfeninfusion erhielt, hätte er beinahe den Apparat umgeworfen. Seit dem Herbst 1958 sprang mir bei dem geringsten Alarm der Tod an die Gurgel. Wenn ich auf ihn wartete, wenn wir uns trennten, immer zitterte ich um ihn. Die Kriminalromane, die er mir in der einzigen Bibliothek des Ortes besorgte, konnten mich um so weniger ablenken, als ich sie fast alle schon gelesen hatte.

Außerdem kam der von Lanzmann angekündigte Brief nicht, und wir konnten keiner französischen Zeitung habhaft werden. Die Botschaft in Rio setzte beharrlich das Gerücht in Umlauf, daß Sartre bei seiner Rückkehr ins Kittchen wandern würde. In der französischen Kolonie in Recife wurde behauptet, meine Krankheit sei diplomatischer Natur, wir trauten uns nicht nach Hause. In Wirklichkeit konnten wir es kaum erwarten, genauso angeklagt zu werden wie unsere Freunde. Ich haßte es, in diesem Krankenhaus gefangen zu sein, morgens und abends ohne Widerrede die gleiche Reissuppe mit Huhn essen zu müssen. Von meinem Bett aus sah ich die Kokosbäume vor dem verwaschenen Blau des Himmels, Rosen, Bambussträucher, bläßliches Grün und am Horizont die Stadt. Ich beugte mich zum Fenster hinaus, betrachtete die Strohhütten und die Frauen, die sich an kleinen Feuern zu schaffen machten. Ab und zu fiel ein plötzlicher heftiger Regen, oft wehte ein dumpfer und träger Wind. Eingehüllt in diese allzu ruhige Landschaft, in ihre feuchte Stille, kam ich mir wie verhext vor: Nie würde ich von hier wegkommen. Im heimlichen Frieden eines frühen Morgens, als die Welt noch schlief, sah ich einen jungen Neger mit bloßen Füßen am Stamm einer Kokospalme hochklettern. Er warf Nüsse auf die Erde hinunter. So gewandt, so anmutig, so nahe, so fern, er und ich – mir traten die Tränen in die Augen. Die Abende waren schön, mit den grünen und roten Lichtern Recifes in der Ferne, aber mir schnürte es die Kehle zu, wenn ich an die Nacht dachte, die ich abermals hinter mich bringen, an die Albträume, gegen die ich ankämpfen, an den neuen Tag, den ich durchleben mußte.

Die Ewigkeit dauerte sieben Tage, bis ich Lanzmanns Brief erhielt. Der Jeanson-Prozeß war am 4. Oktober mit einem Schandurteil beendet worden. Es hagelte noch immer Repressalien gegen die «121», deren Liste bedeutend länger geworden war. Die Unterzeichner des Aufrufs hatten nicht mehr das Recht, im Rundfunk oder im Fernsehen mitzuarbeiten, nicht einmal ihre Namen durften in einer Sendung genannt werden. Vidal-Naquet war seines Amtes enthoben, Barrat verhaftet worden. Debré hatte in einer Rede in Metz die «121» und ihre «zugleich dürftige und erschreckende Agitation» angeprangert. Am 1. Oktober hatte man in den Räumen der *Temps Modernes*, des *Esprit*, der *Vérité et Liberté* Haussuchungen und Verhaftungen vorgenommen. Domenach, Péju und mehrere andere waren stundenlang von der Polizei festgehalten worden. Die Oktober-Nummer der *Temps Modernes* hatte man beschlagnahmt. Während einer Kundgebung, von der die Presse viel hergemacht hatte, waren 5000 ehemalige Frontkämpfer über die Champs-Élysées defiliert und hatten gerufen: «Sartre an die Wand!» Im Namen unserer Freunde ersuchte uns Lanzmann, in Brasilien zu bleiben. Sie würden uns über die Entwicklung auf dem laufenden halten.

Ich sagte dem Arzt, daß ich das Krankenhaus verlassen wolle. Er wies darauf hin, daß ich Paratyphus hätte und das Hotel mich nicht aufnehmen würde. Die Schwestern T., die mit ihrer Familie im Augenblick in einer Villa am Strand wohnten, stellten mir ihr Haus in Recife zur Verfügung. Drei Tage verbrachte ich in einem altmodischen Raum, den eine primitive und geräuschvolle Klimaanlage recht und schlecht kühlte: der Sommer kündigte sich an, und hinter den Fensterscheiben lauerte die Hitze. Verwandte der T.s, die gegenüber wohnten, brachten mir frühmorgens das Frühstück. Einmal hörte ich zu meinem Erstaunen um 6 Uhr früh Sartres Stimme im Garten. Er hatte sich geärgert, daß er nicht mehr schlafen konnte, und war aufgestanden. Eines Abends erschien der junge Arzt T., um mich zu untersuchen. Der Besuch zog sich in die Länge, und ich sagte zu seinen Schwestern und Sartre, sie möchten doch nicht länger auf ihn warten, sondern essen gehen, was sie ablehnten: Man dürfe nicht einen Mann mit einer Frau allein im Hause lassen, auch wenn sie sich bereits in meinem Alter befindet. Sie selber teilten diese Vorurteile nicht, aber in der ganzen Gasse wohnten Verwandte, die aufpaßten. Der Arzt erlaubte mir, die Nase hinauszustecken. Nach einem viertelstündigen Spaziergang durch die Straßen, wo die Luft mir so dick wie Sirup vorkam, wankte Sartre neben mir, und ich sank halb ohnmächtig auf der Terrasse eines Cafés nieder. Zwei Tage später, in Rio, wurde ich richtig ohnmächtig, als wir zum erstenmal wieder mit den Amados in einer oft besuchten *churrascaria* zu Mittag aßen.

Der kubanische Geschäftsträger, der die Hoffnung aufgegeben hatte, uns telefonisch zu erreichen, war nach Recife gekommen. Havanna hätte es gern gesehen, daß wir einige Tage dort verbrachten. Es blieb uns nichts anderes übrig, als die 1600 Kilometer nach Rio noch einmal zurückzulegen. Ich war so matt, daß mir das Wiedersehen mit den Amados und Copacabana keine rechte Freude machte. Außerdem hatte ich Heimweh, obwohl mir Lanzmann am Telefon wiederholt versichert hatte, daß die Ultras Sartres Kopf verlangten.

Am Abend unserer Abreise nach Kuba fegte ein Wirbelsturm über das Flugfeld. In der Wartehalle zerzauste er die Topfpalmen und wirbelte Papierchen in die Höhe. Wir warteten stundenlang, schlaftrunken, stumpfsinnig, auf die Windstille. Endlich gingen wir an Bord. Die Motore spuckten viel zuviel Feuer. Es war eine jener Nächte, da man auf das Schlimmste gefaßt ist. Als wir in pechschwarzer Finsternis in Belém landeten, bestätigte die Sinnlosigkeit dieser Rückkehr meine bösen Vorahnungen: daß dieser Kontinent ein Netz sei, aus dem es kein Entkommen gab. Meine Stimmung besserte sich erst, als wir am nächsten Morgen eine zwischen einem Felsen und einem türkisblauen Meer eingepferchte Terrasse erblickten: Caracas lag zu unseren Füßen. Wir landeten. Während ich am Büfett einen Kaffee trank, betrachtete ich die Maschine, deren Fensterluken im Sonnenschein funkelten und die uns in ein bis zwei Stunden aus diesem Elendsland entführen sollte. Eine alte Frau wanderte zwischen den Tischen umher, sammelte Brotkrusten, Kotelettknochen, Eierreste und wickelte sie in ein Papier ein, um sie ihrer Familie zu bringen. Studenten baten Sartre darum, ein paar Tage in Caracas zu bleiben: Sie waren uns sympathisch, und in Venezuela begannen sich die Dinge zu entwickeln. (Am selben Nachmittag fand eine Kundgebung der Studenten statt, und einige Tage später fielen mehrere Studenten den Kugeln der Polizei zum Opfer.) Aber wir wurden in Kuba erwartet und brannten darauf, es wiederzusehen.

Da näherte sich uns ein Angestellter des Flughafens. «Haben Sie einen Rückflugschein? Einen Flugschein nach Paris? Nein? Dann dürfen Sie nicht weiterfliegen: Weisung aus Havanna.» – «Aber wir sind eingeladen», entgegnete Sartre. «Beweisen Sie es.» Wir hatten keinen Pfennig in der Tasche, um ein Retourbillett zu bezahlen, und auch keine offizielle Einladung. Das glitzernde Flugzeug würde ohne uns starten! Sartre telefonierte mit der kubanischen Botschaft und schlug sich dermaßen heftig mit den Flughafenleuten herum, daß er schließlich das Feld behauptete. In letzter Minute ließ man uns einsteigen. Wir sollten die Hintergründe dieses Zwischenfalls nie erfahren: Die Kubaner legten der Einreise keinerlei Hindernisse in den Weg.

Endlich wich die Küste zurück – endlich! Wir überflogen Jamaika, und man hätte meinen können, man sei durch einen Flügelschlag nach England entrückt worden: Grüne Rasenflächen, Villen mit Schwimmbassins. Sartre, der dort gewesen war, erzählte mir, daß es keine trostlosere Kolonie auf Gottes Erdboden gäbe. Bald darauf kam Havanna, wo unsere Freunde – bis auf Franqui und Arcocha, die in Moskau waren – und kostümierte, Gitarre spielende Musikanten uns erwarteten.

Havanna hatte sich verändert. Es gab keine Nachtlokale mehr, keine Spielsäle, keine amerikanischen Touristen. In dem halb leeren Hotel ‹Nacional› hielten blutjunge Milizleute, Burschen und Mädchen, einen Kongreß ab. Überall in den Straßen, auf den Dächern exerzierte die Miliz. Man hatte durch guatemaltekische Diplomaten erfahren, daß in Guatemala kubanische Emigranten und amerikanische Söldner militärisch ausgebildet wurden. Sie würden versuchen, auf der Insel Fuß zu fassen, und dann im Namen einer Marionettenregierung die USA zu Hilfe rufen. Angesichts dieser Gefahr spannte Kuba alle Kräfte an. Die ‹Flitterwochen der Revolution› waren vorbei.

Oltuski war nicht mehr Minister. Er arbeitete an dem Institut, das Guevara gegründet hatte, um die Industrialisierung des Landes voranzutreiben, und das man uns nun zeigte. Die verantwortlichen Leiter verheimlichten uns die Schwierigkeiten nicht, mit denen sie zu kämpfen hatten. Es fehlte an geschulten Kadern. Einzelne Ingenieure waren mit der Ausarbeitung der Pläne für mehrere verschiedenartige Industriezweige beschäftigt. Trotzdem konnten die für die Errichtung neuer und für die Erneuerung alter Fabriken zur Verfügung stehenden Mittel nicht voll ausgenutzt werden.

Wir besuchten eine Stoffabrik in der Nähe von Havanna, eine ältere Anlage mit gut eingerichteten Werkstätten, die von Bäumen und Rasenplätzen umgeben war. Arbeiter und Angestellte waren in komfortablen Häusern untergebracht. Im Park wurde ein Fest gefeiert: Arbeiter, ihre dekolletierten und herausgeputzten Frauen, ihre Kinder, Eis- und Bonbonverkäufer. Auf einem Kiosk in der Mitte des Rasenplatzes beteuerte Sartre seine Freundschaft zu Kuba. Man fragte ihn nach Frankreich, und er stellte seinerseits Fragen: Was für Vorteile hatte der Regimewechsel den Arbeitern dieses Betriebes gebracht? Einige Arbeiter wollten antworten: Da fiel ihnen ein Gewerkschaftsführer ins Wort und antwortete an ihrer Stelle.

Während unseres Gesprächs mit den Intellektuellen nahmen Rafael und Guillén, die früher den Mund nicht aufgemacht hatten, kein Blatt mehr vor den Mund. In bezug auf die Dichtkunst erklärte Guillén: «Ich halte jedes Formexperiment für konterrevolutionär.» Sie verlangten, daß man sich den Regeln des sozialistischen Realismus füge. Unter vier Augen sagten uns Schriftsteller, daß sie begonnen hätten, sich selber zu zensurieren und sich zu fragen: «Bin ich wirklich ein Revolutionär?»

Weniger Fröhlichkeit, weniger Freiheit, aber in gewissen Punkten große Fortschritte. Die Genossenschaft, die wir besuchten, war allen anderen, die wir früher zu sehen bekommen hatten, weit voraus. Es wurde vor allem Reis gebaut, aber mit intensiven Methoden, und man hatte sogar Boden urbar gemacht, auf dem Tomaten und verschiedene Gemüse gediehen. Mit Hilfe der Maurer, die aus der Stadt kamen, hatten die Bauern ein Dorf erbaut: nette Häuser, ein Kino, Schulen, Sportplätze. Ein staatlicher Laden verkaufte die notwendigsten Waren fast zum Selbstkostenpreis. Eine Fabrik, die Schuhe, und eine andere, die Tomatenkonserven herstellte, arbeiteten unmittelbar für die Kooperative. Auf diese Weise verwirklichte man in bescheidenem Rahmen den Plan, den die Chinesen ins Auge gefaßt hatten: die Landwirtschaft und die Industrie nebeneinander anzusiedeln. Die Bauern schienen mehr denn je an dem Regime zu hängen, befanden sich aber in fieberhafter Aufregung. Das Dorf lag in der Nähe der Küste, an der man eine Landung befürchtete. Der Leiter der Genossenschaft – furchtbar aufgeregt, einen Revolver am Gürtel – sagte zu uns, er warte ungeduldig auf die Gelegenheit, sich zu schlagen.

Am Vorabend unserer Abreise veranstaltete Sartre eine Pressekonferenz. Kurz bevor sie anfing, flüsterte ihm ein befreundeter Journalist zu, daß Truppen im Begriff seien, bei Santiago an Land zu gehen. Trotzdem erklärte Sartre vor der Presse, dem Rundfunk und dem Fernsehen, daß er nicht an eine unmittelbar bevorstehende Intervention Amerikas glaube, da der Wahlkampf in vollem Gange sei. Die Republikaner würden sich hüten, die Verantwortung für ein riskantes Abenteuer zu übernehmen und dadurch Nixons Chancen zu gefährden. Wir aßen mit Vertretern der Zeitung *Revolución* im Bar-Restaurant des ehemaligen ‹Hilton›, das jetzt ‹Habana-Libre› hieß. Dieses riesige Lokal, dessen Wände mit polynesischen Motiven geschmückt sind, machte einen düsteren Eindruck. Jeden Augenblick standen unsere Freunde vom Tisch auf und telefonierten: Die Nachricht von der Invasion schien sich zu bewahrheiten. «Wir werden sie zurückschlagen», sagten sie in finsterem Ton. Am nächsten Tag wurde das Gerücht dementiert, aber nach Ansicht sämtlicher Kubaner war das Unternehmen nur verschoben worden.

Castro hatten wir nicht zu sehen bekommen. Am Tag unserer Abreise besuchten wir Dorticos. Es war der Todestag von Camillo Centefuegos, dessen Flugzeug vor einem Jahr ins Meer gestürzt war und der fast so sehr vergöttert wurde wie Castro selbst. Studenten, Arbeiter, Angestellte, Frauen und Kinder wanderten durch die Straßen mit Sträußen und Kränzen, die sie in den Ozean warfen. Während wir uns mit dem Präsidenten unterhielten, telefonierte Jiménez mit Castros Sekretärin: Castro befand sich in der Umgebung von Havanna und bat uns, auf ihn zu warten. Das war unmöglich, denn es war sechs Uhr, und um acht sollte das Flugzeug starten. Jiménez brachte uns ins Hotel, und wir gingen hinauf, um unsere Koffer zu holen. Um hinunterzufahren, drückten wir auf den Fahrstuhlknopf: Als der Fahrstuhl kam und die Tür aufging, stieg Castro aus, begleitet von vier bärtigen Männern und Edith Depestre. Er hatte nichts von seiner Fröhlichkeit, seiner Wärme eingebüßt. Er nahm uns in seinem Auto mit. Was wir gesehen hätten? Was wir nicht gesehen hätten? Wir kamen nur mit Mühe vorwärts. Umzüge verstopften die Straßen, und die Menge hielt das Auto unter lauten Rufen an: «Fidel! Fidel!» — «Ich werde Ihnen die Universitätsstadt zeigen», sagte Castro, als wir endlich aus Havanna herausgekommen waren. Ich murmelte: «Aber das Flugzeug startet um acht Uhr ...» — «Es wird warten!» Die größte Kaserne Havannas war in ein Konglomerat von Pavillons, Häusern und Sportplätzen umgewandelt worden. Wir warfen einen schnellen Blick darauf, dann fuhr uns der Chauffeur, unter dem Vorwand, eine Abkürzung zu wählen, über obskure, löchrige Feldwege: Die Maschine, sagte ich mir, ist längst abgeflogen. Auf dem Flughafen waren die Schlagbäume geöffnet, und das Auto setzte uns neben dem Flugzeug ab. Die Mechaniker waren noch dabei, die Maschine zu überprüfen. Sie würden noch lange damit beschäftigt sein. Unbekümmert um die Vorschriften, kaute Castro, wenige Meter von den Motoren entfernt, an seiner dicken Zigarre. «Sie werden bestimmt landen», sagte er zu uns. «Aber ebenso sicher ist, daß wir sie zurückschlagen werden. Und wenn Sie hören, daß ich gefallen sei, dann glauben Sie es nicht.»

Dann verabschiedete er sich. Edith, Jiménez, Otero, Oltuski und andere Freunde gingen mit uns zum Essen ans Büfett. Der Flughafen war voller Menschen, die uns unfreundlich musterten. «Sie warten auf das **Flugzeug** nach Miami und werden nicht wiederkehren.» Ihre Kleidung kennzeichnete die Klasse, der sie angehörten. Als der Lautsprecher rief: «Fluggäste nach Miami!», stürzten sie zum Ausgang.

Wir flogen los. Nachdem wir auf den Bermudas zwischengelandet waren, nahm ich an, daß wir auch auf den Azoren landen würden, die aber auf sich warten ließen. «Jetzt sind wir da», dachte ich mir, als Land auftauchte. Aber diese Inseln schienen kein Ende zu nehmen, und ich glaubte, die Farbe des Erdreichs, das Relief, die Art der Zerklüftung, das Grün dieses Flusses wiederzuerkennen: der Tejo. Es war Spanien mit den schneebedeckten Gipfeln der Sierras; nach einer Flugzeit von vierzehn Stunden landeten wir in Madrid, aber der Tag ging schon zu Ende. Eine andere Maschine brachte uns nach Barcelona.

Wir hatten uns mit unseren Freunden im Hotel ‹Colón› verabredet. Das ‹Colón›, das ich früher einmal gekannt hatte, existierte nicht mehr, teilten die Journalisten uns mit, die uns bei unserer Ankunft überfielen. Aber ein neues, sehr hübsches Hotel war unter demselben Namen in der Nähe der Kathedrale eröffnet worden. Am nächsten Morgen trafen wir dort mit Bost und Pouillon zusammen. Sie berichteten ausführlich, was sich seit dem September ereignet hatte. Der Jeanson-Prozeß, das Manifest der «121» hatten die kommunistische Jugend, die sozialistische Jugend, die Gewerkschaften, die KP und die PSU zu Aktionen gegen den Krieg veranlaßt. Gewerkschaften und Universitätslehrer waren für Friedensverhandlungen eingetreten. Die Gewerkschaften hatten die am 27. Oktober durch die UNEF organisierte Kundgebung unterstützt, die trotz aller Schlägereien und Knüppeleien ein großer Erfolg gewesen war. Die gegen die «121» verhängten Strafen hatten eine Menge Proteste ausgelöst. Die Fernsehschauspieler waren aus Solidarität mit Evelyne, die man aus einem Programm gestrichen hatte, in den Streik getreten. Man hatte Laurent Schwartz seines Lehramtes an der École Polytechnique enthoben, verschiedene Professoren suspendiert und die Parlamentssekretäre Pouillon und Pingaud entlassen. Marschall Juin hatte ein Manifest gegen die ‹Professoren des Verrats› unterzeichnen lassen. Der Frontkämpferbund forderte, die verantwortungslosen Elemente und vor allem die Landesverräter erbarmungslos zu bestrafen. Das Zentralkomitee der UNR verurteilte die Aktion ‹sogenannter Intellektueller›. Der Verband der Reserveoffiziere forderte Maßnahmen. Die Namensliste der «121» war in allen Messen an die Wand gehängt worden, usw. Sartre war das Hauptziel aller Angriffe. Seine schriftliche Aussage im Prozeß hatte ihm leidenschaftlichen Haß eingetragen. Als Lanzmann, der in Paris geblieben war, mit uns telefonierte, ersuchte er uns, ebenso wie seine Kameraden, mit dem Auto zu fahren. Sartre würde auf dem Flughafen lärmend empfangen werden, es würde zu Schlägereien kommen, er würde den Journalisten unweigerlich Antworten erteilen, welche die Polizei veranlassen müßten, ihn mitzunehmen. Heute bin ich der Meinung, daß es besser gewesen wäre, möglichst viel Propaganda für die

«121» zu machen. Aber wir gehorchten unseren Freunden, deren Besorgnis wir verstanden, denn es ist leichtsinnig, andere in Gefahr zu bringen. Wir gingen in Barcelona spazieren, aber Sartre gefiel es dort ebensowenig wie in Madrid: Ich dagegen ging sehr gern auf den Ramblas spazieren. Wir betrachteten Gaudís wahnwitzige und unvollendete Kathedrale, stiegen zum Tibidabo hinauf, besuchten das Museum für Katalanische Kunst, und am nächsten Nachmittag machten wir uns auf den Weg zur Grenze.

Da die Presse seit zwei Monaten Sartre so ausgiebig beschimpft hatte – Verräter, Franzosenfeind usw. –, rechneten wir damit, in Frankreich sehr schlecht empfangen zu werden. Als wir an der Grenze ankamen, war es schon Nacht geworden. Bost ging mit den vier Pässen zur Grenzpolizei und kehrte sofort zurück. Der Kommissar wollte mit uns sprechen. Mit Bedauern in der Stimme unterrichtete er uns davon, daß er Paris von unserem Grenzübertritt verständigen müsse. Er ließ durch einen seiner Untergebenen Zeitungen besorgen, bot uns Zigaretten und Zigarrenkistchen an – zweifellos beschlagnahmte Schmuggelware –, und als er sich von uns verabschiedete, bat er uns, uns in sein goldenes Buch einzutragen. Er empfahl uns, uns nach unserer Rückkehr bei der Polizei zu melden. Wir übernachteten in Béziers. Nach so viel fremdländischer Pracht war ich gerührt, als ich morgens unter einem hellblauen Himmel das zarte Gold der Platanen, die in herbstlichen Farben prunkenden Weinberge und statt verstreuter Baracken auf ödem Gelände richtige Dörfer wiederfand. Würde es mir eines Tages wieder vergönnt sein, dieses Land zu lieben?

In Paris war es unsere erste Sorge, angeklagt zu werden. Als Anwalt engagierten wir Roland Dumas, der die Angeklagten im Jeanson-Prozeß verteidigt hatte und sich verpflichtete, die nötigen Schritte zu unternehmen. Die Polizei trieb die Höflichkeit so weit, daß sie zu mir in die Wohnung kam. Der jüngste der Beamten, barsch und geniert, verletzte sich beim Mitschreiben unserer Aussagen den Finger und machte die Tasten der Maschine blutig. Der Kommissar M. half uns, die Erklärungen zu redigieren und zu variieren. Das eigensinnige Bestreben der «121», sich selber so stark wie möglich zu belasten, hatte ihn anfangs in Erstaunen versetzt. Jetzt lächelte er darüber. «Sie können ganz beruhigt sein», sagte er zum Schluß in aufmunterndem Ton. «Sie haben die Anklage in der Tasche.» Aber nein. Am Vorabend des Tages, für den der Untersuchungsrichter uns vorgeladen hatte, wurde er krank. Ein neuer Termin wurde verabredet und gleichfalls *sine die* vertagt unter dem absurden Vorwand, die Staatsanwaltschaft halte unser Dossier zurück. Außerdem wurde mitgeteilt, daß die Liste der beantragten Verfahren abgeschlossen sei. Die Machthaber, stets auf ihre *grandeur* bedacht, hielten es zwar für richtig, Beamten ihr tägliches Brot wegzunehmen, wollten aber nicht vor den Augen der Weltöffentlichkeit als Verfolger bekannter Schriftsteller dastehen. Sie hofften, auch die Einigkeit in den Reihen der «121» dadurch zu untergraben, daß sie die einen schonten und den anderen gegenüber eine ständige Drohung aufrechterhielten.

Um dieses Spiel zu durchkreuzen, berief Sartre eine Pressekonferenz ein. Vor etwa dreißig französischen und ausländischen Journalisten, die sich in meinem Arbeitszimmer versammelt hatten, sprach er über das Manifest und die augenblickliche Lage. Thierry Maulnier, der mit untergeschlagenen Beinen auf dem Teppich saß, wollte etwas fragen: «Mir liegt daran, Ihre Gedanken nicht zu entstellen.» – «Es wäre das erste Mal, daß Sie solche Bedenken hegten», erwiderte Sartre. Die Presse berichtete nur sehr summarisch über seine Äußerungen. Damit war der Vorfall erledigt.

# II

Durch den erbärmlichen Barrikadenprozeß erleichterte das Regime die Umgruppierung der Faschisten, aber da die Jugend sich gerührt hatte, waren wir der Meinung, daß sie handeln würde. Als im Dezember die grün-weiße Fahne über der Kasbah wehte und eine Menschenmenge Abbas huldigte (sie bezahlten es teuer: die FLN meldete der UNO Tausende von Opfern), wurde vor den Augen der ganzen Welt die Wahrheit offenbar: Trotz des Schweigens und der Maskeraden, zu denen man sie mit Gewalt gezwungen hatte, forderten die algerischen Massen einmütig die Unabhängigkeit. Für die FLN war das ein politischer Triumph, der die Stunde des Sieges näherrücken ließ.

*La Force de l'âge* erschien und hatte einen Erfolg, der mich zu der Zeit, als ich mit dem Schreiben anfing, überwältigt hätte. Ich war sogar unangenehm berührt, als man mir im November bei Gallimard sagte, daß 40 000 Exemplare schon vor dem Erscheinen verkauft worden seien. War ich zu einer jener Bestsellerfabrikantinnen geworden, die ihr festes Publikum haben, ohne daß die Qualität ihrer Werke noch länger eine Rolle spielt? Zahlreiche Rezensenten versicherten mir, daß ich das beste Buch meines Lebens geschrieben hätte. In diesem Urteil lag etwas Beunruhigendes. Sollte ich, wie einige vorschlugen, alles verbrennen, was ich vorher gemacht hatte? In meinen Augen wurde das Lob zu einer an mich gestellten Forderung. Die rührenden Briefe, die ich erhielt, glaubte ich erst verdienen zu müssen. Ich hatte viel Arbeit mit dem letzten Band der Erinnerungen und sagte mir mit einer gewissen Melancholie, daß er im besten Fall an den vorhergehenden heranreichen werde, ohne die gleiche Frische zu besitzen. Trotzdem überwog die Befriedigung. Ich hatte befürchtet, den Dingen, die mir besonders am Herzen lagen, nicht gerecht geworden zu sein: Meine Leser aber hatten alles verstanden. Die *Mémoires d'une jeune fille rangée* hatten vielen Leuten gefallen, die sich nur an das Äußerliche gehalten hatten. Ich nahm an, daß alle die, denen *La Force de l'âge* gefiel, wirklich auf meiner Seite standen.

Ohne Bedauern gewöhnte ich mich an mein strenges Leben. Wir lebten schon seit langem zurückgezogen und gingen überhaupt nicht mehr aus. In den Restaurants begegneten uns die Gäste oft mit offener Feindseligkeit, und es war unerträglich, neben ihnen zu sitzen. Unsere gemeinsamen Abende verbrachten wir in meinem Studio, aßen eine Scheibe Schinken, plauderten und hörten uns Schallplatten an. Wenn ich allein war, hörte ich oft stundenlang zu. Abends steckte ich kaum noch die Nase zur Tür hinaus, es sei denn zusammen mit Lanzmann oder Olga. Diese Zurückgezogenheit verstärkte die Bindungen zwischen uns und einer kleinen Anzahl guter Freunde. Der Mitarbeiterstab der *Temps Modernes* war durch zwei neue Mitglieder, Gorz und Pingaud, verstärkt worden und versammelte sich zweimal im Monat morgens bei mir. Gorz erschien als erster. «Ich muß einfach pünktlich sein», sagte er. Obwohl wir nicht mehr soviel debattierten wie in unseren besten Jahren, waren unsere Diskussionen zäher. Nachdem Sartre und ich mit Florence Malraux, Goytisolo und Serge Lafaurie bei Monique Lange einen Abend verbracht hatten, war ich auf den Geschmack gekommen und organisierte eine Silvesterfeier. Ich hatte eigentlich nicht darauf geachtet, aber unsere Freunde waren ganz selbstverständlich alle an unserer Sache beteiligt: Mindestens ein Partner der eingeladenen Paare hatte das Manifest der «121» unterzeichnet. Ich hatte Jazzplatten zurechtgelegt, aber wir brauchten sie nicht, da wir genug Gesprächsstoff hatten.

Wieder einmal gab es ein Essen in der Sowjetbotschaft. Ich kam neben Mauriac zu sitzen, mit dem ich zum erstenmal zusammentraf. Sartre hatte mir erzählt, daß er bissig, aber auch lustig sein könne. Hatte ihn das Alter gedämpft oder die Gaullisterei entkräftet? Ich suchte ihn, fand aber niemanden. Sartre unterhielt sich mit Aragon und empfahl ihm, nach Kuba zu reisen. «Wir sind zu alt», sagte Aragon. «Pah!» erwiderte Sartre. «Sie sind doch nicht soviel älter als ich.» – «Wie alt sind Sie?» – «Fünfundfünfzig.» – «Mit fünfundfünfzig fängt es an», sagte Aragon mit geheimnisvoller Miene. Elsa berichtete höchst anmutig, daß sie sich infolge verschiedener Beschwerden künstliche Tränen in die Augen und ‹Ersatzherzen› in die Knie habe einsetzen lassen müssen. Der Abend wurde zu Ehren von Galina Nikolajeva, der Verfasserin von *Ingenieur Bachirew*, veranstaltet. In ihrem Buch beschäftigt sie sich auf lebendige und sogar romantische Weise mit einem im Westen selten und unzulänglich behandelten Thema: der Arbeit. Ich hatte kaum Gelegenheit, mit ihr zu sprechen, aber wir luden sie und ihren Mann zu mir ein. Von einem schweren Herzleiden geplagt, hatte sie gerade an diesem Tag einen Anfall erlitten, und so erschien er allein mit einem Dolmetscher. Er begrüßte uns feierlich, und wir wurden den Eindruck nicht los, daß er eine ganze Delegation hinter sich hätte. Er teilte uns mit, daß sich die russischen Schriftsteller freuen würden, uns in Moskau zu empfangen. Wir würden gern hinfahren, sagte Sartre.

André Masson hatte das Manifest der «121» unterzeichnet. Wir bewunderten seine Werke und fanden sein Gesicht ebenso reizvoll wie seine verschmitzten und zugleich naiven Äußerungen. Er war ein alter Anarchist, und seine übertrieben apolitische Haltung hatte uns einander entfremdet. Diegos Festnahme öffnete ihm die Augen. Rose verbrachte ihre ganze Zeit damit, algerische Häftlinge und ihre Familien zu unterstützen. Ich traf mehrere Male mit ihr zusammen, und wir aßen in ihrer Wohnung in der rue Sainte-Anne, einmal mit den Massons allein, einmal mit Boulez, der gleichfalls das Manifest unterzeichnet hatte. Masson trug einen Bart und erzählte köstliche Anekdoten aus der schönen Zeit des Surrealismus. Von Boulez kannten und liebten wir *Le Marteau sans maître* und die erste *Structure. Pli selon pli* hatten wir ausgelassen, weil wir befürchteten, bei einmaligem Anhören keinen Ton zu begreifen. Durch das Buch von Goléa und die Berichte Massons war er uns nahegebracht worden. Als ein junger deutscher Komponist, dessen Werk während eines von Boulez dirigierten Konzertes aufgeführt wurde, ausgepfiffen wurde, bestürzt weglief, holte Boulez ihn mit Brachialgewalt zurück und sagte zum Publikum: «Ihre Pfiffe beweisen, daß Sie nichts verstanden haben. Er wird es noch einmal vorspielen.» Der Komponist wiederholte sein Stück, und der Saal lauschte stumm. Boulez' Kopf paßte gut zu dem, was ich über ihn gehört hatte. Er war in Baden-Baden tätig, weil seiner Meinung nach das Niveau der deutschen Musiker wesentlich höher ist als das der Franzosen. Ich fragte ihn nach verschiedenen Dingen. Er erklärte uns, wie man die alte Musik rekonstruiert und daß eine Schallplatte nicht in einem Zug aufgenommen wird, wie ich geglaubt hatte, sondern stückweise. Wie beim Film klebt man die Teile des Tonbandes aneinander. Für die tadellose Wiedergabe von fünf bis zehn Minuten Musik braucht man mehrere Stunden. Der kleinste Fehler oder ein Nebengeräusch, die in einem Konzert unbemerkt vorbeigehen, werden unerträglich, wenn sie sich bei jedem Anhören wiederholen. Die Schallplatten sind so teuer, weil sie einen beträchtlichen Arbeitsaufwand erfordern. Dieses Verfahren macht aber auch Fälschungen und Taschenspielerkunststücke möglich: Ein Virtuose kann so den Klavier- und den Violinpart einer Bachsonate spielen. Boulez erzählte von seiner Dirigententätigkeit. Der Ausübende, sagte er uns, kenne nur einen bestimmten Teil eines Musikstückes, das je nach seinem Platz im Orchester, je nach dem Instrument, das er spielt, je nach den Musikern, die ihn umgeben, ein anderes ist: Der Mann am Triangel hört nicht die gleiche Symphonie wie der, der die erste Violine spielt. Zerstört man die Ordnung, an die sie gewöhnt sind, geraten sie völlig aus dem Gleis.

Kurze Zeit vor der Volksabstimmung, im Januar 1961, tagte das Boupacha-Komitee. Unter den Anwesenden bemerkte ich die ernste und rührende Anne Philipe und Françoise Mallet-Joris mit den lustig gestutzten Haaren. Laurent Schwartz sah viel jünger aus, als ich geglaubt hatte. Für mich war es tröstlich, daß ich imstande war, alle diese Menschen mit Sympathie zu betrachten: das war so selten geworden. Plötzlich hörte man Lärm und Geschrei, und fast sämtliche Sitzungsteilnehmer liefen an die Fenster. In einem Saal zu ebener Erde hielten Mitglieder der PSU eine Beratung darüber ab, wie man sich zu dem Volksentscheid zu stellen habe. Zwei von ihnen kamen hereingestürzt. «Die Faschisten überfallen uns, helft uns!» Als Schwartz sich erhebt, wird er von gebieterischen Händen zurückgehalten, und einige junge Leute laufen nach unten. Auf der Treppe hastige Schritte, zwei Polizisten reißen die Tür auf und fragen nach der Vorsitzenden. «Sie müssen sie uns aber zurückgeben», sagt jemand höflich. Sie wollen wissen, ob zwei nach einer Schlägerei verhaftete Funktionäre der PSU dem Komitee angehören. Ich bestätige das Alibi. Man zeigt sich erkenntlich: Am Ausgang geleiten Männer des Ordnungsdienstes Claudine Chonez und mich zu ihrem Wagen.

Studenten haben mich ersucht, in die Universitätsstadt Antony zu kommen und zu erklären, warum man bei dem Volksentscheid mit «Nein» zu stimmen habe. Ich kannte diese riesigen Bauten noch nicht, in denen, glaube ich, 4000 junge Menschen wohnen und wochenlang wie auf einem Ozeandampfer leben können, ohne daß ihnen etwas abgeht. Die Eingangshalle war mit Anschlägen – «Stimmt mit Nein» – «Friede in Algerien» – und mit Fotos, die von französischen Untaten zeugten, bepflastert. Im Vorstand befanden sich nur linksgerichtete Mitglieder. Die rechtsgesinnten Studenten waren nicht sehr zahlreich und blieben sehr still. Ich nahm zusammen mit dem Kommunisten Arnault und dem ehemaligen Trotzkisten Chéramy in einem großen, von Studenten wimmelnden Saal Platz, der mit Spruchbändern geschmückt war: «Stimmt mit Nein!» In meiner Person wurde der Standpunkt der «121» mit Beifall begrüßt. Ich betonte noch einmal nachdrücklich, daß es in Algerien keine dritte Kraft gäbe und daß es de Gaulle widerstrebe, sich mit den Bauern einzulassen. Was die Gehorsamsverweigerung anbetraf, äußerten Arnault und ich verschiedene Ansichten, ohne jedoch die Meinungsverschiedenheiten allzusehr zu unterstreichen, obwohl ich mich über seinen anbefohlenen Optimismus ärgerte: Er wußte sehr gut, daß weder in der Armee noch in den Betrieben das ‹französische Volk› mit den Algeriern fraternisierte. Beim Weggehen unterhielt ich mich noch mit den Studenten: wir waren uns völlig einig.

Etwas später erinnerten mich belgische Studenten, die La Gauche angehörten – dem äußersten linken Flügel der belgischen Sozialistenpartei –, an das Versprechen, das sie mir ein Jahr zuvor abgerungen hatten: einen Vortrag in Brüssel zu halten. Ihre Zeitung hatte sich gegen den Algerien-Krieg ausgesprochen. Viele unter ihnen unterstützten insgeheim die Algerier, indem sie sie beherbergten und ihnen beim Grenzübertritt halfen. Als ich ihnen mitteilte, ich würde unter dem Titel «Der Intellektuelle und die Macht» eigentlich über Algerien sprechen, waren sie einverstanden.

Immer wenn ich vor ein Publikum hintrete, sind meine Nerven gespannt. Ich befürchtete, weder auf der Höhe seiner Erwartungen zu sein, noch meinen Absichten gerecht zu werden. Erschreckt durch die lange Stille, die überbrückt werden muß, und durch die Fülle der Dinge, die in so kurzer Frist gesagt werden sollen, spreche ich gewöhnlich zu rasch. Diesmal war mein Unbehagen besonders groß. Es handelte sich um eine sogenannte «Großveranstaltung», zu der aus Snobismus, Neugier oder weil sie nichts Besseres zu tun wußten, Leute erschienen waren, die nicht meiner Ansicht waren: Angehörige des wohlhabenden Mittelstandes und sogar Minister. Ich hatte sofort den Eindruck, daß jeder so oder so seine festgefahrene Meinung vertrat. Beim Weggehen warf mir ein Kommunist vor, daß ich keine Kommunistin sei, ein Kriegsdienstverweigerer, daß ich die Fügsamen nicht gegeißelt hätte. Mehrere Zuhörer bedauerten, daß ich mich nicht zu den Problemen des Kongo geäußert hatte. Ich hatte auf sie angespielt, hielt mich aber nicht für befugt, näher darauf einzugehen. Der Empfang, der sich an den Vortrag anschloß, war für mich noch deprimierender als diese kritischen Einwände. Mit strahlendem Lächeln sagten die Leute zu mir: «Politisch bin ich nicht mit Ihnen einverstanden, aber Ihr Buch hat mir sehr gut gefallen ...» – «Hoffentlich wird Ihnen dann mein nächstes mißfallen», sagte ich zu einem dieser Herren. Ich hatte mich allerdings in *La Force de l'âge* von früheren Standpunkten etwas distanziert. Trotzdem habe ich auch dort meinen Widerwillen vor den bürgerlichen Institutionen und Ideologien deutlich zum Ausdruck gebracht, so daß ihre Anhänger mir nicht hätten Beifall zollen dürfen. Der Anwalt Lallemand, dem in Frankreich die Amtsausübung untersagt worden war, weil er Algerier unterstützt hatte, tröstete mich: «Das ist das Paradoxe: die Kultur wird akzeptiert. Sie lesen Sartre, sie lesen Ihre Bücher. Aber sowie sie gezwungen sind, eure Angriffe zu verdauen, führt das bei ihnen zu einer ideologischen Zersetzung.»

Ich verbrachte drei herrliche Tage in Brüssel und ging oft und allein in die Museen. Lallemand zeigte mir die Stadt. Ich aß zusammen mit dem Mitarbeiterstab von *La Gauche* und wurde über die Lage im Kongo informiert. Vor einem begrenzten und politisch geschulten Publikum hielt ich einen Vortrag über die Lage in Kuba. Dann fuhr ich zusammen mit Lallemand nach Mons, wo er mich mit einem Dutzend Gewerkschaftern bekannt machte, die mir den Sinn der Streiks erklärten, die eine Million Arbeiter zweiunddreißig Tage lang geführt hatten. Der Lebensstandard der belgischen Arbeiter war verhältnismäßig hoch. Viele waren mit Autos zu den Versammlungen gekommen. Sie hatten zu Kampfmaßnahmen gegriffen, um diese Errungenschaften zu sichern, um die Kosten der Entkolonisierung nicht bezahlen zu müssen, und vor allem, um eine

neue Wirtschaftspolitik zu erzwingen: Es war das der erste Generalstreik in Europa gewesen, der eine Umgestaltung der Wirtschaft auf
sozialistischer Basis herbeiführen wollte. Ihr Urteil über die Person Re-
nards, der die Aktion vorangetrieben und gebremst hatte, war recht
unterschiedlich. Alle aber beschuldigten die sozialistischen Parlamentarier, ihnen den Sieg gestohlen zu haben. Zum Teil war der Kampf
gegen die konservative Haltung ihrer eigenen Führer gerichtet gewesen.

Auf Einladung dieser Parlamentarier, die in den Augen der Streikenden Verräter waren, hielt ich im Rathaus den gleichen Vortrag wie in
Brüssel. Diesmal war ich nicht so befangen, weil die Zuhörer offensichtlich links standen. Nachher aß ich mit meinen Gastgebern. «Das sind
Ihre eigentlichen Gegner», hatte Lallemand zu mir gesagt, «das sind
Leute, die Sie nicht schlechthin akzeptieren, weil sie Ihre Bücher nicht
gelesen haben. Sie pfeifen auf die Kultur, und das ist ihre Stärke.» Bei
einer gebratenen Ente stellten wir ihnen verfängliche Fragen. «Warum
hat man den Streik abgeblasen, als er in vollem Gange war?» fragte
ich. «Weil er zu einer Revolution geführt hätte; wir aber sind Reformisten.» – «Und was hält die breite Masse davon?» – «Wenig», erwiderte M. gelassen. Seine Genossen erzählten laut lachend, wie sie von
20 000 Streikenden ausgepfiffen worden waren. Einer kam M. zu Hilfe.
«Sie wissen doch, was das ist – die Masse. Man muß mit ihr umgehen
verstehen.» – «Wie?» sagte ich zu ihm. «Sie als Sozialist verachten die
Masse?» Empörte Blicke richteten sich auf ihn. «Du sollst gesagt haben,
daß du die Masse verachtest?» C. äußerte sich abfällig über die französische Linke. «Ich habe begriffen, daß eine Einigung der linken Kreise
unmöglich ist, als ich Daniel Mayer so haßerfüllt über –» Ich befürchtete,
er würde sagen «die Kommunisten», aber er fuhr fort: «Guy Mollet
sprechen hörte.» – «Aber er hat recht», sagte ich. «Guy Mollet ist ein
Ehrenmann», sagte C. Einige der Tischgäste murmelten etwas vor sich
hin. «Er ist ehrlich. Er hat nie einen Groschen Geld angerührt», sagte C.
mit lächerlichem Stolz. Ich war noch nie mit Berufspolitikern in Berührung gekommen, und die Belanglosigkeit dieses Tischgesprächs verblüffte
mich. «Alles, was sie interessiert, ist ihre Wiederwahl», sagte Lallemand
am nächsten Tag, als er mich im Morgengrauen aus dem Hotel abholte,
um mir Mons und die Umgebung zu zeigen, bevor ich meinen Zug nahm.
In der Stadt waren alle Jalousien heruntergelassen, und das Licht verlieh den Steinen den rosa Schimmer des Straßburger Münsters. Ich besichtigte Verlaines Gefängnis, van Goghs Wohnsitz, das Borinage, die
verwahrlosten Schutthalden, die bereits mit einer dichten Vegetation
überzogen waren: mitten im Flachland erhob sich eine künstliche Hügellandschaft. Die Stillegung der Bergwerke ließ sich nicht vermeiden. Empörend war nur, daß die Grubenarbeiter die Zeche zahlen sollten. In den
Siedlungen wohnten nur noch Pensionäre. Wie Lallemand mir sagte,
wird dort gewöhnlich vom vierzigsten Lebensjahr an nicht mehr gear-

beitet. Die Silikose hatte durch den Gebrauch des elektrischen Hammers nur noch weiter um sich gegriffen. Er schilderte mir die seltsamen Gesichter der Männer mit den durch die Kieselerde verkrusteten Wimpern.

Ich nahm an dem Bücherbasar des CNE teil. Die Kommunisten hatten die Aktion der «121» verurteilt. Wenn wir uns geschlossen in das Palais des Sports begaben, betonten wir damit, daß eine gewisse Solidarität zwischen uns und ihnen herrsche: das wäre wohl oder übel eine Methode gewesen, sie zu beeinflussen. Tatsächlich aber waren wir weit verstreut, da jeder hinter seinem Ladentisch eingeklemmt war. Lautsprecher erfüllten die Luft allzu hartnäckig mit Bach-Musik. Ich fühlte mich diesem Publikum enger verbunden als meinen Brüsseler Zuhörern, aber ich war viel zu sehr damit beschäftigt, Bücher zu signieren, als daß ich mit ihm hätte in Kontakt kommen können. Mein Buch hatte dank eines Optimismus gefallen, der mir inzwischen sehr fremd geworden war. Da die Widerstandsbewegung sich nicht so entwickelt hatte, wie wir gehofft hatten, versanken wir wieder in unsere Isolierung.

Ich besuchte zusammen mit Sartre die Ausstellung Dubuffets, den wir 1947 nicht richtig eingeschätzt hatten. Die Bilder aus seiner letzten Periode entrissen uns der alltäglichen Betrachtungsweise, da sie uns ein planetarisches Bild der Welt vermittelten. So würde ein Marsmensch Landschaften und Gesichter in ihrer nackten Stofflichkeit mit undefinierbaren und winzigen Variationen, die aber jeden menschlichen Inhalts beraubt waren, auffassen. Als ich wegging, konnte ich die menschlichen Gestalten gar nicht mehr anders sehen: eine undurchsichtige Masse, auf der sich ein oberflächliches Liniennetz abzeichnet.

Ich traf mich mehrmals und mit großem Vergnügen mit Christiane Rochefort. *Kinder unserer Zeit* hatte mir sehr gut gefallen. Um die Welt der Entfremdung mit treffender Grausamkeit zu schildern, hatte sie eine Stimme, einen Ton erfunden, die – besser als ihre beflissene Darstellung einer kommunistischen Familie – die Möglichkeit einer anderen Welt andeuteten. Obwohl das Buch weniger Anstoß erregt hatte als das erste, hatte man es mit tugendhaftem Schmutz beworfen. Als ich zu ihr sagte: «Das kenne ich», erwiderte sie teilnahmsvoll: «Für Sie muß es aber peinlicher gewesen sein, ich bin ja sowieso eine Vagabundin.» In ihrer Nähe wurde ich mir tatsächlich meiner bürgerlichen Herkunft bewußt. Sie war ein Kind des Volkes und hatte es in allen Schattierungen kennengelernt. Sie besaß eine Kühnheit, einen Schwung, eine Ungezwungenheit, um die ich sie beneidete. Momentan schrieb sie nicht. «Ich kann mich im Augenblick nicht für meine kleinen Geschichten interessieren!»

Ich verstand sie nur zu gut. Lumumbas Ermordung, die letzten von ihm veröffentlichten Fotos, die Bilder seiner Frau, die mit rasiertem Kopf und nackten Brüsten um ihn trauert – welcher Roman würde sich daneben behaupten können? Dieser Mord belastete nicht nur Kasavubu und Tshombé, sondern auch Amerika, die UNO, Belgien, den ganzen

Westen und auch Lumumbas Umgebung. «Alle haben sie ihn verraten, sogar die, die ihm nahestanden», sagte Serge Michel, der Lumumbas Presseattaché gewesen war, zu Lanzmann. «Er wollte es nicht glauben. Außerdem bildete er sich ein, er brauche nur auf die Straße zu gehen und zu den Massen zu sprechen, um über alle Verschwörungen zu triumphieren.» Michel fügte hinzu: «Er hat die Gewalt gehaßt – darum ist er gestorben.» Dieses Gespräch führte Lanzmann in Tunis, wohin er zusammen mit Péju gefahren war, um die *Temps Modernes* auf der antikolonialistischen Konferenz zu vertreten. Sie sprachen mit Ferhat Abbas, der während der ganzen Unterredung seine kleine Nichte auf den Knien reiten ließ. «Er hielt uns für *esprit*-Typen», sagte Lanzmann zu mir. «Was wollen Sie», sagte er zu ihnen, «diese Kommunisten geben den Menschen Brot, das ist zwar sehr schön, aber der Mensch lebt nicht vom Brot allein. Wir sind Mohammedaner. Wir glauben an Gott, wir wollen auch den Geist erziehen. Auch der Geist braucht Nahrung.» Offensichtlich spielte er in der Revolution nur noch eine dekorative Rolle. Das hatte uns ein führender FLN-Mann gesagt. «Abbas ist alt, sechzig Jahre. Es gibt die Generation der Sechzigjährigen, die der Vierzigjährigen, die der Zwanzigjährigen. Es ist vorteilhaft, einen Vertreter der älteren Generation mit dabei zu haben, um der Revolution einen seriösen Anstrich zu geben. Aber er befiehlt nicht, und er wird auch nicht befehlen.» Die bekannten Führer vertraten, wie man uns erzählte, zwei Richtungen: die Politiker klassischen Typs waren bereit, mit Frankreich zusammenzuarbeiten, das heißt, die Revolution zu bremsen, und die anderen, unterstützt durch die Widerstandskämpfer und die breiten Massen, forderten eine Agrarreform und den Sozialismus. «Wenn man uns um den Sieg betrügt, gehen wir wieder in die Berge», sagte man in gewissen Kreisen, die den Krieg bis zu Ende führen wollten, im Notfall mit Hilfe der Chinesen.

Zu den Gegnern eines Kompromißfriedens gesellte sich Fanon, der Verfasser von *Peaux noires, Masques blancs* und *L'An V de la Révolution algérienne*. Psychiater, auf Martinique geboren, Mitglied der FLN, hatte er sich in Akkra unter großem Beifall gegen die pazifistischen Thesen Nkrumahs gewandt und eine leidenschaftliche Rede über die Notwendigkeit und den Wert der Gewalt gehalten. *Les Temps Modernes* hatte einen interessanten Artikel aus seiner Feder über dasselbe Thema veröffentlicht. Durch seine Bücher und das, was wir über ihn wußten, erschien er uns als eine der bemerkenswertesten Persönlichkeiten der Zeit. Lanzmann war bestürzt, als er Fanon im Bett und seine Frau in Tränen aufgelöst vorfand. Er war an Leukämie erkrankt, die Ärzte gaben ihm nur noch ein Jahr. «Sprechen wir von etwas anderem», sagte er sofort. Er erkundigte sich nach Sartre, dessen Philosophie ihn beeinflußt hatte. In der *Critique de la raison dialectique* hatten ihn die Analysen der Begriffe Brüderlichkeit – Terror tief beeindruckt. Die Ereignisse in Nordafrika bedrückten ihn sehr. Wie so viele afrikanische Revolutionäre hatte er von einem geeinten und der Ausbeutung entrissenen Afrika geträumt. In Akkra hatte er dann feststellen müssen, daß die Neger einander abschlachten würden, bevor sie sich brüderlich einigten. Lumumbas Ermordung hatte ihn tief erschüttert. Er selber war bei einer seiner Afrikareisen mit knapper Not einem Attentat entronnen.

Damals stellte sich die Frage – nachdem de Gaulle die in Melun aufgestellten ‹Vorbedingungen› hatte fallenlassen –, welche Konzessionen er den Algeriern zu machen geneigt sei. Was die Unabhängigkeit Algeriens und seine territoriale Unversehrtheit betraf, so würden sie nicht nachgeben. Ob aber ihr Sieg zum Sozialismus führen würde? Wir hofften es.

Sechs weibliche Häftlinge sind aus dem Gefängnis La Roquette ausgebrochen, ein hübsches, gut durchgeführtes Unternehmen, das den Frauen helfen müßte, ihre Minderwertigkeitskomplexe loszuwerden. Mit Sartre zusammen habe ich mir die Ausstellung Lapoujades angesehen. Seine Bilder gefielen mir, außerdem hatte er Sartre zu einer Studie über die engagierte Malerei angeregt. Der Frühling war unglaublich mild. Im März 23 Grad Wärme. Das habe man, schrieben die Zeitungen, seit 1880 nicht mehr erlebt. Der Himmel war so blau, daß ich Lust hatte, bei offenem Fenster zu schreiben, so wie ich Lust gehabt hätte, zu singen, wenn ich eine Stimme besessen hätte. Da sagte Lanzmann eines Abends zu mir: «Ich muß dir etwas zeigen.» Er ging mit mir in der Umgebung von Paris essen, in einem verschlafenen Dorf, in dem es nach Land roch. Und plötzlich brach wieder die Hölle über mich herein. Marie-Claude Radziewski hatte ihm ein Dossier über die Behandlung gegeben, welche die *harkis* in den Kellern der rue de la Goutte-d'Or den Moslems zuteil werden ließen, die ihnen durch die DST ausgeliefert wurden: Kathoden, Brandwunden, auf Flaschen aufspießen, hängen, erdrosseln. Die Foltern wurden mit psychologischen Zwischenfragen unterbrochen. Lanzmann schrieb für *Les Temps Modernes* einen Artikel und veröffentlichte das Dossier mit den Anschuldigungen. Eine Studentin berichtete mir, daß sie mit eigenen Augen in der rue de la Goutte-d'Or blutende Menschen gesehen hatte, die von den *harkis* aus einem Haus in das andere geschleift wurden. Die Bewohner des Viertels hörten jede Nacht das Schreien. «Warum? Warum? Warum?» Dieser sich endlos wiederholende Aufschrei eines kleinen fünfzehnjährigen Algeriers, der hatte mitansehen müssen, wie seine ganze Familie gefoltert wurde, zerriß mir die Ohren und schnürte mir die Kehle zusammen. (Benoît Rey hat davon in einem ausgezeichneten und erschreckenden Buch berichtet: *Les Égorgeurs*.) Wie sanft war die Empörung gewesen, die mich früher einmal angesichts des Schicksals der Menschen und der abstrakten Idee des Todes überwältigt hatte! Man mag sich krampfhaft gegen das Unvermeidliche wehren, aber es läßt keinen Zorn aufkommen. Und die Schande blieb mir wenigstens erspart. Heute war ich in meinen eigenen Augen zu einem Ärgernis geworden. Warum? Warum? Warum? – Warum mußte ich jeden Morgen voller Schmerz und voller Wut erwachen, bis ins Mark durch ein Übel vergiftet, dem ich nicht zugestimmt hatte und das ich doch nicht hatte verhindern können? Das Alter ist in jedem Fall eine schwere Heimsuchung – laut Kant die am wenigsten verdiente, laut Trotzki die unvorhergesehenste. Aber daß es ein Dasein, das mich bisher zufriedengestellt hatte, in Schimpf und Schande versinken ließ, war mir unerträglich, und ich sagte mir: «Man drängt mir ein trostloses Alter auf.» Wenn man auf das Leben nicht mehr stolz sein kann, kommt einem der Tod noch unannehmbarer vor. Unaufhörlich mußte ich an meinen Tod und an Sartres Tod denken. Jeden Morgen, wenn ich die Augen aufschlug, sagte ich mir: «Wir werden sterben.» Und: «Diese Welt ist entsetzlich.» Jede Nacht hatte ich Albträume. Einer kehrte so oft wieder, daß ich eine Version aufgezeichnet habe:

«Heute nacht habe ich sehr lebhaft geträumt. Ich befinde mich mit Sartre in seinem Arbeitszimmer. Der Plattenspieler ist zugedeckt. Plötzlich ertönt Musik, ohne daß ich mich gerührt hätte. Auf dem Teller liegt eine Platte, die sich dreht. Ich drücke auf den Abstellknopf, kann die Platte aber nicht anhalten, sie dreht sich immer schneller, die Nadel kann nicht mehr folgen, der Tonarm nimmt merkwürdige Stellungen ein, das Innere des Geräts brodelt wie ein Kessel, eine Art Flammen werden sichtbar, die verrückt gewordene schwarze Platte beginnt zu leuchten. Zuerst kam mir der Gedanke, daß der Plattenspieler auseinanderfallen wird, aber die Angst steigert sich ins Riesenhafte: Alles wird explodieren. Eine unbegreifliche, magische Rebellion – alles gerät aus den Fugen. Ich fürchte mich, ich sterbe vor Angst. Ich denke daran, einen Fachmann zu Hilfe zu rufen. Ich glaube mich zu erinnern, daß er schon da war. Aber ich bin es, die schließlich auf den Gedanken kommt, das Gerät auszuschalten. Zitternd berühre ich die Steckdose. Der Teller bleibt stehen. Was für eine Verwüstung! Der Tonarm ist wie eine Wurzel verkrümmt, die Nadel und die Platte zu Pulver geworden, der Teller ist bereits angebrannt, das Zubehör vernichtet, und die Krankheit schwelt im Innern des Apparates weiter.»

Als ich erwachte und den Traum rekapitulierte, hatte er für mich einen klaren Sinn: die geheimnisvolle und unbezähmbare Kraft ist die Zeit, sind die Dinge, die meinen Körper verwüsten (dieser erbärmliche Rest eines verdorrten Armes), sie verstümmeln meine Vergangenheit, mein Leben; alles, was ich bin, bedrohen sie mit völliger Vernichtung.

«Der Mensch ist elastisch» (Sartre: *Saint Genet*). Das ist sein Glück und seine Schande. Trotz meiner Ablehnung, meines Ekels ging ich meiner Beschäftigung, meinen Vergnügungen nach: es geschah selten mit ungemischter Freude. Die Berliner Oper führte Schönbergs *Moses und Aron* auf. Ich ging zweimal hin, einmal mit Olga, das andere Mal mit

Sartre. Es war mir peinlich, vor der Ouvertüre in Anwesenheit Malraux', der in einem Blumenkorb thronte, die *Marseillaise* anhören zu müssen. Sie paßte hier sehr gut zu dem *Deutschlandlied*, das nachher angestimmt wurde. Vergebens bemühte ich mich, meine feindselige Umgebung zu vergessen, zu deren Komplicin ich mich wieder einmal gemacht hatte.

Sartre fuhr nach Mailand, um den Omonia-Preis entgegenzunehmen, den die Italiener ihm für seinen Kampf gegen den Algerien-Krieg verliehen hatten. Im vergangenen Jahr hatte Alleg ihn erhalten. Deshalb hatte Sartre ihn akzeptiert, obwohl er wenig für derartige Zeremonien übrig hatte. Auch ich verließ Paris und übersiedelte mit meiner Arbeit, meinen Büchern, meinem Plattenspieler und einem Transistorgerät in ein Hotel der Umgebung. Die wenigen heiteren Tage stachen wohltuend von dieser dunklen Zeit ab. Ich war der einzige Gast und setzte mich in den Park in die Sonne. Einzelne Bäume begannen schon zu grünen. Die meisten reckten noch ihre schwarzen Zacken, die weißen Spitzen ihres Geästs in den Himmel empor. Enten schwammen auf dem Teich oder paarten sich eifrig an den Ufern. Zum erstenmal in meinem Leben hörte ich nachts die Nachtigallen singen, genauso köstlich wie bei Händel und Scarlatti. Über diesen Frieden flogen unter gewaltigem Dröhnen große weiße Transporter hinweg. Am Horizont funkelten die Lichter der Stadt. Die Düsenflugzeuge und die Vögel, das Neonlicht und der Wiesenduft! Ab und zu erschien es mir wieder wichtig, auf dem Papier zu berichten, wie die Menschenerde in diesem Jahrhundert ausgesehen hat (diese Erde, wo in den Kellern der rue de la Goutte-d'Or ...).

Ich hatte Sartre, der Paris leid war, vorgeschlagen, nach Antibes zu fahren. Bost begleitete uns. Wir wählten den Weg über das fröhliche Vaison, über den Gipfel des Ventoux, wo ein heftiger Wind wehte. In einem Garten oberhalb von Manosque aßen wir zu Mittag. In den Rastpausen widmete ich mich mit Feuereifer dem Zündholzspiel, das durch den Film *Letztes Jahr in Marienbad* Mode geworden war – so lange, bis ich das Geheimnis ergründet hatte. Bei unserer Ankunft erfuhren wir von dem Invasionsversuch auf Kuba. Die an und für sich beunruhigenden Nachrichten entsprachen so genau den Plänen der Emigranten – von denen die Kubaner uns berichtet hatten –, daß sie uns eher den Reflex ihrer Hoffnungen als wirkliche Ereignisse zu berichten schienen. Tatsächlich konnten sie auf der Pinieninsel nicht Fuß fassen, und ihr Anführer hatte nirgendwo an Land gehen können. Sie beschuldigten sich sehr bald untereinander und wandten sich gegen die Amerikaner, die an dem Wert ihres Nachrichtendienstes zu zweifeln begannen. Es stand schließlich jedem frei, nach Kuba zu reisen und sich über die Lage zu informieren. Nur ein Allen Dulles konnte sich einbilden, daß die Bauern den Großgrundbesitzerssöhnen und Söldnern um den Hals fallen würden, die gekommen waren, um ihnen ihren Boden wieder wegzunehmen. Die Lächerlichkeit dieses Abenteuers bannte für lange

Zeit die Gefahr einer amerikanischen Invasion. Unser Aufenthalt fing also recht gut an. Von der Hotelterrasse aus betrachteten wir das Meer, die Hafenmauern, die Berge. Jeden Abend machten wir unseren Rundgang um das Kap, um die Lichter an der Küste funkeln zu sehen. Wir pilgerten zur Villa der Madame Lemaire, die jetzt von hohen Bauten umgeben und in eine Klinik verwandelt worden war. In Biot besichtigten wir das Léger-Museum.

Als neue Verhandlungen angekündigt wurden, brachten die Ultras an öffentlichen Orten Plastikbomben zur Explosion. Zwei davon legten sie ins Haus des Bürgermeisters von Évian, der ums Leben kam. Die Geheimorganisation der Armee war gerade entstanden. In Algier ergriffen die Generale Salan, Challe, Jouhaud und Zeller die Macht. Die Mehrzahl der höheren Offiziere in Algerien schloß sich ihnen an. Sie würden sich nur halten können, wenn es ihnen gelang, so bald als möglich in Frankreich einen Putsch durchzuführen.

In der Sonntagnacht schlief ich schon, nachdem ich mir aus dem Transistorgerät *Turandot* mit der Tebaldi angehört hatte, als das Telefon klingelte. Es war Sartre. «Ich komme zu Ihnen hinauf.» Man hatte ihn aus Paris angerufen. Man rechnete dort jeden Augenblick mit der Landung der Fallschirmjäger. Debré flehte die Pariser an, sie mit den Fäusten aufzuhalten. Man hatte Autobusse quer über die Fahrbahn gestellt, um die Brücken zu verbarrikadieren. Dieses Detail wirkte durch seine Ungereimtheit besonders beunruhigend. Wir versuchten vergeblich, aus meinem Radio etwas Neues zu erfahren. Schließlich schlief ich wieder ein. Am nächsten Morgen waren noch immer keine *paras* gelandet. Am Nachmittag traten in ganz Frankreich zwölf Millionen Arbeiter in den Streik. Am nächsten Abend befanden sich die Putschisten auf der Flucht oder in Haft. Daß der Coup gescheitert war, hatte man zu einem großen Teil der Haltung der Truppen zu verdanken. Durch die Rede de Gaulles am Abend des dreiundzwanzigsten zum Ungehorsam ermuntert, in der Befürchtung, von Frankreich abgeschnitten und auf unbegrenzte Zeit hinaus unter den Fahnen zurückgehalten zu werden – zum Teil aus politischer Überzeugung –, hatten sich die Soldaten den aufrührerischen Offizieren durch Passivität oder durch Gewaltakte widersetzt.

Anfang des Winters war Richard Wright plötzlich an einem Herzanfall gestorben. Ich hatte mit ihm zusammen New York entdeckt und bewahrte viele teure Erinnerungen an ihn, die auf einmal durch das Nichts zerstört wurden. In Antibes erfuhr ich durch einen Anruf vom Tod Merleau-Pontys: auch bei ihm war es ein plötzlicher Herzschlag gewesen. «Was mir da widerfährt, betrifft mich nicht mehr», überlegte ich. Ich bildete mir allerdings auch nicht mehr ein, daß ich mir diese Geschichte vorerzählte, aber ich glaubte doch noch immer, zu ihrem Aufbau beizutragen. In Wirklichkeit entglitt sie mir. Ohnmächtig wohnte ich dem Spiel fremder Mächte bei: die Geschichte, die Zeit, der Tod.

557

Dieser Fatalismus gestattete mir nicht einmal mehr, bei den Tränen Trost zu suchen. Bedauern, Aufruhr, alles war erschöpft, ich war geschlagen, ich ließ mich fallen. Der Gesellschaft, der ich angehörte, feindselig gegenüberstehend, durch das Alter aus der Zukunft verbannt, Fiber um Fiber der Vergangenheit beraubt, sah ich mich auf mein bloßes Dasein reduziert. Wie kalt!

Giacometti stellte bei Maeght seine großen schreitenden Statuen und einige Gemälde aus. Ich empfinde es stets als eine Freude und als ein gewisses Ärgernis, seine Werke dem Gipsschatten des Ateliers entrückt und zwischen sauber abgestaubten Wänden mit all dem Raum um sich her zu sehen. Ich nahm an einer privaten Vorführung von *Letztes Jahr in Marienbad* teil, ein Film, der trotz seiner Ambitionen recht ungleichmäßig ist. Ich sah außerdem Buñuels *Viridiana*, einen Film, der von einem so intensiven Feuer durchglüht ist, daß ich seine Übertreibungen und Wunderlichkeiten hinnahm. Ich sah mir auch noch andere Filme an, ich las, ich schrieb. Sartre flüchtete sich mit solcher Wucht in die Arbeit, daß er die Kontrolle verlor: er schrieb eine zweite Version seines «Tintoretto», ohne daß er sich auch nur die Zeit genommen hätte, die erste durchzulesen.

Durch den Beginn der Verhandlungen in Évian (die übrigens infolge der französischen Ansprüche auf die Sahara zum Scheitern verurteilt waren) verärgert, ließen die Aktivisten Plastikbomben in den Wohnungen linker Politiker und einzelner Anhänger der UNR explodieren. Nachdem die Redaktionsräume des *Observateur* verwüstet worden waren und Sartre sich darüber in einem Interview geäußert hatte, erhielt er Drohbriefe. Bourdet zeigte uns einen Brief, in dem die unmittelbar bevorstehende Liquidierung der «121» angekündigt wurde. Man mußte damit rechnen, daß auch Sartres Wohnung an die Reihe käme. Er brachte seine Mutter in einem Hotel unter und zog zu mir.

Lanzmann kehrte aus Tunis zurück, wo er mehrere Tage an den Grenzen, vor der Absperrung, bei den Abteilungen der ALN und im Generalstab Boumediennes verbracht hatte. Binnen drei Stunden aus Paris ins Maquis versetzt zu werden, neben algerischen Frontkämpfern auf dem Erdboden zu schlafen, ihr Leben zu teilen, das war ein packendes Erlebnis gewesen, von dem er mir ausführlich erzählte. Er hatte auch ein Dorf mit ‹Umgesiedelten› besucht, die die Armee aus einem in der Nähe der Grenze gelegenen Lager befreit und durch die Absperrung hindurchgeschleust hatte. Was er mir berichtete, war nicht neu, aber er hatte mit eigenen Augen den alten Mann gesehen, dem die Hunde die Schultern zerbissen hatten, die von Haß verstörten Frauen, die Kinder ...

Im Juli überbrachten uns die Massons eine Einladung Aït Ahmeds, der im Gefängnislazarett von Fresnes lag. Wir folgten einer Allee mit

Einfamilienhäusern, vor denen Autos standen. Die Frauen der Putschisten, die ihre Männer besuchten, wurden sofort eingelassen, während die Algerierinnen stundenlang warten mußten. Die Anwältin Michelle Beauvilard begleitete uns durch ein erstes Tor. Polizei. Papiere. Ein Stück weiter abermals Polizei, abermals Kontrolle. Als Minister hatte Aït Ahmed das Anrecht auf eine saubere Zelle und eine besondere Kost. Fresnes war ihm lieber als Turquant, weil er hier Kontakt mit seinen Landsleuten hatte und ihnen gewisse Dienste erweisen konnte. Während er uns von der dezimierten Bevölkerung, geschlachteten Herden, verbrannter Erde erzählte, kamen zwei Männer herein. Einer davon war ein gebrechlicher Greis mit sanft glühenden Augen und einem mit Narben bedeckten Gesicht: Boumaza, einunddreißig Jahre alt. «Das Gefängnis und die schlechte Kost haben aus ihm einen alten Mann gemacht.» Dieses Klischee schien also zu stimmen: daß die Foltern, der Hungerstreik – kein Wasser, dank der Fürsorge Michelets – die Gesundheit zerstörten. «Es ist doch nicht meine Schuld», sagte ich mir. Aber ich kam immer wieder auf die alte Leier zurück: Ich bin Französin.

Am 3. Juli kostete ein Generalstreik die Algerier nach Angabe der französischen Presse 18 Tote und 91 Verletzte. Frankreich gab zu, daß am Abend des ‹Nationaltages› (gegen den Teilungsplan gerichtet, den Frankreich seit dem Mißerfolg in Évian ins Auge gefaßt hatte), dem 5. Juli, 80 Moslems getötet und 266 verwundet worden seien. Nach den Angaben Yazids betrug die Zahl der Opfer mehrere Hunderte. Obwohl zahlreiche Zeugen ihn belasteten, wurde in Lyon der Aktivist Thomas freigesprochen, der angeklagt war, sich mit Vorbedacht das Fell einer ‹Ratte› geholt zu haben. Jeden Tag wurden in Algier moslemitische Geschäfte durch Bomben zerstört.

Gegen Mitte Juli aßen wir zusammen mit Wright Mills und einem seiner Freunde in der ‹Coupole›. Sein Buch *White Collar* hatte einen Weg zum Studium der heutigen amerikanischen Gesellschaft gewiesen. *Les Temps Modernes* hatte längere Auszüge aus einem anderen seiner Bücher, *The Power Elite*, veröffentlicht. Bärtig, mit lebhaften Augen, sagte er vergnügt zu mir: «Wir haben die gleichen Feinde», und nannte gewisse amerikanische Kritiker, die mir nicht wohlgesinnt waren. Amerika war ihm so verleidet, daß er sich in England niedergelassen hatte. Sein Freund, verheiratet und Familienvater, durfte nicht in die USA zurückkehren, weil er sich nach dem Abbruch der diplomatischen Beziehungen zwischen Havanna und Washington auf Kuba aufgehalten hatte. Seiner Frau war der Paß entzogen worden, weil sie in China gewesen war. Sie konnten sich nur in Mexiko oder in Kanada treffen.

Wright Mills war auf Kuba sehr beliebt. Er hatte lange Zeit dort gewohnt und versucht, seine Landsleute durch ein Buch über Kuba zu informieren. Er fragte sich wie wir, was heute dort vorgehe. Die Kommunistische Partei lieferte dem Regime zwar den Apparat, der ihm fehlte, aber leider gab es in ihren Reihen eine Clique, die von Anibal Escalante angeführt wurde, der uns schon im Februar 1960 als ein pompöser Dummkopf erschienen war. Der Fanatismus und der Opportunismus dieser Leute drohten die Castro-Revolution in falsche Bahnen zu lenken. Rafaels Zeitung *Hoy* grub der *Revolución* das Wasser ab, die Gefahr lief, einzugehen oder in die Hände eines anderen Mitarbeiterstabes zu geraten.

Wir beabsichtigten, den Sommer wieder in Rom zu verbringen. Dort wollten wir uns von Frankreich ausruhen, und ich hoffte, daß Sartre etwas weniger arbeiten würde. Er schrieb an einem Artikel über Merleau-Ponty und schluckte so viel Corydram, daß er abends taub war. Eines Nachmittags, als ich ihn wie gewöhnlich zu Hause besuchen wollte, klingelte ich fünf Minuten lang an der Wohnungstür. Während ich auf einer Treppenstufe saß und auf die Rückkehr seiner Mutter wartete, befürchtete ich, daß er einen Anfall erlitten haben könnte. Als ich in sein Zimmer kam, sah ich, daß alles in bester Ordnung war. Er hatte nur die Klingel nicht gehört.

Am Morgen der Abreise hatten wir gerade die Koffer zugemacht, als das Telefon um 7 Uhr 30 läutete. Es war Sartres Mutter. Im Eingang des Hauses Nummer 42 rue Bonaparte war eine Bombe explodiert. Sie hatte nicht viel Schaden angerichtet.


Nachdem sich Sartre in Havanna für die künstliche Frische im ‹Nacional› begeistert hatte, mieteten wir in Rom zwei nebeneinanderliegende Zimmer, die mit einer Klimaanlage versehen waren Die Anlage funktionierte schlecht, aber das Hotel lag auf einer Anhöhe am Stadtrand, wo die Temperatur nicht so unbarmherzig war wie im Zentrum. Durch das Fenster, vor dem ich arbeitete, sah ich den «Tiber bei der Mivio-Brücke um 1960». Die Gegend war noch halb ländlich: der grüne Fluß, auf dem Kähne fuhren, gelbe Wiesen von breiten Wegen durchzogen, Kiefernwälder, in der Ferne Hügel und die Albanerberge. Aber neue Viertel waren in der Entstehung begriffen, und in Analogie zu den alten Bildern von Paris, Amsterdam, Saragossa war es leicht, Häuser, Avenuen, Kais, Brüstungen, Brücken in die Landschaft hineinzuprojizieren. Zu meinen Füßen ratterte zwischen mattblauen Fischteichen das Züglein nach Viterbo vorbei. Gerade unter meinem Fenster, auf der anderen Seite der Straße, befand sich ein Tontaubenschießstand. Die Schützen sah ich nicht, aber zuweilen flog eine Vogelattrappe aus einem Kasten hervor, und ein Schuß knallte. Nebenan bearbeitete eine Familie ihren Gemüsegarten. Wenn ich morgens aufwachte, roch es nach verbranntem Unkraut.

Wir standen spät auf, hörten uns aus meinem Transistorgerät einen *bel canto* an, bevor wir hinuntergingen, um Kaffee zu trinken und Zeitungen zu lesen. Wir arbeiteten, wir fuhren ins Zentrum – mit dem Auto waren es nur ein paar Minuten – und gingen dort spazieren. Nach einigen Stunden weiterer Arbeit aßen wir dort zu Abend, wo es uns gefiel. Oft gingen wir zur Piazza Santa Maria di Trastevere, bewunderten die Wasserspiele, das matte Gold der Mosaiken. Unter dem Laubwerk einer Dachterrasse flackerte ein gelbes Licht. Eine Vespa kam um die Ecke: an der Lenkstange befand sich eine riesige Traube bunter Ballons. Wir tranken ein letztes Glas neben unserem Hotel auf der mit Bäumen bepflanzten Terrasse, die den Blick auf die Ebene freigibt. Ringsumher schlängelten sich Leuchtgirlanden durch die Schatten, aus denen ab und zu der Widerschein eines roten Feuers aufleuchtete. Scheinwerfer zogen strahlende Furchen über die schwarzen Hügel. Das eigensinnige Gezirp der Grillen bildete einen irdischen Kontrapunkt zu dem Glitzern der Sterne auf dem kalten Samt des Himmels. Das Künstliche und die Natur steigerten und verneinten einander, ich hatte das Gefühl, nirgendwo oder vielleicht auf einer interplanetarischen Zwischenstation zu sein.

Mein Buch machte keine Fortschritte, da uns die Tagesereignisse auf den Fersen waren. Die Gespräche in Lugrin scheiterten. Ohne daß jemand dagegen protestierte, veranstalteten die *paras* in Metz eine ‹Rattenjagd›: 4 Tote, 18 Verwundete. Und dann kam die Metzelei in Bizerta. Es fiel mir schwer, mich für meine Vergangenheit zu interessieren. Sartre tat gar nichts mehr. Wir lasen Bücher, die uns über die heutige Welt informierten, und zahlreiche Kriminalromane.

Fanon hatte Sartre um ein Vorwort zu *Die Verdammten dieser Erde* ersucht und ihm durch Lanzmann ein Manuskript überreichen lassen. Auf Kuba hatte Sartre begriffen, wie zutreffend das war, was Fanon sagte: daß nämlich der Unterdrückte aus der Gewalt seine Menschlichkeit schöpft. Er war mit dem Buch einverstanden: ein Manifest der Dritten Welt, extrem, kompromißlos, aufrührerisch, aber auch nuancenreich und subtil. Er übernahm es gern, eine Einleitung zu schreiben. Wir freuten uns sehr, als Fanon, der in Norditalien sein Rheuma behandeln ließ, uns seinen Besuch ankündigte. Zusammen mit Lanzmann, der am Vorabend gekommen war, ging ich ihn vom Flughafen abholen. Vor zwei Jahren war er an der marokkanischen Front verwundet und zur Wiederherstellung nach Rom geschickt worden. Einem Mörder war es gelungen, ins Krankenhaus und bis in sein Zimmer vorzudringen. Da er morgens zufällig in der Zeitung gelesen hatte, daß seine Ankunft gemeldet worden war, hatte er sich so heimlich wie nur möglich in eine andere Etage transportieren lassen. Zweifellos verfolgte ihn diese Erinnerung, als er in Rom ankam. Wir erblickten ihn, bevor er uns sah: Er setzte sich hin, stand auf, setzte sich wieder hin, wechselte Geld, nahm sein Gepäck, alles mit abgehackten Gesten, aufgeregter Miene, lauerndem Blick. Im Auto redete er fieberhaft auf uns ein: Binnen achtundvierzig Stunden würde die französische Armee in Tunesien einmarschieren, und Blut würde in Strömen fließen. Wir waren zum Mittagessen mit Sartre verabredet. Das Gespräch dauerte bis zwei Uhr morgens. Dann brach ich möglichst höflich ab, indem ich erklärte, daß Sartre schlafen müsse. Fanon war entrüstet. «Ich mag keine Menschen, die mit ihren Kräften haushalten», sagte er zu Lanzmann, der bis acht Uhr morgens mit ihm aufbleiben mußte. Genau wie die Kubaner schliefen auch die algerischen Revolutionäre in der Nacht nicht mehr als vier Stunden. Fanon hatte Sartre ungeheuer viel zu erzählen und eine Menge Fragen zu stellen. «Ich würde 20 000 Francs täglich dafür zahlen, um mich vierzehn Tage lang mit Sartre von morgens bis abends unterhalten zu dürfen», sagte er lachend zu Lanzmann. Am Freitag, Samstag und Sonntag, bis er den Zug nach Albano bestieg, wurde ununterbrochen geredet. Dasselbe wiederholte sich, als er nach zehn Tagen wieder nach Rom kam, um nach Tunis zu fliegen. Von scharfem Verstand, außerordentlich lebendig, mit einem düsteren Humor begabt, hörte er nicht auf, zu erklären, zu scherzen, zu fragen, zu imitieren, zu berichten: Alles, was er erzählte, war so plastisch, daß man es hätte mit den Händen greifen können.

In seiner Jugend hatte er geglaubt, mit Hilfe seiner Kultur und seiner Verdienste die Rassentrennung überwinden zu können. Er wäre gern Franzose geworden. Also hatte er während des Krieges Martinique verlassen, um zu kämpfen. Als er in Lyon Medizin studierte, wurde ihm klar, daß ein Schwarzer in den Augen der Franzosen stets ein Schwarzer bleibt, und er bekannte sich aggressiv zu seiner Hautfarbe. Einer seiner besten Kameraden, der mit ihm den Stoff für die Prüfung durchging, rief aus: «Wir haben wirklich geschuftet wie die N...» – «Aber sag es nur, mein Lieber, sag es», erwiderte Fanon. «Wie die Neger.» Daraufhin hatten sie monatelang nicht mehr miteinander gesprochen. Ein Examinator fragte ihn: «Und du, wo bist du her? ... Ah! Martinique – ein schönes Land.» Und in väterlichem Ton: «Wonach willst du gefragt werden?» – Fanon berichtete: «Ich griff in den Korb und zog eine Frage heraus. Er gab mir fünf Punkte von zehn, obwohl ich neun verdient hätte. Aber er hat danach ‹Sie› zu mir gesagt.» Fanon hatte die philosophischen Vorlesungen Merleau-Pontys besucht, ohne an ihn heranzutreten: Er schien ihm so unnahbar.

Dann heiratete er eine Französin und wurde zum Leiter der psychiatrischen Klinik in Blida ernannt: Das war der Sieg über die Rassentrennung, von dem er in seiner Jugend geträumt hatte. Als der Algerien-Krieg ausbrach, geriet er in einen schweren Gewissenskonflikt. Er wollte nicht auf einen mühsam errungenen Status verzichten, aber die Opfer der Kolonialherrschaft waren seine Brüder. In der Sache der Algerier erkannte er die seine wieder. Ein Jahr lang diente er der Revolution, ohne seine Stellung aufzugeben, indem er bei sich zu Hause und in der Klinik führende Widerstandskämpfer beherbergte, Medikamente lieferte, den

Kämpfenden zeigte, wie sie ihre Wunden behandeln sollten, und mosle-mitische Sanitätsgruppen organisierte. Acht von zehn Attentaten miß-glückten, weil die ‹Terroristen› selber Angst hatten, sich auffällig benah-men oder den richtigen Augenblick verpaßten. «So kann es nicht weiter-gehen», sagte sich Fanon. Es galt, Einsatzkommandos zu schaffen. Im Einvernehmen mit der Führung übernahm er diese Aufgabe. Er brachte den Leuten bei, daß sie in dem Augenblick, wenn sie eine Bombe legten oder eine Handgranate schleuderten, ihre Reaktionen beherrschen müß-ten, und außerdem, welche psychische und physische Haltung ihnen hel-fen würde, die Folter am besten zu ertragen. Nach beendeter Lektion mußte er einen französischen Polizeikommissar behandeln, der an nervö-ser Erschöpfung litt, weil er zu ausgiebig ‹verhört› hatte. Dieser Wider-spruch wurde ihm unerträglich. Mitten im Kampf um Algier schickte die-ser französische Beamte einen Brief an Lacoste, in dem er seinen Rücktritt erklärte, mit Frankreich brach und erklärte, Algerier zu sein.

Nach einem kurzen Aufenthalt in Frankreich bei Francis Jeanson ging er nach Tunis und schrieb dort politische Leitartikel für *El Moudja-hid*, unter anderem einen Artikel gegen die französische Linke, der böses Blut machte. Zwei Jahre später schickte ihn die GPRA als Botschafter nach Akkra. Er machte zahlreiche Reisen kreuz und quer durch Afrika und sicherte allen antikolonialistischen Erhebungen den Beistand Al-geriens zu. Eng mit Robert Holden, dem Leiter der UPA, liiert, bewog er die GPRA, im Maquis der ALN angolesische Widerstandskämpfer aus-zubilden. Sein Hauptziel war: die afrikanischen Völker so weit zu brin-gen, daß sie sich ihrer Solidarität bewußt wurden; aber er wußte, daß sie nicht so leicht über die kulturellen Gegensätze und den Partikularis-mus hinwegkommen würden. In Tunis brachten ihm die Blicke, die er auf der Straße auffing, seine Hautfarbe deutlich zum Bewußtsein. Er begleitete die Delegierten eines Negerstaates – Mali oder Guinea – in eine Kinovorstellung, in die das Informationsministerium sie eingeladen hatte. In der Pause wurde ein Reklamefilm gezeigt: Kannibalen um-tanzen einen am Marterpfahl festgebundenen Weißen, der sich dadurch das Leben rettet, daß er «Eis am Stiel» unter sie verteilt. «In diesem Saal ist es zu heiß», sagten die Delegierten und gingen weg. Fanon machte dem tunesischen Minister Vorwürfe. «Ihr Afrikaner seid aber auch zu empfindlich!» erwiderte der Minister. In Guinea aber weigerten sich seine Freunde, wichtige Gespräche in Anwesenheit seiner Frau, einer Weißen, zu führen. Er schilderte uns auch seine Verlegenheit, als er eines Abends eine algerische Delegation zu einer Vorführung begleitete, welche die guinesische Regierung für sie organisiert hatte und auf der schöne Negerinnen tanzten. «Natürlich mit entblößten Brüsten – sie haben Brüste und zeigen sie auch», sagte Fanon. Die sittenstrengen algerischen Bauern aber fragten ihn empört: «Das sind ehrbare Frauen? Und dieses Land ist sozialistisch?»

In Ghana wurde er krank. Der Arzt stellte fest, daß er zuviel weiße Blutkörperchen hatte. Er hörte nicht auf zu arbeiten und zu reisen. Nach seiner Rückkehr nach Tunis zwang ihn seine Frau, erschrocken über seine Magerkeit, einen Arzt aufzusuchen: Leukämie. Seither hat er mehrere Male geglaubt, daß seine letzte Stunde geschlagen habe. Ein bis zwei Wochen lang war er blind gewesen. Manchmal hatte er das Gefühl, wie ein totes Gewicht in der Matratze zu versinken. Man hatte ihn nach Rußland geschickt, wo die Spezialisten die Diagnose bestätigten. Sie rieten ihm, sich in den USA behandeln zu lassen, aber wie er uns sagte, widerstrebe es ihm, sich in dieses Land der Lynchmörder zu begeben. Manchmal verleugnete er sein Leiden und schmiedete Pläne, als hätte er noch viele Jahre vor sich. Aber der Tod war ihm auf den Fersen. Das erklärte auch so manches: seine Ungeduld, seine Redseligkeit und auch die Katastrophenstimmung, die mir gleich bei seinen ersten Worten aufgefallen war. Er war mit den durch die CNRA in Tripolis gefaßten Beschlüssen und der Ernennung Ben Kheddas einverstanden und glaubte, daß der Sieg nahe bevorstand, aber um welchen Preis! Einmal sagte er: «Es wird 500 000 Tote geben.» Und ein anderes Mal: «Eine Million.» Er fügte noch hinzu, daß die darauffolgenden Tage «schrecklich» sein würden.

Daß er so auf das Schlimmste gefaßt war, deutete auch auf die ernsten Konflikte hin, die ihn selber quälten. Er war für Gewaltanwendung, aber sie erfüllte ihn mit Abscheu. Seine Züge verzerrten sich, wenn er an die Verstümmelungen dachte, die die Belgier den Kongolesen, die Portugiesen den Angolesen zufügten – durchbohrte und mit einem Vorhängeschloß versehene Lippen, mit dem *palmatorio* platt geschlagene Gesichter –, aber auch, wenn von dem Gegenterror der Schwarzen die Rede war und den harten Abrechnungen, welche die algerische Revolution mit sich gebracht hatte. Diesen Widerwillen schob er auf seine Intellektuellennatur: Alles, was er gegen die Intellektuellen geschrieben hatte, war eigentlich gegen ihn selber gerichtet gewesen. Seine Herkunft verstärkte diese Konflikte, Martinique war noch nicht reif für eine Erhebung. Trotzdem wird das, was man in Afrika erreicht, den Antillen nützen. Es war ihm auch peinlich, daß er kein geborener Algerier war. «Vor allem möchte ich kein Berufsrevolutionär sein», sagte er bekümmert zu uns. Im Grunde war es nicht einzusehen, warum er der Revolution eher dort als hier hätte dienen sollen, aber – und deshalb war seine Geschichte so ergreifend – er sehnte sich leidenschaftlich danach, irgendwo feste Wurzeln zu fassen. Er sprach ohne Unterlaß von seinem Engagement: das algerische Volk sei sein Volk. Das Schwierige sei, daß niemand in der Führung und auch keine Gruppe das algerische Volk eindeutig repräsentiere. Über die Meinungsverschiedenheiten, die Intrigen, die Liquidationen, die oppositionellen Strömungen, die später in der Öffentlichkeit soviel Aufsehen erregen sollten, wußte Fanon besser

Bescheid, als er zugeben wollte. Diese düsteren Geheimnisse und vielleicht auch persönliche Hemmungen verliehen seinen Worten einen rätselhaften, dunkel prophetischen und verstörten Anstrich.

Er wehrte sich gegen die Zukunft und die Gegenwart, indem er seine früheren Handlungen in einer Weise aufbauschte, über die wir uns wunderten, weil ihre tatsächliche Wichtigkeit jede Übertreibung als unnötig erscheinen ließ. «Ich habe zwei Todesfälle auf dem Gewissen, die ich mir nicht verzeihen kann – den Tod Abbanes und den Lumumbas», sagte er. Wenn er sie gezwungen hätte, seine Ratschläge zu befolgen, würden sie mit dem Leben davongekommen sein. Oft redete er so, als sei er allein die GPRA. «Vielleicht bin ich verrückt», sagte er spontan. Als Sartre einmal eine Bemerkung darüber machte, erklärte er uns seinen Egozentrismus. Der Mann aus den Kolonien muß ständig auf seine Haltung und sein Gesicht bedacht sein, da er überall auf Widerstände stößt und sich immer wehren muß. In Italien zum Beispiel mietete immer seine Frau die Hotelzimmer. Ihn würde man abweisen, aus Angst, amerikanische Gäste zu verärgern oder, ganz allgemein, Unannehmlichkeiten zu bekommen. Nach seiner Rückkehr aus Albano berichtete er uns, daß ein Zimmermädchen ihn mehrere Tage lang beobachtet und ihn dann gefragt habe: «Ist es wahr, was man sich erzählt? Hassen Sie die Weißen?» Und er fügte in gereiztem Ton hinzu: «Im Grunde liegt es daran, daß ihr Weißen physische Abscheu vor den Schwarzen empfindet.»

Diese Überzeugung erleichterte nun keineswegs die Verständigung über einige schwierige Punkte. Solange Fanon mit Sartre über philosophische Probleme oder über seinen besonderen Fall diskutierte, war er offen und entspannt. Ich erinnere mich an ein Gespräch in einer *trattoria* an der Via Appia: Er verstand nicht, warum wir ihn dort hingeführt hatten, da die Vergangenheit Europas in seinen Augen keinen Wert hatte. Als aber Sartre ihn nach seinen Erfahrungen als Psychiater fragte, wurde er lebendig. Die russische Psychiatrie hatte ihn sehr enttäuscht. Er war gegen die Heilanstalten und trat dafür ein, die Geisteskranken nicht aus ihrem Milieu herauszureißen. Er schrieb den wirtschaftlichen und sozialen Faktoren große Bedeutung bei der Entstehung der Psychosen zu. Er träumte davon, eine enge Bindung zwischen Psychotherapie und politischer Erziehung herzustellen. «Alle politischen Kommissare müßten gleichzeitig Psychiater sein», sagte er. Er beschrieb mehrere eigenartige Fälle, unter anderem den eines Homosexuellen, der in dem Maße, wie seine Psychose sich verschlimmerte, auf ein gesellschaftlich niedrigeres Niveau sank, als wäre er sich dessen bewußt, daß die auf den oberen Stufen der Leiter sichtbaren Anomalien unten mit den durch die Not verursachten Störungen verschmelzen. Die Entwicklung endete mit halbem Irresein, und er lebte nun in den Kolonien als Bettler unter Bettlern: In diesem Stadium der sozialen Auflösung machte sich der geistige Verfall kaum noch bemerkbar.

Fanon vergaß indessen nicht, daß Sartre Franzose war, und warf ihm vor, er habe es nicht ausreichend gesühnt. «Wir haben Ansprüche zu stellen. Wie können Sie fortfahren, ein normales Leben zu führen, zu schreiben?» Bald verlangte er von ihm, daß er eine wirksame Aktion ersinne, bald, daß er die Rolle des Märtyrers wähle. Er lebte in einer anderen Welt als wir. Er glaubte, daß Sartre die öffentliche Meinung aufrütteln würde, wenn er erklärt hätte, daß er bis zur Beendigung des Krieges nichts mehr schreiben würde. Oder er sollte sich einsperren lassen. Das würde einen nationalen Skandal heraufbeschwören. Es gelang uns nicht, ihn in diesem Punkt umzustimmen. Er nannte uns Yveton als Beispiel, der in seiner Todesstunde erklärt hatte: «Ich bin Algerier.» Sartre war mit den Algeriern restlos solidarisch, aber als Franzose.

Dank der Fülle seines Wissens, seiner Darstellungskraft, der Schnelligkeit und Kühnheit seines Denkens waren unsere Gespräche immer interessant. Aus Freundschaft und auch im Interesse der Zukunft Algeriens und Afrikas wünschten wir uns, daß sein Leiden ihn nicht allzufrüh dahinraffen würde. Er war ein außergewöhnlicher Mensch. Wenn ich seine fieberheiße Hand drückte, glaubte ich die Leidenschaft zu spüren, die in ihm brannte. Sein Feuer teilte sich den anderen mit. In seiner Nähe kam einem das Leben als ein tragisches, oft grauenhaftes, aber unendlich wertvolles Abenteuer vor.

Nach seiner Abreise begann Sartre ohne große Eile mit der Niederschrift des Vorwortes zu *Die Verdammten dieser Erde*. Er hatte den Kampf satt, den er seit Monaten blindlings gegen die Uhrzeiger, gegen den Tod führte. «Ich komme wieder zu mir», sagte er zu mir. Auch ich wurde nach und nach ruhiger. Ich konnte mich wieder für Nachrichten interessieren, die sich nicht auf Algerien bezogen. Beim Frühstück am Musenplatz hatten wir auf der ersten Seite der Zeitung, die ein Gast am Nebentisch las, die große Überschrift gesehen: «Titow kreist um die Erde». Ein wenig später verfolgten wir die Ereignisse, die sich in Brasilien abspielten. Dieses Land war jetzt für uns ein Begriff. Quadros, Lacerda, Janio waren lebendige Menschen. Die Namen Brasilia und Rio riefen deutliche Bilder in uns wach. Wir fragten uns: «Was denken die Amados? Was machen Lucia und Christina?» Janio bestätigte das Urteil unserer Freunde. «Ein schönes Programm, aber er wird nicht das nötige Rückgrat haben, um es durchzuführen.» Wir waren froh, daß der Staatsstreich des Militärs gescheitert war – im Interesse Brasiliens und im Interesse Frankreichs: Ein Erfolg hätte vielleicht unsere Generale ermuntert.

Moravia erhielt in diesem Jahr den Premio Viareggio, den Olivetti auf vier Millionen erhöht hatte, eine Entscheidung, die in der italienischen Presse ungerechte, aber saftige Bosheiten auslöste. Da er nicht in Rom war, bekamen wir ihn nicht zu sehen. Dafür trafen wir Carlo Levi und aßen in Trastevere mit den Alicatas und Bandinelli, der uns ebenso sympathisch war wie im Jahre 1946. Es wurde viel von einem Kolloquium zwischen italienischen Marxisten und Sartre über die Subjektivität und die in Frankreich und Italien durch die neue kapitalistische Taktik aufgeworfenen Probleme geredet, welches das Istituto Gramsci im Frühjahr veranstalten wollte.

Wir machten einige Spazierfahrten in die Umgebung. Die Villa Hadrian hatte ich seit 1933 nicht mehr wiedergesehen. Ich erinnerte mich an die Ziegel und die Zypressen, die mich bezaubert hatten: Und sie waren auch wirklich zauberhaft, diese von der Sonne gebleichten Ruinen, das dunkle Grün der Pinien und Zypressen, das sich von dem blauen Himmel abhob. Über eine gerade erst fertiggestellte Straße fuhren wir nach Cervera hinauf, einem schwarzen und stolzen Dorf, das aus tausend Meter Höhe die Ebene von Latium beherrschte. Wir haben Nettuno und Anzio wiedergesehen und wunderten uns über eine rote Galeere, die draußen auf dem blauen Meer schwamm: es war die Galeere der Kleopatra für den Film, den man unter großen Schwierigkeiten mit Liz Taylor drehte. Von Frascati aus stiegen wir nach Tusculum hinauf. Das Panorama dürfte sich seit dem Altertum kaum verändert haben: die Albanerberge mit ihren Dörfern, Latium, in der Ferne die Silhouette Roms. Als ich neben Sartre in den Trümmern des kleinen Theaters saß, spürte ich einen Augenblick lang den Geschmack entschwundenen Glücks. Rom hatte mich beruhigt. Meine Träume und die Nächte waren ruhiger geworden. Ich sagte mir, ich sagte zu Sartre: «Wenn wir noch zwanzig Jahre leben müssen, dann wollen wir versuchen, Freude daran zu haben.» Warum kann man nicht auf der Welt sein, ohne sich in Gefühlen zu erschöpfen, die niemandem nützen?

Offensichtlich ist das unmöglich. Die Politik des *dégagement* (de Gaulle hatte schließlich am 5. September «den algerischen Charakter» der Sahara anerkannt) beantwortete die OAS mit einem Attentat auf de Gaulle – was mich wenig berührte – und Aufforderungen zum Morden. Wie sollte man angesichts der ‹Rattenjagden› in Oran und in Algier und der zu Tode gesteinigten, lebendig in ihren Autos verbrannten Moslems seine Gemütsruhe bewahren? Die Ferien in Rom waren nur eine Atempause gewesen. Ich würde Paris und mein Leben so wiederfinden, wie ich sie verlassen hatte.

Sartre, den lange Autoreisen langweilten, blieb in Rom und wollte dann zurückfliegen, während ich zusammen mit Lanzmann, der zurückgekommen war, um mir Gesellschaft zu leisten, nordwärts fuhr. Lanzmann ging oft in das Gefängnis in Fresnes. Die algerischen Häftlinge waren überzeugt, daß eine Einigung bevorstehe. Er erzählte mir von dem Fluchtplan Boumazas. Jeden Tag arbeitete ein Elektriker – ein gewöhnlicher Strafgefangener – auf einem innerhalb der Gefängnismauer errichteten Gerüst. Ein Aufseher bewachte ihn. An einem der nächsten Tage würde der Elektriker krank sein. Boumaza würde an seine Stelle und ein Strafgefangener an die des Aufsehers treten. Der Wächter, an den Anblick dieser Silhouetten gewöhnt, würde nicht näher hinschauen. In einem günstigen Augenblick würden die beiden Komplicen an der Außenseite der Mauer hinunterspringen, wo ein Auto auf sie wartete.

Ich trennte mich in Zürich von Lanzmann und fuhr zu meiner Schwester, die in einem Dorf bei Straßburg wohnte. Im Haus roch es nach Holzfeuer. Lionel, der von Berufs wegen viel reiste, hatte aus Dahomey Tapetenstoff zur Verschönerung des Ateliers mitgebracht. Die letzten Bilder meiner Schwester, kühner und inspirierter als früher, übertrafen bei weitem ihre früheren Werke. Ich betrachtete sie lange, wir plauderten und verbrachten einen sorglosen Tag. Am nächsten Tag fuhr ich mit ihr in den Schwarzwald und machte in Straßburg halt, von wo aus ich mit Lanzmann telefonierte. Zornig erzählte er mir von den Prügeleien der Polizei am Arc de Triomphe. Die Polizisten warteten vor den Métroausgängen auf die Algerier, ließen sie die Arme hochheben, drängten sie gegen die Wand und prügelten auf sie los. Er hatte mit eigenen Augen gesehen, wie die Hiebe auf Gesichter und Schädel niederprasselten. Um sich zu schützen, verbargen die Algerier den Kopf zwischen den Händen: Da zerschlug man ihnen die Knochen. Leichen wurden gefunden, die an den Bäumen des Bois de Boulogne hingen oder entstellt und verstümmelt in der Seine schwammen. Lanzmann und Péju hatten sofort einen Aufruf vorbereitet, der die Franzosen aufforderte, sich nicht mehr mit moralischen Protesten zu begnügen, sondern «sich auf der Stelle solchen Gewalttaten zu widersetzen». Anfangs waren es nur 160 Personen, die unterschrieben hatten. (Binnen einer Woche aber waren es 229 geworden.) Die ehrenwerten Mitarbeiter des *Express* und fast der gesamte Stab des *Observateur* hatten sich gedrückt. Schöne Heimkehr ins Vaterland! sagte ich mir, als wir zwischen den Tannen über schneeumsäumte Straßen fuhren. An diesem Abend konnte ich nicht einschlafen. Lange saß ich allein am Kamin und erlebte wieder einmal – wie einen abgedroschenen Refrain – das Grauen, die Verzweiflung, die mir die Augen versengten. Am nächsten Tag besuchte ich mit meiner Schwester und Lionel Riquewihr und Ribeauvillé. Die Dörfer und Weinberge waren genauso hübsch wie eh und je, wir aßen Fasan mit Trauben, aber ich konnte das Malerische, die Feinschmeckerei, die alten Traditionen, die ganze Vergangenheit, die uns dahin gebracht hatte, nicht mehr ertragen. Abends hörte ich Radio: Boumaza hatte seinen Plan Punkt für Punkt durchgeführt und war entkommen. Nachher aber mußte ich mir das Interview mit Frey und seine kaltschnäuzigen Lügen anhören: zwei Tote – nachdem man bereits über fünfzig gezählt hatte. 10 000 Algerier waren im Vélodrome d'Hiver untergebracht, so wie früher einmal die Juden in Drancy. Wieder wurde mir alles unerträglich, dieses Land, ich selber und die ganze Welt. Ich sagte mir, daß die schönsten Dinge, die ich gesehen und auch geliebt habe – alles in allem nicht gar so schön sind. Man erreicht so schnell die Decke. Nur das Schlechte nimmt kein Ende. Wenn man die Akropolis, Rom und den sogenannten Erdball in die Luft gesprengt hätte, würde ich keinen Finger gerührt haben, um es zu verhindern.

Am darauffolgenden Sonntag kam ich am frühen Nachmittag in Paris an, das menschenleer und düster war und von Polizisten wimmelte. Meine Freunde erzählten mir, daß man über fünfzehn Gehenkte im Bois de Boulogne gefunden habe und daß jeden Tag neue Leichen aus der Seine gefischt würden. Sie hätten gern etwas getan – aber was? Die Polizeidiktatur wurde spürbar: beschlagnahmte Zeitungen, verbotene Versammlungen. Weder die Parteien noch die Gewerkschaften hatten Zeit gefunden, irgend etwas dagegen zu unternehmen. Am 18. Oktober hatten einige Grüppchen, einige Einzelpersonen beschlossen, um jeden Preis wenigstens einen Protest anzudeuten. Das Komitee des 6. Arrondissements hatte zwar seine Mitglieder zu einer Kundgebung aufgerufen, aber nur wenige waren erschienen. Lanzmann und Pouillon hatten die Polizisten provoziert und sich abführen lassen. Evelyne hatte sich vergeblich bemüht, ihnen Gesellschaft zu leisten. Die Polizeibeamten hatten sie angerempelt. «Ach, diese Schwulen! Wenn ein Polizist dran glauben muß, ist das nicht der Rede wert, aber wenn es die Ratten erwischt, regt man sich auf.» Die ganze Nacht hindurch unterhielt ich mich mit den verschiedensten Leuten. Um 5 Uhr morgens kam es im ‹Falstaff›, in dem ich mit Olga und Bost saß, zu einer Schlägerei zwischen Gästen und den Kellnern; als die letzteren einen bewußtlosen Mann ins Freie schleppten, schrie seine Frau: «Wir werden eure Bude in die Luft sprengen, wir sind pieds noirs...»

Am nächsten Tag kehrte Sartre zurück, und ich faßte wieder festen Fuß in diesem herbstlichen und blutigen Paris. Lanzmann fuhr für einen Tag nach Nanterre: verwundete, entstellte, verstümmelte Menschen. Man hatte Hände amputieren müssen, weil die Handgelenke zerbrochen waren. Frauen weinten um ihre verschwundenen Männer ... Zu unserer Überraschung kritisierten mehrere Zeitungen «die Brutalität der Polizei». Man hätte glauben können, daß gewisse Regierungsmitglieder Papon feindlich gesinnt seien und die Anwürfe schürten. Außerdem hatten zahlreiche Leser, empört über die Szenen, die sie gesehen hatten, an Le Monde und sogar an den Figaro geschrieben. Wenn man den Leuten die Nase ins Blut tunkte, reagierten sie immerhin. Claude Petit sagte zu Frey während einer Parlamentssitzung, die Pouillon uns schilderte: «Jetzt wissen wir, was es bedeutete, unter dem Nazismus ein Deutscher zu sein!» Seine Worte fielen in tödliche Stille. Es war über fünf Jahre her, daß Marrou an Buchenwald und an die Gestapo erinnert hatte. Mit den Jahren hatten sich die Franzosen ebenso mitschuldig gemacht wie die Deutschen unter dem Naziregime. Das verspätete Unbehagen, das einige unter ihnen verspürten, konnte mich nicht mit ihnen aussöhnen.

Am 1. November untersagte die Fédération de France den Algeriern Demonstrationen, die den Vorwand für neue Metzeleien geliefert haben würden. Da Frankreich damals praktisch ein Polizeistaat war, hatte die Linke fast keine Bewegungsfreiheit. Schwartz und Sartre forderten die Intellektuellen zu einer stummen Kundgebung auf der place Maubert auf. An einem schönen, frischen und sonnigen Morgen fanden wir uns auf dem square Cluny ein. Rose und André Masson waren erschienen, tief beunruhigt, weil in sämtlichen Gefängnissen Frankreichs die algerischen Häftlinge und ihre französischen ‹Brüder› mit einem Hungerstreik begonnen hatten. Ich erkannte auch noch viele andere Gesichter wieder, während wir zum Denkmal Étienne Dolets marschierten, wo sich ungefähr zwölfhundert Personen versammelt hatten.

Ein Polizeikordon versperrte uns in der Nähe des Métroausgangs den Weg. Schwartz verhandelte mit dem Kommissar, der offenbar Weisung erhalten hatte, keine Schwierigkeiten zu machen, und sich bereit erklärte, uns zehn Minuten lang stumm dastehen zu lassen. Sartre hielt eine kurze Rede, um den Sinn der Kundgebung zu erläutern. Fotografen knipsten. Schwartz und Sartre murmelten einige Worte in ein Mikrophon. Nach fünf Minuten befahl der Kommissar: «Weitergehen!» Man protestierte. Chauvin, ein Raufbold aus der PSU, rief: «Schießt doch, so schießt doch!» Der Beamte (in Zivil) zuckte die Achseln, als ob seit Polizeigedenken noch nie ein Polizist geschossen hätte. Jemand schlug vor: «Setzen wir uns auf den Boden!», und der Kommissar schickte einen gequälten Blick zum Himmel. Da der Boulevard blockiert und die Presse alarmiert war, hätten wir nichts gewonnen, wenn wir uns hätten stundenlang einlochen lassen, und so gingen wir auseinander. Zusammen mit Pouillon, Pontalis, Bost, Lanzmann und Evelyne steuerte ich auf die rue Lagrange zu. «Vielen Dank, daß Sie gekommen sind!» sagte im Vorbeigehen eine Dame zu mir, und das stimmte mich nachdenklich. Plötzlich hörte ich hinter mir einen Knall. Jemand rief: «Die Schweine!», und ich sah auf der place Maubert über den Köpfen der Menge schwärzliche Flocken auffliegen. Wir machten kehrt. Aber im Freien gleicht die Wirkung einer Plastikbombe der eines Knallfrosches. Einige Fensterscheiben waren zersprungen, und zwei Personen hatten leichte Verbrennungen erlitten (eine davon war mein Vetter Jacques, der sich gerade dort befunden hatte). Ich traf Olga, die sich verspätet hatte und nicht mehr bis zur place Maubert vordringen konnte. An ihrer Ecke und auch auf der place Médicis hatten sich Leute aufs Trottoir gesetzt, und einige waren abgeführt worden. Mit Sartre und einer Gruppe, die ich im ‹Balzar› getroffen hatte, gingen wir in ein Restaurant am boulevard Saint-Michel essen. Der Rundfunk machte für unsere Kundgebung Reklame: Während wir zu Mittag aßen, wurde die Nachricht dreimal durchgegeben.

Für den Nachmittag hatten sich ungefähr 1200 PSU-Leute schlauerweise in der Schlange vor einem Kino an der place Clichy verabredet.

Dort konnten sie sich versammeln, ohne belästigt zu werden. Mit Transparenten bewaffnet, Parolen vor sich hinmurmelnd, marschierten sie zum Rex et Depreux und legten Kränze an der Stelle nieder, an der zwei Moslems erschossen worden waren.

Obwohl der Rundfunk behauptet hatte, daß «in Algerien alles ruhig sei», waren gegen Mittag vierzig Tote gemeldet worden. Abends berichtete der Regierungsdelegierte im Sender Europe I, daß die algerische Bevölkerung sich nicht gerührt habe und daß Provokateure auf die Wachposten geschossen und drei getötet hätten: Aber auf seiten der Moslems habe es 76 Tote gegeben! Journalisten fügten hinzu, daß sie die Schießereien gehört hätten, daß man sie aber nicht in die Nähe gelassen habe: Wieder einmal eine Schlächterei. In Oran hatte sich nichts ereignet. Und in gewissen moslemitischen Vierteln war der Jahrestag ein wahres Fest gewesen: Aus dem Lautsprecher waren Freudenrufe und Gesang zu hören.

Niemand bezweifelte, daß die Unabhängigkeit bald Wirklichkeit werden würde. Verhandlungen waren im Gange. Die gesamte Presse sprach davon. De Gaulle sah sich – durch die FLN, durch die öffentliche Meinung und dadurch, daß dieser Krieg seiner *grandeur*-Politik abträglich war – gezwungen, Frieden zu schließen. Als er in Bastia «die letzte Viertelstunde» ankündigte, hatten wir zum erstenmal den Eindruck, daß diese Worte der Wirklichkeit entsprachen. Aber bevor Ben Khedda in Algier einziehen konnte, würden uns die Faschisten noch einige schlimme Stunden erleben lassen. Darauf mußte man sich vorbereiten.

Wie aus dem Bericht des XXII. Parteitages zu ersehen war, trat die Entstalinisierung in der UdSSR in eine zweite Etappe ein. (Chruschtschow billigte die Haltung Albaniens und Chinas nicht, er hatte abermals Stalin angegriffen, dessen Leichnam aus dem Mausoleum, zusammen mit den Kränzen und Girlanden – darunter auch der Kranz, den Tschu En-lai acht Tage vorher niedergelegt hatte –, entfernt worden war. Man hatte ihn an der Kremlmauer beigesetzt, und Chruschtschow hatte angedeutet, man beabsichtige ein Denkmal zu Ehren der «Opfer der Willkür» zu errichten.) Einige Intellektuelle der KPF, unter anderen Vigier, wünschten eine Annäherung an die nichtkommunistische Linke. Er schlug Sartre vor, ein gegen das Regime und gegen den Rassenhaß gerichtetes Flugblatt zu unterzeichnen und unterzeichnen zu lassen: Es sollte der Ausgangspunkt für eine Kundgebung und die Grundlage einer antifaschistischen Organisation sein. Dabei ergaben sich sofort Schwierigkeiten. Sartre und unsere Freunde wollten die Solidarität mit der algerischen Revolution durch Taten beweisen. Um die OAS zu zerschlagen, müßte man ihrer Meinung nach die Regierung angreifen, die, objektiv gesehen, ihre Komplicin sei. Die Kommunisten, denen daran lag, «das einende Moment zu bewahren und das trennende beiseite zu schieben», wollten die Bewegung auf den Kampf gegen die OAS beschränken.

Sartre war der Ansicht, daß man versuchen müsse, diese Differenzen zu überwinden. Ohne die Kommunisten könne man nichts tun. Aber Lanzmann, Péju und Pouillon prophezeiten, daß man mit ihnen zusammen auch nichts erreichen würde. Da es keine andere Möglichkeit gab, entschlossen sie sich, den Versuch zu wagen. Sie unterstützten Sartre, der zusammen mit Schwartz und Vigier eine «Liga der antifaschistischen Sammlung» gründete.

Die Attentate gingen weiter, und es war schlimmer als vor unserem Urlaub. Sartre wollte ein Hotelzimmer mieten, aber der Direktor wies ihn ab: Er hatte gerade seine Fassade neu anstreichen lassen. Da griffen wir zu einer List: Claude Faux – der seit mehreren Jahren Sekretär von Sartre war – mietete unter seinem Namen am boulevard Saint-Germain eine möblierte Wohnung, in die wir einzogen. Das Haus war noch nicht ganz fertig, es gab kein Licht auf der mit Schutt bedeckten Treppe, auf der von 8 Uhr früh bis 6 Uhr abends Arbeiter hämmerten. Durch die Fenster, die auf die enge rue Saint-Guillaume gingen, fiel nie ein Sonnenstrahl, und wir mußten den ganzen Tag Licht brennen. Ich habe schäbige, aber nie eine so deprimierende Wohnung gesehen.

Ich schrieb ein Vorwort zu Gisèle Halimis Buch über Djamila Boupacha. General Ailleret und Minister Mesmer hatten sich gezwungen gesehen, in das Gerichtsverfahren einzugreifen. Wir wollten zeigen, welche Tricks man hatte anwenden müssen, um das zu erreichen. Andererseits war Gisèle Halimi auf die Idee verfallen, Ailleret und Mesmer vor Gericht zu belangen, und die Sachverständigen, wie Hauriou und Duverger, hatten diese Idee gebilligt. Es würde uns zwar nicht gelingen, sie ins Gefängnis zu bringen, aber wir hielten es damals für nützlich, ihre Verantwortung ins helle Licht zu rücken: Wir konnten nicht voraussehen, mit welcher Selbstverständlichkeit die Militärgerichte sehr bald an unsere Stelle treten würden und daß die Kette der Enthüllungen, die durch ihre Urteile bestätigt werden sollten, alle Welt gleichgültig ließ. Dem Komitee gehörten eine Anzahl linker Gaullisten an, die behaupteten, die Foltermethode aus rein moralischen Gesichtspunkten zu bekämpfen. Sie wurden kopfscheu, ein Teil von ihnen trat zurück, und ein neuer Vorstand wurde gewählt.

Für den 18. November wurde überraschend eine Kundgebung gegen den Faschismus und Rassismus angesetzt. Es waren im wesentlichen die Jungkommunisten, die sie organisierten. Sie konnte nur dann glücken, wenn es gelang, die Wachsamkeit der Polizei zu täuschen. Der Treffpunkt wurde so gut geheimgehalten, daß, als unsere Liga sich vor dem Paramount versammelte, niemand wußte, wo es hinging. Zu Dutzenden standen die Polizeiautos auf der place Saint-Germain-des-Prés, das linke Ufer befand sich im Belagerungszustand. Vigier gab den Treffpunkt bekannt: Strasbourg-Saint-Denis. «Fahrt mit der Métro hin», riet er uns. Ich ging zusammen mit Sartre, Lanzmann, Adamov und Masson die

Treppe hinunter. Masson war völlig verwirrt: «Das ist schlecht, das ist nicht demokratisch, denn ich habe es noch nie fertiggebracht, mit der Métro zu fahren.» (In New York trug er innen an der Jacke festgenäht ein Läppchen mit seiner Adresse, die er den Taxichauffeuren zeigte ...) Mit seiner Schirmmütze, seiner schwarzen Lederjacke, seinen hellen Augen sah er aus, als wäre er ein verwunderter Neuling, aus einem alten, anarchistischen Zeitalter aufgetaucht. Die Métro war voll von jungen Leuten. Einige Schritte vor uns, in dem Gang, der zum Ausgang führte, diskutierten drei Fünfzehnjährige miteinander. «Ich bin sehr nervös – ich beherrsche mich, aber ich bin nervös», sagte der eine. Die übliche Samstagsmenge füllte die Trottoirs; und ich befürchtete schon, daß die hier und dort verstreuten, auf das Signal wartenden Gruppen in ihr untertauchen würden. «Du wirst sehen», sagte Lanzmann zu mir, «in einer Minute wird es plötzlich losgehen.» Im selben Augenblick bildete sich ein Zug hinter einem Transparent «Friede in Algerien», dem sich bald Hunderte anschlossen. Von überall strömten Menschen herbei. Wir sind auch hinzugelaufen und haben uns hinter dem Schild, am Anfang des Zuges, eingereiht. Ich nahm Sartres Arm und den eines Unbekannten und stellte verwundert fest, daß sich vor uns der leere Boulevard erstreckte. (Es war eine Einbahnstraße. Hinter uns behinderte der Zug den Verkehr. In sämtlichen Querstraßen hatten Autos glücklicherweise mitten auf der Fahrbahn Pannen erlitten und Stockungen erzeugt, die den Polizeiwagen den Weg versperrten.) Wir hatten nun auch die Bürgersteige besetzt; man hätte meinen können, Paris gehöre uns. An den Fenstern – abgesehen von denen der *Humanité*, die voller Jubel und Lärm waren – ausdruckslose Gesichter. Überall zahlreiche Reporter und Fotografen. Beim Marschieren wurde im Sprechchor gerufen: «Friede in Algerien» – «Solidarität mit den Algeriern» – «Gebt Ben Bella frei» – «OAS-Mörder» – und seltener: «Einheitsfront» – «Salan an den Galgen». Als wir am Musée Grévin vorbeikamen, ertönten Rufe: «Ins Wachsfigurenkabinett mit Charles!» Und als man an einem Fallschirmjäger vorbeikam: «Die *paras* in die Fabriken!» Ich habe auch zwei- oder dreimal rufen hören: «An den Galgen mit Charles!» Aber die Parole «Friede in Algerien» übertrumpfte alle anderen. Es herrschte große Fröhlichkeit unter dieser marschierenden Menge, die sich über ihre Bewegungsfreiheit wunderte. Und wie wohl war mir zumute! Die Einsamkeit ist der Tod, und als ich die Wärme menschlichen Kontaktes wiedergefunden hatte, war ich wieder zum Leben erwacht. Wir kamen zur Kreuzung Richelieu-Drouot. Als wir in den boulevard Haussmann einbogen, geriet der Zug in Unordnung und Aufruhr. Die Polizei hatte angefangen, auf die Menge einzuknüppeln. Einige Leute waren in eine Straße zur Rechten geflüchtet. Lanzmann, Sartre und ich folgten ihnen, wandten uns dann nach links und betraten ein *bistro*, dessen Türen schnell hinter uns zugemacht wurden. «Sie haben ja Angst!» sagte Lanzmann. «Ich habe nur keine Lust, mir alles kurz und klein schlagen zu lassen», erwiderte der Wirt. «Das *tabac* an der Ecke wollte neulich seinen Mut beweisen und hat nicht zugemacht, da kamen die Bullen angerückt: ein Schaden in Höhe von zwei Millionen!» Er fügte hinzu, sich mit einem halben Lächeln an Sartre wendend: «Selbst wenn Sie einen Roman darüber schreiben und mich hineinbringen, wird mir das nichts nützen ... Ich habe drei Kinder, ich kümmere mich nicht um Politik – die Politik, das sind höhere Interessen.» Seine Hand formte in der Luft lauter Goldhäufchen. «Enorme Interessen. Da kommen wir nicht mit.» Einen Augenblick später befanden wir uns wieder an der Kreuzung. An der Straßenecke waren große Blutpfützen und auf dem Boulevard Polizeiwagen zu sehen. Die Demonstranten waren dabei, sich zu verziehen. Wir fuhren mit einem Taxi nach Haus, und kaum daß wir in der Wohnung waren, klingelte das Telefon. Gisèle Halimi und Faux, die sich in unserer Nähe befunden hatten, waren verprügelt worden. Sie hatten einen Demonstranten mit blutendem Gesicht und einen anderen leblos mit eingeschlagenem Schädel gesehen – die Polizeibeamten waren mit riesigen Spezialknüppeln ausgerüstet gewesen. Sie hatten zu ihrem Vergnügen geprügelt, da die Menge sich auf die erste Aufforderung hin zerstreut hatte, vollauf zufrieden damit, das Pflaster so lange besetzt gehalten zu haben. Evelyne, Péju, die Adamovs, Olga und Bost, die einige Reihen hinter uns gewesen waren, hatten von diesem Zusammenstoß nichts gemerkt. Über den boulevard des Italiens und durch die rue Tronchet waren sie bis zur Gare Saint-Lazare gelangt, ohne der Polizei zu begegnen. Die Demonstranten – ungefähr 8000 Personen – hatten sich auf Anordnung der Organisatoren zerstreut. Als ich hinunterging, um etwas zum Abendessen einzukaufen, hörte ich Gerüchte: Auf dem boulevard Saint-Germain stauten sich die Autos, in der Gegend des Odéon fänden noch Kundgebungen statt. Später erfuhren wir, daß es im Quartier Latin zu Schlägereien gekommen war. Es war ein schöner Tag gewesen, der uns mit Hoffnungen erfüllte.

Strohfeuer. Eine ferne Tragödie verdüsterte mir diesen düsteren Herbst vollends. Anfang Oktober hatte Fanon einen Rückfall erlitten, und seine Freunde hatten ihn zur Behandlung in die USA geschickt. Er hatte sich trotz seines Widerwillens gefügt. Er hatte in Rom Station gemacht, und Sartre hatte ein paar Stunden zusammen mit Boulahrouf, dem Vertreter der GPRA in Italien, bei ihm im Hotelzimmer verbracht. Fanon lag auf dem Bett und war so erschöpft, daß er während des ganzen Besuchs nicht den Mund öffnete. Mit verzerrtem Gesicht wälzte er sich unaufhörlich hin und her, zu einer Passivität gezwungen, gegen die sein ganzer Körper revoltierte.

Als ich wieder in Paris war, zeigte mir Lanzmann Briefe und Telegramme der Frau Fanons. Er hatte geglaubt, als Mitglied der GPRA in Washington herzlich empfangen zu werden: Man hatte ihn zehn Tage allein und ohne Pflege in einem Hotelzimmer liegen lassen. Da war sie ihm mit ihrem sechsjährigen Sohn nachgereist. Fanon war schließlich ins Krankenhaus gebracht und operiert worden. Man hatte das Blut ausgewechselt und hoffte, der Schock würde das Knochenmark beleben. Aber es bestand keinerlei Aussicht auf Heilung: Bestenfalls würde er noch ein Jahr zu leben haben. Sie schrieb und telefonierte. Aus 6000 Kilometer Entfernung verfolgten wir Tag für Tag diesen Todeskampf. Als Fanons Buch erschien, überhäuften ihn einige Kritiker mit Lob. Seine Frau las ihm die Besprechungen aus dem *Express* und dem *Observateur* vor. «Das alles kann mir nicht mein Mark zurückgeben», sagte er. Eines Nachts um 2 Uhr rief sie Lanzmann an. «Frantz ist tot.» Er war an einer doppelseitigen Lungenentzündung gestorben. Hinter der Nüchternheit ihrer Briefe spürte man die Verzweiflung, und Lanzmann flog nach Washington, obwohl er sie gar nicht so gut kannte. Nach einigen Tagen kehrte er bestürzt und erschüttert zurück. Fanon hatte jede Minute seines Todes erlebt und sich wild gegen ihn gesträubt. Seine finstere Aggressivität hatte sich in den Delirien des Todgeweihten Luft gemacht. Er haßte die Amerikaner wegen ihres Negerhasses und mißtraute dem gesamten Personal des Krankenhauses. Als er am letzten Morgen erwachte, hatte er zu seiner Frau – von seiner Zwangsvorstellung besessen – gesagt: «Heute nacht hat man mich in die Waschmaschine gesteckt.» Eines Tages, als man ihm eine Bluttransfusion gab, kam sein kleiner Sohn ins Zimmer. Schläuche verbanden ihn mit Plastikballons, die rote Blutkörperchen, weiße Blutkörperchen und Plasma enthielten. Das Kind lief schreiend hinaus. «Diese Banditen! Sie haben meinen Vater in Stücke geschnitten!» In den Straßen Washingtons schwenkte er provokatorisch die grün-weiße Fahne. Die Algerier schickten ein Sonderflugzeug, um Fanon nach Tunis zu holen. Er wurde in Algerien, auf einem Friedhof der ALN, begraben. Zum erstenmal, und mitten im Krieg, bereiteten die Algerier einem der ihren ein Nationalbegräbnis. Einige Wochen lang sah ich das Foto Fanons überall in den Straßen von Paris: in den Kiosken, auf dem Umschlag der Zeitschrift *Jeune Afrique*, im Schaufenster der Buchhandlung Maspero. Er war jünger, stiller, als ich ihn je erlebt hatte, und sehr schön. Sein Tod lastete schwer auf mir, weil er ihn mit der ganzen Intensität seines Lebens erfüllt hatte.

Sartre wurde, wie das im September besprochen worden war, vom Istituto Gramsci eingeladen. Er ruhte sich ein paar Tage in Rom aus und hielt eine Vortragsreihe, die sich mit Algerien beschäftigte und an der auch Boulahrouf teilnahm. Die Italiener, die keine Kolonien mehr besitzen, waren durchaus antikolonialistisch eingestellt und applaudierten lebhaft. Trotzdem waren auch einige Faschisten gekommen – große Helden, wie Sartre mir sagte –, die Flugblätter verteilten – «Sartre ist das Nichts, nicht das Sein» – und pfiffen. Als alle anderen sich umdrehten und über sie herfallen wollten, sagte der Vorsitzende in ruhigem

Ton: «Überlaßt es den Nachbarn.» Guttuso wollte trotzdem auf sie losgehen, aber die Unglücklichen rannten bereits Hals über Kopf die Treppe hinunter. Die eine Hälfte wurde ins Krankenhaus, die andere ins Kittchen transportiert. Die französische Presse meldete, Sartre sei mit faulen Eiern beworfen worden, und veröffentlichte ein Foto, auf dem er neben Boulahrouf zu sehen war. Nach seiner Rückkehr erhielt er Drohbriefe aus Oran.

Am 19. Dezember sollte wieder eine gegen die OAS gerichtete Kundgebung stattfinden, die im letzten Augenblick verboten wurde. Wir gingen trotzdem zu unserem Treffpunkt am Denkmal von Musset. Es waren die gleichen Gesichter wie am 1. November im ‹Balzar› und am 18. November vor dem Paramount – man kannte sich bereits und hatte das Gefühl, auf einer literarischen Cocktailparty zu sein. Diesmal war als Ausgangspunkt der boulevard Henri-IV festgelegt worden. Ich nahm die Métro, zusammen mit Sartre, Lanzmann und Godemant, dessen Wohnung wenige Tage zuvor in die Luft geflogen war. Seine Frau war zu Hause gewesen und hatte den Schock noch nicht überwunden. Der Boulevard war schwarz von Menschen, aber in Richtung der Bastille durch einen Polizeikordon abgeriegelt worden. Ich habe nicht recht begriffen, wie es kam – solche Kundgebungen erinnern sehr an die ‹Schlacht bei Waterloo›, da man ja immer nur Bruchstücke mitbekommt –, aber wir landeten in der rue Saint-Antoine hinter der Sperre. Bourdet, der mit seinem aufsehenerregenden spitzen Hut einen vergnügten Eindruck machte, nahm Sartre am Arm, bevor er in dem gewaltigen Zug untertauchte, der sich in guter Ordnung auf Fahrbahn und Bürgersteigen voranbewegte. Einige Reihen vor uns, an der Spitze, marschierten Départements- und Stadträte mit Transparenten. Die Polizeiwagen und Polizisten, die rechts und links standen, ließen uns vorbeiziehen, ohne sich zu rühren. Plötzlich gerieten wir an der Métro Saint-Paul in einen riesigen Wirbel. Vor uns wich die Menge zurück. Die Hinteren drängten nach und riefen: «Nicht zurückweichen!» Ich bekam keine Luft, ich wankte, verlor den rechten Schuh, über den ein Dutzend Füße hinwegstolperten. Aus Angst, hinzufallen und zertrampelt zu werden, an Sartres Arm festgeklammert und dadurch in meiner Bewegungsfreiheit behindert, spürte ich, wie ich blaß wurde. Lanzmann, der größer ist als wir, konnte unbeschwerter atmen. Er half uns, in eine Seitenstraße zu gelangen, in der man sich übrigens auch kaum rühren konnte, weil eine Menge Menschen dort Zuflucht gesucht hatten. Ich setzte mich mit Sartre in ein kleines Café an der place des Vosges, Bianca hatte mir zum Glück eine Wollsocke gebracht, weil wir eine Stunde laufen mußten, bevor wir ein Taxi fanden, dessen Chauffeur ärgerlich zu uns sagte: «Die Straßen sind sowieso gesperrt.» Die Telefonanrufe an jenem Abend waren nicht so heiter wie im vergangenen Monat. Freunde, die rund um die place de la Bastille marschiert waren, hatte man mit Tränengas bombardiert.

An der Métrostation Réaumur-Sébastopol war es zu einer Schlägerei gekommen. Ein Sohn Pouillons, Anhänger der Gewaltlosigkeit, hatte zusammen mit einigen Genossen ein Polizeiauto umgeworfen und einen Polizisten mit einem Knüppel verprügelt. Bianca war an der Station Saint-Paul in die Métro eingestiegen. An der nächsten Station wehrte sich auf dem Perron ein junger Mann gegen einen CRS-Mann, der ihn in einen Waggon stieß: «Ich habe meine Brille verloren! Lassen Sie mich doch meine Brille suchen!» Der CRS-Mann hatte begonnen, auf ihn einzuschlagen. Da stiegen etwa ein Dutzend Leute aus und riefen: «Mörder!» Der Polizist fiel rücklings auf eine Bank, die dicken Schuhe hochgereckt, und andere Beamten eilten ihm zu Hilfe. Noch mehr Fahrgäste wollten aussteigen und an der Schlägerei teilnehmen, aber der Schaffner hatte die Türen geschlossen. Als Bianca sie zu öffnen versuchte, hielt sie ein Mann mit Skiern auf der Achsel zurück. «Was wollen Sie da schon ausrichten?» sagte er mit einer Stimme aus einer anderen Welt. Am nächsten Tag erfuhren wir, daß die Polizei sich plötzlich auf die Spitze des Zuges gestürzt und die Transparente tragenden Honoratioren verprügelt hatte. Es hatte Schwerverletzte gegeben, Frauen waren zu Boden getrampelt worden, obwohl diese friedliche Kundgebung gegen die Feinde des Regimes gerichtet war. Daraufhin schrieb Bourdet in seinem Artikel: «Das nächste Mal müssen wir uns bewaffnen.»

Das Regime steckte mit der OAS unter einer Decke, und bis auf eine kleine Minderheit war das Land mit dem Regime zufrieden. Man verhandelte, aber die Metzeleien und Folterungen gingen weiter. «Meine erste Regung ist, nicht mehr so wie früher zu protestieren», schrieb Mauriac, «ja, nicht einmal die Stimme zu erheben, weil sich das alles während der Präsidentschaft General de Gaulles ereignet.»

Unsere einzige Zuflucht war die Arbeit. Sartre hatte sich wieder die Studie über Flaubert vorgenommen, die er vor einigen Jahren begonnen hatte, und arbeitete mit Feuereifer. Zusammen mit Vigier, Garaudy und Hippolyte nahm er in der Mutualité an einer Debatte über die Naturdialektik teil, welche die 6000 Zuhörer lebhaft zu interessieren schien. Aber in zwanzig Minuten konnte er seine Gedanken nur sehr oberflächlich skizzieren, und mir wäre lieber gewesen, wenn er darauf verzichtet hätte. Ich war bei den Jahren 1957 bis 1960 angelangt, und die Ereignisse jener abscheulichen Zeit vertrugen sich nur allzugut mit diesem abscheulichen Winter. Da ich nicht in der Stimmung war, Silvester zu feiern, blieb ich in meiner tristen Wohnung hocken. In der Nacht des 31. Dezember sprach de Gaulle, und ich schaltete nach zwei Minuten das Radio aus, wütend über diesen neurotischen Narzißmus, diese großsprecherische Leere. Gegen Mitternacht hörte ich ein Hupenkonzert: Hunderte von Autos fuhren laut hupend den boulevard Saint-Germain entlang. Ich dachte schon, daß etwas Besonderes los wäre, aber nein, es war reine Freude, ohne Sinn und Verstand, weil es Silvester war und weil man ein Auto besaß. Ich nahm Belladenal, um diese feindliche Fröhlichkeit nicht mehr zu hören, die Fröhlichkeit der Franzosen, der Mörder und Henker. *Wie hatte ich diese Nächte auf dem boulevard Montparnasse geliebt, die voller Lichterglanz, Lachen und Rufen gewesen waren, wie hatte ich die Menschenmenge und ihre Feste geliebt, als ich zwanzig, als ich dreißig Jahre alt gewesen war ...*

Anfang Januar aßen wir bei den Giacomettis, die wir zu Hause aufgesucht hatten. Er saß, die Brille auf der Nase, vor einer Staffelei und arbeitete an einem sehr schönen Porträt Annettes in Grau und Schwarz. An den Wänden befanden sich andere Porträts in Grau und Schwarz. Ich wunderte mich über einen roten Fleck auf der Palette. Giacometti lachte und deutete auf den Fußboden: Vier rote Punkte bezeichneten den Standort des Stuhls, auf dem das Modell Platz zu nehmen hatte. Wie gewöhnlich erregten die in feuchte Tücher eingehüllten Statuen meine Neugier. Früher einmal hatte sich Giacometti für das Allgemeingültige der menschlichen Gestalt interessiert. Seit zehn Jahren bemühte er sich, sie zu individualisieren, und war niemals mit sich zufrieden. Er enthüllte eine der Büsten, und ich hatte Annettes Kopf vor mir, genauso überzeugend und kompromißlos wie seine früheren Werke. Alles war so offensichtlich gelungen und scheinbar doch so einfach, daß man sich fragte: «Warum hat er dazu zehn Jahre gebraucht?» Er gab zu, daß er nicht unzufrieden sei. Einen Augenblick lang kam es mir wieder bedeutsam vor, etwas mit Gips oder mit Worten zu schaffen.

Ich las *Listy do Pani Z.* des polnischen Schriftstellers Brandys und im Manuskript *Derrière la baignoire* von Colette Audry und *Le Vieillissement* von Gorz. Sehr unterschiedliche Werke, aber alle drei ungezwungen und unmittelbar. Sie entführten mich mitten in eine fremde Welt, was mir erlaubte, mich von mir selber auszuruhen und mich gleichzeitig mit Dingen zu beschäftigen, die mich interessierten.

Eines Nachts wurde ich um 2 Uhr durch einen heftigen und dumpfen Lärm geweckt. Ich fand Sartre auf dem Balkon. «Offensichtlich hat man uns aufgestöbert», sagte er. Aus der rue Saint-Guillaume stieg Rauch empor, Bretter waren aufs Pflaster geschleudert worden, in der Stille ließ sich leichte Xylophonmusik und das Klirren zersplitternden Glases vernehmen. Nichts rührte sich. Zehn Minuten später wurde es in dem gegenüberliegenden Haus hell, Männer und Frauen erschienen in Morgenröcken, die Besen in der Hand, und säuberten die mit Trümmern übersäten Balkons. Hausmeisterinnen tauchten auf, unter den Mänteln nur die Schlafanzüge. Schließlich kamen Polizeiautos und die Feuerwehr. Ich zog mich an und ging hinunter. Das Wäschegeschäft an der Ecke war demoliert. Ein Beamter sprach mich an und folgte mir bis zur Wohnungstür. Als er sah, daß ich sie aufsperrte, verlangte er keine Papiere zu sehen, aber mir war angst und bange geworden. Hatte man es wirklich auf das Wäschegeschäft abgesehen gehabt? Seltsamer Zufall.

Nein, es mußte sich um uns gehandelt haben. Aber die OAS war ja schließlich merkwürdig gut informiert. Am nächsten Tag suchte uns Claude Faux um zehn Uhr vormittags auf, äußerst bestürzt: Ohne Zweifel war die Bombe uns zugedacht gewesen. Als Lanzmann anrief, blies er in dasselbe Horn. Wir hielten es für möglich, daß wir vielleicht gezwungen sein würden, auszuziehen. Wir froren, weil die Heizung beschädigt worden war. Wir waren höchst mißmutig. Wir atmeten auf, als wir erfuhren, daß das Attentat einem pied noir namens Romoli gegolten hatte, der keine Gelder für die OAS einsammeln wollte. In seinem Schaufenster verkündete ein riesiges Schild: «Laden ausgebombt, Verkauf geht weiter». In sämtlichen Etagen des gegenüberliegenden Hauses arbeiteten die Glaser, und man sah die Mieter in ihren Wohnungen herumirren.

Nach drei Tagen rief uns Faux gegen elf Uhr abends an. Die *Libération* hatte ihn davon verständigt, daß das Haus Nr. 42 in der rue Bonaparte in die Luft geflogen sei. Wir fanden diese Koinzidenz pikant. Als aber Faux eine Stunde später an der Tür läutete, war ihm das Lachen vergangen. «Diesmal wollten sie euch an den Kragen.» Er hatte zu dem Wachposten vor dem Haus gesagt: «Ich bin der Sekretär, ich habe die Schlüssel.» – «Schlüssel sind jetzt überflüssig.» Die Bombe war oberhalb von Sartres Wohnung versteckt worden. Die beiden Wohnungen im fünften Stock waren ebenso wie die Räume im sechsten völlig zerstört worden. Sartres Wohnung hatte wenig gelitten, aber die Wohnungstür war aus den Angeln gerissen und der normannische Schrank, der auf dem Treppenabsatz stand, heruntergefegt worden. Vom dritten Stock an hing die Treppe im Leeren, weil die Wand eingestürzt war. Evelyne erzählte uns am Telefon, sie sei im Auto vorbeigekommen und habe die Explosion gehört. Sie habe sich unter die vor dem Haustor versammelten Leute gemischt, die gar nicht besonders neugierig waren. «Wenn er Sinn für Reklame hat, wird er herunterkommen und Autogramme verteilen», sagte ein junger Mann. Das Attentat war die Antwort auf die Vortragsreihe, die Sartre in Rom gehalten hatte. Am nächsten Tag ging ich mit Bost hin, um den Schaden anzusehen. Als ich durch den mit Trümmern bedeckten Hof ging, rief ein Mieter des Hauses, ein protziger Fünfziger, hinter mir her: «Das hat man davon, wenn man eine Politik treibt, auf die alle Welt scheißt!»

Wir gingen über die Hintertreppe hinauf und trafen Mieter mit Koffern in der Hand. Der Schrank verschwunden, die Treppe unter freiem Himmel. Wenn ich es auch noch so genau wußte, ich traute meinen Augen doch nicht. In der Wohnung lagen Papiere auf dem Fußboden verstreut, die Türen waren aus den Angeln gerissen, die Wände, die Decken, das Parkett mit einer Art Ruß überzogen. Sartre würde nie mehr hierher zurückkehren können, abermals war ein Stück meiner Vergangenheit dahingegangen. Sartre erhielt viele Briefe und Telegramme mit Sympathieerklärungen und zahlreiche telefonische Anrufe, die Faux ihm übermittelte. Unter seinen Fenstern demonstrierten Freunde: «OAS-Mörder!» Im Restaurant kam ein Gast mit ausgestreckter Hand auf ihn zu: «Bravo, Monsieur Sartre!»

Als Sartre wenige Tage später morgens hinuntergegangen war, um Zeitungen zu kaufen, wurde geklopft. «Polizeipräfektur», sagte ein dikker Mann zu mir und zeigte seine Dienstmarke. «Ich suche eine prominente Persönlichkeit – einen Schriftsteller ...» – «Wen, bitte?» – «Das werde ich Ihnen vielleicht später sagen. Er wohnt im Haus, aber da es keine Concierge gibt ... Wohnen Sie hier allein?» – «Ja.» – Er rührte sich nicht von der Stelle. Ich hörte Schritte auf der Treppe. «Um welchen Schriftsteller handelt es sich?» – «Monsieur Jean-Paul Sartre.» – «Schön, da ist er!» sagte ich, als Sartre erschien. «Man hat uns beauftragt, Monsieur Jean-Paul Sartre zu schützen», erklärte der Polizeibeamte. Es handelte sich um eine Initiative Papons, der auf eine recht merkwürdige Weise gewisse ‹Persönlichkeiten› unter polizeilichen Schutz stellte. Den ganzen Tag über stand ein Polizist vor dem Haus. Abends, wenn Sartre endgültig heimgekehrt war, verständigte er den Beamten, der dann seines Weges ging. «Aber das macht doch die Leute nur auf mich aufmerksam», sagte Sartre. «Eigentlich», sagte der Abgesandte der Präfektur, «arbeiten die Bombenleger nachts. Außerdem», fügte er gemütlich hinzu, «schleppen sie keinen Koffer mit sich herum. Sie haben ein kleines Paket in der Tasche, von dem niemand etwas merkt.» Als er sich verabschiedete, sagte er noch: «Wenn Sie umziehen, verständigen Sie bitte den Posten.» Und in vertraulichem Ton: «Aber Sie brauchen ihm nicht zu sagen, wohin Sie übersiedeln.» Von nun an standen also zwei Beamte vor unserer Haustür. Sie plauderten mit ihren Kollegen, die in einem Abstand von zwanzig Metern Frédéric Dupont bewachten.

Wir wunderten uns nicht, daß die Polizei unsere Adresse kannte. Die Anstreicher, die Architekten, die Tischler, die auf der Treppe arbeiteten, und auch der Wohnungsvermittler wußten, wer wir waren. Als die Eigentümer Wind davon bekamen, wollten sie uns auf die Straße setzen. Das war verständlich, da die Polizei wirklich allzu eifrig um uns besorgt war. An dem Morgen, der auf die Nacht der achtzehn Attentate folgte, besuchten uns zwei Kriminalbeamte in Zivil. Sie titulierten Sartre *«Maître»* und gaben ihm die Telefonnummer des Kommissariats, an das er sich wenden solle, wenn Gefahr drohe. Über die Verhaftung der beiden Kadetten, die man beim Bombenlegen ertappt hatte, äußerten sie: «Burschen aus gutem Haus! Da hört sich doch alles auf!»

Diese Burschen aus gutem Hause vergeudeten wirklich ihre Kräfte! In Algerien herrschte der Terror: Waffendiebstähle, Erpressungen, Banküberfälle, Schießereien, Morde, Bomben. In Bône flog ein Haus in die Luft, das einem Moslem gehörte. In Paris waren fast täglich Explosionen zu hören. Am quai d'Orsay ließ eine Bombe einen Toten und fünfundfünfzig Verwundete zurück. Unterdessen sprach das Militärgericht in Reuilly drei Offiziere frei, die gestanden hatten, einen Moslem zu Tode gefoltert zu haben: Soviel Freimut rief bei der Presse ein gewisses Unbehagen hervor.

Bei den Massons haben wir mit Diego und dem Abbé Corre zu Mittag gegessen, die gerade aus dem Gefängnis entlassen worden waren. Es fiel ihnen schwer, sich wieder an die bürgerliche Einsamkeit zu gewöhnen. Mit einem Schlag hatten sie 800 Freunde verloren. «Es ist so umständlich, Leute zu treffen», sagte Diego. «Man muß schreiben, telefonieren, sich verabreden. Dort brauchte man nur eine Tür aufzustoßen!»

An dem Tag, da wir den boulevard Saint-Germain verließen, wurde Romoli zum zweitenmal ausgebombt. Den Mietern im gegenüberliegenden Haus waren wieder die Fensterscheiben zertrümmert worden, und manche waren einem hysterischen Anfall nahe. Der Wohnungsvermittler hatte uns eine Wohnung am quai Blériot verschafft, in einer richtigen Kaserne (in der sich, wie man später erfuhr, zwei OAS-Mörder versteckt hielten). Die Wohnung war teuer und groß und hatte breite Fenster, die auf die Seine gingen. Wenn ich morgens aufwachte, war das Parkett von hellem, bleichem Sonnenschein überflutet. Durchs Fenster strömte ländlicher Geruch herein, und während ich arbeitete, hatte ich eine wunderbare Aussicht: Das schwarze Geäst der Platanen ließ vom anderen Ufer her, wie auf einem Gemälde Buffets, die geometrischen Fassaden hindurchscheinen. Nachts glitzerten auf dem pechschwarzen Wasser sich dehnende, entfaltende, brechende und wieder zusammenfallende Lichter. Makelloser Schnee fiel auf die vertäuten Kähne und die verödeten Böschungen. Mittags leuchtete er im Sonnenschein, und das Grau des Flusses glänzte unter den Liebkosungen der Möwen. Von der Küche aus, in der wir auch unsere Mahlzeiten einnahmen, war eine große Grünfläche zu sehen, die zugleich als Parkplatz diente. Man konnte die ‹Organisationsmenschen›, Mann und Frau, bei ihrem täglichen Leben beobachten, das nach dem Vorbild Amerikas zurechtgemodelt worden war: Er fährt zur Arbeit, sie geht vormittags einkaufen, führt den Hund spazieren (abends besorgt es der Gatte) und geht nachmittags mit den Kindern spazieren. Am Sonntag poliert er sein Auto, die Familie geht in die Kirche oder macht einen Ausflug.

Die meisten linksgerichteten Journalisten, Politiker, Schriftsteller, Universitätsprofessoren waren Attentaten ausgesetzt. Am Tage, nachdem das Buch über Djamila Boupacha erschienen war – ich hatte es schließlich zusammen mit Gisèle Halimi gezeichnet, um die Verantwortung zu teilen –, ging ich in meine alte Wohnung, um die Post zu holen. Meine Hausmeistersleute hatten kein Auge zugetan, weil sie angerufen worden waren: «Achtung, Achtung! Heute nacht fliegt Simone de Beauvoir in die Luft!» Als ehemalige FTP-Leute standen sie beide links, und ich wußte, daß sie alles tun würden, um mich zu schützen. Mir aber lag daran, daß sie nicht in ihrer Nachtruhe gestört würden. Die Polizei verweigerte jeden Beistand, und die privaten Wach- und Schließgesellschaften beschränkten sich auf vereinzelte Rundgänge. Fünf Tage lang führten meine Bemühungen zu keinem Ergebnis. Schließlich schickte die FUA einige Studenten, welche die Nächte in meiner Wohnung verbrachten. Unter ihnen befand sich auch Benoît Rey, dem die Concierge einmal einen Schraubenschlüssel lieh. Als er vor dem Haustor auf und ab patrouillierte, schleppten ihn Polizisten weg und beschuldigten ihn, verbotene Waffen in seinem Besitz zu haben. Sein Verleger, Lindon, sorgte dafür, daß er nach fünf Stunden entlassen wurde. Es wurde Anklage gegen ihn erhoben. (Im Juni wurde er dann vom Gericht freigesprochen.)

Meine jungen Freunde, die sich aus dem Fenster beugten und vor der Haustür Wache hielten, sahen nachts oft verdächtige Wagen. Sicherlich ist es ihnen zu verdanken, daß das Haus verschont blieb.

Als Evelyne eines Nachts in ihrer Wohnung in der rue Jacob schlief, gab es einen Knall. «Ich träume offensichtlich nur noch von Bomben», dachte sie. Auf der Straße wurde gerufen: «OAS-Mörder!» Sie warf schnell den Mantel über den Schlafanzug und gesellte sich zu einer kleinen Schar von Leuten – in der Mehrzahl Antiquare aus der rue Jacob –, die vor den beschädigten Räumen des Seuil-Verlages demonstrierten. Da kam der Kommissar des Bezirks angerückt. «Seid doch still, die Leute schlafen, manche sind krank, ihr werdet sie aufwecken.» Wenige Tage später wurde Pozner schwer verletzt. Schädelbrüche, Gedächtnisverlust. Er wurde mehrmals operiert und brauchte Monate, um zu genesen.

Sartre und Lanzmann opferten viel Zeit für die Vorbereitung des Liga-Kongresses. Zusammen mit Schwartz und zahlreichen anderen wollten sie die Gleichgültigkeit im Lande und den sachten Rechtsrutsch durch eine radikale Massenaktion bekämpfen. Die Kommunisten waren damit nicht einverstanden und versteiften sich darauf, ausschließlich die OAS zu bekämpfen. Sie befürchteten, daß die Liga mit den Bezirkskomitees Kontakt bekommen und politisches Gewicht erhalten könnte. Sie wollten, daß nur Intellektuelle in die Liga aufgenommen würden. Sartre lehnte es ab, sich in ein Getto einsperren zu lassen. Bei den ‹offenen› Kommunisten fand er nicht die Unterstützung, mit der er gerechnet hatte. «Ihr werdet uns mit der Partei entzweien», sagten sie und bremsten jede Aktion. Er trug sich mit dem Gedanken, zurückzutreten.

Am 8. Februar unterhielt er sich mit Schwartz und Panigel beim Mittagessen über diese Probleme; ich kam dazu, als sie beim Kaffee saßen. Am Nachmittag sollte eine Anti-OAS-Kundgebung stattfinden, um gegen das Attentat zu protestieren, das der kleinen Delphine Renard ein Auge gekostet hatte. Da man sich erst am Abend zuvor dazu entschlossen hatte, ging keiner von uns hin. Am nächsten Morgen rief Lanzmann an: es hatte auf der place de la Bastille fünf Tote, darunter ein sechzehnjähriges Kind, und eine Menge Schwerverletzter gegeben. Im Laufe des Tages schilderten Augenzeugen das Blutbad. Als die Menge sich zu zerstreuen begann, rief ein Polizeioffizier: «Es sind nur noch die Kommunisten da – vorwärts!» Die Polizisten stürzten sich auf die Menschen, die auf die Treppen der Métrostation Charonne flüchteten. Die Polizei bombardierte sie mit den Gittern, die sie von den Baumstämmen entfernt hatte. Der kleine Junge war erwürgt worden. Zu einem seiner weinenden Kameraden sagte ein Polizist: «Dein Freund ist krepiert. Jetzt hast du etwas gelernt.» Zahlreiche Zeitungen brachten ausführliche Berichte über diesen Massenmord. Die Rechte aber griff mit Nachdruck die von der Regierung lancierte Version auf: «Die Menge hat sich selber erdrückt.»

Die Gewerkschaften beschlossen, die Beerdigung zu einer Massenkundgebung zu machen, und die Regierung war gezwungen, ihre Zustimmung zu geben. Einige Mitglieder der Liga, unter ihnen auch wir, hatten sich für neun Uhr am Arbeitsamt verabredet, wo die Katafalke errichtet worden waren. Es gab nur wenig Taxis. (Ich hatte mit einer Fahrerin gesprochen, die mir gesagt hatte: «Morgen bleibe ich zu Hause.» – «Gehen Sie nicht zur Beerdigung?» – «O nein, ich nicht! Bei diesen Menschenmassen! Einmal hat mich mein Mann zur Kirmes auf die place de l'Étoile mitgenommen: Davon habe ich genug!») Lanzmann sollte uns um halb neun abholen. Von der Küche aus sahen wir, wie ab acht Uhr über die avenue de Versailles in geschlossener Prozession riesige Kränze und Blumensträuße auf Autodächern vorüberzogen. Lanzmann kam verspätet mit einem Taxi, da sein Auto nicht in Ordnung war. Die Straßen waren dermaßen verstopft, daß der Chauffeur uns an einem Métroeingang absetzte. Wir kamen erst um zehn auf der place de la République an: Von diesem Augenblick an waren alle Verkehrsmittel stillgelegt. Sämtliche Pariser Arbeiter streikten. Eine ungeheure Menschenmenge drängte sich hinter den Polizeisperren auf den Bürgersteigen. Zahlreiche mit roten Kränzen beladene Gruppen steuerten auf das Arbeitsamt zu. Wir gingen in den Saal, in dem die Delegationen warteten. Sie wurden aufgerufen: Viele Kommunisten und verhältnismäßig viele Mitglieder der PSU; keine sozialistische Delegation. Wir ordneten uns weit hinter den Wagen in den Zug ein. Auf dem Platz warteten Tausende geduldig und ernst darauf, sich dem Aufmarsch anzuschließen. Auf dem boulevard du Temple stieg ich auf einen Verkehrsturm hinauf. Von dort sah ich die mit roten Blumen geschmückten Leichenwagen, den schwarz-roten Boulevard und die großen Zwischenräume zwischen den wandelnden Blumenbeeten und der Menge. Hinter mir schien die Menschenmenge kein Ende nehmen zu wollen. Sie war zahlreicher als am 1. Oktober in Peking: Es waren mindestens 700 000 Menschen. Wenn die Gewerkschaften dahinterstehen, marschieren die Leute.

Die Regierung hatte Blut vergossen, um 50 000 Demonstranten auseinanderzujagen: Nun war sie gezwungen, 700 000 durch eine streikende Stadt marschieren zu lassen. Diese stummen und disziplinierten Massen zeigten, daß sie ihre Freiheit nicht dazu benützten, um Paris mit Feuer und Blut zu überziehen, und daß, wenn die Polizei nicht auf sie einprügelt, niemand erstickt oder zu Boden getrampelt wurde. Funktionäre sorgten überall im Zug für untadelige Ordnung. Ein heftiger Wind peitschte die Bäume unter dem schwarzen Gewitterhimmel. Der nasse Schnee bescherte uns kalte Füße. Halb erstarrt marschierten wir weiter, erwärmt durch die Nähe der vielen Menschen rings um uns her. Ich hoffte, den Eltern der Opfer würde es ein Trost sein und ihrer Trauer einen Sinn geben. Für die Toten kam diese Apotheose ebenso unvermittelt wie der Tod selbst. Ein ‹schönes Begräbnis› ist im allgemeinen durch ein ganzes Leben so gut vorbereitet worden, daß in gewisser Weise der Verstorbene mit dabei ist. Hier aber war dies nicht der Fall, denn die Toten blieben auch dieser Umkehrung ihrer Abwesenheit fern.

Als wir vor dem Père-Lachaise ankamen, wurde der Himmel blau. Die Menschen hockten auf den Friedhofsmauern und auf den Grabsteinen. Regungslos hörten wir uns Beethovens Trauermarsch an. Der Wind spielte im schwarzen Geäst, als wollte er diesen Augenblick noch dramatischer gestalten. Mein Gott, wie sehr hatte ich die Franzosen gehaßt! Diese wiedergefundene Brüderlichkeit überwältigte mich völlig. Warum so spät? Erst sprach Dominique Wallon im Namen der UNEF, dann ein Sekretär der CFTC. Sie erinnerten an das Gemetzel am 17. Oktober und machten die Regierung für die Toten des 8. Februar verantwortlich. Alle schienen diese Reden zu billigen, und ich fragte mich: Wären diese Massen, wenn die KP und die Gewerkschaften sie gegen den Algerien-Krieg mobilisiert hätten, diesem Aufruf nicht gefolgt? Natürlich mußte man den Umständen, der Struktur, dem Räderwerk und den Zwistigkeiten Rechnung tragen, aber es gab Menschen guten Willens, der sich an diesem Morgen offenbarte und der vergeudet worden war. Ich wußte nicht, ob diese Einsicht mich tröstete oder betrübte.

Wir marschierten durch den Friedhof. Victor Leduc hatte die Stirn voller Heftpflaster. Er war am 8. Februar verprügelt worden. Man wanderte zwischen den Marmorplatten dahin, auf denen die Namen der Bürger groß eingemeißelt sind. Halbnackte Frauengestalten spielten die Leier oder streckten wehklagend die Arme zum Himmel empor. In der Nähe der Mauer der Föderierten machten wir am Rande eines riesigen weiß-roten Blumenteppichs halt. Bis zur Schließung des Friedhofs am späten Nachmittag defilierten die Menschen vorbei. Da die Zeitungen das Ereignis nicht bagatellisieren konnten, entschlossen sie sich, seine Bedeutung anzuerkennen, stellten es aber so hin, als ob die Mörder aus Charonne OAS-Banditen, nicht aber treue Diener des Regimes gewesen wären.

Der Kongreß hatte sonntags in La Grange-aux-Belles stattgefunden.

Die Nachmittagssitzung war stürmisch verlaufen, und Sartre und seine Freunde hatten in einem Punkt den Kommunisten nachgegeben. Die Verhandlungen endeten damit, daß die Bewegung von jetzt an den Namen *Front d'action et de coordination des universitaires et des intellectuels pour un rassemblement antifasciste* (abgekürzt FAC) trug. Aber sie setzten durch, daß die FAC in dem am selben Tag publizierten Text ihre Solidarität mit den Algeriern bekundete und ihren Entschluß betonte, gleichzeitig gegen das Regime und gegen die OAS zu kämpfen. Wenige Tage später fand eine Sitzung statt, an der ich teilnahm. In einem verräucherten, überheizten Raum, der dreißig Personen faßte und in dem sich achtzig zusammendrängten, diskutierte man wieder drei Stunden lang über die Definition der ‹Front›. Über die dringend notwendigen Aktionen wurde nichts Genaues festgelegt. Weder an diesem noch an den folgenden Tagen.

Die Friedensverhandlungen dauerten an. «Der Friede um jeden Preis, auf den wir pfeifen», schrieb einer seiner algerischen Freunde an Lanzmann. Als wir am Sonntag, dem 18., abends in einer Ecke der Zeitung lasen, daß er unterzeichnet worden war, empfanden wir nicht die geringste Freude. Man war weder mit der Armee noch mit den pieds noirs fertig geworden. Und der Sieg der Algerier vermochte nicht diese sieben Jahre französischer Greuel auszulöschen, die plötzlich offenbar geworden waren. Einer der vom Gericht in Reuilly freigesprochenen Folterknechte, Sanchez, war empört, daß man ihm die Ausübung des Lehrberufes untersagen wollte, und erklärte: «In meiner Person will man ja nur die Folter treffen!» Sämtliche Dorfbewohner unterstützten ihn. «Na und? Im Krieg wird immer gefoltert ...» Die Franzosen wußten jetzt besser Bescheid, und das änderte nichts, weil sie schon immer Bescheid gewußt hatten. Man hielt ihnen immer wieder vor: «Ihr seid wie die Deutschen unter dem Nazismus!» Und sie antworteten – ich habe es mit meinen eigenen Ohren gehört, es war die allgemeine Ansicht –: «Die armen Deutschen. Jetzt ist uns klar, daß es nicht ihre Schuld war.» Wie aber konnte es zu dieser Beerdigung kommen? Weil der kollektive Egoismus nicht von der Psychologie, sondern von der Politik abhängt. Die Opfer des 8. Februar gehörten in den Augen der Pariser zu den ihren.

Sartre hat sich bereit erklärt, in Brüssel über Algerien und den Faschismus zu sprechen. Bost brachte uns im Auto hin. Da es in Belgien außer den belgischen Rechtsextremisten auch viele französische Faschisten gab, war es besser, vorsichtig zu sein. Der Hauptorganisator, ein fünfunddreißigjähriger Mann, der Jean genannt wurde, hatte jahrelang Algerier über die Grenzen geschmuggelt. Er war an strenge Sicherheitsvorschriften gewöhnt und wandte sie nun auch auf Sartre an. Erst im Augenblick des Aufbruchs teilte er uns in verschlüsselten Ausdrücken telefonisch unsere Reiseroute mit. In Rocroi stieg Sartre zusammen mit

Lallemand und einem jungen schwarzhaarigen Kommunisten in einen belgischen Wagen ein, der von Autos mit bewaffneten Aktivisten umgeben war. Ein junger blonder Kommunist nahm Sartres Platz zwischen Bost und mir ein. «Momentan ist die Lage sehr unerfreulich», sagte er zu uns. «Wegen der Aktionseinheit gibt es eine Menge Reibereien.» Wir machten bei Jean Station, um ein kurzes Interview für das Fernsehen zu geben, und fuhren dann eine halbe Stunde lang im Zickzack durch die Stadt, bevor wir bei den L.s aßen. Sie hatten mehrere Vertreter der belgischen Linken und den Bürgermeister eingeladen, der sich trotz eines gewissen Drucks bereit erklärt hatte, die Versammlung in seiner Gemeinde stattfinden zu lassen. Während des Essens stand Jean vom Tisch auf. Kurz darauf kam das aufgeregte Dienstmädchen gelaufen: «Der Herr ist im Badezimmer hingefallen!» Er war ohnmächtig geworden und hatte sich den Kopf an der Wanne angeschlagen. «Ich habe mich wie ein altes Weib benommen», sagte er recht verwirrt am nächsten Tag zu uns. Seine Freunde aber hielten ihn für einen Helden. Das Risiko, das er jedesmal auf sich genommen hatte – bei jedem Grenzübergang waren die Algerier entschlossen, ihre Haut so teuer wie nur möglich zu verkaufen –, und die Verantwortung, die auf ihm lastete, hatten seine Kräfte erschöpft. Wir übernachteten bei Lallemand. Als wir zum Frühstück hinuntergingen, erfuhren wir, daß unsere jungen Leibwächter die Nacht im Vorzimmer verbracht hatten. Ihre Revolver hatten sie in einem Blumenständer deponiert.

Der Vortrag am Abend fand in der sechsten Etage eines Hochhauses in einem Saal statt, in dem 6000 Zuhörer versammelt waren. Rund um den Häuserblock, in den Garagen und an der Rednertribüne wimmelte es von Polizei: Der Polizeichef hatte erklärt, daß er von Sartres Logik tief beeindruckt sei. Sartres Ausführungen waren interessant, aber nüchtern. Es fiel ihm schwer, zu Belgiern zu sprechen, die viel zu gut unterrichtet waren, als daß er sich darauf hätte beschränken können, sie zu informieren, aber zu denen er nicht den gleichen persönlichen Kontakt hatte wie zu einem französischen Publikum. Mehrere warfen ihm vor – genauso wie mir im vergangenen Jahr –, daß er nicht auf ihre Probleme eingegangen sei. Da Lallemand dem linken Flügel der belgischen Sozialistenpartei angehörte, hieß es unparteiisch bleiben. Nach tausend Umwegen und Finten übernachteten wir im Haus eines kommunistischen Funktionärs. Während des Abendessens kam die Rede auf zahlreiche Attentate, denen Angehörige der belgischen Linken zum Opfer gefallen waren. Professor G. erzählte uns, daß seine Frau ein Paket erhalten habe, das genauso aussah wie das Paket, das einem seiner Kollegen das Leben gekostet hatte: Es war ein präpariertes Exemplar von *La Pacification*. Als sie einen verdächtigen Geruch feststellte, legte sie das Buch mitten in den Garten.

Am nächsten Tag brachten uns unsere Freunde bis zur Grenze, durchs

Maastal, das bereits nach Frühling duftete. Beim Abschied fragte der junge L. Bost: «Was trägst du für eine Waffe?» – «Gar keine», antwortete Bost. «Aber dann müßt ihr ja glauben, wir seien verrückt...» sagte L., verblüfft über den französischen Leichtsinn, aber auch ein wenig stutzig geworden. Im Grunde aber fanden wir es rührend, daß sie ihr Verantwortungsgefühl so sehr auf die Spitze getrieben hatten.

Wieder führte ich mein zurückgezogenes Leben. Bost trug uns betrübliche Geschichten aus dem alten Saint-Germain-des-Prés zu. Eine große Erbschaft hatte Rolland zum Gaullisten gemacht. Scipion war ihm gefolgt. Anne-Marie Cazalis hatte sich schon lange Zeit damit amüsiert, hin und her zu flattern. Ihre Heirat hatte sie gezwungen, eine Wahl zu treffen, die zur Folge hatte, daß ihre linken Freunde sie nicht mehr zu sehen bekamen. Unsere Vergangenheit rückte endgültig in die Ferne. Als Pouillon und Pingaud kein Gehalt mehr bekamen, weil sie das Manifest der «121» unterzeichnet hatten, veranstalteten ihre Kollegen eine Geldsammlung, zu der die Pagniez nichts beisteuerte. Mme Lemaire, die wir lange nicht mehr gesehen hatten, rief kurz nach der Explosion in der rue Bonaparte Sartres Mutter an und erwähnte mit keinem Wort das Attentat. «Wie Sie wissen, bin ich für das französische Algerien», sagte sie. Trotzdem aß sie bei uns in der Wohnung am quai Blériot. «Hoffentlich fliegen wir nicht in die Luft», sagte sie lachend. Das war die einzige Anspielung. Die Konversation schleppte sich mühsam dahin.

Ich haßte das Viertel, in dem wir wohnten, und es kam vor, daß ich drei Tage hintereinander nicht die Nase zur Tür hinaussteckte. Weil ich zu verkrampft war, hörte ich auch keine Musik mehr. Ich las, aber nur wenig Belletristik. Die Romane, meine wie die der anderen, waren mir in ihrer Bedeutungslosigkeit zuwider. Seit 1945 ist soviel geschehen, und in der Literatur fand sich fast keine Spur davon. Spätere Generationen, die etwas über uns erfahren wollen, müssen soziologische Werke, Statistiken oder ganz einfach die Zeitungen konsultieren. Besonders traurig fand ich den Standpunkt des sogenannten *nouveau roman*. Sartre hatte die Wiederkehr der «Konsumliteratur», wie er sie nannte, vorausgesehen: die Literatur einer Gesellschaft, die den Blick in die Zukunft verloren hat. 1947 schrieb er: «Die Literatur des Produktiven [die man auch ‹engagierte Literatur› nennt], die sich ankündigt, wird ihre Antithese, die Literatur des Konsums, nicht völlig verdrängen ... Vielleicht wird sie sogar bald verschwinden: Die Generation, die uns ablösen wird, macht einen unschlüssigen Eindruck ... Und selbst wenn diese Literatur der Praxis sich durchsetzen sollte, wird sie wie die Seins-Literatur vergehen ... und die Geschichte der nächsten Jahrzehnte wird vielleicht ein Schwanken von der einen zur anderen registrieren. Das würde bedeuten, daß die Menschen endgültig eine andere, unendlich wichtigere Revolution versäumt hätten.» (*Qu'est-ce que la littérature?*) Über die Konsumliteratur sagte er auch noch folgendes: «Man rührt die Welt nicht an:

Man verschlingt sie roh mit den Augen.» Nathalie Sarraute hat sich einer Seins-Literatur zugewendet. Indem sie den alten französischen Psychologismus wieder aufgreift, schildert sie sehr talentvoll die paranoische Haltung des Kleinbürgertums, als wäre dies die unabänderliche Menschennatur. Die visuelle Schule ihrerseits schickt sich an, alles «roh mit den Augen zu verschlingen». Sie vertreibt den Menschen noch radikaler als der Naturalismus des 19. Jahrhunderts aus der Welt. Das Kunstwerk soll allein inmitten jeden Sinns entkleideter Gegenstände dastehen. Das Problem des Gegenstandes hat den Malern, den Bildhauern und den Dichtern der Generation, die mir vorausging, keine Ruhe gelassen. Marcel Duchamp hat sie auf die Spitze getrieben, die großen schöpferischen Meister – Picasso, Giacometti – haben sie überwunden. Was die ‹Gegenstandstheorien› angeht, so ist die Metaphysik, die sie voraussetzen, gegenüber modernen Ideologien dermaßen ins Hintertreffen geraten, daß die Schriftsteller, die sie vertreten, selber nicht aufrichtig daran glauben können. Gewöhnlich wiegen die Mängel eines Systems nur wenig, wenn die Bestrebungen, die es auslöst, an und für sich fruchtbar sind: Die Impressionisten und auch die Kubisten machten sich einen falschen Begriff von der sinnlichen Wahrnehmung. Bei der visuellen Schule aber sind die Gründe und die Einfälle dasselbe: die Revolution ist gescheitert, die Zukunft entzieht sich dem Blick, das Land versinkt in einer apolitischen Haltung, der Mensch ist in seiner Entwicklung steckengeblieben. Wenn man von ihm spricht, dann nur wie von einem Objekt. Oder man eliminiert ihn sogar, dem Beispiel der Nationalökonomen und Volkswirtschaftler folgend, zugunsten der Objekte. Auf jeden Fall raubt man ihm seine historische Dimension. Das ist der Berührungspunkt zwischen Nathalie Sarraute und Robbe-Grillet. Sie verwechselt Wirklichkeitstreue mit Psychologie, während er das Innenleben beiseite schiebt. Sie reduziert die Außenwelt auf den Schein, also auf ein Trugbild. Ihm bedeutet der Schein alles, und es ist streng verboten, darüber hinauszugehen. In beiden Fällen löst sich die Welt der Tat, des Kampfes, des Bedürfnisses, der Arbeit, der Realität in Nichts auf. Dieses Taschenspielerkunststück trifft man in allen Varianten des *nouveau roman* an. Einerseits entschlossen, nichts zu sagen, verdeckt man die inhaltliche Leere durch formale Verrenkungen, imitiert man Faulkner und Joyce, die doch immerhin neue Mittel und Wege erfunden haben, um etwas Neues zu sagen. Andererseits setzt man aufs Ewige: Man erforscht das Menschenherz oder den Raum-Zeit-Komplex. Oder die Literatur nimmt sich selber zum Gegenstand: Butor beharrt auf der räumlichen und zeitlichen Unvereinbarkeit der Erzählung mit der Realität. Oder man beschreibt die Dinge in ihrer – wie man glaubt – unmittelbaren Präsenz. (Dieser Standpunkt führt bei den Epigonen von Robbe-Grillet zu stilistischen Plumpheiten. Da ihnen das Thema fehlt, müssen sie die Gegenstände beseelen und graben so die Klischees eines überlebten Akademikerstils wieder aus: Die Brücke überschreitet den Fluß, die Sträucher entfernen sich, usw.) Auf jeden Fall kehrt man dem Menschen den Rükken. Unser Interesse an Robbe-Grillet, Nathalie Sarraute und Butor gilt vor allem der Tatsache, daß sie nicht umhin können, sich selber mit ihrer Schizophrenie, ihrer Besessenheit, ihren Manien, ihren persönlichen Beziehungen zu den Dingen, den Leuten und der Zeit in ihre Bücher miteinzubeziehen. Eine der Konstanten dieser Literatur bleibt aber die Langeweile. Sie hat dem Leben seine Würze, sein Feuer, seinen in die Zukunft weisenden Elan geraubt. Sartre hat die Literatur als ein Fest definiert: Ob düster oder heiter, bleibt sie ein Fest. Wie weit sind wir heute davon entfernt! Die Jünger der neuen Schule haben eine tote Welt konstruiert. (Das hat nichts mit Beckett zu tun, der vor unseren Augen die lebende Welt verwesen läßt.) Es ist eine künstliche Welt, in die sie selber sich nicht einordnen können, weil sie leben. Das hat zur Folge, daß sich bei ihnen der Mensch vom Autor trennt. Sie wählen, sie unterzeichnen Manifeste, sie ergreifen Partei – im allgemeinen gegen die Ausbeutung, die Privilegien und das Unrecht. Dann kehren sie in den altmodischen Elfenbeinturm zurück. «Wenn ich mich an den Schreibtisch setze», hat Nathalie Sarraute in Moskau gesagt, «lasse ich die Politik, die Ereignisse, die Welt draußen vor der Tür zurück: Ich werde ein anderer Mensch.» Wie aber ist es möglich, daß man sich diesem für den Schriftsteller wichtigsten Tun, dem Schreiben, nicht ganz und gar hingeben kann? Diese Verstümmelung des Stils und der eigenen Person, dieser Rückgriff auf die Phantastereien des Absoluten zeugen von einem durch unsere Niederlagen gerechtfertigten Defaitismus. Frankreich, das früher einmal ein Subjekt der Geschichte war, ist heute nur noch ein Objekt: Bei den Romanschriftstellern wird diese Erniedrigung sichtbar.


In Algier waren in einer einzigen Nacht 104 Explosionen erfolgt. Man fragte sich, ob die Armee nicht zu den pieds noirs überlaufen würde. Eines Morgens, als ich in ein Taxi stieg, hörte ich im Radio die Meldung, daß in Issy-les-Moulineaux vor dem Lokal, in dem der Kongreß der Friedensbewegung stattfinden sollte, ein präpariertes Auto in die Luft geflogen war: es hatte Tote und Verletzte gegeben. Augenzeugen berichteten. Es verging kein Tag, der einem nicht gründlich verdorben wurde.

Die FAC hielt in der Mutualité eine Versammlung ab. Zu Beginn wurde den Organisatoren telefonisch mitgeteilt, daß eine Bombe explodieren würde: ein klassisches Manöver. Sartre sprach viel lebendiger als in Brüssel. Aber es waren nur wenige Menschen erschienen – 2000, während man mit 6000 hätte rechnen dürfen. Der Abschluß des Waffenstillstandes ließ die Franzosen in politische Interesselosigkeit versinken. Außerdem betrachtete die KP die FAC nach wie vor mit scheelen Augen, und die Kommunisten, die ihr angehörten, hatten sich bei der Vorbereitung der Versammlung nicht allzu eifrig gezeigt. Schließlich hatten Sartre und Lanzmann recht behalten: Man hätte ohne die Kommunisten nichts ausrichten können, und man hatte zusammen mit ihnen nichts ausgerichtet. Dieser Mißerfolg betrübte den einen wie den anderen.

Der Volksentscheid vom 8. April zeigte deutlich, daß fast ganz Frankreich die Beendigung des Algerien-Krieges wünschte; aber sie erfolgte unter den erbärmlichsten Bedingungen. Nach der Schießerei in Isly und der Abriegelung des Bab el-Oued wußten die pieds noirs, daß sie das Spiel verloren hatten. Sie zerstörten systematisch ein bereits schwer verwüstetes Land und gingen zu Metzeleien über, die noch grauenhafter waren als die Kriegshandlungen selbst. Die OAS bombardierte die mohammedanischen Viertel mit Mörsern, schickte ein brennendes Lastauto los, mähte die Arbeitslosen vor der Vermittlungsstelle mit Maschinengewehren nieder, ermordete Hausfrauen. Jeden Morgen fragte ich mich ängstlich beim Öffnen der Zeitung: Was wird mir jetzt wieder blühen? In der ersten Zeit beehrte die Presse diese Verbrechen mit fetten Überschriften. Man hatte Angst, daß die Moslems zurückschlagen würden. Später bewunderte man erleichtert ihre Disziplin: Sie benahmen sich wirklich tadellos! Sogleich kamen die zwanzig oder dreißig (nach den offiziellen Angaben) tagtäglich in Algier und Oran ermordeten Moslems auf die Seite mit den Autounfällen. Mit künstlicher Heuchelei entrüstete man sich über die in den Gefängnissen erschossenen Häftlinge und die in den Spitälern liquidierten Verwundeten. Erst als sich die pieds noirs auf Frankreich stürzten und den Einheimischen Wohnungen und Arbeitsplätze streitig zu machen begannen, wurden sie unpopulär: Der neue ‹Rassenhaß› zwischen Angehörigen der gleichen Rasse entstand gerade zur rechten Zeit, um den alten abzulösen – als bedürfe es stets eines hassenswerten ‹Anderen›, um uns von der eigenen Unschuld zu überzeugen. Als ob nicht die Armee, als ob nicht die Regierungen, die diesen Krieg geführt hatten, aus den Franzosen Frankreichs bestanden hätten, als ob nicht das ganze Land ihn gebilligt hätte! Jeden Tag bestätigte sich die Mitschuld von neuem: Es wurden zwar die Folterknechte amnestiert, nicht aber die Deserteure, die Gehorsamsverweigerer, die Mitglieder der Hilfsorganisation. Der zum Tode verurteilte Jouhaud wurde nicht hingerichtet. Salan kam mit dem Leben davon. Nur die Komparsen mußten dran glauben. Während des Prozesses war man nur um die Loyalität der Angeklagten und die Aufrichtigkeit ihres Chauvinismus besorgt. Die getöteten Algerier zählten nicht. Der Algerien-Krieg war mir niemals widerwärtiger gewesen als in diesen Wochen, da er in der Agonie sein wahres Gesicht zeigte.

Die Ereignisse auf Kuba hatten uns das ganze Jahr über beschäftigt. Anibal Escalante schien den Ton anzugeben. Obwohl die Blockade und schwere Fehlgriffe einen Tiefstand des Lebensstandards zur Folge gehabt hatten, gab es keine ernsthafte Opposition. Trotzdem hatte die Polizei vorsorglich ein Terrorregime errichtet. Kleine Privateigentümer wurden gezwungen, sich den Genossenschaften anzuschließen. Die meisten unserer Freunde litten unter dieser Veränderung der Verhältnisse. Oltuski hatte seine Stellung verloren. Die *Revolución* lag in den letzten Zügen: Da man den Arbeitern den Abonnementspreis für *Hoy* vom Lohn abzog, kauften sie keine andere Zeitung. Ein homosexueller Schriftsteller, den wir kannten, war zusammen mit anderen Päderasten durch Havanna geführt worden: Man hatte ihnen ein P auf den Rücken gemalt und sie eingesperrt. Alle diese Nachrichten erreichten uns bruchstückweise und blieben ohne nähere Erklärung. Es blieb unverständlich, warum die KP Kubas das ‹polnische Abweichlertum› verurteilte, sich China und Albanien anschloß und stalinistische Methoden übernahm. Wir waren vor allem darüber verblüfft, daß Castro sie gewähren ließ. Zweifellos war er durch einige Rückschläge aus dem Sattel gehoben worden: Die INRA hatte dabei viel auszustehen gehabt. Da er glaubte, nicht ohne einen Apparat auskommen zu können, hatte er sich entschlossen, sein Vertrauen dem einzigen zu schenken, der existierte, dem der KP. Warum aber hatte er nicht angesichts der begangenen Fehler die Zügel wieder in die Hand genommen?

Er tat es. Am 26. März hielt er eine Rede, in der er Escalante und alle die kleinen Escalantes angriff, die wie die Pilze aus der Erde geschossen waren. Er verjagte sie aus Kuba und ging daran, die Irrtümer der letzten Monate wiedergutzumachen. Die mit Gewalt geschaffenen Genossenschaften wurden aufgelöst, Oltuski und sein Stab zurückgerufen. Die *Revolución* gewann ihre Bedeutung wieder. Anläßlich unserer Moskau-Reise trafen wir Oltuski und Arcocha, die uns erzählten, daß es kein Polizeiregime und kein Sektierertum mehr gäbe. Die Kommunisten waren in der Regierung verblieben, und die Beziehungen zwischen Kuba und der UdSSR waren ausgezeichnet. Aber Castro war wieder Herr der Lage. Trotz der durch die Blockade und den Mangel an geschulten Kadern verursachten Schwierigkeiten hatte man das Gefühl, wieder aufzuleben.


Der sowjetische Schriftstellerverband hatte uns nach Moskau eingeladen. Der XX. und XXII. Parteitag hatte für das Gebiet, das uns unmittelbar interessierte, wichtige Neuerungen gebracht. Davon zeugten die Reisen Jewtuschenkos und vor allem die Anwesenheit russischer Universitätsstudenten in Paris. Ich hatte eine Georgierin kennengelernt, die seit einem Jahr völlig unbehindert an einer Dissertation über Sartre arbeitete: Es gab wirklich etwas Neues unter der Sowjetsonne.

Nach drei Flugstunden landeten wir am 1. Juni auf einem von Kiefern und Birken umgebenen Flughafen. Ich sah den Roten Platz wieder, den Kreml, die Moskva, die Gorki-Straße, die Altstadt, die Verzierungen ihrer *isbahs*, das Labyrinth ihrer Gäßchen, ihre Gärten, ihre friedlichen Plätze, wo die Leute Schach spielten. Die Frauen waren bunter gekleidet als 1955, die Schaufenster – trotz des spürbaren Mangels – ansprechend. Die Reklame hatte Fortschritte gemacht. An den Hauswänden klebten Plakate, die oft an Majakowskis Dessins erinnerten und recht amüsant waren, außerdem Fotos aus Filmen, die gerade liefen. Abends flammten Leuchtschriften auf. Die Straßen machten einen freundlichen Eindruck. Viel Betrieb, aber ohne Lärm und Hast, Geschäftigkeit, aber auch Müßiggang, Jugend, Lachen. Auf den Landstraßen ein recht intensiver Verkehr, vor allem Lastautos und Lieferwagen. Die neuen Viertel aber sind trotz der vielen Bäume genauso langweilig wie bei uns. Sie liegen rings um die Stadt, die jetzt acht Millionen Einwohner hat.

Wir trafen alte Bekannte wieder – Simonow, Fedin, Surkow, Olga P., Korneitschuk, Ehrenburgs Frau (er war nicht in Rußland) – und machten neue Bekanntschaften. Lena Sonina, Sekretärin der französischen Sektion des Schriftstellerverbandes, diente uns als Dolmetscherin. Sie kannte unsere Bücher und hatte Artikel über *Les Mandarins* und *Les Séquestrés d'Altona* geschrieben, und so freundeten wir uns schnell mit ihr an. Der Sekretär der italienischen Sektion, George Breitbourd, der gut französisch sprach, löste sie zuweilen ab. Wir waren überrascht, wie gut wir uns mit ihnen verstanden.

Wir hatten beschlossen, uns auf Begegnungen mit Intellektuellen zu beschränken: mit Schriftstellern, Kritikern, Film- und Theaterleuten, Architekten. Und wir hatten den Eindruck, nach einem düsteren Mittelalter die Anfänge einer Renaissance zu erleben.

Die Anfänge waren schwierig und stürmisch. Zwischen Neuerern und Konformisten war der Kampf entbrannt. Die meisten jungen Leute gehörten zu den ersteren. Aber unter ihnen befanden sich auch alte Männer: Paustowskij und Ehrenburg, dessen Memoiren von den Studenten begierig aufgenommen worden waren. Dafür gab es unter der Jugend Opportunisten und Sektierer. Im Grunde war es gleich, da es sich im großen und ganzen um einen Konflikt zwischen den Generationen handelte. «Am bemerkenswertesten ist heute bei uns die Jugend», sagten alle unsere Freunde. Viele aber hätten sie gern an die Leine genommen. «Für diese jungen Leute ist alles so leicht!» sagte ein Fünfzigjähriger zu uns, der sie trotzdem gern hatte. Wir verstanden diese Bitterkeit. Die Söhne machten ihren Eltern einen Vorwurf daraus, daß sie den Stalinismus unterstützt hatten: Was aber hätten sie an ihrer Stelle getan? Man muß leben: Man hat gelebt. Mit Widersprüchen, Kompromissen, Zerwürfnissen, feigen Ausflüchten, zuweilen aber auch mit einer Treue, einer Großmut, einer Kühnheit, die mehr Mut erforderten, als ein fünfundzwanzigjähriger Sowjetbürger je zu zeigen Gelegenheit hatte. Es ist nie gerecht, über Menschen zu urteilen, deren Schwierigkeiten man nicht geteilt hat. Trotzdem hat die Jugend mit ihrer Forderung recht, daß die Entstalinisierung nicht negativ bleiben dürfe und man ihr gestatten müsse, neue Wege zu beschreiten. Sie kehrte keineswegs zu bürgerlichen Werten zurück, sondern kämpfte gegen die Überbleibsel des Stalinismus. Nach so vielen Lügen verlangt sie nach Wahrheit. Ihrer Meinung nach ist die Freiheit für die revolutionäre Kunst und das revolutionäre Denken notwendig.

An einer Front haben sie gesiegt: in der Dichtkunst. Wir haben Jewtuschenko nur flüchtig gesehen. Aber wir sind oft mit seinem jüngeren Kollegen Wosnessenski zusammen gewesen, der fast ebenso populär war wie er, wenn auch schwerer verständlich. Wir hatten ihn an dem Abend, als wir nach Kiew abreisten, zufällig auf dem Bahnsteig getroffen. Sehr jung, ganz rosig, mit lachendem Mund und feuchten Augen, auf dem Kopf eine merkwürdige, kleine blaue Mütze, unterhielt er sich angenehm ungezwungen mit mir auf englisch. Er schlug uns vor, nach unserer Rückkehr an einer Diskussion über seine Gedichte in der Bibliothek seines Bezirkes teilzunehmen. Er war die in Rußland traditionellen Vorlesungen gewöhnt, die oft unter freiem Himmel oder im Saal Tausende von Zuhörern anlocken. Diesmal handelte es sich um eine kleinere Veranstaltung – an der vier- bis fünfhundert Personen teilnahmen –, in der man aber, nachdem in der *Literaturnaja gazeta* eine strenge Kritik erschienen war, einige Erklärungen von ihm verlangte. Er hatte Lampenfieber. «Das sind Feinde», flüsterte er uns zu, während er dem Publikum gegenüber Platz nahm. Er deklamierte stehend und mit halb geschlossenen Augen Gedichte, deren Übersetzung uns Lena Sonina ins Ohr murmelte. Der Beifall war groß. Ein junges Mädchen stand auf. Sie hatte zum erstenmal Wosnessenskis Verse auf dem Majakowski-Platz gehört. Der junge Mann, der sie rezitierte, die Leute, die zuhörten, hatten einen fragwürdigen Eindruck auf sie gemacht, und es waren dort schreckliche Sachen über die Frauen gesagt worden. Völlig erschüttert war sie nach Haus gegangen, hatte nichts gegessen, hatte geweint, ihre Eltern hatten sich Sorgen gemacht. Es wurde gemurmelt und gelacht, während sie mit Behagen ihre tugendhafte Bestürzung schilderte. Zum Schluß sagte sie, daß es heute anders sei. Was sie gerade gehört hatte, habe ihr gefallen. Lehrer und Studenten gaben ihrer Bewunderung Ausdruck. Einer sagte: «Wir pfeifen darauf, ob die Dichtung gut ist oder sich durchsetzen wird. Es ist unsere Dichtung, die Dichtung unserer Generation.» – «Bei der ersten Lektüre», sagte eine Medizinerin, «habe ich nichts verstanden, es war mir zu geheimnisvoll. Nachher habe ich entdeckt, daß mir gerade deshalb Bilder, Verse im Gedächtnis haften geblieben sind, die ich mir immer wieder hersagte. Je öfter ich Wosnessenski las, desto besser haben mir die Gedichte gefallen. Nun möchte ich gern eine Antwort auf die Frage: Haben Dichter wie er und Maler wie

Picasso recht, wenn sie nicht wollen, daß man sie sofort begreift? Sie zwingen uns zu einer Anstrengung, die uns bereichert. Andererseits aber braucht man dafür viel Zeit, und wenn man zehn Stunden am Tag arbeitet, ist die Zeit kostbar.» Man war allgemein der Ansicht, daß einem Künstler kein Vorwurf daraus zu machen sei, wenn er schwierig ist. «Wenn ich eine Fachzeitschrift lese, fange ich auch mehrere Male von vorn an», sagte ein Ingenieur. «Warum sollten die Dichter von uns nicht das gleiche verlangen dürfen?» Eine etwa vierzigjährige Lehrerin stand auf und begann ein langes Memorandum vorzulesen: Sie warf Wosnessenski seine Schwerverständlichkeit vor. Ihre zwölfjährigen Schüler hätten nichts begriffen. (Proteste, Gelächter.) Er verwende rätselhafte Ausdrücke, wie zum Beispiel Chimäre. (Gelächter, Pfiffe.) Er spreche von der Farbe des Löschpapiers, während es doch Löschpapier in allen möglichen Farben gibt. Unter ironischem und wütendem Gemurmel setzte sie unerschütterlich ihre Anklage fort. «Und so etwas unterrichtet unsere Kinder in Literatur! Das ist eine Schande!» riefen Halbwüchsige. Als sie fertig war, ergriff ein junger Asiate das Wort. Mit Hilfe von Lehrbriefen folgte er den Vorlesungen über das literarische Schaffen am Gorki-Institut und kannte Wosnessenski auswendig. «Ihr tut unrecht daran, diese Frau zu beschimpfen», sagte er gütig, «sie verdient unser Mitleid.» Alle jungen Leute, die wir später kennengelernt haben, huldigten dem Wosnessenski-Kult. «Wir sind Spezialisten», erklärten uns Physiker und Techniker. «Er spricht in unserem Namen, und wenn wir ihn lesen, fühlen wir uns als vollständige Menschen.» Er selbst sagte zu uns: «Die Dichtung ist die Form, die das Gebet in einem sozialistischen Land annimmt.» Die jungen Dichter werden von Kritikern angegriffen, von Bürokraten schikaniert, aber um sie daran zu hindern, sich nach ihrem Belieben zu äußern, müßte man zu stalinistischen Methoden zurückkehren: vor allem aber diese Versammlungen verbieten, die Wosnessenski seine «Konzerte» nennt. De facto behindert man sie nicht. (Seither hat sich, wie man weiß, vieles geändert.) Sie reisen viel. Sie haben eine Gruppenreise in die USA gemacht, wo sie sich sehr gut mit den Beatniks verstanden. Die Auflage ihrer Bücher geht in die Hunderttausende.

Die Prosaschriftsteller, die keinen direkten Kontakt mit ihren Lesern haben, sind von den Verlagen und Zeitschriften abhängig, deren Bewegungsfreiheit durch die Furcht eingeengt wird, einerseits einem Teil des Publikums, andererseits den Behörden zu mißfallen. Der Mitarbeiterstab des *Nowy mir* ist am wagemutigsten. Bei den übrigen siegt die Vorsicht. Um den Druck einer originellen Novelle oder eines Romans entspinnt sich jedesmal ein Kampf. Gewisse Kritiker haben alle Mühe, Artikel unterzubringen, die ihren Gedankengängen entsprechen, da man von ihnen verlangt, sie zu tarnen, zu verwässern und zu verstümmeln. Sie geben nach oder lehnen ab, sie greifen zur List, strengen sich geduldig an, um die Widerstände zu brechen: Auf die Dauer macht sich diese Taktik bezahlt. Heute werden Artikel und Essays publiziert, die noch vor wenigen Jahren nie das Tageslicht erblickt hätten.

Das Publikum dürstet nach Neuheiten. Während unseres Aufenthaltes waren gerade das Gesamtwerk von Remarque – warum? – und das von Saint-Exupéry in Übersetzung erschienen. Sie wurden verschlungen, und die Jugend forderte: «Übersetzt Camus, Sagan, Sartre, alles!» In einer Diskussion mit den Mitarbeitern der Zeitschrift für ausländische Literatur löste Sartre einen Freudenschauer aus, als er den amen Kafka aufs Tapet brachte. Die anderen sträubten sich. «Die bürgerlichen Intellektuellen haben ihn annektiert.» – «Es liegt an euch, ihn zurückzuholen», erwiderte Sartre. Die Zeitschrift hatte trotzdem die Absicht, eine Novelle Kafkas zu bringen. Brecht, gegen den man, wie ich schon erwähnt habe, lange Zeit in der UdSSR mißtrauisch gewesen war, setzte sich allmählich durch. In Leningrad haben wir eine Version von *Der gute Mensch von Sezuan* gesehen, die im realistischen Stil Stanislawskijs inszeniert war. Die Wirkung war fatal. Der Dialog verwirrte das breite Publikum, und die Inszenierung schockierte die Brechtianer. Jutkevitsch wollte das Stück trotzdem in Moskau herausbringen. War es dem Einfluß Brechts zu verdanken, daß *Der Drache* von Schwarz mit soviel Freiheit und Erfindungsreichtum gespielt wurde? Gegen den Faschismus gerichtet, aber 1944 gleich nach der Premiere unterdrückt, weil der ‹Drache› ebensosehr an Stalin wie an Hitler erinnerte, war diese Komödie in Leningrad mit großem Erfolg wiederaufgeführt worden.

Der italienische Film (*Die Nächte der Cabiria, Rocco und seine Brüder*) gefiel dem Publikum. Die Konformisten befürchteten, daß die jungen Regisseure unter seinem Einfluß vielleicht mit der nationalen Tradition brechen würden. Kein anderer Film als *Iwans Kindheit* hat mich so stark den Krieg spüren lassen, wie die Sowjetunion ihn erlebt hatte. «Das ist mehr als die Geschichte einer Kindheit, das ist die Geschichte der Jugend», hatte uns George Breitbourd gesagt. Iwan wird halb wahnsinnig, als seine Mutter vor seinen Augen getötet und das Dorf in Brand gesteckt wurde. Seine Träume haben noch die Frische seiner zehn Jahre. Als er erwacht, packen ihn Haß und Mordlust. Er ist charmant, rührend, ergreifend und heldenhaft, aber ein Monstrum. Er kommt von einer Mission nicht mehr zurück, die einige Offiziere ihm widerwillig anvertraut haben. Im Siegestaumel in Berlin findet einer der Offiziere einen Zettel mit seinem Namen und seinem Foto: Gehenkt. Das Schöne und Neue an diesem Schluß ist, daß Tarkovskij gleichzeitig die Größe des durch die UdSSR errungenen Sieges und die unauslöschliche Schande der Ermordung eines Kindes zeigt. Tarkovskij war sechsundzwanzig Jahre alt. Obwohl sein Film heftig angefeindet worden ist, wurde er nach Venedig geschickt und dort mit dem Goldenen Löwen ausgezeichnet. Angegriffen wurde auch· der durch Majakowskis *Das Schwitzbad* inspirierte Film, in dem Jutkevitsch Trickzeichnungen, Marionetten und Dokumentarbilder miteinander vermischt hat. Trotzdem ist es ein Werk, das in seiner kühnen Originalität nur in der UdSSR entstehen konnte. In einem kleinen Kino haben wir den Streifen *Und wenn es Liebe wäre* gesehen, der sich gegen den kleinbürgerlichen Geist in den Gartenstädten richtet. Zwei «kleine Kinder des Jahrhunderts», ein Schüler und eine Schülerin, lieben einander in aller Unschuld. Die Vorhaltungen der Eltern und der Nachbarn, der Klatsch, die Verleumdungen verwirren die beiden derartig, daß sie schließlich miteinander schlafen. Es ist offensichtlich, daß sie daran kläglich scheitern, weil das Mädchen einen Selbstmordversuch unternimmt und dann auf und davon geht. Ein mittelmäßiger Film, der aber einen neuen Ton anschlägt: harte Kritik, kein positiver Held, kein *happy end*.

«In der Skulptur und in der Malerei sind wir Provinzler», sagte ein Freund zu uns. Als einzige Ausnahme ließ er Nejswestnij gelten, dessen Atelier wir zusammen mit ihm besuchten – einen hohen Raum, der dermaßen mit Skulpturen vollgestopft war, daß man sich nicht umdrehen konnte. Eine kleine, sehr steile Treppe führte zu einem winzigen Zimmerchen. Nejswestnij will den ‹robotisierten Menschen› von heute schildern, was ihn dazu gebracht hat, recht gewagte Formen zu erfinden. Er hat einige staatliche Aufträge erhalten. Die jungen Maler arbeiten unter sehr ungünstigen Bedingungen. Sie kennen die Kunst des Westens kaum und müssen beim Nullpunkt oder fast beim Nullpunkt anfangen. Außerdem betrachtet man ihre Versuche mit Argwohn. Chruschtschow hat weder für die Abstrakten noch für die moderne Kunst im allgemeinen etwas übrig. (Die Manege-Affäre im Dezember hat es deutlich gezeigt. Nejswestnij wurde gezwungen, Selbstkritik zu üben. Im Moskauer Fernsehen habe ich eine Sendung gesehen, die sich über seine Werke lustig machte.) Die Nonkonformisten arbeiten halb im Verborgenen und stellen nur für einen Freundeskreis aus. Sie verkaufen einiges, aber ihr Leben ist schwierig. Bei zwei solchen Malern sind wir gewesen. Sie bewohnten in Gemeinschaftswohnungen jeweils einen einzigen Raum, der als Atelier und zugleich auch als Schlafzimmer diente. Aber in Moskau und Leningrad sind seit einigen Jahren sehr schöne Sammlungen ausgestellt: Impressionisten, van Gogh, Gauguin und Matisse. Picasso hat den Leninpreis erhalten. Ein Buch mit Reproduktionen seiner Werke ist ebenfalls erschienen. In der Eremitage ist ihm ein Saal gewidmet. (Im Januar 1963 waren es zwei Säle.) Die *Frau mit dem Fächer*, wo die menschliche Gestalt wie ein Gegenstand behandelt ist, scheint die Museumsbesucher zu schockieren, sehr viel stärker als die kubistischen Bilder, die an Stilleben erinnern. Man hat mir den Kommentar eines Führers wiederholt, der eine Gruppe durch das Museum führte. Er sprach mit Hochachtung vom Picasso der blauen Periode, dann deutete er auf den Rest der Sammlung: «Hier sehen Sie einen Maler, der statt Fortschritte nur Rückschritte macht.» Vor den Gauguins hatte er erklärt: «Leider sind alle Farben falsch.» Die Leiterin der französischen Abteilung der Eremitage aber hat uns eine Reihe moderner Werke gezeigt, die das Museum erworben hatte und über die sie sich sehr fachkundig äußerte.

Weil die Russen es nicht gern sehen, daß man die menschlichen Züge ‹entstellt›, werden sie ihren Primitiven nicht gerecht, obwohl sie auf allen anderen Gebieten so eifrig beflissen sind, ihre Vergangenheit herauszustellen. Rublow reicht an Giotto und an Dussio heran. Vor seinen Ikonen hat Matisse – der sich von ihnen inspirieren ließ – Tränen geweint. Man hat nur etwa hundert Werke ausgestellt, obwohl riesige Magazine gefüllt sind. Man hat lange kämpfen müssen, um ein Rublow-Museum zu gründen, in dem Originalwerke und Reproduktionen des Meisters und seiner Schüler gesammelt sind. Als Tarkovskij einen Film über ihn drehen wollte, stieß er auf lebhaften Widerspruch. Es ist offensichtlich unmöglich, sich gleichzeitig zu Rublow und zu Repin zu bekennen. Die offiziellen Kreise haben sich für Repin entschieden.

Das große Publikum begeistert sich ebenfalls für die Malerei. An dem Vormittag, als wir die Eremitage besuchten – es war ein Feiertag –, balgten sich die Menschen vor dem Eingang. Einem jungen Mädchen wurden sämtliche Knöpfe ihres Mantels abgerissen. Lena Sonina hatte einen Verwaltungsbeamten gebeten, uns durch einen Privateingang einzulassen. An den Schaltern der Ausstellungen gab es ein so heftiges Gedränge, daß man die Polizei holen mußte, um Ordnung zu schaffen. Wenn eine Buchhandlung den Verkauf eines Buches über den Impressionismus oder über Miró ankündigt, stehen die Käufer von 5 Uhr früh an Schlange: In einer Stunde sind sämtliche Exemplare verkauft. Wird dieser Druck aber stark genug sein, um neue Konzessionen zu erzwingen? (Seit dem Dezember 1962 neigt man dazu, eine pessimistische Antwort zu geben, da die Verhärtung im inoffiziellen Lager darauf hinzudeuten scheint, daß auf der anderen Seite trotz allen Leugnens der Widerstand sehr groß ist.)

Für die Architekten ist die Lage wesentlich günstiger. Chruschtschow interessiert sich für die Architektur und liebt die Einfachheit. Er hat das Denkmal des Unbekannten Soldaten in Kiew gebilligt, das die meisten Würdenträger wegen seiner Kahlheit vor den Kopf stieß. Das Haus der Pioniere ist in einem Stil gehalten, der an Niemeyer erinnert. Die Insassen eines Altersheims an der anderen Seite des Tales schrieben Protestbriefe: Dieser greuliche Kasten verderbe ihnen die Aussicht. Aber Chruschtschow gefiel das Haus; man beschränkte sich darauf, die Briefe an die Architekten weiterzuleiten, die zerknirscht zu uns sagten: «Auch wir haben vierstöckige Säulengänge auf dem Gewissen.» Mit der häßlichen Protzerei, die Stalin so liebte, hat man Schluß gemacht. Die neuen Bezirke machen einen tristen Eindruck, sind aber mit einem Gefühl für Sparsamkeit gebaut. Das schönste der neuen Gebäude ist das Kongreßhaus. «Man hätte es nicht innerhalb des Kreml placieren sollen», sagten manche unserer Freunde. Andere entgegneten: Warum sollte innerhalb dieser Stadtmauer, wo das Mittelalter sich auf glücklichste Weise mit dem 18. und dem 19. Jahrhundert verbindet, nicht auch das zwanzigste seinen Platz finden? Man hat in der Sowjetunion viel darüber diskutiert, von Mund zu Mund und in der Presse. Ich persönlich finde den Widerschein der alten vergoldeten Zwiebeln in den funkelnden Fensterscheiben des Hauses sehr schön. Ein weiteres modernes Bauwerk von nüchterner und einfallsreicher Eleganz ist das Haus der Jugend. Als wir zusammen mit Simonows Frau (seiner zweiten Frau; er hat sich scheiden lassen und wiedergeheiratet) in der Halle Tee tranken – sie arbeitet in einem Institut für angewandte Kunst und ist Kunstkritikerin –, wies sie uns darauf hin, daß die Möbel und das Geschirr nicht in diesen Rahmen paßten. Nichts ist schwieriger, als in den Moskauer Läden einen hübschen Teller, eine hübsche Tasse, einen hübschen Stuhl zu finden. Es wird nicht leicht sein, mit der Vorliebe der Moskauer für Troddeln, Rüschen, Schnitzereien, Simse, Intarsien, für alles Überladene fertig zu werden. Aber sie sagte, daß man sich große Mühe gebe, daß man bestrebt sei, schöne Sachen herzustellen und den guten Geschmack zu fördern.

Als Sartre 1954 eine Schulklasse besuchte, hatte er von Dostojevskij gesprochen. «Warum interessieren Sie sich für ihn?» hatte ihn daraufhin eine zwölfjährige Schülerin etwas streitlustig gefragt. Jetzt wurde er gelesen und verehrt. Wir waren verblüfft über die Art, wie man uns gegenüber von Pasternak sprach. Als Jewtuschenko in England erklärte: «In meinen Augen ist er ein großer Dichter», hatten viele Leute ihm diese Herabsetzung zum Vorwurf gemacht und erklärt, daß man Pasternak in der UdSSR als einen der größten russischen Dichter betrachte. «Sein Tod verpflichtet uns, zu schreiben», sagte Wosnessenski. «Vorher war es überflüssig, denn er war *die* Dichtung.» Als wir Fedin in einem vom Schriftstellerverband zur Verfügung gestellten Auto besuchten, hielt der Chauffeur vor einem mit Bäumen umgebenen Haus und sagte andächtig: «Pasternaks *datscha*!» Sogar die offiziellen Kreise griffen ihn nicht mehr an. Seine frühere Freundin war nur deshalb in ein Lager geschickt worden, weil sie sich eines Devisenvergehens schuldig gemacht hatte. (Es werden nur noch ‹Kriminelle› interniert.)

Die Lager: Diese Frage wurde freimütig erörtert. Eine junge Frau erzählte mir: «Ein Jahr lang saß mein Vater jeden Abend in seinem Sessel und wartete mit starrem Blick, daß man käme, um ihn zu verhaften. Alle seine Kameraden sind erschossen worden. Er hat nie begriffen, was ihm das Leben gerettet hat.» – «Mein Vater war sechs Jahre lang in einem Lager», sagte eine Lehrerin. «Trotzdem habe ich in der Nacht, als Stalin starb, geweint.» – «Ich wurde im Jahre 1942 ins Lager gesteckt, weil ich Humanist war», erzählte uns ein Professor, «weil ich dagegen war, Kriegsgefangene zu erschießen. Ich habe fünf Jahre dort verbracht.» Man hat uns erzählt, daß viele Häftlinge die Lager im Prinzip gebilligt hätten, weil sie fanden, daß ihre Mitmenschen zu Recht eingesperrt worden seien: Sie selber aber seien Opfer eines Irrtums geworden, der das System nicht in Frage stelle. Bis 1936 schienen die Lager wirklich Umschulungszentren gewesen zu sein: mäßige Arbeit, eine liberale Verwaltung, Theater, Bibliotheken, Vorträge, familiäre, fast freundschaftliche Beziehungen zwischen den Beamten und den Häftlingen. Von 1936 an betrug die Höchststrafe nach wie vor zehn Jahre, aber der Gefangene hatte entweder das Recht, mit seinen Angehörigen zu korrespondieren, oder er hatte es nicht: Das letztere bedeutete, daß er erschossen worden war. Die Häftlinge wurden auch noch nach 1944 so grausam behandelt, daß viele starben; aber es fanden keine Erschießungen mehr statt. Niemand hat uns Einzelheiten über das Leben in den Konzentrationslagern berichtet, sei es aus Widerwillen, sei es aus Mangel an Informationen, sei es, daß Weisung ergangen war, diesem Thema auszuweichen. Man hat uns nur Anekdoten erzählt. Ein ins Lager verschickter Puschkin-Spezialist erzählte, daß er die letzten Strophen des *Eugen Onegin* entdeckt habe. Seine Papiere seien abhanden gekommen, aber sein ausgezeichnetes Gedächtnis würde ihm erlauben, den Text zu rekonstruieren, wenn man ihm die nötige Muße gewährte. Er macht sich an die Arbeit, und man ermuntert ihn, weil Puschkin die Shdanovsche Ästhetik vorausgeahnt zu haben scheint: Nationalismus, Heroismus, Optimismus, es schien nichts zu fehlen. Er wurde auch nach beendeter Arbeit besser behandelt als die anderen, so sehr freuten sich die Stalinisten darüber, daß sie einen Puschkin ganz nach ihrem Herzen entdeckt hatten. Andere Kenner durchschauten den Betrug, aber sie mußten schweigen, bis zu dem Tag, da die Häftlinge auf freien Fuß gesetzt wurden und der Kritiker gestand, daß er das alles erfunden habe. Die Rückkehr der Deportierten hatte viele Tragödien ausgelöst, praktischer, moralischer, gefühlsmäßiger Art. Viktor Nekrassow hat in einem Roman die Schwierigkeiten geschildert, denen sich einer dieser vom Tode Auferstandenen gegenübersah. Frühere Lagerinsassen hatten ihre Erinnerungen aufgezeichnet oder waren im Begriffe, es zu tun – in der Hoffnung, sie eines Tages gedruckt zu sehen.

Wir wurden durchaus nicht so empfangen, wie man Sartre im Jahre 1954 empfangen hatte. Keine Bankette, keine pompösen Trinksprüche, keine Propaganda: Die Leute gaben kleine Gesellschaften, zu denen sie uns einluden. Ob wir derselben Meinung waren oder nicht: Wir diskutierten über das, was uns interessierte. Zusammen mit einem etwa fünfzigjährigen Schriftsteller aßen wir in Simonows *datscha* zu Abend. Er hieß Dorotsch, war in Moskau ansässig, hatte aber lange Zeit auf dem Lande gelebt. In Rostow hatte er sich ein Zimmerchen in einer *isbah* gemietet. Er liebt die Bauern, interessiert sich für ihr Leben und beschreibt es in seinen Büchern, ohne die Schwierigkeiten, die Härten zu vertuschen und ohne die Fehler zu beschönigen, die von den führenden Kräften der Landwirtschaft begangen werden. In einem vom Schriftstellerverband zur Verfügung gestellten Auto nahm er uns für zwei Tage nach Rostow mit. Seine Frau begleitete uns. Sie ist Professorin der Physik und eine ausgezeichnete Köchin. Im Kofferraum des Wagens hatte sie die nötigen Lebensmittel für zwei Tage verstaut. In Rostow, zweihundert Kilometer von Moskau entfernt, steht die Wiege Rußlands: Heute ist es ein großes Dorf mit 25 000 Einwohnern, am Ufer eines Sees, beherrscht von einem Kreml, der älter und bäuerlicher als der Moskauer und sehr schön ist. Der Architekt, der ihn restaurierte, wohnte in einem der Rundtürme der Festungsmauer. Wir beabsichtigten, unsere Mahlzeiten bei ihm einzunehmen. Er wollte uns die Monumente zeigen, und Dorotsch würde uns mit Bauern zusammenbringen, die er kannte. Unterwegs warnte er uns allerdings. «Die Herren aus Jaroslaw haben ihre besonderen Vorstellungen von dem, was französische Schriftsteller interessiert.» (Jaroslaw ist die Großstadt, von der Rostow, das etwa dreißig Kilometer weiter an der Wolga gelegen ist, abhängt.) Wir fuhren durch ein Kremltor und stiegen aus. Drei Herren mit Strohhüten kamen auf uns zu und begrüßten uns steif. Es waren zwei leitende Funktionäre des Kreissowjets und der Propagandachef. Sie stiegen mit uns in den Turm hinauf und aßen mit uns zusammen. Durch die schmalen Fenster waren die glatten Gewässer und die weite Ebene zu sehen. Das runde Zimmer war reizend, ebenso der Architekt, aber die Anwesenheit der drei Amtsträger ärgerte uns. Sie liefen hinter uns her, während wir die Kirchen mit den himmelblauen, vergoldeten, schiefergrauen, glatten oder schuppigen Zwiebeln besichtigten. Die Fresken in den Kapellen sind heiterer als die unseren, die Hölle wird nur selten dargestellt. Nachher sollten wir eine Kolchose zu sehen bekommen. Der Aufbruch wurde wegen der Funktionäre bis gegen Abend hinausgeschoben. Als wir hinkamen, waren sämtliche Bauern bereits nach Hause gegangen, bis auf eine Frau, die sich im Stall verspätet hatte und sich als die beste Melkerin der Gegend erwies. Ob wir uns ihre *isbah* ansehen dürften? Nein, sie habe gerade an diesem Nachmittag ihre Wäsche gewaschen. Man führte uns rund um einen Bohnenacker: Chruschtschow hatte gerade empfohlen, Bohnen anzubauen, und der Leiter der Kolchose hatte schon zwei Jahre früher die Initiative dazu ergriffen! Dorotsch stand abseits und spielte mit Erdklumpen Fußball. Unsere Begleiter führten uns zu einem Brigadechef. Das Innere des Hauses erinnerte eher an die Behausung eines armen Kleinbürgers als an einen französischen Bauernhof. Obwohl der Eigentümer eingeschriebenes Parteimitglied war, brannte eine Kerze vor einer Ikone. Als ich beim Weggehen fragte: «Gibt es viele gläubige Bauern?», antwortete der Propagandist: «Es steht jedem frei.» Er wich allen unseren Fragen aus. Um uns die ‹bäuerliche Mentalität› zu erklären, zitierte er einen bekannten Ausspruch Lenins und garnierte ihn mit einer Reihe von Gemeinplätzen. Während des Abendessens ging Sartre zum Angriff über. Am nächsten Tage wollten wir mit Dorotsch allein die Bauern besuchen: Unter Schriftstellern genüge eine bloße Andeutung, und Dorotsch würde die Bauern dazu bewegen können, uns etwas zu erzählen, was uns interessierte. Die Funktionäre sagten keinen Ton. Sie brachten uns, Lena Sonina, Sartre und mich, nach Jaroslaw, wo sie Zimmer für uns gemietet hatten. Am nächsten Morgen wollten sie uns eine Schuhfabrik zeigen. Wir lehnten ab. Der Propagandachef zeigte uns die Ufer der Wolga, das Haus, in dem Natascha den Fürsten Andrej sterbend angetroffen hatte, alte Kirchen: Es war ein hübscher Spaziergang, aber dadurch kamen wir zwei Stunden später nach Rostow, als wir mit Dorotsch vereinbart hatten. Außerdem war er fest entschlossen, den ganzen Tag an unserer Seite zu bleiben. Wir verzichteten darauf und machten uns nach dem Mittagessen auf den Rückweg nach Moskau. Auf der Fahrt, und als wir uns in Moskau wiedersahen, schilderte uns Dorotsch ausführlich die menschlichen Probleme, die sich auf dem Lande ergeben: die Lage der Frau, die Wünsche der Jugend, die Beziehungen zwischen Arbeitern und Bauern, die Anziehungskraft der Städte, was man tun müsse, was man getan hatte, um die neue Generation, die sich nicht einmal durch die Mechanisierung an die Scholle fesseln läßt, im Dorf festzuhalten; den Konflikt zwischen denen, welche die ländlichen Verhältnisse radikal umwandeln, und den anderen, welche gewisse Traditionen beibehalten wollen.

Der Zug brachte uns in einer Nacht nach Leningrad, das zu den schönsten Städten der Welt zählt. Es war ein genialer Einfall Katharinas II. gewesen, Rastrelli zu beauftragen, das italienische Barock an die Ufer der Newa zu holen, zu denen im nordischen Licht die roten, blauen, grünen Farben so gut passen. Genau wie Rom hat auch Leningrad eine magische Ausstrahlung – besonders der riesige Platz mit den funkelnden Fenstern des Winterpalastes. Mein Gedächtnis überdeckte seine geheimnisvolle Majestät mit schwarz-weißen Bildern aus *Zehn Tage, die die Welt erschütterten* und den Aufständen, die diesen Tagen vorausgegangen waren. Eine geschäftige Menge lief auf dem Nevskij-Prospekt hin und her: Ich erinnerte mich an ein Foto, auf dem die Straße mit Toten und Verwundeten übersät war. Mitten auf der Brücke über die Newa sah ich eine Kutsche. Da geht die Brücke in die Höhe, und Pferd und Wagen versinken im Schweigen der alten Stummfilme. Das Smolnij-Kloster. Die Admiralität. Die Peter-Pauls-Festung. Wie bedeutsam waren mir diese Namen erschienen, als ich sie mit ungefähr zwanzig Jahren zum erstenmal las! Heute ging ich in der Stadt Lenins spazieren (und jenes anderen, dessen Name nicht erwähnt wird).

Dann kam mit klarer Helle die Nacht. «Die weißen Nächte von Petersburg»: In Norwegen, in Finnland hatte ich geglaubt, sie vorauszuahnen, aber zu dem Zauber der Mitternachtssonne gehört diese Kulisse, in der die Vergangenheit zu Stein geworden ist und die Gespenster umgehen.

Wir aßen bei dem Schriftsteller German mit seiner Familie und Chejfiz, dem Regisseur von *Die Dame mit dem Hündchen.* Wir wußten, daß er der Deportation nur dadurch entgangen war, daß er sich versteckte. Außerdem hatte sich auch Ehrenburg für ihn verwandt. «Ich habe den Namen Stalin nicht ein einziges Mal zu Papier gebracht», sagte er zu uns, während er unsere Teller mit sibirischen Ravioli füllte. Wir unterhielten uns über den Film und das Theater, und er erzählte von seinen Erinnerungen an Meyerhold. Die Frau und der zwanzigjährige Sohn von Chejfiz kamen zum Kaffee. Sie hatten gerade *Rocco und seine Brüder* gesehen und waren erschüttert und hingerissen. Der junge Chejfiz und Germans Kinder verglichen die Verdienste Wosnessenskis und Jewtuschenkos: ihm war der erste, ihnen der zweite lieber. Sartre diskutierte lange mit Frau Chejfiz über die Beziehungen zwischen Kindern und Eltern: Er bezog sich auf gewisse Gedankengänge Freuds, die sie eifrig widerlegte. Um Mitternacht gingen wir gemeinsam aufs Marsfeld hinunter: Im grünen Duft der frühen Morgenstunden saßen verliebte Paare engumschlungen auf den Bänken, junge Burschen spielten Gitarre, und Gruppen junger Leute wanderten lachend vorbei.

Wir trafen sie zwei Tage später gegen elf Uhr in einem Restaurant wieder, als wir aus dem Theater kamen. Sie nahmen uns im Auto mit, um uns unter dem bleichen Himmel das Viertel Dostojevskijs zu zeigen: sein Haus, Rogoschins Wohnung, der Hof der von Raskolnikov ermordeten Wucherin, der Kanal, in den er die Axt geworfen hat. Im Vorbeifahren sahen wir das Fenster des Zimmers, in dem Jessenin sich das Leben genommen hat. Sie zeigten uns den ältesten Wohnsitz Peters des Großen, die ersten Kanäle. In der Vorstadt, dort, wo Puschkin sich duelliert hat und tödlich verwundet worden ist, tranken wir Wodka zu seinem Gedenken.

Leningrad hat, genau wie vor dem Kriege, vier Millionen Einwohner. Aber fast alle sind neu dort hingezogen. Während der Belagerung forderte die Hungersnot dreieinhalb Millionen Opfer, da bereits in den ersten Tagen die Lebensmittellager in Flammen aufgegangen waren. Ein alter Professor schilderte Sartre die vereisten Straßen, die mit Leichen übersät waren, die von den Passanten nicht einmal mehr beachtet wurden. Man war nur darauf bedacht, mit dem Topf Suppe nach Hause zu kommen, ohne vor Schwäche umzufallen: Man hätte nicht mehr die Kraft gehabt, wieder aufzustehen. Und wenn einem jemand aufgeholfen hätte, wäre es nutzlos gewesen, denn er wäre gleichfalls hingefallen.

Die Russen lobten nach wie vor die Schönheit Kiews. Die Sophienkathedrale, die uns der ukrainische Dichter Badschan zeigte, verdient ihren Ruf. Das Innere der Stadt – die Hälfte – war aber von den

Deutschen zu Staub zermahlen worden. Stalin hat eine der berühmtesten Kirchen abreißen und Kiew in dem Stil wiederaufbauen lassen, den er so liebte: Arkaden und Kolonnaden. Die große Avenue ist ein einziger Albtraum. Auch in der Ukraine sind alle Menschen von den Erinnerungen an den Krieg besessen. Als Badschan nach Kiew zurückkehrte, lag die Stadt in Asche, und die spärlichen Fußgänger kamen ihm wie Gespenster vor. Er erkannte das Gesicht eines Freundes wieder: Lange standen sie einander gegenüber, sahen sich wortlos an und trauten ihren Augen nicht. Die Nazis, die die slavische Kultur ausrotten wollten, steckten absichtlich den berühmten Wallfahrtsort, das Avra-Kloster, in Brand. Auf einer Anhöhe oberhalb des Dnjepr sind eine bemalte Wand, eine von den Flammen geschwärzte Goldzwiebel, einige ausgeglühte Trümmer übriggeblieben. Ich hatte noch die Bilder aus *Iwans Kindheit* vor Augen, und noch durch die Erdbeerfelder hindurch, auf denen die Kolchosbäuerinnen ihre Tragkörbe füllten, sah ich die verwüstete Erde.

Wir aßen mit Kornejtschuk und seiner Frau, Wanda Wassilewska, in ihrer *datscha* bei Kiew zu Mittag. Ein Garten mit blühenden Tulpen senkte sich bis zum Ufer eines Sees. Ich hätte es gern gesehen, wenn Sartre an dem Friedenskongreß in Moskau teilnehmen und über Kultur sprechen würde. Auch Ehrenburg – durch Vermittlung seiner Frau –, Surkow und Fedin wünschten Sartres Anwesenheit. Sie hofften, daß er ihnen behilflich sein würde, ein Kolloquium zwischen Intellektuellen aus aller Welt zu organisieren ... Füllfederhyäne, Menschenfeind, Sänger der Gosse, Totengräber, gekauftes Subjekt ... Wenn Sartre von diesen Gesprächen zurückkehrte, erinnerte er sich an frühere Zeiten und lächelte.

In Moskau wohnten wir im Hotel ‹Peking›, einem jener Baumkuchen, die man hier und dort in der Stadt errichtet hat und von denen man annimmt, daß sie zu den Türmen des Kreml paßten. Aber wir hielten uns dort möglichst wenig auf. Wir stellten uns lieber zusammen mit den Moskauern vor den Restaurants und Cafés an. Manchmal aßen wir abends im Schriftsteller- oder im Theaterclub. Bis auf die Restaurants einiger großer Hotels, wo man bis halb eins essen, trinken und tanzen kann, schließen die öffentlichen Lokale um elf Uhr. Trotzdem sind die Straßen noch nicht ausgestorben: Die Leute besuchen einander. Noch sind sie schlecht untergebracht, 80 Prozent wohnen in Gemeinschaftswohnungen, aber es wird fleißig gebaut, und von innen sind die neuen Wohnungen ganz annehmbar. George Breitbourd hatte in einem der für Intellektuelle reservierten Häuserblocks ein recht großes, sehr helles Arbeitszimmer mit Bad und Küche, um das ihn viele französische Junggesellen des gleichen beruflichen Niveaus beneiden würden. Im alten Moskau muß man mehr oder weniger schmutzige Höfe durchqueren, halb verfallene Treppen erklimmen oder Fahrstühle benützen, die Lastenaufzügen ähneln. Aber die Wohnungen der Schriftsteller und

Regisseure, die uns einluden – unverkennbar Angehörige einer privilegierten Schicht –, waren recht geräumig und oft sogar elegant. Die Verkehrsmittel sind bequem. Wenige Taxis, viele Busse, ein weitverzweigtes U-Bahnnetz mit Rolltreppen an den meisten Stationen. Aber die Tage der Moskauer sind wegen der Warenknappheit sehr ermüdend. Man muß von einem Laden in den anderen laufen und überall Schlange stehen. Und auch dann bekommt man noch nicht alles, was man haben möchte.

Das liegt daran, daß die UdSSR – die Führung leugnet es nicht – mit ernsten wirtschaftlichen Schwierigkeiten zu kämpfen hat. Die Verhältnisse in der Landwirtschaft waren noch nie gut gewesen. In der letzten Zeit hat man zahlreiche Fälle von Korruption und Veruntreuungen aufgedeckt – sozialistische Äquivalente unserer Betrügereien, Gaunereien und Finanzskandale. Die Schuldigen werden streng bestraft. Bei besonders ernsten Vergehen wird die Todesstrafe verhängt. Zweifellos trugen auch die Erfolge im Weltraum zu dieser Armut mit bei. Wird sie geringer, wird sie schlimmer werden? Darüber erfährt man mehr aus Studien und Statistiken als bei einer dreiwöchigen Reise. Aber sie war für uns von Nutzen. Seit dem Beginn des Kalten Krieges hatten wir uns für die UdSSR entschieden. Seit sie eine Politik des Friedens führt und die Entstalinisierung fortschreitet, beschränken wir uns nicht nur darauf, sie vorzuziehen: ihre Sache, ihre Chancen sind die unseren. Unser Aufenthalt hat diese Bindung in eine lebhafte Freundschaft verwandelt. Eine Wahrheit wird erst durch ihre Entstehung wertvoll. Es wäre falsch, die Leistungen der russischen Intellektuellen geringzuschätzen: in ihnen verbirgt sich alles, was sie überwunden haben. Die Widersprüche in ihrer Erfahrung – unter anderem das verworfene Erbe der stalinistischen Vergangenheit – zwingen sie, selbständig zu denken, und schenken ihnen damit eine Tiefe, die in dieser Zeit oberflächlicher Anpassung ungewöhnlich ist. Besonders bei der Jugend spürt man den leidenschaftlichen Wunsch, alles kennenzulernen und alles zu verstehen. Kinos, Theater, Ballettabende, Rezitationen, Konzerte sind viele Tage im voraus ausverkauft. Die Museen und Ausstellungen müssen Scharen von Besuchern abweisen. Die Bücher gehen beim Erscheinen weg wie heiße Semmeln. Überall wird diskutiert und gestritten. In der technokratischen Welt, die der Westen uns aufzwingen will, zählt nur das Werkzeug und die Organisation, Mittel, um weitere Mittel zu erzielen, ohne daß ein Ende abzusehen ist. In der UdSSR ist der Mensch dabei, sich selber zu gestalten, und wenn das auch nicht schmerzlos vonstatten geht, wenn es harte Schläge, Rückfälle, Irrtümer gibt, so ist doch alles, was ihn umgibt, alles, was ihm widerfährt, voller Bedeutung.

Auf der Rückreise machten wir in Polen halt. In Warschau besuchten wir das Getto: Ruinen, ein Beinhaus, eine Aschenwüste. Ich sah eine große neue Stadt vor mir mit breiten Avenuen, Parks, Baugerüsten und hier und dort, ganz unmotiviert, ein halbeingestürztes Haus. Vom Getto sind nur ein Mauerstück und ein Beobachtungsturm übriggeblieben, umgeben von Brachland, das durch grüne Rasenflächen und elegante Wohnhäuser unkenntlich gemacht wurde. Die Altstadt ist sehr schön rekonstruiert: der Marktplatz, die Kathedrale, die kleinen Gassen mit niedrigen bunten Häusern. Den übrigen Teilen der Stadt – einmal häßlich, einmal hübsch, je nach der Epoche, in der sie wiederaufgebaut worden sind – fehlen der Zusammenhang, der Charakter, die Seele: ein herrlicher Sieg über den Tod – aber man könnte meinen, das Leben zögere noch, sich dort einzunisten. Praga am anderen Ufer der Weichsel – wo die russischen Armeen haltgemacht haben und das von der Zerstörung verschont blieb –, voller Industrie, voller Menschen, verwahrlost, schmutzig, wirkte tröstlich auf mich, weil hier der Lauf der Zeit nicht unterbrochen wurde.

Der Kommunist Lissowski, der französisch genausogut spricht wie polnisch, fuhr uns in seinem kleinen Auto spazieren. Wir wunderten uns über die Breite der Fahrbahn. Aber die Straßen sind belebt und im Zentrum sogar heiter; die Frauen sind zierlich und gut geschminkt, die Schaufenster gepflegt, die Gebrauchsgegenstände, die Möbel, die Einrichtung der Restaurants und Cafés sind geschmackvoll. Die öffentlichen Lokale schließen abends um zehn Uhr: die Säufer haben ihren Rausch auf einen früheren Zeitpunkt verlegen müssen, und so trifft man ab neun Uhr abends viele von ihnen auf der Straße. Die Einkommensunterschiede sind geringer als in der UdSSR, aber der Lebensstandard ist sehr niedrig, Lebensmittel sind sehr billig; dafür ist Kleidung unerschwinglich: Ein Paar Schuhe kostet den vierten Teil eines durchschnittlichen Monatslohnes. Wohnungen sind unentgeltlich, aber schwer zu bekommen. Der Zuzug nach Warschau ist gesperrt, niemand hat das Recht, dort hinzuziehen, weil ein großer Teil der Einwohner noch in erbärmlichen Löchern haust. Die Architekten zögern: sie haben für jede Wohnung ein Badezimmer vorgesehen, das die meisten Mieter nicht benutzen, weil sie nicht daran gewöhnt sind. Wäre es da nicht besser, die Badezimmer wegzulassen und die Zahl der Wohnräume zu vergrößern? Damit aber belastet man die Zukunft. Man wird die Warschauer nur für die Hygiene gewinnen, wenn sie zum Allgemeingut wird. Soll man erst einmal an die unmittelbaren Bedürfnisse denken oder für die heranwachsende Generation sorgen? Die zweite Ansicht hat sich schließlich durchgesetzt.

Wir haben das altertümliche, provinzielle, anziehende Krakau gesehen: die Universität, die Studierstube des Doktor Faustus, seine Retorten und die Fußspur des Mephistopheles – die Kathedrale mitten auf dem Marktplatz, den hohen, schönen Turm, wo jede Stunde ein Trompetensignal in allen vier Himmelsrichtungen ertönt – das Königsschloß, das Arbeitszimmer und den Filmvorführungsraum, den Frank, der Henker Polens, dort hat installieren lassen. Wir haben Nova Huta, das riesige Kombinat, besucht, die Arbeitersiedlung, ein schönes Zisterzienserkloster, eine rührende Holzkirche mitten auf einer Wiese. Dann sind wir mit dem Wagen nach Warschau zurückgefahren. Dreihundert Kilometer lang schlängelt sich die Straße zwischen Wiesen, zartgrünen Getreidefeldern, gelb oder grau gestrichenen, strohgedeckten Bauernhäusern dahin. Alles ist Privateigentum: der ‹polnische Oktober› hat das Scheitern der Kollektivierung besiegelt. Oft überholten wir Bauern in ihrer herkömmlichen Tracht: bunte Umhänge und Röcke, unter dem Kinn verknotete Kopftücher. Von Kindern begleitet, die Kerzen in den Händen haltend, kehrten sie aus einem Gottesdienst zurück. Die Religion lastet mit ihrem vollen Gewicht auf dem flachen Land. Man hat uns einen erstaunlichen Dokumentarfilm gezeigt, dessen Herstellung der Klerus nur unter der Bedingung gestattet hatte, daß kein Kommentar hinzugefügt wird. Das Thema war eine Kreuztragung, die jedes Jahr in einem bestimmten Dorf stattfindet und die große Zuschauermassen aus allen Teilen des Landes anlockt. Christus, das Kreuz tragend, steigt bergan, geschunden, keuchend, schwitzend, stolpernd. Sein Sturz ist so überzeugend, so künstlerisch vollendet, daß er ganz echt wirkt. Männer folgen ihm, taumelnd unter der Last der Steine, die sie auf den Schultern schleppen, Frauen schauen zu, in Ekstase versunken, weinend, nahe daran, laut aufzuschreien, und die Geistlichen umrahmen diese masochistische Raserei mit schönen, disziplinierten Gesängen. Dieser Film, erschütternd durch die Frage, die er stellt, empörend durch die Antwort, die er erteilt, ist nicht öffentlich vorgeführt worden. Ein Freund sagte uns, daß es in den Städten 60 Prozent Gläubige gäbe. Andere hielten diese Ziffer für unzutreffend. Am Sonntagmorgen war die Warschauer Kathedrale bis auf den letzten Platz gefüllt: Aber die Einwohner der Altstadt sind bürgerlicher Herkunft. Die Arbeiter gehen nicht in die Kirche, zumindest nicht die Männer. Lebendig ist nach wie vor der Antisemitismus: In einen der Bronzemünder des – übrigens sehr häßlichen – Denkmals, das zum Gedächtnis der Gettojuden errichtet worden ist, hatte eine boshafte Hand einen Zigarettenstummel gesteckt.

Die Zeitung *Politica* brachte uns mit Journalisten, die vor kurzem an einer Untersuchung der Arbeiterräte teilgenommen hatten, und dem Vorsitzenden eines dieser Räte zusammen: Sie sind zum Untergang verurteilt. Sie nehmen den Arbeitern zuviel Zeit weg, die im allgemeinen, weil es ihnen an Fachkenntnissen mangelt, alle Entscheidungen den Ingenieuren und den Kadern überlassen. Zweifellos wird diese Institution verschwinden.

Die polnische Kultur der Nachkriegszeit kannte ich recht gut. Ich hatte die meisten in Frankreich gezeigten Filme gesehen, unter anderen auch den Streifen *Asche und Diamant*, der die von der ‹Neuen Welle› angestrebte Frische und Aufrichtigkeit besitzt und darüber hinaus auch noch einen Sinn hat. Seit 1956 haben wir in *Les Temps Modernes* zahlreiche polnische Beiträge veröffentlicht. Umgekehrt waren die meisten Stücke Sartres in Polen aufgeführt, seine und meine Bücher ins Polnische übersetzt worden. Fast sämtliche Schriftsteller sprachen französisch. Wir hatten mehrere in Paris kennengelernt und sehr schnell Kontakt mit ihnen bekommen. Brandys, dessen Novelle *Die Verteidigung Granadas*, *Die Mutter der Könige* und *Listy do Pani Z.* wir veröffentlicht hatten, haben wir leider nie kennengelernt. Warmherzig unter einem kühlen Äußeren, ebenso feinfühlig wie intelligent, teilte er unsere Ansicht über die Literatur. Wir haben uns lange mit Jan Kott unterhalten, der Sartres Theaterstücke übersetzt hatte und dessen bemerkenswertes Buch *Shakespeare heute* in der Bücherreihe der *Temps Modernes* erscheinen sollte. Der Kampf, der in der UdSSR für und gegen die kulturelle Freiheit tobt, ist den polnischen Intellektuellen erspart geblieben. Sie sind über alle Vorgänge im Westen auf dem laufenden, sie schreiben und malen ungefähr so, wie es ihnen paßt. Aber sie sind zerrissen: sie leben in einem Land, das auf dem Weg zum Sozialismus nicht so weit vorgeschritten ist wie die UdSSR und in dem noch reaktionäre Kräfte existieren: Religion, Antisemitismus, eine dem Privateigentum verschworene Bauernschaft. Sie lehnen Zwangsmaßnahmen ab, leiden aber unter der Rückständigkeit. Das Schicksal der nicht sehr zahlreichen Polen, die über keine große Industrie verfügen, hängt von Rußland ab. Obwohl sie ideologisch und politisch mit den Russen einverstanden sind, haben sie viele, ältere und neuere, Gründe, sie nicht ins Herz zu schließen. Die Schriftsteller spüren dieses Unbehagen besonders deutlich, und manche unter ihnen haben es auf bewundernswerte Weise ausgedrückt.

In Moskau hatten wir von dem Abkommen zwischen GPRA und OAS gehört: Auf Grund der Amnestie stellte die geheime Armee die Attentate ein. Das heißt, sie streckte die Waffen. Sogleich kam es bei den pieds noirs zu einem radikalen Umschwung. Alle, die in Algerien geblieben waren, stimmten am Tag des Volksentscheids für die Selbstbestimmung.

Am 5. Juli feierten die Algerier ihre Unabhängigkeit. Sie luden ihre französischen Freunde und offizielle Vertreter verschiedener Länder für den späten Nachmittag ins Hotel ‹Continental› ein. Als wir den Portier fragten, wo die Zusammenkunft stattfinde, erwiderte er in triumphierendem Ton: «Die algerische Zusammenkunft? Sie findet nicht statt.» In der angrenzenden Straße wanderten etwa hundert Personen – dieselben, die wir bei allen Kundgebungen getroffen hatten – auf und ab. Botschafter waren gekommen und gegangen. Es hieß, die OAS habe der Direktion des Hotels gedroht und die Präfektur den Schutz verweigert, den die Direktion für erforderlich hielt. Wie immer auch der Vorwand lauten mochte, wir fanden diese letzte französische Flegelei empörend. Als wir stehenblieben und uns aufgebracht miteinander unterhielten, hörten wir die mit Stahlhelmen ausgerüsteten Polizisten an der Straßenecke murmeln: «Worauf warten wir denn, warum schlagen wir nicht zu?» Zusammen mit Sartre und einer kleinen Schar begaben wir uns zum Club der nordafrikanischen Studenten am boulevard Saint-Michel. Dort waren unheimlich viele Menschen versammelt. Man erstickte in dem engen, verräucherten Saal. Auf einem Podium sangen schöne, weiß und grün gekleidete Algerierinnen zur Begleitung eines kleinen Orchesters. Diese Fröhlichkeit war nicht ohne Schatten: In den führenden Kreisen Algeriens war es zu ernsten Meinungsverschiedenheiten gekommen. Mit der Zeit würde man sie überwinden. Uns Franzosen aber berechtigte die Lage, in der wir Algerien zurückließen, keineswegs zu übertriebener Fröhlichkeit. Seit sieben Jahren hatten wir diesen Sieg herbeigewünscht. Er kam zu spät, um uns über den Preis zu trösten, den er gekostet hatte.

Ich habe Urlaub gemacht, bin zurückgekehrt und sitze wieder in meinem Arbeitszimmer. Vor den Fenstern ist der Herbst blau und kalt. Zum erstenmal seit Jahren bin ich in den Straßen von Paris algerischen Arbeitern begegnet, die lächelten. Die Atmosphäre ist nicht mehr so niederdrückend. Das Blatt hat sich gewendet, und nun kann ich versuchen, Bilanz zu ziehen.

# *Epilog*

In meinem Leben habe ich einen unbestreitbaren Erfolg zu verzeichnen: meine Beziehungen zu Sartre. In mehr als dreißig Jahren sind wir nur einen Abend uneins eingeschlafen. Das langjährige Beisammensein hat keineswegs das Interesse verringert, das wir an unseren Gesprächen haben. Eine Freundin (Maria-Rosen Oliver in einem Interview, das sie für eine argentinische Zeitung gemacht hat) hat darauf hingewiesen, daß jeder dem anderen mit großer Aufmerksamkeit zuhört. Unsere Gedanken sind aber so beharrlich kritisiert, korrigiert und begründet worden, daß sie heute unser gemeinsames Eigentum sind. Wir haben einen gemeinsamen Vorrat an Erinnerungen, Kenntnissen, Vorstellungen hinter uns. Um uns die Welt zu erschließen, benutzen wir die gleichen Schlüssel, die gleichen Werkzeuge, die gleichen Schemata. Oft beendet der eine den Satz, den der andere begonnen hat. Wenn man uns eine Frage stellt, geschieht es, daß wir beide die gleiche Antwort formulieren. Von einem Wort, einem Gefühl, einem Schatten ausgehend, folgen wir dem gleichen inneren Weg und gelangen gleichzeitig zu einer Schlußfolgerung – mag es eine Reminiszenz, mag es eine Annäherung sein –, die einem dritten völlig unerwartet vorkommen muß. Wir wundern uns nicht mehr darüber, wenn wir einander in unseren ureigensten Einfällen begegnen. Neulich las ich Betrachtungen, die Sartre um das Jahr 1951 niedergeschrieben hatte und die ich nicht kannte: Ich fand dort Stellen, die fast Wort für Wort in meinen Memoiren wiederkehren, welche etwa zehn Jahre später entstanden sind. Unsere Temperamente, unsere Orientierungen, unsere Vorentscheidungen bleiben verschieden, und unsere Werke ähneln einander kaum. Aber sie stammen aus demselben Erdreich.

Man hat mir vorgeworfen, daß diese Eintracht der Moral von *Le deuxième Sexe* widerspreche: Ich fordere von den Frauen die Selbständigkeit und habe selber nie das Alleinsein gekannt. Die beiden Worte sind nicht synonym. Aber bevor ich näher darauf eingehe, möchte ich einige Dummheiten aus dem Wege räumen.

Man hat behauptet, daß Sartre meine Bücher schreibe. Jemand, der mir wohlgesinnt war, riet mir am Vorabend der Goncourt-Preisverteilung: «Wenn Sie Interviews geben, dann betonen Sie, daß *Les Mandarins* wirklich von Ihnen ist. Sie wissen, was man sagt: daß Sartre Ihnen behilflich ist ...» Es wurde auch behauptet, daß er meine Karriere aufgebaut habe. Sein Eingreifen hat sich darauf beschränkt, Brice Parain zwei meiner Manuskripte zu überreichen, von denen übrigens das eine abgelehnt wurde. Gehen wir darüber hinweg. Man hat auch in meiner Gegenwart erklärt, daß Colette sich ihren Erfolg ‹erschlafen› habe: So sehr liegt unserer Gesellschaft daran, mich und meinesgleichen auf den Rang zweitklassiger Geschöpfe zu reduzieren, die nur die Reflexe, Spielzeuge oder Parasiten des erhabenen männlichen Geschlechts sind.

Daher seien mir denn auch alle meine Anschauungen durch Sartre eingeimpft worden. «Bei einem anderen hätte sie sich zur Mystikerin entwickelt», schrieb Jean Guitton, und vor kurzem hat ein Kritiker – wenn ich mich nicht irre, war es in Belgien – phantasiert: «Wenn sie Brasillach begegnet wäre ...!» – In einem Blättchen, das den Namen *Tribune des assurances* trägt, habe ich gelesen: «Wenn sie, statt Sartres Schülerin zu sein, unter den Einfluß eines Theologen geraten wäre, dann wäre aus ihr eine leidenschaftliche Theistin geworden.» Nach fünfzig Jahren stoße ich wieder auf den alten Ausspruch meines Vaters: «Die Frau ist das, was ihr Mann aus ihr macht.» Er täuschte sich gründlich, denn er hätte die junge Betschwester nicht bekehrt, die im Kloster erzogen worden war. Sogar die gewaltige Persönlichkeit eines Jaurès ist an der frommen Halsstarrigkeit seiner Frau gescheitert. Die Jugend ist kritisch und standhaft: Wie hätte ich als der Mensch, der ich mit zwanzig Jahren war, dem Einfluß eines frommen Christen oder eines Faschisten erliegen können? Bei uns nimmt man an, daß die Frau mit der Gebärmutter denke: Das ist wirklich eine Schweinerei! Ich bin Brasillach und seiner Clique begegnet und fand sie greulich. Ich konnte mich nur an einen Mann binden, der dasselbe verabscheute wie ich: die Rechte, die brave Gesinnung, die Religion. Es ist kein Zufall, daß ich Sartre gewählt habe – denn schließlich habe ich ja ihn erwählt. Ich folgte ihm mit Freuden, weil er Wege beschritt, die ich gern einschlagen wollte. Später haben wir immer gemeinsam unsere Vorhaben besprochen. Als ich 1940 Brumaths letzten, hastig hingeworfenen und ein wenig unverständlichen Brief erhielt, erinnere ich mich, daß ich beim ersten Durchlesen über einen Satz erschrak: «Wird sich Sartre nicht auf unsere Seite stellen?» In der Sekunde, da mir diese Befürchtung durch den Kopf schoß, fühlte ich zu meinem Kummer, daß ich mich, wenn es mir nicht glückte, ihn zu überzeugen, von diesem Augenblick an gegen ihn wenden würde.

Es muß erwähnt werden, daß die Initiative auf philosophischem und politischem Gebiet von ihm ausging. Gewisse junge Frauen scheinen darüber enttäuscht gewesen zu sein: Ich hätte die ‹relative› Rolle akzeptiert, der auszuweichen ich ihnen geraten hätte. Das trifft hier nicht zu. Sartre ist in ideologischen Fragen schöpferisch – ich nicht. Da er dadurch gezwungen wurde, politische Entscheidungen zu treffen, hat er die Gründe eingehender geprüft, als ich das je getan haben würde. Wenn ich mich geweigert hätte, diese Überlegenheit anzuerkennen, hätte ich meine Freiheit verraten; ich hätte mich in die trotzige und mißtrauische Haltung verrannt, die der Kampf der Geschlechter mit sich bringt und die das Gegenteil geistiger Ehrlichkeit ist. Ich habe meine Unabhängigkeit behalten, weil ich meine Verantwortung nie auf Sartre abgewälzt habe. Ich habe keine Idee, keinen Entschluß übernommen, ohne sie zu kritisieren und mir selber Rechenschaft zu geben. Meine Gemütsregungen entstanden durch den direkten Kontakt mit der Welt. Mein eigenes Werk hat Studien, Entschlüsse, Ausdauer, Kämpfe, Arbeit von mir gefordert. Sartre hat mir geholfen, wie ich ihm geholfen habe. Ich habe aber nicht nur durch ihn gelebt.

Eigentlich stammen diese Beschuldigungen aus dem Arsenal meiner Gegner. Meine allgemein bekannte Geschichte ist die meiner Bücher, meiner Erfolge, meiner Mißerfolge, und auch die der Angriffe, denen ich ausgesetzt war.

In Frankreich zu schreiben und eine Frau zu sein, heißt Ruten für den eigenen Rücken anfertigen. Besonders in dem Alter, in dem ich mich befand, als meine Werke gedruckt wurden. Einer ganz jungen Frau begegnet man mit anzüglicher Nachsicht. Ist sie alt, dann erweist man ihr seine Reverenz. Wagt man aber den Mund aufzumachen, wenn die erste Frische dahin ist, ohne daß man bereits die Patina des Alters erworben hat: dann fällt die Meute über einen her! Steht man rechts, beugt man sich brav der Überlegenheit der Männchen, hütet man sich, etwas zu sagen, dann wird man verschont. Ich stehe links, ich habe versucht, etwas zu sagen, unter anderem auch, daß die Frauen nicht von Geburt Krüppel seien.

«Sie haben gewonnen: Sie haben sich die Feinde geschaffen, die man haben muß», sagte Nelson Algren im Frühling 1960 zu mir. Ich freute mich tatsächlich über die Beschimpfungen, mit denen mich *Rivarol*, *Preuves*, *Carrefour* und Jacques Laurent überhäuften. Ärgerlich ist nur, daß sich die üble Nachrede wie ein Lauffeuer verbreitet. Verleumdungen finden sofort ein Echo, wenn nicht in den Herzen, so doch in den Mäulern. Zweifellos ist dies eine der Formen der Unzufriedenheit, die wir mehr oder weniger alle empfinden: nur so und nicht anders zu sein. Wir könnten die anderen verstehen, ziehen es aber vor, sie herabzusetzen. Die Schriftsteller haben unter dieser Boshaftigkeit ganz besonders zu leiden. Das Publikum macht sie schlecht, und obwohl es genau weiß, daß es Menschen sind wie alle anderen, nimmt es ihnen diesen Widerspruch übel. Jedes Zeichen aber, das sie zu Menschen stempelt, benutzt man als Waffe gegen sie. Ein im übrigen wohlwollender amerikanischer Kritiker schrieb, ich hätte in *La Force de l'âge* trotz meiner Bemühungen Sartre von seinem Piedestal gestoßen. Was für ein Piedestal? Zumindest fügte er hinzu: Wenn Sartre etwas an Prestige verlöre, würde man ihn um so mehr lieben. Für gewöhnlich ist es so, daß das Publikum, wenn es entdeckt, daß man kein Übermensch ist, einen unter die Spezies hinabdrückt und als Monstrum bezeichnet. In den Jahren zwischen 1945 und 1952 gaben wir besonders viel Anlaß zu allen möglichen Mißverständnissen, weil man uns nicht klassifizieren konnte. Wir standen links, waren aber keine Kommunisten und sogar bei der KP sehr schlecht angeschrieben. Obendrein waren wir keine ‹Bohemiens›. Man warf mir vor, daß ich im Hotel, Sartre, daß er bei seiner Mutter wohne. Wir wichen den bürgerlichen Kreisen aus, verkehrten nicht in der ‹großen Welt›, hatten zwar Geld, lebten aber nicht aufwendig. Wir waren eng miteinander liiert, aber nicht aneinander gebunden. Dieser Mangel an konkreten Anhaltspunkten wirkte verwirrend und erregte Ärgernis. Es verblüffte mich zum Beispiel, daß *Samedi-Soir* sich über den Preis entrüstet, den wir für eine Autofahrt von Bou Saada nach Djelfa bezahlt hatten. Fünfzig Kilometer mit einem Mietauto zurückzulegen, ist sicher ein geringerer Luxus, als einen eigenen Wagen zu besitzen. Trotzdem hat mir später niemand einen Vorwurf daraus gemacht, daß ich mir eine Aronde kaufte. Das ist eine klassische Ausgabe, die zu den bürgerlichen Normen gehört.

Was außerdem dazu beiträgt, das Bild der Schriftsteller zu verzerren, ist die große Schar der pathologischen Lügner, die uns in ihren Märchen eine Rolle zuweisen. Eine Zeitlang verkehrte meine Schwester mit sehr vielen Leuten, und da sie immer unter dem Namen ihres Mannes vorgestellt wurde, war sie verblüfft darüber, was sie zu hören bekam, wenn von mir die Rede war. «Ich kenne sie sehr gut ... Wir sind eng befreundet ... Ich habe gerade erst in der vorigen Woche mit ihr zusammen gegessen ...» Dabei handelte es sich um Personen, die ich nie in meinem Leben gesehen hatte. Es hagelte Kommentare. Lächelnd hörte sie zu, als eine Dame ihr anvertraute: «Sie ist eine Schwätzerin! Sie redet wie ein Dragoner.» Eines Tages fragten mich in New York Fernand und Stépha vorwurfsvoll: «Warum verheimlichen Sie uns, daß Sie mit Sartre verheiratet sind?» Als ich es ableugne, lachen sie. «Na, na! Unser Freund Sauvage war Trauzeuge bei Ihrer Hochzeit. Er hat es uns selber erzählt.» Um sie vom Gegenteil zu überzeugen, mußte ich ihnen meinen Paß zeigen. Um 1949 herum brachte France Roche im *France-Dimanche* eine Neuigkeit: Sartre und ich hätten einen Besitz namens La Berle gekauft und Herzen in einen Baumstamm eingeschnitten. Sartre schickte ihr ein Dementi, das sie nicht veröffentlichte. Zu einem unserer Freunde sagte sie: «Ich habe es durch Z. erfahren, der mit ihnen in ihrem Garten Tee getrunken hat.» Ich erinnere mich auch an eine junge Frau, die sich mir in den ‹Deux Magots› schüchtern näherte: «Verzeihen Sie, daß ich störe, aber ich bin mit Bertrand G. befreundet.» Als ich sie fragend ansah, machte sie ein erstauntes Gesicht. «Bertrand G., mit dem Sie in der Woche immer zu Mittag essen.» Da es mir ihretwegen peinlich war, sagte ich hastig: «Sie verwechseln mich zweifellos mit meiner Schwester, die Malerin ist und Hélène de Beauvoir heißt, es muß einer ihrer Freunde sein ...» – «Nein», sagte sie, «es handelt sich nicht um Ihre Schwester. Jetzt ist mir alles klar. Entschuldigen Sie ...» Fassungslos ergriff sie die Flucht, so brutal aus ihren Illusionen gerissen, daß ich fast ein schlechtes Gewissen hatte. Der pathologische Lügner erweckt offenbar nur dann Interesse, wenn er mit soliden Tatsachen – einer geheimen Ehe – oder pikanten Details aufwarten kann. Dann hört man ihm gern zu: Das Publikum liebt albernes Geschwätz. Es gibt Narren, die eine Tatsache nur dann für erwiesen halten, wenn sie durchs Schlüsselloch erspäht worden ist. Ich kenne auch die Entschuldigungsgründe: Die offiziellen Schilderungen und Porträts würden von Lügen strotzen. Man bildet sich ein, die Wahrheit müsse ihre Geheimnisse, ihre Eingeweihten, ihre Vermittler haben. Diese Leichtgläubigkeit wird von unseren Gegnern ausgenutzt.

Von mir existieren zwei Porträts: Ich sei eine Verrückte, eine Halbwahnsinnige, eine exzentrische Person. (Die Zeitungen in Rio meldeten voller Erstaunen: «Man erwartete eine exzentrische Erscheinung und war enttäuscht, eine Frau vor sich zu sehen, die sich genauso kleidet wie alle Welt.») Ich sei liederlich. Eine Kommunistin erzählte 1945, in meiner Jugend hätte ich in Rouen nackt auf Fässern getanzt. Ich hätte allen Lastern gefrönt, mein Leben sei ein Karneval, usw.

Flache Absätze, straffer Dutt. Ich sei eine Pfadfinderchefin, eine Vorstandsdame, eine Schulmamsell (in dem abfälligen Sinne, den die Rechtskreise diesem Wort unterlegen). Ich würde mein Leben über Büchern und an meinem Arbeitstisch verbringen, eine reine Intelligenzbestie. «Sie lebt nicht», habe ich eine junge Journalistin sagen hören. «Wenn ich zu den Montagen der Mme T. eingeladen wäre, würde ich eilends hingehen.» Als die Zeitschrift *Elle* ihren Leserinnen verschiedene Frauentypen vorsetzte, schrieb man unter mein Foto: «Ein ausschließlich intellektuelles Leben.»

Nichts hindert die Leute daran, diese beiden Porträts miteinander zu verschmelzen. Man kann eine verwilderte Intelligenzbestie, eine lasterhafte Vorstandsdame sein. Bezeichnend ist nur, daß man mich als anomal hinstellt. Wenn meine Kritiker damit sagen wollen, daß ich ihnen nicht ähnlich bin, machen sie mir ein Kompliment. Tatsache ist, daß ich Schriftstellerin bin: Eine Schriftstellerin ist nicht eine Hausfrau, die Bücher schreibt, sondern ein Mensch, dessen gesamtes Dasein durch das Schreiben beherrscht wird. Dieses Leben ist ebensoviel wert wie ein anderes. Es hatte seinen Sinn, seine Ordnung, seine Zwecke, die man nicht begriffen hat, wenn man es als extravagant bezeichnet. War mein Leben wirklich asketisch, rein vom Verstand bestimmt? Mein Gott – ich habe nicht den Eindruck, daß meine Zeitgenossen sich auf dieser Erde gar so viel besser amüsieren als ich oder daß ihre Erfahrungen soviel umfangreicher seien. Auf jeden Fall beneide ich niemanden, wenn ich meine Vergangenheit betrachte.

In meiner Jugend habe ich damit begonnen, auf die Meinung der anderen zu pfeifen. Nachher haben mich Sartre und feste Freundschaften behütet. Trotzdem waren mir gewisse Reden, gewisse Blicke unerträglich: in den ‹Deux Magots› das Hohnlächeln Mauriacs und der jungen Leute, die ihn umgaben. Mehrere Jahre hindurch habe ich es vermieden, mich in der Öffentlichkeit zu zeigen. Ich ging nicht mehr in die Cafés und wich den Generalproben und allen sogenannten pariserischen Veranstaltungen aus. Diese Zurückgezogenheit entsprach ganz und gar meiner Scheu vor dem Reklamerummel. Ich bin nie im Fernsehen aufgetreten, habe nie im Radio über mich gesprochen und fast nie ein Interview gegeben. Ich habe bereits erwähnt, aus welchen Gründen ich den Prix Goncourt akzeptiert habe, und daß ich mich auch damals allen Schaustellungen entzog. Ich wollte meine Erfolge nicht Äußerlichkeiten, sondern nur meiner Arbeit verdanken. Und ich wußte, je mehr die Presse sich mit mir beschäftigte, desto eher würde sie mir die Worte im Mund umdrehen. Ich hatte die Memoiren zum großen Teil deshalb geschrieben, weil ich die wahren Zusammenhänge darlegen wollte, und viele Leser haben mir gestanden, sie hätten sich tatsächlich vorher ganz falsche Vorstellungen von mir gemacht. Ich behalte meine Feinde: Das Gegenteil würde mich beunruhigen. Mit der Zeit aber haben meine Bücher den skandalösen Beigeschmack verloren. Das Alter hat mir – leider! – eine gewisse Achtbarkeit verliehen. Und vor allem habe ich ein Publikum erobert, das mir glaubt, wenn ich zu ihm rede. Im Augenblick komme ich mit den üblen Seiten des Ruhms so gut wie gar nicht in Berührung.

Am Anfang spürte ich nur seine Annehmlichkeiten, und auch später haben sie stets bei weitem die Unbequemlichkeiten überwogen. Der Ruhm hat meinen Wunsch erfüllt: daß man meine Bücher liebt und damit auch mich, daß die Menschen mir zuhören und daß ich ihnen einen Dienst erweise, indem ich ihnen die Welt so zeige, wie ich sie sehe. Von dem Erscheinen von *L'Invitée* an lernte ich seine Freuden kennen. Ich konnte es nicht vermeiden, mich Illusionen hinzugeben, und auch die Eitelkeit ist mir nicht fremd geblieben. Das beginnt damit, daß man seinem Spiegelbild zulächelt, daß man beim Klang seines Namens zittert. Aber ich habe mich wenigstens nie wichtig gemacht.

Ich habe auch über Mißerfolge nie gejammert. Sie waren nur ein entgangener Gewinn, haben mir aber nicht den Weg versperrt. Meine Erfolge haben mir bis in letzter Zeit rückhaltlose Freude bereitet. Die Zustimmung meiner Leser war mir immer wichtiger als das Lob eines Kritikers: Briefe, die mich erreichen, Worte, die ich im Vorbeigehen aufschnappe, Spuren des Einflusses, einer Tat. Seit den *Mémoires d'une jeune fille rangée*, vor allem aber seit *La Force de l'âge* ist meine Beziehung zur Öffentlichkeit recht schwierig geworden, weil der Algerien-Krieg den Horror, den ich vor meiner Klasse empfinde, zur Weißglut gebracht hat. Man darf sich keine Hoffnung machen, an ein breites Publikum heranzukommen, wenn man ihm mißfällt: Man wird nicht in billigen Taschenbuchreihen gedruckt, wenn die Originalausgabe nicht gut geht. Mehr oder weniger wendet man sich doch an den Bürger. Übrigens gibt es unter seinesgleichen so manchen, der sich von seiner Klasse getrennt hat oder zumindest den Versuch macht, sich loszulösen: die Intellektuellen und die Jugend. Mit diesen Menschen verstehe ich mich gut. Wenn mich die Bourgeoisie in ihrer Gesamtheit herzlich empfängt, dann wird mir unbehaglich zumute. Allzu viele Leserinnen haben in den *Mémoires d'une jeune fille rangée* die Schilderung eines Milieus genossen, das sie wiedererkannten, ohne sich für die Anstrengungen zu interessieren, die es mich gekostet hat, ihm zu entrinnen. Was *La Force de l'âge* betrifft, so habe ich oft mit den Zähnen geknirscht, wenn man mich beglückwünschte: «Ein anregendes Buch, ein dynamisches, ein optimistisches Buch!» – in Augenblicken, da mein Abscheu so heftig war, daß ich lieber tot als lebendig gewesen wäre.

Ich bin für Tadel und für Lob empfänglich. Aber wenn ich darüber nachdenke, begegne ich dem Niveau meines Erfolges mit ziemlich ausgeprägter Gleichgültigkeit. Wie schon erwähnt, habe ich es früher einmal aus Stolz und Vorsicht unterlassen, einen Maßstab anzulegen. Heute weiß ich nicht mehr, mit welchem Maß ich messen soll: Soll man sich auf die Leserschaft, auf die Kritiker, auf einige ausgewählte Kenner, auf eine innere Überzeugung, auf den Lärm, auf die Stille verlassen? Und was wird bewertet? Das Renommee oder die Qualität, der Einfluß oder die Begabung? Und im übrigen: Was bedeuten diese Worte? Die Fragen selbst und die Antworten, die man darauf geben kann, kommen mir müßig vor. Meine Gelassenheit geht weiter zurück, ihre Wurzeln liegen in einer Kindheit, die dem Absoluten verschworen war: denn ich bin nach wie vor von der Sinnlosigkeit irdischer Erfolge überzeugt. Die Lehren, welche die Welt mir erteilt hat, haben mich in dieser Geringschätzung nur bestärkt. Ich habe ein allzu ungeheuerliches Elend entdeckt, als daß ich mir große Sorgen um den Platz machen sollte, der mir zufällt, und darum, ob ich ein Recht oder kein Recht habe, ihn einzunehmen.

Obwohl vor diesem Hintergrund der Enttäuschung jeder Gedanke an eine Mission, an einen Auftrag, jede Heilsidee sich längst verflüchtigt hat, obwohl ich nicht mehr weiß, für wen und wozu ich schreibe, ist mir diese Tätigkeit notwendiger denn je. Ich bilde mir nicht mehr ein, daß sie mich ‹rechtfertige›, aber ohne sie würde ich mich tödlich ungerecht-fertigt finden. Manche Tage sind so schön, daß man leuchten möchte wie die Sonne, daß man die Erde sozusagen mit Worten besprengen möchte. Es gibt Stunden, so finster, daß keine andere Hoffnung mehr übrigbleibt als der Schrei, den man ausstoßen möchte. Ganz gleich, ob man fünfundfünfzig oder zwanzig ist: woher kommt diese außerordent-liche Macht des Wortes? Wenn ich sage: «Nichts hat sich ereignet als das Ereignis» oder «Eins plus eins ist eins: Was für ein Mißverständ-nis!» – schlägt in meiner Kehle eine Flamme hoch, deren Glut mich be-geistert. Zweifellos sind die Worte, die universellen, die ewigen Worte, alle in jedem einzelnen gegenwärtig und das einzige Transzendente, das ich anerkenne und das mich bewegt. Sie vibrieren in meinem Mund, und durch sie kommuniziere ich mit der Menschheit. Sie entreißen dem Augenblick und seiner Zufälligkeit die Tränen und verwandeln die Nacht und sogar den Tod. Vielleicht ist es heute mein innigster Wunsch, daß man still ein paar Worte wiederholen möge, die ich miteinander ver-knüpft habe.

Ein bekannter Schriftsteller zu sein, hat seine offenkundigen Vorteile. Statt der Fron um das tägliche Brot eine Arbeit, die man sich ausgesucht hat, Begegnungen, Reisen, eine viel unmittelbarere Berührung mit den Ereignissen. Sehr viele Ausländer, die mit ihrer Regierung nicht einver-standen sind, suchen bei französischen Intellektuellen Hilfe. Oft bittet man uns auch, unsere Solidarität mit befreundeten Nationen zu bekun-den. Wir alle sind ein wenig überhäuft mit Manifesten, Protesten, Be-schlüssen, Erklärungen, Appellen, Botschaften, die wir redigieren oder unterzeichnen sollen. Es ist unmöglich, an all den Ausschußsitzungen, Kongressen, Debatten, Versammlungen, Tagungen teilzunehmen, zu de-nen wir eingeladen werden. Aber als Ausgleich für die Zeit, die wir den Leuten widmen, unterrichten sie uns ausführlicher, exakter und vor allem weit lebendiger als irgendwelche Zeitungen über das, was bei ihnen vor-geht: auf Kuba, in Guinea, auf den Antillen, in Venezuela, in Peru, in Kamerun, in Angola, in Südafrika. So bescheiden auch mein Beitrag zu ihrem Kampf sein mag, gibt er mir doch das Gefühl, in die Weltge-schichte mit einzugreifen. Obwohl ich keine mondänen Beziehungen un-terhalte, stehe ich mit der ganzen Welt in Verbindung. Ein alter Freund hat mir gesagt: «Sie leben in einem Kloster.» Das mag zutreffen, aber ich verbringe viel Zeit im Sprechzimmer.

Trotzdem habe ich mit Besorgnis und einem gewissen Bedauern die Berühmtheit über Sartre hereinbrechen und meinen Namen bekannt werden sehen. Die Sorglosigkeit ging an dem Tag verloren, da wir zu öffentlichen Persönlichkeiten wurden und gezwungen waren, dieser ob-jektiven Rolle Rechnung zu tragen. Damit hatte auch die abenteuerliche Note unserer früheren Reisen ein Ende, und wir mußten auf Launen, auf Bummeleien verzichten. Um unser Privatleben zu schützen, mußten wir Barrieren errichten – aus dem Hotel ausziehen, Cafés meiden –, und diese Absonderung bedrückte mich, die ich so gern mitten unter der Menge lebte. Nach wie vor treffe ich viele Menschen, aber die meisten reden mit mir nicht wie mit irgend jemandem. Meine Beziehungen zu ihnen sind verfälscht. «Sartre verkehrt immer nur mit Leuten, die mit Sartre verkehren», hat Claude Roy gesagt. Das könnte auch auf mich zutreffen. Ich laufe Gefahr, sie weniger gut zu verstehen, weil ich ihr Schicksal gar nicht mehr in dem Maße teile. Dieser Unterschied hat seinen Ursprung in der Berühmtheit und den materiellen Erleichterungen, die sie mit sich bringt.

In ökonomischer Hinsicht gehöre ich zu den Privilegierten. Seit 1954 verdiene ich mit meinen Büchern viel Geld. 1952 habe ich mir ein Auto und 1955 eine Wohnung gekauft. Ich gehe nicht aus, ich empfange keine Gäste. Getreu den Aversionen meiner Jugend liebe ich keine Luxuslokale. Ich kleide mich ohne Aufwand, ich esse zuweilen sehr gut, meistens aber nur wenig. Aber das alles bestimme ich nach Belieben und versage mir nichts. Manche Sittenrichter machen mir diesen Wohlstand zum Vorwurf: wohlgemerkt, nur die Vertreter der Rechten. Nie nimmt man in Linkskreisen einem Linken sein Vermögen übel, selbst wenn er Milliardär ist (in Südamerika gibt es linkseingestellte Milliardäre). Man rechnet es ihm hoch an, daß er links steht. Die marxistische Ideologie hat nichts mit der evangelischen Moral zu tun. Sie fordert vom einzelnen weder Askese noch Entbehrungen: Ehrlich gesagt, das Privatleben ist ihr völlig gleichgültig. Die Rechte ist so sehr von der Legitimität ihrer Ansprüche überzeugt, daß ihre Gegner sich in ihren Augen nur durch ein Martyrium rechtfertigen können, und da es wirtschaftliche Interessen sind, die ihr ihre Ansichten diktieren, vermag sie nur schwer zu begreifen, daß die beiden voneinander getrennt sein könnten. Ein Kommunist, der Geld hat, muß in ihren Augen ein Heuchler sein. Schließlich und vor allem ist die Rechte nicht gerade wählerisch in ihren Mitteln, wenn es darum geht, Vertreter der Linken anzugreifen. Das ist so sicher wie das Amen in der Kirche. Ein Kritiker – der sich übrigens bemühte, objektiv zu sein – schrieb, nachdem er *La Force de l'âge* gelesen hatte, ich hätte eine Vorliebe für «verrufene Häuser», weil ich während des Krieges aus Geldmangel in üblen Hotels gewohnt hatte: Was würde er sagen, wenn ich heute in einer Rumpelkammer hauste? Ein bequemer Mantel ist eine Konzession an die Bourgeoisie: Schlampige Kleidung würde als affektiert oder ungehörig gelten. Entweder wirft man einem vor, daß man das Geld verschleudere oder daß man ein Geizhals sei. Außerdem soll sich niemand einbilden, daß es einen goldenen Mittelweg gäbe: Dann würde man ihm beispielsweise nachsagen, daß er kleinlich sei. Es gibt nur eine Lösung: seinen Eingebungen folgen und die Leute reden lassen.

Das bedeutet nicht, daß ich mich frohen Herzens in meine Situation füge. Das peinliche Gefühl, das sich 1946 bei mir eingeschlichen hat, ist nicht verschwunden. Ich weiß, daß ich eine Nutznießerin bin, daß ich vor allem von dem kulturellen Erbe, das man mir mitgegeben hat, und den Möglichkeiten, die es mit sich bringt, profitiere. Ich beute niemanden direkt aus, aber die Käufer meiner Bücher sind lauter Leute, die aus einer auf Ausbeutung beruhenden Wirtschaft Nutzen ziehen. Ich bin die Komplicin der Privilegierten und durch sie kompromittiert: Deshalb habe ich den Algerien-Krieg als eine persönliche Tragödie empfunden. Wenn man in einer ungerechten Welt lebt, hat es keinen Zweck, in Verzweiflung zu versinken oder sich, durch welche Methoden auch immer, von dem Unrecht reinwaschen zu wollen. Dann muß man schon die Welt verändern, und dazu fehlt mir die Kraft. Unter diesen Widersprüchen zu leiden, führt ebenfalls nicht weit. Sie zu vergessen, heißt sich anlügen. Auch in diesem Punkt gebe ich mich, da ich keine Lösung sehe, meinen Stimmungen hin. Aber die Konsequenz meines Verhaltens ist eine recht empfindliche Isolierung! Meine objektive Lage trennt mich vom Proletariat, und die Art, wie ich sie subjektiv sehe, bringt mich in Gegensatz zur Bourgeoisie. Diese relative Zurückgezogenheit kommt mir zustatten, da ich immer zuwenig Zeit habe. Aber sie beraubt mich auch einer gewissen Wärme – die ich in diesen letzten Jahren mit so großer Freude bei den Kundgebungen wiedergefunden habe – und, was für mich noch ernster ist, sie schränkt meine Erfahrungen ein.

Zu diesen Einschränkungen, welche die Kehrseite meiner Chancen sind, kommt noch eine andere, für die ich keine Kompensation gefunden habe. Das Wichtigste, das Unwiederbringlichste, was mir seit 1944 widerfahren ist: Ich bin – wie Zazie – gealtert. Das bedeutet vielerlei. Vor allem hat sich die Welt rund um mich verändert. Sie ist zusammengeschrumpft und enger geworden. Ich kann nicht mehr vergessen, daß die Erdoberfläche ebenso begrenzt ist wie die Zahl ihrer Bewohner, der Pflanzengattungen und Tierarten und ebenso begrenzt wie die Zahl der Gemälde, der Bücher und der Denkmäler. Jedes Element findet seine Erklärung in dieser Gesamtheit und verweist immer wieder auf sich: auch *sein* Reichtum ist begrenzt. Als wir jung waren, trafen Sartre und ich oft auf Individualitäten, die über uns hinausreichten, das heißt, daß sie sich der Analyse entzogen und in unseren Augen etwas aus der Wunderwelt der Kindheit zurückbehalten hatten. Dieser mysteriöse Kern ist zerfallen, das Pittoreske tot, die Narren kommen mir nicht mehr geheiligt vor, die Massen berauschen mich nicht mehr. Die damals so faszinierende Jugendzeit sehe ich nur noch als Vorspiel der Reife. Die Wirklichkeit interessiert mich noch, aber ihre Nähe erschüttert mich nicht mehr. Die Schönheit allerdings bleibt bestehen. Obwohl sie mir keine verblüffenden Offenbarungen mehr bringt und obwohl die meisten ihrer Geheimnisse erforscht sind, geschieht es zuweilen noch, daß sie die Zeit stillstehen läßt. Oft finde ich sie auch abscheulich. Am Abend nach einem Gemetzel hörte ich mir ein Andante Beethovens an und hielt zornig die

Platte an: Hier war zwar das ganze Leid der Welt eingefangen, aber so beherrscht und wunderbar sublimiert, daß seine Existenz berechtigt schien. Fast alle schönen Werke sind von Privilegierten für Privilegierte geschaffen worden, die, auch wenn sie gelitten haben, die Möglichkeit besaßen, ihr Leid auszudrücken. Sie verschleiern den Jammer des nackten Elends. (Die Volkskunst, gewisse Werke, die ich ‹wild› nenne, bilden eine Ausnahme. So habe ich zum Beispiel das Lied eines Rabbiners über die Toten von Auschwitz und das Lied eines jüdischen Kindes gehört, das einen Pogrom schildert. In diesen rauhen Stimmen lag nichts Beschwichtigendes. Aber sogar in diesen Fällen dient der Griff nach der Mitteilung dazu, den Skandal, der seiner Definition nach das unabänderliche Absolutum des Bösen ist, zu überwinden.) An einem anderen Abend, nachdem wieder eine Prügelei stattgefunden hatte – es gab viele solche Abende –, wünschte ich mir, daß diese verlogene Schönheit mit Stumpf und Stiel ausgerottet werden möge. Heute hat sich der Abscheu verflüchtigt. Ich kann wieder Beethoven hören. Aber weder er noch sonst ein Künstler wird mir jemals wieder jenen Eindruck schenken, den ich zuweilen gehabt habe und der mich glauben ließ, an ein Absolutum zu rühren.

Denn heute weiß ich über das Leben der Menschheit Bescheid: Zwei Drittel hungern. Meine Gattung besteht zu zwei Dritteln aus Würmern, die, zu schwach, um sich aufzulehnen, von der Geburt bis zum Tod in dumpfer Verzweiflung dahindämmern. Seit meiner Jugend kehren in meinen Träumen stets Gegenstände wieder, die scheinbar leblos sind, aber Leid in sich bergen. Die Zeiger einer Uhr beginnen zu galoppieren, nicht mehr mit Hilfe eines Mechanismus, sondern von einer verborgenen und schrecklichen organischen Zerrüttung angetrieben. Ein Stück Holz blutet unter der Axt: Sekundenlang kommt unter der harten Rinde ein schrecklich verstümmeltes Wesen zum Vorschein. Ich kann diese Albträume in hellwachem Zustand heraufbeschwören, wenn ich an die wandelnden Skelette in Kalkutta denke oder an die kleinen Schläuche mit Menschengesichtern, die unterernährten Kinder. Nur hier spüre ich die Unendlichkeit. Nur hier wird sie mir bewußt, wenn es an allem fehlt: Sie sterben, und nichts anderes war da. Das Nichts erschreckt mich weniger als das absolute Unglück.

Es macht mir keinen Spaß mehr, auf dieser ihrer Wunder beraubten Erde herumzureisen. Wenn man nicht alles erwartet, dann erwartet man nichts mehr. Aber ich würde gern die Fortsetzung unserer Geschichte kennen. Die Jungen sind die künftigen Erwachsenen, aber sie interessieren mich. Die Zukunft liegt in ihren Händen, und wenn ich in ihren Plänen die meinen wiedererkenne, kommt es mir so vor, als würde mein Leben über das Grab hinaus fortdauern. In ihrer Gesellschaft fühle ich mich wohl. Aber der Trost, den sie mir schenken, ist fragwürdig: Sie stehlen mir diese Welt, indem sie weiterleben. Mykene wird ihnen gehören. Die Provence und Rembrandt und die römischen Stätten werden ihnen gehören. Wie überlegen ist der Lebende! Alle Blicke, die vor meinen Blicken auf der Akropolis geruht haben, kommen mir verjährt vor. In diesen zwanzigjährigen Augen sehe ich mich bereits tot und ausgestopft.

Wen sehe ich vor mir? Altern heißt, sich über sich selbst klarwerden und sich beschränken. Ich habe mich gegen jeden Zwang zur Wehr gesetzt, habe aber nicht verhindern können, daß die Jahre mich eingekerkert haben. Ich werde noch lange in diesen Wänden wohnen, in denen ich mein Leben verbracht habe. Ich werde alten Freunden treu bleiben. Der Vorrat an Erinnerungen wird, auch wenn er ein wenig zunimmt, erhalten bleiben. Ich habe ganz bestimmte Bücher und keine anderen geschrieben. Dabei finde ich es verwirrend, daß ich der Zukunft entgegengelebt habe, und jetzt rekapituliere ich meine Vergangenheit: Man könnte sagen, die Gegenwart sei mir abhanden gekommen. Jahrelang habe ich geglaubt, daß mein Werk vor mir liege, und plötzlich liegt es nun hinter mir: In keinem Augenblick hat es stattgefunden. Das ähnelt dem, was man in der Mathematik einen Schnitt nennt, die Zahl, die keiner der beiden Serien Platz findet, welche sie voneinander trennt. Ich habe studiert, um eines Tages mein Wissen anzuwenden, habe dann unheimlich viel vergessen, und mit dem, was übriggeblieben ist, weiß ich nichts anzufangen. Wenn ich über die Geschichte meines Lebens nachdenke, befinde ich mich immer diesseits oder jenseits einer nie vollendeten Sache. Nur meine Gefühle habe ich in ihrer ganzen Fülle erlebt.

Immerhin hat der Schriftsteller die Chance, in dem Augenblick, da er schreibt, der Versteinerung zu entgehen. Mit jedem neuen Buch setze ich einen neuen Anfang. Ich zweifle, ich verliere den Mut, die Arbeit vergangener Jahre ist weggewischt, meine Skizzen sind so unbrauchbar, daß es mir unmöglich erscheint, das Vorhaben zu Ende zu führen: bis zu dem Moment, der ungreifbar ist (auch hier haben wir wieder eine Zäsur) – da es unmöglich wird, es nicht zu Ende zu führen. Jede Seite, jede Wendung erfordert einen neuen Einfall, einen beispiellosen Entschluß. Die schöpferische Tätigkeit ist Abenteuer, ist Jugend und Freiheit.

Aber sowie ich den Arbeitstisch verlasse, ballt sich hinter mir die verstrichene Zeit zusammen. Ich muß an andere Dinge denken und stoße plötzlich auf mein Alter. Diese überreife Frau ist meine Zeitgenossin. Ich erkenne dieses Jungmädchengesicht wieder, das auf einer alten Haut haftengeblieben ist. Dieser weißhaarige Herr, der einem meiner Großonkel ähnlich sieht, erinnert mich lächelnd daran, daß wir zusammen im Luxembourg gespielt haben. «Sie erinnern mich an meine Mutter», sagte eine dreißigjährige Frau zu mir. An allen Ecken springt mir die Wahrheit ins Gesicht, und ich verstehe nicht recht, warum sie es darauf anlegt, mich von außen zu packen, während sie doch in mir steckt.

Das Alter: Von weitem hält man es für eine Institution, aber es sind junge Menschen, die plötzlich alt geworden sind. Eines Tages habe ich mir gesagt: «Ich bin vierzig Jahre alt.» Als ich mich von diesem Staunen erholt hatte, war ich fünfzig. Die Betroffenheit, die mich damals überfiel, hat sich nicht gegeben.

Ich kann es nicht glauben. Wenn ich meinen Namen gedruckt sehe, erzählt er von einer jungen Frau, und diese junge Frau bin ich. Oft träume ich nachts, daß ich vierundfünfzig Jahre alt bin, daß ich, wenn ich die Augen aufschlage, dreißig bin. «Was hatte ich doch für einen fürchterlichen Albtraum!» sagt sich dann die im Traum erwachende Frau. Bevor ich in die Wirklichkeit zurückkehre, setzt sich manchmal ein riesiges Tier auf meine Brust: «Es ist wahr! Der Albtraum, älter als fünfzig zu sein, ist die Wahrheit!» Wie kann etwas, das weder Form noch Inhalt hat, wie kann die Zeit mich mit einem so schweren Gewicht belasten, daß ich keine Luft mehr bekomme? Wie kann etwas, das nicht existiert, wie die Zukunft, sich so unbarmherzig errechnen lassen? Mein zweiundsiebzigster Geburtstag liegt mir ebenso nahe wie der Tag der Befreiung.

Um mich davon zu überzeugen, brauche ich mich nur vor den Spiegel zu stellen. Mit vierzig Jahren überlegte ich mir eines Tages: «In den Tiefen des Spiegels lauert das Alter. Und das Verhängnisvolle daran ist, daß es mich überrumpeln wird.» Es hat mich überrumpelt. Oft halte ich bestürzt vor diesem unglaublichen Ding inne, das mir als Gesicht dient. Ich begreife die Castiglione, die alle Spiegel zerschlagen hat. Ich schien mir wenig aus meinem Aussehen zu machen, genauso wie die Leute, die mit Appetit essen und sich wohl fühlen, ihren Magen vergessen. Solange ich mein Gesicht ohne Mißfallen betrachten konnte, vergaß ich es, es verstand sich von selbst. Jetzt ist alles vorbei. Ich hasse mein Spiegelbild: über den Augen die Mütze, unterhalb der Augen die Säcke, das Gesicht zu voll, und um den Mund der traurige Zug, der Falten macht. Die Menschen, die mir begegnen, sehen vielleicht nur eine Fünfzigjährige, die weder gut noch schlecht erhalten ist. Sie hat eben das Alter, das sie hat. Ich aber sehe meinen früheren Kopf, den eine Seuche befallen hat, von der ich nicht mehr genesen werde.

Sie greift auch auf das Herz über. Ich habe die Fähigkeit verloren, das Licht von der Finsternis zu scheiden, mir um den Preis einiger Wirbelstürme einen strahlenden Himmel zu sichern. Meine Revolten sind durch das nahe Ende und die Unvermeidlichkeit des Verfalls gedämpft. Aber auch meine glücklichen Stunden sind blasser geworden. Der Tod ist nicht mehr ein brutales Abenteuer in weiter Ferne, er verfolgt mich in den Schlaf hinein. Beim Erwachen spüre ich seinen Schatten zwischen der Welt und mir: Das Sterben hat schon begonnen. Das hatte ich nicht vorausgesehen – daß es so früh beginnt und daß es so weh tut. Vielleicht wird der Tod nicht allzu schmerzlich sein, nachdem alles mich verlassen hat und das Dasein, auf das ich nicht verzichten wollte, mein Dasein, kein Dasein mehr sein wird, überhaupt nichts mehr sein wird und sich mit Gleichmut wird wegfegen lassen. Eine nach der anderen werden die Bindungen brüchig werden, die mich auf der Erde zurückhalten, eine nach der anderen werden sie zerreißen.

Jetzt ist der Augenblick gekommen, um zu sagen: Nie mehr! Nicht ich trenne mich von meinem früheren Glück, sondern das Glück ist es, das sich von mir trennt. Die Gebirgswege versagen sich meinem Fuß. Ich werde nie mehr trunken vor Müdigkeit in das duftende Heu sinken. Ich werde nie mehr einsam über den morgendlichen Schnee gleiten. Nie mehr ein Mann. Jetzt hat meine Phantasie ebenso entschieden ihren Entschluß gefaßt wie mein Körper. Trotz allem ist es seltsam, keinen Körper mehr zu haben, und es gibt Augenblicke, da dieses bizarre Phänomen mir durch seinen endgültigen Charakter das Blut in den Adern erstarren läßt. Die Gewißheit, daß ich nie mehr neue Begierden in mir spüren werde, ist noch schmerzlicher als der Verzicht: In der dünnen Luft, in der ich von nun an lebe, verwelken sie, noch bevor sie aufblühen. Früher glitten die Tage ohne Hast dahin, ich war schneller als sie, weil meine Pläne mich fortrissen. Jetzt tragen mich die allzu kurzen Stunden mit verhängten Zügeln meinem Grab entgegen. Ich denke nicht gern daran: in zehn Jahren, in einem Jahr. Die Erinnerungen verblassen, die Mythen zerbröckeln, die Pläne ersticken im Keim. Ich bin da, und die Dinge sind da. Wenn dieses Schweigen von Dauer ist, wird mir meine kurze Zukunft lang werden!

Und was bringt sie für Gefahren ... Das einzig Neue und Bedeutsame, das mir widerfahren könnte, wäre das Unglück: daß ich Sartre tot daliegen sehe oder daß ich vor ihm sterbe. Es ist furchtbar, nicht da zu sein, um jemanden über den Schmerz hinwegtrösten zu können, den man ihm durch sein Weggehen zugefügt hat. Es ist furchtbar, daß er einen verläßt und schweigt. Wenn ich nicht unwahrscheinliches Glück habe, wird mir eines dieser Schicksale beschieden sein. Manchmal wünsche ich mir, daß das Ende bald kommen möge, um diese Angst zu verkürzen.

Manchmal ist mir der Gedanke, mich ins Nichts aufzulösen, genauso abscheulich wie früher. Voller Melancholie denke ich an all die Bücher, die ich gelesen, an all die Orte, die ich besucht habe, an das Wissen, das sich angehäuft hat und das nicht mehr da sein wird. Die ganze Musik, die ganze Malerei, die ganze Kultur, so viele Bindungen: plötzlich bleibt nichts mehr. Es ist kein Honig, niemand kann sich davon ernähren. Wenn man meine Bücher liest, wird der Leser bestenfalls denken: Sie hat aber viel gesehen! Aber dieses einzigartige Ganze, meine persönlichen Erfahrungen mit ihrer Folgerichtigkeit und ihren Zufällen – die Pekinger Oper, die Stierkampfarenen von Huelva, der *candomblé* von Bahia, die Dünen von El Oued, die Wabansia Avenue, die Morgendämmerung der Provence, Tirynthos, Castro, der zu 500 000 Kubanern spricht, ein schwefelgelber Himmel über einem Wolkenmeer, die purpurroten Buchen, die weißen Nächte von Leningrad, die Glocken der Befreiung, ein orangefarbener Mond über dem Piräus, eine rote Sonne, die über der Wüste aufgeht, Torcello, Rom, all die Dinge, von denen ich erzählt habe, andere, die ich verschwiegen habe – das alles wird niemals wieder auferstehen. Wenn ich wenigstens die Erde bereichert, wenn ich etwas geschaffen hätte ... was denn? Einen Hügel? Eine Rakete? Aber nein. Nichts wird stattgefunden haben. Ich sehe die Haselstrauchhecke vor mir, durch die der Wind fuhr, und höre die Versprechungen, mit denen ich mein Herz berauschte, als ich diese Goldmine zu meinen Füßen betrachtete, ein ganzes Leben, das vor mir lag. Sie wurden erfüllt. Aber wenn ich jetzt einen ungläubigen Blick auf dieses leichtgläubige junge Mädchen werfe, entdecke ich voller Bestürzung, wie sehr ich geprellt worden bin.

*Juni 1960 – März 1963*

# Hinweise

Action Française, royalistische Zeitung (1908–44) der gleichnamigen polit. Bewegung, deren Hauptfigur Chr. Maurras war (s. d.).

Alain, eig. Émile Chartier, 1868–1951. Philosoph, Moralist. (*Les propos d'Alain*, 23 Bde.; *Eine Naturgeschichte der Religion*, dt. 1965.)

Alliance Française, 1883 gegründete Vereinigung zur Verbreitung französischer Sprache und Kultur im Ausland.

Alquié, Ferdinand, geb. 1906. Professor für Philosophie an der Sorbonne.

Arabische Liga, 1945 im Interesse des Panarabismus von folgenden Staaten konstituiert: Ägypten, Irak, Transjordanien, Syrien, Libanon, Saudi-Arabien, Yemen.

Armand, Louis, geb. 1905. Ingenieur und Wirtschaftspolitiker, erster Präsident des EURATOM. In der Résistance tätig.

Arnaud, Georges, eig. Henri Girard, geb. 1918. Journalist und Schriftsteller. (*Lohn der Angst*, dt. 1953.)

Artaud, Antonin, 1896–1948. Schriftsteller, Schauspieler, Surrealist. (*Die Nervenwaage und andere Texte*, dt. 1964.)

Audry, Colette, geb. 1906. Schriftstellerin. (*On joue perdant*, 1946; *Léon Blum ou la politique du juste*, Essay 1955; *Connaissance de Sartre*, 1966.)

Auriol, Vincent, 1184–1966. Politiker, 1936 Finanzminister der Volksfrontregierung, 1946 Präsident der Nationalversammlung, 1947 bis 1954 Präsident der Republik.

Bataille, Georges, 1897–1962. Schriftsteller. Zeitweilig Verbindung zu den Surrealisten. Gründete *Critique*. (*Die vorgeschichtliche Malerei*, dt. 1955; *Der heilige Eros*, dt. 1963.)

Behan, Brendan, 1923–64. Irischer Schriftsteller, Dramatiker und Journalist. (*Stücke fürs Theater*, dt. 1962; *Borstal Boy*, dt. 1963.)

Benda, Julien, 1867–1956. Philosoph und Schriftsteller. Gegner des Bergsonschen Intuitionismus. (*Tradition de l'existentialisme ou les philosophes de la vie*, 1947.)

Bérard, Christian, 1902–49. Maler und Bühnenbildner.

Berg, Alban, 1885–1935. Komponist atonaler und Zwölftonmusik, Schönberg-Schüler. (*Wozzeck*, 1925.)

Berliner Konferenz, 25. 1.–18. 2. 1954: Viermächtekonferenz, auf der u. a. über die Wiedervereinigung Deutschlands verhandelt wurde.

Bernard, Tristan, 1866–1947. Humoristischer Schriftsteller. (*Jules, Juliette et Julien*, 1929; *Das kleine Café*, dt. 1962.)

Bernstein, Henry, 1876–1953. Dramatiker. (*La galerie des glaces*, 1924.)

Berthoin, Jean-Marie, geb. 1895. Politiker, von 1954–59 Erziehungsminister der IV. Republik, 1959 Innenminister der V. Republik.

Beuve-Méry, Hubert, geb. 1902. Gründer und Herausgeber von *Le Monde*.

Big Bill Broonzy, 1893–1957. Amer. Blues-Gitarrist und -Sänger.

Billoux, François, geb. 1903. Politiker, Mitglied des ZK der KPF.

Billy, André, geb. 1882. Schriftsteller und Journalist, Mitarbeiter u. a. am *Figaro Littéraire*. (*Vie de Diderot*, 1929; *Apollinaire*, 1947.)

Blanchot, Maurice, geb. 1907. Schriftsteller, Kritiker. (*Die Frist*, dt. 1962; *Warten, Vergessen*, dt. 1964.)

Blin, Roger, geb. 1907. Schauspieler und Regisseur.

Blum, Léon, 1872–1950. Politiker, Parteichef der SFIO (s. d.). Bildete 1936 die Regierung der Volksfront (Front Populaire). 1943 nach Deutschland deportiert.

Bost, Pierre, geb. 1901. Schriftsteller und Drehbuchautor.

Boswell, James, 1740–95. Engl. Schriftsteller, Freund und Biograph von Samuel Johnson. (*Dr. Samuel Johnson, Leben und Meinungen, mit dem Tagebuch einer Reise nach den Hebriden*, dt. 1951.)

Boulez, Pierre, geb. 1925. Komponist, Schüler von Messiaen und Leibowitz. Führt Impulse Anton Weberns (s. d.) weiter.

Bourdet, Claude, geb. 1909. Journalist, Gründer des *Observateur*. In der Résistance tätig.

Boutroux, Émile, 1845–1921. Philosoph. (*Die Kontingenz der Naturgesetze*, dt. 1911.) S. a. Brunschvicg.

Brandys, Kazimierz, geb. 1916. Poln. Schriftsteller. (*Briefe an Frau Z.*, dt. 1965.)

Brasillach, Robert, 1909–45. Schriftsteller, Kollaborateur, hingerichtet. (*Gegenwärtiger Virgil*, dt. 1962.)

Brianchon, Maurice, geb. 1899. Maler, Vertreter des sog. poetischen Realismus (réalité poétique).

Brisson, Pierre, 1896–1965. Herausgeber des *Figaro*.

Brontë, Emily, 1818–48. Englische Schriftstellerin. (*Sturmhöhe.*) Schwester der gleichnamigen Autorinnen Charlotte und Anne.

Brunschvicg, Léon, 1869–1944. Idealistischer Philosoph, Begründer des Mathematismus (Wissenschaftskritik). Mit Boutroux (s. d.) Herausgeber der *Œuvres complètes* von Pascal.

Bucharin, Nikolaj, 1888–1938. Sowj. Theoretiker des hist. Materialismus, Professor für Nationalökonomie, später Chefredakteur der *Prawda*. 1938 zum Tode verurteilt und erschossen.

Buñuel, Luis, geb. 1900. Span. Filmregisseur. (*Ein andalusischer Hund; Viridiana.*)

Carpentier, Alejo, geb. 1904. Kubanischer Schriftsteller. (*Die Flucht nach Manoa*, dt. 1958; *Explosion in der Kathedrale*, dt. 1964.)

Cartier-Bresson, Henri, geb. 1908. Fotograf, 1937/38 Assistent von Jean Renoir. Ausstellungen in Europa und USA. (*China gestern und heute*, dt. 1955; *Menschen in Moskau*, dt. 1955.)

Cassou, Jean, geb. 1897. Schriftsteller, Kritiker, Kunsthistoriker. Bis 1965 Leiter des Museums der Modernen Kunst.

Catroux, Georges, geb. 1877. General, 1939/40 Generalgouverneur in Indochina, 1945–48 Botschafter in Moskau.

Cela, Camilo José, geb. 1916. Span. Schriftsteller. (*Pascual Duartes Familie*, dt. 1960; *Der Bienenkorb*, dt. 1964.)

Céspedes, Alba de, geb. 1911. Ital. Schriftstellerin, Mitarbeiterin an *Epoca* und *Stampa*. Gründete die literarische Zeitschrift *Mercurio*. (*Die Reue*, dt. 1965.)

CFTC: Confédération Française des Travailleurs Chrétiens: Französische Gewerkschaft der christlichen Arbeiter, gegr. 1919.

CGT: Confédération Générale du Travail: vor dem Krieg die franz. Spitzenorganisation der freien Gewerkschaften, seit dem Krieg unter kommunistischer Führung.

Chamson, André, geb. 1900. Schriftsteller und Museumsdirektor. (*...der nicht mit den anderen ging*, dt. 1949; *Die Herberge in den Cevennen*, dt. 1944.)

Chaspal, Jacques, eig. Jean René, geb. 1909. Politologe, Direktor des Instituts für politische Studien der Universität von Paris.

Châteaubriant, Alphonse de Brédenbec de, 1877–1951. Schriftsteller, Kollaborateur. (*Die Moorinsel*, dt. 1943.)

Cheyney, Peter, 1896–1951. Englischer Autor von Kriminalromanen.

Chirico, Giorgio de, geb. 1888. Ital. Maler, Vertreter der Pittura Metafisica. Zusammenarbeit mit den Surrealisten.

CIO: Congress of Industrial Organizations: Amerikanische Gewerkschaftsorganisation.

Clavel, Maurice, geb. 1920. Dramatiker und polit. Schriftsteller.

CNE: Comité National des Écrivains: Franz. Schriftstellerverband unter kommunistischer Führung.

CNR: Conseil National de la Résistance: Spitzenorganisation der franz. Widerstandsbewegung seit 1943.

Collinet, Michel, geb. 1904. Politischer und philosophischer Schriftsteller. (*Esprit du syndicalisme*, Essay 1951.)

Coty, René, 1882–1962. Politiker, 1943–45 Vizepräsident des Rats der Republik, 1953–59 Präsident der Republik.

Coward, Noël, geb. 1899. Engl. Verfasser zahlreicher Komödien und Erzählungen. (*Palmen, Pomp und Paukenschlag*, dt. 1961.)

Daniel-Rops, eig. Henri Petiot, 1901–65. Schriftsteller. (*Die Kirche zur Zeit der Apostel und Märtyrer*, dt. 1951; *Er kam in sein Eigentum – Die Umwelt Jesu*, dt. 1963.)

Delannoy, Jean, geb. 1908. Filmregisseur.

Delouvrier, Paul, geb. 1914. Wirtschaftspolitiker.

Desnos, Robert, 1900–45. Schriftsteller, locker mit den Surrealisten verbunden. Starb 1945 an den Folgen seiner Haft im KZ Theresienstadt.

Dimitrov, Georgi, 1882–1949. Bulgarischer Politiker. Prominenter Angeklagter des Reichstagsbrandprozesses. Langjähriger Generalsekretär der III. Internationale (Komintern).

Dubuffet, Jean, geb. 1901. Maler.

Duchamp, Marcel, 1887–1968. Franz.-amer. Maler. Verbindung mit Dadaisten und Surrealisten. Verbrachte seine letzten Lebensjahre in den USA.

Duclos, Jacques, geb. 1896. War neben Thorez führender Kopf der KPF.

Dullin, Charles, 1885–1949. Schauspieler und Theaterdirektor. Beherrschende Figur der Erneuerung des franz. Theaters der dreißiger Jahre.

Duverger, Maurice, geb. 1917. Jurist und politischer Wissenschaftler. Autor zahlreicher politischer Studien.

d'Eaubonne, Françoise, geb. 1920. Schriftstellerin. (*Die sich selbst betrügen*, dt. 1959; *La vie de Franz Liszt*, 1963.)

Eliot, George, eig. Mary Ann Evans, 1819–80. Engl. Schriftstellerin und Essayistin. (*Silas Marner*, dt. 1958.)

Ellington, Edward K. ‹Duke›, geb. 1899. Amer. Pianist, Komponist und neben Count Basie der bedeutendste Bandleader des ‹klassischen› Jazz.

Fadejew, Alexander, eig. A. A. Bulyga, 1901–56. Sowj. Schriftsteller. Beging Selbstmord. (*Die junge Garde*, dt. 1948.)

Faure, Edgar, geb. 1908. Politiker, Premier- und Finanzminister der IV. Republik.

Fedin, Konstantin, geb. 1892. Sowj. Schriftsteller. (*Die Brüder*, dt. 1962.)

Feydeau, Georges, 1862–1921. Lustspielautor des Vaudeville.

FFI: Forces Françaises de l'Intérieur: 1944 aus Kreisen der Widerstandsbewegung gegründete bewaffnete Verbände.

Fini, Leonor, geb. 1908. Arg.-franz. Malerin.

Fischer, Louis, geb. 1896. Amer. Schriftsteller und Journalist, Ostasien- und Sowjetspezialist. (*Indonesien*, dt. 1960; *Das Leben Lenins*, dt. 1965.)

Fitzgerald, Francis Scott, 1896–1940. Amer. Schriftsteller. (*Der große Gatsby*, dt. 1953; *Der letzte Taikun*, dt. 1962.)

FN: Front National. Widerstandsbewegung der Zone Nord. Von der KPF initiiert, im CNR vertreten.

FO: Force Ouvrière; meist auch CGT-FO genannt; hat sich 1945 von der CGT (s. d.) getrennt.

Fougeron, André, geb. 1913. Maler, Kommunist.

France-URSS: Vereinigung von Freunden der Sowjetunion.

Frank, Waldo, 1889–1967. Amer. Schriftsteller und Universitätslektor.

Frey, Roger, geb. 1913. Politiker, Gaullist. Nacheinander Informations- und Innenminister der V. Republik.

FTB: Francs-Tireurs et Partisans. Truppe der FN (s. d.).

Garaudy, Roger, geb. 1913. Philosoph, Mitglied des Politbüros der KPF und ehemaliger Abgeordneter.

Gay, Francisque, 1885–1963. Katholischer Schriftsteller, Politiker und Verleger.

German, Jurij P., 1910–67. Sowj. Schriftsteller. (*Rossija molodaja*, 1952.)

Ghelderode, Michel de, 1898–1962. Belg. Dramatiker. (*Theater*, dt. 1963.)

Gillespie, John Birks ‹Dizzy›, geb. 1917. Trompeter, neben Charlie Parker (s. d.) wichtigster Vertreter des Be-Bop.

Gilson, Etienne, geb. 1884. Professor der Philosophie. Spielte eine publizistische Rolle in der Bewegung des Neutralismus. (*Dante und die Philosophie*, dt. 1953; *Heloise und Abälard*, dt. 1955.)

Giroud, Françoise, geb. 1916. Journalistin, Hg. von *Elle* und in der Direktion von *L'Express* (seit 1953). In der Résistance tätig.

Goldmann, Lucien, geb. 1913. Philosoph. (*Der christliche Bürger und die Aufklärung*, dt. 1968.)

Gracq, Julien, eig. Louis Poirier, geb. 1910. Schriftsteller. Lehnte den Goncourt-Preis ab (für *Le rivage des Syrtes*). (*Das Ufer der Syrten*, dt. 1951; *Ein Balkon im Wald*, dt. 1960.)

Gregh, Fernand, 1873–1960. Schriftsteller. (*L'œuvre de Victor Hugo*, 1933; *Mon amitié avec Marcel Proust*, 1958.)

Groethuysen, Bernhard, 1880–1946. Deutscher Philosoph, Dilthey-Schüler, 1933 nach Frankreich emigriert. (*Philosophische Anthropologie*, 1928; *Philosophie de la révolution française précédé de Montesquieu*, 1956.)

Guéhenno, Jean, geb. 1890. Katholischer Schriftsteller, Pädagoge, Generalinspekteur des franz. Unterrichtswesens. (*Journal d'une révolution*, 1938.)

Guérin, Daniel, geb. 1904. Schriftsteller und Journalist. (*Facisme et grand capital*, 1936; *Front populaire, révolution manquée*, 1963.)

Guillén, Nicolás, geb. 1902. Afro-kubanischer Lyriker und Journalist. Teilnahme am spanischen Bürgerkrieg. (*La Paloma de vuelo popular*, 1958; *Sus mejores poemas*, 1960.)

Guevara Serna, Ernesto ‹Che›, 1928–67. Argentinier, enger Mitarbeiter Fidel Castros bis 1965. In Bolivien als Revolutionär erschossen.

Guitton, Jean, geb. 1901. Katholischer Professor für Philosophie und Philosophiegeschichte.

Guth, Paul, geb. 1910. Humoristischer Schriftsteller. (*Nur wer die Liebe kennt*, dt. 1960.)


Herriot, Édouard, 1872–1957. Schriftsteller und Politiker. Jahrzehntelang Bürgermeister von Lyon, 1936–40 Präsident der Abgeordnetenkammer, 1947–54 Präsident der Nationalversammlung.

Hervé-Bazin, Jean-Pierre, geb. 1911. Schriftsteller und Kritiker.

Hook, Sidney, geb. 1902. Amer. Philosoph und polit. Schriftsteller. (*Der Held in der Geschichte*, dt. 1951.)


Ibert, Jacques, 1890–1962. Komponist (Ballette, Opern, Kammermusik).


Jackson, Mahalia, 1911–69, eine der bekanntesten Gospelsängerinnen.

Jammes, Francis, 1868–1938. Dichter des Symbolismus, unter dem Einfluß Paul Claudels bewußte Wendung zum Katholizismus. (*Der Hasenroman*, dt. 1916; *Hochzeitsglocken*, dt. 1965.)

Jaurès, Jean, 1859–1914. Führender sozialistischer Politiker. Mitbegründer von *L'Humanité*. Führer der Parti Socialiste Unifié. 1914 ermordet.

Jessenin, Sergej, 1895–1925. Sowj. Dichter. Beging Selbstmord.

Johnson, Samuel, 1709–84. Englischer Kritiker und Essayist. Vgl. Boswell.

Joliot-Curie, Jean-Frédéric, 1900–58. Atomphysiker, Professor und in verschied. internationalen Ausschüssen tätig. Kommunist.

Jouhandeau, Marcel, geb. 1888. Schriftsteller. (*Chaminadour*, dt. 1965.)

Jouvet, Louis, 1887–1951. Schauspieler, Regisseur, Theaterdirektor.


Kanapa, Jean, Theoretiker der KPF.

Kemp, Robert, 1879–1959. Theaterkritiker von *Le Monde*.

Kott, Jan, geb. 1914. Polnischer Literaturwissenschaftler und Kritiker. (*Shakespeare heute*, dt. 1964.)

KPF: Kommunistische Partei Frankreichs.

KPI: Kommunistische Partei Italiens.


Labiche, Eugène, 1815–88. Lustspielautor.

Labriola, Antonio, 1843–1904. Ital. marxistischer Philosoph.

Lacerda, Carlos, geb. 1914. Brasilianischer Politiker und Journalist.

Lacoste, Robert, geb. 1898. Politiker des SFIO (s. d.). 1956–58 Algerienbeauftragter. In der Résistance tätig.

Lange, Monique, geb. 1926. Schriftstellerin und Journalistin. (*Die Platanen – Die Katzenfische*, dt. 1965.)

Laniel, Joseph, geb. 1889. Politiker und Fabrikant, nacheinander Post-, Staats- und Premierminister der IV. Republik.

Lattre de Tassigny, Jean de, 1889–1952. Marschall, 1944/45 Kommandeur der bei Marseille landenden franz. Truppen. 1950–52 Oberbefehlshaber in Indochina.

Lazareff, Pierre, geb. 1907. Journalist. Generaldirektor der France Éditions et Publications (*France-Soir, Paris-Presse, France Dimanche, Elle*).

Léautaud, Paul, 1872–1956. Schriftsteller. (*Le Théâtre de Maurice Boissard*, 1927; *Lettres à ma mère*, 1956; *Literarisches Tagebuch 1893–1956*, dt. 1966.)

Lefebvre, Henri, geb. 1905. Philosoph. Erst Surrealist, dann Marxist; hat sich nach 1956 vom Parteikommunismus distanziert.

Leiris, Michel, geb. 1901. Schriftsteller und Ethnologe. Zeitweilig an der surrealistischen Bewegung beteiligt. (*Mannesalter*, dt. 1963.)

Lemarchand, Jacques, geb. 1908. Schriftsteller, Theaterkritiker des *Figaro*.

Leulliette, Pierre, franz. Soldat in Algerien. Autor eines Berichtes über den Algerien-Krieg. (*Sankt Michael und der Drache,* dt. 1962.)

Lévi-Strauss, Claude, geb. 1908. Professor am College de France. Für die Entwicklung von Ethnologie und Soziologie bedeutende Schriften. (*Tristes Tropiques – Tagebücher; Das Ende des Totemismus,* dt. 1965.)

Lindsay, Vachel, 1879–1931. Amer. Lyriker.

Lysenko, Trofim, geb. 1898. Sowj. Naturwissenschaftler, Genetiker, dessen Theorien unter Stalin und Chruschtschow gefördert wurden.

Majakowski, Wladimir, 1893–1930. Russischer Dichter. Vertreter des sog. russ. Futurismus. Beging Selbstmord. (*Gedichte,* dt. 1959; *Mysterium buffo,* dt. 1960.)

Malaparte, Curzio, eig. Kurt Erich Suckert, 1898–1957. Ital. Schriftsteller und Journalist. (*Die Haut,* dt. 1950; *Kaputt,* dt. 1951.)

Malthusianismus: Nach dem englischen Ökonomen und Soziologen Thomas Robert Malthus, 1766–1834, Autor von *An essay on the principle of population* (1798), in dem er auf Grund des weltweiten Bevölkerungszuwachses Ehelosigkeit fordert, benannte Bewegung zur Geburtenbeschränkung bzw. -kontrolle.

Martin du Gard, Roger, 1881–1958. Schriftsteller. Nobelpreis 1937. (*Jean Barois,* dt. 1950; *Die Thibaults,* dt. 1960.)

Masters, John, geb. 1914. Anglo-indischer Schriftsteller. (*Indisches Abenteuer,* dt. 1963.)

Mauriac, Claude, geb. 1914. Schriftsteller, Kritiker. (*Marcel Proust,* dt. 1958; *Ein Abendessen in der Stadt,* dt. 1960.)

Maurras, Charles, 1868–1952. Royalistischer Schriftsteller, seit 1908 Hg. von *Action Française* (s. d.). Kollaborateur; 1945 zu lebenslänglicher Haft verurteilt. Später politisch amnestiert.

Milosz, Oskar de Lubicz-, 1877–1939. Litauisch-franz. Schriftsteller. (*Poesie,* dt. 1963.)

Montherlant, Henry Millon de, geb. 1896. Schriftsteller und Dramatiker. (*Theaterstücke,* dt. 1962; *Das Chaos und die Nacht,* dt. 1964.)

Morgan, Claude, Psdn. für Claude Lecomte, geb. 1898. Schriftsteller. Von 1942–50 Hg. der *Lettres Françaises.*

Moskauer Prozesse: ‹Säuberungsaktionen› Stalins 1936–38 in Form von Schauprozessen, in denen Stalin Mitkämpfer Lenins, Trotzkisten und Angehörige des Generalstabs der Armee sowie andere Mitglieder der bolschewistischen Führungsschicht hinrichten ließ.

Mounier, Emmanuel, 1905–50. Philosoph. Gründete und leitete bis zu seinem Tode *L'Esprit.*

MRP: Mouvement Républicain Populaire. Franz. Partei, dem CNR (s. d.) angeschlossen.

Nadeau, Maurice, geb. 1911. Schriftsteller und Kritiker. Hg. der *Lettres Nouvelles*. (*Proteus. Der französische Roman seit dem Kriege*, dt. 1946; *Geschichte des Surrealismus*, dt. 1965.)

Naville, Pierre. Schriftsteller, Surrealist und Marxist.

Neruda, Pablo, geb. 1904. Chilenischer Lyriker. (*Gedichte*, dt. 1963.)

Nezvál, Vítežslav, 1900–58. Tschech. Schriftsteller (Lyrik, Prosa, Dramen).

Nizan, Paul, 1905–40. Philosoph, Mitarbeiter von *L'Humanité*. Trennte sich nach dem deutsch-sowj. Pakt 1939 von der KP. Im Kriege gefallen. (*Antoine Bloyé*, 1933; *Aden; Die Wachhunde*, dt. 1969.)

Oradour: Oradour-sur-Glane. Dép. Haute-Vienne: wurde am 10. Juni 1944 auf Grund einer Verwechslung von SS-Truppen zerstört, als Repressalie gegen Partisanentätigkeit.

Parain, Brice, geb. 1897. Philosoph, Schriftsteller, Sprachtheoretiker. (*Mort de Socrate*, 1950.)

Parker, Charlie, gen. The Bird, 1920–55. Amer. Altsaxophonist, bedeutender Be-Bop-Musiker.

Paulhan, Jean, 1884–1968. Schriftsteller. Hg. der *Nouvelle Revue Française (NRF)*. In der Résistance tätig. (*Unterhaltungen über vermischte Nachrichten*, dt. 1962.)

Pavese, Cesare, 1908–50. Ital. Lyriker, Romancier. Beging 1950 Selbstmord. (*Die einsamen Frauen*, dt. 1960; *Die Verbannung*, dt. 1963; *Das Handwerk des Lebens*, dt. 1956.)

Petöfi-Kreis: Antistalinistische Gruppe in Ungarn, benannt nach Sándor P., 1823–49. Lyriker und treibende Kraft revolutionärer und patriotischer Bestrebungen um 1848.

Pia, Pascal, Schriftsteller, Kritiker, Journalist, früher Surrealist. Neben Camus Hg. des *Combat*. Später Gaullist. (*Baudelaire*, dt. 1958; *Apollinaire*, dt. 1961.)

Pierre, Abbé, bürg. Henri Grouès, geb. 1912. Ehem. Kapuzinerpater. In der Résistance tätig.

Pignon, Édouard, geb. 1905. Maler, Kommunist.

Pleven, René, geb. 1901. Politiker. Nacheinander Finanz-, Verteidigungs-, Premier- und Außenminister der IV. Republik.

Politzer, George, marxistischer Philosoph und Autor einer in den dreißiger Jahren diskutierten *Kritik der Fundamente der psychologischen Wissenschaft*. 1942 von den Deutschen füsiliert.

Poujade, Pierre, geb. 1920. Demagogischer rechtsradikaler Politiker.

Poulenc, Francis, 1899–1963. Komponist.

Pozner, Vladimir, geb. 1905 in Paris, russ. Abstammung. Kommunistischer Schriftsteller. (*Die unvereinigten Staaten*, dt. 1949; *Erinnerungen an Gorkij*, dt. 1959.)

Prévert, Jacques, geb. 1900. Lyriker, Chanson-Dichter. Drehbuchautor. Den Surrealisten nahestehend. (*Gedichte und Chansons*, dt. 1962.)

PSU: Parti Socialiste Unifié. Franz. Splitterpartei, von der SFIO (Section Française de l'Internationale Ouvrière) abgespalten.

Radiguet, Raymond, 1903–23. Schriftsteller. (*Den Teufel im Leib*, dt. 1965.)

Rákosi, Mátyás, geb. 1892. Ungar. Politiker, nacheinander Generalsekretär der ungar. KP und Ministerpräsident. 1956 Flucht aus Ungarn in die Sowjetunion. 1963 totgesagt.

Ramadier, Paul, 1888–1961. Wirtschaftspolitiker und Jurist. 1937/38 Arbeits-, 1944/45 Ernährungs-, 1947 Premier-, 1948/49 Verteidigungs-, 1956/57 Wirtschaftsminister.

RDR: Rassemblement Démocratique Révolutionnaire: 1948 durch Initiative Roussets (s. d.), Sartres u. a. entstandene Gruppe, die die nichtkommunistische Linke zu organisieren versuchte.

Reggiani, Serge, geb. 1922. Schauspieler.

Reni, Guido, 1575–1642. Ital. Maler. (*Morgenröte, Ecce Homo.*)

Rèpaci, Leonida, geb. 1898. Ital. Schriftsteller und Kommunist. Zeitweilig Redakteur der *Unità*.

Roland de La Platière, Jeanne-Marie, gen. Mme Roland, 1754–93. Durch das Studium des antiken republ. Roms Republikanerin geworden, unterstützte sie seit 1791 die Partei der Girondisten, nach deren Sturz sie hingerichtet wurde.

Rostand, Edmond, 1868–1918. Dramatiker, Lyriker. (*Cyrano de Bergerac*, 1897.)

Rougemont, Denis de, geb. 1906. Schweiz. Schriftsteller franz. Sprache, Essayist. (*Das Wagnis Abendland*, dt. 1957.)

Rousseaux, André, geb. 1896. Kritiker, Redakteur der *Action Française*.

Rousset, David, geb. 1912. Schriftsteller. In der Résistance tätig. Als Deportierter in Buchenwald. (*L'univers concentrationnaire*, 1946.)

Roy, Claude, geb. 1915. Schriftsteller. In der Résistance tätig. (*Phantastische Kunst*, dt. 1961.)

RPF: Rassemblement du Peuple Français. 1947 von de Gaulle gegründet, 1953 aufgelöst.

Rundstedt, Gerd von, 1875–1953. Oberbefehlshaber West von 1942–44.

Sachs, Maurice, eig. M. Ettinghausen, 1906–45. Schriftsteller. Durch Maritain zum Katholizismus geführt. Lektor bei der *NRF*. In Deutschland umgekommen.

Salengro, Roger, 1890–1936. Sozialist, Innenminister während der Zeit der Volksfront, starb durch Selbstmord.

Sandburg, Carl, 1878–1967. Amer. Schriftsteller. (*Abraham Lincoln*, dt. 1958.)

Schlumberger, Jean, 1877–1968. Schriftsteller. Mit Gide Begründer der *NRF*. (*Ein Glücklicher*, dt. 1947; *Madeleine und André Gide*, dt. 1957.)

Schönberg, Arnold, 1874–1954. Österr. Komponist und Theoretiker der atonalen und Zwölftonmusik.

Schwarz-Bart, André, geb. 1928. Schriftsteller. In der Résistance tätig. (*Der Letzte der Gerechten*, dt. 1960.)

Servan-Schreiber, Jean-Jacques, geb. 1924. Journalist und Schriftsteller. Mit Françoise Giroud (s. d.) Begründer und Hg. von *L'Express*. (*Leutnant in Algerien*, dt. 1957.)

SFIO: s. PSU.

SHAPE: Supreme Headquarter of the Allied Powers in Europe (Hauptquartier der Alliierten Streitkräfte in Europa innerhalb des Atlantikpakts). 1951 in Rocquencourt eingerichtet, seit 1967 in Casteau (Belgien).

Shdanov, Andrej A., 1896–1948. Unter Stalin bedeutendster sowj. Parteitheoretiker des sozialistischen Realismus, dessen Programm er in einer Rede vor dem 1. sowj. Schriftstellerkongreß in Moskau, 1934, vorlegte.

Silone, Ignazio, eig. Secondino Tranquilli, geb. 1900. Ital. Schriftsteller. Mitbegründer der KPI, hat sich später von der Partei losgesagt. (*Fontamara*, dt. 1962.)

Smith, Bessie, 1895–1937. Bedeutendste schwarze Bluessängerin in den zwanziger Jahren. 1937 tödlich verunglückt.

Soupault, Philippe, geb. 1897. Surrealistischer Schriftsteller. Entdeckte wieder und gab neu heraus das Œuvre Lautréamonts. (*Corps perdu*, 1926; *Lautréamont*, 1929; *Poésies complètes*, 1937.)

Staël, Nicolas de, 1914–55. Russischer Maler, lebte in Frankreich, starb durch Selbstmord.

Stanislawski, Konstantin, 1863–1938. Russ. Schauspieler und Regisseur.

Thomas, Henri, geb. 1912. Schriftsteller, Lektor bei Gallimard.

Torrès, Henry, 1891–1966. Publizist und Rechtspolitiker.

Triolet, Elsa, geb. 1896. Aus Rußland stammende Schriftstellerin, verheiratet mit Aragon. Erhielt den Prix Goncourt 1944. (*Rosen auf Kredit*, dt. 1962.)

Turner, William, 1775–1851. Engl. Maler, Vorläufer des Impressionismus.

Vailland, Roger, 1907–65. Schriftsteller, Journalist, zeitweilig Surrealist. In der Résistance tätig. (*Hart auf Hart*, dt. 1958; *Das Liebesfest*, dt. 1960.)

Vallès, Jules, 1832–85. Schriftsteller. Seit 1867 Redakteur der erwähnten Wochenschrift *La Rue*. (*Jacques Vingtras, Geschichte eines Insurgenten*, dt. 1955.)

Vargas, Getulio, 1883–1954. Bras. Politiker, 1930–45 und 1950–54 Präsident der Republik. Beging Selbstmord.

Vercors, eig. Jean Bruller, geb. 1902. Schriftsteller. 1941 Mitbegründer des Résistance-Verlags Éditions de Minuit. (*Das Schweigen des Meeres*, dt. 1948.)

Vernet, Horace, 1789–1863. Sohn des Carle Vernet (1758–1836). Enkel des Joseph Vernet (1714–89). Alle bedeutende Schlachtenmaler.

Victor, Paul-Émile, geb. 1907. Polarforscher.

Vigorelli, Giancarlo, geb. 1913. Ital. Schriftsteller und Kritiker. Generalsekretär des europ. Schriftstellerverbandes *Comes*. (*Gronchi – Battaglia di Iere et di Oggi*, 1956.)

Vittorini, Elio, 1908–66. Ital. Schriftsteller und Journalist. Hg. der Zeitschrift *Politecnico*. Lektor bei Einaudi. (*Im Schatten des Elefanten*, dt. 1949; *Die Frauen von Messina*, dt. 1965.)

Volney, Constantin Comte de, 1757–1820. Schriftsteller. Autor des Buches *Les Ruines ou Méditations sur les révolutions des empires*, 1791, worauf hier angespielt wird.

Wahl, Jean, geb. 1888. Professor der Philosophie an der Sorbonne.

Webern, Anton von, 1883–1945. Österr. Komponist, Schönberg-Schüler.

Weil, Simone, 1909–43. Katholische philosophische und politische Schriftstellerin, Sozialistin. (*Schwerkraft und Gnade*, dt. 1952.)

Weiss, Louise, geb. 1893. Publizistin.

Whyte, William, geb. 1917. Amer. Reporter, stellvertretender Chefredakteur von *Fortune*.

Wurmser, André, geb. 1899. Kommunistischer Schriftsteller und Journalist, Mitarbeiter von *L'Humanité*. (*Ein Mensch kommt zur Welt*, dt. 1958–62.)

# Simone de Beauvoir

## Alles in allem
Memoiren
Deutsch von Eva Rechel-Mertens
480 Seiten. Gebunden und als
rororo 1976

## Die Zeremonie des Abschieds
und Gespräche mit Jean-Paul Sartre
August – September 1974. Deutsch von
Uli Aumüller und Eva Moldenhauer
576 Seiten. Gebunden und als
rororo 5747

## Der Wille zum Glück
Lesebuch
Herausgegeben von Sonia Mikich
256 Seiten. Gebunden

## Auge um Auge
Artikel zu Politik, Moral und
Literatur 1945 – 1955.
Deutsch von Eva Groepler.
240 Seiten. Gebunden

## Sartre. Ein Film
Von Alexandre Astruc und Michel Contat.
Unter Mitwirkung von Simone de Beauvoir,
Jacuqes-Laurent Bost, André Gorz,
Jean Pouillon
93 Seiten mit 12 schwarzweiß Bildern
Deutsch von Linde Birk (dnb 101)

C 2074/6 a